MINIDICIONÁRIO VERBO-OXFORD DE INGLÊS

PORTUGUÊS-INGLÊS
INGLÊS-PORTUGUÊS

EDITORIAL VERBO

EDITORIAL VERBO
DEPARTAMENTO DE ENCICLOPÉDIAS E DICIONÁRIOS

ÁREA DE DICIONÁRIOS

Coordenação Geral
DR. ANTÓNIO MADURO COLAÇO

Português-Inglês
A. M. MOTA LIZ & JOHN WHITLAM

Inglês-Português
LIA CORREIA RAITT & A. M. MOTA LIZ

Fonética do Português
DRA. FÁTIMA ST. AUBYN

ÍNDICE

Prefácio

O *Minidicionário Verbo-Oxford de Inglês* foi preparado por autores de língua portuguesa e inglesa, e contém palavras e expressões mais úteis em uso actualmente.

O dicionário constitui uma obra de referência prática e abrangente para turistas, estudantes e pessoas de negócios que necessitam de respostas rápidas e confiáveis para as suas traduções.

Agradecimentos a: Dr John Sykes, Prof. A. W. Raitt, Comandante Virgílio Correia, Marcelo Affonso, Eng. Pedro Carvalho, Eng. Vasco Carvalho, Dr Iva Correia, Dr Ida Reis de Carvalho, Eng. J. Reis de Carvalho, Prof. A. Falcão, D. Manuel Falcão, Dr M. Luísa Falcão, Prof. J. Ferraz, Prof. M. de Lourdes Ferraz, Drs Ana e Jorge Fonseca, Mr Robert Howes, Eng. Hugo Pires, Prof. M. Laura Pires, Dr M. Alexandre Pires, Embaixador L. Pazos Alonso, Dr Teresa Pinto Pereira, Dr. Isabel Tully, Carlos Wallenstein, e Dr H. Martins e os membros de sua Mesa Lusófona do St Anthony's College, em Oxford.

Introdução

O *Minidicionário Verbo-Oxford de Inglês* que agora apresentamos é uma obra resultante do acordo celebrado em 1990 entre a Editorial Verbo e a Oxford University Press.

A QUEM SE DESTINA O DICIONÁRIO

Nas suas duas secções — Português-Inglês e Inglês--Português — este dicionário apresenta mais de 40 000 entradas e cerca de 70 000 traduções e está especialmente vocacionado para ajudar aqueles que dão os primeiros passos na aprendizagem da língua inglesa, nomeadamente os alunos do 5.º ao 9.º anos, mas sem, no entanto, descurar as necessidades dos alunos mais adiantados. Ao utilizar métodos lexicográficos avançados, já devidamente testados com êxito em Inglaterra, França e Alemanha, este dicionário apresenta-se como uma inovação em relação aos tradicionais dicionários bilingues a que estamos acostumados.

COMO CONSULTAR O DICIONÁRIO
COMO ENCONTRAR A PALAVRA QUE PROCURAMOS

As entradas do *Minidicionário Verbo-Oxford de Inglês* encontram-se em ordem estritamente alfabética. Estas estão organizadas em famílias de palavras, constituindo a primeira na ordem alfabética uma *entrada plena* e apresentando-se as restantes como *subentradas*. Se procurar uma palavra como *elefante* vai reparar que ela é uma entrada plena e que se encontra a negro no corpo do dicionário dentro da sua ordem alfabética. Não existe qualquer subentrada dentro desta entrada. No entanto, se procurar *eleger-se* vai encontrar *eleger* e, dentro dessa entrada, *~-se*. O til (~) evita que se repita a palavra que constitui a entrada

VIII

plena (*eleger*), à qual se acrescenta o pronome reflexo. Se procurar *eleitor*, vai encontrar *elei|ção*, e, lá dentro, ~*tor*. A barra (|) separa o que na palavra é comum entre a entrada e as subentradas (*elei*) do que é diferente (*ção, tor, torado, toral*). Aqui, o til evita a repetição do que é comum aos diferentes vocábulos, a ele se acrescentando o que é diferente.

O mesmo acontece para o inglês. Se procurar *rigourous*, irá encontrar *rig|our* e dentro dessa entrada ~*orous*. Aí encontraremos toda a informação sobre *rigourous*.

A PRIMEIRA INFORMAÇÃO A PROCURAR

Uma vez encontrada a palavra que pretende, poderá dispor de variada informação: como essa palavra se pronuncia, como se constrói o plural se este for irregular, como se conjuga o passado simples e o particípio, caso se trate de um verbo irregular inglês, como se faz o comparativo e o superlativo se for um adjectivo inglês, se se trata de uma variante do Português do Brasil ou do Inglês dos Estados Unidos, etc.

ACHAR A TRADUÇÃO QUE MAIS NOS CONVÉM

Encontrará, de seguida, as várias categorias gramaticais dessa palavra (nome masculino ou feminino, adjectivo, verbo transitivo, intransitivo ou pronominal, advérbio, etc.). Dentro de cada uma das categorias gramaticais irá agora procurar a tradução que lhe interessa.

Ao traduzirmos uma frase pretendemos reproduzir essa frase o mais fielmente possível na outra língua, sem recorrer a paráfrases longas e mantendo o mesmo nível de discurso. Convém, assim, que cada palavra ou expressão da língua de origem possua um e só um equivalente na língua de destino. O que se verifica, na realidade, é que a maioria das palavras de uma língua possui mais do que uma tradução na outra língua, conforme o contexto em que esta palavra esteja a ser utilizada, tornando muitas vezes difícil saber que equivalente escolher para a nossa frase. O *Minidicionário Verbo-Oxford de Inglês* tenta ajudar o consultor nessa tarefa.

Se quisermos traduzir, do Inglês para o Português, uma frase como *The player's manager gave a press conference* e formos procurar *manager*, vamos verificar que para esta palavra a entrada respectiva apresenta quatro traduções: *director*, *gerente*, *empresário* e *treinador*.

> **manager** /ˈmænɪdʒə(r)/ *n* director *m*; (*of bank, shop*) gerente *m*; (*of actor*) empresário *m*; (*sport*) treinador *m*

Entre parênteses curvos ( ) encontramos expressões que nos podem ajudar a escolher a tradução mais adequada. A primeira tradução (*director*) é a genérica. Utiliza-se se a frase que estamos a traduzir não nos der outra informação. A segunda tradução (*gerente*) será a escolhida se se tratar do *manager* de um banco ou loja; a terceira (*empresário*) se for o *manager* de um actor e a última (*treinador*) se se referir ao desporto. Repare como o ponto e vírgula (;) separa nitidamente todas as diferentes traduções. Na nossa frase, a expressão deverá ser traduzida precisamente por *treinador*, uma vez que esta refere tratar-se do *manager* de um jogador.

Do mesmo modo, se quisermos traduzir, do Português para o Inglês, uma frase como *Encolheu as pernas para eu passar*, e formos procurar o verbo *encolher*, deparamo-nos com três categorias do verbo: transitivo, intransitivo ou pronominal — repare como as diferentes categorias de uma palavra são separadas ou por um pequeno quadrado (□) ou por uma variante da palavra (~~**-se**). Podemos, desde logo, excluir o pronominal (*encolher-se de frio* — que se traduziria por *huddle*, ou *encolher-se de medo* — que se traduziria por *shrink*). Dentro das categorias de verbo transitivo e de verbo intransitivo vamos encontrar palavras delimitadas por parênteses angulares < >. Estas palavras dizem-nos o que é que encolheu: se alguém encolheu os ombros traduzimos por *shrug*, se encolheu as pernas traduzimos por *pull up*, se foi a roupa que encolheu traduz-se por *shrink*. A segunda tradução é, sem dúvida, aquela que pretendemos (*pull up*).

> **encolher** /ẽku'ʎer/ *vt* shrug <ombros>; pull up <pernas>; shrink <roupa> □ *vi* <roupa> shrink; **~-se** *vpr* (*de medo*) shrink; (*de frio*) huddle; (*espremer-se*) squeeze up

OUTRAS INFORMAÇÕES QUE PODEMOS ENCONTRAR
Se procurarmos uma entrada como *empanturrar-se*, vamos verificar que depois da tradução (*stuff o.s.*) — onde *o.s.* significa *oneself* (ver abreviaturas) — encontramos entre parênteses a indicação de duas preposições: uma em português *de* e uma em inglês *with*. Isto significa que em Português se diz *empanturrar-se* **de** e em Inglês *stuff oneself* **with**.

> **empanturrar** /ẽpãtu'ʀar/ *vt* stuff; **~-se** *vpr* stuff o.s. (**de** with)

Este dicionário esclarece ainda se as expressões a traduzir ou as traduções são do Português do Brasil ou Europeu, do Inglês dos Estados Unidos ou da Grã-Bretanha; se o nível de língua utilizado é o formal, o familiar ou o calão; se a palavra tem sentidos figurados, literários, eufemísticos ou ainda se só se utiliza em domínios especializados como a informática, a música, a arquitectura, a medicina, para citar só alguns.

FONÉTICA DO PORTUGUÊS

Vogais e semivogais

i	livro	/li'vru/
ĩ	fim	/fĩ/
e	eu	/ew/
ɛ	sete	/'sɛtə/
ə	se	/sə/
ẽ	tempo	/'tẽpu/
a	casa	/'kazɑ/
ɑ	cada	/'kɑdɑ/
ã	cão	/kãw/
ɔ	nós	/nɔʃ/
o	novo	/'novu/
õ	ponte	/'põtə/
u	tu	/tu/
ũ	um	/ũ/
j	pai	/paj/
w	meu	/mew/

Consoantes

p	pão	/pãw/
b	barba	/'barbɑ/
t	tecto	/'tɛtu/
d	dardo	/'dardu/
k	costa	/'kɔʃtɑ/
g	galo	/'galu/
f	fala	/'falɑ/
v	viva	/'vivɑ/
s	som	/sõ/
z	zebra	/'zebrɑ/
ʃ	chá	/ʃa/
ʒ	jogo	/'ʒogu/
m	maçã	/mɑ'sã/
n	não	/nãw/
ɲ	ninho	/'niɲu/
l	letra	/'letrɑ/
λ	milho	/'miλu/
r	certo	/'sɛrtu/
R	roda	/'Rɔdɑ/

FONÉTICA DO INGLÊS

Vogais e semivogais

iː	see	/siː/
ɪ	sit	/sɪt/
e	ten	/ten/
æ	hat	/hæt/
ɑ	arm	/ɑːm/
ɒ	got	/gɒt/
ɔː	saw	/sɔː/
ʊ	put	/pʊt/
uː	too	/tuː/
ʌ	cup	/kʌp/
ɜː	fur	/fɜː(r)/
ə	ago	/əˈgəʊ/
eɪ	page	/peɪdʒ/
əʊ	home	/həʊm/
aɪ	five	/faɪv/
aʊ	now	/naʊ/
ɔɪ	join	/dʒɔɪn/
ɪə	near	/nɪə(r)/
eə	hair	/heə(r)/
ʊə	pure	/ˈpjʊə(r)/
j	yes	/jes/
w	wet	/wet/

Consoantes

p	pen	/pen/
b	bad	/bæd/
t	tea	/tiː/
d	did	/dɪd/
k	cat	/kæt/
g	got	/gɒt/
tʃ	chin	/tʃɪn/
dʒ	June	/dʒuːn/
f	fall	/fɔːl/
v	voice	/vɔɪs/
θ	thin	/θɪn/
ð	then	/ðen/
s	so	/səʊ/
z	zoo	/zuː/
ʃ	she	/ʃiː/
ʒ	vision	/ˈvɪʒn/
h	how	/haʊ/
m	man	/mæn/
n	no	/nəʊ/
ŋ	sing	/sɪŋ/
l	leg	/leg/
r	red	/red/

ABREVIATURAS PORTUGUESAS E INGLESAS

a	adjectivo	mech	mecânica
ab	abreviatura de	med	medicina
adv	advérbio	mil	militar
alg	alguém	mus	música
Amer	americano	n	nome
astr	astrologia	naut	náutico
auto	automobilística	o.s.	oneself
aviat	aviação	pej	pejorativo
Br	Port. do Brasil	pl	plural
colloq	coloquial	pol	política
comm	comércio	Port	Port. Europeu
comput	informática	pp	past participle
conj	conjunção	prep	preposição
culin	culinária	pron	pronome
econ	economia	psych, psic	psicologia
electr	electrónica	pt	past tense
f	nome feminino	qq	qualquer
fam	familiar	s.o.	someone
fig	figurado	sb	somebody
gramm	gramatical	sl	calão
inf	infinitivo	sport	desporto
int	interjeição	sth	something
invar	invariável	subj	subjunctivo
jur, jurid	jurídico	techn	tecnologia
lang, ling	linguagem	theatr	teatro
lit	literal	vi	verbo intransitivo
m	nome masculino	vpr	verbo pronominal
maths, mat	matemática	vt	verbo transitivo

PORTUGUÊS-INGLÊS
PORTUGUESE-ENGLISH

A

a¹ /ɐ/ *artigo* the □ *pron* (*mulher*) her; (*coisa*) it; (*você*) you

a² /ɐ/ *prep* (*para*) to; (*em*) at; **às 3 horas** at 3 o'clock; **à noite** at night; **a lápis** in pencil; **à mão** by hand

à /a/ = **a² + a¹**

aba /'abɐ/ *f* (*de chapéu*) brim; (*de mesa*) flap

abacate /abɐ'katɐ/ *m* avocado (pear)

abacaxi /abɐka'ʃi/ *m* pineapple; (*fam: problema* BR) pain, headache

aba|de /a'badɐ/ *m* abbot; **~dia** *f* abbey

abadessa /abɐ'desɐ/ *f* abbess

aba|fado /abɐ'fadu/ *a* (*tempo*) humid, close; (*quarto*) stuffy; **~far** *vt* (*asfixiar*) stifle; muffle <som>; smother <fogo>; suppress <informação>; cover up <escândalo, assunto>

abaixar /abaj'ʃar/ *vt* lower; turn down <som, rádio> □ *vi* **~-se** *vpr* bend down

abaixo /a'bajʃu/ *adv* down; **~ de** below; **(B)mais ~** further down; **~-assinado** *m* petition

abajur /abɐ'ʒur/ *m* (*quebra-luz*) lampshade; (*lâmpada*) (table) lamp

aba|lar /abɐ'lar/ *vt* shake; (*fig*) shock; **~lar-se** *vpr* be shocked, be shaken; **~lo** *m* shock

abanar /abɐ'nar/ *vt* shake, wave; wag <rabo>; (*com leque*) fan

abando|nar /abɐdu'nar/ *vt* abandon; (*deixar*) leave; **~no** /o/ *m* abandonment; (*estado*) neglect

abarcar /abɐr'kar/ *vt* comprise, cover

abarro|tado /abɐʀu'tadu/ *a* crammed full; (*lotado*) crowded, packed; **~tar** *vt* cram full, stuff

abastado /abɐʃ'tadu/ *a* wealthy

abaste|cer /abɐʃtə'ser/ *vt* supply; fuel <motor>; fill up (with petrol) <carro>; refuel <avião>; **~cimento** *m* supply; (*de carro, avião*) refuelling

aba|ter /abɐ'ter/ *vt* knock down; cut down, fell *árvore;*; shoot down <avião, ave>; slaughter <gado>; knock down, cut <preço>;

~**ter** alg <trabalho> get s.o.
down, wear s.o. out; <má
notícia> sadden s.o.; <cara>
ça> lay s.o. low, knock the
stuffing out of s.o.; ~**tido** a
dispirited, dejected; <cara>
haggard, worn; ~**timento** m
dejection; (de preço) reduction

abaulado /a.baw'ladu/ a convex; <estrada> cambered

abcesso /ab'sɛsu/ m abscess

abdi|cação /abdika'sãw/ f ab-
dication; ~**car** vt/i abdicate

abdómen /ab'dɔmɛn/ m abdomen

abecedário /abəsə'darju/ m
alphabet, ABC

abeirar-se /abej'rarsə/ vr
draw near

abe|lha /a'beʎa/ f bee; ~**lhu-
do** a inquisitive, nosy

abençoar /abẽsu'ar/ vt bless

aber|to /a'bɛrtu/ pp de **abrir**
□ a open; <céu> clear; <gás,
torneira> on; <sinal> green;
~**tura** f opening; (foto) aperture; (pol) liberalization

abeto /a'betu/ m fir (tree)

abis|mado /abiʒ'madu/ a asto-
nished; ~**mo** m abyss

abjeto /ab'ʒɛtu/ a abject

abóbada /a'bɔbada/ f vault

abóbora /a'bɔbura/ f pumpkin

abobrinha /abo'briɲa/ f courgette, (Amer) zucchini

abo|lição /abuli'sãw/ f aboli-
tion; ~**lir** vt abolish

abomi|nação /abumina'sãw/ f
abomination; ~**nável** (pl
~**náveis**) a abominable

abo|nar /abu'nar/ vt guarantee
<dívida>; give a bonus to
<empregado>; ~**no** /o/ m

guarantee; (no salário) bonus; (subsídio) allowance,
benefit; (reforço) endorsement

abordar /abur'dar/ vt approach <pessoa>; broach,
tackle <assunto>; (naut)
board

aborre|cer /abuʀə'ser/ vt (irri-
tar) annoy; (entediar) bore;
~**cer-se** vpr get annoyed; get
bored; ~**cido** a annoyed; bored; ~**cimento** m annoyance;
boredom

abor|tar /abur'tar/ vi miscar-
ry, have a miscarriage □ vt
abort; ~**to** /o/ m abortion;
(natural) miscarriage

abotoar /abutu'ar/ vt button
(up) □ vi bud

abra|çar /abra'sar/ vt hug,
embrace; embrace <causa>;
~**ço** m hug, embrace

abrandar /abrã'dar/ vt ease
<dor>; temper <calor, frio>;
mollify, appease, placate
<povo>; tone down, smooth
over <escândalo> □ vi
<dor> ease; <calor, frio> be-
come less extreme; <tempes-
tade> die down

abranger /abrã'ʒer/ vt cover;
(entender) take in, grasp; ~
a extend to

abrasileirar /abrazilej'rar/ vt
Brazilianize

abre-|garrafas /abrəga.ʀafaʃ/
m invar bottle-opener; ~**la-
tas** m invar can-opener

abrevi|ar /abrəvi'ar/ vt abbre-
viate <palavra>; abridge <li-
vro>; ~**atura** f abbreviation

abri|gar /abri'gar/ vt shelter;
house <sem abrigo>; ~**gar-**

-se *vpr* (take) shelter; **~go** *m* shelter

Abril /aˈbril/ *m* April

abrir /aˈbrir/ *vt* open; (*a chave*) unlock; turn on <gás, torneira>; make <buraco, excepção> □ *vi* open; <céu, tempo> clear (up); <sinal> turn green; **~-se** *vpr* open; (*desabafar*) open up

abrupto /aˈbruptu/ *a* abrupt

abrutalhado /abrutaˈʎadu/ *a* <pessoa> coarse

absolu|tamente /absulutaˈmẽtə/ *adv* absolutely; **~to** *a* absolute

absol|ver /absolˈver/ *vt* absolve; (*jurid*) acquit; **~vição** *f* absolution; (*jurid*) acquittal

absor|ção /absorˈsãw/ *f* absorption; **~to** *a* absorbed; **~vente** *a* <tecido> absorbent; <livro> absorbing; **~ver** *vt* absorb; **~ver-se** *vpr* get absorbed

abs|témio /absˈtɛmju/ *a* abstemious; (*de álcool*) teetotal □ *m* teetotaller; **~tenção** *f* abstention; **~tencionista** *a* abstaining □ *m/f* abstainer; **~ter-se** *vpr* abstain; **~ter-se de** refrain from; **~tinência** *f* abstinence

abstrac|ção /abstraˈsãw/ *f* abstraction; (*mental*) distraction; **~ir** *vt* abstract; (*separar*) separate; **~to** *a* abstract

absurdo /abˈsurdu/ *a* absurd □ *m* nonsense

abun|dância /abũˈdãsjə/ *f* abundance; **~dante** *a* abundant; **~dar** *vi* abound

abu|sar /abuˈzar/ *vi* go too far; **~sar de** abuse; (*aproveitar-se*) take advantage of; **~so** *m* abuse

abutre /aˈbutrə/ *m* vulture

aca|bado /akaˈbadu/ *a* finished; (*exausto*) exhausted; (*velho*) decrepit; **~bamento** *m* finish; **~bar** *vt* finish □ *vi* finish, end; (*esgotar-se*) run out; **~bar-se** *vpr* end, be over; (*esgotar-se*) run out; **~bar com** put an end to, end; (*abolir, matar*) do away with; split up with <namorado>; wipe out <adversário>; **~bou de chegar** he has just arrived; **~bar fazendo** or **por fazer** end up doing

acabrunhado /akabruˈɲadu/ *a* dejected, depressed

aca|demia /akadeˈmiə/ *f* academy; (*de ginástica etc*) gym; **~démico** *a & m* academic

açafrão /asaˈfrãw/ *m* saffron

acalentar /akalẽˈtar/ *vt* lull to sleep <bebé>; cherish <esperanças>; have in mind <planos>

acalmar /akalˈmar/ *vt* calm (down) □ *vi* <vento> drop; <mar> grow calm; **~-se** *vpr* calm down

acam|pamento /akãpaˈmẽtu/ *m* camp; (*acto*) camping; **~par** *vi* camp

aca|nhado /akaˈɲadu/ *a* shy; **~ nhamento** *m* shyness; **~nhar-se** *vpr* be shy

acariciar /akarisiˈar/ *vt* (*com a mão*) caress, stroke; (*adular*) make a fuss of; cherish <esperanças>

acarretar /akaRəˈtar/ *vt* bring, cause

acasalar /ɐkɐzɐˈlar/ vt mate; **~se** vpr mate

acaso /ɐˈkazu/ m chance; **ao ~** at random; **por ~** by chance

aca|tamento /ɐkɐtɐˈmẽtu/ m respect, deference; **~tar** vt respect, defer to <pessoa, opinião>; obey, abide by <leis, ordens>; take in <criança>

acautelar-se /ɐkawtəˈlarsə/ vpr be cautious

acção /aˈsãw/ f action; (jurid) lawsuit; (com) share

accio|nar /asjuˈnar/ vt operate; (jurid) sue; **~nista** m/f shareholder

acei|tação /ɐsejtɐˈsãw/ f acceptance; **~tar** vt accept; **~tável** (pl **~táveis**) a acceptable

acele|ração /ɐsələrɐˈsãw/ f acceleration; **~rador** m accelerator; **~rar** vi accelerate □ vt speed up

acenar /ɐsəˈnar/ vi signal; (saudando) wave; **~ com** promise, offer

acender /ɐsẽˈder/ vt light <cigarro, fogo, vela>; switch on <luz>; heat up <debate>

aceno /ɐˈsenu/ m signal; (de saudação) (com a mão) wave; (com a cabeça) nod

acen|to /ɐˈsẽtu/ m accent; **~tuar** vt accentuate; accent <letra>

acepção /ɐseˈsãw/ f sense

acepipes /ɐsəˈpipəʃ/ m pl cocktail snacks

acerca /aˈserkɐ/ **~ de** prep about, concerning

acercar-se /ɐsərˈkarsə/ vpr **~ de** approach

acertar /ɐsərˈtar/ vt find <(com o) caminho, (a) casa>; set <relógio>; get right <pergunta>; guess (correctly) <solução>; hit <alvo>; make <acordo, negócio>; fix, arrange <encontro> □ vi (ter razão) be right; (atingir o alvo) hit the mark; **~ com** find, happen upon; **~ em** hit

acervo /ɐˈservu/ m collection; (jurid) estate

aceso /ɐˈsezu/ pp de **acender** □ a <luz> on; <fogo> alight

aces|sar /asɛˈsar/ vt access; **~sível** (pl **~síveis**) a accessible; affordable <preço>; **~so** /ɛ/ m access; (de raiva, tosse) fit; (de febre) attack; **~sório** a & m accessory

acetona /ɐsəˈtonɐ/ f (para unhas) nail varnish remover

achado /ɐˈʃadu/ m find; (pechincha) bargain

achaque /ɐˈʃakə/ m ailment

achar /ɐˈʃar/ vt find; (pensar) think; **~se** vpr (estar) be; (considerar-se) consider oneself as; **acho que sim/não** I think so/I don't think so

achatar /ɐʃɐˈtar/ vt flatten

aciden|tado /ɐsidẽˈtadu/ a rough <terreno>; bumpy <estrada>; eventful <viagem, vida>; injured <pessoa>; **~tal** (pl **~tais**) a accidental; **~te** m accident

acidez /ɐsiˈdeʃ/ f acidity

ácido /ˈasidu/ a & m acid

acima /aˈsimɐ/ adv above; **~ de** above; **mais ~** higher up

acinzentado /ɐsĩzẽˈtadu/ a greyish

acirrado /ɐsiˈʀadu/ a stiff, tough

acla|mação /ɐklɐmɐˈsãw/ f acclaim; (de rei) acclamation; ~**mar** vt acclaim

aclarar /ɐklɐˈʀar/ vt clarify, clear up □ vi clear up; ~**-se** vpr become clear

aclimatar /ɐklimɐˈtar/ vt acclimatize, (Amer) acclimate; ~**-se** vpr get acclimatized, (Amer) get acclimated

aço /ˈasu/ m steel; ~ **inoxidável** stainless steel

acobardar /ɐkubɐrˈdar/ vt cow, intimidate

acocorar-se /ɐkukuˈʀarsə/ vpr squat (down)

acolá /ɐkuˈla/ adv over there

acolcho|ado /ɐkolˈʃuadu/ m quilt; ~**ar** vt quilt; upholster <móveis>

aco|lhedor /ɐkuʎəˈdor/ a welcoming; ~**lher** vt welcome <hóspede>; take in <criança, refugiado>; accept <decisão, convite>; respond to <pedido>; ~**lhida** f, ~**lhimento** m welcome; (abrigo) refuge

acomodar /ɐkumuˈdar/ vt accommodate; (ordenar) arrange; (tornar cómodo) make comfortable; ~**-se** vpr make o.s. comfortable

acompa|nhamento /ɐkõpɐɲɐˈmẽtu/ m (mus) accompaniment; (prato) side dish; (comitiva) escort; ~**nhante** m/f companion; (mus) accompanist; ~**nhar** vt accompany, go with; watch <jogo, progresso>; keep up with <eventos, caso>; keep up with, follow <aula, conver-

sa>; share <política, opinião>; (mus) accompany; **a estrada ~nha o rio** the road runs alongside the river

aconche|gante /ɐkõʒəˈgãtə/ a cosy, (Amer) cozy; ~**gar** vt (chegar a si) cuddle; (agasalhar) wrap up; (na cama) tuck up; (tornar cómodo) make comfortable; ~**gar-se** vpr ensconce o.s.; ~**gar-se com** snuggle up to; ~**go** /e/ m cosiness, (Amer) coziness; (abraço) cuddle

acondicionar /ɐkõdisjuˈnar/ vt condition; pack, package <mercadoria>

aconse|lhar /ɐkõsəˈʎar/ vt advise; ~**lhar-se** vpr consult; ~**lhar alg a** advise s.o. to; ~**lhar aco a alg** recommend sth to s.o.; ~**lhável** (pl ~**lháveis**) a advisable

aconte|cer /ɐkõtəˈser/ vi happen; ~**cimento** m event

acordar /ɐkurˈdar/ vt/i wake up

acorde /aˈkɔrdə/ m chord

acordeão /ɐkordiˈãw/ m accordion

acordo /aˈkordu/ m agreement; **de ~ com** in agreement with <pessoa>; in accordance with <lei etc>; **estar de ~** agree

Açores /aˈsorəʃ/ m pl Azores

açoriano /ɐsuriˈɐnu/ a & m Azorean

acorrentar /ɐkuʀẽˈtar/ vt chain (up)

acossar /ɐkuˈsar/ vt hound, badger

acos|tamento /ɐkuʃtɐˈmẽtu/ m hard shoulder, (Amer) berm; ~**tar-se** vpr lean back

acostu|mado /ɐkuʃtuˈmadu/ *a* usual, customary; **estar ~mado a** be used to; **~mar** *vt* accustom; **~mar-se a** get used to

acotovelar /ɐkotuvəˈlar/ *vt* (*empurrar*) jostle; (*para avisar*) nudge

açou|gue /aˈsoɡə/ *m* butcher's (shop); **~gueiro** *m* butcher

acre /ˈakrə/ *a* <gosto> bitter; <aroma> acrid, pungent; <tom> harsh

acredi|tar /ɐkrədiˈtar/ *vt* believe; accredit <representante>; **~tar em** believe <pessoa, história>; believe in <Deus, fantasmas>; (*ter confiança*) have faith in; **~tável** (*pl* **~táveis**) *a* believable

acrescentar /ɐkrəsẽˈtar/ *vt* add

acres|cer /ɐkrəˈser/ *vt* (*juntar*) add; (*aumentar*) increase □ *vi* increase; **~cido a** with the addition of; **~ce que** add to that the fact that

acréscimo /aˈkrɛsimu/ *m* addition; (*aumento*) increase

acriançado /ɐkriɐˈsadu/ *a* childish

acrílico /aˈkriliku/ *a* acrylic

acroba|cia /ɐkrubɐˈsia/ *f* acrobatics; **~ta** *m/f* acrobat

acta /ˈata/ *f* minutes

acti|va /aˈtivɐ/ *f* active service; **~var** *vt* activate; **~vidade** *f* activity; **~vo** *a* active □ *m* (*com*) assets

acto /ˈatu/ *m* act; (*acção*) action; **no ~** on the spot

actor /aˈtor/ *m* actor

actriz /aˈtriʃ/ *f* actress

actuação /ɐtwɐˈsaw/ *f* (*acção*) action; (*desempenho*) performance

actu|al /ɐtuˈal/ (*pl* **~ais**) *a* current, present; <assunto, interesse> topical; <pessoa, carro> up-to-date; **~alidade** *f* (*presente*) present (time); (*de um livro*) topicality; *pl* current affairs; **~alizado** *a* up-to-date; **~alizar** *vt* update; **~alizar-se** *vpr* bring o.s. up to date; **~almente** *adv* at present, currently; **~ar** *vi* act

acuar /aku'ar/ *vt* corner

açúcar /aˈsukar/ *m* sugar

açuca|rar /ɐsukɐˈrar/ *vt* sweeten; sugar <café, chá>; **~reiro** *m* sugar bowl

açude /aˈsudə/ *m* dam

acudir /aku'dir/ *vt/i* **~ (a)** come to the rescue (of)

acumular /ɐkumuˈlar/ *vt* accumulate; combine <cargos>

acupunctura /ɐkupũˈturɐ/ *f* acupuncture

acu|sação /ɐkuzɐˈsaw/ *f* accusation; **~sar** *vt* accuse; (*jurid*) charge; (*revelar*) reveal, show up; acknowledge <recebimento>

acústi|ca /aˈkuʃtikɐ/ *f* acoustics; **~co** *a* acoustic

adap|tação /ɐdɐptɐˈsaw/ *f* adaptation; **~tado** *a* <criança> well-adjusted; **~tar** *vt* adapt; (*para encaixar*) tailor; **~tar-se** *vpr* adapt; **~tável** (*pl* **~táveis**) *a* adaptable

adega /aˈdɛgɐ/ *f* wine cellar

adentro /aˈdẽtru/ *adv* inside; **selva ~** into the jungle

adepto /aˈdɛptu/ *m* follower; (*de equipa*) supporter

ade|quado /adəˈkwadu/ *a* appropriate; suitable; **~quar** *vt* adapt, tailor

adereços /ɐdɐˈresuʃ/ *m pl* props

ade|rente /ɐdɐˈrẽtɐ/ *m/f* follower; **~rir** *vi* (*colar*) stick; join <a partido, causa>; follow <a moda>; **~são** *f* adhesion; (*apoio*) support; **~sivo** *a* sticky, adhesive □ *m* sticker

ades|trado /ɐdɐʃˈtradu/ *a* skilled; **~trador** *m* trainer; **~trar** *vt* train; break in <cavalo>

adeus /ɐˈdewʃ/ *int* goodbye □ *m* goodbye, farewell

adian|tado /ɐdjɐ̃ˈtadu/ *a* advanced; <relógio> fast; **chegar ~tado** be early; **~tamento** *m* progress; (*pagamento*) advance; **~tar** *vt* advance <dinheiro>; put forward <relógio>; bring forward <data, reunião>; get ahead with <trabalho> □ *vi* <relógio> gain; (*ter efeito*) be of use; **~tar-se** *vpr* progress, get ahead; **não ~ta (fazer)** it's no use (doing); **~te** *adv* ahead

adia|r /ɐdiˈar/ *vt* postpone; adjourn <sessão>; **~mento** *m* postponement, adjournment

adi|ção /ɐdiˈsɐ̃w/ *f* addition; **~cionar** *vt* add; **~do** *m* attaché

adivi|nhação /ɐdɐviɲɐˈsɐ̃w/ *f* guesswork; (*por adivinho*) fortune-telling; **~nhar** *vt* guess; tell <futuro, sorte>; read <pensamento>; **~nho** *m* fortune- teller

adjectivo /ɐdʒɛˈtivu/ *m* adjective

adminis|tração /ɐdmɐniʃtrɐˈsɐ̃w/ *f* administration; (*de empresas*) management; **~trador** *m* administrator; manager; **~trar** *vt* administer; manage <empresa>

admi|ração /ɐdmirɐˈsɐ̃w/ *f* admiration; (*assombro*) wonder-(ment); **~rado** *a* admired; (*surpreso*) amazed, surprised; **~rador** *m* admirer □ *a* admiring; **~rar** *vt* admire; (*assombrar*) amaze; **~rar-se** *vpr* be amazed; **~rável** (*pl* **~ráveis**) *a* admirable; (*assombroso*) amazing

admis|são /ɐdmiˈsɐ̃w/ *f* admission; (*de escola*) intake; **~sível** (*pl* **~síveis**) *a* admissible

admitir /ɐdmiˈtir/ *vt* admit; (*permitir*) permit, allow; (*contratar*) take on

ado|çar /ɐduˈsar/ *vt* sweeten; **~cicado** *a* slightly sweet

adoecer /ɐdweˈser/ *vi* fall ill □ *vt* make ill

adoles|cência /ɐdulɐʃˈsẽsjɐ/ *f* adolescence; **~cente** *a & m* adolescent

adopção /ɐdɔˈsɐ̃w/ *f* adoption

adop|tar /ɐdɔˈtar/ *vt* adopt; **~tivo** *a* adopted

ador|ar /ɐduˈrar/ *vt* (*amar*) adore; worship <deus>; (*fam: gostar de*) love **~ável** *a* adorable

adorme|cer /ɐdurmɐˈser/ *vi* fall asleep; <perna> go to sleep, go numb; **~cido** *a* sleeping; <perna> numb

ador|nar /ɐdurˈnar/ *vt* adorn; **~no** /o/ *m* adornment

adquirir /ɐdkiˈrir/ *vt* acquire

adu|bar /ɐduˈbar/ *vt* fertilize; **~bo** *m* fertilizer

adu|lação /ɐdulɐˈsɐ̃w/ f flattery; (*do público*) adulation; **~lar** vt make a fuss of; (*com palavras*) flatter

adulterar /ɐdultɐˈrar/ vt adulterate; cook, falsify <contas>

adúltero /ɐˈdultɐru/ m adulterer (f -ess) □ a adulterous

adul|tério /ɐdulˈtɛrju/ m adultery; **~to** a & m adult

advento /ɐdˈvẽtu/ m advent

advérbio /ɐdˈvɛrbju/ m adverb

adver|sário /ɐdvɐrˈsarju/ m opponent; (*inimigo*) adversary; **~sidade** f adversity; **~so** a adverse; (*adversário*) opposed

adver|tência /ɐdvɐrˈtẽsjɐ/ f warning; **~tir** vt warn

advo|cacia /ɐdvukaˈsiɐ/ f legal practice; **~gado** m lawyer; **~gar** vt advocate; (*jurid*) plead □ vi practise law

aéreo /aˈɛrju/ a air

aero|dinâmica /aɛrɔdiˈnɐmikɐ/ f aerodynamics; **~dinâmico** a aerodynamic; **~dromo** m airfield; **~nauta** m airman (f -woman); **~náutica** f (*força*) air force; (*ciência*) aeronautics; **~nave** f aircraft; **~porto** /o/ m airport

aeros|sol /aɛrɔˈsɔl/ (pl **~sóis**) m aerosol

afabilidade /ɐfabiliˈdadɛ/ f friendliness, kindness

afagar /ɐfaˈgar/ vt stroke

afamado /ɐfaˈmadu/ a renowned, famed

afas|tado /ɐfaʃˈtadu/ a remote; <parente> distant; **~tado de** (far) away from; **~tamento** m removal; (*distância*) distance; (*de candidato*)

rejection; **~tar** vt move away; (*tirar*) remove; ward off <perigo, ameaça>; put out of one's mind <ideia>; **~tar-se** vpr move away; (*distanciar-se*) distance o.s.; (*de cargo*) step down

afá|vel /aˈfavel/ (pl **~veis**) a friendly, genial

afazeres /afaˈzerɐʃ/ m pl business; **~ domésticos** (household) chores

afec|tação /ɐfɛtaˈsɐ̃w/ f affectation; **~tado** a affected; **~tar** vt affect; **~tivo** a (*carinhoso*) affectionate; (*sentimental*) emotional; **~to** /ɛ/ m affection; **~tuoso** /o/ a affectionate

Afeganistão /afɐganiʃˈtɐ̃w/ m Afghanistan

afe|gão /afɐˈgɐ̃w/ a & m (f **~gã**) Afghan

afeição /afejˈsɐ̃w/ f affection, fondness

afeiçoado /afejsuˈadu/ a (*devoto*) devoted; (*amoroso*) fond

afeminado /afɐmiˈnadu/ a effeminate

aferir /afɐˈrir/ vt check, inspect <pesos, medidas>; (*avaliar*) assess; (*cotejar*) compare

aferrar /afɐˈrar/ vt grasp; **~-se a** cling to

afi|ado /afiˈadu/ a sharp; skilled <pessoa>; **~ar** vt sharpen

aficionado /afisjuˈnadu/ m enthusiast

afilhado /afiˈʎadu/ m godson (f -daughter)

afili|ação /afiljaˈsɐ̃w/ f affiliation; **~ada** f affiliate; **~ar** vt affiliate

afim /a'fĩ/ *a* related, similar

afinado /afi'nadu/ *a* in tune

afinal /afi'nal/ *adv* ~ **(de contas)** (*por fim*) in the end; (*pensando bem*) after all

afinar /afi'nar/ *vt*(*mus*) tune □ *vi* taper

afinco /a'fĩku/ *m* perseverance, determination

afinidade /afini'dadɛ/ *f* affinity

afir|mação /afirma'sãw/ *f* assertion; **~mar** *vt* claim, assert; **~mativo** *a* affirmative

afivelar /afive'lar/ *vt* buckle

afixar /afik'sar/ *vt* stick, post

afli|ção /afli'sãw/ *f* (*física*) affliction; (*cuidado*) anxiety; **~gir** *vt* <doença> afflict; <inquietar> trouble; **~gir-se** *vpr* worry; **~to** *a* troubled, worried

afluente /aflu'ẽtɛ/ *m* tributary

afo|bação /afoba'sãw/ *f* fluster, flap; **~bado** *a* in a flap, flustered; **~bar** *vt* fluster; **~bar-se** *vpr* get flustered, get in a flap

afo|gado /afo'gadu/ *a* drowned; **morrer ~gado** drown; **~gar** *vt/i* drown; (*auto*) flood; **~gar-se** *vpr* (*matar-se*) drown o.s

afoito /a'fojtu/ *a* bold, daring

afora /a'fɔra/ *adv* **pelo mundo** ~ throughout the world

afortunado /afortu'nadu/ *a* fortunate

afresco /a'freʃku/ *m* fresco

África /'afrika/ *f* Africa; ~ **do Sul** South Africa

africano /afri'kanu/ *a & m* African

afrodisíaco /afrɔdi'ziaku/ *a & m* aphrodisiac

afron|ta /a'frõta/ *f* affront, insult; **~tar** *vt* affront, insult

afrouxar /afro'ʃar/ *vt/i* loosen; (*de rapidez*) slow down; (*de disciplina*) relax

afta /'afta/ *f* (mouth) ulcer

afugentar /afuʒẽ'tar/ *vt* drive away; rout <inimigo>

afundar /afũ'dar/ *vt* sink; **~-se** *vpr* sink

agachar /aga'ʃar/ *vi* **~-se** *vpr* bend down

agarrar /aga'Rar/ *vt* grab, snatch; **~-se** *vpr* **~-se a** cling to, hold on to

agasa|lhar /agaza'ʎar/ *vt* **~lhar-se** *vpr* wrap up (warmly); **~lho** *m* (*casaco*) coat; (*suéter*) sweater

agência /a'ʒẽsja/ *f* agency; ~ **de correio** post office; ~ **de viagens** travel agency

agenda /a'ʒẽda/ *f* diary

agente /a'ʒẽtɛ/ *m/f* agent

ágil /'aʒil/ (*pl* **ágeis**) *a* <pessoa> agile; <serviço> quick, efficient

agili|dade /aʒili'dadɛ/ *f* agility; (*rapidez*) speed; **~zar** *vt* speed up, streamline

ágio /'aʒju/ *m* premium

agiota /aʒi'ɔta/ *m/f* loan shark

agir /a'ʒir/ *vi* act

agi|tado /aʒi'tadu/ *a* agitated; <mar> rough; **~tar** *vt* wave <braços>; wag <rabo>; shake <garrafa>; (*perturbar*) agitate; **~tar-se** *vpr* get agitated; <mar> get rough

aglome|ração /aglumera'sãw/ *f* collection; (*de pessoas*) crowd; **~rar** *vt* collect; **~rar-se** *vpr* gather

agonia /ago'nia/ *f* anguish; (*da morte*) death throes

agora /a'gɔra/ *adv* now; (*há pouco*) just now; **~ mesmo** right now; **de ~ em diante** from now on; **até ~** so far, up till now

Agosto /a'goʃtu/ *m* August

agouro /a'goru/ *m* omen

agraciar /aɡrasi'ar/ *vt* decorate

agra|dar /aɡra'dar/ *vt* please; (*fazer agrados*) be nice to, fuss over □ *vi* be pleasing, please; (*cair no gosto*) go down well; **~dável** (*pl* **~dáveis**) *a* pleasant

agrade|cer /aɡrade'ser/ *vt* **~cer aco a alg, ~cer a alg por aco** thank s.o. for sth □ *vi* say thank you; **~cido** *a* grateful; **~cimento** *m* gratitude; *pl* **thanks**

agrado /a'ɡradu/ *m* **fazer ~s a** be nice to, make a fuss of

agrafar /aɡra'far/ *vt* staple; **~dor** *m* stapler

agrário /a'ɡrarju/ *a* land, agrarian

agra|vante /aɡra'vãtɐ/ *a* aggravating □ *f* aggravating circumstance; **~var** *vt* aggravate, make worse; **~var-se** *vpr* get worse

agredir /aɡre'dir/ *vt* attack

agres|são /aɡre'sãw/ *f* aggression; (*ataque*) assault; **~sivo** *a* aggressive; **~sor** *m* aggressor

agreste /a'ɡrɛʃtɐ/ *a* rural

agrião /aɡri'ãw/ *m* watercress

agrícola /a'ɡrikula/ *a* agricultural

agricul|tor /aɡrikul'tor/ *m* farmer; **~tura** *f* agriculture, farming

agridoce /aɡri'dosɐ/ *a* bittersweet

agropecuá|ria /aɡrɔpɐku'arja/ *f* farming; **~rio** *a* agricultural

agru|pamento /aɡrupa'mẽtu/ *m* grouping; **~par** *vt* group; **~par-se** *vpr* group (together)

água /'aɡwa/ *f* water; **fazer crescer ~ na boca** be mouthwatering; **ir por ~ abaixo** go down the drain; **~ benta** holy water; **~ doce** fresh water; **~ mineral** mineral water; **~ salgada** salt water

aguaceiro /aɡwa'sejru/ *m* downpour

água-de-coco /aɡwadɐ'koku/ *f* coconut water; **~-colónia** *f* eau de cologne

aguado /a'ɡwadu/ *a* watery

aguardar /aɡwar'dar/ *vt* wait for, await □ *vi* wait

aguardente /aɡwar'dẽtɐ/ *f* spirit

aguarela /aɡwa'rɛla/ *f* watercolour

aguarrás /aɡwa'Raʃ/ *m* turpentine

agu|çado /aɡu'sadu/ *a* pointed; <sentidos> acute; **~çar** *vt* sharpen; **~deza** *f* sharpness; (*mental*) perceptiveness; **~do** *a* sharp; <som> shrill; (*fig*) acute

aguentar /aɡwẽ'tar/ *vt* stand, put up with; hold <peso> □ *vi* <pessoa> hold out; <suporte> hold

águia /'aɡja/ *f* eagle

agulha /a'ɡuʎa/ *f* needle

ai /aj/ *m* sigh; (*de dor*) groan □ *int* ah!; (*de dor*) ouch!

aí /a'i/ *adv* there; (*então*) then

ainda /ɒ.'ĩdɒ/ *adv* still; **me-lhor** ~ even better; **não ... ~** not ... yet; ~ **assim** even so; ~ **bem** just as well; ~ **por cima** moreover, in addition; ~ **que** even if

aipo /'ajpu/ *m* celery

ajeitar /ɒȝej'tar/ *vt* (*arrumar*) sort out; (*arranjar*) arrange; (*ajustar*) adjust; ~**se** *vpr* adapt; (*dar certo*) turn out right, sort o.s. out

ajoe|lhado /ɒȝwe'ʎadu/ *a* kneeling (down); ~**lhar** *vi*, ~**lhar-se** *vpr* kneel (down)

aju|da /ɒ'ȝudɒ/ *f* help; ~**dante** *m/f* helper; ~**dar** *vt* help

ajuizado /ɒȝwi'zadu/ *a* sensible

ajus|tar /ɒȝuʃ'tar/ *vt* adjust; settle <disputa>; take in <roupa>; ~**tar-se** *vpr* conform; ~**tável** (*pl* ~**táveis**) *a* adjustable; ~**te** *m* adjustment; (*acordo*) settlement

ala /'alɒ/ *f* wing

ala|gadiço /ɒ.la.gɒ.'disu/ *a* marshy; ~**gamento** *m* flooding ~**gar** *vt* flood

alameda /ɒ.la.'medɒ/ *f* avenue

álamo /'alɒmu/ *m* poplar (tree)

alarde /ɒ.'lardɘ/ *m* **fazer ~ de** flaunt; make a big thing of <notícia>; ~**ar** *vt/i* flaunt

alargar /ɒlar'gar/ *vt* widen; (*fig*) broaden; let out <roupa>

alarido /ɒlɒ.'ridu/ *m* outcry

alar|me /ɒ.'larmɒ/ *m* alarm; ~**mante** *a* alarming; ~**mar** *vt* alarm; ~**mista** *a* & *m* alarmist

alastrar /ɒlɒʃ'trar/ *vt* scatter;

(*disseminar*) spread □ *vi* spread

alavanca /ɒlɒ.'vãkɒ/ *f* lever; ~ **de mudanças** gear lever

alban|ês /alba'neʃ/ *a* & *m* (*f* ~**esa**) Albanian

Albânia /al'banjɒ/ *f* Albania

albergue /al'bergɘ/ *m* hostel

álbum /'albũ/ *m* album

alça /'alsɒ/ *f* handle; (*de roupa*) strap; (*de fusil*) sight

alcachofra /alka'ʃofrɒ/ *f* artichoke

alçada /al'sadɒ/ *f* competence, power

álcali /'alkɒ.li/ *m* alkali

alcan|çar /alkã'sar/ *vt* reach; (*conseguir*) attain; (*compreender*) understand □ *vi* reach; ~**çável** (*pl* ~**çáveis**) *a* reachable; attainable; ~**ce** *m* reach; (*de tiro*) range; (*importância*) consequence; (*compreensão*) understanding

alcaparra /alkɒ.'parɒ/ *f* caper

alcatifa /al'katifɒ/ *f* fitted carpet

alcatra /al'katrɒ/ *f* rump steak

alcatrão /alka'trãw/ *m* tar

álcool /'alkwɔl/ *m* alcohol

alco|ólatra /alku'ɔlatrɒ/ *m/f* alcoholic; ~**lico** *a* & *m* alcoholic

alcunha /al'kuɲɒ/ *f* nickname

aldeia /al'dejɒ/ *f* village

aleatório /aljɒ.'tɔrju/ *a* random, arbitrary

alecrim /alɘ'krĩ/ *m* rosemary

ale|gação /alɒgɒ.'sãw/ *f* allegation; ~**gar** *vt* allege

ale|goria /alɒgu'riɒ/ *f* allegory; ~**górico** *a* allegorical

ale|grar /alɘ'grar/ *vt* cheer up;

brighten up <casa>; **~grar-se** vpr cheer up; **~gre** /ɛ/ a cheerful; <cores> bright; **~gria** f joy

alei|jado /ɐlej'ʒadu/ a crippled □ m cripple; **~jar** vt cripple

alei|tamento /ɐlejtɐ'mẽtu/ m breast-feeding; **~tar** vt breast-feed

além /a'lãj/ adv beyond; **~ de** (ao lado de lá de) beyond; (mais de) over; (ademais de) apart from

Alemanha /ɐlə'mɐɲa/ f Germany

alemão /ɐlə'mãw/ (pl **~mães**) a & m (f **~mã**) German

alen|tador /ɐlẽta'dor/ a encouraging; **~tar** vt encourage; **~tar-se** vpr cheer up; **~to** m courage; (fôlego) breath

alergia /ɐlər'ʒia/ f allergy

alérgico /a'lɛrʒiku/ a allergic (**a** to)

aler|ta /a'lɛrta/ a & m alert □ adv on the alert; **~tar** vt alert

alfa|bético /alfa'bɛtiku/ a alphabetical; **~betização** f literacy; **~betizar** vt teach to read and write; **~beto** m alphabet

alface /al'fasə/ f lettuce

alfaiate /alfaj'atə/ m tailor

al|fândega /al'fãdəɡa/ f customs; **~fandegário** a customs □ m customs officer

alfine|tada /alfinə'tada/ f prick; (dor) stabbing pain; (fig) dig; **~te** /e/ m pin; **~te de segurança** safety pin

alforreca /alfu'ʀɛka/ f jellyfish

alga /'alɡa/ f seaweed

algarismo /alɡa'riʒmu/ m numeral

algazarra /alɡa'zaʀa/ f uproar, racket

alge|mar /alʒe'mar/ vt handcuff; **~mas** /e/ f pl handcuffs

algibeira /alʒi'bejra/ f pocket

algo /'alɡu/ pron something; (numa pergunta) anything □ adv somewhat

algodão /alɡu'dãw/ m cotton; **~(-doce)** candy floss, (Amer) cotton candy; **~ (hidrófilo)** cotton wool, (Amer) absorbent cotton

alguém /al'gãj/ pron somebody, someone; (numa pergunta) anybody, anyone

al|gum /al'ɡu/ (f **~guma**) a some; (numa pergunta) any; (nenhum) no, not one □ pron pl some; **~guma coisa** something

algures /al'ɡurəʃ/ adv somewhere

alheio /a'ʎeju/ a (de outra pessoa) someone else's; (de outras pessoas) other people's; **~ a** foreign to; (impróprio) irrelevant to; (desatento) unaware of; **~ de** removed from

alho /'aʎu/ m garlic; **~-porro** m leek

ali /a'li/ adv (over) there

ali|ado /ali'adu/ a allied □ m ally; **~ança** f alliance; (anel) wedding ring; **~ar** vt, **~ar-se** vpr ally

aliás /a'ljaʃ/ adv (além disso) what's more, furthermore; (no entanto) however; (diga-se de passagem) by the way, incidentally; *(senão)* otherwise

álibi /'alibi/ *m* alibi

alicate /ali'katə/ *m* pliers; ~ **de unhas** nail clippers

alicerce /ali'sεrsə/ *m* foundation; *(fig)* basis

alie|nado /alie'nadu/ *a* alienated; *(demente)* insane; ~**nar** *vt* alienate; transfer <bens>; ~**nígena** *a* & *m/f* alien

alimen|tação /alimēta'sãw/ *f* *(acto)* feeding; *(comida)* food; *(tecn)* supply; ~**tar** *a* food; <hábitos> eating □ *vt* feed; *(fig)* nurture; ~**tar-se de** live on; ~**tício** *a* géneros ~**tícios** foodstuffs; ~**to** *m* food

ali|nhado /ali'nadu/ *a* aligned; <pessoa> smart, *(Amer)* sharp; ~**nhar** *vt* align

alinhavar /alina'var/ *vt* tack

aliquota /a'likwɔtə/ *f (de imposto)* bracket

alisar /ali'zar/ *vt* smooth (out); straighten <cabelo>

alistar /alif'tar/ *vt* recruit; ~**se** *vpr* enlist

aliviar /alivi'ar/ *vt* relieve

alivio /a'livju/ *m* relief

alma /'almə/ *f* soul

almanaque /alma'nakə/ *m* yearbook

almejar /alme'ʒar/ *vt* long for

almirante /almi'rãtə/ *m* admiral

almo|çar /almu'sar/ *vi* have lunch □ *vt* have for lunch; ~**ço** /o/ *m* lunch

almofada /almu'fadə/ *f* cushion; *(de cama)* pillow

almôndega /al'mõdəgə/ *f* meatball

alô /a'lo/ *int* hallo

alocar /alu'kar/ *vt* allocate

alo|jamento /aluʒa'mētu/ *m* accommodation, *(Amer)* accommodations; *(habitação)* housing; ~**jar** *vt* accommodate; house <sem-tecto>; ~**jar-se** *vpr* stay

alongar /alõ'gar/ *vt* lengthen; extend, stretch out <braço>

alpendre /al'pēdrə/ *m* shed; *(pórtico)* porch

Alpes /'alpəʃ/ *m pl* Alps

alpinis|mo /alpi'niʒmu/ *m* mountaineering; ~**ta** *m/f* mountaineer

alqueire /al'kejrə/ *m = 4.84 hectares*

alquimi|a /alki'miə/ *f* alchemy; ~**sta** *mf* alchemist

alta /'altə/ *f* rise; **dar** ~ **a** discharge; **ter** ~ be discharged; ~**fidelidade** *f* hi-fi, high fidelity

altar /al'tar/ *m* altar

alterar /altə'rar/ *vt* alter; *(falsificar)* falsify; ~**se** *vpr* change; *(zangar-se)* get angry

alter|nado /altər'nadu/ *a* alternate; ~**nar** *vt/i*, ~**nar-se** *vpr* alternate; ~**nativa** *f* alternative; ~**nativo** *a* alternative; <corrente> alternating

al|teza /al'tezə/ *f* highness; ~**titude** *f* altitude

alti|vez /alti'veʃ/ *f* arrogance; ~**vo** *a* arrogant; *(elevado)* majestic

alto /'altu/ *a* high; <pessoa> tall; <barulho> loud □ *adv* high; <falar> loud(ly); <ler> aloud □ *m* top; **os** ~**s e baixos** the ups and downs □ *int* halt!; **~falante** *m* loudspeaker

altura /al'tura/ *f* height; (*momento*) moment; **ser à ~ de** be up to

aluci|nação /alusina'sãw/ *f* hallucination; **~nante** *a* mind-boggling, crazy

aludir /alu'dir/ *vi* allude (**a** to)

alu|gar /alu'gar/ *vt* rent <casa>; hire, rent <carro>; <locador> let, rent out, hire out; **~guer** /ɛ/ *m* rent; (*acto*) renting

alumiar /alumi'ar/ *vt* light (up)

alumínio /alu'minju/ *m* aluminium, (*Amer*) aluminum

aluno /a'lunu/ *m* pupil

alusão /alu'zãw/ *f* allusion (**a** to)

alvará /alva'ra/ *m* permit, licence

alve|jante /alve'ʒãtə/ *m* bleach; **~jar** *vt* bleach; (*visar*) aim at

alvenaria /alvəna'ria/ *f* masonry

alvo /'alvu/ *m* target

alvorada /alvu'rada/ *f* dawn

alvoro|çar /alvuru'sar/ *vt* stir up, agitate; (*entusiasmar*) excite; **~ço** /o/ *m* (*tumulto*) uproar; (*entusiasmo*) excitement

amabilidade /amabəli'dadə/ *f* kindness

amaci|ador /amasja'dor/ *m* (*de roupa*) (fabric) conditioner; **~ar** *vt* soften

amador /ama'dor/ *a & m* amateur; **~ismo** *m* amateurism; **~ístico** *a* amateurish

amadurecer /amadure'ser/

vt/i <fruta> ripen; (*fig*) mature

âmago /'amagu/ *m* heart, core; (*da questão*) crux

amaldiçoar /amaldisu'ar/ *vt* curse

amamentar /amamẽ'tar/ *vt* breast-feed

amanhã /ama'ɲã/ *m & adv* tomorrow; **depois de ~** the day after tomorrow

amanhecer /amaɲə'ser/ *vi & m* dawn

amansar /amã'sar/ *vt* tame; (*fig*) placate <pessoa>

a|mante /a'mãtə/ *m/f* lover; **~mar** *vt/i* love

amarelo /ama'rɛlu/ *a & m* yellow

amar|go /a'margu/ *a* bitter; **~gura** *f* bitterness; **~gurar** *vt* embitter; (*sofrer*) endure

amarrar /ama'Rar/ *vt* tie (up); (*naut*) moor

amarrotar /amaRu'tar/ *vt* crease

amassar /ama'sar/ *vt* crush, squash; screw up <papel>; crease <roupa>; dent, smash <carro>; knead <pão>; mash <batatas>

amá|vel /a'mavɛl/ (*pl* **~veis**) *a* kind

Ama|zonas /ama'zonaʃ/ *m* Amazon; **~zónia** *f* Amazonia

âmbar /'ãbar/ *m* amber

ambi|ção /ãbi'sãw/ *f* ambition; **~cionar** *vt* aspire to; **~cioso** /o/ *a* ambitious

ambien|tal /ãbiẽ'tal/ (*pl* **~tais**) *a* environmental; **~tar** *vt* set <filme, livro>; set up <casa>; **~tar-se** *vpr* settle in; **~te** *m* environment; (*atmosfera*) atmosphere

am|biguidade /ãbigwiˈdadɐ/ f ambiguity; **~biguo** a ambiguous

âmbito /ˈãbitu/ m scope, range

ambos /ˈãbuʃ/ a & pron both

ambu|lância /ãbuˈlãsjɐ/ f ambulance; **~lante** a (que anda) walking; <músico> wandering; <venda> mobile; **~latório** m out-patient clinic

amea|ça /ɐmiˈasɐ/ f threat; **~çador** a threatening; **~çar** vt threaten

ameba /aˈmebɐ/ f amoeba

amedrontar /ɐmədrõˈtar/ vt scare; **~~se** vpr get scared

ameixa /aˈmejʃɐ/ f plum; (passa) prune

amém /aˈmãj/ int amen □ m agreement; **dizer ~** a go along with

amêndoa /aˈmẽdwɐ/ f almond

amendoim /ɐmẽˈdwĩ/ m peanut

ame|nidade /ɐməniˈdadɐ/ f pleasantness; pl pleasantries, small talk; **~nizar** vt ease; calm ânimos;; settle <disputa>; tone down <repreensão>; **~no** /e/ a pleasant; mild <clima>

América /aˈmɛrikɐ/ f America; **~ do Norte/Sul** North/South America

america|nizar /ɐmərikɐniˈzar/ vt Americanize; **~no** a & m American

Amesterdão /ɐməʃtərˈdãw/ f Amsterdam

amestrar /ɐməʃˈtrar/ vt train

ametista /ɐməˈtiʃtɐ/ f amethyst

amianto /ɐmiˈãtu/ m asbestos

ami|gar-se /ɐmiˈgarsə/ vpr make ou become friends; **~gável** (pl **~gáveis**) a amicable

amígdala /aˈmigdalɐ/ f tonsil

amigdalite /ɐmigdaˈlitɐ/ f tonsillitis

amigo /aˈmigu/ a friendly □ m friend; **~ da onça** false friend

amistoso /ɐmiʃˈtozu/ a & m friendly

amiúde /ɐmiˈudɐ/ adv often

amizade /ɐmiˈzadɐ/ f friendship

amnésia /ɐmˈnɛzjɐ/ f amnesia

amnistia /ɐmniʃˈtiɐ/ f amnesty

amo|lar /ɐmuˈlar/ vt sharpen <faca>

amolecer /ɐmuləˈser/ vt/i soften

amol|gadura /ɐmolgɐˈdurɐ/ f dent; **~gar** vt dent

amoníaco /ɐmuˈniaku/ m ammonia

amontoar /ɐmõtuˈar/ vt pile up; amass <riquezas>; **~~se** vpr pile up

amor /aˈmor/ m love; **~ próprio** self-esteem

amora /aˈmɔrɐ/ f **~ preta, ~ silvestre** blackberry

amordaçar /ɐmurdɐˈsar/ vt gag

amoroso /ɐmuˈrozu/ adj loving

amor-perfeito /ɐmorpərˈfejtu/ m pansy

amorte|cedor /ɐmurtəsəˈdor/ m shock absorber; **~cer** vt deaden; absorb <impacto>; break <queda> □ vi fade

amostra /aˈmɔʃtrɐ/ f sample

ampa|rar /ãpɐˈrar/ vt support;

(fig) protect; **~rar-se** *vpr* lean; **~ro** *m (apoio)* support; *(protecção)* protection; *(ajuda)* aid

ampere /ˈãpɛrə/ *m* amp(ere)

ampli|ação /ãpliɐˈsãw/ *f (de foto)* enlargement; *(de casa)* extension; **~ar** *vt* enlarge <foto>; extend <casa>; broaden <conhecimentos>

amplifi|cador /ãplifikɐˈdor/ *m* amplifier; **~car** *vt* amplify

amplo /ˈãplu/ *a* <sala> spacious; <roupa> full; <sentido, conhecimento> broad

ampola /ãˈpolɐ/ *f* ampoule

amputar /ãpuˈtar/ *vt* amputate

amu|ado /ɐmuˈadu/ *a* in a sulk, sulky; **~ar** *vi* sulk

amuleto /ɐmuˈletu/ *m* charm

amuo /ɐˈmwu/ *m* sulk

ana|crónico /ɐnɐˈkrɔniku/ *a* anachronistic; **~cronismo** *m* anachronism

anais /ɐˈnajʃ/ *m pl* annals

analfabeto /ɐnalfɐˈbɛtu/ *a & m* illiterate

analisar /ɐnɐliˈzar/ *vt* analyse

análise /ɐˈnalizə/ *f* analysis

ana|lista /ɐnɐˈliʃtɐ/ *m/f* analyst; **~lítico** *a* analytical

analogia /ɐnɐluˈʒiɐ/ *f* analogy

análogo /ɐˈnalugu/ *a* analogous

ananás /ɐnɐˈnaʃ/ *m invar* pineapple

anão /ɐˈnãw/ *a & m (f* **anã**) dwarf

anarquia /ɐnɐrˈkiɐ/ *f* anarchy; *(fig)* chaos

anárquico /ɐˈnarkiku/ *a* anarchic

anarquista /ɐnɐrˈkiʃtɐ/ *m/f* anarchist

ana|tomia /ɐnɐtuˈmiɐ/ *f* anatomy; **~tómico** *a* anatomical

anca /ˈãkɐ/ *f (de pessoa)* hip; *(de animal)* rump

anchova /ãˈʃovɐ/ *f* anchovy

ancinho /ãˈsiɲu/ *m* rake

âncora /ˈãkurɐ/ *f* anchor

anco|radouro /ãkurɐˈdoru/ *m* anchorage; **~rar** *vt/i* anchor

andaime /ãˈdajmə/ *m* scaffolding

an|damento /ãdɐˈmẽtu/ *m (progresso)* progress; *(rumo)* course; **dar ~damento a** set in motion; **~dar** *m (jeito de andar)* gait, walk; *(de prédio)* floor; *(apartamento)* flat, *(Amer)* apartment □ *vi (ir a pé)* walk; *(de comboio, autocarro)* travel; *(a cavalo, de bicicleta)* ride; *(funcionar, progredir)* go; **ele anda deprimido** he's been depressed lately

Andes /ˈãdəʃ/ *m pl* Andes

andorinha /ãduˈriɲɐ/ *f* swallow

anedota /ɐnɛˈdɔtɐ/ *f* anecdote

anel /ɐˈnɛl/ *(pl* **anéis**) *m* ring; *(no cabelo)* curl; **~ viário** ringroad

anelado /ɐnɛˈladu/ *a* curly

anemia /ɐnɛˈmiɐ/ *f* anaemia

anémico /ɐˈnɛmiku/ *a* anaemic

anes|tesia /ɐnɛʃtɐˈziɐ/ *f* anaesthesia; *(droga)* anaesthetic; **~tesiar** *vt* anaesthetize; **~tésico** *a & m* anaesthetic; **~tesista** *m/f* anaesthetist

ane|xar /ɐnɛkˈsar/ *vt* annex <terras>; *(em carta)* enclose; *(juntar)* attach; **~xo** *a* attached; *(em carta)* enclosed □

m annexe; (*em carta*) enclosure

anfíbio /ãˈfibju/ *a* amphibious □ *m* amphibian

anfiteatro /ãfiˈtiatru/ *m* amphitheatre; (*no teatro*) dress circle

anfi|trião /ãfitriˈãw/ *m* (*f* ~triã) host (*f* -ess)

angariar /ãgɐriˈar/ *vt* raise <fundos>; canvass for <votos>; win <adeptos, simpatia>

angli|cano /ãgliˈkɐnu/ *a & m* Anglican; ~cismo *m* Anglicism

anglo-saxónico /ãglɔsakˈsɔniku/ *a* Anglo-Saxon

Angola /ãˈgɔlɐ/ *f* Angola

angolano /ãguˈlɐnu/ *a & m* Angolan

angra /ˈãgrɐ/ *f* inlet, cove

angular /ãguˈlar/ *a* angular

ângulo /ˈãgulu/ *m* angle

angústia /ãˈguʃtjɐ/ *f* anguish, anxiety

angustiante /ãguʃtiˈãtɐ/ *a* distressing; <momento> anxious

ani|mado /aniˈmadu/ *a* (*vivo*) lively; (*alegre*) cheerful; (*entusiasmado*) enthusiastic; ~mador *a* encouraging □ *m* presenter; ~mal (*pl* ~mais) *a & m* animal; ~mar *vt* encourage; liven up <festa>; ~mar-se *vpr* cheer up; <festa> liven up

ânimo /ˈɐnimu/ *m* courage, spirit; *pl* tempers

animosidade /ɐnimuziˈdadɐ/ *f* animosity

aniquilar /ɐnikiˈlar/ *vt* destroy; (*prostrar*) shatter

anis /ɐˈniʃ/ *m* aniseed

aniver|sariante /ɐnivɐrsɐriˈatɐ/ *m/f* birthday boy (*f* girl); ~sário *m* birthday; (*de casamento etc*) anniversary

anjo /ˈãʒu/ *m* angel

ano /ˈɐnu/ *m* year; fazer ~s have a birthday; ~ bissexto leap year; ~ lectivo Univ academic year, *school* school year; ~ novo *m* New Year

anoite|cer /ɐnojtɐˈser/ *m* nightfall □ *vi* ~ceu night fell

anomalia /ɐnumɐˈliɐ/ *f* anomaly

anonimato /ɐnuniˈmatu/ *m* anonymity

anónimo /ɐˈnɔnimu/ *a* anonymous

anor|mal /ɐnɔrˈmal/ (*pl* ~mais) *a* abnormal

ano|tação /ɐnutɐˈsãw/ *f* note; ~tar *vt* note down, write down

ânsia /ˈãsjɐ/ *f* anxiety; (*desejo*) longing; ~s de vómito nausea

ansiar /ãsiˈar/ *vi* ~ por long for; ~edade *f* anxiety; (*desejo*) eagerness; ~oso /o/ *a* anxious

antárctico /ãˈtartiku/ *a & m* Antarctic

antebraço /ãtɐˈbrasu/ *m* forearm

antece|dência /ãtɐsɐˈdẽsjɐ/ *f* com ~dência in advance; ~dente *a* preceding; ~dentes *m pl* record, past

antecessor /ãtɐsɐˈsor/ *m* (*f* ~a) predecessor

anteci|pação /ãtɐsipɐˈsãw/ *f* anticipation; com ~pação in advance; ~**padamente** *adv* in advance; ~**pado** *a* advance; ~**par** *vt* anticipate, forestall; (*adiantar*) bring forward; ~**par-se** *vpr* be previous

antena /ã'tenɐ/ *f* aerial, (*Amer*) antenna; (*de insecto*) feeler

anteontem /ãti'õtãj/ *adv* the day before yesterday

antepassado /ãtɐpɐ'sadu/ *m* ancestor

anterior /ãtɐri'or/ *a* previous; (*dianteiro*) front

antes /'ãtəʃ/ *adv* before; (*ao contrário*) rather; ~ **de/que** before

ante-sala /ãtə'salɐ/ *f* ante-room

antestreia /ãtəʃ'trejɐ/ *f* preview

anti|**biótico** /ãtibi'ɔtiku/ *a & m* antibiotic; ~**caspa** *a* anti-dandruff; ~**concepcional** (*pl* ~**concepcionais**) *a & m* contraceptive; ~**congelante** *m* antifreeze; ~**corpo** *m* antibody

antídoto /ã'tidutu/ *m* antidote

antiético /ãti'ɛtiku/ *a* unethical

antigamente /ãtigɐ'mẽtɐ/ *adv* formerly

anti|**go** /ã'tigu/ *a* old; (*de antiguidade*) ancient; <móveis etc> antique; (*anterior*) former; ~**guidade** *f* antiquity; (*numa firma*) seniority; *pl* (*monumentos*) antiquities; (*móveis etc*) antiques

anti-|**higiénico** /ãtiʒi'ɛniku/ *a* unhygienic; ~**histamínico** *a & m* antihistamine; ~**horário** *a* anticlockwise

antilhano /ãti'ʎanu/ *a & m* West Indian

Antilhas /ã'tiʎɐʃ/ *f pl* West Indies

anti|**patia** /ãtipɐ'tiɐ/ *f* dislike; ~**pático** *a* unpleasant, unfriendly

antiquado /ãti'kwadu/ *a* antiquated, out-dated, old-fashioned

anti-|**semitismo** /ãtisəmi'tiʒmu/ *m* anti-Semitism; ~**séptico** *a & m* antiseptic; ~**social** (*pl* ~**sociais**) *a* antisocial

antítese /ã'titəzə/ *f* antithesis

antologia /ãtulu'ʒiɐ/ *f* anthology

antónimo /ã'tɔnimu/ *m* antonym

antro /'ãtru/ *m* cavern; (*de animal*) lair; (*de ladrões*) den

antro|**pófago** /ãtrɔ'pɔfagu/ *a* man-eating; ~**pologia** *f* anthropology; ~**pólogo** *m* anthropologist

anual /ɐnu'al/ (*pl* ~**ais**) *a* annual, yearly

anu|**lação** /ɐnulɐ'sãw/ *f* cancellation; ~**lar** *vt* cancel; annul <casamento>; (*compensar*) cancel out □ *m* ring finger

anunciar /ɐnũsi'ar/ *vt* announce; advertise <produto>

anúncio /ɐ'nũsju/ *m* announcement; (*propaganda, classificado*) advert(isement); (*cartaz*) notice

ânus /'ɐnuʃ/ *m invar* anus

an|**zol** /ã'zɔl/ (*pl* ~**zóis**) *m* fishhook

aonde /ɐ'õdə/ *adv* where

apadrinhar /ɐpɐdri'ɲar/ *vt* be

godfather to <afilhado>; be best man for <noivo>; (*proteger*) protect; (*patrocinar*) support

apa|gado /ɑpɑ.'gɑdu/ *a* <fogo> out; <luz, TV> off; (*indistinto*) faint; (*pessoa*) dull; **~gar** *vt* put out <cigarro, fogo>; blow out <vela>; switch off <luz, TV>; rub out <erro>; clean <quadro-negro>; **~gar-se** *vpr* <fogo, luz> go out; <lembrança> fade; (*desmaiar*) pass out; (*fam: dormir*) nod off

apaixo|nado /ɑpaj'ʃunɑdu/ *a* in love (**por** with); **~nante** *a* captivating; **~nar-se** *vpr* fall in love (**por** with)

apalpar /ɑpal'par/ *vt* touch, feel; <médico> examine

apanhar /ɑpɑ.'ɲar/ *vt* catch; (*do chão*) pick up; pick <flores, frutas>; (*ir buscar*) pick up; (*alcançar*) catch up □ *vi* be beaten

aparafusar /ɑpɑ.ɾɑfu'zar/ *vt* screw

apa|ra-lápis /ɑpɑ.ɾɑ.'lapiʃ/ *m invar* pencil-sharpener **~rar** *vt* catch <bola>; parry <golpe>; trim <cabelo>; sharpen <lápis>

aparato /ɑpɑ.'ɾatu/ *m* pomp, ceremony

apare|cer /ɑpɑ.ɾə'ser/ *vi* appear; **~ça!** do drop in!; **~cimento** *m* appearance

apare|lhagem /ɑpɑ.ɾɑ.'laʒãj/ *f* equipment; **~lhar** *vt* equip; **~lho** /e/ *m* apparatus; (*máquina*) machine; (*de chá*) set, service; (*fone*) phone

aparência /ɑpɑ.'ɾẽsjɑ/ *f* appearance; **na ~** apparently

aparen|tado /ɑpɑ.ɾẽ'tɑdu/ *a* related; **~tar** *vt* show; (*fingir*) feign; **~te** *a* apparent

apar|tamento /ɑpɑ.ɾtɑ.'mẽtu/ *m* flat, (*Amer*) apartment; **~tar** *vt*, **~tar-se** *vpr* separate; **~te** *m* aside

apatia /ɑpɑ.'tiɑ/ *f* apathy

apático /ɑ'patiku/ *a* apathetic

apavo|rante /ɑpɑ.vu'ɾãtə/ *a* terrifying; **~rar** *vt* terrify; **~rar-se** *vpr* be terrified

apaziguar /ɑpɑzi'gwar/ *vt* appease

apear-se /ɑpi'arsə/ *vpr* (*de cavalo*) dismount; (*de autocarro*) alight

ape|gar-se /ɑpə'garsə/ *vpr* become attached (**a** to); **~go** /e/ *m* attachment

ape|lação /ɑpəlɑ.'sãw/ *f* appeal; (*fig*) exhibitionism; **~lar** *vi* appeal (**de** against); **~lar para** appeal to; (*fig*) resort to

apeli|dar /ɑpəli'dar/ *vt* give a name or a surname to **~do** *m* surname

apelo /ɑ'pelu/ *m* appeal

apenas /ɑ'penɑʃ/ *adv* only

apêndice /ɑ'pẽdisə/ *m* appendix

apendicite /ɑpẽdi'sitə/ *f* appendicitis

aperceber-se /ɑpərsə'bersə/ *vpr* ~ (**de**) notice, realize

aperfeiçoar /ɑpərfejsu'ar/ *vt* perfect

aperitivo /ɑpəri'tivu/ *m* aperitif

aper|tado /ɑpər'tɑdu/ *a* tight; (*sem dinheiro*) hard-up; **~tar** *vt* (*segurar*) hold tight; tighten <cinto>; press <botão>;

squeeze <esponja>; take in <vestido>; fasten <cinto de segurança>; step up <vigilância>; cut down on <despesas>; break <coração>; (fig) pressurize <pessoa> □ vi <sapato> pinch; <chuva, frio> get worse; <estrada> narrow; ~tar-se vpr (gastar menos) tighten one's belt; (não ter dinheiro) feel the pinch; ~tar a mão de alg shake hands with s.o.; ~to /e/ m pressure; (de botão) press; (dificuldade) tight spot, jam; ~to de mãos handshake

apesar /apəˈzar/ ~ de prep in spite of

apeti|te /apəˈtitə/ m appetite; ~toso /o/ a appetizing

apetrechos /apəˈtreʃuʃ/ m pl gear; (de pesca) tackle

apimentado /apimẽˈtadu/ a spicy, hot

apinhar /apiˈɲar/ vt crowd, pack; ~se vpr crowd

api|tar /apiˈtar/ vi whistle □ vt referee <jogo>; ~to m whistle

aplanar /aplaˈnar/ vt level <terreno>; (fig) smooth <caminho>; smooth over <problema>

aplau|dir /aplawˈdir/ vt applaud; ~so(s) m (pl) applause

apli|cação /aplikaˈsãw/ f application; (de dinheiro) investment; (de lei) enforcement; ~car vt apply; invest <dinheiro>; enforce <lei>; ~car-se vpr apply (a to); (ao estudo etc) apply o.s. (a to); ~que m (luz) wall lamp

apoderar-se /apudeˈrarsə/ vpr ~ de take possession of; <raiva> take hold of

apodrecer /apudrəˈser/ vt/i rot

apoi|ar /apoˈjar/ vt lean; (fig) support; (basear) base; ~ar-se vpr ~ar-se em lean on; (fig) be based on, rest on; ~o m support

apólice /aˈpɔlisə/ f policy; (ação) bond

apontar /apõˈtar/ vt (com o dedo) point at, point to; point out <erro, caso interessante>; aim <arma>; name <nomes>; put forward <razão> □ vi (com o dedo) point (para to)

apoquentar /apukẽˈtar/ vt annoy

após /aˈpɔs/ adv after; loção ~-barba after-shave (lotion)

aposen|tado /apuzẽˈtadu/ a retired □ m pensioner; ~tadoria f retirement; (pensão) pension; ~tar vt, ~tar-se vpr retire; ~to m room

após-guerra /apɔʒˈgɛra/ m post-war period

apos|ta /aˈpɔʃta/ f bet; ~tar vt bet (em on); (fig) have faith (em in)

apostila /apuʃˈtila/ f revision aid, book of key facts

apóstolo /aˈpɔʃtulu/ m apostle

apóstrofo /aˈpɔʃtrufu/ m apostrophe

apre|ciação /aprəsjaˈsãw/ f appreciation; ~ciar vt appreciate; think highly of <pessoa>; ~ciativo a appreciative; ~ciável (pl ~ciáveis) a appreciable; ~ço /e/ m regard

apreen|der /ɐpriẽ'der/ vt seize <contrabando>; apprehend <criminoso>; grasp <sentido>; ~**são** f apprehension; (de contrabando) seizure; ~**sivo** a apprehensive

apregoar /ɐprɛɡu'ar/ vt proclaim; cry <mercadoria>

apren|der /ɐprẽ'der/ vt/i learn; ~**diz** m/f (de ofício) apprentice; (de direcção) learner; ~**dizado** m, ~**dizagem** f (de ofício) apprenticeship; (de profissão) training; (escolar) learning

apresen|tação /ɐprɛzẽtɐ'sɐ̃w/ f presentation; (teatral etc) performance; (de pessoas) introduction; ~**tador** m presenter; ~**tar** vt present; introduce <pessoa>; ~**tar-se** vpr (identificar-se) introduce o.s.; <ocasião, problema> present o.s., arise; ~**tar-se a** report to <polícia etc>; go in for <exame>; stand for <eleição>; ~**tável** (pl ~**táveis**) a presentable

apres|sado /ɐprɛ'sadu/ a hurried; ~**sar** vt hurry; ~**sar-se** vpr hurry (up)

aprimorar /ɐprimu'rar/ vt perfect, refine

aprofundar /ɐprofũ'dar/ vt deepen; study carefully <questão>; ~**-se** vpr get deeper; ~**-se em** go deeper into

aprontar /ɐprõ'tar/ vt get ready; pick <briga> □ vi act up; ~**-se** vpr get ready

apropriado /ɐprupri'adu/ a appropriate, suitable

apro|vação /ɐpruvɐ'sɐ̃w/ f approval; (num exame) pass;

~**var** vt approve of; approve <lei> □ vi make the grade; **ser ~vado** (num exame) pass

aprovei|tador /ɐpruvejtɐ'dor/ m opportunist; ~**tamento** m utilization; ~**tar** vt take advantage of; take <ocasião> (utilizar) use □ vi make the most of it; (Port: adiantar) be of use; ~**tar-se** vpr take advantage (de of); ~**te!** (divirta-se) have a good time!

aproxi|mação /ɐprɔsimɐ'sɐ̃w/ f (chegada) approach; (estimativa) approximation; ~**mado** a <valor> approximate; ~**mar** vt move nearer; (aliar) bring together; ~**mar-se** vpr approach, get nearer (de to)

ap|tidão /ɐpti'dɐ̃w/ f aptitude, suitability, ability; ~**to** a suitable

apunhalar /ɐpuɲa'lar/ vt stab

apu|rado /ɐpu'radu/ a refined; ~**rar** vt (aprimorar) refine; (descobrir) ascertain; investigate <caso>; collect <dinheiro>; count <votos>; ~**rar-se** vpr (com a roupa) dress smartly; ~**ro** m refinement; (no vestir) elegance; (dificuldade) difficulty; pl trouble

aquariano /akwari'ɐnu/ a & m Aquarian

aquário /a'kwarju/ m aquarium; **Aquário** Aquarius

aquartelar /akwartɛ'lar/ vt billet

aquático /a'kwatiku/ a aquatic, water

aque|cedor /akɛsɛ'dor/ m heater; ~**cer** vt heat □ vi, ~**cer-**

-se *vpr* heat up; **~cimento** *m* heating

aqueduto /akǝ'dutu/ *m* aqueduct

aquele /a'keli/ *a* that; *pl* those □ *pron* that one; *pl* those; **~ que** the one that

àquele = a² + **aquele**

aqui /a'ki/ *adv* here

aquilo /a'kilu/ *pron* that

àquilo = a² + **aquilo**

aquisi|ção /akizi'sāw/ *f* acquisition; **~tivo** *a* **poder ~tivo** purchasing power

ar /ar/ *m* air; *(aspecto)* look, air; *(Port: no carro)* draught; **ao ~ livre** in the open air; **no ~** *(fig)* up in the air; *(TV)* on air; **~ condicionado** air conditioning

árabe /'arabǝ/ *a & m* Arab; *(ling)* Arabic

Arábia /a'rabjǝ/ *f* Arabia; **~ Saudita** Saudi Arabia

arado /a'radu/ *m* plough, *(Amer)* plow

aragem /a'raʒãj/ *f* breeze

arame /a'ramǝ/ *m* wire; **~ farpado** barbed wire

aranha /a'raɲǝ/ *f* spider

arar /a'rar/ *vt* plough, *(Amer)* plow

arara /a'rarǝ/ *f* parrot

arbi|trar /arbi'trar/ *vt/i* referee <jogo>; arbitrate <disputa>; **~trário** *a* arbitrary

arbítrio /ar'bitrju/ *m* judgement; **livre ~** free will

árbitro /'arbitru/ *m* arbiter <da moda etc>; *(jurid)* arbitrator; *(de futebol)* referee; *(de ténis)* umpire

arborizado /arburi'zadu/ *a* wooded, green; <rua> tree-lined

arbusto /ar'buʃtu/ *m* shrub

ar|ca /'arkǝ/ *f* **~ca de Noé** Noah's Ark; **~cada** *f* *(galeria)* arcade; *(arco)* arch

arcaico /ar'kajku/ *a* archaic

arcar /ar'kar/ *vt* **~ com** deal with

arcebispo /arsǝ'biʃpu/ *m* archbishop

arco /'arku/ *m* *(arquit)* arch; *(arma, mus)* bow; *(electr, mat)* arc; **~-da-velha** *m*; **coisa do ~-da-velha** amazing thing; **~-íris** *m invar* rainbow

ar|dente /ar'dētǝ/ *a* burning; *(fig)* ardent; **~der** *vi* burn; <olhos, ferida> sting

ar|dil /ar'dil/ *(pl ~dis)* *m* trick, ruse

ardor /ar'dor/ *m* heat; *(fig)* ardour; **com ~** ardently

árduo /'ardwu/ *a* strenuous, arduous

área /'arjǝ/ *f* area; **(grande) ~** penalty area; **~ (de serviço)** yard

arear /ari'ar/ *vt* scour <panela>

areia /a'rejǝ/ *f* sand

arejar /arǝ'ʒar/ *vt* air □ *vi*, **~-se** *vpr* get some air; *(descansar)* have a breather ou break

are|na /a'renǝ/ *f* arena; **~noso** *a* sandy

arenque /a'rēkǝ/ *m* herring

argamassa /arga'masǝ/ *f* mortar

Argélia /ar'ʒɛljǝ/ *f* Algeria

argelino /arʒǝ'linu/ *a & m* Algerian

Argentina /arʒē'tinǝ/ *f* Argentina

argentino /arʒẽ'tinu/ *a & m* Argentinian

argila /ar'ʒila/ *f* clay

argola /ar'gola/ *f* ring

argumen|tar /argumẽ'tar/ *vt/i* argue; ~m argument; (*de filme etc*) subject-matter

ariano /ari'anu/ *a & m* (*do signo Aries*) Arian

árido /'aridu/ *a* arid; barren <deserto>; (*fig*) dull, dry

Aries /'ariʃ/ *f* Aries

arisco /a'riʃku/ *a* timid, unsociable

aristo|cracia /ariʃtukra'sia/ *f* aristocracy; ~**crata** *m/f* aristocrat; ~**crático** *a* aristocratic

aritmética /arit'mɛtika/ *f* arithmetic

arma /'arma/ *f* weapon; *pl* arms; ~ **de fogo** firearm

ar|mação /arma'sãw/ *f* frame; (*de óculos*) frames; (*naut*) rigging; ~**madilha** *f* trap; ~**madura** *f* suit of armour; (*armação*) framework; ~**mar** *vt* (*dar armas a*) arm; (*montar*) put up, assemble, set up <máquina>; set, lay <armadilha>; fit out <navio>; hatch <plano, complot>; cause <briga>; ~**mar-se** *vpr* arm o.s.

armário /ar'marju/ *m* cupboard; (*de roupa*) wardrobe

arma|zém /arma'zẽj/ *m* warehouse; (*loja*) general store; (*depósito*) storeroom; ~**zenagem** *f*, ~**zenamento** *m* storage; ~**zenar** *vt* store

Armênia /ar'mɛnia/ *f* Armenia

arménio /ar'mɛnju/ *a & m* Armenian

aro /'aru/ *m* (*de roda, óculos*) rim; (*de porta*) frame

aro|ma /a'roma/ *f* aroma; (*perfume*) fragrance; ~**mático** *a* aromatic; fragrant

ar|pão /ar'pãw/ *m* harpoon; ~**poar** *vt* harpoon

arquear /arki'ar/ *vt* arch; ~**-se** *vpr* bend, bow

arque|ologia /arkjulu'ʒia/ *f* archaeology; ~**ológico** *a* archaeological; ~**ólogo** *m* archaeologist

arquétipo /ar'kɛtipu/ *m* archetype

arquibancada /arkibã'kada/ *f* terraces, (*Amer*) bleachers

arquipélago /arki'pɛlagu/ *m* archipelago

arquitec|tar /arkite'tar/ *vt* think up; ~**to** /ɛ/ *m* architect; ~**tónico** *a* architectural; ~**tura** *f* architecture

arqui|var /arki'var/ *vt* file <papéis>; shelve <plano, processo>; ~**vista** *m/f* archivist; ~**vo** *m* file; (*conjunto*) files; (*móvel*) filing cabinet; *pl* (*do Estado etc*) archives

arran|cada /aʀã'kada/ *f* lurch; (*de atleta, fig*) spurt; ~**car** *vt* pull out <cabelo etc>; pull off <botão etc>; pull up <erva daninha etc>; take out <dente>; (*das mãos de alg*) wrench, snatch; extract <confissão, dinheiro> □ *vi* <carro> roar off; <pessoa> take off; (*dar solavanco*) lurch forward; ~**car-se** *vpr* take off; ~**co** *m* pull, tug; *veja* ~**cada**

arranha-céu /aʀaɲa'sɛw/ *m* skyscraper

arra|nhadura /aɾaɲa'duɾa/ f scratch; **~nhão** m scratch; **~nhar** vt scratch; have a smattering of <lingua>

arran|jar /aɾã'ʒaɾ/ vt arrange; (achar) get, find; (resolver) settle, sort out; **~jar-se** vpr manage; **~jo** m arrangement

arrasar /aɾa'zaɾ/ vt devastate; raze, flatten <casa, cidade>; **~se** vpr be devastated

arrastar /aɾaʃ'taɾ/ vt drag; <corrente, avalancha> sweep away; (atrair) draw □ vi trail; **~se** vpr crawl; <tempo> drag; <processo> drag out

arreba|tador /aɾebata'doɾ/ a entrancing; shocking <notícia>; **~tar** vt (enlevar) entrance, send; (chocar) shock

arreben|tação /aɾebẽta'sãw/ f surf; **~tar** vi <bomba> explode; <corda> snap, break; <balão, pessoa> burst; <onda> break; <guerra, incêndio> break out □ vt snap, break <corda>; burst <balão>; break down <corta>

arrebitar /aɾebi'taɾ/ vt turn up <nariz>; prick up <orelhas>

arreca|dação /aɾekada'sãw/ f (dinheiro) tax revenue (espaço) store room; **~dar** vt collect

arredar /aɾe'daɾ/ vt **não ~ pé** stand one's ground

arredio /aɾe'diu/ a withdrawn

arredondar /aɾedõ'daɾ/ vt round up <quantia>; round off ângulo.

arredores /aɾe'dɔɾeʃ/ m pl surroundings; (de cidade) outskirts

arrefecer /aɾefe'seɾ/ vt/i cool

arregaçar /aɾega'saɾ/ vt roll up

arrega|lado /aɾega'ladu/ a <olhos> wide; **~lar** vt **~lar os olhos** be wide-eyed with amazement

arreganhar /aɾega'ɲaɾ/ vt bare <dentes>; **~se** vpr grin

arrema|tar /aɾema'taɾ/ vt finish off; (no tricô) cast off;

arremes|sar /aɾeme'saɾ/ vt hurl; **~so** /e/ m throw

arrepen|der-se /aɾepẽ'deɾsa/ vpr be sorry; <pecador> repent; **~der-se de** regret; **~di-do** a sorry; <pecador> repentant; **~dimento** m regret; (de pecado, crime) repentance

arrepi|ado /aɾepi'adu/ a <cabelo> standing on end; <pele, pessoa> covered in goose pimples; **~ar** vt (dar calafrios) make shudder; make stand on end <cabelo>; **~a-me (a pele)** it gives me goose pimples; **~ar-se** vpr (estremecer) shudder; <cabelo> stand on end; (na pele) get goose pimples; **~o m** shudder; **dá-me ~os** it makes me shudder

arris|cado /aɾiʃ'kadu/ a risky; **~car** vt risk; **~car-se** vpr take a risk, risk it; **~car-se a fazer** risk doing

arro|gância /aʁu'gãsja/ f arrogance; **~gante** a arrogant;□ **~gar-se** vr direitos claim

arro|jado /aʁu'ʒadu/ a bold; **~jar** vt throw

arrombar /aʁõ'baɾ/ vt break down <porta>; break into <casa>; crack <cofre>

arro|tar /aʀu'tar/ *vi* burp, belch; **~to** /o/ *m* burp

arroz /a'ʀoʃ/ *m* rice; **~ doce** rice pudding; **~al** (*pl* **~ais**) *m* rice field

arrua|ça /aʀu'asa/ *f* riot; **~ceiro** *m* rioter

arruela /aʀu'ɛla/ *f* washer

arruinar /aʀwi'nar/ *vt* ruin; **~-se** *vpr* be ruined

arru|mador /aʀuma'dor/ *m* (*num cinema, teatro*) usher (*f* usherette); **~mar** *vt* tidy (up) <*casa*>; sort out <*papéis, vida*>; pack <*mala*>; (BR: *achar*) find, get; make up <*desculpa*>; (*vestir*) dress up; **~mar-se** *vpr* (*aprontar-se*) get ready; (*na vida*) sort o.s. out

arse|nal /arsə'nal/ (*pl* **~nais**) *m* arsenal

arsénio /ar'sɛnju/ *m* arsenic

arte /'artə/ *f* art; **~facto** *m* product, article

arteiro /ar'tejru/ *a* mischievous

artéria /ar'tɛrja/ *f* artery

artesa|nal /artəza'nal/ (*pl* **~nais**) *a* craft; **~nato** *m* craftwork

arte|são /artə'zãw/ (*pl* **~s**) *m* (*f* **~sã**) artisan, craftsman (*f* -woman)

ártico /'artiku/ *a & m* arctic

articu|lação /artikula'sãw/ *f* articulation; (*anat, tecn*) joint; **~lar** *vt* articulate

arti|ficial /artifisi'al/ (*pl* **~ficiais**) *a* artificial; **~fício** *m* trick

artigo /ar'tigu/ *m* article; (*com*) item

arti|lharia /artiʎa'ria/ *f* artil-

lery; **~lheiro** *m* (*mil*) gunner; (*no futebol*) striker

artimanha /arti'maɲa/ *f* trick; (*método*) clever way

ar|tista /ar'tiʃta/ *m/f* artist; **~tístico** *a* artistic

artrite /ar'tritə/ *f* arthritis

árvore /'arvurə/ *f* tree

arvoredo /arvu'redu/ *m* grove

as /aʃ/ *artigo & pron veja* **a¹**

ás /aʃ/ *m* ace

às = **a² + as**

asa /'aza/ *f* wing; (*de chávena*) handle; **~-delta** *f* hang-glider

ascen|dência /aʃsẽ'dẽsja/ *f* ancestry; (*superioridade*) ascendancy; **~dente** *a* rising; **~der** *vi* rise; ascend <*ao trono*>; **~são** *f* rise; (*relig*) Ascension; **em ~são** rising; (*fig*) up and coming; **~sor** *m* lift, (*Amer*) elevator; **~sorista** *m/f* lift operator

asco /'aʃku/ *m* revulsion, disgust; **dar ~** be revolting

asfalto /aʒ'faltu/ *m* asphalt

asfixiar /aʃfiksi'ar/ *vt/i* asphyxiate

Ásia /'azia/ *f* Asia

asiático /azi'atiku/ *a & m* Asian

asilo /a'zilu/ *m* (*refúgio*) asylum; (*de velhos, crianças*) home

as|ma /'aʒma/ *f* asthma; **~mático** *a & m* asthmatic

asneira /aʒ'nejra/ *f* stupidity; (*uma*) stupid thing

aspas /'aʃpaʃ/ *f pl* inverted commas

aspecto /aʃ'pɛtu/ *m* appearance, look; (*de um problema*) aspect

aspereza /aʃpəˈrezə/ f roughness; (do clima, de um som) harshness; (fig) rudeness

áspero /ˈaʃpəru/ a rough; <clima, som> harsh; (fig) rude

aspi|ração /aʃpiraˈsãw/ f aspiration; (med) inhalation; **~rador** m vacuum cleaner; **~rar** vt inhale, breathe in <ar, fumaça>; suck up <líquido>; **~rar a** aspire to

aspirina /aʃpiˈrinə/ f aspirin

asqueroso /aʃkeˈrozu/ a revolting, disgusting

assa|do /aˈsadu/ a & m roast; **~dura** f (na pele) sore patch

assalariado /asalariˈadu/ a salaried ▢ m salaried worker

assal|tante /asalˈtãtə/ m robber; (na rua) mugger; (de casa) burglar; **~tar** vt rob; burgle, (Amer) burglarize <casa>; **~to** m (roubo) robbery; (a uma casa) burglary; (ataque) assault; (no boxe) round

assanhado /asaˈɲadu/ a worked up; <criança> excitable; (erótico) amorous

assar /aˈsar/ vt roast

assassi|nar /asasiˈnar/ vt murder; (pol) assassinate; **~nato** m murder; (pol) assassination; **~no** m murderer; (pol) assassin

asseado /asiˈadu/ a well-groomed, clean

as|sediar /asediˈar/ vt besiege <cidade>; (fig) pester; **~sédio** m siege; (fig) pestering

assegurar /aseguˈrar/ vt (tornar seguro) secure; (afirmar) guarantee; **~ a alg aco/que** assure s.o. of sth/that;

~se de/que make sure of/that

assembleia /asẽˈblejə/ f (pol) assembly; (com) meeting

assemelhar /aseməˈʎar/ vt liken; **~se** vpr be alike; **~se a** resemble, be like

assen|tar /asẽˈtar/ vt (estabelecer) establish, define; settle <povo>; lay <tijolo> ▢ vi <pó> settle; **~tar-se** vpr settle down; **~tar com** go with; **~tar a** <roupa> suit; **~to** m seat; (fig) basis; **tomar ~to** take a seat; <pó> settle

assen|tir /asẽˈtir/ vi agree; **~timento** m agreement

assessor /aseˈsor/ m adviser; **~ar** vt advise

assexuado /aseksuˈadu/ a asexual

assidu|idade /asidwiˈdadə/ f (à escola) regular attendance; (diligência) diligence

assíduo /aˈsidwu/ a (que frequenta) regular; (diligente) assiduous

assim /aˈsĩ/ adv like this, like that; (portanto) therefore; **e ~ por diante** and so on; **~ como** as well as; **~ que** as soon as

assimétrico /asiˈmɛtriku/ a asymmetrical

assimilar /asimiˈlar/ vt assimilate; **~se** vpr be assimilated

assinalar /asinaˈlar/ vt (marcar) mark; (distinguir) distinguish; (apontar) point out

assi|nante /asiˈnãtə/ m/f subscriber; **~nar** vt/i sign; **~natura** f (nome) signature; (de revista) subscription

assis|tência /asiʃˈtẽsjə/ f assistance; (*presença*) attendance; (*público*) audience; ~**tente** *a* assistant □ *m/f* assistant; ~**tente social** social worker; ~**tir** (**a**) *vt/i* (*ver*) watch; (*presenciar*) attend; assist <doente>

assoalho /asuˈaʎu/ *m* floor

assoar /asuˈar/ *vt* ~ **o nariz** *ou* ~-**se** blow one's nose

assobi|ar /asubiˈar/ *vt/i* whistle; ~**o** *m* whistle

associ|ação /asusjaˈsãw/ *f* association; ~**ado** *a* & *m* associate; ~**ar** *vt* associate (**a** with); ~**ar-se** *vpr* associate (*com*) go into partnership (**a** with)

assolar /asuˈlar/ *vt* devastate

assom|bração /asõbraˈsãw/ *f* ghost; ~**brar** *vt* astonish, amaze; ~**brar-se** *vpr* be amazed; ~**bro** *m* amazement, astonishment; (*coisa*) marvel; ~**broso** /o/ *a* astonishing, amazing

assoprar /asuˈprar/ *vi* blow □ *vt* blow; blow out <vela>

assovi- *veja* **assobi-**

assu|mido /asuˈmidu/ *a* (*confesso*) confirmed, self--confessed; ~**mir** *vt* assume, take on; accept, admit <defeito> □ *vi* take office

assunto /aˈsũtu/ *m* subject; (*negócio*) matter

assus|tador /asustaˈdor/ *a* frightening; ~**tar** *vt* frighten, scare; ~**tar-se** *vpr* get frightened, get scared

asterisco /asteˈrisku/ *m* asterisk

as|tral /asˈtral/ (*pl* ~**trais**) *m* (*fam*) state of mind; ~**tro** *m*

star; ~**trologia** *f* astrology; ~**trólogo** *m* astrologer; ~**tronauta** *m/f* astronaut; ~**tronave** *f* spaceship; ~**tronomia** *f* astronomy; ~**tronómico** *a* astronomical; ~**trónomo** *m* astronomer

as|túcia /asˈtusja/ *f* cunning; ~**tuto** *a* cunning; <comerciante> astute

ata|cado /ataˈkadu/ *m* **por** ~**do** wholesale

ata|cante /ataˈkãta/ *a* attacking □ *m/f* attacker; ~**car** *vt* attack; tackle <problema>; ~**cador** *m* (*de sapato*) shoelace

atadura /ataˈdura/ *f* bandage

ata|lhar /ataˈʎar/ *vi* take a shortcut; ~**lho** *m* shortcut

ataque /aˈtaka/ *m* attack; (*de raiva, riso*) fit

atar /aˈtar/ *vt* tie

atarantado /atarãˈtadu/ *a* flustered, in a flap

atarefado /atareˈfadu/ *a* busy

atarracado /ataʀaˈkadu/ *a* stocky

atarraxar /ataʀaˈʃar/ *vt* screw

até /aˈtɛ/ *prep* (up) to, as far as; (*tempo*) until □ *adv* even; ~ **logo** goodbye; ~ **que** until

ateia /aˈteja/ *a* & *f veja* **ateu**

atelier /ateliˈe/ *m* studio

atemorizar /atəmuriˈzar/ *vt* frighten

Atenas /aˈtenaʃ/ *f* Athens

aten|ção /atẽˈsãw/ *f* attention; *pl* (*bondade*) thoughtfulness; **com** ~ attentively; ~**cioso** *a* thoughtful, considerate

aten|der /atẽˈder/ ~**der** (**a**) *vt/i*

answer <telefone, porta>; answer to <nome>; serve <freguês>; see <paciente, visitante>; grant, meet <pedido>; heed <conselho>; **~dimento** *m* service; (*de médico etc*) consultation

aten|tado /atẽ'tadu/ *m* murder attempt; (*pol*) assassination attempt; (*ataque*) attack (**contra** on); **~tar** *vi* **~tar contra** make an attempt on

atento /a'tẽtu/ *a* attentive; **~ a** mindful of

aterrador /ataxa'dor/ *a* terrifying

ater|ragem /ata'Razãj/ *f* landing; **~rar** *vi* land

ater-se /a'tersə/ *vpr* **~ a** keep to, go by

ates|tado /ataʃ'tadu/ *m* certificate; **~tar** *vt* attest (to)

ateu /a'tew/ *a & m* (*f* **ateia**) atheist

atiçar /ati'sar/ *vt* poke <fogo>; stir up ódio, discórdia>; arouse <pessoa>

atinar /ati'nar/ *vt* work out, guess; **~ com** find; **~ em** notice

atingir /atĩ'ʒir/ *vt* reach; hit <alvo>; (*conseguir*) attain; (*afectar*) affect

atirar /ati'rar/ *vt* throw □ *vi* shoot; **~ em** fire at

atitude /ati'tudə/ *f* attitude; **tomar uma ~** take action

Atlântico /a'tlãtiku/ *m* Atlantic

atlas /'atlaʃ/ *m* atlas

atl|eta /a'tlɛta/ *m/f* athlete; **~ético** *a* athletic; **~etismo** *m* athletics

atmosfera /atmuʃ'fɛra/ *f* atmosphere

ato|lar /atu'lar/ *vt* bog down; **~lar-se** *vpr* get bogged down; **~leiro** *m* bog; (*fig*) fix, spot of trouble

atómico /a'tomiku/ *a* atomic

atomizador /atumiza'dor/ *m* atomizer spray

átomo /'atumu/ *m* atom

atónito /a'tonitu/ *a* astonished, stunned

atordoar /aturdu'ar/ *vt* <golpe, noticia> stun; <som> deafen; (*alucinar*) bewilder

atormentar /aturmẽ'tar/ *vt* plague, torment

atracar /atra'kar/ *vt/i* (*naut*) moor; **~-se** *vpr* grapple; (*fam*) neck

atracção /atra'sãw/ *f* attraction

atractivo /atra'tivu/ *m* attraction □ *a* attractive

atraente /atra'ẽta/ *a* attractive

atraiçoar /atrajsu'ar/ *vt* betray

atrair /atra'ir/ *vt* attract

atrapalhar /atrapa'ʎar/ *vt/i* (*confundir*) confuse; (*estorvar*) hinder; (*perturbar*) disturb; **~-se** *vpr* get mixed up

atrás /a'traʃ/ *adv* behind; (*no fundo*) at the back; **~ de** behind; (*depois de, no encalço de*) after; **um mês ~** a month ago; **ficar para ~** be left behind

atra|sado /atra'zadu/ *a* late; <pais, criança> backward; <relógio> slow; <pagamento> overdue; <ideias> old-fashioned; **~sar** *vt* delay; put back <relógio> □ *vi* be late; <relógio> lose; **~sar-se** *vpr* be late; (*num trabalho*) get behind; (*no pagar*) get into arrears; **~so** *m* delay;

(de pais etc) backwardness;
pl (com) arrears; **com ~so**
late

através /atra'vεʃ/ ~ **de** prep
through; (de um lado ao outro) across

atravessado /atrava'sadu/ a
<espinha> stuck; **estar com
alg ~ na garganta** be fed up
with s.o.

atravessar /atrava'sar/ vt go
through; cross <rua, rio>

atre|ver-se /atre'versa/ vpr da-
re; **~ver-se a** dare to; **~vido**
a daring; (insolente) impu-
dent; **~vimento** m daring,
boldness; (insolência) impudence

atribu|ir /atribu'ir/ vt attribute
(**a** to); confer <prémio, po-
deres> (**a** on); attach <im-
portância> (**a** to); **~to** m attribute

atrito /a'tritu/ m friction; (desavença) disagreement

atrocidade /atrusi'dadɛ/ f
atrocity

atrope|lar /atrope'lar/ vt run
over, knock down <pedes-
tre>; (empurrar) jostle; mix
up <palavras>; **~lamento m**
(de peão) running over; **~lo**
/e/ m scramble

atroz /a'trɔʃ/ a awful, terrible;
heinous <crime>; cruel
<pessoa>

atum /a'tũ/ m tuna

aturdir /atur'dir/ vt veja **atordoar**

audácia /aw'dasja/ f boldness;
(insolência) audacity

audi|ção /awdi'sãw/ f hearing;
(concerto) recital; **~ência** f
audience; (jurid) hearing

audiovisu|al /awdʒovizu'al/ (pl
~ais) a audiovisual

auditório /awdi'tɔrju/ m auditorium; **programa de ~** variety show

auge /'awʒɛ/ m peak, height

aula /'awla/ f class, lesson;
dar ~ teach

aumen|tar /awmẽ'tar/ vt in-
crease; raise <preço, salá-
rio>; extend <casa>; (com
lente) magnify; (acrescen-
tar) add □ vi increase; <pre-
ço, salário> go up; **~to** m in-
crease; (de salário) rise,
(Amer) raise

au|sência /aw'zẽsja/ f absen-
ce; **~sente** a absent □ m/f
absentee

aus|pícios /awʃ'pisjuʃ/ m pl
auspices; **~picioso** /o/ a aus-
picious

auste|ridade /awʃtɛri'dadɛ/ f
austerity; **~ro** /ε/ a austere

Austrália /awʃ'tralja/ f Aus-
tralia

australiano /awʃtrali'anu/ a
& m Australian

Áustria /'awʃtrja/ f Austria

austríaco /awʃ'triaku/ a & m
Austrian

autarquia /awtar'kia/ f public
authority

autêntico /aw'tẽtiku/ a aut-
hentic; genuine <pessoa>;
true <facto>

autobio|grafia /awtobju-
gra'fia/ f autobiography;
~gráfico a autobiographical

autocarro /awto'karu/ m bus

autocrata /awto'krata/ a auto-
cratic

autodefesa /awtodɛ'fɛza/ f
self- defence

autodidata /awtɔdi'data/ a & m/f self-taught (person)

autódromo /aw'tɔdrumu/ m race track

auto-escola /awtɔʃ'kɔla/ f driving school

auto-estrada /awtɔʃ'trada/ f motorway, (*Amer*) expressway

autógrafo /aw'tɔgrafu/ m autograph

auto|mação /awtuma'sãw/ f automation; ~**mático** a automatic; ~**matizar** vt automate

auto|mobilismo /awtumu-bi'liʒmu/ m motoring; (*desporto*) motor racing; ~**móvel** (*pl* ~**móveis**) m motor car, (*Amer*) automobile

autonomia /awtunu'mia/ f autonomy; ~**tónomo** a autonomous; <trabalhador> self-employed

autopeça /awtɔ'pɛsa/ f car spare

autópsia /aw'tɔpsja/ f autopsy

autor /aw'tor/ m (f ~a) author; (*de crime*) perpetrator; (*jurid*) plaintiff

auto-retrato /awtɔRə'tratu/ m self-portrait

autoria /awtu'ria/ f authorship; (*de crime*) responsibility (de for)

autori|dade /awturi'dadə/ f authority; ~**zação** f authorization, permission; ~**zar** vt authorize

autuar /awtu'ar/ vt sue

au|xiliar /awsili'ar/ a auxiliary □ m/f assistant □ vt assist; ~**xílio** m assistance, aid

aval /a'val/ (*pl* **avais**) m endorsement; (*com*) guarantee

avali|ação /avalja'sãw/ f (*de preço*) valuation; (*fig*) evaluation; ~**ar** vt value <quadro etc> (**em** at); assess <danos, riscos>; (*fig*) evaluate

avan|çar /avã'sar/ vt move forward □ vi move forward; (*mil, fig*) advance; ~**çar a** (*montar*) amount to; ~**ço** m advance

avar|eza /ava'reza/ f meanness; ~**ento** a mean

ava|ria /ava'ria/ f damage; (*de máquina*) breakdown; ~**riado** a damaged; <máquina> out of order; <carro> broken down; ~**riar** vt damage □ vi be damaged; <máquina> break down

ave /'avə/ f bird; ~ **de rapina** bird of prey

aveia /a'veja/ f oats

avelã /avə'lã/ f hazelnut

avenida /avə'nida/ f avenue

aven|tal /avẽ'tal/ (*pl* ~**tais**) m apron

aventu|ra /avẽ'tura/ f adventure; (*amorosa*) fling; ~**rar** vt venture; ~**rar-se** vpr venture (**a** to); ~**reiro** a adventurous □ m adventurer

averiguar /avəri'gwar/ vt check (out)

avermelhado /avərmə'ʎadu/ a reddish

aver|são /avər'sãw/ f aversion; ~**so** a averse (**a** to)

aves|sas /a'vɛsaʃ/. **às ~sas** the wrong way round; (*de cabeça para baixo*) upside down; ~**so** /e/ m ao ~ **so** inside out

avestruz /avəʃ'truʃ/ m ostrich

avi|ação /avja'sãw/ f aviation; ~**ão** m (aero)plane, (*Amer*) (air)plane; ~**ão a jato** jet

avi|dez /ɑviˈdeʃ/ f (*cobiça*) greediness; ~**do** a (*cobiçoso*) greedy

avi|sar /ɑviˈzar/ vt (*informar*) tell, let know; (*advertir*) warn; (*advertência*) warning; ~**so** m notice; (*advertência*) warning

avistar /ɑviʃˈtar/ vt catch sight of

avo /ˈavu/ m **um doze** ~**s** one twelfth

avó /ɑˈvɔ/ f grandmother; ~**s** m pl grandparents

avô /ɑˈvo/ m grandfather

avoado /ɑvuˈadu/ a dizzy, scatterbrained

avulso /ɑˈvulsu/ a loose, odd

avultado /ɑvulˈtadu/ a bulky

axila /ɑkˈsilɑ/ f armpit

azaléia /ɑzaˈlejɑ/ f azalea

azar /ɑˈzar/ m bad luck; **ter** ~ be unlucky; ~**ado**, ~**ento** a unlucky

aze|dar /ɑzəˈdar/ vt sour □ vi go sour; ~**do** /e/ a sour

azei|te /ɑˈzejtɑ/ m oil; ~**tona** /o/ f olive

azevinho /ɑzəˈviɲu/ m holly

azia /ɑˈziɑ/ f heartburn

azucrinar /ɑzukriˈnar/ vt annoy

azul /ɑˈzul/ (*pl* **azuis**) a blue

azulejo /ɑzuˈleʒu/ m (ceramic) tile

azul-marinho /ɑzulmɑˈriɲu/ a *invar* navy blue

B

babá /ba'ba/ f (Br) nanny

ba|bado /ba'badu/ m frill; **~bar** vt/i, **~bar-se** vpr drool (**por** over); <bebé> dribble; **~beiro ou ~bete** m bib

baby-sitter /bejbi'sitər/ (pl **~s**) m/f babysitter

bacalhau /baka'ʎaw/ m cod

bacana /ba'kana/ (Br) (fam) a great

bacha|rel /baʃa'rɛl/ (pl **~réis**) bachelor; **~relato** m bachelor's degree; **~relar-se** vpr graduate

bacia /ba'sia/ f basin; (sanitária) bowl; (anat) pelvis

baço /'basu/ m spleen

bactéria /bak'tɛria/ f bacterium; pl bacteria

bada|lado /bada'ladu/ a (Br fam) talked about; **~lar** vt ring <sino> □ vi (Br fam) go out and about; **~lativo** (Br fam) a fun-loving, gadabout

badejo /ba'deʒu/ m sea bass

baderna /ba'dɛrna/ f (tumulto) commotion; (desordem) mess

ba|fo /'bafu/ m bad breath; **~fómetro** m Breathalyser; **~forada** f puff

bagaço /ba'gasu/ m pulp; (aguardente) brandy

baga|geira /baga'ʒejra/ f (de carro) roofrack; **~geiro** m porter; **~gem** f luggage; (cultural etc) baggage

bagatela /baga'tɛla/ f trifle

Bagdá /bag'da/ f Baghdad

bago /'bagu/ m berry; (de chumbo) pellet

bagun|ça /ba'gusa/ f (Br) mess; **~çar** vt mess up; **~ceiro** a messy □ m messer

baía /ba'ia/ f bay

baiano /ba'janu/ a & m Bahian

baila /'bajla/ f **trazer/vir à ~** bring/come up

bai|lar /baj'lar/ vt/i dance; **~larino** m ballet dancer; **~le** m dance; (de gala) ball

bainha /ba'iɲa/ f (de vestido) hem; (de arma) sheath

baioneta /baju'neta/ f bayonet

bairro /'bajʀu/ m neighbourhood, area, district

baixa /'bajʃa/ f drop, fall; (de guerra) casualty; (dispensa) discharge; **~mar** f low tide

baixar /baj'ʃar/ vt lower; issue <ordem>; pass <lei> □ vi drop, fall; (fam: pintar) turn up

baixaria /bajʃɑ.'riɑ/ f sordidness; (*uma*) sordid thing

baixela /baj'ʃɛlɑ/ f set of cutlery

baixeza /baj'ʃezɑ/ f baseness

baixo /'bajʃu/ a low; <pessoa> short; <som, voz> quiet, soft; <cabeça, olhos> lowered; (*vil*) sordid □ adv low; <falar> softly, quietly □ m bass; **em ~** underneath; (*em casa*) downstairs; **em ~ de** under; **para ~** down; (*em casa*) downstairs; **por ~ de** under(neath)

baju|lador /baʒulɑ'dor/ a obsequious □ m sycophant; **~lar** vt fawn on

bala /'balɑ/ f (*de revólver*) bullet

balada /ba'ladɑ/ f ballad

balaio /ba'laju/ m linen basket

balan|ça /ba'lãsɑ/ f scales; **Balança** (*signo*) Libra; **~ça de pagamentos** balance of payments; **~çar** vt/i (*no ar*) swing; (*numa cadeira etc*) rock; <carro, avião> shake; <navio> roll; **~çar-se** vpr swing; **~cete** /e/ m trial balance; **~ço** m (*com*) balance sheet; (*brinquedo*) swing; (*movimento no ar*) swinging; (*de carro, avião*) shaking; (*de navio*) rolling; (*de cadeira*) rocking; **fazer um ~ço de** (*fig*) take stock of

balão /ba'lãw/ m balloon

balbu|ciar /balbusi'ar/ vt/i babble; **~cio** m babble, babbling

balbúrdia /bal'burdʒɑ/ f hubbub

bal|cão /bal'kãw/ m (*em loja*) counter; (*de informações, bilhetes*) desk; (*de cozinha*) worktop, (*Amer*) counter; (*no teatro*) circle; **~conista** m/f shop assistant

balde /'baldə/ m bucket

baldeação /baldʒa'sãw/ f **fazer ~** change (trains)

baldio /bal'diu/ a fallow; **terreno ~** (piece of) waste ground

balear /bali'ar/ vt shoot

baleia /ba'lejɑ/ f whale

balido /ba'lidu/ m bleat, bleating; **~lir** vi bleat

balísti|ca /ba'liʃtikɑ/ f ballistics; **~co** a ballistic

bali|za /ba'lizɑ/ f marker; (*luminosa*) beacon; (*futebol*) goal **~zar** vt mark out

ballet /ba'le/ m ballet

balneário /balni'arju/ m seaside resort

balofo /ba'lofu/ a fat, tubby

baloiço, balouço /ba'lojsu, ba'losu/ m (*de criança*) swing

balsa /'balsɑ/ f (*de madeira etc*) raft; (*que vai e vem*) ferry

bálsamo /'balsamu/ m balm

báltico /'baltiku/ a & m Baltic

baluarte /balu'artə/ m bulwark

bambo /'bãbu/ a loose, slack; <pernas> limp; <mesa> wobbly

bambo|lê /bãbu'le/ m hula hoop; **~lear** vi <pessoa> sway, totter; <coisa> wobble

bambu /bã'bu/ m bamboo

ba|nal /ba'nal/ (*pl* **~nais**) a banal; **~nalidade** f banality

bana|na /ba'nanɑ/ f banana □

(fam) *m/f* wimp; **~neira** *f* banana tree;

banca /'bãka/ *f (de trabalho)* bench; *(de jornais)* newsstand; ~ **examinadora** examining board; **~da** *f (pol)* bench

bancar /bã'kar/ *vt (custear)* finance; *(Br) (fazer papel de)* play; *(fingir)* pretend

bancário /bã'karju/ *a* bank □ *m* bank employee

bancarrota /bãka'ʀota/ *f* bankruptcy; **ir à ~** go bankrupt

banco /'bãku/ *m (com)* bank; *(no parque)* bench; *(na cozinha, num bar)* stool; *(de bicicleta)* saddle; *(de carro)* seat; ~ **de areia** sandbank; ~ **de dados** database

banda /'bãda/ *f* band; *(lado)* side; **de ~** sideways on; **nestas ~s** in these parts; ~ **desenhada** cartoon; **~-sonora** soundtrack

bandeira /bã'dejra/ *f* flag; *(divisa)* banner; **dar ~ra** *(fam) (Br)* give o.s. away; **~rante** *m/f* pioneer □ *f* girl guide; **~rinha** *m* linesman

bandeja /bã'deʒa/ *f* tray

bandido /bã'didu/ *m* bandit

bando /'bãdu/ *m (de pessoas)* band; *(de pássaros)* flock

bandolim /bãdu'lĩ/ *m* mandolin

bangalô /bãga'lo/ *m* bungalow

Banguecoque /bãge'kɔkə/ *f* Bangkok

banha /'baɲa/ *f* lard; *pl (no corpo)* flab

banhar /ba'ɲar/ *vt (molhar)* bathe; *(lavar)* bath; **~-se** *vpr* bathe

banheira /ba'ɲejra/ *f* bath, *(Amer)* bathtub; **~ro** *m* lifeguard

banhista /ba'ɲiʃta/ *m/f* bather

banho /'baɲu/ *m* bath; *(no mar)* bathe, dip; **tomar ~** have a bath; *(no chuveiro)* have a shower; **tomar um ~ de loja/cultura** go on a shopping/cultural spree; ~ **de espuma** bubble bath; ~ **de sol** sunbathing; **~-maria** *(pl* **~s-maria)** *m* bain marie

banimento /bani'mẽtu/ *m* banishment; **~nir** *vt* banish

banjo /'bãʒu/ *m* banjo

banqueiro /bã'kejru/ *m* banker

banqueta /bã'keta/ *f* foot-stool

banque|te /bã'ketə/ *m* banquet; **~teiro** *m* caterer

banzé /bã'zɛ/ *(fam)* *m* commotion, uproar

bap|tismo /ba'tiʒmu/ *m* baptism; **~tizado** *m* christening; **~tizar** *vt* baptize; *(pôr nome)* christen

baque /'bakə/ *m* thud, crash; *(revés)* blow; **~ar** *vi* topple over □ *vt* hit hard, knock for six

bar /bar/ *m* bar

barafunda /baɾa'fũda/ *f* jumble; *(barulho)* racket

bara|lhada /baɾa'ʎada/ *f* jumble; **~lho** *m* pack of cards, *(Amer)* deck of cards

barão /ba'ɾãw/ *m* baron

barata /ba'ɾata/ *f* cockroach

bara|tear /baɾati'ar/ *vt* cheapen; **~teiro** *a* cheap

baratinar /baɾati'nar/ *vt* fluster; *(transtornar)* rattle, shake up

barato /ba'ɾatu/ *a* cheap □

adv cheaply □ *(fam)* *(Br)* m **um** ~ great; **que** ~! that's brilliant!

barba /ˈbarba/ *f* beard; *pl* *(de gato etc)* whiskers; **fazer a** ~ shave; ~**do** *a* bearded

bar|baridade /barbariˈdadʒi/ *f* barbarity; *(fam: muito dinheiro)* fortune; ~**bárie** *f*, ~**barismo** *m* barbarism

bárbaro /ˈbarbaru/ *m* barbarian □ *a* barbaric; *(fam: forte, bom)* terrific

barbatana /barbaˈtana/ *f* fin; *(de mergulhador)* flipper

bar|beador /barbjaˈdor/ *m* shaver; ~**bear** *vt* shave; ~**bear- se** *vpr* shave; ~**bearia** *f* barber's shop; ~**beiro** *m* barber; *(fam: motorista)* bad driver

bar|ca /ˈbarka/ *f* barge; *(balsa)* ferry; ~**caça** *f* barge; ~**co** *m* boat; ~**co a motor** motor-boat; ~**co a remo/vela** rowing/sailing boat, *(Amer)* rowboat/sailboat

barga|nha /barˈgana/ *f* bargain; ~**nhar** *v/i* bargain

barítono /baˈritunu/ *m* baritone

barómetro /baˈrɔmɛtru/ *m* barometer

baronesa /baruˈneza/ *f* baroness

barra /ˈbara/ *f* bar; *(sinal gráfico)* slash, stroke; *(fam: situação)* situation; **segurar a** ~ hold out; **forçar a** ~ force the issue

barra|ca /baˈraka/ *f* *(de acampar)* tent; *(na feira)* stall; *(casinha)* hut; *(guarda-sol)* sunshade; ~**cão** *m* shed; ~**co** *m* shack, shanty

barragem /baˈraʒãj/ *f* *(represa)* dam

barra-pesada /barapeˈzada/ *(fam)* *(Br)* *a invar* <bairro> rough; <pessoa> shady; *(difícil)* tough

bar|rar /baˈrar/ *vt* bar; ~**reira** *f* barrier; *(em corrida)* hurdle; *(em futebol)* wall

barrento /baˈrẽtu/ *a* muddy

barricada /bariˈkada/ *f* barricade

barri|ga /baˈriga/ *f* stomach, *(Amer)* belly; ~**ga da perna** calf; ~**gudo** *a* pot-bellied

bar|ril /baˈril/ *(pl* ~**ris)** *m* barrel

barro /ˈbaru/ *m* *(argila)* clay; *(lama)* mud

barroco /baˈroku/ *a & m* baroque

barrote /baˈrɔtə/ *m* beam, joist

baru|lheira /baruˈλejra/ *f* racket, din; ~**lhento** *a* noisy; ~**lho** *m* noise

base /ˈbazə/ *f* base; *(fig: fundamento)* basis; **com** ~ **em** on the basis of; **na** ~ **de** based on; ~**ado** *a* based; *(firme)* well-founded □ *(fam)* m joint; ~**ar** *vt* base; ~**ar-se em** be based on

básico /ˈbaziku/ *a* basic

basquete /basˈkɛt/ m, **basquetebol** /basˈkɛtəˈbɔl/ m basketball

bas|tante /basˈtãta/ *a* *(muito)* quite a lot of; *(suficiente)* enough □ *adv* *(com adjectivo, advérbio)* quite; *(com verbo)* quite a lot; *(suficientemente)* enough

bastão /basˈtãw/ *m* stick;

(num revezamento, de co-mando) baton

bastar /bɑ.ʃˈtar/ *vi* be enough

bastidores /bɑ.ʃtiˈdorɨʃ/ *m pl* (*no teatro*) wings; **nos ~** (*fig*) behind the scenes

bata /ˈbatɑ/ *f* (*de mulher*) smock; (*de médico etc*) overall

bata|lha /bɑ.ˈtaʎɑ/ *f* battle; **~lhador** *a* plucky, feisty □ *m* fighter; **~lhão** *m* battalion; **~lhar** *vi* battle; (*esforçar-se*) fight hard □ *vt* fight hard to get

batata /bɑ.ˈtatɑ/ *f* potato; **~ doce** sweet potato; **~ frita** chips, (*Amer*) French fries; (*salgadinhos*) crisps, (*Amer*) potato chips

bate-boca /batɨˈbokɑ/ *m* (*Br*) row, argument

bate|deira /bɑ.tɨˈdejrɑ/ *f* whisk; (*de manteiga*) churn; **~dor** *m* (*da polícia etc*) outrider; (*no criquete*) batsman; (*no beisebol*) batter; (*de caça*) beater; **~dor de carteiras** pickpocket

batelada /batɨˈladɑ/ *f* batch; **~s de** heaps of

batente /bɑ.ˈtẽtɨ/ *m* (*de porta*) doorway; **para o/no ~** (*fam: ao trabalho*) to/at work

bate-papo /batɨˈpapu/ *m* (*Br*) chat.

bater /bɑ.ˈter/ *vt* beat; stamp <pé>; slam <porta>; strike <horas>; take <foto>; flap <asas>; (*dactilografar*) type; (*lavar*) wash; (*usar muito*) wear a lot <roupa>; (*fam*) pinch <carteira> □ *vi* <coração> beat; <porta> slam;

<janela> bang; <horas> strike; <sino> ring; (*à porta*) knock; (*com o carro*) crash; **~-se** *vpr* (*lutar*) fight; **~ à máquina** type; **~ à ou na porta** knock at the door; **~ em** hit; harp on <assunto>; <luz, sol> shine on; **~ com o carro** crash one's car, have a crash; **~ com a cabeça** bang one's head; **ele batia os dentes de frio** his teeth were chattering with cold; **ele não bate bem** (*fam*) he's not all there

bate|ria /batɨˈriɑ/ *f* (*electr*) battery; (*mus*) drums; **~ria de cozinha** kitchen utensils; **~rista** *m/f* drummer

bati|da /bɑ.ˈtidɑ/ *f* beat; (*à porta*) knock; (*no carro*) crash; (*da polícia*) raid; (*bebida*) cocktail of rum, sugar and fruit juice; **~do** *a* beaten; <roupa> well worn; <assunto> hackneyed □ *m* **~do de leite** milkshake

batina /bɑ.ˈtinɑ/ *f* cassock

baton /baˈtõ/ *m* lipstick

batu|cada /batuˈkadɑ/ *f* samba percussion group; **~car** *vt/i* drum in a samba rhythm; **~que** *m* samba rhythm

batuta /bɑ.ˈtutɑ/ *f* baton; **sob a ~ de** under the direction of

baú /bɑ.ˈu/ *m* trunk

baunilha /baw'niʎɑ/ *f* vanilla

bazar /bɑ.ˈzar/ *m* bazaar; (*loja*) stationery and haberdashery shop

bê-a-bá /beaˈba/ *m* ABC

bea|titude /bjatiˈtudɨ/ *f* (*felicidade*) bliss; (*devoção*) piety, devoutness; **~to** *a* (*devoto*) pious, devout; (*feliz*) blissful

bêbado /ˈbebadu/ a & m drunk

bebé /beˈbɛ/ m baby; ~ **de proveta** test-tube baby

bebe|deira /bəbəˈdejrɐ/ f (estado) drunkenness; (acto) drinking bout; ~**dor** m drinker; ~**douro** m drinking fountain

beber /bəˈber/ vt/i drink

bebericar /bəbəriˈkar/ vt/i sip

bebida /bəˈbidɐ/ f drink

beca /ˈbɛkɐ/ f gown

beça /ˈbɛsɐ/ f (Br) à ~ (fam) (com substantivo) loads of; (com adjectivo) really; (com verbo) a lot

beco /ˈbeku/ m alley; ~ **sem saída** dead end

bedelho /bəˈdeʎu/ m meter o ~ **(em)** stick one's oar in(to)

bege /ˈbɛʒɐ/ a invar beige

bei|cinho /bejˈsiɲu/ m fazer ~**cinho** pout; ~**ço** m lip; ~**cudo** a thick-lipped

beija-flor /bejʒaˈflor/ m hummingbird

bei|jar /bejˈʒar/ vt kiss; ~**jo** m kiss; ~**joca** /ɔ/ f peck

bei|ra /ˈbejrɐ/ f edge; (fig: do desastre etc) verge, brink; à ~**ra de** at the edge of; (fig) on the verge of; ~**rada** f edge; ~**ra-mar** f seaside; ~**rar** vt (ficar) border (on); (andar) skirt; (fig) border on, verge on

beisebol /bejzəˈbɔl/ m baseball

belas-artes /bɛlɐˈzarteʃ/ f pl fine arts

beldade /bɛlˈdadɐ/ f, **beleza** /bəˈlezɐ/ f beauty

belga /ˈbɛlgɐ/ a & m Belgian

Bélgica /ˈbɛlʒikɐ/ f Belgium

beliche /bəˈliʃə/ m bunk

bélico /ˈbɛliku/ a war

belicoso /bəliˈkozu/ a warlike

belis|cão /bəliʃˈkãw/ m pinch; ~**car** vt pinch; nibble (comida)

Belize /bəˈlizə/ m Belize

belo /ˈbɛlu/ a beautiful

beltrano /bɛlˈtranu/ m such-and-such

bem /bãj/ adv well; (bastante) quite; (muito) very □ m good; pl goods, property; **está** ~ (it's) fine, OK; **fazer** ~ **a** be good for; **tudo** ~? (fam) how's things?; **se** ~ **que** even though; ~ **feito (por você)** (fam) it serves you right; **muito** ~! well done!; **de** ~ **com alg** on good terms with s.o.; ~ **como** as well as

bem-|apessoado /bãjapəsuˈadu/ a nice-looking; ~**comportado** a well-behaved; ~**disposto** a well, fine, good-humoured; ~**estar** m well-being; ~**humorado** a good-humoured; ~**intencionado** a well-intentioned; ~**passado** a (carne) well-done; ~**sucedido** a successful; ~**vindo** a welcome; ~**visto** a well thought of

bênção /ˈbẽsãw/ (pl ~s) f blessing

bendito /bãjˈditu/ a blessed

benefi|cência /bənəfiˈsẽsjɐ/ f (bondade) goodness, kindness; (caridade) charity; ~**cente** a (associação) charitable; (concerto, feira) charity; ~**ciado** m beneficiary; **~ciar** vt benefit; **~ciar-se** vpr benefit (**de** from)

benefício /bənə'fisju/ m benefit; **em ~ de** in aid of

benéfico /bə'nɛfiku/ a beneficial (**a** to)

benevolência /bənəvu'lẽsjɐ/ f benevolence

benévolo /bə'nɛvulu/ a benevolent

benfeitor /bãjfej'tor/ m benefactor

bengala /bẽ'galɐ/ f walking stick; (*pão*) French stick

benigno /bə'nignu/ a benign

ben|to /'bẽtu/ a blessed; <água> holy; **~zer** vt bless; **~zer-se** vpr cross o.s.

berço /'bersu/ m (*de embalar*) cradle; (*caminha*) cot; (*fig*) birthplace; **ter ~** be from a good family

berinjela /bərĩ'ʒɛlɐ/ f aubergine, (*Amer*) eggplant

Berlim /bər'lĩ/ f Berlin

berlinde /bər'lĩdə/ m marble; **jogar ao ~** play marbles

berma /'bermɐ/ f hard shoulder, (*Amer*) berm

bermuda /bər'mudɐ/ f Bermuda shorts

Berna /'bɛrnɐ/ f Berne

ber|rante /bə'ʀãtɐ/ a loud, flashy; **~rar** vi <pessoa> shout; <criança> bawl; <boi> bellow; **~reiro** m (*gritaria*) yelling, shouting; (*choro*) crying, bawling; **~ro** /ɛ/ m yell, shout; (*de boi*) bellow; **aos ~ros** shouting

besouro /bə'zoru/ m beetle

bes|ta /'bɛʃtɐ/ a (*idiota*) stupid; (*cheio de si*) full of o.s.; (*pedante*) pretentious □ f

(*pessoa*) dimwit, numbskull; **ficar ~ta** (*fam*) (*Br*) be taken aback; **~teira** f (*Br*) stupidity; (*uma*) stupid thing; **falar ~teira** (*Br*) talk rubbish; **~tial** (*pl* **~tiais**) a bestial (*fam*) great; **~tificar** vt astound, dumbfound

besuntar /bəzũ'tar/ vt coat; (*sujar*) smear

betão /bə'tãw/ m concrete

beterraba /bətə'ʀabɐ/ f beetroot

betoneira /bətu'nejrɐ/ f cement mixer

bexiga /bə'ʃigɐ/ f bladder; **~s** pl chicken pox

bezerro /bə'zeʀu/ m calf

bibelô /bibə'lo/ m ornament

biberão /bibə'rãw/ m (baby's) bottle

Bíblia /'bibljɐ/ f Bible

bíblico /'bibliku/ a biblical

biblio|grafia /bibljugrɐ'fiɐ/ f bibliography; **~teca** /ɛ/ f library; **~tecário** m librarian □ a library

bica /'bikɐ/ f tap; (*café*) espresso; **suar em ~** drip with sweat

bicama /bi'kamɐ/ f truckle bed

bicar /bi'kar/ vt peck

bíceps /'bisɛpʃ/ m invar biceps

bicha /'biʃɐ/ f (fila) queue; (*fam*) queer, fairy

bicho /'biʃu/ m animal; (*insecto*) insect, (*Amer*) bug; **que ~ te mordeu?** what's got into you?; **~~-da-seda** (*pl* **~s-da-seda**) m silkworm; **~~-de-sete-cabeças** (*fam*) m big deal, big thing; **~~-do-**

-mato (pl ~s-do-mato) m
very shy person
bicicleta /bisi'klɛtɐ/ f bicycle,
bike
bico /'biku/ m (de ave) beak;
(de faca) point; (de sapato)
toe; (de bule) spout; (de caneta) nib; (do seio) nipple;
(de gás) jet; (fam) (emprego)
odd job, sideline; (boca)
mouth
bidé /bi'dɛ/ m bidet
bidimensio|nal /bidimẽsju'nal/
(pl ~nais) a a two-
-dimensional
biela /bi'ɛlɐ/ f connecting rod
Bielo-Rússia /bjɛlɔ'Rusjɐ/ f
Byelorussia
bielo-russo /bjɛlɔ'Rusu/ a & m
Byelorussian
bie|nal /bje'nal/ (pl ~nais) a
biennial □ f biennial art exhibition
bife /'bifə/ m steak
bifo|cal /bifu'kal/ (pl ~cais) a
bifocal
bifur|cação /bifurkɐ'sãw/ f
fork; ~car-se vpr fork
bigamia /biga'miɐ/ f bigamy
bígamo /'bigɐmu/ a bigamous
□ m bigamist
bigo|de /bi'gɔdə/ m mousta-
che; ~dudo a with a big
moustache
bigorna /bi'gɔrnɐ/ f anvil
bijuteria /biʒute'riɐ/ f costume jewellery
bilate|ral /bilatə'ral/ (pl ~rais)
a bilateral
bilhar /bi'ʎar/ m pool, billiards
bilhe|te /bi'ʎetə/ m ticket; (re-
cado) note; ~te de ida e volta return ticket, (Amer)

round-trip ticket; ~te de
identidade identity card;
~teira f (no cinema, teatro)
box office; (na estação) ticket office
bilião /bi'ljãw/ m thousand
million, (Amer) billion
bilingue /bi'lĩgə/ a bilingual
bilionário /bilju'narju/ a & m
billionaire
bílis /'bilis/ f bile
binário /bi'narju/ a binary
bingo /'bĩgu/ m bingo
binóculo /bi'nɔkulu/ m binoculars
biodegradá|vel /bjɔdəgra'da-
vɛl/ (pl ~veis) a biodegradable
bio|grafia /bjugra'fiɐ/ f bio-
graphy; ~gráfico a biograph-
ical
biógrafo /bi'ɔgrafu/ m bio-
grapher
bio|logia /bjulu'ʒiɐ/ f biology;
~lógico a biological
biólogo /bi'ɔlugu/ m biologist
biombo /bi'õbu/ m screen
biónico /bi'ɔniku/ a bionic;
(pol) unelected
biopsia /bi'ɔpsjɐ/ f biopsy
bioquími|ca /bio'kimikɐ/ f
biochemistry; ~co a bioche-
mical □ m biochemist
biquíni /bi'kini/ m bikini
birma|nês /birmɐ'neʃ/ a & m
(f ~nesa) Burmese
Birmânia /bir'manjɐ/ f Bur-
ma
bir|ra /'biRɐ/ f wilfulness; fa-
zer ~ra have a tantrum;
~rento a wilful
biruta /bi'rutɐ/ (fam) a crazy
□ f windsock
bis /bif/ int encore!, more! □
m invar encore

bisa|vó /biza.'vɔ/ f great-grandmother; **~vós** m pl great-grandparents; **~vô** m great-grandfather

bisbilho|tar /biʒbiʎu'tar/ vt pry into □ vi pry; **~teiro** a prying □ m busybody; **~tice** f prying

bisca|te /biʃ'katʃi/ m odd job; **~teiro** m odd-job man

biscoito /biʃ'kojtu/ m biscuit, (Amer) cookie

bisnaga /biʒ'naga/ f (pão) bridge roll; (tubo) tube

bisne|ta /biʒ'nɛta/ f great-granddaughter; **~to** /ɛ/ m great-grandson; pl great-grandchildren

bis|pado /biʃ'padu/ m bishopric; **~po** m bishop

bissexto /bi'sejʃtu/ a occasional; **ano ~** leap year

bissexu|al /biseksu'al/ (pl **~ais**) a & m/f bisexual

bisturi /biʃtu'ri/ m scalpel

bito|la /bi'tɔla/ f gauge; **~lado** a narrow-minded

bizarro /bi'zaru/ a bizarre

blablablá /blabla'bla/ (fam) m chitchat

blas|femar /blaʃfe'mar/ vi blaspheme; **~fêmia** f blasphemy; **~femo** /e/ a blasphemous □ m blasphemer

blin|dado /blĩ'dadu/ a armoured; **~dagem** f armour-plating

blo|co /'bloku/ m block; (pol) bloc; (de papel) pad; (no carnaval) section; **~quear** vt block; (mil) blockade; **~queio** m blockage; (psic) mental block; (mil) blockade

blusa /'bluza/ f shirt; (de mulher) blouse; (de lã) sweater

blusão /blu'zãw/ m jacket

boa /'boa/ f de **bom**; **numa ~** (fam) well; (sem problemas) easily; **estar numa ~** (fam) be doing fine; **~gente** (fam) a invar nice; **~pinta** (pl **~s-pintas**) (fam) a nice-looking; **~praça** (pl **~s-praças**) (fam) (Br) a friendly, sociable

boato /bu'atu/ m rumour

boa|-nova (pl **~s-novas**) f good news; **~vida** (pl **~s-vidas**) m/f good-for-nothing, waster; **~zinha** a sweet, kind

bo|bagem /bu'baʒãj/ f (Br) silliness; (uma) silly thing

bobina /bo'bina/ f reel; (eletr) coil

bobo /'bobu/ a silly □ m fool; (da corte) jester

bo|ca /'boka/ f mouth; (no fogão) ring; **~ca da noite** nightfall; **~cado** m (na boca) mouthful; (pedaço) piece, bit; **~cal** (pl **~cais**) m mouthpiece

boce|jar /buse'ʒar/ vi yawn; **~jo** /e/ m yawn

boche|cha /bu'ʃeʃa/ f cheek; **~char** vi rinse one's mouth; **~cho** m mouthwash; **~chudo** a with puffy cheeks

bodas /'boda/ f pl wedding anniversary; **~ de prata/ouro** silver/golden wedding

bode /'bɔdʒi/ m (billy) goat; **~ expiatório** scapegoat

bodega /bu'dɛga/ f (de bebidas) off-licence, (Amer) liquor store; (de secos e molhados) grocer's shop, corner shop

boémio /bu'ɛmju/ *a & m* Bohemian

bofe|tada /bufə'tadɐ/ *f*, **bofe|tão** /bufə'tãw/ *m* slap; **~tear** *vt* slap

boi /boj/ *m* bullock, (*Amer*) steer

bóia /'bɔjɐ/ *f* (*de balizamento*) buoy; (*de cortiça, isopor etc*) float; (*câmara de borracha*) rubber ring; (*de braço*) armband, water wing; (*na caixa-d'água*) ballcock; ~ **salva- vidas** lifebelt

boiar /boj'ar/ *vt/i* float; (*fam*) be lost

boico|tar /bojku'tar/ *vt* boycott; **~te** /ɔ/ *m* boycott

boina /'bɔjnɐ/ *f* beret

boîte /bu'atə/ *f* nightclub

bo|jo /'boʒu/ *m* bulge; **~judo** *a* (*cheio*) bulging; (*arredondado*) bulbous

bola /'bɔlɐ/ *f* ball; **dar ~ para** (*fam*) (*Br*) give attention to <pessoa>; care about <coisa>; ~ **de neve** snowball

bolacha /bu'laʃɐ/ *f* (*biscoito*) biscuit, (*Amer*) cookie; (*descanso*) beermat; (*fam: bofetada*) slap

bo|lada /bu'ladɐ/ *f* large sum of money

boleia /bu'lejɐ/ *f* lift

boletim /bulə'tĩ/ *m* bulletin; (*escolar*) report

bolha /'boʎɐ/ *f* bubble; (*na pele*) blister □ (*fam*) *m/f* pain

boliche /bu'liʃə/ *m* skittles

Bolívia /bu'livjɐ/ *f* Bolivia

boliviano /bulivi'ɐnu/ *a & m* Bolivian

bolo /'bolu/ *m* cake

bo|lor /bu'lor/ *m* mould, mildew; **~lorento** *a* mouldy

bolota /bu'lɔtɐ/ *f* (*glande*) acorn; (*bolinha*) little ball

bol|sa /'bolsɐ/ *f* bag; **~sa (de estudo)** scholarship; **~sa (de valores)** stock exchange; **~seiro** *m* scholarship student; **~so** *m* pocket

bom /bõ/ *a* (*f* **boa**) good; (*de saúde*) well; <comida> nice; **está ~** that's fine

bomba[1] /'bõbɐ/ *f* (*explosiva*) bomb; (*fig*) bombshell; **levar ~** (*fam*) fail

bomba[2] /'bõbɐ/ *f* (*de bombear*) pump

Bombaim /bõbɐ'ĩ/ *f* Bombay

bombar|dear /bõbɑrdi'ar/ *vt* bombard; (*do ar*) bomb; **~deio** *m* bombardment; (*do ar*) bombing

bomba-relógio /bõbɐʀə'lɔʒju/ (*pl* **~s-relógio**) *f* time bomb

bom|bear /bõbi'ar/ *vt* pump; **~beiro** *m* fireman

bombom /bõ'bõ/ *m* chocolate

bombordo /bõ'bɔrdu/ *m* port

bondade /bõ'dadɐ/ *f* goodness

bonde /'bõdɐ/ *m* (*Br*) tram; (*teleférico*) cable car

bondoso /bõ'dozu/ *a* good(-hearted)

boné /bɔ'nɛ/ *m* cap

bone|ca /bu'nɛkɐ/ *f* doll; **~co** /ɛ/ *m* dummy

bonificação /bunifikɐ'sãw/ *f* bonus

bonito /bu'nitu/ *a* <mulher> pretty; <homem> handsome; <tempo, casa etc> lovely

bónus /'bɔnuʃ/ *m invar* bonus

boqui|aberto /bukjɐ'bɛrtu/ *a* open-mouthed, flabbergasted; **~nha** *f* snack

boquilha /bu'kiʎɐ/ f cigarette-
-holder

borboleta /burbu'letɐ/ f butterfly; (roleta) turnstile

borbotão /burbu'tãw/ m spurt

borbu|lha /bur'buʎɐ/ f bubble;
~**lhar** vi bubble

borda /'bordɐ/ f edge; ~**do** a
edged; (à linha) embroide-
red □ m embroidery

bordão /bur'dãw/ m (frase)
catchphrase

bordar /bur'dar/ vt (à linha)
embroider

bor|del /bur'dɛl/ (pl ~**déis**) m
brothel

bordo /'bordu/ m a ~ aboard

borra /'borɐ/ f dregs; (de café) grounds

borra|cha /bu'Raʃɐ/ f rubber

bor|rão /bo'Rãw/ m (de tinta)
blot; (rascunho) rough draft;
~**rar** vt (sujar) blot; (riscar)
cross out; (pintar) daub

borrasca /bu'Raskɐ/ f squall

borri|far /boRi'far/ vt sprinkle;
~**fo** m sprinkling

bosque /'boʃkɐ/ m wood

bosta /'boʃtɐ/ f (de animal)
dung; (calão) crap

bota /'botɐ/ f boot

botâni|ca /bu'tɐnikɐ/ f botany;
~**co** a botanical □ m botanist

bo|tão /bo'tãw/ m button; (de
flor) bud; **falar com os seus
~tões** say to o.s.; ~**tões de
punho** cufflinks; ~**tão-do-ar**
(auto) choke

botar /bu'tar/ vt put; put on
<roupa>; set <mesa, desper-
tador>; lay <ovo>; find <de-
feito>

bote¹ /'botɐ/ m (barco) dinghy; ~ **salva-vidas** lifeboat;
(de borracha) liferaft

bote² /'botɐ/ m (de animal etc)
lunge

botequim /butə'kĩ/ m bar

botoeira /butu'ejrɐ/ f button-
nhole

boxe /'boksə/ m boxing;
~**ador** m boxer

bra|çada /bra'sadɐ/ f armful;
(em natação) stroke; ~**cadeira** (faixa) armband; (ferra-
gem) bracket; (de atleta)
sweatband; (pl ~**cais**) a
manual; ~**celete** /e/ m bracelet; ~**ço** m arm; ~**ço direito**
(fig: pessoa) right-hand man

bra|dar /bra'dar/ vt/i shout;
~**do** m shout

braguilha /bra'giʎɐ/ f fly,
flies

braille /'brajlə/ m Braille

bra|mir /bra'midu/ m roar;
~**mir** vi roar

branco /'brãku/ a white □ m
(homem) white man; (espa-
ço) blank; **em ~** <cheque
etc> blank; **noite em ~** sleepless night

bran|do /'brãdu/ a gentle;
<doença> mild; (indulgente)
lenient, soft; ~**dura** f gentleness; (indulgência) softness,
leniency

brasa /'brazɐ/ f **em ~** red-hot

brasão /bra'zãw/ m coat of
arms

braseiro /bra'zejru/ m brasier

Brasil /bra'zil/ m Brazil

brasi|leiro /brazi'lejru/ a & m
Brazilian

bra|vata /bra'vatɐ/ f bravado;
~**vio** a wild; <mar> rough;
~**vo** a (corajoso) brave;
(zangado) angry; <mar>
rough; ~**vura** f bravery

breca /ˈbrɛkɐ/ *f* **levado da ~** very naughty

brecha /ˈbrɛʃɐ/ *f* gap; (*na lei*) loophole

bre|ga /ˈbrɛgɐ/ (*fam*) (*Br*) *a* tacky, naff

brejo /ˈbrɛʒu/ *m* marsh; **ir para o ~** (*fig*) go down the drain

brenha /ˈbrɛɲɐ/ *f* thicket

breu /brew/ *m* tar, pitch

bre|ve /ˈbrɛvɐ/ *a* short, brief; **em ~ve** soon, shortly; **~vidade** *f* shortness, brevity

briga /ˈbrigɐ/ *f* fight; (*bate-boca*) argument

briga|da /briˈgadɐ/ *f* brigade; **~deiro** *m* brigadier; (*doce*) chocolate truffle

bri|gão /briˈgãw/ *a* (*f* **~gona**) belligerent; (*na fala*) argumentative □ *m* (*f* **~gona**) troublemaker; **~gar** *vi* fight; (*com palavras*) argue; <cores> clash

bri|lhante /briˈʎɐ̃tɐ/ *a* (*reluzente*) shiny; (*fig*) brilliant; **~lhar** *vi* shine; **~lho** *m* (*de sapatos etc*) shine; (*dos olhos, de metais*) gleam; (*das estrelas*) brightness; (*de uma cor*) brilliance; (*fig: esplendor*) splendour

brin|cadeira /brĩkaˈdejrɐ/ *f* (*piada*) joke; (*brinquedo, jogo*) game; **de ~cadeira** for fun; **~calhão** (*f* **~calhona**) *a* playful □ *m* joker; **~car** *vi* (*divertir-se*) play; (*gracejar*) joke

brinco /ˈbrĩku/ *m* earring

brin|dar /brĩˈdar/ *vt* (*saudar*) toast, drink to; (*presentear*) give a gift to; **~dar alg com**

aco afford s.o. sth; (*de presente*) give s.o. sth as a gift; **~de** *m* (*saudação*) toast; (*presente*) free gift

brinquedo /brĩˈkedu/ *m* toy

brio /ˈbriu/ *m* self-esteem, character; **~so** /o/ *a* self-confident

brisa /ˈbrizɐ/ *f* breeze

britadeira /britaˈdejrɐ/ *f* pneumatic drill

britâni|co /briˈtɐniku/ *a* British □ *m* Briton; **os ~s** the British

broca /ˈbrɔkɐ/ *f* drill

broche /ˈbrɔʃɐ/ *m* brooch

brochura /bruˈʃurɐ/ *f* **livro de ~** paperback

brócolos /ˈbrɔkuluʃ/ *m pl* broccoli

bron|ca /ˈbrɔkɐ/ (*fam*) *f* telling-off; **dar uma ~ca em alg** tell s.o. off; **~co** *a* coarse, rough

bronquite /brõˈkitɐ/ *f* bronchitis

bronze /ˈbrõzɐ/ *m* bronze; **~ado** *a* tanned, brown □ *m* (sun)tan; **~ador** *a* tanning □ *m* suntan lotion; **~amento** *m* tanning; **~ar** *vt* tan; **~ar-se** *vpr* go brown, tan

bro|tar /bruˈtar/ *vt* sprout <folhas, flores>; spout <lágrimas, palavras> □ *vi* <planta> sprout; <água> spout; <idéias> pop up; **~tinho** (*fam*) (*Br*) *m* youngster; **~to** /o/ *m* shoot; (*fam*) (*Br*) youngster

broxa /ˈbrɔʃɐ/ *f* (large) paint brush □ (*fam*) *a* impotent

bruços /ˈbrusuʃ/ **de ~** face down

bru|ma /'bruma/ f mist; **~mo-so** /o/ a misty

brusco /'bruʃku/ a brusque, abrupt

bru|tal /bru'tal/ (pl **~tais**) a brutal; **~talidade** f brutality; **~to** a <feições> coarse; <homem> brutish; <tom, comentário> aggressive; <petróleo> crude; <peso, lucro, salário> gross □ m brute

bruxa /'bruʃa/ f witch; (feia) hag; **~ria** f witchcraft

Bruxelas /bru'ʃɛlaʃ/ f Brussels

bruxo /'bruʃu/ m wizard

bruxulear /bruʃuli'ar/ vi flicker

bucha /'buʃa/ f (tampão) bung; (para paredes) rawlplug (R); **acertar na ~** (fam) hit the nail on the head

bucho /'buʃu/ m gut; **~ de boi** tripe

budis|mo /bu'dʒimu/ m Buddhism; **~ta** a & m/f Buddhist

bueiro /bu'ejru/ m storm drain

búfalo /'bufalu/ m buffalo

bu|fante /bu'fãta/ a full, puffed; **~far** vi snort; (reclamar) grumble, moan

bufê ou buffet /bu'fe/ m (refeição) buffet; (serviço) catering service; (móvel) sideboard

bugiganga /buʒi'gãga/ f knickknack

bujão /bu'ʒãw/ m **~ de gás** gas cylinder

bula /'bula/ f (de remédio) directions; (do Papa) bull

bulbo /'bulbu/ m bulb

bule /'bula/ m (de chá) teapot; (de café etc) pot

Bulgária /bul'garja/ f Bulgaria

búlgaro /'bulgaru/ a & m Bulgarian

bulício /bu'lisju/ m bustle

bunda /'bũda/ f (Br) bottom

buquê /bu'ke/ m bouquet

buraco /bu'raku/ m hole; (de agulha) eye; (jogo de cartas) rummy; **~ da fechadura** keyhole

burburinho /burbu'riɲu/ m (de vozes) hubbub

bur|guês /bur'geʃ/ a & m (f **~guesa**) bourgeois; **~guesia** f bourgeoisie

burlar /bur'lar/ vt get round <lei>; get past <defesas, vigilância> (enganar) cheat

buro|cracia /burukra'sia/ f bureaucracy; **~crata** m/f bureaucrat; **~crático** a bureaucratic; **~cratizar** vt make bureaucratic

bur|rice /bu'risa/ f stupidity; (uma) stupid thing; **~ro** a stupid; (ignorante) dim □ m (animal) donkey; (pessoa) halfwit, dunce; **~ro de carga** (fig) workhorse

bus|ca /'buʃka/ f search; **dar ~ca em** search; **~car** vt fetch; (de carro) pick up; **mandar ~car** send for

bússola /'busula/ f compass; (fig) guide

busto /'buʃtu/ m bust

butique /bu'tika/ f boutique

buzi|na /bu'zina/ f horn; **~nada** f toot (of the horn); **~nar** vi sound the horn, toot the horn

C

cá /ka/ *adv* here; **o lado de ~** this side; **para ~** here; **de ~ para lá** back and forth; **de lá para ~** since then; **~entre nós** between you and me

ca|bal /ka'bal/ (*pl* **~bais**) *a* complete, full; <prova> conclusive

cabana /ka'bɐnɐ/ *f* hut; (*casinha no campo*) cottage

cabeça /ka'besɐ/ *f* head; (*de lista*) top; (*pessoa inteligente*) mind □ *m/f* (*chefe*) ringleader; (*mais inteligente*) brains; **de ~** <saber> off the top of one's head; <calcular> in one's head; **de ~ para baixo** upside down; **deu-lhe na ~ de** he took it into his head to; **moer a ~** (*fam*) get worked up; **fazer a ~ de alg** convince s.o.; **quebrar a ~** rack one's brains; **subir à ~** go to s.o.'s head; **ter a ~ no lugar** have one's head screwed on; **~da** *f* (*no futebol*) header; (*pancada*) head butt; **dar uma ~da no tecto** bang one's head on the ceiling; **~-de-porco** *f* (*pl* **~s-de-porco**) *f* tenement; **~-de-vento** (*pl* **~s-de-vento**) *m/f*

scatterbrain, airhead; **~lho** *m* heading

cabe|cear /kabəsi'ar/ *vt* head <bola>; **~ceira** *f* head; **~çudo** *a* pigheaded

cabe|dal /kabə'dal/ (*pl* **~dais**) *m* wealth

cabelei|ra /kabə'lejrɐ/ *f* head of hair; (*peruca*) wig; **~reiro** *m* hairdresser

cabe|lo /ka'belu/ *m* hair; **cortar o ~lo** have one's hair cut; **~ludo** *a* hairy; (*difícil*) complicated; <palavra, piada> dirty

caber /ka'ber/ *vi* fit; (*ter cabimento*) be fitting; **~ a** <mérito, parte> be due to; <tarefa> fall to; **cabe a você ir** it is up to you to go; **~ em alg** <roupa> fit s.o.

cabide /ka'bidʒi/ *m* (*peça de madeira, arame etc*) hanger; (*móvel*) hat stand; (*na parede*) coat rack

cabimento /kabi'mẽtu/ *m* **ter ~** be fitting, be appropriate; **não ter ~** be out of the question

cabine /ka'binɐ/ *f* cabin; (*de avião*) cockpit; (*de loja*) changing room; **~ telefónica**

phone box, (*Amer*) phone booth

cabisbaixo /kabiʒ'bajʃu/ a crestfallen

cabí|vel /ka'bivɛl/ (*pl* ~**veis**) a appropriate, fitting

cabo[1] /'kabu/ m (*militar*) corporal; **ao ~ de** after; **levar a ~** carry out; **~ eleitoral** campaign worker

cabo[2] /'kabu/ m (*fio*) cable; (*de panela etc*) handle; **TV por ~** cable TV; **~ de extensão** extension lead;

caboclo /ka'boklu/ a & m mestiço

ca|bra /'kabra/ f goat; **~brito** m kid

cábula /'kabula/ f (*cópia*) crib

cal|ça /'kasa/ f (*atividade*) hunting; (*caçada*) hunt; (*animais*) game □ m (*avião*) fighter; **à ~ça de** in pursuit of; **~ça das bruxas** (*fig*) witch hunt; **~çador** m hunter; **~ça-minas** m invar minesweeper; **~ça-niqueis** m invar (*Br*) slot machine; **~çar** vt hunt <animais, criminoso etc>; (*procurar*) hunt for □ vi hunt

cacareco /kaka'rɛku/ m piece of junk; *pl* junk

cacare|jar /kakare'ʒar/ vi cluck; **~jo** /e/ m clucking

caçarola /kasa'rɔla/ f saucepan

cacau /ka'kaw/ m cocoa

cace|tada /kase'tada/ f blow with a club; (*fig*) annoyance; **~te** /e/ m club □ (*fam*) int damn

cachaça /ka'ʃasa/ f white rum

cachet /ka'ʃe/ m fee

cache|col /kaʃe'kɔl/ (*pl* ~**cóis**) m scarf

cachimbo /ka'ʃĩbu/ m pipe

cacho /'kaʃu/ m (*de banana, uva*) bunch; (*de cabelo*) lock

cachoeira /kaʃu'ejra/ f waterfall

cachor|rinho /kaʃo'Riɲu/ m (*nado*) doggy paddle; **~ro** /o/ m dog; puppy; (*pessoa*) scoundrel; **~ro-quente** (*pl* **~ros-quentes**) m hot dog

caci|que /ka'sika/ m (*índio*) chief; (*político*) boss

caco /'kaku/ m shard; (*pessoa*) old crock

cacto /'katu/ m cactus

cada /'kada/ a each; **~ duas horas** every two hours; **custam 5 ~ (um)** they cost 5 each; **~ vez mais** more and more; **~ vez mais fácil** easier and easier; **ele fala ~ coisa** (*fam*) he says the most amazing things

cadafalso /kada'falsu/ m gallows

cadas|trar /kadaʃ'trar/ vt register; **~tro** m register; (*ato*) registration; (*policial, bancário*) records, files; (*imobiliário*) land register

ca|dáver /ka'davɛr/ m (*dead*) body, corpse; **~davérico** a cadaverous, corpse-like; <exame> post-mortem

cadê /ka'de/ (*fam*) (*Br*) adv where is/are...?

cadeado /kadi'adu/ m padlock

cadeia /ka'deja/ f (*de eventos, lojas etc*) chain; (*prisão*) prison; (*rádio, TV*) network

cadeira /ka'dejra/ f (*móvel*) chair; (*no teatro*) stall; (*de *político*) seat; (*função de professor*) chair; (*matéria*) subject; *pl* (*anat*) hips; **~ de balanço** rocking chair; **~ de rodas** wheelchair; **~ eléctrica** electric chair

ca|dência /kɐ'dẽsjɐ/ *f* (*mus. da voz*) cadence; (*compasso*) rhythm; **~denciado** *a* rhythmic; **<passos>** measured

cader|neta /kɐdɐr'netɐ/ *f* notebook; (*de professor*) register; (*de banco*) passbook; **~neta de poupança** savings account; **~no** /ɛ/ *m* exercise book; (*pequeno*) notebook; (*no jornal*) section

cadete /kɐ'detɐ/ *m* cadet

cadu|car /kɐdu'kar/ *vi* **<pessoa>** become senile; **<contrato>** lapse; **~co** *a* **<pessoa>** senile; **<contrato>** lapsed; **~quice** *f* senility

cafajeste /kɐfɐ'ʒɛʃtɐ/ *m* (*Br*) swine

ca|fé /kɐ'fɛ/ *m* coffee; (*botequim*) café; **tomar ~fé** have breakfast; **~fé-com-leite** *a invar* light brown □ *m* white coffee; **~feeiro** *a* coffee □ *m* coffee plant; **~feicultura** *f* coffee-growing; **~feina** *f* caffein(e)

cafe|teira /kɐfɐ'tejrɐ/ *f* coffee pot; **~zal** (*pl* **~zais**) *m* coffee plantation; **~zinho** *m* small black coffee

cafo|na /kɐ'fonɐ/ (*Br*) (*fam*) *a* naff, tacky

cágado /'kagɐdu/ *m* turtle

caiar /kaj'ar/ *vt* whitewash

cãibra /'kãjbrɐ/ *f* cramp

cai|da /kɐ'idɐ/ *f* fall; *veja* **queda**; **~do** *a* **<árvore** etc>**

fallen; **<beiços** etc> drooping; (*deprimido*) dejected; (*apaixonado*) smitten

caimento /kaj'mẽtu/ *m* fall

cair /kɐ'ir/ *vi* fall; **<dente, cabelo>** fall out; **<botão** etc> fall off; **<comércio, trânsito** etc> fall off; **<tecido, cortina>** hang; **~ bem/mal** **<roupa>** go well/badly; **<acto, dito>** go down well, badly; **estou a cair de sono** I'm really sleepy

cais /kajʃ/ *m* quay; (*na estação*) platform

caixa /'kajʃɐ/ *f* box; (*de loja etc*) cashdesk □ *m/f* cashier; **~ de correio** letter box; **~ de velocidades** gear box; **~-d'água** (*pl* **~s-d'água**) *f* water tank; **~-forte** (*pl* **~s-fortes**) *f* vault

cai|xão /kaj'ʃãw/ *m* coffin; **~xeiro** *m* (*em loja*) assistant; salesman; **~xilho** *m* frame; **~xote** /ɔ/ *m* crate

caju /kɐ'ʒu/ *m* cashew fruit; **~eiro** *m* cashew tree

cal /kal/ *f* lime

calado /kɐ'ladu/ *a* quiet

calafrio /kɐlɐ'friu/ *m* shudder, shiver

calami|dade /kɐlɐmi'dadɐ/ *f* calamity; **~toso** /o/ *a* calamitous

calar /kɐ'lar/ *vi* be quiet □ *vt* keep quiet about **<segredo, sentimento>**; silence **<pessoa>**; **~-se** *vpr* go quiet

calça /'kalsɐ/ *f* trousers, (*Amer*) pants

calça|da /kal'sadɐ/ *f* pavement, (*Amer*) sidewalk; (*rua*) roadway; **~deira** *f* shoe-horn; **~do** *a* paved □ *m* shoe; *pl* footwear

calcanhar /kalkɐ'ɲar/ *m* heel

calção /kal'sãw/ *m* shorts; **cal-ções de banho** *mpl* swimming trunks

calcar /kal'kar/ *vt* (*pisar*) trample; (*comprimir*) press; **~ aco em** (*fig*) base sth on, model sth on

calçar /kal'sar/ *vt* put on <sapatos, luvas>; take <número>; pave <rua>; (*com calço*) wedge □ *vi* <sapato> fit; **~se** *vpr* put one's shoes on

calcário /kal'karju/ *m* limestone □ *a* <água> hard

calças /kalsa/ *f f pl veja* **calça**

calcinha /kal'siɲa/ (*Br*) *f* knickers, (*Amer*) panties

cálcio /'kalsju/ *m* calcium

calço /'kalsu/ *m* wedge

calcu|ladora /kalkula'dora/ *f* calculator; **~lar** *vt/i* calculate; **~lista** *a* calculating □ *m/f* opportunist

cálculo /'kalkulu/ *m* calculation; (*diferencial*) calculus; (*med*) stone

cal|da /'kalda/ *f* syrup; *pl* hot springs; **~deira** *f* boiler; **~deirão** *m* cauldron; **~do** *m* (*sopa*) broth; (*suco*) juice; **~do de carne/galinha** beef/chicken stock

calefacção /kalefa'sãw/ *f* heating

caleidoscópio /kalejdu/'kɔpju/ *m* kaleidoscope

calejado /kale'ʒadu/ *a* <mãos> calloused; <pessoa> experienced

calendário /kalẽ'darju/ *m* calendar

calha /'kaλa/ *f* (*no telhado*) gutter; (*sulco*) gulley

calhamaço /kaλa'masu/ *m* tome

calhambeque /kaλã'bɛka/ (*fam*) *m* banger

calhar /ka'λar/ *vi* **calhou que** it so happened that; **calhou apanharem o mesmo comboio** they happened to get the same train; **~ de** happen to; **vir a ~** come at the right time

cali|brado /kali'bradu/ *a* (*bêbado*) tipsy; **~brar** *vt* calibrate; check (the pressure of) <pneu>; **~bre** *m* calibre; **coisas desse ~bre** things of this order

cálice /'kalisa/ *m* (*copo*) liqueur glass; (*na missa*) chalice

caligrafia /kaligra'fia/ *f* (*letra*) handwriting; (*arte*) calligraphy

calista /ka'lista/ *m/f* chiropodist, (*Amer*) podiatrist

cal|ma /'kalma/ *f* calm; **com ~ma** calmly □ *int* calm down; **~mante** *m* tranquilizer; **~mo** *a* calm

calo /'kalu/ *m* (*na mão*) callus; (*no pé*) corn

calor /ka'lor/ *m* heat; (*agradável, fig*) warmth; **estar com ~** be hot

calo|rento /kalu'rẽtu/ *a* <pessoa> sensitive to heat; <lugar> hot; **~ria** *f* calorie; **~roso** /o/ *a* warm; <protesto> lively

calota /ka'lɔta/ *f* hubcap

calo|te /ka'lɔta/ *m* bad debt; **~teiro** *m* bad risk

calouro /kɐ'loru/ m (na faculdade) freshman; (em outros ramos) novice

cal|únia /kɐ'lunjɐ/ f slander; **~luniar** vt slander; **~lunioso** /o/ a slanderous

cal|vície /kal'visjɐ/ f baldness; **~vo** a bald

cama /'kɐmɐ/ f bed; **~ de casal/solteiro** double/single bed; **~-beliche** (pl **~s-beliches**) f bunk bed

camada /kɐ'madɐ/ f layer; (de tinta) coat

câmara /'kɐmɐrɐ/ f chamber; (fotográfica) camera; **~de vídeo** camcorder; **em ~ lenta** in slow motion; **~ municipal** town hall

camarada /kɐmɐ'radɐ/ a friendly □ m/f comrade; **~gem** f comradeship; (convivência agradável) camaraderie

câmara-de-ar /kɐmɐradi'ar/ (pl **câmaras-de-ar**) f inner tube

camarão /kɐmɐ'rãw/ m shrimp; (maior) prawn

camareira /kɐmɐ'rejrɐ/ f chambermaid; **~rim** m dressing room; **~rote** /ɔ/ m (no teatro) box; (num navio) cabin

cambada /kɐ'badɐ/ f gang, horde

cambalacho /kɐbɐ'laʃu/ (Br) m scam

camba|lear /kɐbɐli'ar/ vi stagger; **~lhota** f somersault

cambi|al /kɐbi'al/ (pl **~ais**) a exchange; **~ante** m shade; **~ar** vt change

câmbio /'kɐbju/ m exchange;

(taxa) rate of exchange; **~ oficial/paralelo** official/black market exchange rate

cambista /kɐ'bistɐ/ m/f (de entradas) ticket-tout, (Amer) scalper; (de dinheiro) money changer

Camboja /kɐ'bɔʒɐ/ m Cambodia

cambojano /kɐbo'ʒɐnu/ a & m Cambodian

camélia /kɐ'mɛljɐ/ f camelia

camelo /kɐ'melu/ m camel

camião /kɐ'mjãw/ m veja **caminhão**

caminhada /kɐmi'nadɐ/ f walk

caminhão /kɐmi'nãw/ m lorry, (Amer) truck

cami|nhar /kɐmi'nar/ vi walk; (fig) advance, progress; **~nho** m way; (estrada) road; (trilho) path; **a ~nho** on the way; **a meio ~nho** halfway; **~nho de ferro** railway, (Amer) railroad

camio|neta /kɐmju'netɐ/ f van; **~nista** m/f lorry driver, (Amer) truck driver

cami|sa /kɐ'mizɐ/ f shirt; **~sa-de-força** (pl **~sas-de-força**) f straitjacket; **~sa-de-vénus** (pl **~sas-de-vénus**) f condom; **~sinha** (fam) f condom; **~sola** /ɔ/ f sweater

camomila /kɐmu'milɐ/ f camomile

campainha /kɐpɐ'inɐ/ f bell; (da porta) doorbell

campanário /kɐpɐ'narju/ m belfry

campanha /kɐ'paɲɐ/ f campaign

campe|ão /kɐpi'ãw/ m (f **~ã**)

champion; **~onato** *m* championship

cam|pestre /kã'pɛʃtrə/ *a* rural; **~pina** *f* grassland

camping /'kãpĩg/ *m* camping; (*lugar*) campsite; **~pismo** *m* camping; **~pista** *m/f* camper

campo /'kãpu/ *m* field; (*interior*) country; (*de futebol*) pitch; (*de golfe*) course; **~ de concentração** concentration camp; **~nês** *m* (*f* ~nesa) peasant

camu|flagem /kamu'flaʒãj/ *f* camouflage; **~flar** *vt* camouflage

cana /'kana/ *f* cane; **~ de açúcar** sugar cane

Canadá /kana'da/ *m* Canada

canadense /kana'dẽsə/ *a & m* Canadian

ca|nal /ka'nal/ (*pl* ~nais) *m* channel; (*hidrovia*) canal

canalha /ka'naʎa/ *m/f* scoundrel

canali|zação /kanaliza'sãw/ *f* piping; **~zador** *m* plumber; **~zar** *vt* channel *liquido, esforço, recursos*; canalize *<rio>*; pipe for water and drainage *<cidade>*

canário /ka'narju/ *m* canary

canastrão /kanaʃ'trãw/ *m* (*f* ~trona) ham actor (*f* actress)

canavi|al /kanavi'al/ (*pl* ~ais) *m* cane field; **~eiro** *a* sugar cane

canção /kã'sãw/ *f* song

cance|lamento /kãsəla'mẽtu/ *m* cancellation; **~lar** *vt* cancel; (*riscar*) cross out

câncer /'kãser/ *m* cancer; **Câncer** (*signo*) Cancer

cance|riano /kãsəri'anu/ *a &*

m Cancerian; **~rígeno** *a* carcinogenic; **~roso** /o/ *a* cancerous □ *m* person with cancer

cancro /'kãkru/ *m* cancer; (*fig*) canker

cande|eiro /kãdi'ejru/ *m* (oil-) lamp; **~labro** *m* candelabra

candida|tar-se /kãdida'tarsə/ *vpr* (*a vaga*) apply (**a** for); (*à presidência etc*) stand, (*Amer*) run (**a** for); **~to** *m* candidate (**a** for); (*a vaga*) applicant (**a** for); **~tura** *f* candidature; (*a vaga*) application (**a** for)

cândido /'kãdidu/ *a* innocent

candura /kã'dura/ *f* innocence

cane|ca /ka'nɛka/ *f* mug; **~co** /ɛ/ *m* tankard

canela[1] /ka'nɛla/ *f* (*condimento*) cinnamon

canela[2] /ka'nɛla/ *f* (*da perna*) shin; **~da f dar uma ~da em alg** kick s.o. in the shins; **dar uma ~da em aco** hit one's shins on sth

cane|ta /ka'nɛta/ *f* pen; **~ esferográfica** ball-point pen; **~ta de tinta permanente** *f* fountain pen

cangote /kã'gɔtə/ (*Br*) *m* nape of the neck

canguru /kãgu'ru/ *m* kangaroo

canhão /ka'ɲãw/ *m* (*arma*) cannon; (*vale*) canyon

canhoto /ka'ɲotu/ *a* left-handed □ *m* (*talão*) stub

cani|bal /kani'bal/ (*pl* ~bais) *m/f* cannibal; **~balismo** *m* cannibalism

caniço /ka'nisu/ *m* reed; (*pessoa*) skinny person

canícula /ka'nikula/ *f* heat wave

ca|nil /kɐ'nil/ (pl ~nis) m kennel

canivete /kɐni'vetɐ/ m penknife

canja /'kãʒɐ/ f chicken soup, broth; (fam) piece of cake

cano /'kɐnu/ m pipe; (de bota) top; (de arma de fogo) barrel

cano|a /kɐ'noɐ/ f canoe; ~agem f canoeing; ~ista m/f canoeist

canonizar /kɐnuni'zar/ vt canonize

can|saço /kã'sasu/ m tiredness; ~sado a tired; ~sar vt tire; (aborrecer) bore □ vi, ~sar-se vpr get tired; ~sativo a tiring; (aborrecido) boring; ~seira f tiredness; (lida) toil

cantar /kã'tar/ vt/i sing

cântaro /'kãtɐru/ m **chover a ~s** pour down, bucket down

cantarolar /kãtɐru'lar/ vt/i hum

cantei|ra /kã'tejrɐ/ f quarry; ~ro m (de flores) flowerbed; (artífice) stonemason

cantiga /kã'tigɐ/ f ballad

can|til /kã'til/ (pl ~tis) m canteen; ~tina f canteen

canto[1] /'kãtu/ m (ângulo) corner

can|to[2] /'kãtu/ m (cantar) singing; ~tor m singer; ~toria f singing

canudo /kɐ'nudu/ m (tubo) tube; (fam: diploma) diploma

cão /kãw/ (pl **cães**) m dog

ca|os /kaws/ m chaos; ~ótico a chaotic

capa /'kapɐ/ f (de livro, revista) cover; (roupa sem mangas) cape; ~ **de chuva** raincoat

capacete /kapɐ'setɐ/ m helmet

capacho /kɐ'paʃu/ m doormat

capaci|dade /kapɐsi'dadɐ/ f capacity; (aptidão) ability; ~tar vt enable; (convencer) convince

capataz /kapɐ'taʃ/ m foreman

capaz /kɐ'paʃ/ a capable (**de** of); (apto) able to; (ser ~ **de** (poder) be able to; (ser provável) be likely to

cape|la /kɐ'pɛlɐ/ f chapel; ~lão (pl ~lães) m chaplain

capeta /kɐ'petɐ/ m (diabo) devil; (criança) little devil

capilar /kapi'lar/ a hair

ca|pim /kɐ'pĩ/ m grass; ~pinar vt/i weed

capi|tal /kapi'tal/ (pl ~tais) a & m/f capital; ~talismo m capitalism; ~talista a & m/f capitalist; ~talizar vt (com) capitalize; (aproveitar) capitalize on

capi|tanear /kapitɐni'ar/ vt captain <navio>; (fig) lead; ~tania f captaincy; ~tania **do porto** port authority; ~tão (pl ~tães) m captain

capitulação /kapitulɐ'sãw/ f capitulation, surrender

capítulo /ka'pitulu/ m chapter; (de telenovela) episode

capot /ka'pɔ/ m bonnet, (Amer) hood

capoeira /kapu'ejrɐ/ f (para aves) hen-coop

capo|ta /ka'pɔtɐ/ f roof; ~tar vi overturn

capote /ka'pɔtɛ/ m overcoat

capri|char /kapri'ʃar/ vi excel o.s.; ~cho m (esmero) care; (desejo) whim; (teimosia) contrariness; ~choso /o/ a (*cheio de caprichos*) capricious; (*com esmero*) painstaking, meticulous

Capricórnio /kɒpri'kɔrnju/ *m* Capricorn

capricorniano /kɒprikurni'ɐnu/ *a* & *m* Capricorn

cápsula /'kapsulɐ/ *f* capsule

cap|tar /kɒp'tar/ *vt* pick up <emissão, sinais>; tap <água>; catch, grasp <sentido>; win <simpatia, admiração>; **~tura** *f* capture; **~turar** *vt* capture

capuz /kɒ'puʃ/ *m* hood

caquético /kɒ'kɛtiku/ *a* broken-down, on one's last legs

caqui /ka'ki/ *m* persimmon

cáqui /'kaki/ *a invar* & *m* khaki

cara /'karɐ/ *f* face; (*aparência*) look; (*ousadia*) cheek □ (*fam*) (*Br*) *m* guy; **~ a ~** face to face; **de ~s** straightaway; **dar de ~s com** run into; **está na ~** it's obvious; **fechar a ~** frown; **~ de pau** (*Br*) cheek; **~ de tacho** (*fam*) sheepish look

cara|col /karɐ'kɔl/ (*pl* **~cóis**) *m* snail

caracte|r /kɒ'rater/ *m* character; **~rística** *f* characteristic, feature; **~rístico** *a* characteristic; **~rizar** *vt* characterize; **~rizar-se** *vpr* be characterized

cara-de-pau /karɐdɩ'paw/ (*pl* **caras-de-pau**) *a* cheeky, brazen

caramba /kɒ'rãbɐ/ *int* (*de espanto*) wow; (*de desagrado*) damn

caramelo /karɐ'mɛlu/ *m* caramel; (*rebuçado*) toffee

caramujo /karɒ'muʒu/ *m* water snail

caranguejo /karɐ'gejʒu/ *m* crab; (*signo*) Cancer

caravana /karɒ'vanɐ/ *f* caravan

car|boidrato /karboi'dratu/ *m* carbohydrate; **~bono** /o/ *m* carbon

carbu|rador /karburɒ'dor/ *m* carburettor; (*Amer*) carburator; **~rante** *m* fuel

carcaça /kar'kasɐ/ *f* carcass; (*de navio etc*) frame

cárcere /'karsərɛ/ *m* jail

carcereiro /karsə'rejru/ *m* jailer, warder

carcomido /karku'midu/ *a* worm-eaten; <rosto> pock-marked

cardápio /kar'dapju/ *m* menu

carde|al /kardi'al/ (*pl* **~ais**) *a* cardinal

cardíaco /kar'diaku/ *a* cardiac; **ataque ~** heart attack

cardio|lógico /kardju'lɔʒiku/ *a* heart; **~logista** *m/f* heart specialist, cardiologist

cardume /kar'dumɐ/ *m* shoal

careca /kɒ'rɛkɐ/ *a* bald □ *f* bald patch

ca|recer /karɒ'ser/ **~recer de** *vt* lack; **~rência** *f* lack; (*social*) deprivation; (*afectiva*) lack of affection; **~rente** *a* lacking; (*socialmente*) deprived; (*afectivamente*) in need of affection

carestia /karɐʃ'tia/ *f* high cost; (*geral*) high cost of living; (*escassez*) shortage

careta /kɒ'retɐ/ *f* grimace □ *a* (*Br*) (*fam*) straight, square

car|ga /'kargɐ/ *f* load; (*mercadorias) cargo; (*eléctrica*) charge; (*de cavalaria*) charge; (*de caneta*) refill; (*fig*) burden; **~ga horária** workload; **~go** *m* (*função*) post, job; **a ~go de** in the charge of; **~gueiro** *m* (*navio*) cargo ship, freighter

cariar /kaɾiˈaɾ/ *vi* decay

Caribe /kaˈɾibə/ *m* Caribbean

caricatu|ra /kaɾikaˈtuɾə/ *f* caricature; **~rar** *vt* caricature; **~rista** *m/f* caricaturist

carícia /kaˈɾisjə/ *f* (*com a mão*) stroke, caress; (*carinho*) affection

cari|dade /kaɾiˈdadə/ *f* charity; **obra de ~dade** charity; **~doso** /o/ *a* charitable

cárie /ˈkaɾjə/ *f* tooth decay

carim|bar /kaɾĩˈbaɾ/ *vt* stamp; postmark string; **~bo** *m* stamp; (*do correio*) postmark

cari|nho /kaˈɾiɲu/ *m* affection; (*um*) caress; **~nhoso** /o/ *a* affectionate

carioca /kaɾiˈɔka/ *a* from Rio de Janeiro □ *m/f* person from Rio de Janeiro □ *m* weak coffee

caris|ma /kaˈɾiʒma/ *m* charisma; **~mático** *a* charismatic

carna|val /kaɾnaˈval/ (*pl* **~vais**) *m* carnival; **~valesco** /e/ *a* carnival;□ *m* carnival organizer

car|ne /ˈkaɾnə/ *f* (*humana etc*) flesh; (*comida*) meat; **~neiro** *m* sheep; (*macho*) ram; (*como comida*) mutton; **~niça** *f* carrion; **~nificina** *f* slaughter; **~nívoro** *a* carnivorous □ *m* carnivore; **~nudo** *a* fleshy

caro /ˈkaɾu/ *a* expensive; (*querido*) dear □ *adv* <custar, cobrar> a lot; <comprar, vender> at a high price; **pagar ~** pay a high price (for)

caroço /kaˈɾosu/ *m* (*de pêssego etc*) stone; (*de maçã*) core; (*em sopa, molho etc*) lump

carpete /kaɾˈpɛtə/ *m* rug, carpet

carpin|taria /kaɾpĩtaˈɾia/ *f* carpentry; **~teiro** *m* carpenter

carran|ca /kaˈʀãka/ *f* scowl; **~cudo** *a* <cara> scowling; (*pessoa*) sullen

carrapato /kaʀaˈpatu/ *m* (*animal*) tick; (*fig*) hanger-on

carrasco /kaˈʀaʃku/ *m* executioner; (*fig*) butcher

carre|gado /kaʀəˈgadu/ *a* <céu> dark, black; <cor> dark; <ambiente> tense; **~gador** *m* porter; **~gamento** *m* loading; (*carga*) load; **~gar** *vt* load <navio, arma, máquina fotográfica>; (*levar*) carry; charge <bateria, pilha>; **~gar em** overdo; pronounce strongly <letra>; (*premir*) press

carreira /kaˈʀejɾa/ *f* career

carre|tel /kaʀəˈtɛl/ (*pl* **~téis**) *m* reel

car|ril /kaˈʀil/ (*pl* **~ris**) *m* rail

carrinho /kaˈʀiɲu/ *m* (*para bagagem, compras*) trolley; (*de criança*) pram; **~ de mão** wheel-barrow; **~ de linhas** cotton reel

carro /ˈkaʀu/ *m* car; (*de bois*) cart; **~ alegórico** float; **~ desportivo** sports car; **~ fú-**

nebre hearse; **~ça** /ɔ/ f cart; **~ceria** f bodywork; **~chefe** (pl **~s-chefes**) m (no carnaval) main float; (fig) centrepiece; **~forte** (pl **~s-fortes**) m security van

carros|sel /kaʁɔ'sɛl/ (pl **~séis**) m merry-go-round

carruagem /kaʁu'aʒãj/ f carriage, coach

carta /'kaʁtɐ/ f letter; (mapa) chart; (do baralho) card; ~ **branca** (fig) carte blanche; ~ **de condução** driving licence, (Amer) driver's license; **~-bomba** (pl **~s-bomba**) f letter bomb; **~da** f (fig) move

cartão /kaʁ'tãw/ m card; (Port: papelão) cardboard; ~ **de crédito** credit card; ~ **de visita** visiting card; **~-postal** (pl **cartões-postais**) m postcard

car|taz /kaʁ'taʃ/ m poster, (Amer) bill; **em** ~ showing, (Amer) playing; **~teira** f (para dinheiro) wallet; (cartão) card; (mesa) desk; **~teiro** m postman

car|tel /kaʁ'tɛl/ (pl **~téis**) m cartel

cárter /'kaʁtɛr/ m sump

carto|la /kaʁ'tolɐ/ f top hat □ m director; **~lina** f card; **~mante** m/f tarot reader, fortune-teller

cartório /kaʁ'tɔrju/ m registry office

cartucho /kaʁ'tuʃu/ m cartridge; (de dinamite) stick; (de amendoim etc) bag

caruncho /ka'ʁuʃu/ m woodworm

carvalho /kaʁ'vaʎu/ m oak

car|vão /kaʁ'vãw/ m coal; (de desenho) charcoal; **~voeiro** a coal m coal merchant

casa /'kazɐ/ f house; (comercial) firm; (de tabuleiro) square; (de botão) hole; **em** ~ at home; **para** ~ home; **na** ~ **dos 30 anos** in one's thirties; ~ **da moeda** mint; ~ **de banho** bathroom; ~ **de campo** country house; ~ **de saúde** private hospital; ~ **decimal** decimal place; ~ **camarária** council house

casaco /ka'zaku/ m (sobretudo) coat; (paletó) jacket; (de lã) pullover

ca|sal /ka'zal/ (pl **~sais**) m couple; **~samento** m marriage; (cerimónia) wedding; **~sar** vt marry; (fig) combine □ vi get married; (fig) go together; **~sar-se** vpr get married; (fig) combine; **~sar-se com** marry

casarão /kaza'ʁãw/ m mansion

casca /'kaʃkɐ/ f (de árvore) bark; (de laranja, limão) peel; (de banana) skin; (de noz, ovo) shell; (de milho) husk; (de pão) crust

cascalho /kaʃ'kaʎu/ m gravel

cascata /kaʃ'katɐ/ f waterfall; (fam) fib

casca|vel /kaʃka'vɛl/ (pl **~véis**) m (cobra) rattlesnake □ f (mulher) shrew

casco /'kaʃku/ m (de cavalo etc) hoof; (de navio) hull; (garrafa vazia) empty

ca|sebre /ka'zɛbrɐ/ m hovel, shack; **~seiro** a <comida>

home-made; <pessoa> ho-
me- loving; <vida> home □
m housekeeper

caserna /ka'zɛrna/ *f* barracks

casino /ka'zinu/ *m* casino

casmurro /kaʒ'muru/ *a* sullen

caso /'kazu/ *m* case; (*amoroso*) affair; (*conto*) story □
conj in case; **em todo** *ou*
qualquer ~ in any case; **fazer** ~ **de** take notice of; **vir
ao** ~ be relevant; ~ **contrário** otherwise

casório /ka'zɔrju/ (*fam*) *m*
wedding

caspa /'kaspa/ *f* dandruff

cassar /ka'sar/ *vt* revoke,
withdraw <direitos, autoriza-
ção>; ban <político>

cassete /ka'sɛtɛ/ *m* cassette

cassetete /kase'tɛtɛ/ *m* truncheon, (*Amer*) nightstick

casta|nha /ka'tapa/ *f* ches-
tnut; ~**nha-do-pará** cashew
nut; ~**nha-do-pará** (*pl*
~**nhas-do-pará**) *f* Brazil nut;
~**nheiro** *m* chestnut tree;
~**nho** *a* brown; ~**nholas** /ɔ/ *f*
pl castanets

castelhano /kaʃtɛ'ʎanu/ *a* &
m Castilian

castelo /kaʃ'tɛlu/ *m* castle

casti|çal /kaʃ'tiʃal/ (*pl* ~**çais**)
m candlestick

cas|tidade /kaʃ'tidadɛ/ *f* chas-
tity; ~**tigar** *vt* punish; ~**tigo**
m punishment; ~**to** *a* chaste

castor /kaʃ'tor/ *m* beaver

castrar /kaʃ'trar/ *vt* castrate

casu|al /kazu'al/ (*pl* ~**ais**) *a*
chance; (*fortuito*) fortuitous;
~**alidade** *f* chance; **por** ~**alidade** by chance

casulo /ka'zulu/ *m* (*de larva*)
cocoon

cata /'kata/ *f* **à** ~ **de** in search
of

cata|lão /kata.'lãw/ (*pl* ~**lães**)
a & *m* (*f* ~**lã**) Catalan

catalisador /kata.liza'dor/ *m*
catalyst; (*de carro*) catalytic
convertor

catalogar /kata.lu'gar/ *vt* catalogue

catálogo /ka'talugu/ *m* catalogue; (*de telefones*) phone
book

Catalunha /kata.'luɲa/ *f* Catalonia

catar /ka'tar/ *vt* (*procurar*)
search for; (*recolher*) gather;
(*do chão*) pick up; sort <ar-
roz, café>

catarata /kata'rata/ *f* waterfall; (*no olho*) cataract

catarro /ka'taru/ *m* catarrh

catástrofe /ka'ta/trufə/ *f* ca-
tastrophe

catastrófico /kata.ʃ'trɔfiku/ *a*
catastrophic

catecismo /kate'siʒmu/ *m* cate-
chism

cátedra /'katədra/ *f* chair

cate|dral /kate'dral/ (*pl*
~**drais**) *f* cathedral; ~**drático**
m professor

cate|goria /kategu'ria/ *f* cate-
gory; (*social*) class; (*qualidade*) quality; ~**górico** *a* categorical; ~**gorizar** *vt*
categorize

catinga /ka'tĩga/ *f* body
odour, stink

cati|vante /kati'vãte/ *a* capti-
vating; ~**var** *vt* captivate;
~**veiro** *m* captivity; ~**vo** *a* &
m captive

catolicismo /katuli'siʒmu/ *m*
Catholicism

católico /kɔ'tɔliku/ a & m
Catholic

catorze /kɔ'torzə/ a & m fourteen

cau|da /'kawdɔ/ f tail; **~dal**
(pl **~dais**) m torrent

caule /'kawlə/ m stem

cau|sa /'kawzɔ/ f cause; (juridˌ) case; **por ~sa de** because of; **~sar** vt cause

caute|la /kaw'tɛlɔ/ f caution;
(documento) ticket; **~loso** /o/
a cautious, careful

cava /'kavɔ/ f armhole

cava|do /ka'vadu/ a <vestido>
low-cut; <olhos> deep-set;
~dor a hard-working □ m
hard worker

cava|laria /kavala'riɔ/ f cavalry; **~lariça** f stable; **~leiro** m horseman; (na Idade
Média) knight

cavalete /kava'letɔ/ m easel

caval|gadura /kavalga'durɔ/ f
mount; **~gar** vt/i ride; sit astride <muro, banco>; (saltar) jump

cavalhei|resco /kavaʎej'resku/ a gallant, gentlemanly;
~ro m gentleman □ a gallant, gentlemanly

cavalo /ka'valu/ m horse; **a ~**
on horseback; **~~vapor** (pl
~s- vapor) horsepower

cavanhaque /kava'nakɔ/ m
goatee

cavaquinho /kava'kiɲu/ m
ukulele

cavar /ka'var/ vt dig; (fig) go
all out for □ vi dig; (fig) go
all out; **~ em** (vascular)
delve into; **~ a vida** make a
living

cave /'kavɔ/ f (de prédio) basement, (de casa) cellar

caveira /ka'vejrɔ/ f skull

caverna /ka'vɛrnɔ/ f cavern

caviar /kavi'ar/ m caviar

cavidade /kavi'dadə/ f cavity

cavilha /ka'viʎɔ/ f peg

cavo /'kavu/ a hollow

cavoucar /kavo'kar/ vt excavate

caxemira /kaʃə'mirɔ/ f cashmere

cear /si'ar/ vt have for supper
□ vi have supper

cebo|la /sə'bolɔ/ f onion; **~linha** f spring onion

ceder /sə'der/ vt give up; (dar)
give; (emprestar) lend □ vi
(não resistir) give way; **~ a**
yield to

cedilha /sə'diʎɔ/ f cedilla

cedo /'sedu/ adv early; **mais ~
ou mais tarde** sooner or later

cedro /'sɛdru/ m cedar

cédula /'sɛdulɔ/ f (de banco)
note, (Amer) bill; (eleitoral)
ballot paper

ce|gar /sə'gar/ vt blind; blunt
<faca>; **~go** /ɛ/ a blind; <faca> blunt □ m blind man; **às
~gas** blindly

cegonha /sə'goɲɔ/ f stork

cegueira /sə'gejrɔ/ f blindness

ceia /'sejɔ/ f supper

cei|fa /'sejfɔ/ f harvest; (massacre) slaughter; **~far** vt
reap; claim <vidas>; (matar)
mow down

cela /'sɛlɔ/ f cell

cele|bração /sələbra'sãw/ f celebration; **~brar** vt celebrate

célebre /'sɛlɛbrə/ a celebrated

celebridade /sələbri'dadə/ f
celebrity

celeiro /sə'lejru/ m granary

célere /ˈsɛlərə/ a swift, fast

celeste /səˈlɛʃtə/ a celestial

celeuma /səˈlewmə/ f pandemonium

celibato /səliˈbatu/ m celibacy

celofane /sɛloˈfanə/ f cellophane

celta /ˈsɛltə/ a Celtic □ m/f Celt □ m (lingua) Celtic

célula /ˈsɛlulə/ f cell

celu|lar /səluˈlar/ a cellular; **~lite** f cellulite; **~lose** /ɔ/ f cellulose

cem /sãj/ a & m hundred

cemitério /səmiˈtɛrju/ m cemetery; (fig) graveyard

cena /ˈsenə/ f scene; (palco) stage; **em ~** on stage

cenário /səˈnarju/ m scenery; (de crime etc) scene

cénico /ˈsɛniku/ a stage

cenoura /səˈnora/ f carrot

cen|so /ˈsẽsu/ m census; **~sor** m censor; **~sura** f (de jornais etc) censorship; (órgão) censor(s); (condenação) censure; **~surar** vt censor (jornal, filme etc); (condenar) censure

centavo /sẽˈtavu/ m cent

centeio /sẽˈteju/ m rye

centelha /sẽˈteʎə/ f spark; (fig: de génio etc) flash

cente|na /sẽˈtenə/ f hundred; **uma ~na de** about a hundred; **às ~nas** in their hundreds; **~nário** m centenary

centésimo /sẽˈtɛzimu/ a hundredth

centí|grado /sẽˈtigradu/ m centigrade; **~litro** m centilitre; **~metro** m centimetre

cento /ˈsẽtu/ a & m hundred; **por ~** per cent

cen|tral /sẽˈtral/ (pl **~trais**) a central; **~tralizar** vt centralize; **~trar** vt centre; **~tro** m centre; **~tro de saúde** m healthcentre

cepticismo /sɛtiˈsiʒmu/ m scepticism

céptico /ˈsɛtiku/ a sceptical □ m sceptic

cera /ˈserə/ f wax; **fazer ~** waste time, faff about

cerâmi|ca /səˈramikə/ f ceramics, pottery; **~co** a ceramic

cer|ca /ˈserkə/ f fence; **~ca viva** hedge □ adv **~ca de** around, about; **~cado** m enclosure; (para criança) playpen; **~car** vt surround; (com muro, cerca) enclose; (assediar) besiege

cercear /sərsiˈar/ vt (fig) curtail, restrict

cerco /ˈserku/ m (mil) siege; (policial) dragnet

cere|al /səriˈal/ (pl **~ais**) m cereal

cere|bral /sərəˈbral/ (pl **~brais**) a cerebral

cérebro /ˈsɛrəbru/ m brain; (inteligência) intellect

cere|ja /səˈreʒə/ f cherry; **~jeira** f cherry tree

cerimónia /səriˈmɔnjə/ f ceremony; **sem ~** unceremoniously; **fazer ~** stand on ceremony

cerimoni|al /sərimuniˈal/ (pl **~ais**) a & m ceremonial; **~oso** /o/ a ceremonious

cer|rado /səˈʀadu/ a <barba, mata> thick; <punho, dentes> clenched □ m scrubland; **~rar** vt close; **~rar-se** vpr close; <noites, trevas> close in

certeiro /sər'tejru/ a well-aimed, accurate

certeza /sər'tezə/ f certainty; **com ~** certainly; **ter a ~** be sure (**de** of; **de que** that)

certidão /sərti'dãw/ f certificate; **~ de nascimento** birth certificate

certifi|cado /sərtifi'kadu/ m certificate; **~car** vt certify; **~car-se de** make sure of

certo /'sɛrtu/ a (correcto) right; (seguro) certain; (algum) a certain □ adv right; **dar ~** work

cerveja /sər'veʒə/ f beer; **~ria** f brewery; (bar) pub

cervo /'sɛrvu/ m deer

cer|zidura /sərzi'durə/ f darning; **~zir** vt darn

cesariana /səzari'anə/ f Caesarian

césio /'sɛziu/ m caesium

cessar /sə'sar/ vt/i cease

ces|ta /'seʃtə/ f basket; (de comida) hamper; **~to** /e/ m basket; **~to do lixo** wastepaper basket

cetim /sə'tĩ/ m satin

céu /sɛw/ m sky; (na religião) heaven; **~ da boca** roof of the mouth

cevada /sə'vadə/ f barley

chá /ʃa/ m tea

chacal /ʃa'kal/ (pl **~cais**) m jackal

chaci|na /ʃa'sinə/ f slaughter; **~nar** vt slaughter

chachada /ʃa'ʃadə/ f (peça) second-rate play; (filme) B movie

chafariz /ʃafa'riʃ/ m fountain

chaga /'ʃagə/ f sore

chaleira /ʃa'lejrə/ f kettle

chama /'ʃamə/ f flame

cha|mada /ʃa'madə/ f call; (dos presentes) roll call; (dos alunos) register; (telefónica) phone call; **~mado** a (depois do substantivo) called; (antes do substantivo) so-called; **~mar** vt call; (para sair etc) ask, invite; attract <atenção> □ vi call; <telefone> ring; **~mar-se** vpr be called; **~mariz** m decoy; **~mativo** a showy, flashy

chamejar /ʃamə'ʒar/ vi flare

chaminé /ʃami'nɛ/ f (de casa, fábrica) chimney; (de navio, comboio) funnel

champanhe /ʃã'papə/ m champagne

champô /ʃã'po/ m shampoo

chamuscar /ʃamuʃ'kar/ vt singe, scorch

chance /'ʃãsə/ f chance

chanceler /ʃãsə'lɛr/ m chancellor

chanta|gear /ʃãtaʒi'ar/ vt blackmail; **~gem** f blackmail; **~gista** m/f blackmailer

chão /ʃãw/ (pl **~s**) m ground; (dentro de casa etc) floor

chapa /'ʃapə/ f sheet; (foto) plate; **~ de matrícula** number plate, (Amer) license plate

chapéu /ʃa'pɛw/ m hat

charada /ʃa'radə/ f riddle

char|ge /'ʃarʒə/ f (political) cartoon

charla|tanismo /ʃarlata'niʒmu/ m charlatanism; **~tão** (pl **~tães**) m (f **~tona**) charlatan

char|me /'ʃarmə/ m charm; fa-

zer ~me turn on the charm; **~moso** /o/ a charming
charneca /ʃarˈnɛkɐ/ f moor
charuto /ʃaˈrutu/ m cigar
chassi /ʃaˈsi/ m chassis
chata /ˈʃatɐ/ f (barca) barge
chate|ar /ʃaˈtiar/ vt annoy; **~ar-se** vpr get annoyed
cha|tice /ʃaˈtisə/ f nuisance, annoyance; **~to** a (tedioso) boring; (irritante) annoying; (mal-educado) rude; (plano) flat
chauvinis|mo /ʃawviˈniʒmu/ m chauvinism; **~ta** m/f chauvinist ▢ a chauvinistic
cha|vão /ʃaˈvãw/ m cliché; **~ve** f key; (ferramenta) spanner; **~ve de fenda** screwdriver; **~ve inglesa** wrench; **~veiro** m (aro) keyring
chávena /ˈʃavənɐ/ f cup;soup bowl
checo /ˈʃɛku/ adj m Czech
Checoslováquia /ʃɛkoʃloˈvakjɐ/ f Czechoslovakia
che|fe /ˈʃɛfə/ m/f (patrão) boss; (gerente) manager; (dirigente) leader; (da policia) police chief **~fia** f leadership; (de empresa) management; (sede) headquarters; **~fiar** vt lead; be in charge of <trabalho>
che|gada /ʃəˈgadɐ/ f arrival; **~gado** a <amigo, relação> close; **~gar** vi arrive; (deslocar-se) move up; (ser suficiente) be enough ▢ vt bring up <prato, cadeira>; **~gar a fazer** go as far as doing; **aonde você quer ~gar?** what are you driving at?; **~gar lá** (fig) make it

cheia /ˈʃejɐ/ f flood
cheio /ˈʃeju/ a full; (fam: farto) fed up
chei|rar /ʃejˈrar/ vt/i smell (a of); **~roso** /o/ a scented
cheque /ˈʃɛkə/ m cheque, (Amer) check; **~ de viagem** traveller's cheque; **~ em branco** blank cheque
chi|ado /ʃiˈadu/ m (de pneus, freios) screech; (de porta) squeak; (de vapor, numa fita) hiss; **~ar** vi <porta> squeak; <pneus, freios> screech; <vapor, fita> hiss; <fritura> sizzle
chiclete /ʃiˈklɛtə/ m chewing gum; **~ de bola** bubble gum
chico|tada /ʃikuˈtadɐ/ f lash; **~te** /ɔ/ m whip; **~tear** vt whip
chi|fre /ˈʃifrə/ m horn; **~frudo** a horned; (fam) cuckolded ▢ m cuckold
Chile /ˈʃilə/ m Chile
chileno /ʃiˈlenu/ a & m Chilean
chilique /ʃiˈlikə/ (fam) m funny turn
chil|rear /ʃilʁiˈar/ vi chirp, twitter; **~reio** m chirping, twittering
chimpanzé /ʃĩpãˈzɛ/ m chimpanzee
China /ˈʃinɐ/ f China
chinelo /ʃiˈnɛlu/ m slipper
chi|nês /ʃiˈnes/ a & m (f ~nesa) Chinese
chinfrim /ʃĩˈfrĩ/ a tatty, shoddy
chio /ˈʃiu/ m squeak; (de pneus) screech; (de vapor) hiss
chique /ˈʃikə/ a <pessoa, apa-

rência, roupa> smart, (Amer) sharp; <hotel, bairro, loja etc> smart, up-market, posh

chiqueiro /ʃi'kejru/ m pigsty

chis|pa /ˈʃiʃpa/ f flash; **~pada** f dash; **~par** vi (soltar chispas) flash; (correr) dash

choca|lhar /ʃukaˈʎar/ vt/i rattle; **~lho** m rattle

cho|cante /ʃuˈkãtʃi/ a shocking; (fam) incredible; **~car** vt/i hatch <ovos>; (ultrajar) shock; **~car-se** vpr <carros etc> crash; <teorias etc> clash

chocho /ˈʃoʃu/ a dull, insipid

chocolate /ʃukuˈlatʃi/ m chocolate

chofer /ʃoˈfɛr/ m chauffeur

choque /ˈʃɔki/ m shock; (colisão) collision; (conflito) clash

cho|radeira /ʃuraˈdejra/ f fit of crying; **~ramingar** vi whine; **~ramingas** m/f invar whiner; **~rão** m (salgueiro) weeping willow □ a (~rona) tearful; **~rar** vi cry; **~ro** /o/ m crying; **~roso** /o/ a tearful

chouriço /ʃoˈrisu/ m sausage; (morcela) black pudding

chover /ʃuˈver/ vi rain

chuchu /ʃuˈʃu/ m chayote

chucrute /ʃuˈkrutʃi/ m sauerkraut

chumaço /ʃuˈmasu/ m wad

chum|bado /ʃũˈbadu/ (fam) a knocked out; **~bar** vt fill <dente>; fail <aluno> □ vi <aluno> fail; **~bo** m lead; (obturação) filling

chupa-chupa /ʃupaˈʃupa/ m lollipop

chu|par /ʃuˈpar/ vt suck; <esponja> suck up; **~peta** /e/ f dummy, (Amer) pacifier

churras|caria /ʃuraʃkaˈria/ f barbecue restaurant; **~co** m barbecue; **~queira** f barbecue

chu|tar /ʃuˈtar/ vt/i kick; (fam: adivinhar) guess; **~to** m kick; **~teira** f football boot

chu|va /ˈʃuva/ f rain; **~va de pedra** hail; **~varada** f torrential rainstorm; **~veiro** m shower; **~viscar** vi drizzle; **~visco** m drizzle; **~voso** /o/ a rainy

cica|triz /sikaˈtriʃ/ f scar; **~trizar** vt scar □ vi <ferida> heal

cic|lismo /siˈkliʒmu/ m cycling; **~lista** m/f cyclist; **~lo** m cycle; **~lone** /o/ m cyclone; **~lovia** f cycle lane

cida|dania /sidadaˈnia/ f citizenship; **~dão** (pl **~dãos**) m (f **~dã**) citizen; **~de** f town; (grande) city; **~dela** /ɛ/ f citadel

ciência /siˈẽsja/ f science

cien|te /siˈẽtʃi/ a aware; **~tífico** a scientific; **~tista** m/f scientist

ci|fra /ˈsifra/ f figure; (código) cipher; **~frão** m dollar sign; **~frar** vt encode

cigano /siˈganu/ a & m gypsy

cigarra /siˈgara/ f cicada; (dispositivo) buzzer

cigar|reira /sigaˈrejra/ f cigarette case; **~ro** m cigarette

cilada /siˈlada/ f trap; (estratagema) trick

cilindrada /silĩˈdrada/ f (engine) capacity

cilíndrico /si'lĩdriku/ *a* cylindrical

cilindro /si'lĩdru/ *m* cylinder; (*rolo*) roller

cílio /'silju/ *m* eyelash

cima /'simɐ/ *f* em ~ on top; (*na casa*) upstairs; **em ~ de** on, on top of; **para ~** up; (*na casa*) upstairs; **por ~** over the top; **por ~ de** over; **de ~** from above; **ainda por ~** moreover

címbalo /'sĩbalu/ *m* cymbal

cimeira /si'mejrɐ/ *f* crest; (*cúpula*) summit

cimen|tar /simẽ'tar/ *vt* cement; **~to** *m* cement

cinco /'sĩku/ *a & m* five

cine|asta /sini'aʃtɐ/ *m/f* film-maker; **~ma** /e/ *m* cinema

cínico /'siniku/ *a* cynical □ *m* cynic

cinismo /si'niʒmu/ *m* cynicism

cinquen|ta /sĩ'kwẽtɐ/ *a & m* fifty; **~tão** *a & m* (*f* **~tona**) fifty-year-old

cinti|lante /sĩti'lãtʃi/ *a* glittering; **~lar** *vi* glitter

cin|to /'sĩtu/ *m* belt; **~to de segurança** seatbelt; **~tura** *f* waist; **~turão** *m* belt

cin|za /'sĩzɐ/ *f* ash □ *a invar* grey; **~zeiro** *m* ashtray

cin|zel /sĩ'zɛl/ (*pl* **~zéis**) *m* chisel; **~zelar** *vt* carve

cinzento /sĩ'zẽtu/ *a* grey

cipreste /si'prɛʃtʃi/ *m* cypress

cipriota /sipri'ɔtɐ/ *a & m* Cypriot

ciranda /si'rãdɐ/ *f* (*fig*) merry-go-round

cir|cense /sir'sẽsɐ/ *a* circus; **~co** *m* circus

circu|ito /sir'kuitu/ *m* circuit;

~lação *f* circulation; **~lar** *a & f* circular □ *vt* circulate □ *vi* <dinheiro, sangue> circulate; <carro> drive; <auto-carro> run; <trânsito> move; <pessoa> go round

círculo /'sirkulu/ *m* circle

circunci|dar /sirkũsi'dar/ *vt* circumcise; **~ção** *f* circumcision

circun|dar /sirkũ'dar/ *vt* surround; **~ferência** *f* circumference; **~flexo** /ɛks/ *a & m* circumflex; **~scrição** *f* district; **~scrição eleitoral** constituency; **~specto** /ɛ/ *a* circumspect; **~stância** *f* circumstance; **~stanciado** *a* detailed; **~stancial** (*pl* **~stanciais**) *a* circumstantial; **~stante** *m/f* bystander

cirrose /si'Rɔzɐ/ *f* cirrhosis

cirur|gia /sirur'ʒiɐ/ *f* surgery; **~gião** *m* (*f* **~giã**) surgeon **cirúrgico** /si'rurʒiku/ *a* surgical

cisão /si'zãw/ *f* split, division

cisco /'siʃku/ *m* speck

cisma¹ /'siʒmɐ/ *m* schism

cis|ma² /'siʒmɐ/ *f* (*mania*) fixation; (*devaneio*) imagining, daydream; (*prevenção*) irrational dislike; (*de criança*) whim; **~mar** *vt/i* be lost in thought; <criança> be insistent; **~mar** *m* brood over; **~mar de ou em fazer** insist on doing; **~mar que** insist on thinking that; **~mar com alg** take a dislike to s.o.

cisne /'siʒnɐ/ *m* swan

cistite /si'titɐ/ *f* cystitis

ci|tação /sita'sãw/ *f* quotation; (*jurid*) summons; **~tar** *vt* quote; (*jurid*) summon

ciúme /siˈumə/ m jealousy; **ter ~s de** be jealous of

ciu|meira /sjuˈmejrɐ/ f fit of jealousy; **~mento** a jealous

cívico /ˈsiviku/ a civic

ci|vil /siˈvil/ (pl **~vis**) a civil □ m civilian; **~vilidade** f civility

civili|zação /siviliza'sãw/ f civilization; **~zado** a civilized; **~zar** vt civilize

civismo /siˈviʒmu/ m public spirit

cla|mar /klaˈmar/ vt/i cry out, clamour (**por** for); **~mor** m outcry; **~moroso** /ɔ/ a <protesto> loud, noisy; <erro, injustiça> blatant

clandestino /klãdʒʃˈtinu/ a clandestine

cla|ra /ˈklarɐ/ f egg white; **~rabóia** f skylight; **~rão** m flash; **~rear** vt brighten; clarify <questão> □ vi brighten up; (fazer-se dia) become light; **~reira** f clearing; **~reza** /e/ f clarity; **~ridade** f brightness; (do dia) daylight

cla|rim /klaˈrĩ/ m bugle; **~rinete** /e/ m clarinet

clarividente /klarivɪˈdẽtɕi/ m/f clairvoyant

claro /ˈklaru/ a clear; <luz> bright; <cor> light □ adv clearly □ int of course; **~ que sim/não** of course/of course not; **às claras** openly; **noite em ~** sleepless night; **já é dia ~** it's already daylight

classe /ˈklasə/ f class; **~ média** middle class

clássico /ˈklasiku/ a classical; (famoso, exemplar) classic □ m classic

classifi|cação /klɐsifikaˈsãw/ f classification; (numa competição desportiva) placing, place; **~cado** a classified; <candidato> successful; <desportista, time> qualified; **~car** vt classify; (considerar) describe (**de** as); **~car-se** vpr <candidato, desportista> qualify; (chamar-se) describe o.s. (**de** as); **~catório** a qualifying

classudo /klaˈsudu/ (fam) a classy

claustro|fobia /klawʃtrufuˈbiɐ/ f claustrophobia; **~fóbico** a claustrophobic

cláusula /ˈklawzulɐ/ f clause

cla|ve /ˈklavə/ f clef; **~vícula** f collar bone

cle|mência /kləˈmẽsjɐ/ f clemency; **~mente** a <pessoa> lenient; <tempo> clement

cleptomaníaco /klɛptomaˈniaku/ m kleptomaniac

clérigo /ˈklɛrigu/ m cleric, clergyman

clero /ˈklɛru/ m clergy

clien|te /kliˈẽtɕi/ m/f (de loja) customer; (de advogado, empresa) client; **~tela** /ɛ/ f (de loja) customers; (de restaurante, empresa) clientele

cli|ma /ˈklimɐ/ m climate; **~mático** a climatic

clímax /ˈklimaks/ m invar climax

clíni|ca /ˈklinikɐ/ f clinic; **~ca geral** general practice; **~co** a clinical □ m **~co geral** general practitioner, GP

clipe /ˈklipə/ m clip; (para papéis) paper clip

clone /ˈklonə/ m clone

cloro /ˈklɔru/ m chlorine

clube /ˈklubə/ m club

coacção /kwaˈsãw/ f coercion

coadjuvante /kwadʒuˈvãtə/ a <actor> supporting □ m/f (em peça, filme) co-star; (em crime) accomplice

coador /kwaˈdor/ m strainer; (de legumes) colander; (de café) filter bag

coadunar /kwadu'nar/ vt combine

coagir /kwaˈʒir/ vt compel

coagular /kwagu'lar/ vt/i clot; ~-se vpr clot

coágulo /ku'agulu/ m clot

coalhar /kwaˈʎar/ vt/i curdle; ~-se vpr curdle

coar /ku'ar/ vt strain

coaxar /kwaˈʃar/ vi croak □ m croaking

cobaia /kuˈbaja/ f guinea pig

cobarde /kuˈbardə/ m/f coward □ a cowardly; ~dia f cowardice

coberta /kuˈbɛrtə/ f (de cama) bedcover; (de navio) deck; ~to /ɛ/ a covered □ pp de cobrir; ~tor m blanket; ~tura f (revestimento) covering; (reportagem) coverage; (seguro) cover; (apartamento) penthouse

cobiça /kuˈbisə/ f greed, covetousness; ~çar vt covet; ~çoso /o/ a covetous

cobra /ˈkɔbrə/ f snake

cobrador /kubraˈdor/ m (no autocarro) conductor; ~brança f (de dívida) collection; (de preço) charging; (de atitudes) asking for something in return (de for); ~brança de penalti/falta

penalty (kick)/free kick; ~**brar** vt collect <dívida>; ask for <coisa prometida>; take <pénalti>; ~**brar aco a alg** (em dinheiro) charge s.o. for sth; (fig) make s.o. pay for sth; ~**brar uma falta** (no futebol) take a free kick

cobre /ˈkɔbrə/ m copper

cobrir /kuˈbrir/ vt cover; ~-se vpr (pessoa) cover o.s. up; <coisa> be covered

cocaína /kokaˈinə/ f cocaine

coçar /kuˈsar/ vt scratch □ vi (esfregar-se) scratch; (comichar) itch; ~-se vpr scratch o.s.

cócegas /ˈkɔsəgaʃ/ f pl **fazer ~ em** tickle; **sentir ~** be ticklish

coceira /kuˈsejrə/ f itch

cochichar /kuʃiˈʃar/ vt/i whisper; ~cho m whisper

cochilada /kuʃiˈladə/ (Br) f doze; ~lar vi doze; ~lo m (Br) snooze

cocktail /kɔkəˈtejl/ m cocktail; (reunião) cocktail party

coco /ˈkoku/ m coconut

cócoras /ˈkɔkuraʃ/ f pl **de ~** squatting; **ficar de ~** squat

côdea /ˈkodjə/ f crust

codificar /kudifiˈkar/ vt encode <mensagem>; codify <leis>

código /ˈkɔdigu/ m code; ~ **de barras** bar code; ~ **postal** postal code

coeficiente /kwefisiˈɛtə/ m coefficient; (fig: factor) factor

coelho /kuˈeʎu/ m rabbit

coentro /kuˈẽtru/ m coriander

coerção /kwerˈsãw/ f coercion

coe|rência /kwe'rẽsjɐ/ f (lógica) coherence; (consequência) consistency; ~rente a (lógico) coherent; (consequente) consistent

coexis|tência /kwezif'tẽsjɐ/ f coexistence; ~tir vi coexist

cofre /'kɔfrɐ/ m safe; (de dinheiro público) coffer

cogi|tação /kuʒitɐ'sãw/ f contemplation; ~tar vt/i contemplate

cogumelo /kugu'mɛlu/ m mushroom

coibir /kwi'bir/ vt restrict; ~-se de keep o.s. from

coice /'kojsɐ/ m kick

coinci|dência /kwĩsi'dẽsjɐ/ f coincidence; ~dir vi coincide

coisa /'kojzɐ/ f thing

coitado /koj'tadu/ m poor thing; ~ do pai poor father

cola /'kɔlɐ/ f glue

colabo|ração /kulɐburɐ'sãw/ f collaboration; (de escritor etc) contribution; ~rador m collaborator; (em jornal, livro) contributor; ~rar vi collaborate; (em jornal, livro) contribute (em to)

colagem /ku'laʒẽj/ f collage

colágeno /ku'laʒenu/ m collagen

colapso /ku'lapsu/ m collapse

colar¹ /ku'lar/ m necklace

colar² /ku'lar/ vt (grudar) stick; □ vi stick; <desculpa etc> stand up, stick

colarinho /kulɐ'riɲu/ m collar; (de cerveja) head

colate|ral /kulɐtɐ'ral/ (pl ~rais) a efeito ~ral side effect

col|cha /'kolʃɐ/ f bedspread; ~chão m mattress

colchete /kol'ʃetɐ/ m fastener; (sinal de pontuação) square bracket; ~ de pressão press stud, popper

colchonete /kolʃo'nɛtɐ/ m (fold-away) mattress

coldre /'koldrɐ/ m holster

colec|ção /kulɛ'sãw/ f collection; ~cionador m collector; ~cionar vt collect

colec|ta /ku'lɛtɐ/ f collection; ~tânea f collection; ~tar vt collect

colectivo /kulɛ'tivu/ a collective; <transporte> public

colega /ku'lɛgɐ/ m/f (amigo) friend; (de trabalho) colleague

colegi|al /kuleʒi'al/ (pl ~ais) a school □ m/f schoolboy (f -girl)

colégio /ku'lɛʒju/ m secondary school, (Amer) high school

coleira /ku'lejrɐ/ f collar

cólera /'kɔlerɐ/ f (doença) cholera; (raiva) fury

colérico /ku'lɛriku/ a (furioso) furious □ m (doente) cholera victim

colesterol /kolɛfte'rɔl/ m cholesterol

colete /ku'letɐ/ m waistcoat, (Amer) vest; ~ salva-vidas life-jacket, (Amer) life-preserver

colheita /ku'λejtɐ/ f harvest; (produtos colhidos) crop

colher¹ /ku'λɛr/ f spoon

colher² /ku'λɛr/ vt pick <flores, frutos>; gather <informações>

colherada /kuλɐ'radɐ/ f spoonful

colibri /kuli'bri/ *m* hummingbird

cólica /'kɔlikɐ/ *f* colic

colidir /kuli'dir/ *vi* collide

coli|gação /kuligɐ'sãw/ *f* (*pol*) coalition; **~gado** *m* (*pol*) coalition partner; **~gar** *vt* bring together; **~gar-se** *vpr* join forces; (*pol*) form a coalition

colina /ku'linɐ/ *f* hill

colírio /ku'lirju/ *m* eyewash

colisão /kuli'zãw/ *f* collision

collant /kɔ'lã/ (*pl* **~s**) *m* body; (*de ginástica*) leotard; (*meias de senhora*) tights

colmeia /kol'mejɐ/ *f* beehive

colo /'kɔlu/ *f* (*regaço*) lap; (*pescoço*) neck

colo|cação /kolukɐ'sãw/ *f* placing; (*emprego*) position; (*exposição de factos*) statement; (*de aparelho, pneus, carpete etc*) fitting; **~cado** *a* placed; **o primeiro ~cado** (*em ranking*) person in first place; **~cador** *m* fitter; **~car** *vt* put; fit <aparelho, pneus, carpete etc>, put forward, state <opinião, idéias>; (*empregar*) get a job for

Colômbia /ku'lõbjɐ/ *f* Colombia

colombiano /kulõbi'anu/ *a* & *m* Colombian

cólon /'kɔlon/ *m* colon

colónia[1] /ku'lɔnjɐ/ *f* (*colonos*) colony

colónia[2] /ku'lɔnjɐ/ *f* (*perfume*) cologne

coloni|al /kuluni'al/ (*pl* **~ais**) *a* colonial; **~alismo** *m* colonialism; **~alista** *a* & *m/f* colonialist; **~zar** *vt* colonize

colono /ku'lonu/ *m* settler, colonist; (*lavrador*) tenant farmer

coloqui|al /kuluki'al/ (*pl* **~ais**) *a* colloquial

colóquio /ku'lɔkju/ *m* (*conversa*) conversation; (*congresso*) conference

colo|rido /kulu'ridu/ *a* colourful □ *m* colouring; **~rir** *vt* colour

colu|na /ku'lunɐ/ *f* column; (*vertebral*) spine; **~nável** (*pl* **~náveis**) *a* famous □ *m* celebrity; **~nista** *m/f* columnist

com /kõ/ *prep* with; **o comentário foi comigo** the comment was meant for me; **você está ~ a chave?** have you got the key?; **~ seis anos de idade** at six years of age

coma /'komɐ/ *f* coma

comadre /ku'madrɨ/ *f* (*madrinha*) godmother of one's child; (*mãe do afilhado*) mother of one's godchild; (*urinol*) bedpan

coman|dante /kumã'dãtɨ/ *m* commander; **~dar** *vt* lead; (*ordenar*) command; (*elevar-se acima de*) dominate; **~do** *m* command; (*grupo*) commando group

comba|te /kõ'batɨ/ *m* combat; (*a drogas, doença etc*) fight (**a** against); **~ter** *vt/i* fight; **~ter-se** *vpr* fight

combi|nação /kõbinɐ'sãw/ *f* combination; (*acordo*) arrangement; (*plano*) scheme; (*roupa*) petticoat; **~nar** *vt* (*juntar*) combine; (*ajustar*) arrange □ *vi* go together; match; **~nar com** go with, match; **~nar sair** arrange to go out; **~nar-se** vpr (juntar-se) combine; (harmonizar-se) go together, match

comboio /kõ'boju/ m convoy; (de caminho de ferro) train

combustí|vel /kõbuʃ'tivɛl/ (pl **~veis**) m fuel

come|çar /kumə'sar/ vt/i start, begin; **~ço** /e/ m beginning, start

comédia /ku'mɛdjɐ/ f comedy

comediante /kumədi'ãtə/ m/f comedian (f comedienne)

comemo|ração /kuməmurɐ'sãw/ f (celebração) celebration; (lembrança) commemoration; **~rar** vt (festejar) celebrate; (lembrar) commemorate; **~rativo** a commemorative

comen|tar /kumẽ'tar/ vt comment on; (falar mal de) make comments about; **~tário** m comment; (de texto, na TV etc) commentary; **sem ~tários** no comment; **~tarista** m/f commentator

comer /ku'mer/ vt eat; (ferrugem etc) eat away; take <peça de xadrez> □ vi eat; **~se** vpr (de raiva etc) be consumed (de with); **dar de ~ a** feed

comerci|al /kumərsi'al/ (pl **~ais**) a & m commercial; **~alizar** vt market; **~ante** m/f trader; **~ar** vi do business, trade

comércio /ku'mɛrsju/ m (actividade) trade; (loja etc) business; (lojas) shops

comes /'kɔməʃ/ m pl **~ e bebes** (fam) food and drink;

~tíveis m pl foods, food; **~tível** (pl **~tíveis**) a edible

cometa /ku'metɐ/ m comet

cometer /kumə'ter/ vt commit <crime>; make <erro>

comichão /kumi'ʃãw/ f itch

comício /ku'misju/ m rally

cómico /'komiku/ a (de comédia) comic; (engraçado) comical

comida /ku'midɐ/ f food; (uma) meal

comigo = **com** + **mim** = with me

comi|lão /kumi'lãw/ a (f **~lona**) greedy □ m (f **~lona**) glutton

cominho /ku'miɲu/ m cummin

comiserar-se /kumizə'rarsə/ vpr commiserate (de with)

comis|são /kumi'sãw/ f commission; **~sário** m commissioner; **~sário de bordo** (aéreo) steward; (de navio) purser; **~sionar** vt commission

comi|té /komi'te/ m committee; **~tiva** f group; (de uma pessoa) retinue

como /'komu/ adv (na condição de) as; (da mesma forma que) like; (de que maneira) how □ conj as; **~?** (pedindo repetição) pardon?; **~ se** as if; **assim ~** as well as

cómoda /'komudɐ/ f chest of drawers, (Amer) bureau

como|didade /kumudi'dadɐ/ f comfort; (conveniência) convenience; **~dismo** m complacency; **~dista** a complacent

cómodo /'komudu/ a comfortable; (conveniente) convenient

como|vente /kumu'vẽtɐ/ *a* moving; **~ver** *vt* move □ *vi* be moving; **~ver-se** *vpr* be moved

compacto /kõ'paktu/ *a* compact □ *m* single

compadecer-se /kõpadə'sersə/ *vpr* feel pity (**de** for)

compadre /kõ'padrə/ (*padrinho*) godfather of one's child; (*pai do afilhado*) father of one's godchild

compaixão /kõpaj'ʃãw/ *f* compassion

companhei|rismo /kõpaɲɐj'riʒmu/ *m* companionship; **~ro** *m* (*de viagem etc*) companion; (*amigo*) friend, mate

companhia /kõpa'ɲiɐ/ *f* company; **fazer ~ a alg** keep s.o. company

compa|ração /kõpara'sãw/ *f* comparison; **~rar** *vt* compare; **~rativo** *a* comparative; **~rável** (*pl* **~ráveis**) *a* comparable

compare|cer /kõparə'ser/ *vi* appear; **~cer** *a* attend; **~cimento** *m* attendance

comparsa /kõ'parsa/ *m/f* (*actor*) bit player; (*cúmplice*) sidekick, accomplice

comparti|lhar /kõparti'ʎar/ *vt/i* share (**de** in); **~mento** *m* compartment

compassado /kõpa'sadu/ *a* (*medido*) measured; (*ritmado*) regular

compassivo /kõpa'sivu/ *a* compassionate

compasso /kõ'pasu/ *m* (*mus*) beat, time; (*instrumento*) compass, pair of compasses

compatí|vel /kõpa'tivɛl/ (*pl* **~veis**) *a* compatible

compatriota /kõpatri'ɔtɐ/ *m/f* compatriot, fellow countryman (*f* -woman)

compelir /kõpe'lir/ *vt* compel

compene|tração /kõpənətra'sãw/ *f* conviction; **~trar** *vt* convince; **~trar-se** *vpr* convince o.s.

compen|sação /kõpẽsa'sãw/ *f* compensation; (*de cheques*) clearing; **~sar** *vt* make up for <defeitos, danos>; offset <peso, gastos>; clear <cheques> □ *vi* <crime> pay

compe|tência /kõpə'tẽsjɐ/ *f* competence; **~tente** *a* competent

compe|tição /kõpəti'sãw/ *f* competition; **~tidor** *m* competitor; **~tir** *vi* compete; **~tir a** be up to; **~tividade** *f* competitiveness; **~titivo** *a* competitive

compla|cência /kõpla'sẽsjɐ/ *f* complaisance; **~cente** *a* obliging

complemen|tar /kõpləmẽ'tar/ *vt* complement □ *a* complementary; **~to** *m* complement

comple|tar /kõplə'tar/ *vt* complete; top up <copo, tanque etc>; **~tar 20 anos** turn 20; **~to** /ɛ/ *a* complete; (*cheio*) full up; **por ~to** completely; **escrever por ~to** write out in full; **~tamente** *adv* completely

comple|xado /kõplɛk'sadu/ *a* with a complex; **~xidade** *f* complexity; **~xo** /ɛ/ *a* & *m* complex

compli|cação /kõplika'sãw/ *f* complication; **~cado** *a* complicated; **~car** *vt* complicate; **~car-se** *vpr* get complicated

complot /kõ'plo/ *m* conspiracy, plot

com|ponente /kõpu'nẽtɐ/ *a* & *m* component; **~por** *vt/i* compose; **~por-se** *vpr* (*controlar-se*) compose o.s.; **~por-se de** be composed of

compor|tamento /kõpurtɐ'mẽtu/ *m* behaviour; **~tar** *vt* hold; bear <dor, prejuízo>; **~tar-se** *vpr* behave

composi|ção /kõpuzi'sãw/ *f* composition; (*acordo*) conciliation; **~tor** *m* (*de música*) composer; (*gráfico*) compositor

compos|to /kõ'postu/ *pp de* **compor** □ *a* compound; <pessoa> level-headed □ *m* compound; **~to de** made up of; **~tura** *f* composure

compota /kõ'pɔtɐ/ *f* fruit in syrup, jam

com|pra /'kõprɐ/ *f* purchase; *pl* shopping; **fazer ~pras** go shopping; **~prador** *m* buyer; **~prar** *vt* buy; bribe <oficial, juiz>; pick <briga>

compreen|der /kõpriẽ'der/ *vt* (*conter em si*) contain; (*estender-se a*) cover, take in; (*entender*) understand; **~são** *f* understanding; **~sível** (*pl* **~síveis**) *a* understandable; **~sivo** *a* understanding

compres|sa /kõ'prɛsɐ/ *f* compress; **~são** *f* compression; **~sor** *m* compressor; **rolo ~sor** steamroller

compri|do /kõ'pridu/ *a* long; **~mento** *m* length

compri|mido /kõpri'midu/ *m* pill, tablet □ *a* <ar> compressed; **~mir** *vt* (*apertar*)

press; (*reduzir o volume de*) compress

comprome|tedor /kõpruməte'dor/ *a* compromising; **~ter** *vt* (*envolver*) involve; (*prejudicar*) compromise; **~ter alg a fazer** commit s.o. to doing; **~ter-se** *vpr* (*obrigar-se*) commit o.s.; (*prejudicar-se*) compromise o.s.; **~tido** *a* (*ocupado*) busy; (*noivo*) spoken for

compromisso /kõpru'misu/ *m* commitment; (*encontro marcado*) appointment; **sem ~** without obligation

compro|vação /kõpruva'sãw/ *f* proof; **~vante** *m* receipt; **~var** *vt* prove

compul|são /kõpul'sãw/ *f* compulsion; **~sivo** *a* compulsive; **~sório** *a* compulsory

compu|tação /kõputa'sãw/ *f* computation; (*matéria, ramo*) computing; **~tador** *m* computer; **~tadorizar** *vt* computerize; **~tar** *vt* compute

comum /ku'mũ/ *a* common; (*não especial*) ordinary; **fora do ~** out of the ordinary; **em ~** <trabalho> joint; <actuar> jointly; **ter muito em ~** have a lot in common

comungar /kumũ'gar/ *vi* take communion

comunhão /kumu'ɲãw/ *f* communion; (*relig*) (Holy) Communion

comuni|cação /kumunikɐ'sãw/ *f* communication; **~cação social/visual** media studies/graphic design; **~cado** *m* notice; (*pol*) communiqué;

~car vt communicate; (unir) connect □ vi, **~car-se** vpr communicate □ a communicative

comu|nidade /kumuni'dadɐ/ f community; **~nismo** m communism; **~nista** a & m/f communist; **~nitário** a (da comunidade) community; (para todos juntos) communal

côncavo /'kõkavu/ a concave

conce|ber /kõsə'ber/ vt conceive; (imaginar) conceive of □ vi conceive; **~bível** (pl **~bíveis**) a conceivable

conceder /kõse'der/ vt grant; **~em** accede to

concei|to /kõ'sejtu/ m concept; (opinião) opinion; (fama) reputation; **~tuado** a highly thought of; **~tuar** vt (imaginar) conceptualize; (avaliar) assess

concen|tração /kõsẽtra'sãw/ f concentration; (de jogadores) training camp; **~trar** vt concentrate; **~trar-se** vpr concentrate

concepção /kõsɛ'sãw/ f conception; (opinião) view

concernente /kõser'nẽtə/ vt **~a** concerning

concerto /kõ'sertu/ m concert

conces|são /kõsə'sãw/ f concession; **~sionária** f dealership; **~sionário** m dealer

concha /'kõʃɐ/ f (de molusco) shell; (colher) ladle

concili|ação /kõsilja'sãw/ f conciliation; **~ador** a conciliatory; **~ar** vt reconcile

concílio /kõ'silju/ m council

conci|são /kõsi'zãw/ f conciseness; **~so** a concise

conclamar /kõkla'mar/ vt call <eleição, greve>; call upon <pessoa>

conclu|dente /kõklu'dẽtə/ a conclusive; **~ir** vt/i conclude; **~são** f conclusion; **~sivo** a concluding

concor|dância /kõkur'dãsjɐ/ f agreement; **~dante** a consistent; **~dar** vi agree (**em** to) □ vt bring into line; **~data** f abrir **~data** go into liquidation

concórdia /kõ'kɔrdjɐ/ f concord

concor|rência /kõku'Rẽsjɐ/ f competition (**a** for); **~rente** a competing; **~rer** vi compete (**a** for); **~rer para** contribute to; **~rido** a popular

concre|tizar /kõkrɐti'zar/ vt realize; **~tizar-se** vpr be realized; **~to** /ɛ/ a & m concrete

concurso /kõ'kursu/ m contest; (prova) competition

con|dado /kõ'dadu/ m county; **~de m** count

condeco|ração /kõdəkura'sãw/ f decoration; **~rar** vt decorate

conde|nação /kõdəna'sãw/ f condemnation; (jurid) conviction; **~nar** vt condemn; (jurid) convict

conden|sação /kõdẽsa'sãw/ f condensation; **~sar** vt condense; **~sar-se** vpr condense

condescen|dência /kõdə/sẽ'dẽsjɐ/ f acquiescence; **~dente** a acquiescent; **~der** vi acquiesce; **~der a** comply with <pedido, desejo>; **~der a ir** condescend to go

condessa /kõ'desɐ/ f countess

condi|ção /kõdi'sãw/ f condition; (qualidade) capacity; **ter ~ção ou ~ções para** be able to; **em boas ~ções** in good condition; **~cionado** a conditioned; **~cional** (pl **~cionais**) a conditional; **~cionamento** m conditioning

condimen|tar /kõdimẽ'tar/ vt season; **~to** m seasoning

condoer-se /kõdu'ersə/ vpr **~ de** feel sorry for

condolência /kõdu'lẽsjə/ f sympathy; pl condolences

condomínio /kõdu'minju/ m (taxa) service charge

condu|ção /kõdu'sãw/ f (de carro etc) driving; (transporte) transport; **~cente** a conducive (**a** to); **~ta** f conduct; **~to** m conduit; **~tor** m (de carro) driver; (eletr) conductor; **~zir** vt lead; drive <carro>; (eletr) conduct □ vi (de carro) drive; (levar) lead (**a** to)

cone /'kɔnə/ m cone (de gelado) cone, cornet

conectar /konɛk'tar/ vt connect

cone|xão /konɛk'sãw/ f connection; **~xo** /ɛ/ a connected

confec|ção /kõfɛk'sãw/ f (roupa) ready-to-wear clothes, off-the-peg outfit; (loja) clothes shop, boutique; (fábrica) clothes manufacturer; **~cionar** vt make

confederação /kõfədəra.'sãw/ f confederation

confei|tar /kõfej'tar/ vt ice; **~taria** f cake shop; **~teiro** m confectioner

confe|rência /kõfə'rẽsjə/ f conference; (palestra) lecture; **~rencista** m/f speaker

conferir /kõfə'rir/ vt check (**com** against); (conceder) confer (**a** on) □ vi (controlar) check; (estar exacto) tally

confes|sar /kõfə'sar/ vt/i confess; **~sar-se** vpr confess; **~sionário** m confessional; **~sor** m confessor

confete /kõ'fɛtə/ m confetti

confi|ança /kõfi'ãsə/ f (convicção) confidence; (fé) trust; **~ante** a confident (**em** of); **~ar** (dar) entrust; **~ar em** trust; **~ável** (pl **~áveis**) a reliable; **~dência** f confidence; **~dencial** (pl **~denciais**) a confidential; **~denciar** vt tell in confidence; **~dente** m/f confidant (f confidante)

configu|ração /kõfigura.'sãw/ f configuration; **~rar** vt (representar) represent; (formar) shape; (comput) configure

con|finar /kõfi'nar/ vi **~finar com** border on; **~fins** m pl borders

confir|mação /kõfirma.'sãw/ f confirmation; **~mar** vt confirm; **~mar-se** vpr be confirmed

confis|car /kõfiʃ'kar/ vt confiscate; **~co** m confiscation

confissão /kõfi'sãw/ f confession

confla|gração /kõflagra.'sãw/ f conflagration; **~grar** vt set alight; (fig) throw into turmoil

conflito /kõ'flitu/ m conflict

confor|mação /kõfurmɐ'sãw/ f
resignation; ~**mado** a resigned (**com** to); ~**mar** vt adapt
(**a** to); ~**mar-se com** conform to <regra, política>; resign o.s. to, come to terms
with <destino, evento>; ~**me**
/ɔ/ prep according to □ conj
depending on; ~**me** it de-
pends; ~**midade** f conformi-
ty; ~**mismo** m conformism;
~**mista** a & m/f conformist
confor|tar /kõfur'tar/ vt com-
fort; ~**tável** (pl ~**táveis**) a
comfortable; ~**to** /o/ m comfort
confraternizar /kõfratər-
ni'zar/ vi fraternize
confron|tação /kõfrõtɐ'sãw/ f
confrontation; ~**tar** vt confront; (comparar) compare;
~**to** m confrontation; (comparação) comparison
con|fundir /kõfū'dir/ vt confu-
se; ~**fundir-se** vpr get confused; ~**fusão** f confusion;
(desordem) mess; (tumulto)
commotion; ~**fuso** a (con-
fundido) confused; (que con-
funde) confusing
conge|lador /kõʒəlɐ'dor/ m
freezer; ~**lamento** m (de
preços etc) freeze; ~**lar** vt
freeze; ~**lar-se** vpr freeze
congénito /kõ'ʒɛnitu/ a congenital
congestão /kõʒəʃ'tãw/ f con-
gestion
congestio|nado /kõʒəʃtju'na-
du/ a <rua, cidade> congested; <pessoa, rosto> flushed;
<olhos> bloodshot; ~**na-
mento** m (de trânsito) traffic
jam; ~**nar** vt congest; ~**nar-**

-se vpr <rua> get congested;
<rosto> flush
conglomerado /kõglumə'radu/
m conglomerate
congratular /kõgratu'lar/ vt
congratulate (**por** on)
congre|gação /kõgrəgɐ'sãw/ f
(na igreja) congregation;
(reunião) gathering; ~**gar** vt
bring together; ~**gar-se** vpr
congregate
congresso /kõ'grɛsu/ m congress
conhaque /ko'ɲake/ m brandy
conhe|cedor /kuɲəsə'dor/ a
knowing □ m connoisseur;
~**cer** vt know; (ser apresen-
tado a) get to know; (visitar) go to, visit; ~**cido** a
known; (famoso) well-
-known □ m acquaintance;
~**cimento** m knowledge; **tomar** ~**cimento de** learn of;
travar ~**cimento com alg**
make s.o.'s acquaintance,
become acquainted with s.o.
cónico /'kɔniku/ a conical
coni|vência /kuni'vẽsjɐ/ f con-
nivance; ~**vente** a conniving
(**em** at)
conjectu|ra /kõʒe'turɐ/ f con-
jecture; ~**rar** vt/i conjecture
conju|gação /kõʒugɐ'sãw/ f
(ling) conjugation; ~**gar** vt
conjugate <verbo>
cônjuge /'kõʒuʒə/ m/f spouse
conjun|ção /kõʒū'sãw/ f con-
junction; ~**tivo** a & m subjunctive; ~**to** a joint □ m
set; (roupa) outfit; (musical)
group; **o** ~**to de** the body of;
em ~**to** jointly; ~**tura** f state
of affairs; (económica) state
of the economy

connosco = **com** + **nós** = with us

cono|tação /kunutɐ'sãw/ f connotation; **~tar** vt connote

conquanto /kõ'kwãtu/ conj although, even though

conquis|ta /kõ'kiʃtɐ/ f conquest; (proeza) achievement; **~tador** m conqueror □ a conquering; **~tar** vt conquer <terra, país>; win <riqueza, independência>; win over <pessoa>

consa|gração /kõsɐgrɐ'sãw/ f (de uma igreja) consecration; (dedicação) dedication; **~grado** a <artista, expressão> established; **~grar** vt consecrate <igreja>; establish <artista, estilo>; (dedicar) dedicate (**a** to); **~grar-se a** dedicate o.s. to

consci|ência /kõʃsi'ẽsjɐ/ f (moralidade) conscience; (sentidos) consciousness; (no trabalho) conscientiousness; (de um facto, etc) awareness; **~encioso** /o/ a conscientious; **~ente** a conscious; **~entizar** vt make aware (**de** of); **~entizar-se** vpr become aware (**de** of)

consecutivo /kõsɐku'tivu/ a consecutive

conse|guinte /kõsə'gĩtə/ a **por ~guinte** consequently; **~guir** vt get; **~guir fazer** manage to do □ vi succeed

conse|lheiro /kõsə'ʎejru/ m counsellor, adviser; **~lho** /e/ m piece of advice; pl advice; (órgão) council

consen|so /kõ'sẽsu/ m consensus; **~timento** m consent;

~tir vt allow □ vi consent (**em** to)

conse|quência /kõsə'kwẽsjɐ/ f consequence; **por ~quência** consequently; **~quente** a consequent; (coerente) consistent

conser|tar /kõsər'tar/ vt repair; **~to** /e/ m repair

conser|va /kõ'sɛrvɐ/ f (em vidro) preserve; (em lata) tinned food; **~vação** f preservation; **~vador** a & m conservative; **~vadorismo** m conservatism; **~vante** a & m preservative; **~var** vt preserve; (manter, guardar) keep; **~var-se** vpr keep; **~vatório** m conservatory

conside|ração /kõsidərɐ'sãw/ f consideration; (estima) esteem; **levar em ~ração** take into consideration; **~rar** vt consider; (estimar) think highly of □ vi consider; **~rar-se** vpr consider o.s.; **~rável** (pl **~ráveis**) a considerable

consig|nação /kõsigna'sãw/ f consignment; **~nar** vt consign

consigo = **com** + **si** = with him, with her, with them, with you

consis|tência /kõsiʃ'tẽsjɐ/ f consistency; **~tente** a firm; **~tir** vi consist (**em** in)

consoante /kõsu'ãtə/ f consonant

conso|lação /kõsulɐ'sãw/ f consolation; **~lador** a consoling; **~lar** vt console; **~lar-se** vpr console o.s.

consolidar /kõsuli'dar/ vt consolidate; mend <fractura>

consolo /kõ'solu/ m consolation

consórcio /kõ'sɔrsju/ m consortium

consorte /kõ'sɔrtə/ m/f consort

conspícuo /kõʃ'pikwu/ a conspicuous

conspi|ração /kõʃpira'sãw/ f conspiracy; ~**rador** m conspirator; ~**rar** vi conspire

cons|tância /kõʃ'tãsja/ f constancy; ~**tante** a & f constant; ~**tar** vi (em lista etc) appear; **não me** ~**ta** I am not aware; ~**ta que** it is said that; ~**tar de** consist of

consta|tação /kõʃtata'sãw/ f observation; ~**tar** vt note, notice; certify <óbito>

conste|lação /kõʃtela'sãw/ f constellation; ~**lado** a star--studded, starry

conster|nação /kõʃtərna'sãw/ f consternation; ~**nar** vt dismay

consti|pação /kõʃtipa'sãw/ f cold; ~**pado** a (resfriado) with a cold; (no intestino) constipated; ~**par-se** vpr get a cold

constitu|cional /kõʃtitusju'nal/ (pl ~**cionais**) a constitutional; ~**ição** f constitution; ~**inte** a constituent □ f **Constituinte** Constituent Assembly; ~**ir** vt form <governo, sociedade>; (representar) constitute; (nomear) appoint

constran|gedor /kõʃtrãʒo'dor/ a embarrassing; ~**ger** vt embarrass; (coagir) constrain; ~**ger-se** vpr get embarrassed; ~**gimento** m (embara-

ço) embarrassment; (coacção) constraint

constru|ção /kõʃtru'sãw/ f construction; (terreno) building site; ~**ir** vt build <casa, prédio>; (fig) construct; ~**tivo** a constructive; ~**tor** m builder; ~**tora** f building firm

cônsul /'kõsul/ (pl ~**es**) m consul

consulado /kõsu'ladu/ m consulate

consul|ta /kõ'sulta/ f consultation; ~**tar** vt consult; ~**tor** m consultant; ~**toria** f consultancy; ~**tório** m (médico) surgery, (Amer) office

consumado /kõsuma'du/ a **facto** ~**mado** fait accompli; ~**mar** vt accomplish <projecto>; carry out <crime, sacrifício>; consummate <casamento>

consu|midor /kõsumi'dor/ a & m consumer; ~**mir** vt consume; take up <tempos>; ~**mismo** m consumerism; ~**mista** a & m/f consumerist; ~**mo** m consumption; ~**mo-mínimo** minimum charge

conta /'kõta/ f (a pagar) bill; (bancária) account; (conta-gem) count; (de vidro etc) bead; pl (com) accounts; **em** ~ economical; **por** ~ **de** on account of; **por** ~ **própria** on one's own account; **ajus-tar** ~**s** settle up; **dar** ~ **de** (fig) be up to; **dar** ~ **do re-cado** (fam) deliver the goods; **dar-se** ~ **de** realize; **fazer** ~ pretend; **ficar por** ~ **de** be left to; **levar ou**

ter em ~ take into account; **prestar** ~**s de** account for; **tomar** ~ **de** take care of; ~ **bancária** bank account; ~ **corrente** current account

contabi|lidade /kõtɐˌbiliˈdadɐ/ f accountancy; (*contas*) accounts; (*secção*) accounts department; ~**lista** m/f accountant; ~**lizar** vt write up <quantia>; (*fig*) notch up

contac|tar /kõtakˈtar/ vt contact; ~**to** m contact; **entrar em** ~**to com** get in touch with; **tomar** ~**to com** come into contact with

conta|dor /kõtɐˈdor/ m (*de luz etc*) meter; ~**gem** f counting; (*de pontos num jogo*) scoring; ~**gem regressiva** countdown

contagi|ante /kõtɐʒiˈɐ̃tɐ/ a infectious; ~**ar** vt infect; ~**ar-se** vpr become infected

contágio /kõˈtaʒju/ m infection

contagioso /kõtɐʒiˈozu/ a contagious

contami|nação /kõtɐminɐˈsɐ̃w/ f contamination; ~**nar** vt contaminate

contanto /kõˈtɐ̃tu/ adv ~ **que** provided that

contar /kõˈtar/ vt/i count; (*narrar*) tell; ~ **com** count on

contem|plação /kõtẽplɐˈsɐ̃w/ f contemplation; ~**plar** vt (*considerar*) contemplate; (*dizer respeito a*) concern; ~**plar alg com** treat s.o. to □ vi ponder; ~**plativo** a contemplative

contemporâneo /kõtẽpuˈrɐnju/ a & m contemporary

contenção /kõtẽˈsɐ̃w/ f containment

conten|cioso /kõtẽsiˈozu/ a contentious; ~**da** f dispute

conten|tamento /kõtẽtɐˈmẽtu/ m contentment; ~**tar** vt satisfy; ~**tar-se** vpr be content; ~**te** a (*feliz*) happy; (*satisfeito*) content; ~**to** m a ~**to** satisfactorily

conter /kõˈter/ vt contain; ~**-se** vpr contain o.s.

conterrâneo /kõtɐˈʀɐnju/ m fellow countryman (f -woman)

contestar /kõtɐʃˈtar/ vt question; (*jurid*) contest

conteúdo /kõtiˈudu/ m (*de recipiente*) contents; (*fig: de carta etc*) content

contexto /kõˈtejʃtu/ m context

contigo = **com** + **ti** = with you

continência /kõtiˈnẽsjɐ/ f (*mil*) salute

continen|tal /kõtinẽˈtal/ (*pl* ~**tais**) a continental; ~**te** m continent

contin|gência /kõtĩˈʒẽsjɐ/ f contingency; ~**gente** a (*eventual*) possible; (*incerto*) contingent □ m contingent

continu|ação /kõtinwɐˈsɐ̃w/ f continuation; ~**ar** vt/i continue; **eles** ~**am ricos** they are still rich; ~**idade** f continuity

contínuo /kõˈtinwu/ a continuous □ m office junior

con|tista /kõˈtiʃtɐ/ m/f (*short*) story writer; ~**to** m (*short*) story; ~**to de fadas** fairy tale; ~**to-do-vigário** (*pl* ~**tos-do-vigário**) m confidence trick, swindle

contorcer /kõturˈser/ vt twist; ~**-se** vpr (*de dor*) writhe

contor|nar /kõtur'nar/ *vt* go round; *(fig)* get round <obstáculo, problema>; *(cercar)* surround; *(delinear)* outline; **~no** /o/ *m* outline; *(da paisagem)* contour

contra /'kõtrɑ/ *prep* against

contra-|atacar /kõtrata.kar/ counterattack; **~-ataque** *m* counterattack

contrabaixo /kõtra'baj∫u/ *m* double bass

contrabalançar /kõtraba.lã'sar/ *vt* counterbalance

contraban|dear /kõtra.bãdi'ar/ *vt* smuggle; **~dista** *m/f* smuggler; **~do** *m (acto)* smuggling; *(artigos)* contraband

contracção /kõtra'sãw/ *f* contraction

contracenar /kõtrase'nar/ *vi* ~ **com** play opposite, play up to

contraceptivo /kõtra.se'tivu/ *a* & *m* contraceptive

contracheque /kõtra.'ʃɛkɑ/ *m* pay slip

contradi|ção /kõtradi'sãw/ *f* contradiction; **~tório** *a* contradictory, conflicting; **~zer** *vt* contradict; **~zer-se** *vpr* <pessoa> contradict o.s.; <idéias etc> be contradictory

contragosto /kõtra.'goʃtu/ *m* **a** ~ reluctantly

contrair /kõtra.'ir/ *vt* contract; pick up <hábito, vício>; **~-se** *vpr* contract

contramão /kõtra.'mãw/ *(Br)* f opposite direction □ *a invar* one way

contramestre /kõtra.'mɛʃtrə/ *m* supervisor; *(em navio)* bosun

contra-ofensiva /kõtra.ofe'siva/ *f* counter-offensive

contrapartida /kõtra.par'tidɑ/ *f (fig)* compensation; **em** ~ on the other hand

contraproducente /kõtra.prudu'sẽtɑ/ *a* counter-productive

contrari|ar /kõtra.ri'ar/ *vt* go against, run counter to; *(aborrecer)* annoy; **~edade** *f* adversity; *(aborrecimento)* annoyance

contrário /kõ'trarju/ *a* opposite; *(desfavorável)* adverse; ~ **a** contrary to; <pessoa> opposed to □ *m* opposite; **pelo ou ao** ~ on the contrary; **ao** ~ **de** contrary to; **em** ~ to the contrary

contras|tante /kõtra.ʃ'tãtɑ/ *a* contrasting; **~tar** *vt/i* contrast; **~te** *m* contrast

contra|tante /kõtra.'tãtɑ/ *m/f* contractor; **~tar** *vt* contract, *(empregar)* employ, *(operários)* take on

contratempo /kõtra.'tẽpu/ *m* hitch

contra|to /kõ'tratu/ *m* contract; **~tual** *(pl* **~tuais)** *a* contractual

contraven|ção /kõtra.vẽ'sãw/ *f* contravention; **~tor** *m* offender

contribu|ição /kõtribwi'sãw/ *f* contribution; **~inte** *m/f* contributor; *(pagador de impostos)* taxpayer; **~ir** *vi* contribute □ *vi* contribute; *(pagar impostos)* pay tax

contrição /kõtri'sãw/ *f* contrition

contro|lar /kõtru'lar/ *vt* control; *(fiscalizar)* check; **~lo**

/o/ *m* control; (*fiscalização*) check

contro|vérsia /kõtru'vɛrsjɐ/ *f* controversy; **~verso** /ɛ/ *a* controversial

contudo /kõ'tudu/ *conj* nevertheless

contundir /kõtũ'dir/ *vt* (*dar hematoma em*) bruise; injure <jogador>; **~-se** *vpr* bruise o.s.; <jogador> get injured

conturbado /kõtur'badu/ *a* troubled, disturbed

contu|são /kõtu'zãw/ *f* bruise; (*de jogador*) injury; **~so** /a/ *a* bruised; <jogador> injured

convales|cença /kõvaləʃ'sẽsa/ *f* convalescence; **~cer** *vi* convalesce

convenção /kõvẽ'sãw/ *f* convention

conven|cer /kõvẽ'ser/ *vt* convince; **~cido** *a* (*convicto*) convinced; (*metido*) conceited; **~cimento** *m* (*convicção*) conviction; (*imodéstia*) conceitedness

convencio|nal /kõvẽsju'nal/ (*pl* **~nais**) *a* conventional

conveni|ência /kõvẽni'ẽsjɐ/ *f* convenience; **~ente** *a* convenient; (*cabível*) appropriate

convénio /kõ'vɛnju/ *m* agreement

convento /kõ'vẽtu/ *m* convent

convergir /kõvər'ʒir/ *vi* converge

conver|sa /kõ'vɛrsa/ *f* conversation; **a ~sa dele** the things he says; **~sa fiada** idle talk; **~sação** *f* conversation; **~sa·do** *a* <pessoa> talkative; <assunto> talked about; **~sa·dor** *a* talkative

conversão /kõvər'sãw/ *f* conversion

conversar /kõvər'sar/ *vi* talk

conver|tível /kõvər'tivel/ (*pl* **~tíveis**) *a* & *m* convertible; **~ter** *vt* convert; **~ter-se** *vpr* be converted; **~tido** *m* convert

con|vés /kõ'vɛʃ/ (*pl* **~veses**) *m* deck

convexo /kõ'vɛksu/ *a* convex

convic|ção /kõvik'sãw/ *f* conviction; **~to** *a* convinced; (*ferrenho*) confirmed; <criminoso> convicted

convi|dado /kõvi'dadu/ *m* guest; **~dar** *vt* invite; **~dativo** *a* inviting

convincente /kõvĩ'sẽtə/ *a* convincing

convir /kõ'vir/ *vi* (*ficar bem*) be appropriate; (*concordar*) agree (**em** on); **~ a** suit, be convenient for; **convém notar que** one should note that

convite /kõ'vitə/ *m* invitation

convi|vência /kõvi'vẽsjɐ/ *f* coexistence; (*relação*) close contact; **~ver** *vi* coexist; (*ter relações*) associate (**com** with)

convívio /kõ'vivju/ *m* association (**com** with)

convocar /kõvo'kar/ *vt* call <eleições, greve>; call upon <pessoa> (**a** to); (*ao serviço militar*) call up

convosco = com + vós = with you

convul|são /kõvul'sãw/ *f* (*do corpo*) convulsion; (*da sociedade etc*) upheaval; **~sionar** *vt* convulse <corpo>; (*fig*) churn up; **~sivo** *a* convulsive

coope|ração /kwupərə'sãw/ f cooperation; **~rar** vi cooperate; **~rativa** f cooperative; **~rativo** a cooperative

coorde|nação /kwurdənɐ'sãw/ f co-ordination; **~nada** f coordinate; **~nar** vt coordinate

copa /'kɔpə/ f (de árvore) top; (aposento) breakfast room; (torneio) cup; pl (naipe) hearts; **a Copa (do Mundo)** the World Cup; **~-cozinha** (pl **~s-cozinhas**) f kitchen-diner

cópia /'kɔpjə/ f copy; (cábula) crib

copiar /kupi'ar/ vt copy; (cabular) crib

co-piloto /kɔpi'lotu/ m co-pilot

copioso /kupi'ozu/ a ample; <refeição> substantial

copo /'kɔpu/ m glass

coque /'kɔkə/ m (penteado) bun

coqueiro /ko'kejru/ m coconut palm

coqueluche /kɔkə'luʃə/ f (doença) whooping cough; (mania) fad

cor[1] /kɔr/ m **de ~** by heart

cor[2] /kor/ f colour; **TV a ~es** colour TV; **pessoa de ~** coloured person

coração /kurɐ'sãw/ m heart

cora|gem /ku'raʒãj/ f courage; **~joso** /o/ a courageous

co|ral[1] /ku'ral/ (pl **~rais**) m (animal) coral

co|ral[2] /ku'ral/ (pl **~rais**) m (de cantores) choir ▢ a choral

co|rante /kɔ'rãtə/ a & m colouring; **~rar** vt colour ▢ vi blush

cor|da /'kɔrdə/ f rope; (mus) string; (para roupa lavada) clothes line; **dar ~da em** wind <relógio>; **~da bamba** tightrope; **~das vocais** vocal chords; **~dão** m cord; (de sapatos) lace; (policial) cordon

cordeiro /kur'dejru/ m lamb

cor|del /kur'dɛl/ (pl **~déis**) m string; **literatura de ~del** trash

cor-de-rosa /kɔrdə'rɔzɐ/ a invar pink

cordi|al /kurdi'al/ (pl **~ais**) a & m cordial; **~alidade** f cordiality

cordilheira /kurdi'ʎejrɐ/ f chain of mountains

coreano /kuri'ɐnu/ a & m Korean

Coreia /ku'rejɐ/ f Korea

core|ografia /kurjugrɐ'fiɐ/ f choreography; **~ógrafo** m choreographer

coreto /ku'retu/ m bandstand

corja /'kɔrʒɐ/ f pack; (de pessoas) rabble

coro /'koru/ m chorus

coro|a /ku'roɐ/ f crown; (de flores etc) wreath ▢ (fam) (Br) m/f old man (f woman); **~ação** f coronation; **~ar** vt crown

coro|nel /kuru'nɛl/ (pl **~néis**) m colonel

coronha /ku'rɔɲɐ/ f butt

corpete /kur'petə/ m bodice

corpo /'korpu/ m body; (físico de mulher) figure; (físico de homem) physique; **~ de bombeiros** fire brigade; **~ diplomático** diplomatic corps; **~ docente** teaching staff, (*Amer*) faculty; ~a-~ m invar pitched battle; ~ral (*pl* ~rais) a physical; <pena> corporal

corpu|lência /kurpu'lẽsjɐ/ f stoutness; ~lento a stout

correcção /kuRɛ'sãw/ f correction

corre-corre /kɔRɐ'kɔRɐ/ m (*debandada*) stampede; (*correria*) rush

correc|tivo /kuRɛ'tivu/ a corrective □ m punishment; ~to /ɛ/ a correct

corrector /kuRɛ'tor/ m broker; ~ de imóveis estate agent, (*Amer*) realtor

corre|diço /kuRɐ'disu/ a <porta> sliding; ~dor m (*atleta*) runner; (*passagem*) corridor

correia /ku'Reja/ f strap; (*peça de máquina*) belt; (*para cão*) lead, (*Amer*) leash

correio /ku'Reju/ m post, mail; (*repartição*) post office; pôr no ~ post, (*Amer*) mail; ~ aéreo air mail

correlação /kuRɛlɐ.'sãw/ f correlation

correligionário /kuRɛlɐʒju'narju/ m party colleague

corrente /ku'Rẽtɐ/ a <água> running; <mês, conta> current; <estilo> fluid; (*usual*) common □ f (*de água, electricidade*) current; (*cadeia*) chain; ~ de ar draught; ~za /e/ f current; (*de ar*) draught

cor|rer /ku'Rer/ vi (à pé) run; (*de carro*) drive fast, speed; (*fazer rápido*) rush; <água, sangue> flow; <tempo> elapse; <boato> go round □ vt draw <cortina>; run <risco>; ~reria f rush

correspon|dência /kuRɐʃpõ'dẽsjɐ/ f correspondence; ~dente a corresponding □ m/f correspondent; (*equivalente*) equivalent; ~der vi ~der a correspond to; (*retribuir*) return; ~der-se vpr correspond (com with)

corrida /ku'Ridɐ/ f (*prova*) race; (*acção de correr*) run; (*de taxi*) ride

corrigir /kuRi'ʒir/ vt correct

corrimão /kuRi'mãw/ (*pl* ~s) m handrail; (*de escada*) banister

corriqueiro /kuRi'kejru/ a ordinary, run-of-the-mill

corroborar /kuRobu'rar/ vt corroborate

corroer /kuRu'er/ vt corrode <metal>; (*fig*) erode; ~-se vpr corrode; (*fig*) erode

corromper /kuRõ'per/ vt corrupt; ~-se vpr be corrupted

corro|são /kuRu'zãw/ f (*de metal*) corrosion; (*fig*) erosion; ~sivo a corrosive

corrup|ção /kuRup'sãw/ f corruption; ~to a corrupt

cor|tante /kur'tãtɐ/ a cutting; ~tar vt cut; cut off <luz, telefone, perna etc>; cut down <árvore>; cut out <efeito, vício>; take away <prazer>; (*com o carro*) cut up; (*desprezar*) cut dead □ vi cut; ~tar o cabelo (*no cabeleireiro*) get one's hair cut

corte¹ /'kɔrtɐ/ m cut; (*gume*) blade; (*desenho*) cross--section; sem ~ <faca> blunt; ~ de cabelo haircut

cor|te² /'kɔrtɐ/ f court; ~tejar vt court; ~tejo /e/ m (*séqui-*

to) retinue; (*fúnebre*) cortè-
ge; **~tês** *a* (*f* **~tesa**) courteous, polite; **~tesão** (*pl*
~tesãos) *m* courtier; **~tesia** *f*
courtesy

corti|ça /kur'tisɐ/ *f* cork; **~ço**
m (*casa popular*) slum tenement

cortina /kur'tinɐ/ *f* curtain

cortisona /kurti'zonɐ/ *f* corti-
sone

coruja /ku'ruʒɐ/ *f* owl □ *a*
<pai, mãe> proud, doting

coruscar /kuruʃ'kar/ *vi* flash

corvo /'korvu/ *m* crow

cós /kɔʃ/ *m invar* waistband

coscuvi|lhar /kuʃkuvi'ʎar/ *vi*
(*fam*) nose around; **~lheiro**
adj (*fam*) nosy; *m* nosy par-
ker

coser /ku'zer/ *vt/i* sew

cosmético /koʒ'mɛtiku/ *a* & *m*
cosmetic

cósmico /'koʒmiku/ *a* cosmic

cosmo /'koʒmu/ *m* cosmos;
~nauta *m/f* cosmonaut; **~po-
lita** *a* cosmopolitan □ *m/f*
globetrotter

costa /'kɔʃtɐ/ *f* coast; *pl* (*dor-
so*) back; **Costa do Marfim**
Ivory Coast; **Costa Rica**
Costa Rica

costarriquenho /koʃtaʀi'keɲu/ *a* & *m* Costa Rican

cos|teiro /kuʃ'tejru/ *a* coastal;
~tela /ɛ/ *f* rib; **~teleta** /e/ *f*
chop; **~telinha** *f* (*de porco*)
spare rib

costu|mar /kuʃtu'mar/ *vt* **~ma
fazer** he usually does; **~ma-
va fazer** he used to do; **~me**
m (*uso*) custom; **de ~me**
usually; **como de ~me** as
usual; **ter o ~me de** have a

habit of; **~meiro** *a* customa-
ry

costu|ra /kuʃ'turɐ/ *f* sewing;
~rar *vt/i* sew; **~reira** *f* (*mulher*) dressmaker

co|ta /'kɔtɐ/ *f* quota; **~tação** *f*
(*preço*) rate; (*apreço*) rating;
~tado *a* <acção> quoted;
(*conceituado*) highly rated;
~tar *vt* rate; quote <acções>

cote|jar /kuta'ʒar/ *vt* compare;
~jo /e/ *m* comparison

cotonete /kutu'nɛtɐ/ *m* cotton
bud

cotove|lada /kutuvə'ladɐ/ *f*
(*para abrir caminho*) shove;
(*para chamar atenção*) nudge; **~lo** /e/ *m* elbow

coura|ça /ko'rasɐ/ *f* (*armadu-
ra*) breastplate; (*de navio,
animal*) armour; **~çado** *m*
battleship

couro /'koru/ *m* leather; **~ cabeludo** scalp

couve /'kovɐ/ *f* spring greens;
~-de-bruxelas (*pl* **~s-de-
-bruxelas**) *f* Brussels sprout;
~-flor (*pl* **~s-flores**) *f* cauliflower

couvert /ku'vɛr/ (*pl* **~s**) *m* cover charge

cova /'kɔvɐ/ *f* (*buraco*) pit;
(*sepultura*) grave

coveiro /ku'vejru/ *m* gravedig-
ger

covil /ku'vil/ (*pl* **~vis**) *m* den,
lair

covinha /ko'viɲɐ/ *f* dimple

co|xa /'koʃɐ/ *f* thigh; **~xear** *vi*
hobble

coxia /ku'ʃiɐ/ *f* aisle

coxo /'koʃu/ *a* hobbling; **ser ~**
hobble

co|zer /ku'zer/ *vt/i* cook; **~zido**
m stew, casserole

cozi|nha /ku'ziɲɐ/ f (aposento) kitchen; (comida, acção) cooking; (arte) cookery; **~nhar** vt/i cook; **~nheiro** m cook

crachat /kra'ʃa/ m badge, (Amer) button

crânio /'krɐnju/ m skull; (pessoa) genius

crápula /'krapulɐ/ m/f scoundrel

craque /'krakɐ/ m (de futebol) soccer star; (fam) expert

crase /'krazɐ/ f contraction; **a com ~** a grave (à)

crasso /'krasu/ a crass

cratera /kra'tɛrɐ/ f crater

cravar /kra'var/ vt drive in <prego>; dig <unha>; stick <estaca>; **~ com os olhos** stare at; **~se** vpr stick

cravejar /kravɐ'ʒar/ vt nail; (com balas) spray, riddle

cravo¹ /'kravu/ m (flor) carnation; (condimento) clove

cravo² /'kravu/ m (na pele) blackhead; (prego) nail

cravo³ /'kravu/ m (instrumento) harpsichord

creche /'krɛʃɐ/ f crèche

credenci|ais /krɐdēsi'ajs/ f pl credentials; **~ar** vt qualify

credi|bilidade /krɐdibili'dadɐ/ f credibility; **~tar** vt credit

crédito /'krɛditu/ m credit; **a ~** on credit

cre|do /'krɛdu/ m creed □ int heavens; **~dor** m creditor □ a <saldo> credit

crédulo /'krɛdulu/ a gullible

cre|mação /krɐmɐ'sãw/ f cremation; **~mar** vt cremate; **~matório** m crematorium

cre|me /'krɛmɐ/ a invar & m

cream; **~me Chantilly** whipped cream; **~moso** /o/ a creamy

cren|ça /'krēsɐ/ f belief; **~dice** f superstition; **~te** m believer; (protestante) Protestant □ a religious; (protestante) Protestant; **estar ~te que** believe that

crepe /'krɛpɐ/ m crepe

crepitar /krɛpi'tar/ vi crackle

crepom /krɐ'põ/ m crepe; **papel ~** tissue paper

crepúsculo /krɐ'puʃkulu/ m twilight

crer /krer/ vt/i believe (em in); **creio que** I think (that); **~se** vpr believe o.s. to be

cres|cendo /krɐ'ʃēdu/ m crescendo; **~cente** a growing □ m crescent; **~cer** vi grow; <bolo> rise; **~cido** a grown; **~cimento** m growth

crespo /'kre/pu/ a <cabelo> frizzy; <mar> choppy

cretino /krɐ'tinu/ m cretin

cria /'kriɐ/ f baby; pl young

criação /kriɐ'sãw/ f creation; (educação) upbringing; (de animais) raising; (gado) livestock

criado /kri'adu/ m servant

criador /kriɐ'dor/ m creator; (de animais) farmer, breeder

crian|ça /kri'ãsɐ/ f child □ a childish; **~çada** f kids; **~cice** f childishness; (uma) childish thing

criar /kri'ar/ vt (fazer) create; bring up <filhos>; rear <animais>; grow <planta>; pluck up <coragem>; **~se** vpr be brought up, grow up

criati|vidade /kriɐtivi'dadɐ/ f creativity; **~vo** a creative

criatura /kriɐ'turɐ/ f creature

crime /'krimɐ/ m crime

crimi|nal /krimi'nal/ (pl ~**nais**) a criminal; ~**nalidade** f crime; ~**noso** m criminal

crina /'krinɐ/ f mane

crioulo /kri'olu/ a & m creole; (negro) black

cripta /'kriptɐ/ f crypt

crisálida /kri'zalidɐ/ f chrysalis

crisântemo /kri'zãtɐmu/ m chrysanthemum

crise /'krizɐ/ f crisis

cris|ma /'krizmɐ/ f confirmation; ~**mar** vt confirm; ~**mar-se** vpr get confirmed

crista /'kriʃtɐ/ f crest

cris|tal /kriʃ'tal/ (pl ~**tais**) m crystal; (vidro) glass; ~**talino** a crystal-clear; ~**talizar** vt/i crystallize

cris|tandade /kriʃtã'dadɐ/ f Christendom; ~**tão** (pl ~**tãos**) a & m (f ~**tã**) Christian; ~**tianismo** m Christianity

Cristo /'kriʃtu/ m Christ

cri|tério /kri'tɛrju/ m discretion; (norma) criterion; ~**terioso** a perceptive, discerning

crítica /'kritikɐ/ f criticism; (análise) critique; (de filme, livro) review; (críticos) critics

criticar /kriti'kar/ vt criticize; review <filme, livro>

crítico /'kritiku/ a critical ▢ m critic

crivar /kri'var/ vt (furar) riddle

cri|vel /'krivɛl/ (pl ~**veis**) a credible

crivo /'krivu/ m sieve; (fig) scrutiny

crocante /kro'kãtɐ/ a crunchy

croché /kro'ʃe/ m crochet

crocodilo /kruku'dilu/ m crocodile

cromo ou crómio /'krɔm(j)u/ m chrome

cromossoma /krɔmɔ'somɐ/ m chromosome

cróni|ca /'krɔnikɐ/ f (histórica) chronicle; (no jornal) feature; (conto) short story; ~**co** a chronic

cronista /kru'niʃtɐ/ m/f (de jornal) feature writer; (contista) short story writer; (historiador) chronicler

crono|grama /krunu'gramɐ/ m schedule; ~**logia** f chronology; ~**lógico** a chronological; ~**metrar** vt time

cronómetro /kru'nɔmɐtru/ m stopwatch

croquete /kro'kɛtɐ/ m croquette, savoury meatball in breadcrumbs

croquis /kro'ki/ m sketch

crosta /'krɔʃtɐ/ f crust; (em ferida) scab

cru /kru/ a (f ~**a**) raw; <luz, tom, palavra> harsh; <linguagem> crude; <verdade> unvarnished, plain

cruci|al /krusi'al/ (pl ~**ais**) a crucial

crucifi|cação /krusifikɐ'sãw/ f crucifixion; ~**car** vt crucify; ~**xo** /ks/ m crucifix

cru|el /kru'ɛl/ (pl ~**éis**) a cruel; ~**eldade** f cruelty; ~**ento** a bloody

crupe /'krupɐ/ m croup

crustáceos /kruʃ'tasjuʃ/ m pl shellfish

cruz /kruʃ/ f cross

cruza|da /kru'zadɐ/ f crusade; **~do** m (*soldado*) crusader

cru|zador /kruza'dor/ m cruiser; **~zamento** m (*de ruas*) crossroads, junction, (*Amer*) intersection; (*de raças*) cross; **~zar** vt cross □ vi <navio> cruise; **~zar com** pass; **~zar-se** vpr cross; <pessoas> pass each other; **~zeiro** m (*viagem*) cruise; (*cruz*) cross

cu /ku/ m (*calão*) arse, (*Amer*) ass

Cuba /'kubɐ/ f Cuba

cubano /ku'bɐnu/ a & m Cuban

cúbico /'kubiku/ a cubic

cubículo /ku'bikulu/ m cubicle

cubis|mo /ku'biʒmu/ m cubism; **~ta** a & m/f cubist

cubo /'kubu/ m cube; (*de roda*) hub

cuca /'kukɐ/ (*fam*) f head

cuco /'kuku/ m cuckoo; (*relógio*) cuckoo clock

cueca /'kuɛkɐ/ f underpants; pl (*de mulher*) knickers

cueiro /ku'ejru/ m baby wrap

cuia /'kujɐ/ f gourd

cuidado /kwi'dadu/ m care; **com ~** carefully; **ter** ou **tomar ~** be careful; **~so** /o/ a careful

cuidar /kwi'dar/ vi **~ de** take care of; **~-se** vpr look after o.s.

cujo /'kuʒu/ pron whose

culatra /ku'latrɐ/ f breech; **sair pela ~** (*fig*) backfire

culiná|ria /kuli'narjɐ/ f cookery; **~rio** a culinary

culmi|nância /kulmi'nãsjɐ/ f culmination; **~nante** a culminating; **~nar** vi culminate (**em in**)

cul|pa /'kulpɐ/ f guilt; **foi ~pa minha** it was my fault; **ter ~pa de** be to blame for; **~pabilidade** f guilt; **~pado** a guilty □ m culprit; **~par** vt blame (**de** for); (*na justiça*) find guilty (**de** of); **~par-se** vpr take the blame (**de** for); **~pável** (*pl* **~páveis**) a culpable, guilty

culti|var /kulti'var/ vt cultivate; grow <plantas>; **~vo** m cultivation; (*de plantas*) growing

cul|to /'kultu/ a cultured □ m cult; **~tura** f culture; (*de terra*) cultivation; (*de terra*) cultivation; **~tural** (*pl* **~turais**) a cultural

cúmplice /'kuplisɐ/ m/f accomplice

cumplicidade /kuplisi'dadɐ/ f complicity

cumprimen|tar /kuprimẽ'tar/ vt/i (*saudar*) greet; (*dar os parabéns*) compliment; **~to** m (*saudação*) greeting; (*elogio*) compliment; (*de lei, ordem*) compliance (**de** with); (*de promessa, palavra*) fulfilment

cumprir /ku'prir/ vt keep <promessa, palavra>; comply with <lei, ordem>; do <dever>; carry out <obrigações>; serve <pena>; **~ com** keep to □ vi **cumpre-nos ir** we should go; **~-se** vpr be fulfilled

cúmulo /'kumulu/ m height; **é o ~!** that's the limit!

cunha /'kuɲɐ/ *f* wedge

cunha|da /ku'ɲadɐ/ *f* sister-in--law; **~do** *m* brother-in-law

cunhar /'kuɲar/ *vt* coin <palavra, expressão>; mint <moedas>

cunho /'kuɲu/ *m* hallmark

cupão /ku'pãw/ *m* coupon

cúpula /'kupulɐ/ *f (abóbada)* dome; *(de abajur)* shade; *(chefia)* leadership; **(reunião de)** ~ summit (meeting)

cura /'kurɐ/ *f* cure □ *m* curate, priest

curandeiro /kurɐ̃'dejru/ *m (religioso)* faith-healer; *(índio)* medicine man; *(charlatão)* quack

curar /ku'rar/ *vt* cure; dress <ferida>; ~**se** *vpr* be cured

curativo /kurɐ'tivu/ *m* dressing

curá|vel /ku'ravɛl/ *(pl ~veis)* a curable

curio|sidade /kurjuzi'dadɐ/ *f* curiosity; ~**so** /o/ *a* curious □ *m (espectador)* onlooker

cur|ral /ku'ral/ *(pl* ~**rais)** *m* pen

currículo /ku'ʀikulu/ *m* curriculum; *(resumo)* curriculum vitae, CV

cur|sar /kur'sar/ *vt* attend <escola, aula>; study <matéria>; ~**so** *m* course; ~**sor** *m* cursor

curta|-metragem /kurtɐ-

mə'traʒaj/ *(pl* ~**s-metragens)** *m* short (film)

cur|tição /kurti'sãw/ *(fam)* f enjoyment; ~**tir** *vt (fam)* enjoy; tan <couro>

curto /'kurtu/ *a* short; <conhecimento, inteligência> limited; ~**-circuito** *(pl* ~**s-circuitos)** *m* short circuit

cur|va /'kurvɐ/ *f* curve; *(de estrada, rio)* bend; ~**va fechada** hairpin bend; ~**var** *vt* bend; ~**var-se** *vpr* bend; *(fig)* bow (**a** to); ~**vo** *a* curved; <estrada> winding

cus|pir /kuʃ'pir/ *vt/i* spit; ~**po** *m* spit, spittle

cus|ta /'kuʃtɐ/ *f* **à ~ta de** at the expense of; ~**tar** *vt* cost □ *vi (ser difícil)* be hard; ~**tar a fazer** *(ter dificuldade)* find it hard to do; *(demorar)* take a long time to do; ~**tear** *vt* finance, fund; ~**teio** *m* funding; *(relação de despesas)* costing; ~**to** *m* cost; **a ~to** with difficulty

custódia /kuʃ'tɔdjɐ/ *f* custody

cutelo /ku'tɛlu/ *m* cleaver

cutícula /ku'tikulɐ/ *f* cuticle

cútis /'kutis/ *f invar* complexion

czar /k'zar/ *m* tsar

D

da = **de** + **a**

dacti|lografar /dɐtilugrɐˈfar/
vt/i type; **~lografia** *f* typing;
~lógrafo *m* typist

dádiva /ˈdadivɐ/ *f* gift; (*donativo*) donation

dado /ˈdadu/ *m* (*de jogar*) die,
dice; (*informação*) fact, piece of information; *pl* data

daí /dɐˈi/ *adv* from there; (*no tempo*) then;
~ por diante from then on;
e ~? (*fam*) so what?

dali /dɐˈli/ *adv* from over there

dália /ˈdaljɐ/ *f* dahlia

dal|tónico /dalˈtoniku/ *a* colour-blind; **~tonismo** *m* colour-blindness

dama /ˈdamɐ/ *f* lady; (*em jogos*) queen; *pl* (*jogo*)
draughts, (*Amer*) checkers; **~ de honor** bridesmaid

da|nado /dɐˈnadu/ *a* damned;
(*zangado*) angry; (*travesso*)
naughty; **~nar-se** *vpr* get angry; **~ne-se!** (*fam*) who cares?

dan|ça /ˈdɐ̃sɐ/ *f* dance; **~çar** *vt*
dance □ *vi* dance; **~carino** *m*
dancer; **~ceteria** *f* (*Br*) discotheque

da|nificar /dɐnifiˈkar/ *vt* damage; **~ninho** *a* undesirable;
~no *m* (*pl*) damage; **~noso**
/o/ *a* damaging

dantes /ˈdɐ̃tʃ/ *adv* formerly

daquela(s), daquele(s) = **de** +
aquela(s), aquele(s)

daqui /dɐˈki/ *adv* from here; **~**
a 2 dias in 2 days(' time); **~**
a pouco in a minute; **~ em**
diante from now on

daquilo = **de** + **aquilo**

dar /dar/ *vt* give; have <dormida, lida etc>; do <pulo,
cambalhota etc>; cause
<problemas>; produce <frutas, leite>; deal <cartas>;
(*leccionar*) teach □ *vi* (*ser*
possível) be possible; (*ser*
suficiente) be enough; **~**
com come across; **~ em** lead
to; **ele dá para actor** he'd
make a good actor; **~ por**
(*considerar como*) consider
to be; (*reparar em*) notice;
~-se *vpr* <coisa> happen;
<pessoa> get on

dardo /ˈdardu/ *m* dart; (*no*
atletismo) javelin

das = **de** + **as**

da|ta /ˈdatɐ/ *f* date; **de longa**
~ long since; **~tar** *vt/i* date

de /də/ prep of; (procedência) from; ~ **carro** by car

debaixo /dəˈbajʃu/ adv below; ~ **de** under

debalde /dəˈbaldə/ adv in vain

debandada /dəbãˈdadə/ f stampede

deba|te /dəˈbatə/ m debate; ~**ter** vt debate; ~**ter-se** vpr grapple

debelar /dəbəˈlar/ vt overcome

dé|bil /ˈdɛbil/ (pl ~**beis**) a feeble; ~**bil mental** retarded (person)

debili|dade /dəbiliˈdadə/ f debility; ~**tar** vt debilitate; ~**tar-se** vpr become debilitated

debitar /dəbiˈtar/ vt debit

débito /ˈdɛbitu/ m debit

debo|chado /dəbuˈʃadu/ a (Br) sardonic; ~**char** (Br) vt mock; ~**che** /ɔ/ m jibe

debruar /dəbruˈar/ vt/i edge

debruçar-se /dəbruˈsarsə/ vpr bend over; ~ **sobre** study

debrum /dəˈbrũ/ m edging

debulhar /dəbuˈʎar/ vt thresh

debu|tante /dəbuˈtãtə/ f debutante; ~**tar** vi debut, make one's debut

década /ˈdɛkadə/ f decade; **a ~ dos 60** the sixties

deca|dência /dəkaˈdẽsjə/ f decadence; ~**dente** a decadent

decair /dəkaˈir/ vi decline; (desmoronar-se) go downhill; ⟨planta⟩ wilt

decal|car /dəkalˈkar/ vt trace; ~**que** m tracing

decapitar /dəkapiˈtar/ vt decapitate

decatlo /dəˈkatlu/ m decathlon

de|cência /dəˈsẽsjə/ f decency; ~**cente** a decent

decepar /dəsəˈpar/ vt cut off

decep|ção /dəseˈsãw/ f disappointment; ~**cionar** vt disappoint; ~**cionar-se** vpr be disappointed

decerto /dəˈsɛrtu/ adv certainly

deci|dido /dəsiˈdidu/ a ⟨pessoa⟩ determined; ~**dir** vt/i decide; ~**dir-se** vpr make up one's mind; ~**dir-se por** decide on

decifrar /dəsiˈfrar/ vt decipher

deci|mal /dəsiˈmal/ (pl ~**mais**) a & m decimal

décimo /ˈdɛsimu/ a & m tenth; ~ **primeiro** eleventh; ~ **segundo** twelfth; ~ **terceiro** thirteenth; ~ **quarto** fourteenth; ~ **quinto** fifteenth; ~ **sexto** sixteenth; ~ **sétimo** seventeenth; ~ **oitavo** eighteenth; ~ **nono** nineteenth

deci|são /dəsiˈzãw/ f decision; ~**sivo** a decisive

deck /dɛkə/ m (sun)deck

decla|ração /dəklaraˈsãw/ f declaration; ~**rado** a ⟨inimigo⟩ sworn; ⟨crente⟩ avowed; ⟨ladrão⟩ self-confessed; ~**rar** vt declare

decli|nação /dəklinaˈsãw/ f declension; ~**nar** vt ~**nar (de)** decline ☐ vi decline; ⟨sol⟩ go down; ⟨chão⟩ slope down

declínio /dəˈklinju/ m decline

declive /dəˈklivə/ m (downward) slope, incline

decom|por /dəkõˈpor/ vt break down; contort ⟨feições⟩; ~**por-se** vpr break down; ⟨cadáver⟩ decompose; ~**posição** f (de cadáver) decomposition

deco|ração /dəkuɾaˈsãw/ f decoration; (*aprendizagem*) learning by heart; **~rar** vt (*adornar*) decorate; (*aprender*) learn by heart, memorize; **~rativo** a decorative; **~ro** /o/ m decorum; **~roso** /o/ a decorous

decor|rência /dəkuˈRɛsjɐ/ f consequence; **~rente** a resulting (**de** from); **~rer** vi <tempo> elapse; <acontecimento> pass off; (*resultar*) result (**de** from) □ m **no ~rer de** in the course of; **com o ~rer do tempo** in time, with the passing of time

deco|tado /dəkuˈtadu/ a low-cut; **~te** /ɔ/ m neckline

decrépito /dəˈkrɛpitu/ a decrepit

decres|cente /dəkɾəʃˈsẽtɐ/ a decreasing; **~cer** vi decrease

decre|tar /dəkɾəˈtaɾ/ vt decree; declare <estado de sítio>; **~to** /ɛ/ m decree; **~to-lei** (pl **~tos-lei**) m act

decurso /dəˈkuɾsu/ m course

de|dal /dəˈdal/ (pl **~dais**) m thimble; **~dão** m (da mão) thumb; (do pé) big toe

dedi|cação /dədikaˈsãw/ f dedication; **~car** vt dedicate; devote <tempo>; **~car-se** vpr dedicate o.s. (**a** to); **~catória** f dedication

dedilhar /dədiˈʎaɾ/ vt pluck

dedo /ˈdedu/ m finger; (do pé) toe; **cheio de ~s** all fingers and thumbs; (sem graça) awkward

dedução /dəduˈsãw/ f deduction

dedu|tivo /dəduˈtivu/ a deductive; **~zir** vt (descontar) deduct; (concluir) deduce

defecar /dəfəˈkaɾ/ vi defecate

defei|to /dəˈfejtu/ m defect; **achar ~to em** find fault with; **~tuoso** /o/ a defective

defen|der /dəfẽˈdeɾ/ vt defend; **~der-se** vpr (virar-se) fend for o.s.; (contra-atacar) defend o.s. (**de** against); **~siva** f **na ~siva** on the defensive; **~sor** m defender; (advogado) defence counsel

defe|rência /dəfəˈRẽsjɐ/ f deference; **~rente** a deferential

defesa /dəˈfezɐ/ f defence □ m defender

defici|ência /dəfisiˈẽsjɐ/ f deficiency; **~ente** a deficient; (física ou mentalmente) handicapped □ m/f handicapped person

défice /ˈdɛfisə/ (pl **~s**) m deficit

deficitário /dəfisiˈtaɾju/ a in deficit; <empresa> loss-making

definhar /dəfiˈɲaɾ/ vi waste away; <planta> wither

defi|nição /dəfəniˈsãw/ f definition; **~nir** vt define; **~nir-se** vpr (descrever-se) define o.s.; (decidir-se) come to a decision; (explicar-se) make one's position clear; **~nitivo** a definitive; **~nível** (pl **~níveis**) a definable

defla|ção /dəflaˈsãw/ f deflation; **~cionário** a deflationary

deflagrar /dəflaˈgɾaɾ/ vt set off □ vi break out

defor|mar /dəfuɾˈmaɾ/ vt misshape; deform <corpo>; distort <imagem>; ~**midade** f deformity

defraudar /dəfraw'dar/ vt defraud (**de** of)

defron|tar /dəfrõ'tar/ vt ~**tar com** face; ~**te** adv opposite; ~**te de** opposite

defumar /dəfu'mar/ vt smoke

defunto /də'fũtu/ a & m deceased

dege|lar /dəʒe'lar/ vt/i thaw; ~**lo** /e/ m thaw

degeneração /dəʒenəra'sãw/ f degeneration

degenerar /dəʒenə'rar/ vi degenerate (**em** into)

degolar /dəgu'lar/ vt cut the throat of

degra|dação /dəgrada'sãw/ f degradation; ~**dante** a degrading; ~**dar** vt degrade

degrau /də'graw/ m step

degustar /dəgus'tar/ vt taste

dei|tado /dej'tadu/ a lying down; (dormindo) in bed; (fam: preguiçoso) idle; ~**tar** vt lay down; (na cama) put to bed; (pôr) put; (jogar) throw □ vi, ~**tar-se** vpr lie down; (ir para cama) go to bed

dei|xa /'dejʃa/ f cue; ~**xar** vt leave; (permitir) let; ~**xar de** (parar) stop; (omitir) fail; ~**xar de fumar** give up smoking **não pôde** ~**xar de rir** he couldn't help laughing; ~**xar alg nervoso** make s.o. annoyed; ~**xar cair** drop; ~**xar a desejar** leave a lot to be desired; ~**xa (para lá)** (fam) never mind, forget it

dela(s) = **de** + **ela(s)**

delatar /dəla'tar/ vt report

délavé /dela've/ a invar faded

dele(s) = **de** + **ele(s)**

dele|gação /dələga'sãw/ f delegation; ~**gado** m delegate; ~**gar** vt delegate

delei|tar /dəlej'tar/ vt delight; ~**tar-se** vpr delight (**com** in); ~**te** m delight; ~**toso** /o/ a delightful

delgado /dɛl'gadu/ a slender

delibe|ração /dəlibəra'sãw/ f deliberation; ~**rar** vt/i deliberate

delica|deza /dəlika'deza/ f delicacy; (cortesia) politeness; ~**do** a delicate; (cortês) polite

delícia /də'lisja/ f delight; **ser uma** ~ <comida> be delicious; <sol etc> be lovely

delici|ar /dəlisi'ar/ vt delight; ~**ar-se** delight (**com** in); ~**oso** /o/ a delightful, lovely; <comida> delicious

deline|ador /dəlinja'dor/ m eye-liner; ~**ar** vt outline

delin|quência /dəlĩ'kwẽsja/ f delinquency; ~**quente** a & m delinquent

deli|rante /dəli'rãtʃi/ a rapturous; (med) delirious; ~**rar** vi go into raptures; <doente> be delirious

delírio /də'lirju/ m (febre) delirium; (excitação) raptures

delito /də'litu/ m crime

delonga /də'lõga/ f delay

delta /'dɛlta/ f delta

dema|gogia /dəma.gu'ʒia/ f demagogy; ~**gógico** a demagogic; ~**gogo** /o/ m demagogue

demais /də'majs/ a & adv

(*muito*) very much; (*em demasia*) too much; **os** ~ the rest, the others; **é** ~! (*fam*) it's great! (*basta*) it's enough

deman|da /dɐˈmãdɐ/ *f* demand; (*jurid*) action; ~**dar** *vt* sue

demão /dɐˈmɐ̃w/ *f* coat

demar|car /dɐmɑrˈkar/ *vt* demarcate; ~**catório** *a* demarcation

demasia /dɐmɐˈziɐ/ *f* excess; **em** ~ too (much, many)

de|mência /dɐˈmẽsiɐ/ *f* insanity; (*med*) dementia; ~**mente** *a* insane; (*med*) demented

demissão /dɐmiˈsɐ̃w/ *f* sacking, dismissal; **pedir** ~ resign

demitir /dɐmiˈtir/ *vt* sack, dismiss; ~**se** *vpr* resign

demo|cracia /dɐmukrɐˈsiɐ/ *f* democracy; ~**crata** *m/f* democrat; ~**crático** *a* democratic; ~**cratizar** *vt* democratize; ~**grafia** *f* demography; ~**gráfico** *a* demographic

demo|lição /dɐmuliˈsɐ̃w/ *f* demolition; ~**lir** *vt* demolish

demónio /dɐˈmɔnju/ *m* demon

demons|tração /dɐmõʃtrɐˈsɐ̃w/ *f* demonstration; ~**trar** *vt* demonstrate; ~**trativo** *a* demonstrative

demo|ra /dɐˈmɔrɐ/ *f* delay; ~**rado** *a* lengthy, slow; ~**rar** *vi* (*levar*) take; (*tardar a voltar, terminar etc*) be long; (*levar muito tempo*) take a long time □ *vt* delay

dendê /dẽˈde/ (*Br*) *m* (*óleo*) palm oil

denegrir /dɐnɐˈgrir/ *vt* denigrate

dengoso /dẽˈgozu/ *a* coy

dengue /ˈdẽgɨ/ *m* dengue

denomi|nação /dɐnuminɐˈsɐ̃w/ *f* denomination; ~**nar** *vt* name

denotar /dɐnuˈtar/ *vt* denote

den|sidade /dẽsiˈdadɐ/ *f* density; ~**so** *a* dense

den|tado /dẽˈtadu/ *a* serrated; ~**tadura** *f* (set of) teeth; (*postiça*) dentures, false teeth; ~**tal** (*pl* ~**tais**) *a* dental; ~**tário** *a* dental; ~**te** *m* tooth; (*de alho*) clove; ~**te do siso** wisdom tooth; ~**tição** *f* teething; (*dentadura*) teeth; ~**tífrico** *m* toothpaste; ~**tista** *m/f* dentist

dentre = **de** + **entre**

dentro /ˈdẽtru/ *adv* inside; **lá** ~ in there; **por** ~ on the inside; ~ **de** inside; (*tempo*) within

dentu|ça /dẽˈtusɐ/ *f* buck teeth; ~**ço** *a* with buck teeth

denúncia /dɐˈnũsiɐ/ *f* (*à polícia etc*) report; (*na imprensa etc*) disclosure

denunciar /dɐnũsiˈar/ *vt* (*à polícia etc*) report; (*na imprensa etc*) denounce

deparar /dɐpɐˈrar/ *vi* ~ **com** come across

departamento /dɐpɐrtɐˈmẽtu/ *m* department

depauperar /dɐpawpɐˈrar/ *vt* impoverish

depenar /dɐpɐˈnar/ *vt* pluck <aves>; (*roubar*) fleece

depen|dência /dɐpẽˈdẽsiɐ/ *f* dependence; *pl* premises; ~**dente** *a* dependent (**de** on) □ *m/f* dependant; ~**der** *vi* depend (**de** on)

depi|lação /dəpilɐ'sãw/ f depilation; ~lar vt depilate; ~latório m depilatory cream

deplo|rar /dəplu'rar/ vt deplore; ~rável (pl ~ráveis) a deplorable

de|poente /dəpu'ẽtə/ m/f witness; ~poimento m (à polícia) statement; (na justiça) testimony

depois /də'pojs/ adv after (wards); ~ de after; ~ que after

depor /də'por/ vi (na polícia) make a statement; (na justiça) give evidence, testify □ vt lay down <armas>; depose <rei, presidente>

depor|tação /dəpurta'sãw/ f deportation; ~tar vt deport

deposi|tante /dəpuzi'tãtə/ m/f depositor; ~tar vt deposit; cast <voto>; place <confiança>

depósito /də'pozitu/ m deposit; (armazém) warehouse

depra|vação /dəpravɐ'sãw/ f depravity; ~vado a depraved; ~var vt deprave

depre|ciação /dəprəsja'sãw/ f (perda de valor) depreciation; (menosprezo) deprecation; ~~ciar vt (desvalorizar) devalue; (menosprezar) deprecate; ~ciar-se vpr <bens> depreciate; <pessoa> deprecate o.s.; ~ciativo a deprecatory

depre|dação /dəprədɐ'sãw/ f depredation; ~dar vt wreck

depressa /də'prɛsɐ/ adv fast, quickly

depres|são /dəprə'sãw/ f depression; ~sivo a depressive

depri|mente /dəpri'mẽtə/ a depressing; ~mido a depressed; ~mir vt depress; ~mir-se vpr get depressed

depurar /dəpu'rar/ vt purify

depu|tação /dəputa'sãw/ f deputation; ~tado m deputy, MP, (Amer) congressman (f -woman); ~tar vt delegate

deri|va /də'rivɐ/ f à ~va adrift; andar à ~va drift; ~vação f derivation; ~var vt derive; (desviar) divert □ vi, ~var-se vpr derive, be derived (de from); <navio> drift

dermatolo|gia /dɛrmatulu'ʒiɐ/ f dermatology; ~gista m/f dermatologist

derradeiro /dəRa'dejru/ a last, final

derra|mamento /dəRama'mẽtu/ m spill, spillage; ~mamento de sangue bloodshed; ~mar vt spill; shed <lágrimas>; ~mar-se vpr spill; ~me m spill, spillage; ~me cerebral stroke

derra|pagem /dəRa'paʒãj/ f skidding; (uma) skid; ~par vi skid

derreter /dəRə'ter/ vt melt; ~se vpr melt

derro|ta /də'Rotɐ/ f defeat; ~tar vt defeat; ~tismo m defeatism; ~tista a & m/f defeatist

derrubar /dəRu'bar/ vt knock down; bring down <governo>

desaba|far /dəzaba'far/ vi speak one's mind; ~fo m confession, (explosão)outburst;

desa|bamento /dəza.ba.'mẽtu/

m collapse; **~bar** *vi* collapse; <chuva> pour down

desabotoar /dəzɐ.butu'ar/ *vt* unbutton

desabri|gado /dəzɐ.bri'gadu/ *a* homeless; **~gar** *vt* make homeless

desabrochar /dəzɐ.bru'ʃar/ *vi* blossom, bloom

desaca|tar /dəzɐ.kɐ'tar/ *vt* defy; **~to** *m* (*de pessoa*) disrespect; (*da lei etc*) disregard

desacerto /dəzɐ'sertu/ *m* mistake

desacompanhado /dəzɐ.kõpɐ.'ɲadu/ *a* unaccompanied

desaconse|lhar /dəzɐ.kõsə'ʎar/ *vt* advise against; **~lhável** (*pl* **~lháveis**) *a* inadvisable

desacor|dado /dəzɐ.kur'dadu/ *a* unconscious; **~do** /o/ *m* disagreement

desacostu|mado /dəzɐ.kuʃ.tu'madu/ *a* unaccustomed; **~mar** *vt* **~mar alg de** break s.o. of the habit of; **~mar-se de** get out of the habit of

desacreditar /dəzɐ.krədi'tar/ *vt* discredit

desactivar /dəzati'var/ *vt* deactivate; shut down <fábrica>

desactualizado /dəzɐ.twali'zadu/ *a* out-of-date

desafecto /dəzɐ.'fɛtu/ *m* disaffection

desafia|dor /dəzɐ.fjɐ'dor/ *a* <tarefa> challenging; <pessoa> defiant; **~ar** *vt* challenge; (*fazer face a*) defy <perigo, morte>

desafi|nado /dəzɐ.fi'nadu/ *a* out of tune; **~nar** *vi* (*voz*) sing out of tune; (*instrumento*) play out of tune □ *vt* put out of tune

desafio /dəzɐ.'fiu/ *m* challenge

desafivelar /dəzɐ.fivə'lar/ *vt* unbuckle

desafo|gar /dəzɐ.fu'gar/ *vt* vent; (*desapertar*) relieve ; **~gar-se** *vpr* give vent to one's feelings; **~go** /o/ *m* (*alivio*) relief

desafo|rado /dəzɐ.fu'radu/ *a* cheeky; **~ro** /o/ *m* cheek; (*um*) liberty

desafortunado /dəzɐ.furtu'nadu/ *a* unfortunate

desagra|dar /dəzɐ.grɐ'dar/ *vt* displease; **~dável** (*pl* **~dáveis**) *a* unpleasant; **~do** *m* displeasure

desagravo /dəzɐ.'gravu/ *m* redress, amends

desagregar /dəzɐ.grə'gar/ *vt* split up; **~se** *vpr* split up

desaguar /dəzɐ.'gwar/ *vt* drain □ *vi* <rio> flow (**em** into)

desajeitado /dəzɐ.ʒej'tadu/ *a* clumsy

desajuizado /dəzɐ.ʒwi'zadu/ *a* foolish

desajus|tado /dəzɐ.ʒuʃ'tadu/ *a* (*psic*) maladjusted; **~te** *m* (*psic*) maladjustment

desalen|tar /dəzɐ.lẽ'tar/ *vt* dishearten; **~tar-se** *vpr* get disheartened; **~to** *m* discouragement

desali|nhado /dəzɐ.li'ɲadu/ *a* untidy; **~nho** *m* untidiness

desalojar /dəzɐ.lu'ʒar/ *vt* turn out <inquilino>; flush out <inimigo, ladrões>

desamarrar /dəzɐ.mɐ.'Rar/ *vt* untie □ *vi* cast off

desamarrotar /dəzɐ.mɐ.Ru'tar/ *vt* smooth out

desamassar /dəzɐmɐˈsar/ vt smooth out

desambientado /dəzãbiẽˈtadu/ a unsettled

desampa|rar /dəzãpɐˈrar/ vt abandon; **~ro** m abandonment

desandar' /dəzãˈdar/ vi <molho> separate; **~ a** start to

de|sanimar /dəzɐniˈmar/ □ vi discourage □ vi <pessoa> lose heart; <facto> be discouraging; **~sânimo** m discouragement

desapaixonado /dəzɐpajʃuˈnadu/ a dispassionate

desaparafusar /dəzɐpɐrɐfuˈzar/ vt unscrew

desapare|cer /dəzɐpɐrəˈser/ vi disappear; **~cimento** m disappearance

desapego /dəzɐˈpegu/ m detachment; (indiferença) indifference

desapercebido /dəzɐpərsəˈbidu/ a unnoticed

desapertar /dəzɐpərˈtar/ vt loosen

desapon|tamento /dəzɐpõtɐˈmẽtu/ m disapointment; **~tar** vt disappoint

desapropriar /dəzɐprupriˈar/ vt expropriate

desapro|vação /dəzɐpruvɐˈsãw/ f disapproval; **~var** vt disapprove of

desaproveitado /dəzɐpruvejˈtadu/ a wasted

desar|mamento /dəzɐrmɐˈmẽtu/ m disarmament; **~mar** vt disarm; take down <barraca>

desarran|jar /dəzɐRãˈʒar/ vt mess up; upset <estômago>;

~jo m mess; (do estômago) upset

desarregaçar /dəzɐRəgɐˈsar/ vt roll down

desarru|mado /dəzɐRuˈmadu/ a untidy; **~mar** vt untidy; unpack <mala>

desarticular /dəzɐrtikuˈlar/ vt dislocate

desarvorado /dəzɐrvuˈradu/ a disoriented, at a loss

desassociar /dəzɐsusiˈar/ vt disassociate; **~-se** vpr disassociate o.s.

desas|trado /dəzɐʃˈtradu/ a accident-prone, clumsy; **~tre** m disaster; **~troso** /o/ a disastrous

desatar /dəzɐˈtar/ vt untie; **~ a chorar** burst into tears

desatarraxar /dəzɐtɐRɐˈʃar/ vt unscrew

desaten|cioso /dəzɐtẽsiˈozu/ a inattentive; **~to** a oblivious (a to)

desati|nar /dəzɐtiˈnar/ vt bewilder □ vi not think straight; **~no** m mental aberration, bewilderment; (um) folly

desatrelar /dəzɐtrəˈlar/ vt unhitch

desavença /dəzɐˈvẽsɐ/ f disagreement

desavergonhado /dəzɐvərguˈɲadu/ a shameless

desbaratar /dəʒbɐrɐˈtar/ vt (desperdiçar) waste

desbocado /dəʒbuˈkadu/ a outspoken

desbotar /dəʒbuˈtar/ vt/i fade

desbra|vador /dəʒbrɐvɐˈdor/ m explorer; **~var** vt explore

descabido /dəʃkɐˈbidu/ a inappropriate

descalabro /dəˈkɐˈlabru/ m débâcle, disaster

descalço /dəˈkalsu/ a barefoot

descambar /dəˈkãˈbar/ vi deteriorate, degenerate

descan|sar /dəˈkãˈsar/ vt/i rest; ~**so** m rest; (de prato, copo) mat

desca|rado /dəˈkaˈradu/ a blatant; ~**ramento** m cheek

descarga /dəˈkarɡa/ f (eletr) discharge; (do autoclismo) flush; ~ **flush** (the toilet)

descarregar /dəˈkaˈʀeˈɡar/ vt unload <mercadorias>; discharge <poluentes>; vent <raiva> □ vi <bateria> go flat; ~ **em cima de alg** take it out on s.o.

descarrilar /dəˈkaˈʀiˈlar/ vt/i derail

descar|tar /dəˈkarˈtar/ vt discard; ~**tável** (pl ~**táveis**) a disposable

descascar /dəˈkaʃˈkar/ vt peel <frutas, batatas>; shell <nozes> □ vi <pessoa, pele> peel

descaso /dəʃˈkazu/ m indifference

descen|dência /dəʃsẽˈdẽsja/ f descent; ~**dente** a descended □ m/f descendant; ~**der** vi descend (de from)

descentralizar /dəʃsẽtraliˈzar/ vt decentralize

des|cer /dəʃˈser/ vi go down; <avião> descend; (do automóvel, comboio) get off; (do carro) get out □ vt go down <escada, ladeira>; ~**cida** f descent

desclassificar /dəʃklasifiˈkar/ vt disqualify

desco|berta /dəʃkuˈbɛrta/ f discovery; ~**berto** /ɛ/ a uncovered; <conta> overdrawn; **a** ~**berto** overdrawn; ~**bridor** m discoverer; ~**brimento** m discovery; ~**brir** vt discover; (expor) uncover

descodificar /dəʃkudifiˈkar/ vt decode

descolagem /dəʃkuˈlaʒ ɐj/ f take-off

descolar[1] vi avião take off; (fig) get off the ground

descolar[2] /dəʃkuˈlar/ vt unstick; (fam) (Br) (dar) give; (Br) (arranjar) get hold of, rustle up

descom|por /dəʃkõˈpor/ vt (censurar) scold; ~**-se** vpr <pessoa> lose one's composure; ~**postura** f (estado) loss of composure; (censura) talking-to

descomprometido /dəʃkõprumɵˈtidu/ a free

descomu|nal /dəʃkumuˈnal/ (pl ~**nais**) a extraordinary; (grande) huge

desconcentrar /dəʃkõsẽˈtrar/ vt distract

desconcer|tante /dəʃkõsərˈtãta/ a disconcerting; ~**tar** vt disconcert

desconexo /dəʃkoˈnɛksu/ a incoherent

desconfi|ado /dəʃkõfiˈadu/ a suspicious; ~**ança** f mistrust; ~**ar** vi suspect

desconfor|tável /dəʃkõfurˈtavɛl/ (pl ~**táveis**) a uncomfortable; ~**to** /o/ m discomfort

descongelar /dəʃkõʒɵˈlar/ vt defrost <frigorífico>; thaw <comida>

descongestio|nante /dəʃkõ-ʒə/tju'nãtə/ a & m decongestant; **~nar** vt decongest

desconhe|cer /dəʃkuɲə'ser/ vt not know; **~cido** a unknown □ m stranger

desconsiderar /dəʃkõsidə'rar/ vt ignore

desconsolado /dəʃkõsu'ladu/ a disconsolate

descontar /dəʃkõ'tar/ vt deduct; (não levar em conta) discount

desconten|tamento /dəʃkõtẽta'mẽtu/ m discontent; **~te** a discontent

desconto /dəʃ'kõtu/ m discount; **dar um ~** (fig) make allowances

descontrac|ção /dəʃkõtra'sãw/ f informality; **~ido** a informal, casual; **~ir** vt relax; **~ir-se** vpr relax

descontro|lar-se /dəʃkõtru'larsə/ vpr <pessoa> lose control; <coisa> go out of control; **~le** /o/ m lack of control

desconversar /dəʃkõvər'sar/ vi change the subject

descortesia /dəʃkurte'ziə/ f rudeness

descostu|rar /dəʃkuʃtu'rar/ vt unrip; **~rar-se** vpr come undone

descrédito /dəʃ'krɛditu/ m discredit

descren|ça /dəʃ'krẽsə/ f disbelief; **~te** a sceptical, disbelieving

des|crever /dəʃkrə'ver/ vt describe; **~crição** f description; **~critivo** a descriptive

descui|dado /dəʃkwi'dadu/ a careless; **~dar** vt neglect; **~do** m carelessness; (um) oversight

descul|pa /dəʃ'kulpə/ f excuse; **pedir ~pas** apologize; **~par** vt excuse; **~pe!** sorry!; **~par-se** vpr apologize; **~pável** (pl **~páveis**) a excusable

desde /'deʒdə/ prep since; **~ que** since

des|dém /dəʒ'dãj/ m disdain; **~denhar** vt disdain; **~nhoso** /o/ a disdainful

desdentado /dəʒdẽ'tadu/ a toothless

desdita /dəʒ'ditə/ f unhappiness

desdizer /dəʒdi'zer/ vt take back, withdraw □ vi take back what one said

desdo|bramento /dəʒdubra'mẽtu/ m ramification; **~brar** vt (abrir) unfold; break down <dados, contas>; **~brar-se** vpr unfold; (empenhar-se) go to a lot of trouble, bend over backwards

dese|jar /dəzə'ʒar/ vt want; (apaixonadamente) desire; **~jar aco a alg** wish s.o. sth; **~jável** (pl **~jáveis**) a desirable; **~jo** /e/ m wish; (forte) desire; **~joso** /o/ a desirous

deselegante /dəzilə'gãtə/ a inelegant

desemaranhar /dəzemara'ɲar/ vt untangle

desembara|çado /dəzẽbara'sadu/ a <pessoa> confident, nonchalant; **~çar-se** vpr rid o.s. (**de** of); **~ço** m confidence, ease

desembar|car /dəzẽbar'kar/

vt/i disembark; **~que** *m* disembarkation; (*secção do aeroporto*) arrivals

desembocar /dəzēbu'kar/ *vi* flow

desembol|sar /dəzēbol'sar/ *vt* spend, pay out; **~so** /o/ *m* expenditure

desembrulhar /dəzēbru'ʎar/ *vt* unwrap

desembuchar /dəzēbu'ʃar/ (*fam*) *vi* (*desabafar*) get things off one's chest; (*falar logo*) spit it out

desempacotar /dəzēpaku'tar/ *vt* unpack

desempatar /dəzēpa'tar/ *vt* decide <jogo>

desempe|nhar /dəzēpe'ɲar/ *vt* perform; play <papel>; **~nho** *m* performance

desempre|gado /dəzēpre'gadu/ *a* unemployed; **~go** /e/ *m* unemployment

desencadear /dəzēkadi'ar/ *vt* set off, trigger

desencaminhar /dəzēkami'ɲar/ *vt* lead astray; embezzle <dinheiro>

desencantar /dəzēkã'tar/ *vt* disenchant

desencon|trar-se /dəzēkõ'trarsə/ *vpr* miss each other, fail to meet; **~tro** *m* failure to meet

desencorajar /dəzēkura'ʒar/ *vt* discourage

desenferrujar /dəzēfəru'ʒar/ *vt* derust <metal>; stretch <pernas>; brush up <língua>

desenfreado /dəzēfri'adu/ *a* unbridled

desenganar /dəzēga'nar/ *vt* disabuse; declare incurable <doente>

desengonçado /dəzēgõ'sadu/ *a* <pessoa> ungainly

desengre|nado /dəzēgrə'nadu/ *a* <carro> in neutral; **~nar** *vt* put in neutral <carro>; (*tec*) disengage

dese|nhar /dəze'ɲar/ *vt* draw; **~nhista** *m/f* drawer; (*industrial*) designer; **~nho** /e/ *m* drawing

desenlace /dəzē'lasə/ *m* dénouement, outcome

desenredar /dəzēRe'dar/ *vt* unravel

desenrolar /dəzēRu'lar/ *vt* unroll <rolo>

desenten|der /dəzētē'der/ *vt* misunderstand; **~der-se** *vpr* (*não se dar bem*) not get on; **~dimento** *m* misunderstanding

desenterrar /dəzētə'Rar/ *vt* dig up <cadáver>; unearth <informação>

desentortar /dəzētur'tar/ *vt* straighten out

desentupir /dəzētu'pir/ *vt* unblock

desenvol|to /dəzē'voltu/ *a* casual, nonchalant; **~tura** *f* casualness, nonchalance; com **~tura** nonchalantly; **~ver** *vt* develop; **~ver-se** *vpr* develop; **~vimento** *m* development

desequi|librado /dəzikəli'bradu/ *a* unbalanced; **~librar** *vt* unbalance; **~librar-se** *vpr* become unbalanced; **~líbrio** *m* imbalance

deser|ção /dəzər'sãw/ *f* desertion; **~tar** *vt/i* desert; **~to** /ɛ/ *a* deserted; **ilha ~ta** desert island □ *m* desert; **~tor** *m* deserter

desespe|rado /dəzəʃpə'radu/ a
desperate; **~rador** a hopeless; **~rar** vt (desesperan-
çar) make despair; (enfurecer) infuriate□ vi, **~rar-se**
vpr despair; **~ro** /e/ m despair

desestabilizar /dəzəʃtɑ.bi-
li'zar/ vt destabilize

desestimular /dəzəʃtimu'lar/
vt discourage

desfal|car /dəʃfal'kar/ vt em-
bezzle; **~que** m embezzle-
ment

desfal|ecer /dəʃfalə'ser/ vt
(desmaiar) faint; **~ecimento**
m faint

desfa|sado /dəʃfɑ.'zadu/ a out
of step; **~sagem** f gap, lag

desfavor /dəʃfɑ.'vor/ m disfavour

desfavo|rável /dəʃfɑvu'ravɛl/
(pl **~ráveis**) a unfavourable;
~recer vt be unfavourable
to; treat less favourably <mi-
norias etc>

desfazer /dəʃfɑ.'zer/ vt undo;
unpack <mala>; strip <ca-
ma>; break <contrato>; clear
up <mistério>; **~-se** vpr come undone; <casamento>
break up; <sonhos> crum-
ble; **~-se em lágrimas** burst
into tears

desfe|char /dəʃfə'ʃar/ vt throw
<murro, olhar>; **~cho** /e/ m
outcome, dénouement

desfeita /dəʃ'fejtɑ/ f slight, insult

desferir /dəʃfə'rir/ vt give
<pontapé>; launch <ataque>;
fire <flecha>

desfiar /dəʃfi'ar/ vt pick the
meat off <frango>; **~-se** vpr
<tecido> fray

desfigurar /dəʃfigu'rar/ vt disfigure; (fig) distort

desfi|ladeiro /dəʃfilɑ.'dejru/ m
pass; **~lar** vi parade; **~le** m
parade; **~le de modas** fashion show

desflorestamento /dəʃflurəʃ-
tɑ.'mẽtu/ m deforestation

desforra /dəʃ'fɔʀɑ/ f revenge

desfraldar /dəʃfral'dar/ vt un-
furl

desfrutar /dəʃfru'tar/ vt enjoy

desgas|tante /dəʃgɑ.'tãtə/ a
wearing, stressful; **~tar** vt
wear out; **~te** m (de máquina etc) wear and tear; (de
pessoa) stress and strain

desgosto /dəʃ'go'tu/ m sorrow

desgovernar-se /dəʃguvər'nar-
sə/ vpr go out of control

desgraça /dəʃ'grasɑ/ f misfortune; **~do** a wretched □ m
wretch

desgravar /dəʃgrɑ.'var/ vt erase

desgrenhado /dəʃgrə'ɲadu/ a
unkempt, dishevelled

desgrudar /dəʃgru'dar/ vt unstick; **~-se** vpr <pessoa> tear
o.s. away

desidra|tação /dəzidrɑ.tɑ.'sãw/
f dehydration; **~tar** vt dehydrate

desig|nação /dəzigna.'sãw/ f
designation; **~nar** vt desig-
nate; **~nio** m (intenção) intention; (objectivo) purpose

desi|gual /dəzi'gwal/ (pl
~guais) a unequal; <terre-
no> uneven; **~gualdade** f
inequality; (de terreno) une-
venness

desilu|dir /dəzilu'dir/ vt disil-
lusion; **~são** f disillusion-
ment

desinfec|tante /dəzĩfe'tãtə/ *a* & *m* disinfectant; ~**tar** *vt* disinfect

desinibido /dəzini'bidu/ *a* uninhibited

desintegrar-se /dəzĩtə'grarsə/ *vpr* disintegrate

desinteres|sado /dəzĩtərə'sadu/ *a* uninterested; ~**sante** *a* uninteresting; ~**sar-se** *vpr* lose interest (**de** in); ~**se** /e/ *m* disinterest

desis|tência /dəziʃ'tẽsjə/ *f* giving up; ~**tir** *vt/i* ~**tir** (**de**) give up

desle|al /dəzli'al/ (*pl* ~**ais**) *a* disloyal; ~**aldade** *f* disloyalty

deslei|xado /dəzlej'ʃadu/ *a* sloppy; (*no vestir*) scruffy; ~**xo** *m* carelessness; (*no vestir*) scruffiness

desli|gado /dəzli'gadu/ *a* <luz, TV> off; <pessoa> absent-minded; ~**gar** *vt* turn off <luz, TV, motor>; hang up, put down <telefone> □ *vi* (*ao telefonar*) hang up, put the phone down

deslindar /dəzlĩ'dar/ *vt* clear up, solve

desli|zante /dəzli'zãtə/ *a* slippery; <inflação> creeping; ~**-zar** *vi* slip; ~**zar-se** *vpr* creep; ~**ze** *m* slip; (*fig: erro*) slip-up

deslo|cado /dəzlu'kadu/ *a* <membro> dislocated; (*fig*) out of place; (*med*) dislocate; ~**car** *vt* move; ~**car-se** *vpr* move

deslum|brado /dəzlũ'bradu/ *a* (*fig*) starry-eyed; ~**bramento** *m* (*fig*) wonderment;

~**brante** *a* dazzling; ~**brar** *vt* dazzle; ~**brar-se** *vpr* (*fig*) be dazzled

desmai|ado /dəzmaj'adu/ *a* unconscious; ~**ar** *vi* faint; ~**o** *m* faint

desman|cha-prazeres /dəzmãʃapra'zerəʃ/ *m/f invar* spoil-sport; ~**char** *vt* break up; break off <noivado>; shatter <sonhos>; ~**char-se** *vpr* break up; (*no ar, na água, em lágrimas*) dissolve

desmantelar /dəzmãtə'lar/ *vt* dismantle

desmarcar /dəzmar'kar/ *vt* cancel <encontro>

desmascarar /dəzmaʃka'rar/ *vt* unmask

desma|tamento /dəzmata'mẽtu/ *m* deforestation; ~**tar** *vt* clear (of forest)

desmedido /dəzme'didu/ *a* excessive

desmemoriado /dəzməmuri'adu/ *a* forgetful

desmen|tido /dəzmẽ'tidu/ *m* denial; ~**tir** *vt* deny

desmiolado /dəzmju'ladu/ *a* brainless

desmontar /dəzmõ'tar/ *vt* dismantle; *vi* (*do cavalo*) dismount

desmorali|zante /dəzmurali'zãtə/ *a* demoralizing; ~**zar** *vt* demoralize

desmoro|namento /dəzmuruna'mẽtu/ *m* collapse; ~**nar** *vt* destroy; ~**nar-se** *vpr* collapse

desnatar /dəzna'tar/ *vi* skim <leite>

desnecessário /dəznəsə'sarju/ *a* unnecessary

desní|vel /dəʒ'nivɛl/ (pl ~**veis**) m difference in height

desnortear /dəʒnɔrti'ar/ vt disorientate, (Amer) disorient

desnutrição /dəʒnutri'sãw/ f malnutrition

desobe|decer /dəzobəde'ser/ vt/i ~**decer** (a) disobey; ~**diência** f disobedience; ~**diente** a disobedient

desobrigar /dəzobri'gar/ vt release (de from)

desobstruir /dəzobʃ'trwir/ vt unblock

desocupado /dəzoku'padu/ a unoccupied; empty <casa>

desodorizante /dəzoduri'zãtə/ m deodorant

deso|lação /dəzula'sãw/ f desolation; ~**lado** a <lugar> desolate; <pessoa> desolated; ~**lar** vt desolate

desones|tidade /dəzoneʃti'dadə/ f dishonesty; ~**to** /ɛ/ a dishonest

deson|ra /də'zõʀa/ f dishonour; ~**rar** vt dishonour; ~**roso** /o/ a dishonourable

desor|deiro /dəzor'dejru/ a trouble-making □ m trouble-maker; ~**dem** f disorder; ~**denado** a disorganized; <vida> disordered; ~**denar** vt disorganize

desorgani|zação /dəzorgani-za'sãw/ f disorganization; ~**zar** vt disorganize; ~**zar-se** vpr get disorganized

desorientar /dəzoriẽ'tar/ vt disorientate, (Amer) disorient

desossar /dəzu'sar/ vt bone

deso|va /də'zɔva/ f roe; ~**var** vi spawn

despa|chado /dəʃpa'ʃadu/ a efficient; ~**chante** m/f (de mercadorias) shipping agent; (de documentos) documentation agent; ~**char** vt deal with; dispatch forward <mercadorias>; ~**cho** m dispatch

despedaçar /dəʃpəda'sar/ vt (rasgar) tear to pieces; (quebrar) smash; ~**se** vpr <vidro, vaso> smash; <papel, tecido> tear

despe|dida /dəʃpe'didə/ f farewell; ~**dida de solteiro** stag night, (Amer) bachelor party; ~**dir** vt dismiss; sack <empregado>; ~**dir-se** vpr say goodbye (de to)

despei|tado /dəʃpej'tadu/ a spiteful; ~**to** m spite; **a ~to de** despite, in spite of

despe|jar /dəʃpə'ʒar/ vt pour out <líquido>; empty <recipiente>; evict <inquilino>; ~**jo** /e/ m (de inquilino) eviction

despencar /dəʃpẽ'kar/ vi plummet, fall down

despender /dəʃpẽ'der/ vt spend <dinheiro>

despensa /dəʃ'pẽsa/ f pantry, larder

despentear /dəʃpẽti'ar/ vt mess up <cabelo>; mess up the hair of <pessoa>

despercebido /dəʃpərsə'bidu/ a unnoticed

desper|diçar /dəʃpərdi'sar/ vt waste; ~**dício** m waste

desper|tador /dəʃpərta'dor/ m alarm clock; ~**tar** vt rouse <pessoa>, (fig) arouse <interesse, suspeitas etc> □ vi awake

despesa /dəʃ'pezɐ/ f expense

des|pido /dəʃ'pidu/ a (nu) naked, bare; (despojado) stripped (**de** of); **~pir** vt strip (**de** of); strip off <roupa>; **~pir-se** vpr strip (off), get undressed

despo|jar /dəʃpu'ʒar/ vt strip (**de** of); **~jar-se** vpr divest o.s. (**de** of); **~jo** /o/ m spoils, booty; **~jos mortais** mortal remains

despontar /dəʃpõ'tar/ vi emerge

despor|tista /dəʃpur'tiʃtɐ/ m/f sportsman (f -woman); **~tivo** a sporting; **~to** /o/ m sport; **carro de ~to** sports car

déspota /'dɛʃputɐ/ m/f despot

despótico /dəʃ'pɔtiku/ a despotic

despovoar /dəʃpuvu'ar/ vt depopulate

despren|der /dəʃprẽ'der/ vt detach; (da parede) take down; **~se** vpr come off; (fig) detach o.s.

despreocupado /dəʃprjɔku'padu/ a unconcerned

despreparado /dəʃprəpɐ'radu/ a unprepared

despretensioso /dəʃprətẽsi'ozu/ a unpretentious

desprestigiar /dəʃprəʃtiʒi'ar/ vt discredit

desprevenido /dəʃprəvə'nidu/ a off one's guard, unprepared; **apanhar ~** catch unawares

despre|zar /dəʃprə'zar/ vt despise; (ignorar) ignore; **~zível** (pl **~zíveis**) a despicable; **~zo** /e/ m contempt

desproporção /dəʃprupur'sãw/ f disproportion

desproporcio|nado /dəʃprupursju'nadu/ a disproportionate; **~nal** (pl **~nais**) a disproportional

despropositado /dəʃprupuzi'tadu/ a (absurdo) preposterous

desprovido /dəʃpru'vidu/ a **~ de** without

desqualificar /dəʃkwɐlifi'kar/ vt disqualify

desqui|tar-se /dəʃki'tarsə/ (Br) vpr (legally) separate; **~te** m (legal) separation

desrespei|tar /dəʒʁəʃpej'tar/ vt not respect; (ignorar) disregard; **~to** m disrespect; **~toso** /o/ a disrespectful

dessa(s), desse(s) = **de** + **essa(s), esse(s)**

desta = **de** + **esta**

desta|camento /dəʃtɐkɐ'mẽtu/ m detachment; **~car** vt detach; (ressaltar) bring out, make stand out; **~car-se** vpr (desprender-se) come off; (corredor) break away; (sobressair) stand out (**sobre** against); **~cável** (pl **~cáveis**) a detachable; <caderno> pull-out

desta|pado /dəʃtɐ'padu/ a (panela) uncovered

destapar /dəʃtɐ'par/ vt uncover

destaque /dəʃ'takə/ m prominence; (coisa, pessoa) highlight; (do noticiário) headline

destas, deste = **de** + **estas, este**

destemido /dəʃtə'midu/ a intrepid, courageous

desterrar /dəʃtə'ʁar/ vt (exilar) exile

destes = de + estes

destilar /dəʃti'lar/ vt distil;
~**ia** f distillery

desti|nado /dəʃti'nadu/ a (fa-
dado) destined; ~**nar** vt intend, mean (**para** for); ~**na-
tário** m addressee; ~**no** m
(de viagem) destination;
(sorte) fate, destiny

destituir /dəʃti'twir/ vt remove; (demitir) dismiss

desto|ante /dəʃtu'ãtə/ a <sons>
discordant; <cores> clash-
ing; ~**ar** vi ~**ar de** clash
with

destrancar /dəʃtrã'kar/ vt unlock

destreza /dəʃ'trezɐ/ f skill

destro /'dɛʃtru/ a skilful

destro|çar /dəʃtru'sar/ vt
wreck; ~**ços** m pl wreckage

destronar /dəʃtru'nar/ vt depose

destru|ição /dəʃtrwi'sãw/ f
destruction; ~**idor** a destruc-
tive □ m destroyer; ~**ir** vt
destroy

desumano /dəzu'mɐnu/ a inhuman; (cruel) inhumane

desunião /dəzuni'ãw/ f disuni-
ty

desu|sado /dəzu'zadu/ a disu-
sed; ~**so** m disuse

desvairado /dəʒvaj'radu/ a de-
lirious, raving

desvalori|zação /dəʒvɐluri-
zɐ'sãw/ f devaluation; ~**zar**
vt devalue

desvanta|gem /dəʒvã'taʒãj/ f
disadvantage; ~**joso** /o/ a di-
sadvantageous

desve|lar /dəʒvə'lar/ vt unveil;
uncover <segredo>; ~**iar-se**
go to a lot of trouble;
~**lo** /e/ m great care

desvencilhar /dəʒvẽsi'ʎar/ vt
extricate, free

desvendar /dəʒvẽ'dar/ vt reveal <segredo>; solve <mis-
tério>

desventura /dəʒvẽ'turɐ/ f misfortune; (infelicidade)
unhappiness

desviar /dəʒvi'ar/ vt divert
<trânsito, rio, atenção, di-
nheiro>; avert <golpe, suspeitas, olhos>; ~**se** vpr deviate; <do tema> digress

desvincular /dəʒvĩku'lar/ vt
free

desvio /dəʒ'vju/ m diversion;
(do trânsito) diversion,
(Amer) detour; (linha ferroviária) siding

desvirtuar /dəʒvirtu'ar/ vt
misrepresent <verdade>

deta|lhado /dəta'ʎadu/ a de-
tailed; ~**lhar** vt detail; ~**lhe**
m detail

detec|tar /dətɛ'tar/ vt detect;
~**tive** m detective; ~**tor** m
detector

de|tenção /dətẽ'sãw/ f (prisão)
detention; ~**tentor** m holder;
~**ter** vt (ter) hold; (prender)
detain

detergente /dətər'ʒẽtə/ m detergent

deterio|ração /dətərjurɐ'sãw/ f
deterioration; ~**rar** vt damage; ~**rar-se** vpr deteriorate

determi|nação /dətərmi-
nɐ'sãw/ f determination;
~**nado** a (certo) certain; (resoluto) determined; ~**nar** vt
determine

detestar /dətəʃ'tar/ vt hate

detido /də'tidu/ pp de **deter** □
a thorough □ m detainee

detonar /dɘtu'nar/ vt detonate; (fam: criticar) pull to pieces □ vi detonate

detrás /dɘ'traʃ/ adv behind □ prep ~ **de** behind

detríto /dɘ'tritu/ m detritus

deturpar /dɘtur'par/ vt misrepresent, distort

deus /dewʃ/ m (f **deusa**) god (f goddess); ~**-dará** m **ao** ~**-dará** at the mercy of chance

devagar /dɘva'gar/ adv slowly

deva|near /dɘvani'ar/ vi daydream; ~**neio** m daydream

devas|sar /dɘva'sar/ vt expose; ~**sidão** f debauchery; ~**so** a debauched

devastar /dɘva.ʃ'tar/ vt devastate

de|vedor /dɘvɘ'dor/ a debit □ m debtor; ~**ver** vt owe □ vaux ~**ve fazer** (obrigação) he has to do; ~**ve chegar** (probabilidade) he should arrive; ~**ve ser** (suposição) he must be; ~**ve ter ido** he must have gone; ~**v(er)ia fazer** he ought to do; ~**v(er)ia ter feito** he ought to have done; ~**vidamente** adv duly; ~**vido** a due (**a** to)

devoção /dɘvu'sãw/ f devotion

de|volução /dɘvulu'sãw/ f return; (reembolso) refund; ~**volver** vt return; (reembolsar) refund

devorar /dɘvo'rar/ vt devour

devo|tar /dɘvu'tar/ vt devote; ~**tar-se** vpr devote o.s. (**a** to); ~**to** /ɔ/ a devout

dez /dɛʃ/ a & m ten

dezanove /dɘza'nɔvɘ/ a з m nineteen

dezas|seis /dɘza'sejʃ/ a & m sixteen; ~**sete** /ɛ/ a & m seventeen

Dezembro /dɘ'zẽbru/ m December

deze|na /dɘ'zena/ f ten; **uma ~ (de)** about ten

dezoito /dɘ'zojtu/ a & m eighteen

dia /'dia/ m day; **de ~** by day; **(no) ~ 20 de Julho** (on) July 20th; ~ **de folga** day off; ~ **útil** working day; ~**-a-~** everyday life

dia|bete(s) /dja'bɛtɘ(ʃ)/ f(pl) diabetes; ~**bético** a & m diabetic

dia|bo /'djabu/ m devil; ~**bólico** a diabolical, devilish; ~**brete** /e/ m little devil; ~**brura** f (de criança) bit of mischief; pl mischief

diadema /dja'dema/ m tiara

diafragma /dja'fragma/ m diaphragm

dia|gnosticar /djagnuʃti'kar/ vt diagnose; ~**gnóstico** m diagnosis □ a diagnostic

diago|nal /djagu'nal/ (pl ~**nais**) a & f diagonal

diagra|ma /dja'grama/ m diagram

dia|léctica /dja'lɛtika/ f dialectics; ~**lecto** /ɛ/ m dialect

dialogar /djalu'gar/ vi talk; (pol) hold talks

diálogo /'djalugu/ m dialogue

diamante /dja'mãtɘ/ m diamond

diâmetro /'djametru/ m diameter

dian|te /'djãtɘ/ adv **de ... em** ~**te** from ... on(wards); ~**te de** (enfrentando) faced with;

(*perante*) before; **~teira** *f* lead; **~teiro** *a* front

diapasão /djɐpɐ'zãw/ *m* tuning-fork

diapositivo /djɐpuzi'tivu/ *m* transparency, slide

diária /'di'arjɐ/ *f* daily rate; **~rio** *a* daily; *m* (*livro*) diary

diarreia /djɐ'ʀejɐ/ *f* diarrhoea

dica /'dikɐ/ *f* tip, hint

dicção /dik'sãw/ *f* diction

dicionário /disju'narju/ *m* dictionary

didáctica /di'datikɐ/ *f* teaching methodology; **~co** *a* teaching; <livro> educational; <estilo> didactic

dieta /'djetɐ/ *f* diet; **de ~ta** on a diet; **~tista** *m/f* dietician

difamação /difɐmɐ'sãw/ *f* defamation; **~mar** *vt* defame; **~matório** *a* defamatory

diferença /difɐ'ʀesɐ/ *f* difference; **~cial** (*pl* **~ciais**) *a & f* differential; **~ciar** *vt* differentiate; **~ciar-se** *vpr* differ; **~te** *a* different

diferimento /difɐri'mẽtu/ *m* deferment; **~rir** *vt* defer □ *vi* differ

difícil /di'fisil/ (*pl* **~ceis**) *a* difficult; (*improvável*) unlikely

dificilmente /difisil'mẽtʃ/ *adv* **~ poderá fazê-lo** he's unlikely to be able to do it

dificuldade /difikul'dadɐ/ *f* difficulty; **~tar** *vt* make difficult

difteria /diftɐ'riɐ/ *f* diphtheria

difundir /difũ'dir/ *vt* spread; (*pela rádio*) broadcast; (*difuse* <luz, calor>; **~dir-se** *vpr* spread

difusão /difu'zãw/ *f* diffusion; **~so** *a* diffuse

digerir /diʒɐ'rir/ *vt* digest; **~rível** (*pl* **~ríveis**) *a* digestible

digestão /diʒɐʃ'tãw/ *f* digestion; **~tivo** *a* digestive

digital /diʒi'tal/ (*pl* **~tais**) *a* digital; **impressão ~tal** fingerprint; **~tar** *vt* key

dígito /'diʒitu/ *m* digit

digladiar /digla'djar/ *vi* do battle

dignar-se /dig'narsə/ *vpr* deign (**de** to); **~nidade** *f* dignity; **~nificar** *vt* dignify; **~no** *a* worthy (**de** of); (*decoroso*) dignified

dilacerante /dilasə'rãtə/ *a* <dor> excruciating; **~rar** *vt* tear to pieces

dilapidar /dilɐpi'dar/ *vt* squander

dilatar /dilɐ'tar/ *vt* expand; (*med*) dilate; **~-se** *vpr* expand; (*med*) dilate

dilema /di'lemɐ/ *m* dilemma

diletante /dilɐ'tãtə/ *a & m/f* dilettante

diligência /dili'ʒẽsjɐ/ *f* diligence; (*carruagem*) stage-coach; **~gente** *a* diligent, hard-working

diluir /dilu'ir/ *vt* dilute

dilúvio /di'luvju/ *m* deluge

dimensão /dimẽ'sãw/ *f* dimension; **~sionar** *vt* size up

diminuição /diminwi'sãw/ *f* reduction; **~ir** *vt* reduce □ *vi* lessen; <carro, motorista> slow down; **~tivo** *a & m* diminutive; **~to** *a* minute, tiny

Dinamarca /dinɐ'markɐ/ *f* Denmark

dinamar|quês /dinəmarˈkeʃ/ (f **~quesa**) a Danish □ m Dane

dinâmi|ca /diˈnɐmikə/ f dynamics; **~co** a dynamic

dina|mismo /dinɐˈmiʒmu/ m dynamism; **~mite** f dynamite

dínamo /ˈdinɐmu/ m dynamo

dinastia /dinɐʃˈtiə/ f dynasty

dinheiro /diˈɲeɪru/ m money

dinossauro /dinɔˈsawru/ m dinosaur

diocese /djuˈsɛzə/ f diocese

dióxido /ˈdiˈɔksidu/ m dioxide; **~ de carbono** carbon dioxide

diplo|ma /diˈplɔmə/ m diploma; **~macia** f diplomacy; **~mar-se** vpr take one's diploma; **~mata** m/f diplomat □ a diplomatic; **~mático** a diplomatic

direcção /direˈsãw/ f (sentido) direction; (de empresa) management; (condução de carro) driving; (manuseio do volante) steering

direc|tas /diˈrɛtəʃ/ f pl direct (presidential) elections; **~to** a direct □ adv directly; **~tor** m director; (de escola) headteacher; (de jornal) editor; **~tor-gerente** managing director; **~toria** f (directores) board of directors; (sala) boardroom; **~tório** m directory; **~triz** f directive

direi|ta /diˈrejtə/ f right; **~tinho** adv exactly right; **~tista** a rightwing □ m/f rightwinger, rightist; **~to** a right; (erecto) straight □ adv properly □ m right

diri|gente /diriˈʒẽtə/ a leading □ m/f leader; **~gir** vt direct; manage <empresa>; drive <carro>; **~gir-se** vpr (ir) make one's way; **~gir-se a** (falar com) address

dis|cagem /diʃˈkaʒẽj/ f dialling; **~car** vt/i dial

discente /diʃˈsẽtə/ a **corpo ~** student body

discer|nimento /diʃsərniˈmẽtu/ m discernment; **~nir** vt discern

discipli|na /diʃsiˈplinə/ f discipline; **~nador** a disciplinary; **~nar** vt discipline

discípulo /diʃˈsipulu/ m disciple

disc-jockey /diʃkˈʒɔkej/ m disc-jockey

disco /ˈdiʃku/ m disc; (de música) record; (no atletismo) discus □ (fam) f disco; **~ flexível/rígido** floppy/hard disk; **~ compacto** CD, compact disc; **~ voador** flying saucer

discor|dante /diʃkurˈdãtə/ a conflicting; **~dar** vi disagree (**de** with)

discoteca /diʃkuˈtɛkə/ f discotheque

discre|pância /diʃkrɐˈpãsjə/ f discrepancy; **~pante** a inconsistent; **~par** vi diverge (**de** from)

dis|creto /diʃˈkrɛtu/ a discreet; **~crição** f discretion

discrimi|nação /diʃkriminɐˈsãw/ f discrimination; (descrição) description; **~nar** vt discriminate; **~natório** a discriminatory

discur|sar /diʃkurˈsar/ vi speak; **~so** m speech

discussão /diʃkuˈsãw/ f discussion; (*briga*) argument

discu|tir /diʃkuˈtir/ vt/i discuss; (*brigar*) argue; **~tível** (*pl* **~tíveis**) a debatable

disenteria /dizẽteˈria/ f dysentery

disfar|çar /diʃfarˈsar/ vt disguise; **~çar-se** vpr disguise o.s.; **~ce** m disguise

dis|léctico /diʒˈlɛtiku/ a & m dyslexic; **~lexia** f dyslexia; **~léxico** a & m dyslexic

dispa|rar /diʃpaˈrar/ vt fire <arma> □ vi (*com arma*) fire; <preços, inflação> shoot up; <corredor> surge ahead

disparate /diʃpaˈratʃi/ m piece of nonsense; *pl* nonsense

dis|pêndio /diʃˈpẽdʒiu/ m expenditure; **~pendioso** /o/ a costly

dispen|sa /diʃˈpẽsa/ f exemption; **~sar** vt (*distribuir*) dispense; (*isentar*) exempt (**de** from); (*prescindir de*) dispense with; **~sável** (*pl* **~sáveis**) a dispensable

dispersar /diʃperˈsar/ vt disperse; waste <energias> □ vi, **~se** vpr disperse

disperso /diʃˈpɛrsu/ adj scattered

dispo|nibilidade /diʃponibiliˈdadʒi/ f availability; **~nível** (*pl* **~níveis**) a available

dis|por /diʃˈpor/ vt arrange □ vi **~por de** have at one's disposal; (*arrumar*) form up (*em linha*) form up □ m **ao seu ~por** at your disposal; **~posição** f (*vontade*) willingness; (*arranjo*) arrangement; (*de espírito*) frame of mind;

(*de testamento etc*) provision; **à ~posição de alg** at s.o.'s disposal; **~positivo** m device; **~posto** a prepared, willing (**a** to)

dispu|ta /diʃˈputa/ f dispute; **~tar** vt dispute; (*tentar ganhar*) compete for

disquete /diʃˈkɛta/ m diskette, floppy (disk)

dissabores /disaˈborəʃ/ m pl troubles

disseminar /disemiˈnar/ vt disseminate

dissertação /disertaˈsãw/ f dissertation, lecture

dissi|dência /disiˈdẽsia/ f dissidence; **~dente** a & m dissident

dissídio /diˈsidʒiu/ m dispute

dissimular /disimuˈlar/ vt hide □ vi dissimulate

disso = **de** + **isso**

dissipar /disiˈpar/ vt clear <nevoeiro>; dispel <dúvidas, suspeitas, ilusões>; dissipate <fortuna>; **~se** vpr <nevoeiro> clear; <dúvidas etc> be dispelled

dissolu|ção /disuluˈsãw/ f dissolution; **~to** a dissolute

dissolver /disolˈver/ vt dissolve; **~se** vpr dissolve

dissuadir /diswaˈdir/ vt dissuade (**de** from)

distância /diʃˈtãsia/ f distance

distan|ciar /diʃtãsiˈar/ vt distance; **~ciar-se** vpr distance o.s.; **~te** a distant

disten|der /diʃtẽˈder/ vt stretch <pernas>; relax <músculo>; **~der-se** vpr relax; **~são** f (*med*) pull); **~são muscular** pulled muscle

distin|ção /diʃtĩ'sãw/ *f* distinction; ~**guir** *vt* distinguish (**de** from); ~**guir-se** *vpr* distinguish o.s.; ~**tivo** *a* distinctive □ *m* badge; ~**to** *a* distinct; <senhor> distinguished

disto = **de** + **isto**

distor|ção /diʃtur'sãw/ *f* distortion; ~**cer** *vt* distort

distrac|ção /diʃtra'sãw/ *f* distraction; ~**ído** *a* absent--minded; ~**ir** *vt* distract; (*divertir*) amuse; ~**ir-se** *vpr* be distracted; (*divertir-se*) amuse o.s.

distribu|ição /diʃtribwi'sãw/ *f* distribution; ~**idor** *m* distributor; ~**idora** *f* distributor, distribution company; ~**ir** *vt* distribute

distrito /diʃ'tritu/ *m* district

distúrbio /diʃ'turbju/ *m* trouble

di|tado /di'tadu/ *m* dictation; (*provérbio*) saying; ~**tador** *m* dictator; ~**tadura** *f* dictatorship; ~**tame** *m* dictate; ~**tar** *vt* dictate; ~**tatorial** (*pl* ~**tatoriais**) *a* dictatorial

dito /'ditu/ *a* ~ **e feito** no sooner said than done □ *m* remark

ditongo /di'tõgu/ *m* diphthong

DIU /'diw/ *m* IUD, coil

diurno /'diurnu/ *a* day

divã /di'vã/ *m* couch

divagar /diva'gar/ *vi* digress

diver|gência /divər'ʒẽsja/ *a* divergence; ~**gente** *a* divergent; ~**gir** *vi* diverge (**de** from); ~**são** *f* diversion; (*divertimento*) amusement; ~**sidade** *f* diversity; ~**sificar** *vt/i* diversify; ~**so** /ɛ/ *a* (*diferen-*

te) diverse; *pl* (*vários*) several; ~**tido** *a* (*engraçado*) funny; (*que se curte*) enjoyable; ~**timento** *m* enjoyment, fun; (*um*) amusement; ~**tir** *vt* amuse; ~**tir-se** *vpr* enjoy o.s., have fun

dívida /'divida/ *f* debt; ~ **externa** foreign debt

divi|dendo /divi'dẽdu/ *m* dividend; ~**dido** *a* <pessoa> torn; ~**dir** *vt* divide; (*compartilhar*) share; ~**dir-se** *vpr* be divided

divindade /divĩ'dadʒi/ *f* divinity

divino /di'vinu/ *a* divine

divi|sa /di'viza/ *f* (*lema*) motto; (*galão*) stripes; (*fronteira*) border; *pl* foreign currency; ~**são** *f* division; ~**sória** *f* partition; ~**sório** *a* dividing

divorci|ado /divur'sjadu/ *a* divorced □ *m* divorcé (*f* divorcée); ~**ar** *vt* divorce; ~**ar-se** *vpr* get divorced; ~**ar-se de** divorce

divórcio /di'vɔrsju/ *m* divorce

divul|gado /divul'gadu/ *a* widespread; ~**gar** *vt* spread; publish <notícia>; divulge <segredo>; ~**gar-se** *vpr* be spread

dizer /di'zer/ *vt* say; ~ **a alg que** tell sb that; ~ **para alg fazer** tell s.o. to do □ *vi* ~ **com** go with; ~**-se** *vpr* claim to be □ *m* saying

dizimar /dizi'mar/ *vt* decimate

do = **de** +**o**

dó /dɔ/ *m* pity; (*mús*) do; **dar** ~ be pitiful; **ter** ~ **de** feel sorry for do|ação /dwa'sãw/ f donation; ~ador m donor; ~ar vt donate

do|bra /'dɔbra/ f fold; (de calça) turn-up, (Amer) cuff; ~bradiça f hinge; ~bradiço a pliable; ~brado (duplo) double; ~brar vt (duplicar) double; (fazer dobra em) fold; (curvar) bend; go round <esquina>; ring <sinos>; dub <filme> □ vi double; <sinos> ring; ~brar-se vpr bend; ~bro m double

doca /'dɔka/ f dock

doce /'dosa/ a sweet; <água> fresh □ m sweet

docente /du'sẽta/ a teaching; corpo ~ teaching staff, (Amer) faculty

dó|cil /'dɔsil/ (pl ~ceis) a docile

documen|tação /dukumẽta'sãw/ f documentation; ~tar vt document; ~tário a & m documentary; ~to m document

doçura /du'sura/ f sweetness

doen|ça /du'ẽsa/ f illness; (infecciosa, fig) disease; ~te a ill; ~tio a <criança, aspecto> sickly; <interesse, curiosidade> morbid

doer /du'er/ vi hurt; <cabeça, músculo> ache

dog|ma /'dɔgma/ m dogma; ~mático a dogmatic

doido /'dojdu/ a crazy

dói-dói /dɔj'dɔj/ (fam) m ter ~ have a pain □ a poorly, ill

dois /dojʃ/ a & m (f duas) two

dólar /'dɔlar/ m dollar

dolo|rido /dulu'ridu/ a sore; ~roso /o/ a painful

dom /dõ/ m gift

do|mador /duma'dor/ m tamer; ~mar vt tame

doméstica /du'mɛʃtika/ f housemaid

domesticar /duməʃti'kar/ vt domesticate

doméstico /du'mɛʃtiku/ a domestic

domi|ciliar /dumisili'ar/ a home; ~cílio m home

domi|nação /dumina'sãw/ f domination; ~nador a domineering; ~nante a dominant; ~nar vt dominate; have a command of <língua>; ~nar-se vpr control o.s.

Domin|go /du'mĩgu/ m Sunday; ~gueiro a Sunday

domini|cal /dumini'kal/ (pl ~cais) a Sunday; ~cano a & m Dominican

domínio /du'minju/ m command

dona /'dɔna/ f owner; Dona (com nome) (solteira) Miss, (casada) Mrs; ~ de casa f housewife

donativo /duna'tivu/ m donation

donde /'dõda/ adv from where; (motivo) from whence, thus

dono /'dɔnu/ m owner

donzela /dõ'zɛla/ f maiden

dopar /do'par/ vt drug

dor /dor/ f pain; (menos aguda) ache; ~ de cabeça headache

dor|mente /dur'mẽta/ a numb □ m sleeper; ~mida f sleep; ~minhoco /o/ m sleepyhead; ~mir vi sleep; ~mitar vi doze; ~mitório m bedroom; (comunitário) dormitory

dorso /ˈdorsu/ *m* back; (*de livro*) spine

dos = **de** + **os**

do|sagem /duˈzaʒãj/ *f* dosage; **~-sar** *vt* moderate; **~se** /ɔ/ *f* dose; (*de uísque etc*) shot, measure

dossier /dosiˈe/ *m* file

do|tação /dutaˈsãw/ *f* endowment; **~tado** *a* gifted; **~tado de** endowed with; **~tar** *vt* endow (**de** with); **~te** /ɔ/ *m* (*de noiva*) dowry; (*dom*) endowment, gift

dou|rado /doˈradu/ *a* (*de cor*) golden; (*revestido de ouro*) gilded, gilt □ *m* gilt; **~rar** *vt* gild

dou|to /ˈdotu/ *a* learned; **~tor** *m* doctor; **~torado** *m* doctorate, PhD; **~trina** *f* doctrine; **~trinar** *vt* indoctrinate

doze /ˈdozi/ *a* & *m* twelve

dragão /draˈgãw/ *m* dragon

dragar /draˈgar/ *vt* dredge

drageia /draˈʒeja/ *f* lozenge

dra|ma /ˈdrama/ *m* drama; **~malhão** *m* melodrama; **~mático** *a* dramatic; **~matizar** *vt* dramatize; **~maturgo** *m* dramatist, playwright

drapeado /draˈpjadu/ *a* draped

drástico /ˈdrastiku/ *a* drastic

dre|nagem /dreˈnaʒãj/ *f* drainage; **~nar** *vt* drain; **~no** /ɛ/ *m* drain

driblar /driˈblar/ *vt* (*em futebol*) dribble round, beat; (*fig*) get round

drive /ˈdrajvɪ/ *m* disk drive

dro|ga /ˈdrɔga/ *f* drug; (*fam*) (*coisa sem valor*) dead loss; (*coisa chata*) drag □ *int*

damn; **~gado** *a* on drugs □ *m* drug addict; **~gar** *vt* drug; **~gar-se** *vpr* take drugs; **~garia** *f* dispensing chemist's, pharmacy

duas /ˈduaʃ/ *veja* **dois**

dúbio /ˈdubju/ *a* dubious

ducentésimo /duseˈtɛzimu/ *a* two-hundredth

duche /ˈduʃə/ *f* shower

ducto /ˈduktu/ *m* duct

duelo /duˈɛlu/ *m* duel

duende /duˈẽdə/ *m* elf

duet /duˈetu/ *m* duet

duna /ˈduna/ *f* dune

duodécimo /dwoˈdɛsimu/ *a* twelfth

duodeno /dwoˈdɛnu/ *m* duodenum

dupla /ˈdupla/ *f* pair, duo; <no ténis> doubles

duplex /duˈplɛks/ *a invar* two-floor □ *m invar* two-floor apartment, (*Amer*) duplex

dupli|car /dupliˈkar/ *vt/i* double; **~cidade** *f* duplicity; **~cata** *f* duplicate

duplo /ˈduplu/ *a* double

duque /ˈduka/ *m* duke; **~sa** /e/ *f* duchess

du|ração /duraˈsãw/ *f* duration; **~radouro** *a* lasting; **~rante** *prep* during; **~rar** *vi* last; **~rável** (*pl* **~ráveis**) *a* durable

du|reza /duˈreza/ *f* hardness; **~ro** /u/ *a* hard

dúvida /ˈduvida/ *f* doubt; (*pergunta*) query

duvi|dar /duviˈdar/ *vt/i* doubt; **~doso** /o/ *a* doubtful

duzentos /duˈzẽtuʃ/ *a* & *m* two hundred

dúzia /ˈduzja/ *f* dozen

E

e /i/ *conj* and

ébano /ˈɛbɐnu/ *m* ebony

ébrio /ˈɛbrju/ *a* drunk □ *m* drunkard

ebulição /ebuliˈsãw/ *f* boiling

eclesiástico /eklɔziˈaʃtiku/ *a* ecclesiastical

eclético /eˈklɛtiku/ *a* eclectic

eclip|sar /eklipˈsar/ *vt* eclipse; **~se** *m* eclipse

eclodir /ekluˈdir/ *vi* emerge; (*estourar*) break out; <flor> open

eco /ˈɛku/ *m* echo; **ter ~** have repercussions; **~ar** *vt/i* echo

eco|logia /ekuluˈʒia/ *f* ecology; **~lógico** *a* ecological; **~logista** *m/f* ecologist

eco|nomia /ikɔnuˈmiA/ *f* economy; (*ciência*) economics; *pl* (*dinheiro poupado*) savings; **~nómico** *a* economic; (*rentável, barato*) economical; **~nomista** *m/f* economist; **~nomizar** *vt* save □ *vi* economize

écran /ɛˈkrã/ *m* screen

eczema /ekˈzemɐ/ *m* eczema

edição /idiˈsãw/ *f* edition; (*de filmes*) editing

edificante /idifiˈkãtɐ/ *a* edifying

edifício /idiˈfisju/ *m* building

Edimburgo /ediˈburgu/ *f* Edinburgh

edi|tal /idiˈtal/ (*pl* **~tais**) *m* announcement; **~tar** *vt* publish; (*comput*) edit; **~to** *m* edict; **~tor** *m* publisher; **~tora** *f* publishing company; **~torial** (*pl* **~toriais**) *a* publishing □ *m* editorial

edredão /edrɔˈdãw/ *m*, quilt

educa|ção /idukɐˈsãw/ *f* (*ensino*) education; (*polidez*) good manners; **é falta de ~ção** it's rude; **~cional** (*pl* **~cionais**) *a* education

edu|cado /iduˈkadu/ *a* polite; **~car** *vt* (*instruir*) educate; **~cativo** *a* educational

efec|tivar /ifɛtiˈvar/ *vt* bring into effect; (*contratar*) make a permanent member of staff; **~tivo** *a* real, effective; <cargo, empregado> permanent; **~tuar** *vt* carry out, effect

efeito /iˈfejtu/ *m* effect; **fazer ~** have an effect; **para todos os ~s** to all intents and purposes; **~ colateral** side effect; **~ estufa** greenhouse effect

efémero /i'fɛməru/ a ephemeral

efeminado /efemi'nadu/ a effeminate

efervescente /efərvəʃ'sētə/ a effervescent

eficácia /ifi'kasjə/ f effectiveness; **~caz** a effective

eficiência /ifisi'ēsjə/ f efficiency; **~ente** a efficient

efígie /e'fiʒjə/ f effigy

efusivo /efu'zivu/ a effusive

Egeu /e'ʒew/ a & m Aegean

égide /'ɛʒidə/ f aegis

egípcio /e'ʒipsju/ a & m Egyptian

Egipto /e'ʒitu/ m Egypt

ego /'ɛgu/ m ego; **~cêntrico** a self-centred, egocentric; **~ismo** m selfishness; **~ista** a selfish □ m/f egoist

égua /'ɛgwa/ f mare

eis /ejʃ/ adv (aqui está) here is/are; (isso é) that is

eixo /'ejʃu/ m axle; (mat, entre cidades) axis; **pôr nos ~s** set straight

ela /'ɛlə/ pron she; (coisa) it; (com preposição) her; (coisa) it

elaborar /ilabu'rar/ vt (fazer) make, produce; (desenvolver) work out

elasticidade /ilaʃtəsi'dadə/ f (de coisa) elasticity; (de pessoa) suppleness

elástico /i'laʃtiku/ a elastic □ m (de borracha) elastic band; (de cueca etc) elastic

ele /'ɛlə/ pron he; (coisa) it; (com preposição) him; (coisa) it

electricidade /ilɛtrəsi'dadə/ f electricity; **~cista** m/f electrician

eléctrico[1] /i'lɛtriku/ a electric

eléctrico[2] /i'lɛtriku/ m tram, (Amer) streetcar

electrificar /ilYtrifi'kar/ vt electrify; **~zar** vt electrify

electrocardiograma /ilɛtrokardju'gramə/ m ECG; **~cutar** vt electrocute; **~do** /u/ m electrode; **~domésticos** m pl electrical appliances

electrónica /ile'tronikə/ f electronics; **~co** a electronic

elefante /ilə'fātə/ m elephant

elegância /ilə'gāsjə/ f elegance; **~gante** a elegant

eleger /ilə'ʒer/ vt elect; **~-se** vpr get elected

elegia /ilə'ʒiə/ f elegy

eleição /ilej'sāw/ f election; **~to** a elected, elect; <povo> chosen; **~tor** m voter; **~torado** m electorate; **~toral** (pl **~torais**) a electoral

elementar /ilamē'tar/ a elementary; **~to** m element

elenco /i'lēku/ m (de filme, peça) cast

elevação /ilɛvə'sāw/ f elevation; (aumento) rise; **~vado** a high; <sentimento, estilo> elevated; **~vador** m lift, (Amer) elevator; **~var** vt raise; (promover) elevate; **~var-se** vpr rise

eliminar /ilimi'nar/ vt eliminate; **~natória** f heat; **~natório** a eliminatory

elipse /e'lipsə/ f ellipse

elíptico /e'liptiku/ a elliptical

elite /e'litə/ f elite; **~tismo** m elitism; **~tista** a & m/f elitist

elmo /'ɛlmu/ m helmet

elo /'ɛlu/ m link

elo|giar /iluʒiˈar/ vt praise; ~giar alg por compliment s.o. on; ~gio m (louvor) praise; (um) compliment; ~gioso /o/ a complimentary

elo|quência /iluˈkwẽsjɐ/ f eloquence; ~quente a eloquent

eluci|dar /ilusiˈdar/ vt elucidate; ~dativo a elucidatory

em /ɐ̃j/ prep in; (sobre) on; ela está no Eduardo she's at Eduardo's (house); de casa ~ casa from house to house; aumentar ~ 10% increase by 10%

emagre|cer /imagrəˈser/ vi lose weight, get thinner □ vt make thinner; ~cimento m slimming

emanar /emaˈnar/ vi emanate (de from)

emanci|pação /emãsipaˈsãw/ f emancipation; ~par vt emancipate; ~par-se vpr become emancipated

emara|nhado /emaraˈɲadu/ a tangled □ m tangle; ~nhar vt tangle; (envolver) entangle; ~nhar-se vpr get tangled up; (envolver-se) become entangled (em in)

embaciar /ẽbasiˈar/ vt steam up <vidro> □ vi <vidro> steam up; <olhos> grow misty

embainhar /ẽbajˈɲar/ vt hem <vestido, calça>

embaixa|da /ẽbajˈʃadɐ/ f embassy; ~dor m ambassador; ~triz f ambassador; (esposa) ambassador's wife

embaixo /ẽˈbajʃu/ adv underneath; (em casa) downstairs; ~ de under

embalagem /ẽbaˈlaʒãj/ f packaging;

embalar¹ /ẽbaˈlar/ vt pack

emba|lar² /ẽbaˈlar/ vt rock <criança>; ~lo m (fig) excitement, thrill

embalsamar /ẽbalsaˈmar/ vt embalm

embara|çar /ẽbaraˈsar/ vt embarrass; ~çar-se vpr get embarrassed (com by); ~ço m embarrassment; ~çoso /o/ a embarrassing

embara|lhar /ẽbaraˈʎar/ vt muddle up; shuffle <cartas>; ~-se vpr get muddled up

embar|cação /ẽbarkaˈsãw/ f vessel; ~cadouro m wharf; ~car vt/i board, embark

embar|gado /ẽbarˈgadu/ a <voz> faltering; ~go m embargo

embarque /ẽˈbarkə/ m boarding; (secção do aeroporto) departures

embasba|cado /ẽbaʒbaˈkadu/ a open-mouthed; ~car-se vpr be left open-mouthed

embate /ẽˈbatə/ m (de carros etc) crash; (fig) clash

embebedar /ẽbebəˈdar/ vt make drunk; ~-se vpr get drunk

embeber /ẽbəˈber/ vt soak; ~-se de soak up; ~-se em get absorbed in

embele|zador /ẽbələzaˈdor/ a <cirurgia> cosmetic; ~zar vt embellish; spruce up <casa>; ~zar-se vpr make o.s. beauti- ful

embevecer /ẽbəvəˈser/ vt captivate, engross; ~-se vpr get engrossed, be captivated

emblema /ẽˈblemɐ/ m emblem

embocadura /ɛbukɐ'durɐ/ f (de instrumento) mouthpiece; (de freio) bit; (de rio) mouth; (de rua) entrance

êmbolo /'ẽbulu/ m piston

embolsar /ɛbol'sar/ vt pocket; (reembolsar) reimburse

embora /ẽ'bɔrɐ/ adv away □ conj although

emborcar /ẽbur'kar/ vi overturn; <barco> capsize

emboscada /ẽbuʃ'kadɐ/ f ambush

embrai|agem /ẽbraj'aʒãj/ f clutch; **~ar** vi let in the clutch

embria|gar /ẽbriɐ'gar/ vt intoxicate; **~gar-se** vpr get drunk, become intoxicated; **~guez** /e/ f drunkenness; **~guez no volante** drunken driving

embri|ão /ẽbri'ãw/ m embryo; **~onário** a embryonic

embru|lhada /ẽbru'ʎadɐ/ f muddle; **~lhar** vt wrap up <pacote>; upset <estômago>; (confundir) muddle up; **~lhar-se** vpr <pessoa> get muddled up; **~lho** m parcel; (fig) mix-up

embur|rado /ẽbu'ʀadu/ a sulky; **~rar** vi sulk

embuste /ẽ'buʃtə/ m hoax, put-up job, trick

embu|tido /ẽbu'tidu/ a built-in, fitted; **~tir** vt build in, fit

emen|da /i'mẽdɐ/ f correction, improvement; (de lei) amendment; **~dar** vt correct; amend <lei>; **~dar-se** vpr mend one's ways

ementa /i'mẽtɐ/ f menu

emer|gência /imɛr'ʒẽsjɐ/ f emergency; **~gente** a emergent; **~gir** vi surface, emerge

emi|gração /emigrɐ'sãw/ f emigration; (de aves etc) migration; **~grado** a & m émigré; **~grante** a & m/f emigrant; **~grar** vi emigrate; <aves, animais> migrate

emi|nência /emi'nẽsjɐ/ f eminence; **~nente** a eminent

emis|são /emi'sãw/ f (de acções etc) issue; (na rádio, TV) transmission, broadcast; (de som, gases) emission; **~sário** m emissary; **~sor** m transmitter; **~sora** f (de rádio) radio station; (de TV) TV station

emitir /emi'tir/ vt issue <acções, selos etc>; emit <sons>; (pela rádio, TV) transmit, broadcast

emoção /imu'sãw/ f emotion; (excitação) excitement

emocio|nal /imusju'nal/ (pl **~nais**) a emotional; **~nante** a (excitante) exciting; (comovente) touching, emotional; **~nar** vt (excitar) excite; (comover) move, touch; **~nar-se** vpr get emotional

emoldurar /imoldu'rar/ vt frame

emotivo /imu'tivu/ a emotional

empacar /ẽpɐ'kar/ vi <cavalo> baulk; <negociações etc> grind to a halt; <orador> dry up

empacotar /ẽpɐku'tar/ vt pack up; (pôr em pacotes) packet

empa|da /ẽ'padɐ/ f pie; **~dão** m (large) pie

empalhar /ẽpa.'ʎar/ vt stuff

empalidecer /ẽpaliđə'ser/ vi turn pale

empanar¹ /ẽpa.'nar/ vt tarnish, dull

empanar² /ẽpa.'nar/ vt cook in batter <carne etc>

empanturrar /ẽpãtu'Rar/ vt stuff; **~-se** vpr stuff o.s. (**de** with)

empapar /ẽpa.'par/ vt soak

empa|tar /ẽpa.'tar/ vt draw <jogo> □ vi <times> draw; <corredores> tie; **~te** m (em jogo) draw; (em corrida, votação) tie; (em xadrez, fig) stalemate

empatia /ẽpa.'tia/ f empathy

empecilho /ẽpə'siʎu/ m hindrance

empenar /ẽpə'nar/ vt/i warp

empe|nhar /ẽpə'ɲar/ vt (penhorar) pawn; (prometer) pledge; **~- nhar-se** vpr do one's utmost (**em** to); **~nho** /e/ m (compromisso) pledge; (diligência) effort, commitment

emperrar /ẽpə'Rar/ vt make stick □ vi stick

emperti|gado /ẽpərti'gadu/ a upright; **~gar-se** vpr stand up straight

empilhar /ẽpi'ʎar/ vt pile up

empi|nado /ẽpi'nadu/ a erect; (ingreme) sheer, steep; <nariz> turned-up; (fig) stuck-up; **~nar** vt stand upright; tip up <copo>

empírico /ẽ'piriku/ a empirical

emplacar /ẽpla.'kar/ vt notch up <pontos, sucessos, anos>; license <carro>

emplastro /ẽ'plaʃtru/ m surgical plaster; **~ de nicotina** nicotine patch

empobre|cer /ẽpubrə'ser/ vt impoverish; **~cimento** m impoverishment

empoleirar /ẽpulej'rar/ vt perch; **~-se** vpr perch

empol|gação /ẽpolga.'sãw/ f fascination; **~gante** a fascinating; **~gar** vt fascinate

empossar /ẽpu'sar/ vt swear in

empreen|dedor /ẽpriẽdə'dor/ a enterprising □ m entrepreneur; **~der** vt undertake; **~dimento** m undertaking

empre|gada /ẽprə'gada/ f (doméstica) maid; **~gado** m employee; **~gador** m employer; **~gar** vt employ; **~gar-se** vpr get a job; **~go** /e/ m (trabalho) job; (uso) use

emprei|tada /ẽprej'tada/ f commission, contract; (empreendimento) venture; **~teira** f contractor, firm of contractors; **~teiro** m contractor

empre|sa /ẽ'preza/ f company; **~sariado** m business community; **~sarial** (pl **~sariais**) a business; **~sário** m businessman; (de cantor etc) manager

empres|tado /ẽprəʃ'tadu/ a on loan; **pedir ~tado** (ask to) borrow; **tomar ~tado** borrow; **~tar** vt lend

empréstimo /ẽ'prɛʃtimu/ m loan

empur|rão /ẽpu'Rãw/ m push; **~rar** vt push

emular /emu'lar/ vt emulate

enamorado /inAmu'radu/ a (apaixonado) in love

encabeçar /ẽkabə'saR/ vt head

encabu|lado /ẽkabu'ladu/ a shy; ~**lar** vt embarrass; ~**lar-se** vpr be shy

encadear /ẽka.di'aR/ vt chain ou link together

encader|nação /ẽkadəRna'sãw/ f binding; ~**nado** a bound; (com capa dura) hardback; ~**nar** vt bind

encai|xar /ẽkaj'faR/ vt/i fit; ~**xe** m (cavidade) socket; (juntura) joint

encalço /ẽ'kalsu/ m pursuit; **no ~ de** in pursuit of

encalhar /ẽka.'ʎaR/ vi <barco> run aground; (fig) get bogged down; <mercadoria> not sell; (fam: ficar solteiro) be left on the shelf

encaminhar /ẽkami'ɲaR/ vt (dirigir) steer, direct; (remeter) pass on; set in motion <processo>; ~**se** vpr set out

encan|tador /ẽkãta'doR/ a enchanting; ~**tamento** m enchantment; ~**tar** vt enchant; ~**to** m charm

encaraco|lado /ẽkaraku'ladu/ a curly; ~**lar** vt curl; ~**lar-se** vpr curl up

encarar /ẽka'raR/ vt confront, face

encarcerar /ẽkaRsə'raR/ vt imprison

encardido /ẽkaR'didu/ a grimy

encarecidamente /ẽkaRəsida'mẽta/ adv insistently

encargo /ẽ'kaRgu/ m task, responsibility

encar|nação /ẽkaRna'sãw/ f (do espírito) incarnation; (de um personagem) embodiment; ~**nar** vt embody; play <papel>

encarre|gado /ẽkaRə'gadu/ a in charge (**de** of) □ m person in charge; (de operários) foreman; ~**gado de negócios** chargé d'affaires; ~**gar** vt ~**gar alg de** put s.o. in charge of; ~**gar-se de** undertake to

encarte /ẽ'kaRtə/ m insert

ence|nação /ẽsəna'sãw/ f (de peça) production; (fingimento) playacting; ~**nar** vt put on □ vi put it on

ence|radora /ẽsəRa'doRa/ f floor polisher; ~**rar** vt wax

encer|rado /ẽsə'Radu/ a <assunto> closed; ~**ramento** m close; ~**rar** vt close; ~**rar-se** vpr close

encharcar /ẽfaR'kaR/ vt soak

en|chente /ẽ'fẽta/ f flood; ~**cher** vt fill; (fam) annoy □ (fam) vi be annoying; ~**cher-se** vpr fill up; (fam: fartar-se) get fed up (**de** with)

enciclopédia /ẽsiklu'pɛdʒa/ f encyclopaedia

enco|berto /ẽku'bɛRtu/ a <céu, tempo> overcast; ~**brir** vt cover up □ vi <tempo> become overcast

encolher /ẽku'ʎeR/ vt shrug <ombros>; pull up <pernas>; shrink <roupa> □ vi <roupa> shrink; ~**se** vpr (de medo) shrink; (de frio) huddle; (espremer-se) squeeze up

encomen|da /ẽku'mẽda/ f order; **de** ou **sob ~da** to order; ~**dar** vt order (**a** from)

encon|trão /ẽkõ'trãw/ m bump; (empurrão) shove; ~**trar** vt (achar) find; (ver) meet;

~**trar com** meet; ~**trar-se** vpr (ver-se) meet; (estar) be; ~**tro** m meeting; (mil) encounter; **ir ao** ~**tro de** go to meet; (fig) meet; **ir de** ~**tro a** run into; (fig) go against

encorajar /ẽkuɾa'ʒaɾ/ vt encourage

encor|pado /ẽkuɾ'padu/ a stocky; <vinho> full-bodied; ~**par** vt/i fill out

encos|ta /ẽ'kɔ/ta/ f slope; ~**tar** vt (apoiar) lean; park <carro>; leave on the latch <porta>; (pôr ao lado) put aside □ vi <carro> pull in; ~**tar-se** vpr lean; ~**to** /o/ m back

encra|vado /ẽkɾa'vadu/ a <unha, pêlo> ingrowing; ~**var** vt stick

encren|ca /ẽ'kɾẽka/ f fix, jam; pl trouble; ~**car** vt get into trouble <pessoa>; complicate <situação> □ vi <situação> get complicated; <carro> break down; ~**car-se** vpr <pessoa> get into trouble; ~**queiro ou encrenca** m/f troublemaker

encres|pado /ẽkɾə'padu/ a <mar> choppy; ~**par** vt frizz <cabelo>; ~**par-se** vpr <cabelo> go frizzy; <mar> get choppy

encruzilhada /ẽkɾuziˈʎada/ f crossroads

encurralar /ẽkuɾa'laɾ/ vt hem in, pen in

encurtar /ẽkuɾ'taɾ/ vt shorten

endere|çar /ẽdəɾə'saɾ/ vt address; ~**ço** /e/ m address

endinheirado /ẽdiɲej'radu/ a well-off

endireitar /ẽdiɾej'taɾ/ vt straighten; ~**-se** vpr straighten up

endivi|dado /ẽdivi'dadu/ a in debt; ~**dar** vt put into debt; ~**dar-se** vpr get into debt

endoidecer /ẽdojdə'seɾ/ vi get mad

endos|sar /ẽdu'saɾ/ vt endorse; ~**so** /o/ m endorsement

endurecer /ẽduɾə'seɾ/ vt/i harden

ener|gético /inɛɾ'ʒɛtiku/ a energy; ~**gia** f energy

enérgico /i'nɛɾʒiku/ a vigorous; <remédio, discurso> powerful

enevoado /inəvu'adu/ a (com névoa) misty; (com nuvens) cloudy

enfarte /ẽ'faɾtə/ m heart attack

ênfase /'ẽfazə/ f emphasis; **dar** ~ **a** emphasize

enfático /ẽ'fatiku/ a emphatic

enfatizar /ẽfati'zaɾ/ vt emphasize

enfei|tar /ẽfej'taɾ/ vt decorate; ~**tar-se** vpr dress up; ~**te** m decoration

enfeitiçar /ẽfejti'saɾ/ vt bewitch

enfer|magem /ẽfəɾ'maʒãj/ f nursing; ~**maria** f ward; ~**meira** f nurse; ~**meiro** m male nurse; ~**midade** f illness; ~**mo** a sick □ m patient

enferru|jado /ẽfəɾu'ʒadu/ a rusty; ~**jar** vt/i rust

enfiar /ẽfi'aɾ/ vt put; slip on <roupa>; thread <agulha>; string <pérolas>

enfileirar /ẽfilej'raɾ/ vt line up; ~**-se** vpr line up

enfim /ẽ'fĩ/ adv (finalmente) finally; (resumindo) anyway

enfo|car /ẽfu'kar/ vt tackle; **~que** m approach

enfor|camento /ẽfurka'mẽtu/ m hanging; **~car** vt hang; **~car-se** vpr hang o.s.

enfraquecer /ẽfraka'ser/ vt/i weaken

enfrentar /ẽfrẽ'tar/ vt face

enfumaçado /ẽfuma'sadu/ a smoky

enfurecer /ẽfura'ser/ vt infuriate; **~-se** vpr get furious

enga|jamento /ẽgaʒa'mẽtu/ m commitment; **~jado** a committed; **~jar-se** vpr get involved (**em** in)

engalfinhar-se /ẽgalfi'ɲarsə/ vpr grapple; (discutir) argue

enga|nado /ẽga'nadu/ a (errado) mistaken; **~nar** vt deceive; cheat on <marido, esposa>; stave off <fome>; **~nar-se** vpr be mistaken; **~no** m (erro) mistake; (desonestidade) deception

engarra|famento /ẽgaʁafa'mẽtu/ m traffic jam; **~far** vt bottle <vinho etc>; block <trânsito>

engas|gar /ẽgaʒ'gar/ vt choke □ vi choke; <motor> backfire; **~go** m choking

engastar /ẽgaʃ'tar/ vt set <jóias>

engatar /ẽga'tar/ vt hitch <reboque etc> (**a** to); engage <marcha>

engatinhar /ẽgati'ɲar/ vi crawl; (fig) start out

engave|tamento /ẽgaveta'mẽtu/ m pile-up; **~tar** vt shelve

engelhar /ẽʒə'ʎar/ vi (pele) wrinkle

enge|nharia /ẽʒəɲa'ria/ f engineering; **~nheiro** m engineer; **~nho** /e/ m (de pessoa) ingenuity; (de açúcar) sugar mill; (máquina) device; **~nhoca** /ɔ/ f gadget; **~nhoso** /o/ a ingenious

engessar /ẽʒe'sar/ vt put in plaster

engodo /ẽ'godu/ m lure

engolir /ẽgu'lir/ vt/i swallow; **~ em seco** gulp

engomar /ẽgu'mar/ vt press; (com goma) starch; (com ferro) iron

engordar /ẽgur'dar/ vt make fat; fatten <animais> □ vi <pessoa> put on weight; <comida> be fattening

engraçado /ẽgra'sadu/ a funny

engradado /ẽgra'dadu/ m crate

engravidar /ẽgravi'dar/ vt make pregnant □ vi get pregnant

engraxar /ẽgra'ʃar/ vt polish

engre|nado /ẽgrə'nadu/ a <carro> in gear; **~nagem** f gear; (fig) mechanism; **~nar** vt put into gear <carro>; strike up <conversa>; **~nar-se** vpr mesh; (fig) <pessoas> get on

en/gripado /ẽgri'padu/ m **es-tar/ ficar** ~ have/ get the flu; **~gripar-se** vpr get the flu

engrossar /ẽgru'sar/ vt thicken; raise <voz> □ vi thicken; <pessoa> turn nasty

enguia /ẽ'gia/ f eel

enguiçar /ẽgi'sar/ vi break down; **~ço** m breakdown

enigma /e'nigmə/ m enigma; **~mático** a enigmatic

enjaular /ẽʒaw'lar/ vt cage

enjo|ar /ẽʒu'ar/ vt sicken □ vi, **~ar-se** get sick (**de** of); **~ativo** a <comida> sickly; <livro etc> boring

enjôo /ẽ'ʒow/ m sickness

enlameado /ẽla'mjadu/ a muddy

enlatado /ẽla'tadu/ a tinned, canned; **~s** m pl tinned foods

enle|var /ẽlə'var/ vt enthral; **~vo** /e/ m rapture

enlouquecer /ẽloke'ser/ vt drive mad □ vi go mad

enluarado /ẽlwa'radu/ a moonlit

enor|me /i'nɔrmə/ a enormous; **~midade** f enormity

enquadrar /ẽkwa'drar/ vt fit □ vi, **~se** vpr fit in

enquanto /ẽ'kwãtu/ conj while; **~ isso** meanwhile; **por ~** for the time being

enraivecer /ẽRajvə'ser/ vt enrage

enredo /ẽ'redu/ m plot

enrijecer /ẽRiʒə'ser/ vt stiffen; **~se** vpr stiffen

enrique|cer /ẽRike'ser/ vt (dar dinheiro a) make rich; (fig) enrich □ vi get rich; **~cimento** m enrichment

enro|lado /ẽRu'ladu/ a complicated; **~lar** vt (envolver) roll up; (complicar) complicate; (enganar) cheat; **~lar-se** vpr (envolver-se) roll up; (confundir-se) get mixed up

enroscar /ẽRuʃ'kar/ vt twist

enrouquecer /ẽRoke'ser/ vi go hoarse

enrugar /ẽRu'gar/ vt wrinkle <pele, tecido>; furrow <testa>

enrustido /ẽRuʃ'tidu/ a repressed

ensaboar /ẽsabu'ar/ vt soap

ensai|ar /ẽsaj'ar/ vt (provar) try out; (repetir) rehearse; **~o** m (prova) test; (repetição) rehearsal; (escrito) essay

ensanguentado /ẽsãgwẽ'tadu/ a bloody, bloodstained

enseada /ẽsi'adə/ f inlet

ensebado /ẽsə'badu/ a greasy

ensimesmado /ẽsiməʒ'madu/ a lost in thought

ensi|nar /ẽsi'nar/ vt/i teach (**aco a alg** s.o. sth); **~nar alg a nadar** teach s.o. to swim; **~no** m teaching; (em geral) education

ensolarado /ẽsula'radu/ a sunny

enso|pado /ẽsu'padu/ a soaked □ m stew; **~par** vt soak

ensurde|cedor /ẽsurdəsə'dor/ a deafening; **~cer** vt deafen □ vi go deaf

entabular /ẽtabu'lar/ vt open, start

entalar /ẽta'lar/ vt wedge, jam; (em apertos) get; **~se** vpr get wedged, get jammed; (em apertos) get caught up

entalhar /ẽta'ʎar/ vt carve

entanto /ẽ'tãtu/ m **no ~** however

então /ẽ'tãw/ adv then; (nesse caso) so

entardecer /ẽtardə'ser/ m sunset

ente /'ẽtə/ m being

entea|da /ĕti'adə/ f stepdaughter; **~do** m stepson

entedi|ante /ĕtədi'ãtə/ a boring; **~ar** vt bore; **~ar-se** vpr get bored

enten|der /ĕtẽ'der/ vt understand; **~der-se** vpr (dar-se bem) get on (com with); **dar a ~der** give to understand; **~der de futebol** know about football; **~dimento** m understanding

enternecedor /ĕtərnəsə'dor/ a touching

enter|rar /ĕtə'Rar/ vt bury; **~ro** /e/ m burial; (cerimónia) funeral

entidade /ĕti'dadə/ f entity; (órgão) body

entornar /ĕtur'nar/ vt tip over, spill

entorpe|cente /ĕturpə'sẽtə/ m drug, narcotic; **~cer** vt numb

entortar /ĕtur'tar/ vt make crooked

entrada /ĕ'tradə/ f entry; (onde se entra) entrance; (bilhete) ticket; (prato) starter; (pagamento) deposit; pl (no cabelo) receding hairline; **dar ~ a** enter; **~ proibida** no entry

entranhas /ĕ'traɲaʃ/ f pl entrails

entrar /ĕ'trar/ vi go/come in; **~ com** enter <dados>; put in <dinheiro>; **~ em detalhes** go into details; **~ em vigor** come into force

entravar /ĕtra'var/ vt hamper

entre /'ĕtrə/ prep (duas coisas) between; (no meio de) among

entreaberto /ĕtrja'bertu/ a half-open

entrecortar /ĕtrəkur'tar/ vt intersperse; (cruzar) intersect

entre|ga /ĕ'trɛgə/ f delivery; (rendição) surrender; **~ga ao domicílio** home delivery; **~gar** vt hand over; deliver <mercadorias, cartas>; hand in <caderno, trabalho escolar>; **~gar-se** vpr give o.s. up (a to); **~gue** pp de **entregar**

entrelaçar /ĕtrəla'sar/ vt intertwine; clasp <mãos>

entrelinhas /ĕtrə'liɲaʃ/ f pl **ler nas ~** read between the lines

entremear /ĕtrəmi'ar/ vt intersperse

entreolhar-se /ĕtrjo'ʎarsə/ vpr look at one another, exchange glances

entretanto /ĕtrə'tãtu/ conj however

entre|tenimento /ĕtrətəni'mẽtu/ m entertainment; **~ter** vt entertain

entrever /ĕtrə'ver/ vt glimpse

entrevis|ta /ĕtrə'viʃtə/ f interview; **~tador** m interviewer; **~tar** vt interview

entristecer /ĕtriʃtə'ser/ vt sadden □ vi be saddened (com by)

entroncamento /ĕtrõka'mẽtu/ m junction

entrosar /ĕtru'zar/ vt/i integrate

entu|lhar /ĕtu'ʎar/ vt cram (de with); **~lho** m rubble

entupir /ĕtu'pir/ vt block; **~pir-se** vpr get blocked; (de comida) stuff o.s. (de with)

enturmar-se /ĕtur'marsə/ vpr mix in, fit in

entuasias|mar /ẽtuzjɐʒ'mar/ vt fill with enthusiasm; ~**mar- -se** vpr get enthusiastic (**com** about); ~**mo** m enthusiasm; ~**ta** m/f enthusiast □ a enthusiastic

entusiástico /ẽtuzi'aʃtiku/ a enthusiastic

enumerar /inumə'rar/ vt enumerate

envelope /ẽvə'lɔpə/ m envelope

envelhecer /ẽvəλə'ser/ vt/i age

envenenar /ẽvənə'nar/ vt poison

envergadura /ẽvɛrgɐ'dura/ f wingspan; (fig) scale

envergo|nhado /ẽvɛrgu'ɲadu/ a ashamed; (constrangido) embarrassed; ~**nhar** vt disgrace; (constranger) embarrass; ~**nhar-se** vpr be ashamed; (acanhar-se) get embarrassed

envernizar /ẽvərni'zar/ vt varnish

en|viado /ẽvi'adu/ m envoy; ~**viar** vt send; ~**vio** m (ato) sending; (remessa) consignment

envidraçar /ẽvidrɐ'sar/ vt glaze

enviesado /ẽvjɛ'zadu/ a (não vertical) slanting; (torto) crooked

envol|vente /ẽvol'vẽtɐ/ a compelling, gripping; ~**ver** vt (embrulhar) wrap; (enredar) involve; ~**ver-se** vpr (enrolar-se) wrap o.s.; (enredar- -se) get involved; ~**vimento** m involvement

enxada /ẽ'ʃadɐ/ f hoe

enxaguar /ẽʃa'gwar/ vt rinse

enxame /ẽ'ʃamə/ m swarm

enxaqueca /ẽʃɐ'keka/ f migraine

enxergar /ẽʃər'gar/ vt/i see

enxer|tar /ẽʃər'tar/ vt graft; ~**to** /e/ m graft

enxotar /ẽʃu'tar/ vt drive away

enxofre /ẽ'ʃofrə/ m sulphur

enxo|val /ẽʃu'val/ (pl ~**vais**) m (de noiva) trousseau; (de bebé) layette

enxugar /ẽʃu'gar/ vt dry; ~**-se** vpr dry o.s.

enxurrada /ẽʃu'Radɐ/ f torrent; (fig) flood

enxuto /ẽ'ʃutu/ a dry; <corpo> shapely

enzima /ẽ'zimɐ/ f enzyme

epicentro /epi'sẽtru/ m epicentre

épico /'ɛpiku/ a epic

epidemia /epidə'miɐ/ f epidemic

epi|lepsia /epilɛp'siɐ/ f epilepsy; ~**léptico** a & m epileptic

epílogo /e'pilugu/ m epilogue

episódio /epi'zɔdju/ m episode

epitáfio /epi'tafju/ m epitaph

época /'ɛpucɐ/ f time; (da história) age, period; **fazer ~** make history; **móveis da ~** period furniture

epopeia /epu'pɐjɐ/ f epic

equação /ekwɐ'sãw/ f equation

equador /ekwɐ'dor/ m equator; **o Equador** Ecuador

equatori|al /ekwɐturi'al/ (pl ~**ais**) a equatorial; ~**ano** a & m Ecuadorian

equilibrar /ekili'brar/ vt balance; ~**-se** vpr balance

equilíbrio /eki'librju/ m balance

equipa /e'kipɐ/ f team

equi|pamento /ekipɐ'mẽtu/ m equipment; **~par** vt equip

equiparar /ekipɐ'rar/ vt equate (**com** with); **~-se** vpr compare (**a** with)

equitação /ekitɐ'sãw/ f riding

equiva|lência /ekivɐ'lẽsjɐ/ f equivalence; **~lente** a equivalent; **~ler** vi be equivalent (**a** to)

equivo|cado /ekivu'kadu/ a mistaken; **~car-se** vpr make a mistake

equívoco /e'kivuku/ a equivocal □ m mistake

era /'ɛrɐ/ f era

erário /e'rarju/ m exchequer

erecção /irɛ'sãw/ f erection

erecto /i'rɛtu/ a erect

eremita /erɐ'mitɐ/ m/f hermit

erguer /er'ger/ vt raise; erect <monumento etc>; **~-se** vpr rise

eri|çado /eri'sadu/ a bristling; **~car-se** vpr bristle

ermo /'ermu/ a deserted □ m wilderness

erosão /iru'zãw/ f erosion

erótico /e'rɔtiku/ a erotic

erotismo /eru'tiʒmu/ m eroticism

er|rado /e'Radu/ a wrong; **~rante** a wandering; **~rar** vt (não fazer certo) get wrong; miss <alvo> □ vi (enganar-se) be wrong; (vaguear) wander; **~ro** /e/ m mistake; **fazer um ~ro** make a mistake; **~róneo** a erroneous

erudi|ção /erudi'sãw/ f learning; **~to** a learned; <música> classical □ m scholar

erupção /erup'sãw/ f (vulcânica) eruption; (cutânea) rash

erva /'ɛrvɐ/ f herb; **~ daninha** weed; **~-doce** f aniseed

ervilha /er'viʎɐ/ f pea

esban|jador /eʒbãʒɐ'dor/ a extravagant □ m spendthrift; **~jar** vt squander; burst with <saúde, imaginação, energia etc>

esbar|rar /eʒbɐ'Rar/ vi **~rar com** ou **em** bump into <pessoa>; come up against <problema>

esbelto /eʒ'bɛltu/ a svelte

esbo|çar /eʒbu'sar/ vt sketch <desenho etc>; outline <plano etc>; **~çar um sorriso** give a hint of a smile; **~ço** /o/ m (desenho) sketch; (plano) outline; (de um sorriso) hint

esbofetear /eʒbufɐti'ar/ vt slap

esborrachar /eʒburɐ'ʃar/ vt squash; **~-se** vpr crash

esbravejar /eʒbrɐvɐ'ʒar/ vi rant, rail

esbura|cado /eʒburɐ'kadu/ a full of holes; **~car** vt make holes in

esbuga|lhado /eʒbugɐ'ʎadu/ a <olhos> bulging; **~lhar-se** vpr <olhos> pop out

escabroso /əʃkɐ'brozu/ a (fig) difficult, tough

escada /əʃ'kadɐ/ f (dentro de casa) stairs; (na rua) steps; (de mão) ladder; **~ de incêndio** fire escape; **~ rolante** escalator; **~ria** f staircase

escafan|drista /əʃkɐfã'driʃtɐ/ m/f diver; **~dro** m diving suit

escala /əʃ'kalɐ/ f scale; (de navio) port of call; (de avião) stopover; **fazer ~**

stop over; **sem ~** <voo> non-stop

esca|lada /əˈkaˌlada/ f (fig) escalation; **~lão** m echelon, level; **~lar** vt (subir a) climb, scale; (designar) select

escaldar /əʃkalˈdar/ vt scald; blanch <vegetais>

escalfar /əʃkalˈfar/ vt poach

escalonar /əʃkaluˈnar/ vt schedule <pagamento>

escama /əʃˈkama/ f scale

escanca|rado /əʃkãkaˈradu/ a wide open; **~rar** vt open wide

escandalizar /əʃkãdaliˈzar/ vt scandalize; **~-se** vpr be scandalized

escândalo /əʃˈkãdalu/ m (vexame) scandal; (tumulto) fuss, uproar; **fazer um ~** make a scene

escandaloso /əʃkãdaˈlozu/ a (chocante) scandalous; (espalhafatoso) outrageous, loud

Escandinávia /əʃkãdiˈnavja/ f Scandinavia

escandinavo /əʃkãdiˈnavu/ a & m Scandinavian

escanga|lhado /əʃkãgaˈʎadu/ a broken; **~lhar** vt break up; **~lhar-se** vpr fall to pieces; **~lhar-se de rir** split one's sides laughing

escaninho /əʃkaˈniɲu/ m pigeonhole

escanteio /əʃkãˈteju/ m corner

esca|pada /əʃkaˈpada/ f (fuga) escape; (aventura) escapade; **~pamento** m exhaust; **~par** vi **~par a** ou **de** (livrar-se) escape from; (evitar) escape;

~pou-lhe a palavra the word slipped out; **o copo ~pou-me das mãos** the glass slipped out of my hands; **o nome me ~pa** the name escapes me; **~par de boa** have a narrow escape; **~patória** f way out; (desculpa) pretext; **~pe** m escape; (de carro etc) exhaust; **~pulir** vi escape (**de** from)

escaramuça /əʃkaraˈmusa/ f skirmish

escaravelho /əʃkaraˈveʎu/ m beetle

escarcéu /əʃkarˈsɛw/ m uproar, fuss

escarlate /əʃkarˈlate/ a scarlet

escarnecer /əʃkarnəˈser/ vt mock

escárnio /əʃˈkarnju/ m derision

escarpado /əʃkarˈpadu/ a steep

escarrado /əʃkaˈRadu/ m **ele é o pai ~** he's the spitting image of his father

escarro /əʃˈkaRu/ m phlegm

escas|sear /əʃkasiˈar/ vi run short; **~sez** f shortage; **~so** a (raro) scarce; (ralo) scant

esca|vadeira /əʃkavaˈdejra/ f digger; **~var** vt excavate

escla|recer /əʃklarəˈser/ vt explain <factos>; enlighten <pessoa>; **~cer-se** vpr <facto> be explained; <pessoa> find out; **~cimento** m (de pessoas) enlightenment; (de factos) explanation

esclerosado /əʃkleruˈzadu/ a senile

escoar /əʃkuˈar/ vt/i drain

esco|cês /əʃkuˈseʃ/ a (f **~cesa**) Scottish □ m (f **~cesa**) Scot

Escócia /əʃ'kɔsjə/ f Scotland

esco|la /əʃ'kɔlə/ f school; **~lar**
a school □ m/f schoolchild;
~laridade f schooling

esco|lha /əʃ'koʎə/ f choice;
~lher vt choose

escol|ta /əʃ'kɔltə/ f escort;
~tar vt escort

escombros /əʃ'kõbruʃ/ m pl
debris

escon|der /əʃkõ'der/ vt hide;
~der-se vpr hide; **~derijo**
mhiding place; (de bandi-
dos) hideout; **~didas** f pl às
~didas secretly; **brincar às**
~didas play hide-and-seek

esco|ra /əʃ'kɔrə/ f prop; **~rar**
vt prop up; **~rar-se** vpr <ar-
gumento etc> be based (**em**
on)

escória /əʃ'kɔrjə/ f scum,
dross

escori|ação /əʃkurjə'sãw/ f
graze, abrasion; **~ar** vt graze

escorpião /əʃkurpi'ãw/ m scorpion; **Escorpião** Scorpio

escorredor /əʃkuɾə'dor/ m
drainer

escorrega /əʃkuˈʀɛɡə/ m slide

escorre|gador /əʃkuʀəɡa'dor/
m slide; **~gão** m slip; **~gar**
vi slip

escor|rer /əʃku'ʀer/ vt drain □
vi trickle; **~rido** a <cabelo>
straight

escoteiro /əʃku'tejru/ m boy
scout

escotilha /əʃku'tiʎə/ f hatch

esco|va /əʃ'kovə/ f brush; **~va**
de dentes toothbrush; **~var**
vt brush; **~vinha** f **cabelo à**
~vinha crew-cut

escra|chado /əʃkra'ʃadu/ (Br)
(fam) a outspoken; **~char**
(fam) vt tell off

escra|vatura /əʃkrava'turə/ f
slavery; **~vidão** f slavery;
~vizar vt enslave; **~vo** m
slave

escre|ver vt/i /əʃcrə'ver/ write

escri|ta /əʃ'kritə/ f writing;
~to pp de **escrever** □ a
written; **por ~to** in writing;
~tor m writer; **~tório** m office; (numa casa) study

escritu|ra /əʃkri'turə/ f (a Bí-
blia) scripture; (contrato)
deed; **~ração** f bookkeeping;
~rar vt keep, write up <con-
tas>; draw up <documento>
~rário m clerk

escri|vaninha /əʃkriva'niɲə/ f
bureau, writing desk; **~vão**
m (f ~vã) registrar

escrúpulo /əʃ'krupulu/ m
scruple

escrupuloso /əʃkrupu'lozu/ a
scrupulous

escrutínio /əʃkru'tinju/ m ballot

escu|dar /əʃku'dar/ vt shield;
~deria f team; **~do** m shield;
(moeda) escudo

escul|pir /əʃkul'pir/ vt sculpt;
~tor m sculptor; **~tura** f
sculpture; **~tural** (pl ~tu-
rais) a statuesque

escuma /əʃ'kumə/ f scum;
~deira f skimmer

escuna /əʃ'kunə/ f schooner

escu|ras /əʃ'kurəʃ/ f pl **às**
~ras in the dark; **~recer** vt
darken □ vi get dark; **~ridão**
f darkness; **~ro** a & m dark

escuso /əʃ'kuzu/ a shady

escu|ta /əʃ'kutə/ f listening;
estar à ~ta be listening; **~ta**
telefónica phone tapping;
~tar vt (perceber) hear;

(*prestar atenção a*) listen to □ *vi* (*poder ouvir*) hear; (*prestar atenção*) listen

esdrúxulo /əʒ'dru/ulu/ *a* weird

esfacelar /əʃfasə'lar/ *vt* wreck

esfalfar /əʃfal'far/ *vt* wear out; **~-se** *vpr* get worn out

esfaquear /əʃfaki'ar/ *vt* stab

esfarelar /əʃfaɾə'lar/ *vt* crumble; **~-se** *vpr* crumble

es|fera /əʃ'fɛra/ *f* sphere; **~férico** *a* spherical

esferográfi|co /əʃfɛrɔ'grafiku/ *a* **caneta ~ca** ball-point pen

esfiapar /əʃfia'par/ *vt* fray; **~-se** *vpr* fray

esfinge /əʃ'fiʒə/ *f* sphinx

esfolar /əʃfu'lar/ *vt* skin; (*fig*) overcharge

esfomeado /əʃfomi'adu/ *a* starving, famished

esfor|çar-se /əʃfur'sarsə/ *vpr* make an effort; **~ço** /o/ *m* effort; **fazer ~ço** make an effort

esfre|gaço /əʃfrə'gasu/ *m* smear; **~gar** *vt* rub; (*para limpar*) scrub

esfriar /əʃfri'ar/ *vt* cool □ *vi* cool (down); (*sentir frio*) get cold

esfumaçado /əʃfuma'sadu/ *a* smoky

esfuziante /əʃfuzi'ãtə/ *a* irrepressible, exuberant

esganar /əʒga'nar/ *vt* throttle

esganiçado /əʒgani'sadu/ *a* shrill

esgarçar /əʒgar'sar/ *vt/i* fray

esgo|tado /əʒgu'tadu/ *a* exhausted; <stock, lotação>

sold out; **~tamento** *m* exhaustion; **~tamento nervoso** nervous breakdown; **~tar** *vt* exhaust; (*gastar*) use up; **~tar-se** *vpr* <pessoa> become exhausted; <stock, lotação> sell out; <recursos, provisões> run out; **~to** /o/ *m* drain; (*de detritos*) sewer

esgri|ma /əʒ'grima/ *f* fencing; **~mir** *vt* brandish □ *vi* fence; **~mista** *m/f* fencer

esgrouvinhado /əʒgrovi'ɲadu/ *a* tousled, dishevelled

esgueirar-se /əʒgej'rarsə/ *vpr* slip, sneak

esguelha /əʒ'geʎa/ *f* **de ~** askew; <olhar> askance

esgui|char /əʒgi'ʃar/ *vt/i* spurt, squirt; **~cho** *m* jet, spurt

esguio /əʒ'giu/ *a* slender

eslavo /əʒ'lavu/ *a* Slavic □ *m* Slav

esmaecer /əʒmaj'ser/ *vi* fade

esma|gador /əʒmaga'dor/ *a* <vitória, maioria> overwhelming; <provas> incontrovertible; **~ gar** *vt* crush

esmalte /əʒ'maltə/ *m* enamel; **~ de unhas** nail varnish

esmeralda /əʒmə'ralda/ *f* emerald

esme|rar-se /əʒmə'rarsə/ *vpr* take great care (**em** over); **~ro** /e/ *m* great care

esmigalhar /əʒmiga'ʎar/ *vt* crumble <pão etc>; shatter <vidro, copo>; **~-se** *vpr* <pão etc> crumble; <vidro, copo> shatter

esmiuçar /əʒmju'sar/ *vt* examine in detail

esmo /'eʒmu/ *m* **a ~** <escolher> at random; <andar> aimlessly; <falar> nonsense

esmola /ɜʒ'mɔlɐ/ f donation; pl charity

esmorecer /ɜʒmurə'ser/ vi flag, discourage

esmurrar /ɜʒmu'ʀar/ vt punch

esotérico /ezɔ'tɛriku/ a esoteric

espa|çar /ɘʃpɐ'sar/ vt space out; make less frequent <visitas, consultas etc>; **~cial** (pl **~ciais**) a space; **~ço** m space; (cultural etc) venue; **~çoso** /o/ a spacious

espada /ɘʃ'padɐ/ f sword; pl (naipe) spades; **~chim** m swordsman

espádua /ɘʃ'padwɐ/ f shoulder blade

esparguete /ɘʃpar'getɐ/ m spaghetti

espaire|cer /ɘʃpajrə'ser/ vt amuse □ vi relax; (dar uma volta) go for a walk; **~cimento** m recreation

espaldar /ɘʃpal'dar/ m back

espalhafato /ɘʃpaλɐ'fatu/ m (barulho) fuss, uproar; (de roupa etc) extravagance; **~so** /o/ a (barulhento) noisy, rowdy; (ostentoso) extravagant

espalhar /ɘʃpa'λar/ vt scatter; spread <notícia, terror etc>; shed <luz>; **~se** vpr (pessoas) spread out

espa|nador /ɘʃpɐnɐ'dor/ m feather duster; **~nar** vt dust

espan|camento /ɘʃpɐ̃kɐ'mẽtu/ m beating; **~car** vt beat up

Espanha /ɘʃ'paɲɐ/ f Spain

espa|nhol /ɘʃpɐ'ɲɔl/ (pl **~nhóis**) a (f **~nhola**) Spanish □ m (f **~nhola**) Spaniard; (língua) Spanish; **os ~nhóis** the Spanish

espan|talho /ɘʃpɐ̃'taλu/ m scarecrow; **~tar** vt (admirar) amaze; (assustar) scare; (afugentar) drive away; **~tar-se** vpr (admirar-se) be amazed; (assustar-se) get scared; **~to** m (susto) fright; (admiração) amazement; **~toso** /o/ a amazing

espargo /ɘʃ'pargu/ m asparagus

esparramar /ɘʃpaʀɐ'mar/ vt scatter; **~se** vpr be scattered, spread

espartano /ɘʃpar'tɐnu/ a spartan

espartilho /ɘʃpar'tiλu/ m corset

espas|mo /ɘʃ'paʒmu/ m spasm; **~módico** a spasmodic

espatifar /ɘʃpɐti'far/ vt smash; **~se** vpr smash; <carro, avião> crash

especi|al /ɘʃpəsi'al/ (pl **~ais**) a special; **~alidade** f speciality; **~alista** m/f specialist

especiali|zado /ɘʃpəsjɐli'zadu/ a specialized; <mão-de-obra> skilled; **~zar-se** vpr specialize (em in)

especiaria /ɘʃpəsjɐ'riɐ/ f spice

espécie /ɘʃ'pɛsi/ f sort, kind; (de animais) species

especifi|cação /ɘʃpəsifikɐ'sãw/ f specification; **~car** vt specify

específico /ɘʃpə'sifiku/ a specific

espécime /ɘʃ'pɛsimə/ m specimen

espec|tacular /ɘʃpɛtɐku'lar/ a spectacular; **~táculo** m (no teatro etc) show; (cena impressionante) spectacle; ~taculoso /o/ a spectacular

espectador /əʃpɛta'dor/ m (de TV) viewer; (de jogo, espectáculo) spectator; (de acidente etc) onlooker

espectro /əʃ'pɛtru/ m (fantasma) spectre; (de cores) spectrum

especu|lação /əʃpɛkula'sãw/ f speculation; ~lador m speculator; ~lar vi speculate (sobre on); ~lativo a speculative

espe|lhar /əʃpə'ʎar/ vt mirror; ~lhar-se vpr be mirrored; ~lho /e/ m mirror; ~lho retrovisor rear-view mirror

espelunca /əʃpə'lũka/ (fam) f dive

espera /əʃ'pɛra/ f wait; à ~ de waiting for

esperan|ça /əʃpə'rãsa/ f hope; ~çoso /o/ a hopeful

esperar /əʃpə'rar/ vt (aguardar) wait for; (desejar) hope for; (contar com) expect □ vi wait (por for); fazer alg ~ keep s.o. waiting; espero que ele venha I hope (that) he comes; espero que sim/não I hope so/not

esperma /əʃ'pɛrma/ m sperm

espernear /əʃpɛrni'ar/ vi kick; (fig: reclamar) kick up

esper|talhão /əʃpɛrta'ʎãw/ m (f ~talhona) wise guy; ~teza /e/ f cleverness; (uma) clever move; ~to /e/ a clever

espes|so /əʃ'pesu/ a thick; ~sura f thickness

espe|tar /əʃpə'tar/ vt (cravar) stick; (furar) skewer; ~tar-

-se vpr (cravar-se) stick; (ferir-se) prick o.s.; ~tinho m skewer; ~tada f (de carne etc) kebab; ~to /e/ m spit

espevitado /əʃpɛvi'tadu/ a cheeky

espezinhar /əʃpɛzi'ɲar/ vt walk all over

espi|a /əʃ'pia/ m/f spy; ~ão m (f ~ã) spy; ~ada f peep; ~ar vt (observar) spy on; (aguardar) watch for □ vi peer, peep

espicaçar /əʃpika'sar/ vt goad <pessoa>; excite <imaginação, curiosidade>

espichar /əʃpi'ʃar/ vt stretch □ vi shoot up; ~-se vpr stretch out

espiga /əʃ'piga/ f (de trigo etc) ear; (de milho) cob

espinafre /əʃpi'nafrə/ m spinach

espingarda /əʃpĩ'garda/ f rifle, shotgun

espinha /əʃ'piɲa/ f (de peixe) bone; (na pele) spot; ~ dorsal spine

espinho /əʃ'piɲu/ m thorn; ~so /o/ a thorny; (fig) difficult, tough

espio|nagem /əʃpju'naʒãj/ f espionage, spying; ~nar vt spy on □ vi spy

espi|ral /əʃpi'ral/ (pl ~rais) a & f spiral

espírita /əʃ'pirita/ a & m/f spiritualist

espiritismo /əʃpiri'tiʒmu/ m spiritualism

espírito /əʃ'piritu/ m spirit; (graça) wit

espiritu|al /əʃpiritu'al/ (pl ~ais) a spiritual; ~oso /o/ a witty

espir|rar /əʃpi'Rar/ vt spurt □ vi <pessoa> sneeze; <lama, tinta etc> spatter; <fogo, lenha, fritura etc> spit; **~ro** m sneeze

esplêndido /əʃ'plẽdidu/ a splendid

esplendor /əʃplẽ'dor/ m splendour

espoleta /əʃpu'leta/ f fuse

espoliar /əʃpuli'ar/ vt plunder, pillage

espólio /əʃ'pɔlju/ m (herdado) estate; (roubado) spoils

espon|ja /əʃ'põʒa/ f sponge; **~joso** /o/ a spongy

espon|taneidade /əʃpõtanej'dadə/ f spontaneity; **~tâneo** a spontaneous

espora /əʃ'pɔra/ f spur

esporádico /əʃpu'radiku/ a sporadic

esporear /əʃpuri'ar/ vt spur on

espo|sa /əʃ'poza/ f wife; **~so** m husband

espregui|çadeira /əʃprəgisa'dejra/ f (tipo cadeira) deckchair; (tipo cama) sun lounger; **~car-se** vpr stretch

esprei|ta /əʃ'prejta/ f ficar à **~ta** lie in wait; **~tar** vt stalk <caça, vítima>; spy on <vizinhos, inimigos etc>; look out for <ocasião> □ vi peep, spy

espre|medor /əʃprəme'dor/ m squeezer; **~mer** vt squeeze; wring out <roupa>; squash <pessoa>; **~mer-se** vpr squeeze up

espu|ma /əʃ'puma/ f foam; **~ma de borracha** foam rubber; **~mante** a <vinho> sparkling; **~mar** vi foam, froth

espúrio /əʃ'purju/ a spurious

esqua|dra /əʃ'kwadra/ f squad; **~dra de polícia** police station; **~drão** m squadron; **~dria** f doors and windows; **~drinhar** vt explore; **~dro** m set square

esqualidez /əʃkwali'deʃ/ f squalor

esquálido /əʃ'kwalidu/ a squalid

esquartejar /əʃkwartə'ʒar/ vt chop up

esque|cer /əʃkɛ'ser/ vt/i forget; **~cer-se de** forget; **~cido** a forgotten; (com memória fraca) forgetful; **~cimento** m oblivion; (memória fraca) forgetfulness

esque|lético /əʃkə'lɛtiku/ a skinny, skeleton-like; **~leto** /e/ m skeleton

esque|ma /əʃ'kema/ m outline, draft; (operação) scheme; **~ma de segurança** security operation; **~mático** a schematic

esquentar /əʃkẽ'tar/ (Br) vt warm up □ vi warm up; <roupa> be warm; **~-se** vpr get annoyed; **~ a cabeça** (fam) get worked up

esquer|da /əʃ'kerda/ f left; **à ~da** (posição) on the left; (direcção) to the left; **~dista** a left-wing □ m/f left-winger; **~do** /e/ a left

esquilo /əʃ'kilu/ m squirrel

esquina /əʃ'kina/ f corner; **de ~** edgeways

esquisi|tice /əʃkəzi'tisə/ f strangeness; (uma) strange thing, peculiarity; **~to** a strange

esqui|var-se /əʃki'varsə/ vpr dodge out of the way; ~var--se de dodge; ~vo a elusive; <pessoa> aloof, antisocial

esquizo|frenia /əʃkizofrə'niə/ f schizophrenia; ~frénico a & m schizophrenic

es|sa /'ɛsə/ pron that (one); ~sa é boa that's a good one; ~sa não come off it; por ~sas e por outras for these and other reasons; ~se /e/ a that; pl those; (fam: este) this; pl these □ pron that one; pl those; (fam: este) this one; pl these

essência /i'sẽsjə/ f essence

essenci|al /isẽsi'al/ (pl ~ais) a essential; o ~al what is essential

estabele|cer /əʃtabələ'ser/ vt establish; ~cer-se vpr establish o.s.; ~cimento m establishment

estabili|dade /əʃtabili'dadə/ f stability; ~zar vt stabilize; ~zar-se vpr stabilize

estábulo /əʃ'tabulu/ m cowshed

estaca /əʃ'takə/ f stake; (de barraca) peg; voltar à ~ zero go back to square one

estação /əʃta'sãw/ f (do ano) season; (ferroviária etc) station; ~ balneária seaside resort

estacar /əʃta'kar/ vi stop short

estacio|namento /əʃtasjuna'mẽtu/ m (acção) parking; (lugar) car park, (Amer) parking lot; ~nar vt/i park

estada /əʃ'tadə/ f, estadia /əʃ'diə/ f stay

estádio /əʃ'tadju/ m stadium

esta|dista /əʃta'diʃtə/ m/f statesman (f -woman); ~do m state; ~do civil marital status; ~do de espírito state of mind; Estados Unidos da América United States of America; Estado-Maior m Staff; ~dual (pl ~duais) a state

esta|fa /əʃ'tafə/ f exhaustion; ~fante a exhausting; ~far vt tire out; ~far-se vpr get tired out

estagi|ar /əʃtaʒi'ar/ vi do a traineeship; ~ário m trainee

estágio /əʃ'taʒju/ m traineeship

estag|nado /əʃtag'nadu/ a stagnant; ~nar vi stagnate

estalagem /əʃta'laʒãj/ f inn

estalar /əʃta'lar/ vt (quebrar) crack; (fazer barulho com) click □ vi crack

estaleiro /əʃta'lejru/ m shipyard

estalo /əʃ'talu/ m crack; (de dedos, língua) click

estam|pa /əʃ'tãpə/ f print; ~pado a <tecido> patterned □ m (desenho) pattern; (tecido) print; ~par vt print

estampido /əʃtã'pidu/ m bang

estancar /əʃtã'kar/ vt staunch; ~se vpr dry up

estância /əʃ'tãsjə/ f ~ termal spa

estandarte /əʃtã'dartə/ m banner

estanho /əʃ'taɲu/ m tin

estanque /əʃ'tãkə/ a watertight

estante /əʃ'tãtə/ f bookcase

estapafúrdio /əʃtapa'furdju/ a weird, odd

estar /əʃ'tar/ vi be; (~ em ca-

sa) be in; **está a chover** it's raining; ~ **com** have; ~ **com calor/sono** be hot/sleepy; ~ **para terminar** be about to finish; **ele não está para ninguém** he's not available to see anyone; **o trabalho está por terminar** the work is yet to be finished

estardalhaço /əʃtɐrdaˈʎasu/ m (barulho) fuss; (ostentação) extravagance

estarre|cedor /əʃtɐRəsəˈdor/ a horrifying; ~**cer** vt horrify; ~**cer-se** vpr be horrified

esta|tal /əʃtaˈtal/ (pl ~**tais**) a state-owned ☐ f state company

estate|lado /əʃtatəˈladu/ a sprawling; ~**lar** vt knock down; ~**lar-se** vpr go sprawling

estático /əʃˈtatiku/ a static

estatísti|ca /əʃtaˈtiʃtika/ f statistics; ~**co** a statistical

estati|zação /əʃtatizaˈsãw/ f nationalization; ~**zar** vt nationalize

estátua /əʃˈtatwa/ f statue

estatueta /əʃtatuˈeta/ f statuette

estatura /əʃtaˈtura/ f stature

estatuto /əʃtaˈtutu/ m statute

está|vel /əʃˈtavɛl/ (pl ~**veis**) a stable

este¹ /ˈɛʃta/ m a invar & m east

este² /ˈeʃta/ a this; pl these ☐ pron this one; pl these; (mencionado por último) the latter

esteio /əʃˈteju/ m prop; (fig) mainstay

esteira /əʃˈtejra/ f (tapete) mat; (rasto) wake

estelionato /əʃtəljuˈnatu/ m fraud

estender /əʃtẽˈder/ vt (desdobrar) spread out; (alongar) stretch; (ampliar) extend; hold out <mão>; hang out <roupa>; roll out <massa>; draw out <conversa>; ~**-se** vpr (deitar-se) stretch out; (ir longe) stretch, extend; ~**-se sobre** dwell on

esteno|dactilógrafo /əʃtɛnɔdatiˈlɔgrafu/ m shorthand typist; ~**grafia** f shorthand

estepe /əʃˈtɛpə/ m spare wheel

esterco /əʃˈterku/ m dung

estéreo /əʃˈtɛrju/ a invar stereo

estere|otipado /əʃtɛrjutiˈpadu/ a stereotypical; ~**ótipo** m stereotype

esté|ril /əʃˈtɛril/ (pl ~**reis**) a sterile

esterili|dade /əʃtɛriliˈdadə/ f sterility; ~**zar** vt sterilize

esterli|no /əʃtərˈlinu/ a libra ~**na** pound sterling

esteróide /əʃtɛˈrɔjdə/ m steroid

estética /əʃˈtɛtika/ f aesthetics

esteticista /əʃtɛtiˈsiʃta/ m/f beautician

estético /əʃˈtɛtiku/ a aesthetic

estetoscópio /əʃtɛtuʃˈkɔpju/ m stethoscope

estiagem /əʃˈtiaʒãj/ f dry spell

estibordo /əʃtiˈbordu/ m starboard

esti|car /əʃtiˈkar/ vt stretch ~**car-se** vpr stretch out

estigma /əʃˈtigma/ m stigma; ~**tizar** vt brand (de as)

estilha|çar /əʃtiʎaˈsar/ vt shatter; ~**çar-se** vpr shatter; ~**ço** m shard, fragment

estilis|mo /əʃtiˈliʒmu/ *m* fashion design; **~ta** *m/f* fashion designer

esti|lístico /əʃtiˈliʃtiku/ *a* stylistic; **~lizar** *vt* stylize; **~lo** *m* style; **~lo de vida** lifestyle

esti|ma /əʃˈtimɐ/ *f* esteem; **~mação** *f* estimation; **cachorro de ~mação** pet dog; **~mado** *a* esteemed; **Estimado Senhor** Dear Sir; **~mar** *vt* value <bens, jóias etc> (**em** at); estimate <valor, preço etc> (**em** at); think highly of <pessoa>; **~mativa** *f* estimate

estimu|lante /əʃtimuˈlãtə/ *a* stimulating □ *m* stimulant; **~lar** *vt* stimulate; (*incentivar*) encourage

estímulo /əʃˈtimulu/ *m* stimulus; (*incentivo*) incentive

estio /əʃˈtiu/ *m* summer

estipu|lação /əʃtipulɐˈsãw/ *f* stipulation; **~lar** *vt* stipulate

estirar /əʃtiˈrar/ *vt* stretch; **~se** *vpr* stretch

estirpe /əʃˈtirpə/ *f* stock, line

estivador /əʃtivɐˈdor/ *m* docker

estocada /əʃtuˈkadɐ/ *f* thrust

Estocolmo /əʃtuˈkolmu/ *f* Stockholm

esto|far /əʃtuˈfar/ *vt* upholster <móveis>; **~fo** /o/ *m* upholstery

estóico /əʃˈtɔjku/ *a & m* stoic

estojo /əʃˈtoʒu/ *m* case

estômago /əʃˈtomɐgu/ *m* stomach

Estónia /əʃˈtɔnjɐ/ *f* Estonia

estonte|ante /əʃtõˈtiãtə/ *a* stunning, mind-boggling; **~ar** *vt* stun

estopim /əʃtuˈpĩ/ *m* fuse; (*fig*) flashpoint

estore /əʃˈtɔrə/ *m* blind

estória /əʃˈtɔrjɐ/ *f* story

estor|var /əʃturˈvar/ *vt* hinder; obstruct <entrada, trânsito>; **~vo** /o/ *m* hindrance

estou|rado /əʃtoˈradu/ *a* <pessoa> explosive; (*exausto*) exhausted; **~rar** *vi* <bomba, escândalo, pessoa> blow up; <pneu> burst; <guerra> break out; <entrada, cantor etc> make it big; **~ro** *m* (*de bomba, moda etc*) explosion; (*de pessoa*) outburst; (*de pneu*) blowout; (*de guerra*) outbreak

estrábico /əʃˈtrabiku/ *a* <olhos> squinty; <pessoa> squint-eyed

estrabismo /əʃtraˈbiʒmu/ *m* squint

estraçalhar /əʃtrasaˈʎar/ *vt* tear to pieces

estrada /əʃˈtradɐ/ *f* road; **~ de ferro** railway, (*Amer*) railroad; **~ de rodagem** highway; **~ de terra** dirt road

estrado /əʃˈtradu/ *m* podium; (*de cama*) base

estragão /əʃtraˈgãw/ *m* tarragon

estra|gar /əʃtraˈgar/ *vt* (*tornar desagradável*) spoil; (*acabar com*) ruin □ *vi* (*quebrar*) break; (*apodrecer*) go off; **~go** *m* damage; *pl* damage; (*da guerra, do tempo*) ravages

estrangeiro /əʃtrãˈʒejru/ *a* foreign □ *m* foreigner; **do ~** from abroad; **para o/no ~** abroad

estrangular /əʃtrãgu'lar/ vt
strangle

estranhar /əʃtra'ɲar/ vt
(achar estranho) find strange; (não se adaptar a) find
it hard to get used to; (não
se sentir à vontade com) be
shy with; **~nhar que** find it
strange that; **estou a ~nhar-
-te** that's not like you; **não é
de se ~nhar** it's not surpri-
sing; **~nheza** /e/ f (esquisiti-
ce) strangeness; (surpresa)
surprise; **~nho** a strange □
m stranger

estratagema /əʃtrata'ʒema/
m stratagem

estraté|gia /əʃtra'tɛʒia/ f stra-
tegy; **~gico** a strategic

estrato /əʃtratu/ m (camada)
stratum; (nuvem) stratus;
~sfera f stratosphere

estre|ante /əʃtri'ãtə/ a new □
m/f newcomer; **~ar** vt embark
on <carreira>; wear for the
first time <roupa> □ vi
<pessoa> make one's début;
<filme, peça> open

estrebaria /əʃtrəba'ria/ f stable

estreia /əʃtreja/ f (de pessoa)
début; (de filme, peça) pre-
mière

estrei|tar /əʃtrej'tar/ vt nar-
row; take in <vestido>; make closer <relações, laços>
□ vi narrow; **~tar-se** vpr
<relações> become closer;
~to a narrow; <relações, la-
ços> close; <saia> straight □
m strait

estre|la /əʃtrela/ f star; **~lado**
a <céu> starry; <ovo> fried;

~la-do-mar (pl **~las-do-
-mar**) f starfish; **~lar** vt fry
<ovo>; star in <filme, pe-
ça>; **~lato** m stardom

estreme|cer /əʃtrəmə'ser/ vt
shake; strain <relações, ami-
zade> □ vi shudder; <rela-
ções, amizade> become
strained; **~cimento** m shudder; (de relações, amizade)
strain

estrepar-se /əʃtrə'parsə/ (fam)
vpr come a cropper

estrépito /əʃ'trɛpitu/ m noise;
com ~ noisily

estrepitoso /əʃtrɛpi'tozu/ a
noisy; <sucesso etc> resounding

estria /əʃtria/ f streak; (no
corpo) stretch mark

estribeira /əʃtri'bejra/ f stirrup; **perder as ~s** lose control

estribilho /əʃtri'biλu/ m chorus

estribo /əʃ'tribu/ m stirrup

estridente /əʃtri'dẽtə/ a strident

estrito /əʃ'tritu/ a strict

estrofe /əʃ'trɔfə/ f stanza, ver-
se

estrogéneo /əʃtrɔ'ʒɛnju/ m
oestrogen

estron|do /əʃ'trõdu/ m crash;
~- doso /o/ a loud; <aplau-
sos> thunderous; <sucesso,
fracasso> resounding

estropiar /əʃtrupi'ar/ vt cripple <pessoa>; mangle <pala-
vras>

estrume /əʃ'trumə/ m manure

estrutu|ra /əʃtru'tura/ f struc-
ture; **~ral** (pl **~rais**) a struc-
tural; **~rar** vt structure

estuário /əʃtu'arju/ *m* estuary

estudan|te /əʃtu'dãtə/ *m/f* student; **~til** (*pl* **~tis**) *a* student

estudar /əʃtu'dar/ *vt/i* study

estúdio /əʃ'tudju/ *m* studio

estu|dioso /əʃtu'djozu/ *a* studious ☐ *m* scholar; **~do** *m* study

estufa /əʃ'tufa/ *f* (*para plantas*) greenhouse; (*de aquecimento*) stove; **~do** *m* stew

estupefacto /əʃtupə'faktu/ *a* dumbfounded

estupendo /əʃtu'pẽdu/ *a* stupendous

estupidez /əʃtupi'deʃ/ *f* (*grosseria*) rudeness; (*uma*) rude thing; (*burrice*) stupidity; (*uma*) stupid thing

estúpido /əʃ'tupidu/ *a* (*grosso*) rude, coarse; (*burro*) stupid ☐ *m* lout

estupor /əʃtu'por/ *m* stupor

estu|prador /əʃtupra'dor/ *m* rapist; **~prar** *vt* rape; **~pro** *m* rape

esturricar /əʃtuʀi'kar/ *vt* parch

esvair-se /ʒvaj'irsə/ *vpr* fade; **~ em sangue** bleed to death

esvaziar /ʒvazi'ar/ *vt* empty; **~se** *vpr* empty

esverdeado /ʒvərdi'adu/ *a* greenish

esvoa|çante /ʒvwa'sãtə/ *a* <cabelo> fly-away; **~çar** *vi* flutter

etapa /e'tapa/ *f* stage; (*de corrida, tournée etc*) leg

etário /e'tarju/ *a* age

éter /'ɛtɛr/ *m* ether

etéreo /e'tɛrju/ *a* ethereal

eter|nidade /itɛrni'dadə/ *f* eternity; **~no** /ɛ/ *a* eternal

éti|ca /'ɛtika/ *f* ethics; **~co** *a* ethical

etimo|logia /etimulu'ʒia/ *f* etymology; **~lógico** *a* etymological

etíope /e'tiupə/ *a & m/f* Ethiopian

Etiópia /eti'ɔpja/ *f* Ethiopia

etique|ta /eti'keta/ *f* (*rótulo*) label; (*bons modos*) etiquette; **~tar** *vt* label

étnico /'ɛtniku/ *a* ethnic

eu /ew/ *pron* I ☐ *m* self; **mais alto do que ~** taller than me; **sou ~** it's me

eucalipto /ewka'liptu/ *m* eucalyptus

eufemismo /ewfə'miʒmu/ *m* euphemism

euforia /ewfu'ria/ *f* euphoria

Europa /ew'rɔpa/ *f* Europe

euro|peu /ewru'pew/ *a & m* (*f* **~péia**) European

eutanásia /ewta'nazja/ *f* euthanasia

evacu|ação /ivakwa'sãw/ *f* evacuation; **~ar** *vt* evacuate

evadir /eva'dir/ *vt* evade; **~se** *vpr* escape (de from)

evan|gelho /evã'ʒeʎu/ *m* gospel; **~gélico** *a* evangelical

evaporar /ivapu'rar/ *vt* evaporate; **~se** *vpr* evaporate

eva|são /eva'zãw/ *f* escape; (*fiscal etc*) evasion; **~siva** *f* excuse; **~sivo** *a* evasive

even|to /i'vẽtu/ *m* event; **~tual** (*pl* **~tuais**) *a* possible; **~tualidade** *f* eventuality

evidência /ivi'dẽsja/ *f* evidence

eviden|ciar /ividẽ'sjar/ *vt* show up; **~ciar-se** *vpr* show up; **~te** *a* obvious, evident

evi|tar /ivi'tar/ vt avoid; **~tar beber** avoid drinking; **~tável** (pl **~táveis**) a avoidable

evocar /ivu'kar/ vt call to mind, evoke <passado etc>; call up <espíritos etc>

evolu|ção /ivulu'sãw/ f evolution; **~ir** vi evolve

exacerbar /izasər'bar/ vt exacerbate

exac|tidão /izati'dãw/ f exactness; **~to** a exact

exage|rar /izaʒe'radu/ a over the top; **~rar** vt (atribuir proporções irreais a) exaggerate; (fazer em excesso) overdo □ vi (ao falar) exaggerate; (exceder-se) overdo it; **~ro** /e/ m exaggeration

exa|lação /izala'sãw/ f fume; (agradável) scent; **~lar** vt give off <perfume etc>

exal|tação /izalta'sãw/ f (excitação) agitation; (engrandecimento) exaltation; **~tar** vt (excitar) agitate; (enfurecer) infuriate; (louvar) exalt; **~tar-se** vpr (excitar-se) get agitated; (enfurecer-se) get furious

exa|me /i'zamə/ m examination; (na escola) exam(ination); **~me de sangue** blood test; **~minar** vt examine

exaspe|ração /izaspera'sãw/ f exasperation; **~rar** vt exasperate; **~rar-se** vpr get exasperated

exaurir /izaw'rir/ vt exhaust; **~se** vpr become exhausted

exaus|tivo /izawʃ'tivu/ a <estudo> exhaustive; <trabalho> exhausting; **~to** a exhausted

exce|dente /əʃsə'dẽtə/ a & m excess, surplus; **~der** vt exceed; **~der-se** vpr overdo it

exce|lência /əʃsə'lẽsjɐ/ f excellence; (tratamento) excellency; **~lente** a excellent

excentricidade /əʃsẽtrisi'dadə/ f eccentricity

excêntrico /əʃ'sẽtriku/ a & m eccentric

excep|ção /əʃsɛ'sãw/ f exception; **abrir ~** make an exception; **com ~ de** with the exception of **~cional** (pl **~cionais**) a exceptional; (deficiente) handicapped

excep|to /əʃ'sɛtu/ prep except; **~tuar** vt except

exces|sivo /əʃsɛ'sivu/ a excessive; **~so** /ɛ/ m excess; **~so de bagagem** excess baggage; **~so de velocidade** speeding

exci|tação /əʃsita'sãw/ f excitement; **~tante** a exciting; **~tar** vt excite; **~tar-se** vpr get excited

excla|mação /əʃklama'sãw/ f exclamation; **~mar** vt/i exclaim

exclu|ir /əʃklu'ir/ vt exclude; **~são** f exclusion; **com ~são de** with the exclusion of; **~sividade** f exclusive rights; **com ~sividade** exclusively; **~sivo** a exclusive; **~so** a excluded

excomungar /əʃkumu'gar/ vt excommunicate

excremento /əʃkrə'mẽtu/ m excrement

excur|são /əʃkur'sãw/ f excursion; (a pé) hike, walk; **~sionista** m/f day-tripper; (a pé) hiker, walker

execu|ção /izɐku'sɐ̃w/ f execution; ~**tante** m/f performer; ~**tar** vt carry out <ordem, plano etc>; perform <papel, música>; execute <preso, criminoso etc>; ~**tivo** a & m executive

exem|plar /izẽ'plar/ a exemplary □ m (de espécie) example; (de livro, jornal etc) copy; ~**plificar** vt exemplify

exemplo /i'zẽplu/ m example; **a** ~ **de** following the example of; **por** ~ for example; **dar o** ~ set an example

exequí|vel /izɛ'kwivɛl/ (pl ~**veis**) a feasible

exer|cer /izɐr'ser/ vt exercise; exert <pressão, influência>; carry on <profissão>; ~**cício** m exercise; (mil) drill; (de profissão) practice; (financeiro) financial year; ~**citar** vt exercise; practise <ofício>; ~**citar-se** vpr train

exército /i'zɛrsitu/ m army

exibição /izibi'sɐ̃w/ f (de filme, passaporte etc) showing; (de talento, força, ostentação) show

exibicionis|mo /izibisju'niʒmu/ m exhibitionism; ~**ta** a & m/f exhibitionist

exi|bido /izi'bidu/ a <pessoa> pretentious □ m show-off; ~**bir** vt show; (ostentar) show off; ~**bir-se** vpr (ostentar-se) show off

exi|gência /izi'ʒẽsjɐ/ f demand; ~**gente** a demanding; ~**gir** vt demand

exíguo /i'zigwu/ a (muito pequeno) tiny; (escasso) minimal

exi|lado /izi'ladu/ a exiled □ m exile; ~**lar** vt exile; ~**lar-se** vpr go into exile

exílio /i'zilju/ m exile

exímio /i'zimju/ a distinguished

eximir /izi'mir/ vt exempt (**de** from); ~~**se de** get out of

exis|tência /izis'tẽsjɐ/ f existence; ~**tencial** (pl ~**tenciais**) a existential; ~**tente** a existing; ~**tir** vi exist

êxito /'ezitu/ m success; (música, filme etc) hit; **ter** ~ succeed

êxodo /'ezudu/ m exodus

exonerar /izune'rar/ vt (de cargo) dismiss, sack; ~~**se** vpr resign

exorbitante /izurbi'tɐ̃tɐ/ a exorbitant

exor|cismo /izur'siʒmu/ m exorcism; ~**cista** m/f exorcist; ~**cizar** vt exorcize

exótico /i'zɔtiku/ a exotic

expan|dir /ʃpɐ̃'dir/ vt spread; ~**dir-se** vpr spread; <pessoa> open up; ~**dir-se sobre** expand upon; ~**são** f expansion; ~**sivo** a expansive, open

expatri|ado /ʃpatri'adu/ a & m expatriate; ~**ar-se** vpr leave one's country

expectativa /ʃpekta'tʃivɐ/ f expectation; **na** ~ **de** expecting; **estar na** ~ wait to see what happens; ~ **de vida** life expectancy

expedição /ʃpedʒi'sɐ̃w/ f (de encomendas, cartas) dispatch; (de passaporte, diploma etc) issue; (viagem) expedition

expediente /əˈpədiˈētə/ *a*
<pessoa> resourceful □ *m*
(*horário*) working hours;
(*meios*) expedient; **meio ~**
part-time

expe|dir /əʃpəˈdir/ *vt* dispatch
<encomendas, cartas>; issue
<passaporte, diploma>; **~di-**
to *a* prompt, quick

expelir /əʃpəˈlir/ *vt* expel

experiência /əʃpəriˈēsjə/ *f* experience; (*teste, tentativa*)
experiment; **~ente** *a* experienced

experimen|tação /əʃpərimē-
taˈsãw/ *f* experimentation;
~tado *a* experienced; **~tar**
vt (*provar*) try out; try on
<roupa>; try <comida>;
(*sentir, viver*) experience;
~to *m* experiment

expi|ar /ejʃpiˈar/ *vt* atone for;
~atório *a* bode **~atório** scapegoat

expi|ração /ejʃpiraˈsãw/ *f*
(*vencimento*) expiry; (*de ar*)
exhalation; **~rar** *vt* exhale □
vi (*morrer, vencer*) expire;
(*expelir ar*) breath out, exhale

expli|cação /əʃplikaˈsãw/ *f* ex-
planation; **~car** *vt* explain;
~car-se *vpr* explain o.s.;
~cável (*pl* **~cáveis**) *a* explai-
nable

explicitar /əʃplisiˈtar/ *vt* set
out

explícito /əʃˈplisitu/ *a* explicit

explodir /əʃpluˈdir/ *vt* explode
□ *vi* explode; <actor etc>
make it big

explo|ração /əʃpluraˈsãw/ *f*
(*uso, abuso*) exploitation;
(*pesquisa*) exploration; **~rar**

vt (*tirar proveito de*) exploit;
(*esquadrinhar*) explore

explo|são /əʃpluˈzãw/ *f* explo-
sion; **~sivo** *a* & *m* explosive

expor /əʃˈpor/ *vt* (*sujeitar, ar-*
riscar) expose (**a** to); display
<mercadorias>; exhibit
<obras de arte>; (*explicar*)
expound; **~ a vida** risk one's
life; **~-se** *vpr* expose o.s. (**a**
to)

expor|tação /əʃpurtaˈsãw/ *f*
export; **~tador** *a* exporting
□ *m* exporter; **~tadora** *f* export company; **~tar** *vt* export

exposi|ção /əʃpuziˈsãw/ *f* (*de*
arte etc) exhibition; (*de mer-*
cadorias) display; (*de filme*
fotográfico) exposure; (*ex-*
plicação) exposition; **~tor** *m*
exhibitor

exposto /əʃˈpoʃtu/ *a* exposed
(**a** to); <mercadoria, obra de
arte> on display

expres|são /əʃprəˈsãw/ *f* ex-
pression; **~sar** *vt* express;
~sar-se *vpr* express o.s.; **~si-**
vo *a* expressive; <número,
quantia> significant; **~so** /ɛ/
a & *m* express

exprimir /əʃpriˈmir/ *vt* express; **~-se** *vpr* express o.s.

expropriar /əʃpropriˈar/ *vt* expropriate

expul|são /əʃpulˈsãw/ *f* expul-
sion; (*de jogador*) sending
off; **~sar** *vt* (*de escola, par-*
tido, país etc) expel; (*de clu-*
be, bar, festa etc) throw out;
(*de jogo*) send off; **~so** *pp*
de **expulsar**

expur|gar /əʃpurˈgar/ *vt* pur-
ge; expurgate <livro>; **~go**
m purge

êxtase /ˈejʃtazə/ f ecstasy

extasiado /əʃtəziˈadu/ a ecstatic

exten|são /əʃtẽˈsãw/ f extension; (*tamanho, alcance, duração*) extent; (*de terreno*) expanse; **~sivo** a extensive; **~so** a extensive; **por ~so** in full

extenu|ante /əʃtenuˈãtə/ a wearing, tiring; **~ar** vt tire out; **~ar-se** vpr tire o.s. out

exterior /əʃtəriˈor/ a outside, exterior; <aparência> outward; <relações, comércio etc> foreign □ m outside, exterior; (*de pessoa*) exterior; **o ~** (*outros países*) abroad; **para o/no ~** abroad

exter|minar /əʃtərmiˈnar/ vt exterminate; **~mínio** m extermination

externo /əʃˈtɛrnu/ a external; <dívida etc> foreign □ m day-pupil

extin|ção /əʃtĩˈsãw/ f extinction; **~guir** vt extinguish <fogo>; wipe out <dívida, animal, povo>; **~guir-se** vpr <fogo, luz> go out; <animal, planta> become extinct; **~to** a extinct; <organização, pessoa> defunct; **~tor** m fire extinguisher

extirpar /əʃtirˈpar/ vt remove <tumor etc>; uproot <ervas daninhas>; eradicate <abusos>

extor|quir /əʃturˈkir/ vt extort; **~são** f extortion

extra /ˈejʃtra/ a & m/f extra; **horas ~s** overtime

extracção /əʃtraˈsãw/ f extraction; (*da lotaria*) draw

extraconju|gal /əʃtrakõʒuˈgal/ (*pl* **~gais**) a extramarital

extracto /əʃˈtratu/ m extract; (*de conta*) statement

extracurricular /əʃtrakuriku'lar/ a extracurricular

extradi|ção /əʃtradiˈsãw/ f extradition; **~tar** vt extradite

extrair /əʃtraˈir/ vt extract; draw <números da lotaria>

extrajudici|al /əʃtraʒudiˈsiˈal/ (*pl* **~ais**) a out-of-court; **~almente** adv out of court

extraordinário /əʃtraordiˈnarju/ a extraordinary

extrapolar /əʃtrapuˈlar/ vt (*exceder*) overstep; (*calcular*) extrapolate □ vi overstep the mark, go too far

extra-sensori|al /əʃtrasẽsuriˈal/ (*pl* **~ais**) a extra-sensory

extraterrestre /əʃtrateˈrɛstrə/ a & m extraterrestrial

extrava|gância /əʃtravaˈgãsjə/ f extravagance; **~gante** a extravagant

extravasar /əʃtravaˈzar/ vt release, let out <emoções, sentimentos> □ vi overflow

extra|viado /əʃtravi'adu/ a lost; **~viar** vt lose, mislay <papéis, carta>; lead astray <pessoa>; embezzle <dinheiro>; **~viar-se** vpr go astray; <carta> get lost; **~vio** m (*perda*) misplacement; (*de dinheiro*) embezzlement

extre|midade /əʃtrəmiˈdadə/ f end; (*do corpo*) extremity;

~- **mismo** *m* extremism;
~**mista** *a* & *m/f* extremist;
~**mo** /e/ *a* & *m* extreme; **o
Extremo Oriente** the Far
East; ~**moso** /o/ *a* doting
extrovertido /ə/trɔvər'tidu/ *a*
& *m* extrovert

exube|rância /izubə'rãsjɐ/ *f*
exuberance; ~**rante** *a* exuberant
exultar /izul'tar/ *vi* exult
exumar /izu'mar/ *vt* exhume
<cadáver>; dig up <docu-
mentos etc>

F

fã /fã/ *m/f* fan

fábrica /ˈfabrikə/ *f* factory

fabri|cação /fɑbrikɐˈsãw/ *f* manufacture; **~cante** *m/f* manufacturer; **~car** *vt* manufacture; (*inventar*) fabricate

fábula /ˈfabulə/ *f* fable; (*fam: dinheirão*) fortune

fabuloso /fɑbuˈlozu/ *a* fabulous

faca /ˈfakə/ *f* knife; **~da** *f* knife blow; **dar uma ~da em** (*fig*) get some money off

façanha /fɑˈsɐɲə/ *f* feat

facção /faˈsãw/ *f* faction

face /ˈfasə/ *f* face; (*do rosto*) cheek; **~ta** /e/ *f* facet

fachada /fɑˈʃadə/ *f* façade

facho /ˈfaʃu/ *m* beam

faci|al /fɑsiˈal/ (*pl* **~ais**) *a* facial

fá|cil /ˈfasil/ (*pl* **~ceis**) *a* easy; <*pessoa*> easy-going

facili|dade /fɑsiliˈdadə/ *f* ease; (*talento*) facility; **~tar** *vt* facilitate

fã-clube /fãˈklubə/ *m* fan club

fac-símile /fakˈsimilə/ *m* facsimile; (*fax*) fax

facto /ˈfaktu/ *m* fact; **de ~** as a matter of fact, in fact; **~ consumado** fait accompli

factor /faˈtor/ *m* factor

factu|ra /faˈturə/ *f* invoice; **~ramento** *m* turnover; **~rar** *vt* invoice for <*encomenda*>; make <*dinheiro*>; (*fig: emplacar*) notch up □ *vi* (*fam*) rake it in

facul|dade /fɑkulˈdadə/ *f* (*mental etc*) faculty; (*escola*) university; (*Amer*) college; **ir para a ~dade** go to university; **~tativo** *a* optional

fada /ˈfadə/ *f* fairy; **~do** *a* destined, doomed; **~-madrinha** (*pl* **~s-madrinhas**) *f* fairy godmother

fadiga /faˈdigə/ *f* fatigue

fa|dista /fɑˈdistə/ *m/f* fado singer; **~do** *m* fado

fagote /faˈgɔtə/ *m* bassoon

fagulha /faˈguʎə/ *f* spark

faia /ˈfajə/ *f* beech

faisão /fajˈzãw/ *m* pheasant

faísca /faˈiʃkə/ *f* spark

fais|cante /fɑjʃˈkãtə/ *a* sparkling; **~car** *vi* spark; (*cintilar*) sparkle

faixa /ˈfajʃə/ *f* strip; (*cinto*) sash; (*em karaté, judo*) belt; (*da estrada*) lane; (*para peões*) zebra crossing, (*Amer*) crosswalk; (*atadura*)

bandage; (de disco) track; ~
etária age group

fala /ˈfalɐ/ f speech

falácia /faˈlasjɐ/ f fallacy

fa|lado /faˈladu/ a <língua>
spoken; <caso, pessoa> talked about; **~lante** a talkative; **~lar** vt/i speak; (dizer)
say; **~lar com** talk to; **~lar
de ou em** talk about; **por
~lar em** speaking of; **sem
~lar em** not to mention;
~latório m (boatos) talk;
(som de vozes) talking

falaz /faˈlaʃ/ a fallacious

falcão /falˈkãw/ m falcon

falcatrua /falkaˈtruɐ/ f swindle

fale|cer /faləˈser/ vi die, pass
away; **~cido** a & m deceased; **~cimento** m death

falência /faˈlẽsjɐ/ f bankruptcy; **ir à ~** go bankrupt

falésia /faˈlɛzjɐ/ f cliff

fa|lha /ˈfaʎɐ/ f fault; (omissão) failure; **~lhar** vi fail;
~lho a faulty

fálico /ˈfaliku/ a phallic

fa|lido /faˈlidu/ a & m bankrupt; **~lir** vi go bankrupt;
~lível (pl **~líveis**) a fallible

falo /ˈfalu/ m phallus

fal|sário /falˈsarju/ m forger;
~sear vt falsify; **~sete** m falsetto; **~sidade** f falseness;
(mentira) falsehood

falsifi|cação /falsifikaˈsãw/ f
forgery; **~cador** m forger;
~car vt falsify; forge <documentos, notas>

falso /ˈfalsu/ a false

fal|ta /ˈfaltɐ/ f lack; (em futebol) foul; **em ~ta** at fault;
por ~ta de for lack of; **sem**

~ta without fail; **fazer ~ta**
be needed; **sentir a ~ta de**
miss; **~tar** vi be missing;
<aluno> be absent; **~tam
dois dias para** it's two days
until; **~ta-me ...** I don't have
...; **~tar a** miss <aula etc>;
break <palavra, promessa>;
~to a short (**de** of)

fa|ma /ˈfamɐ/ f reputation;
(celebridade) fame; **~migerado** a notorious

família /faˈmiljɐ/ f family

famili|ar /familiˈar/ a familiar; (de família) family;
~aridade f familiarity; **~arizar** vt familiarize; **~arizar-se** vpr familiarize o.s.

faminto /faˈmĩtu/ a starving

famoso /faˈmozu/ a famous

fanático /faˈnatiku/ a fanatical
□ m fanatic

fanatismo /fanaˈtiʒmu/ m fanaticism

fanfarrão /fãfaˈʀãw/ m braggart

fanhoso /faˈɲozu/ a nasal; **ser
~** talk through one's nose

fanta|sia /fãtaˈzia/ f (faculdade) imagination; (devaneio)
fantasy; (roupa) fancy dress;
~siar vt dream up □ vi fantasize; **~siar-se** vpr dress up
(**de** as); **~sioso** a fanciful; <pessoa> imaginative;
~sista a imaginative

fantasma /fãˈtaʒmɐ/ m ghost;
~górico a ghostly

fantástico /fãˈtaʃtiku/ a fantastic

fantoche /fãˈtɔʃə/ m puppet

faqueiro /faˈkejru/ m canteen
of cutlery

fara|ó /faraˈɔ/ m pharaoh;

~**ónico** a (fig) of epic proportions
farda /'fardɐ/ f uniform; ~**do** a uniformed
fardo /'fardu/ m (fig) burden
fare|jador /fɐɾəʒɐ'dor/ a **cão** ~**jador** sniffer dog; ~**jar** vt sniff out □ vi sniff
farelo /fɐ'ɾɛlu/ m bran
farfalhar /farfɐ'ʎar/ vi rustle
farináceo /fɐɾi'nasju/ a starchy; ~**s** m pl starchy foods
farin|ge /fɐ'rĩʒə/ f pharynx; ~**gite** f pharyngitis
farinha /fɐ'riɲɐ/ f flour
far|macêutico /farmɐ'sewtiku/ a pharmaceutical □ m (pessoa) pharmacist; ~**mácia** f (loja) chemist's, (Amer) pharmacy; (ciência) pharmacy
faro /'faru/ f sense of smell; (fig) nose
faroeste /fɐɾu'ɛʃtə/ m (filme) western; (região) wild west
faro|fa /fɐ'ɾɔfɐ/ (Br) f fried manioc flour
fa|rol /fɐ'ɾɔl/ (pl ~**róis**) m (de carro) headlight; (de trânsito) traffic light; (à beira-mar) lighthouse; ~**rol alto** full beam; ~**rol baixo** dipped beam; ~**roleiro** m lighthouse keeper; ~**rolim** m side-light; (traseiro) tail-light
farpa /'farpɐ/ f splinter; (de metal, fig) barb; ~**do a arame** ~**do** barbed wire
farra /'farɐ/ (fam) f partying; **cair na** ~ go out and party, go on a spree
farrapo /fɐ'ɾapu/ m rag
far|rear /faɾi'ar/ (fam) vi party; ~**rista** (fam) m/f raver

far|sa /'farsɐ/ f (peça) farce; (fingimento) pretence; ~**sante** m/f (brincalhão) joker; (pessoa sem seriedade) unreliable character
far|tar /far'tar/ vt satiate; ~**tar-se** vpr (saciar-se) gorge o.s. (**de** with); (cansar) tire (**de** of); ~**to a** (abundante) plentiful; (cansado) fed up (**de** with); ~**tura** f abundance
fascículo /fɐ'sikulu/ m instalment
fasci|nação /fɐsinɐ'sãw/ f fascination; ~**nante** a fascinating; ~**nar** vt fascinate
fascínio /fɐ'sinju/ m fascination
fas|cismo /fɐ'sizmu/ m fascism; ~**cista** a & m/f fascist
fase /'fazə/ f phase
fa|tal /fɐ'tal/ (pl ~**tais**) a fatal; ~**talismo** m fatalism; ~**talista** a fatalistic □ m/f fatalist; ~**talmente** adv inevitably
fatia /fɐ'tiɐ/ f slice
fatídico /fɐ'tidiku/ a fateful
fati|gante /fɐti'gãtə/ a tiring; ~**gar** vt tire, fatigue
fato /'fatu/ m suit
fátuo /'fatwu/ a fatuous
fauna /'fawnɐ/ f fauna
fava /'favɐ/ f broad bean; **mandar alg às** ~**s** tell s.o. where to get off
favela /fɐ'vɛlɐ/ f shanty town; ~**do** m shanty-dweller
favo /'favu/ m honeycomb
favor /fɐ'vor/ m favour; **a** ~ **de** in favour of; **por** ~ please; **faça** ~ please
favo|rável /fɐvu'ravɛl/ (pl ~**ráveis**) a favourable; ~**re-**

cer vt favour; **~ritismo** m favouritism; **~rito** a & m favourite

faxi|na /fa'∫ina/ f clean-up; **~neiro** m (Br) cleaner

fazen|da /fa'zẽda/ f (de café, gado etc) farm; (tecido) fabric, material; (pública) treasury; **~deiro** m farmer

fazer /fa'zer/ vt do; (produzir) make; ask (pergunta); **~se** vpr (tornar-se) become; **~se de** make o.s. out to be; **~ anos** have a birthday; **~ 20 anos** be twenty; **faz dois dias que ele está aqui** he's been here for two days; **faz dez anos que ele morreu** it's ten years since he died; **tanto faz** it doesn't matter

faz-tudo /fa∫'tudu/ m/f invar jack of all trades

fé /fɛ/ f faith

fealdade /fjal'dadə/ f ugliness

fe|bre /'febrə/ f fever; **~bre amarela** yellow fever; **~bre do feno** hay fever; **~bril** (pl **~bris**) a feverish

fechado /fə'∫adu/ a closed; (curva) sharp; (sinal) red; (torneira) off; (tempo) overcast; (cara) stern; (pessoa) reserved; **~chadura** f lock; **~chamento** m closure; **~char** vt close, shut; turn off (torneira); do up (calça, casaco); close (negócio) □ vi close, shut; (sinal) go red; (tempo) cloud over; **~char à chave** lock; **~cho** /e/ m fastener; **~cho ecler** zip

fécula /'fɛkula/ f starch

fecun|dar /fokũ'dar/ vt fertilize; **~do** a fertile

feder /fə'der/ vi stink

fede|ração /fodəra'sãw/ f federation; **~ral** (pl **~rais**) a federal; (fam) huge; **~rativo** a federal

fedor /fə'dor/ m stink, stench; **~ento** a stinking

feérico /fi'ɛriku/ a magical

feições /fej'sõj∫/ f pl features

fei|jão /fej'ʒãw/ m bean; (colectivo) beans; **~joada** f bean stew; **~joeiro** m bean plant

feio /'feju/ a ugly; (palavra, situação, tempo) nasty; (olhar) dirty; **~so** /o/ a plain

fei|ra /'fejra/ f market; (industrial) trade fair; **~rante** m/f market trader

feiti|caria /fejti'sejra/ f magic; **~ceira** f witch; **~ceiro** m wizard □ a bewitching; **~ço** m spell

feitio /fej'tiu/ m (de pessoa) make-up; **~to** pp de **fazer** □ m (acto) deed; (proeza) feat □ conj like; **bem ~to para ele** (it) serves him right; **~tura** f making

feixe /'fej∫ə/ m bundle

fel /fɛl/ f gall; (fig) bitterness

felicidade /felisi'dadə/ f happiness

felici|tações /fəlisita'sõj∫/ f pl congratulations; **~tar** vt congratulate (**por** on)

felino /fə'linu/ a feline

feliz /fə'li∫/ a happy; **~ardo** a lucky; **~mente** adv fortunately

fel|pa /'fɛlpa/ f (de pano) nap; (penugem) down, fluff; **~pudo** a fluffy

feltro /'feltru/ m felt

fêmea /'femjɐ/ a & f female

femi|nil /femi'nil/ (pl ~nis) a feminine; ~nilidade f femininity; ~nino a female; <palavra> feminine; ~nismo m feminism; ~nista a & m/f feminist

fémur /'fɛmur/ m femur

fen|da /'fẽdɐ/ f crack; ~der vt/i split, crack

feno /'fenu/ m hay

fenome|nal /fenumə'nal/ (pl ~nais) a phenomenal

fenómeno /fə'nɔmənu/ m phenomenon

fera /'fɛrɐ/ a wild beast; ficar uma ~ get really angry; ser ~ em (fam) be brilliant at

féretro /'fɛrɛtru/ m coffin

feriado /fəri'adu/ m public holiday

férias /'fɛrjɐʃ/ f pl holiday(s), (Amer) vacation; de ~ on holiday; tirar ~ take a holiday

feri|da /fə'ridɐ/ f injury; (com arma) wound; ~do a injured; (mil) wounded □ m injured person; os ~dos the injured; (mil) the wounded; ~r vt injure; (com arma) wound; (magoar) hurt

fermen|tar /fɛrmẽ'tar/ vt/i ferment; ~to m yeast; (fig) ferment; ~to em pó baking powder

fe|rocidade /fərusi'dadɛ/ f ferocity; ~roz a ferocious

fer|rado /fɛ'Radu/ a estou ~rado (fam) I've had it; ~rado no sono fast asleep; ~radura f horseshoe; ~ragem f ironwork; pl hardware; ~ramenta f tool; (colec-

tivo) tools; ~rão m (de abelha) sting; ~rar vt brand <gado>; shoe <cavalo>; ~rar-se (fam) come a cropper; ~reiro m blacksmith; ~renho a <partidário etc> staunch; <vontade> iron

férreo /'fɛRju/ a iron

ferro /'fɛRu/ m iron; ~lho /o/ m bolt; ~-velho (pl ~s-velhos) m (pessoa) scrap-metal dealer; (lugar) scrap-metal yard; ~via f railway, (Amer) railroad; ~viário a railway □ m railway worker

ferrugem /fə'Ruʒɐj̃/ f rust

fér|til /'fɛrtil/ (pl ~teis) a fertile

fertili|dade /fɛrtili'dadɛ/ f fertility; ~zante m fertilizer; ~zar vt fertilize

fer|vente /fɛr'vẽtɛ/ a boiling; ~ver vi boil; (de raiva) seethe; ~vilhar vi bubble; ~vilhar de swarm with; ~vor m fervour; ~vura f boiling

fes|ta /'fɛʃtɐ/ f party; (religiosa) festival; ~tejar vt/i celebrate; (acolher) fete; ~tejo /e/ m celebration; ~tim m feast; (~tival (pl ~tivais) m festival; ~tividade f festivity; ~tivo a festive

feti|che /fɛ'tiʃɛ/ m fetish; ~chismo m fetishism; ~chista m/f fetishist □ a fetishistic

fétido /'fɛtidu/ a fetid

feto[1] /'fɛtu/ m (no útero) foetus

feto[2] /'fɛtu/ m (planta) fern

feu|dal /few'dal/ (pl ~dais) a feudal; ~dalismo m feudalism

Fevereiro /fəvə'rejru/ *m* February

fezes /'fɛzəʃ/ *f pl* faeces

fiação /fɪa'sãw/ *f* (*eletr*) wiring; (*fábrica*) mill

fia|do /fi'adu/ *a* <conversa> idle □ *adv* <comprar> on credit; **~dor** *m* guarantor

fiambre /'fi'ãbrə/ *m* cooked ham

fiança /'fi'ãsɐ/ *f* surety; (*jurid*) bail

fiapo /'fiapu/ *m* thread

fiar /'fi'ar/ *vt* spin <lã etc>

fiasco /'fi'aʃku/ *m* fiasco

fibra /'fibrɐ/ *f* fibre

ficar /fi'kar/ *vi* (*tornar-se*) become; (*estar, ser*) be; (*manter-se*) stay; **~ a fazer** keep (on) doing; **~ com** keep; **~** <impressão, vontade>; **~ com medo** get scared; **~ de fazer** arrange to do; **~ para** be left for; **~ bom** turn out well; (*recuperar-se*) get better; **~ bem** look good

fic|ção /fik'sãw/ *f* fiction; **~ção científica** science fiction; **~cionista** *m/f* fiction writer

fi|cha /'fiʃɐ/ *f* (*de telefone*) token; (*de jogo*) chip; (*da caixa*) ticket; (*de ficheiro*) file card; (*na polícia*) record; (*tomada*) plug; **~cheiro** *m* file; (*móvel*) filing cabinet

fictício /fik'tisju/ *a* fictitious

fidalgo /fi'dalgu/ *m* nobleman

fide|digno /fidɐ'dignu/ *a* trustworthy; **~lidade** *f* fidelity

fiduciário /fidusi'arju/ *a* fiduciary □ *m* trustee

fi|el /fi'ɛl/ (*pl* **~éis**) *a* faithful □ *m* **os ~éis** (*na igreja*) the congregation

figa /'figɐ/ *f* talisman

fígado /'figɐdu/ *f* liver

fi|go /'figu/ *m* fig; **~gueira** *f* fig tree

figu|ra /fi'gurɐ/ *f* figure; (*carta de jogo*) face card; (*fam: pessoa*) character; **fazer (má) ~ra** make a (bad) impression; **~rado** *a* figurative; **~rante** *m/f* extra; **~rão** *m* big shot; **~rar** *vi* appear, figure; **~rativo** *a* figurative; **~rino** *m* fashion plate; (*de filme, peça*) costume design; (*fig*) model; **como manda o ~rino** as it should be

fila /'filɐ/ *f* line; (*de espera*) queue; (*Amer*) line; (*fileira*) row; **fazer ~** queue up, (*Amer*) stand in line; **~ indiana** single file

filamento /filɐ'mẽtu/ *m* filament

filan|tropia /filãtru'piɐ/ *f* philanthropy; **~trópico** *a* philanthropic; **~tropo** /ɔ/ *m* phil-anthropist

filão /fi'lãw/ *m* (*de ouro*) seam; (*fig*) money-spinner

filar /fi'lar/ (*fam*) *vt* sponge, cadge

filar|mónica /filar'mɔnikɐ/ *f* philharmonic (orchestra); **~mónico** *a* philharmonic

filate|lia /filɐtə'liɐ/ *f* philately; **~lista** *m/f* philatelist

filé /fi'lɛ/ *m* fillet

fileira /fi'lejrɐ/ *f* row

filete /fi'lɛtə/ *m* fillet

fi|lha /'fiʎɐ/ *f* daughter; **~lho** *m* son; *pl* (*crianças*) children; **~lho da puta** (*calão*) bastard, (*Amer*) son of a bitch; **~lho adoptivo** foster child; **~lho único** only child; **~lhote** *m* (*de cão*) pup; (*de lobo etc*) cub; *pl* young

fili|ação /filiaˈsãw/ *f* affiliation; **~al** (*pl* **~ais**) *a* filial □ *f* branch

Filipinas /filiˈpinaʃ/ *f pl* Philippines

filipino /filiˈpinu/ *a* & *m* Filipino

fil|magem /filˈmaʒãj/ *f* filming; **~mar** *vt/i* film; **~me** *m* film

fi|lologia /filuluˈʒia/ *f* philology; **~lólogo** *m* philologist

filo|sofar /filuzuˈfar/ *vi* philosophize; **~sofia** *f* philosophy; **~sófico** *a* philosophical

filósofo /fiˈlɔzufu/ *m* philosopher

fil|trar /filˈtrar/ *vt* filter; **~tro** *m* filter

fim /fĩ/ *m* end; **a ~ de** (*para*) in order to; **estar a ~ de** fancy; **por ~** finally; **sem ~** endless; **ter ~** come to an end; **~ de semana** weekend

fi|nado /fiˈnadu/ *a* & *m* deceased, departed; **~nal** (*pl* **~nais**) *a* final □ *m* end □ *f* final; **~nalista** *m/f* finalist; **~nalizar** *vt/i* finish

finan|ças /fiˈnãsaʃ/ *f pl* finances; **~ceiro** *a* financial □ *m* financier; **~ciamento** *m* financing; (*um*) loan; **~ciar** *vt* finance; **~cista** *m/f* financier

fincar /fĩˈkar/ *vt* plant; **~ o pé** (*fig*) dig one's heels in

findar /fĩˈdar/ *vt/i* end

fineza /fiˈneza/ *f* finesse; (*favor*) kindness

fin|gido /fĩˈʒidu/ *a* feigned; <*pessoa*> insincere; **~gimen-**

to *m* pretence; **~gir** *vt* pretend; feign <*doença etc*> □ *vi* pretend; **~gir-se de** pretend to be

finito /fiˈnitu/ *a* finite

finlan|dês /fĩlãˈdeʃ/ *a* (*f* **~desa**) Finnish □ *m* (*f* **~desa**) Finn; (*língua*) Finnish

Finlândia /fĩˈlãdja/ *f* Finland

fi|ninho /fiˈniɲu/ *adv* **sair de ~ninho** slip away; **~no** *a* (*não grosso*) thin; <*areia, pó etc*> fine; (*refinado*) refined; **~nório** *a* crafty; **~nura** *f* thinness; fineness

fio /fiu/ *m* thread; (*eléctrico*) wire; (*de sangue, água*) trickle; (*de luz, esperança*) glimmer; (*de navalha etc*) edge; **horas a ~** hours on end

fir|ma /ˈfirma/ *f* firm; (*assinatura*) signature; **~mamento** *m* firmament; **~mar** *vt* fix; (*basear*) base □ *vi* settle; **~mar-se** *vpr* be based (**em** on); **~me** *a* firm; <*tempo*> settled □ *adv* firmly; **~meza** *f* firmness

fis|cal /fiʃˈkal/ (*pl* **~cais**) *m* inspector; **~calização** *f* inspection; **~calizar** *vt* inspect; **~co** *m* inland revenue, (*Amer*) internal revenue service

fisga /ˈfiʃga/ *f* catapult

fis|gada /fiʃˈgada/ *f* stabbing pain; **~gar** *vt* hook

físi|ca /ˈfizika/ *f* physics; **~co** *a* physical □ *m* (*pessoa*) physicist; (*corpo*) physique

fisio|nomia /fizjunuˈmia/ *f* face; **~nomista** *m/f* **ser ~nomista** have a good memory

fissura /fiˈsurɑ/ f fissure; (fam) craving; ~**do** a ~**do em** (Br) (fam) mad about

fita /ˈfitɑ/ f tape; (fam: encenação) playacting; **fazer** ~ (fam) put on an act; ~ **adesiva** adhesive tape; ~ **métrica** tape measure

fitar /fiˈtar/ vt stare at

fivela /fiˈvɛlɑ/ f buckle

fi|xador /fiksaˈdor/ m (de cabelo) setting lotion; (de fotos) fixative; ~**xar** vt fix; stick up <cartaz>; ~**xo** a fixed

flácido /ˈflasidu/ a flabby

flagelo /flaˈʒelu/ m scourge

fla|grante /flaˈgrãte/ a flagrant; **apanhar em** ~**grante (delito)** catch in the act; ~**grar** vt catch

flame|jante /flameˈʒãte/ a blazing; ~**jar** vi blaze

flamengo /flaˈmẽgu/ a Flemish ☐ m Fleming; (língua) Flemish

flamingo /flaˈmĩgu/ m flamingo

flâmula /ˈflamulɑ/ f pennant

flanco /ˈflãku/ m flank

flanela /flaˈnɛlɑ/ f flannel

flanquear /flãkiˈar/ vt flank

flash /flaʃ/ m invar flash

flau|ta /ˈflawtɑ/ f flute; ~**tista** m/f flautist

flecha /ˈflɛʃɑ/ f arrow

fleuma /ˈflewmɑ/ f phlegm

fle|xão /flɛkˈsãw/ f press-up, (Amer) push-up; (ling) inflection; ~**xibilidade** f flexibility; ~**xionar** vt/i flex

<perna, braço>; (ling) inflect; ~**xível** (pl ~**xíveis**) a flexible

flir|tar /flirˈtar/ vi flirt; ~**t** m flirtation

floco /ˈfloku/ m flake

flor /flor/ f flower; **a fina** ~ the cream; **à** ~ **da pele** (fig) on edge

flo|ra /ˈflorɑ/ f flora; ~**reado** a full of flowers; (fig) florid; ~**reio** m clever turn of phrase; ~**rescer** vi flower; ~**resta** /ɛ/ f forest; ~**restal** (pl ~**restais**) a forest; ~**rido** a in flower; (fig) florid; ~**rir** vi flower

flotilha /fluˈtiʎɑ/ f flotilla

flu|ência /fluˈẽsjɑ/ f fluency; ~**ente** a fluent

flui|dez /flujˈdeʃ/ f fluidity; ~**do** a & m fluid

fluir /fluˈir/ vi flow

fluorescente /flwuraʃˈsẽtɑ/ a fluorescent

flutu|ação /flutwaˈsãw/ f fluctuation; ~**ante** a floating; ~**ar** vi float; <bandeira> flutter; (hesitar) waver

fluvi|al /fluviˈal/ (pl ~**ais**) a river

fluxo /ˈfluksu/ m flow; ~**grama** m flowchart

fobia /fuˈbiɑ/ f phobia

foca /ˈfokɑ/ f seal

focalizar /fukaliˈzar/ vt focus on

focinho /fuˈsiɲu/ m snout

foco /ˈfoku/ m focus; (fig) centre

fofo /ˈfofu/ a soft; <pessoa> cuddly

fofo|ca /foˈfokɑ/ f piece of gossip; pl gossip; ~**car** vi gossip; **~queiro** *m* gossip □ *a* gossiping

fol|gão /fu'gãw/ *m* stove; (*de cozinhar*) cooker; **~go** /o/ *m* fire; **ser ~go** (*fam*) (*ser chato*) be a pain in the neck; (*ser incrível*) be amazing; **~gos de artifício** fireworks; **~goso** /o/ *a* fiery; **~gueira** *f* bonfire; **~guete** /e/ *m* rocket

foice /'fojsɐ/ *f* scythe

fol|clore /fol'klɔrɐ/ *m* folklore; **~clórico** *a* folk

fole /'fɔlɐ/ *m* bellows

fôlego /'folɐgu/ *m* breath; (*fig*) stamina

fol|ga /'fɔlgɐ/ *f* rest, break; (*fam: atrevimento*) cheek; **~gado** *a* <roupa> full, loose; <vida> leisurely; (*fam: atrevido*) cheeky; **~gar** *vt* loosen □ *vi* have time off

fo|lha /'foʎɐ/ *f* leaf; (*de papel*) sheet; **novo em ~lha** brand new; **~lha de pagamento** payroll; **~ de cálculo** (*comput*) spreadsheet **~lhagem** *f* foliage; **~lhear** *vt* leaf through; **~~ lheto** /e/ *m* pamphlet; **~lhinha** *f* tear-off calendar; **~lhudo** *a* leafy

foli|a /fu'liɐ/ *f* revelry; **~ão** *m* (*f* **~ona**) reveller

folículo /fu'likulu/ *m* follicle

fome /'fɔmɐ/ *f* hunger; **estar com ~** be hungry

fomentar /fumẽ'tar/ *vt* foment

fonema /fu'nemɐ/ *m* phoneme

fonéti|ca /fu'nɛtikɐ/ *f* phonetics; **~co** *a* phonetic

fonologia /funulu'ʒiɐ/ *f* phonology

fonte /'fõtɐ/ *f* (*de água*) spring; (*fig*) source

fora /'fɔrɐ/ *adv* outside; (*não em casa*) out; (*viajando*) away □ *prep* except; **dar um ~** (*Br*) drop a clanger; **dar um ~ em alg** (*Br*) cut s.o. dead; chuck <namorado>; **por ~** on the outside; **~-da-lei** *m/f invar* outlaw

foragido /furɐ'ʒidu/ *a* at large, on the run □ *m* fugitive

forasteiro /furɐ'tejru/ *m* outsider

forca /'forkɐ/ *f* gallows

for|ça /'forsɐ/ *f* (*vigor*) strength; (*violência*) force; (*eléctrica*) power; **dar uma ~ça a alg** help s.o. out; **fazer ~ça** make an effort; **~ças armadas** armed forces; **~çar** *vt* force

fórceps /'fɔrsɛpʃ/ *m invar* forceps

forçoso /fur'sozu/ *a* forced

for|ja /'fɔrʒɐ/ *f* forge; **~jar** *vt* forge

forma /'fɔrmɐ/ *f* form; (*contorno*) shape; (*maneira*) way; **de qualquer ~** anyway; **manter a ~** keep fit

forma /'fɔrmɐ/ *f* mould; (*de cozinha*) baking tin

for|mação /furmɐ'sãw/ *f* formation; (*educação*) education; (*profissionalizante*) training; **~~ mado** *m* graduate; **~mal** (*pl* **~mais**) *a* formal; **~malidade** *f* formality; **~malizar** *vt* formalize; **~mar** *vt* form; (*educar*) educate; **~mar-se** *vpr* be formed; <estudante> graduate; **~mato** *m* format; **~matura** *f* (*educ*) graduation; (*mil*) formation

formidá|vel /furmi'davɛl/ (*pl* ~**veis**) *a* formidable; (*muito bom*) tremendous

formi|ga /fur'miga/ *f* ant; ~**gar** *vi* swarm (**de** with); <perna, mão etc> tingle; ~**gueiro** *m* ants' nest; (*comichão*) pins and needles

formosura /furmu'zura/ *f* beauty

fórmula /'fɔrmula/ *f* formula

formu|lação /formula'sãw/ *f* formulation; ~**lar** *vt* formulate; ~**lário** *m* form

fornalha /for'naʎa/ *f* furnace

forne|cedor /furnəsə'dor/ *m* supplier; ~**cer** *vt* supply; ~**cer aco a alg** supply s.o. with sth; ~**cimento** *m* supply

forno /'fornu/ *m* oven; (*para louça etc*) kiln

foro /'foru/ *m* forum

forra /'fɔra/ *f* **ir à** ~ get one's own back

for|ragem /fu'Raʒãj/ *f* fodder; ~**rar** *vt* line <roupa, caixa etc>; cover <sofá etc>; ~**ro** /o/ *m* (*de roupa, caixa etc*) lining; (*de sofá etc*) cover

fortale|cer /furtalə'ser/ *vt* strengthen; ~**cimento** *m* strengthening; ~**za** /e/ *f* fortress

for|te /'fɔrtə/ *a* strong; <golpe> hard; <chuva> heavy; <físico> muscular □ *adv* strongly; <bater, chover> hard □ *m* (*militar*) fort; (*habilidade*) strong point, forte; ~**tificação** *f* fortification; ~**tificar** *vt* fortify

fortu|ito /fur'tujtu/ *a* chance; ~**na** *f* fortune

fosco /'foʃku/ *a* dull; <vidro> frosted

fosfato /fuʃ'fatu/ *m* phosphate

fósforo /'fɔsfuru/ *m* match; (*elemento químico*) phosphor

fossa /'fɔsa/ *f* pit; **na** ~ (*fig*) miserable, depressed

fós|sil /'fɔsil/ (*pl* ~**seis**) *m* fossil

fosso /'fosu/ *m* ditch; (*de castelo*) moat

foto /'fɔtu/ *f* photo; ~**cópia** *f* photocopy; ~**copiadora** *f* photocopier; ~**copiar** *vt* photocopy; ~**génico** *a* photogenic; ~**grafar** *vt* photograph; ~**grafia** *f* photography; ~**gráfico** *a* photographic

fotógrafo /fu'tɔɡrafu/ *m* photographer

foz /fɔʃ/ *f* mouth

fracas|sado /fraka'sadu/ *a* failed □ *m* failure; ~**sar** *vi* fail; ~**so** *m* failure

fracção /fra'sãw/ *f* fraction

fraccionar /frasju'nar/ *vt* break up

fraco /'fraku/ *a* weak; <luz, som> faint; <medíocre> poor □ *m* weakness, weak spot

fractu|ra /fra'tura/ *f* fracture; ~**rar** *vt* fracture; ~**rar-se** *vpr* fracture

frade /'fradə/ *m* friar

fragata /fra'ɡata/ *f* frigate

frá|gil /'fraʒil/ (*pl* ~**geis**) *a* fragile; <pessoa> frail

fragilidade /fraʒili'dadə/ *f* fragility; (*de pessoa*) frailty

fragmen|tar /fraɡmẽ'tar/ *vt* fragment; ~**tar-se** *vpr* fragment; ~**to** *m* fragment

fra|grância /fra'ɡrãsja/ *f* fragrance; ~**grante** *a* fragrant

fralda /'fraldɐ/ f nappy, (*Amer*) diaper; (*de camisa*) tail

framboesa /frãbu'ezɐ/ f raspberry

França /'frãsɐ/ f France

fran|cês /frã'se/ a (*f ~cesa*) French □ m (*f ~cesa*) Frenchman (*f* -woman); (*língua*) French; **os ~ceses** the French

franco /'frãku/ a (*honesto*) frank; (*óbvio*) clear; (*gratuito*) free □ m franc; **~atirador** (*pl ~atiradores*) m sniper; (*fig*) maverick

frangalho /frã'gaʎu/ m tatter

frango /'frãgu/ m chicken

franja /'frãʒɐ/ f fringe; (*do cabelo*) fringe, (*Amer*) bangs

fran|quear /frãki'ar/ vt frank <carta>; **~queza** /e/ f frankness; (*franqueza*) franking; (*jur*) franchise

fran|zino /frã'zinu/ a skinny; **~zir** vt gather <tecido>; wrinkle <testa>

fraque /'frakɛ/ m morning suit

fraqueza /fra'kezɐ/ f weakness; (*de luz, som*) faintness

frasco /'frasku/ m bottle

frase /'frazɛ/ f (*oração*) sentence; (*locução*) phrase; **~ado** m phrasing

frater|nal /fratɛr'nal/ (*pl ~nais*) a fraternal; **~nidade** f fraternity; **~nizar** vi fraternize; **~no** a fraternal

frau|de /'frawdɛ/ f fraud; **~dulento** a fraudulent

frear /fri'ar/ vt/i brake

fre|guês /frɛ'ge/ m (*f ~guesa*) customer; **~guesia** f (*de loja etc*) clientele; (*paróquia*) parish

frei /frej/ m brother

freio /'freju/ m brake; (*de cavalo*) bit

freira /'frejrɐ/ f nun

freixo /'frejʃu/ m ash

fremir /frɛ'mir/ vi shake

frêmito /'fremitu/ m wave

frenesi /frɛnɛ'zi/ m frenzy

frenético /frɛ'nɛtiku/ a frantic

frente /'frẽtɛ/ f front; **em ~ a ou de** in front of; **para a ~** forward; **pela ~** ahead; **fazer ~ a** face

frequência /frɛ'kwẽsjɐ/ f frequency; (*assiduidade*) attendance; **com muita ~** often

frequen|tador /frɛkwẽta'dor/ m regular visitor (**de** to); **~tar** vt frequent; (*cursar*) attend; **~te** a frequent

fres|co /'fresku/ a <comida etc> fresh; <vento, água, quarto> cool; (*fam*) (*afectado*) affected; (*exigente*) fussy; **~cobol** m kind of racquetball; **~cor** m freshness; **~cura** f (*fam*) (*afectação*) affectation; (*ser exigente*) fussiness; (*coisa sem importância*) trifle

fresta /'frɛstɐ/ f slit

fre|tar /frɛ'tar/ vt charter <avião>; hire <caminhão>; **~te** /ɛ/ m freight; (*aluguer de avião*) charter; (*de caminhão*) hire

fria /'friɐ/ (*fam*) f (*Br*) difficult situation, spot; **~gem** f chill

fric|ção /frik'sãw/ f friction; **~cionar** vt rub

fri|eira /fri'ejrɐ/ f chilblain; **~eza** /e/ f coldness

frigideira /friʒi'dejrɐ/ f frying pan

frígido /'friʒidu/ *a* frigid

frigorífico /frigu'rifiku/ *m* cold store, refrigerator, fridge

frincha /'frĩʃa/ *f* chink

frio /'friu/ *a & m* cold; **estar com ~** be cold; **~rento** *a* sensitive to the cold

frisar /fri'zar/ *vt* (*enfatizar*) stress; crimp <cabelo>

friso /'frizu/ *m* frieze

fri|tada /fri'tada/ *f* fry-up; **~tar** *vt* fry; **~tas** *f pl* chips, (*Amer*) French fries; **~to** *a* fried; **está ~to** (*fam*) he's had it; **~tura** *f* fried food

frivolidade /frivuli'dadʒi/ *f* frivolity; **frívolo** *a* frivolous

fronha /'froɲa/ *f* pillowcase

fronte /'frõtʃi/ *f* forehead, brow

frontei|ra /frõ'tejra/ *f* border; **~riço** *a* border

frota /'frɔta/ *f* fleet

frou|xidão /froʃi'dãw/ *f* looseness; (*moral*) laxity; **~xo** *a* loose; <regulamento> lax; <pessoa> lackadaisical

fru|gal /fru'gal/ (*pl* **~gais**) *a* frugal; **~galidade** *f* frugality

frus|tração /frustra'sãw/ *f* frustration; **~trante** *a* frustrating; **~trar** *vt* frustrate

fru|ta /'fruta/ *f* fruit; **~teira** *f* fruitbowl; **~tífero** *a* (*fig*) fruitful; **~to** *m* fruit

fubá /fu'ba/ *m* maize flour

fu|çar /fu'sar/ *vi* nose around; **~ças** (*fam*) *f pl* face, chops

fulga /'fuga/ *f* escape; **~gaz** *a* fleeting; **~gida** *f* escape; **~gir** *vi* run away; (*soltar-se*) escape; **~ gir a** avoid; **~gitivo** *a & m* fugitive

fulano /fu'lanu/ *m* whatever his name is

fuleiro /fu'lejru/ *a* down-market, cheap and cheerful

fulgor /ful'gor/ *m* brightness; (*fig*) splendour

fuligem /fu'liʒ̃ĩ/ *f* soot

fulmi|nante /fulmi'nãtʃi/ *a* devastating; **~nar** *vt* strike down; (*fig*) devastate; **~nado por um raio** struck by lightning □ *vi* (*criticar*) rail

fu|maça /fu'masa/ *f* smoke; **~maceira** *f* cloud of smoke; **~mador** *m* smoker; **~mar** *vt/i* smoke; **~~ mê** *a invar* smoked; **~megar** *vi* smoke; **~mo** *m* (*tabaco*) tobacco; (*fumaça*) smoke; (*fumar*) smoking

função /fũ'sãw/ *f* function; **em ~ de** as a result of; **fazer as funções de** function as

funcho /'fuʃu/ *m* fennel

funcio|nal /fũsju'nal/ (*pl* **~nais**) *a* functional; **~nalismo** *m* civil service; **~namento** *m* woking; **~nar** *vi* work; **~nário** *m* employee; **~nário público** civil servant

fun|dação /fũda'sãw/ *f* foundation; **~dador** *m* founder □ *a* founding

fundamen|tal /fũdamẽ'tal/ (*pl* **~tais**) *a* fundamental; **~tar** *vt* (*basear*) base; (*justificar*) substantiate; **~to** *m* foundation

fun|dar /fũ'dar/ *vt* (*criar*) found; (*basear*) base; **~dar-se** *vpr* be based (**em** on); **~dear** *vi* drop anchor, anchor; **~dilho** *m* seat

fundir /fũ'dir/ *vt* melt <ouro,

ferro>; cast <sino, estátua>; (juntar) merge; ~-se vpr <ouro, ferro> melt; (juntar-se) merge

fundo /ˈfũdu/ a deep □ m (parte de baixo) bottom; (parte de trás) back; (de quadro, foto) background; (de dinheiro) fund; **no** ~ basically; ~**s** m pl (da casa etc) back; (recursos) funds

fúnebre /ˈfunəbrə/ a funereal

funerário /funəˈrarju/ a funeral

funesto /fuˈnɛʃtu/ a fatal

fungar /fũˈgar/ vt/i sniff

fungo /ˈfũgu/ m fungus

fu|nil /fuˈnil/ (pl ~**nís**) m funnel; ~**nilaria** f panel-beating; (oficina) bodyshop

furacão /furaˈkãw/ m hurricane

furado /fuˈradu/ a (Br) **papo** ~ (fam) hot air

furão /fuˈrãw/ m (animal) ferret

furar /fuˈrar/ vt pierce <orelha etc>; puncture <pneu>; make a hole in <roupa etc>; jump <fila>; break <greve> □ vi <roupa etc> go into a hole; <pneu> puncture; (fam) <programa> fall through

fur|gão /furˈgãw/ m van; ~**goneta** /e/ f van

fúria /ˈfurja/ f fury

furioso /furiˈozu/ a furious

furo /ˈfuru/ m hole; (de pneu) puncture; (jornalístico)

scoop; (fam: gafe) blunder, faux pas; **dar um** ~ put one's foot in it

furor /fuˈror/ m furore

fur|ta-cor /furtaˈkor/ a invar iridescent; ~**tar** vt steal; ~**tivo** a furtive; ~**to** m theft

furúnculo /fuˈrũkulu/ m boil

fusão /fuˈzãw/ f fusion; (de empresas) merger

fuselagem /fuzəˈlaʒãj/ f fuselage

fusí|vel /fuˈzivɛl/ (pl ~**veis**) m fuse

fuso /ˈfuzu/ m spindle; ~ **horário** time zone

fustigar /fuʃtiˈgar/ vt lash; (fig: com palavras) lash out at

futebol /futəˈbɔl/ m football; ~**ístico** a football

fú|til /ˈfutil/ (pl ~**teis**) a frivolous, inane

futilidade /futiliˈdadə/ f frivolity, inanity; (uma) frivolous thing

futu|rismo /futuˈriʒmu/ m futurism; ~**rista** a & m futurist; ~**rístico** a futuristic; ~**ro** a & m future

fu|zil /fuˈzil/ (pl ~**zis**) m rifle; ~**zilamento** m shooting; ~**zilar** vt shoot □ vi flash; ~**zileiro** m rifleman; ~**zileiro naval** marine

fuzuê /fuzuˈe/ m (Br) commotion

G

gabar-se /ga.'barsə/ *vpr* boast (**de** of)

gabarito /ga.ba.'ritu/ *m* calibre

gabinete /ˌgabi'netə/ *m* (*em casa*) study; (*escritório*) office; (*ministros*) cabinet

gado /'gadu/ *m* livestock; (*bovino*) cattle

gaélico /ga.'ɛliku/ *a & m* Gaelic

gafanhoto /ga.fa.'ɲotu/ *m* (*pequeno*) grasshopper; (*grande*) locust

gafe /'gafə/ *f* faux pas, gaffe

gagá /ga'ga/ *a* (*fam*) senile

gago /'gagu/ *a* stuttering ▢ *m* stutterer; **~gueira** *f* stutter; **~guejar** *vi* stutter, stammer

gaiato /ga.j'atu/ *a* funny

gaiola /ga.j'ɔla/ *f* cage

gaita /'gajtə/ *f* ~ **de foles** bagpipes

gaivota /gaj'vɔtə/ *f* seagull

gajo /'gaʒu/ *m* guy, bloke

gala /'galə/ *f* **festa de** ~ gala; **roupa de** ~ formal dress

galã /ga.'lã/ *m* leading man

galan|tear /ga.lã'tjar/ *vt* woo; **~teio** *m* wooing; (*um*) courtesy

galão /ga.'lãw/ *m* (*enfeite*) braid; (*mil*) stripe; (*medida*) gallon; (*café com leite*) white coffee

galáxia /ga.'laksjα/ *f* galaxy

galé /ga.'lɛ/ *f* galley

galego /ga.'legu/ *a & m* Galician

galeria /ga.lə'riα/ *f* gallery

Gales /'galəʃ/ *m* **País de** ~ Wales

ga|lês /ga.'leʃ/ *a* (*f* ~**lesa**) Welsh ▢ *m* (*f* ~**lesa**) Welshman (*f* -woman); (*língua*) Welsh

galeto /ga.'letu/ *m* spring chicken

galgar /gal'gar/ *vt* (*transpor*) jump over; climb <escada>

galgo /'galgu/ *m* greyhound

galheteiro /galə'tejrʊ/ *m* cruet stand

galho /'galu/ *m* branch; **quebrar um** ~ (*Br*) (*fam*) help out

galináceos /gali'nasjuʃ/ *m pl* poultry

gali|nha /ga.'liɲa/ *f* chicken; **~ nheiro** *m* chicken coop

galo /'galu/ *m* cock; (*inchaço*) bump

galocha /ga.'lɔʃα/ *f* Wellington boot

galo|pante /ga.lu'pãtə/ *a* galloping; **~par** *vi* gallop; **~pe** /œ/ *m* gallop

galpão /gal'pãw/ *m* shed

galvanizar /galvɐni'zar/ *vt* galvanize

gama /'gɐmɐ/ *f* (*musical*) scale; (*fig*) range

gamado /gɐ'madu/ *a* (*Br*) besotted (**por** with)

gamão /gɐ'mãw/ *m* backgammon

gamar /gɐ'mar/ *vi* (*Port: roubar*) steal; (*Br*) fall in love (**por** with)

gana /'gɐnɐ/ *f* desire

ganância /gɐ'nãsjɐ/ *f* greed

ganancioso /gɐnɐ'sjozu/ *a* greedy

gancho /'gãʃu/ *m* hook

gangorra /gã'goʁɐ/ *f* seesaw

gangrena /gã'grenɐ/ *f* gangrene

gangue /'gãgɨ/ *m* gang

ga|nhador /gɐɲɐ'dor/ *m* winner □ *a* winning; **~nhar** *vt* win <corrida, prêmio>; earn <salário>; get <presente>; gain <vantagem, tempo, amigo> □ *vi* win; **~nha-**-**vida** *m* earn a living; **~nha-**-**pão** *m* livelihood; **~nho** *m* gain; *pl* (*no jogo*) winnings □ *pp de* **ganhar**

ga|nido /gɐ'nidu/ *m* squeal; (*de cachorro*) yelp; **~nir** *vi* squeal; <cachorro> yelp

ganso /'gãsu/ *m* goose

gara|gem /gɐ'raʒẽj/ *f* garage; **~gista** *m/f* garage attendant

garanhão /gɐrɐ'ɲãw/ *m* stallion

garan|tia /gɐrã'tiɐ/ *f* guarantee; **~tir** *vt* guarantee

garatujar /gɐrɐtu'ʒar/ *vt* scribble

gar|bo /'garbu/ *m* grace; **~bo-**-**so** *a* graceful

garça /'garsɐ/ *f* heron

gar|fada /gɐr'fadɐ/ *f* forkful; **~fo** *m* fork

gargalhada /gɐrgɐ'ʎadɐ/ *f* gale of laughter; **rir às ~s** roar with laughter

gargalo /gɐr'galu/ *m* bottleneck

garganta /gɐr'gãtɐ/ *f* throat

gargare|jar /gɐrgɐrə'ʒar/ *vi* gargle; **~jo** /e/ *m* gargle

garim|par /gɐrĩ'par/ *vi* prospect; **~peiro** *m* prospector; **~po** *m* mine

garo|ta /gɐ'rotɐ/ *f* girl; **~to** /o/ *m* boy; (*café*) coffee with milk

garoupa /gɐ'ropɐ/ *f* grouper

garra /'gaʁɐ/ *f* claw; (*fig*) drive, determination; *pl* (*poder*) clutches

garra|fa /gɐ'ʁafɐ/ *f* bottle; **~fão** *m* flagon

garrancho /gɐ'ʁãʃu/ *m* scrawl

garrido /gɐ'ʁidu/ *a* (*alegre*) lively

garupa /gɐ'rupɐ/ *f* (*de animal*) rump; (*de moto*) pillion seat

gás /gaʃ/ *m* gas; *pl* (*intestinais*) wind, (*Amer*) gas; **~ lacrimogéneo** tear gas

gasóleo /gɐ'zɔlju/ *m* diesel oil

gasolina /gɐzu'linɐ/ *f* petrol

gaso|sa /gɐ'zozɐ/ *f* fizzy lemonade, (*Amer*) soda; **~so** *a* gaseous; <bebida> fizzy

gáspea /'gaʃpɐ/ *f* upper

gas|tador /gɐʃtɐ'dor/ *a & m* spendthrift; **~tar** *vt* spend <dinheiro, tempo>; use up <energia>; wear out <roupa,

sapatos>; ~**to** m expense; pl spending, expenditure

gastrenterite /gɑˌtrĕtɐˈritɐ/ f gastroenteritis

gástrico /ˈgaˌtriku/ a gastric

gastrite /gɑˌˈtritɐ/ f gastritis

gastronomia /gɑˌtrunuˈmiɐ/ f gastronomy

ga|ta /ˈgatɐ/ f cat; (fam) sexy woman; ~**tão** m (fam) hunk

gatilho /gɑˈtiʎu/ m trigger

ga|tinha /gɑˈtiɲɐ/ f (fam) sexy woman; ~**to** m cat; (fam) hunk; **fazer alg de ~to-sapato** treat s.o. like a doormat

gatuno /gɑˈtunu/ m crook □ a crooked

gaveta /gɑˈvetɐ/ f drawer

gavião /gɑviˈãw/ m hawk

gaze /ˈgazɐ/ f gauze

gazela /gɑˈzɛlɐ/ f gazelle

gazeta /gɑˈzetɐ/ f gazette

geada /ʒiˈadɐ/ f frost

ge|ladeira /ʒelɐˈdejrɐ/ (Br) f fridge; ~**lado** a frozen; (muito frio) freezing □ m ice cream; ~**lar** vt/i freeze

gelati|na /ʒelɑˈtinɐ/ f (sobremesa) jelly; (pó) gelatine; ~**noso** a gooey

geléia /ʒeˈlejɐ/ f jam

ge|leira /ʒeˈlejrɐ/ f glacier; ~**lo** /e/ m ice

gema /ˈʒemɐ/ f (de ovo) yolk; (pedra) gem; **português de ~** Portuguese born and bred; ~**da** f egg yolk whisked with sugar

gémeo /ˈʒɛmju/ a & m twin; **Gémeos** (signo) Gemini

ge|mer /ʒɐˈmer/ vi moan, groan; ~**mido** m moan, groan

gene /ˈʒɛnɐ/ m gene; ~**alogia** f genealogy; ~**alógico** a genealogical; **árvore ~alógica** family tree

Genebra /ʒɐˈnɛbrɐ/ f Geneva

gene|ral /ʒɐnɐˈral/ (pl ~**rais**) m general; ~**ralidade** f generality; ~**ralização** f generalization; ~**ralizar** vt/i generalize; ~**ralizar-se** vpr become generalized

genérico /ʒɐˈnɛriku/ a generic

género /ˈʒɛnɐru/ m type, kind; (gramatical) gender; (literário) genre; pl goods; ~**s alimentícios** foodstuffs; **ela não faz o meu ~** (Br) she's not my type

gene|rosidade /ʒɐnɐruziˈdadɐ/ f generosity; ~**roso** /o/ a generous

genéti|ca /ʒɐˈnɛtikɐ/ f genetics; ~**co** a genetic

gengibre /ʒẽˈʒibrɐ/ m ginger

gengiva /ʒẽˈʒivɐ/ f gum

geni|al /ʒɐniˈal/ (pl ~**ais**) a brilliant

génio /ˈʒɛnju/ m genius; (temperamento) temperament

genioso /ʒɐniˈozu/ a temperamental

geni|tal /ʒɐniˈtal/ (pl ~**tais**) a genital

genitivo /ʒɐniˈtivu/ a & m genitive

genocídio /ʒɐnuˈsidju/ m genocide

genro /ˈʒẽru/ m son-in-law

gente /ˈʒẽtɐ/ f people; (fam) folks; **a ~** (sujeito) we; (objecto) us □ interj (Br) (fam) gosh

gen|til /ʒẽˈtil/ (pl ~**tis**) a kind; ~**tileza** /e/ f kindness

genuíno /ʒənuˈinu/ a genuine

geo|grafia /ʒjugrɐˈfiɐ/ f geography; **~gráfico** a geographical

geógrafo /ˈʒjɔgrɐfu/ m geographer

geo|logia /ʒjuluˈʒiɐ/ f geology; **~lógico** a geological

geólogo /ˈʒjɔlugu/ m geologist

geo|metria /ʒjuməˈtriɐ/ f geometry; **~métrico** a geometrical; **~político** a geopolitical

Geórgia /ʒiˈɔrʒiɐ/ f Georgia

georgiano /ʒiɔrˈʒjɐnu/ a & m Georgian

gera|ção /ʒɛrɐˈsãw/ f generation; **~dor** m generator

ge|ral /ʒəˈral/ (pl **~rais**) a general ☐ f (limpeza) spring-clean; **em ~** in general

gerânio /ʒəˈrɐnju/ m geranium

gerar /ʒəˈrar/ vt create; generate <eletricidade>

gerência /ʒəˈrẽsjɐ/ f management

gerente /ʒəˈrẽtɐ/ m manager ☐ a managing

gergelim /ʒərʒəˈlĩ/ m sesame

geri|atria /ʒɛriɐˈtriɐ/ f geriatrics; **~átrico** a geriatric

geringonça /ʒərĩˈgõsɐ/ f contraption

gerir /ʒəˈrir/ vt manage

germânico /ʒərˈmɐniku/ a Germanic

ger|me /ˈʒɛrmə/ m germ; **~me de trigo** wheatgerm; **~minar** vi germinate

gerúndio /ʒəˈrũdju/ m gerund

gesso /ˈʒesu/ m plaster

gestação /ʒəˈstɐˈsãw/ f gestation; **~tante** f pregnant woman

gestão /ʒəˈstãw/ f management

ges|ticular /ʒəˈstikuˈlar/ vi gesticulate; **~to** /ˈʒɛʃtu/ m gesture

Gibraltar /ʒibralˈtar/ f Gibraltar

gigan|te /ʒiˈgãtə/ a & m giant; **~tesco** /e/ a gigantic

gilete /ʒiˈlɛtə/ f razor blade

gim /ʒĩ/ m gin

ginásio /ʒiˈnazju/ m (de ginástica) gymnasium

ginasta /ʒiˈnaʃtɐ/ m/f gymnast

ginásti|ca /ʒiˈnaʃtikɐ/ f gymnastics; (aeróbica) aerobics; **~co** a gymnastic

gineco|logia /ʒinɛkuluˈʒiɐ/ f gynaecology; **~gista** m/f gynaecologist

gingar /ʒĩˈgar/ vi sway

ginjinha /ʒĩˈʒiɲɐ/ f cherry brandy

gira-discos /ʒirɐˈdiʃkuʃ/ m invar record player

girafa /ʒiˈrafɐ/ f giraffe

gi|rar /ʒiˈrar/ vt/i spin, revolve; **~rassol** (pl **~rassóis**) m sunflower; **~ratório** a revolving

gíria /ˈʒirjɐ/ f slang; (uma ~) slang expression

giro /ˈʒiru/ m spin, turn ☐ a (fam) great

giz /ʒiʃ/ m chalk

gla|ce /glaˈse/ m icing; **~cial** (pl **~ciais**) a icy

glamour /glaˈmur/ m glamour; **~oso** /o/ a glamorous

glândula /ˈglɐ̃dulɐ/ f gland

glandular /glɐ̃duˈlar/ a glandular

glicerina /glisəˈrinɐ/ f glycerine

glicose /gliˈkɔzə/ f glucose

glo|bal /gluˈbal/ (pl **~bais**) a

(mundial) global; <preço etc> overall; ~**bo** /o/ *m* globe; ~**bo ocular** eyeball

glóbulo /'glɔbulu/ *m* globule; *(do sangue)* corpuscle

glória /'glɔrjɐ/ *f* glory

glori|ficar /glurifi'kar/ *vt* glorify; ~**oso** /o/ *a* glorious

glossário /glu'sarju/ *m* glossary

glu|tão /glu'tãw/ *m* (*f* ~**tona**) glutton □ *a* (*f* ~**tona**) greedy

gnomo /g'nomu/ *m* gnome

godê /go'de/ *a* flared

goela /gu'ɛlɐ/ *f* gullet

goia|ba /goj'abɐ/ *f* guava; ~**bada** *f* guava jelly; ~**beira** *f* guava tree

gola /'golɐ/ *f* collar

gole /'golɛ/ *m* mouthful

go|lear /guli'ar/ *vt* thrash; ~**leiro** *m* goalkeeper

golfe /'golfɛ/ *m* golf

golfinho /gol'fiɲu/ *m* dolphin

golfista /gol'fiʃtɐ/ *m/f* golfer

golo /'golu/ *m* goal

golpe /'golpɛ/ *m* blow; *(mano-bra)* trick; ~ **(de estado)** coup (d'état); ~ **de mestre** masterstroke; ~ **de vento** gust of wind; ~ **de vista** glance; ~**ar** *vt* hit

goma /'gomɐ/ *f* gum; *(para roupa)* starch

gomo /'gomu/ *m* segment

gongo /'gõgu/ *m* gong

gonorréia /gunu'reja/ *f* gonorrhea

gonzo /'gõzu/ *m* hinge

gorar /gu'rar/ *vi* go wrong, fail

gor|do /'gordu/ *a* fat; ~**ducho** *a* plump

gordu|ra /gur'durɐ/ *f* fat;

~**rento** *a* greasy; ~**roso** *a* fatty; <pele> greasy, oily

gorgolejar /gurgulɛ'ʒar/ *vi* gurgle

gorila /gu'rilɐ/ *m* gorilla

gor|jear /gurʒi'ar/ *vi* twitter; ~**jeio** *m* twittering

gorjeta /gur'ʒetɐ/ *f* tip

gorro /'goRu/ *m* hat

gos|ma /'gɔʒmɐ/ *f* slime; ~**mento** *a* slimy

gos|tar /guʃ'tar/ *vi* ~**tar de** like; ~**to** /o/ *m* taste; *(prazer)* pleasure; **para o meu** ~**to** for my taste; **ter** ~**to de** taste of; ~**toso** *a* nice; <comida> nice, tasty; *(Br)* *(fam)* <pessoa> gorgeous

go|ta /'gotɐ/ *f* drop; *(que cai)* drip; *(doença)* gout; **foi a** ~**ta d'água** *(fig)* it was the last straw; ~**teira** *f (buraco)* leak; *(cano)* gutter; ~**tejar** *vi* drip; <telhado> leak □ *vt* drip

gótico /'gɔtiku/ *a* Gothic

gotícula /go'tikulɐ/ *f* droplet

gover|nador /guvɛrnɐ'dor/ *m* governor; ~**namental** *(pl* ~**namentais)** *a* government; ~**nanta** *f* housekeeper; ~**nante** *a* ruling □ *m/f* ruler; ~**nar** *vt* govern; ~**no** /e/ *m* government

go|zação /guza'sãw/ *f* joking; *(uma)* send-up; ~**zado** *a* funny; ~**zar** *vt* ~**zar (de)** enjoy; *(fam: zombar de)* make fun of □ *vi (ter orgasmo)* come; ~**zo** *m (prazer)* enjoyment; *(posse)* possession; *(orgas-mo)* orgasm; **ser um** ~**zo** be funny

Grã-Bretanha /grãbrɐ'tɐɲɐ/ *f* Great Britain

graça /ˈgrasɐ/ f grace; (*piada*) joke; (*humor*) humour, funny side; (*jur*) pardon; **de ~** for nothing; **sem ~** (*enfadonho*) dull; (*não engraçado*) unfunny; (*envergonhado*) embarrassed; **ser uma ~** be lovely; **ter ~** be funny; **não tem ~ sair sozinho** it's no fun to go out alone; **~s a** thanks to

grace|jar /grasəˈʒar/ vi joke; **~jo** /e/ m joke

graci|nha /graˈsiɲa/ f (Br) **ser uma ~nha** be sweet; **~oso** /o/ a gracious

grada|ção /gradaˈsãw/ f gradation; **~tivo** a gradual

grade /ˈgradʒi/ f grille, grating; (*cerca*) railings; **atrás das ~s** behind bars; **~ado** a ‹janela› barred

grado /ˈgradu/ m **de bom/mau ~** willingly/unwillingly

gradu|ação /graduaˈsãw/ f graduation; (*mil*) rank; (*variação*) gradation; **~ado** a ‹escala› graduated; ‹estudante› graduate; ‹militar› high-ranking; (*eminente*) respected; **~al** (pl **~ais**) a gradual; **~ar** vt graduate ‹escala›; (*ordenar*) grade; (*regular*) regulate; **~ar-se** vpr ‹estudante› graduate

grafia /graˈfia/ f spelling

gráfi|ca /ˈgrafika/ f (*arte*) graphics; (*oficina*) print shop; **~co** a graphic □ m (*pessoa*) printer; (*diagrama*) graph; pl (*de computador*) graphics

grã-fino /grãˈfinu/ (Br) (fam) a posh, upper-class □ m posh person

grafite /graˈfitʃi/ f (*mineral*) graphite; (*de lápis*) lead; (*pichagem*) piece of graffiti

gra|fologia /grafuluˈʒia/ f graphology; **~fólogo** m graphologist

grama /ˈgrama/ m gramme

gramática /graˈmatika/ f grammar

gramati|cal /gramatʃiˈkal/ (pl **~cais**) a grammatical

gram|po /ˈgrãpu/ m (*de cabelo*) hairclip; (*para papéis etc*) staple; (*ferramenta*) clamp

grana /ˈgrana/ (Br) f (fam) cash

granada /graˈnada/ f (*projéctil*) grenade; (*pedra*) garnet

gran|dalhão /grãdaˈʎãw/ a (f **~dalhona**) enormous; **~dão** a (f **~dona**) huge; **~de** a big; (*fig*) ‹escritor, amor etc› great; **~deza** /e/ f greatness; (*tamanho*) magnitude; **~dioso** /o/ a grand

granel /graˈnɛl/ m **a ~** in bulk

granito /graˈnitu/ m granite

granizo /graˈnizu/ m hail

gran|ja /ˈgrãʒa/ f farm; **~jear** vt win, gain

granulado /granuˈladu/ a granulated

grânulo /ˈgranulu/ m granule

grão /grãw/ (pl **~s**) m grain; (*de café*) bean; **~-de-bico** (pl **~s-de-bico**) m chickpea

grasnar /graʒˈnar/ vi ‹pato› quack; ‹rã› croak; ‹corvo› caw

grati|dão /gratʃiˈdãw/ f gratitude; **~ficação** f (*dinheiro a mais*) gratuity; (*recompensa*) gratification; **~ficante** a gratifying; **~ficar** vt (dar dinheiro a) give a gratuity to; (recompensar) gratify

gratinado /grati'nadu/ a & m gratin

grátis /ˈgratiʃ/ adv free

grato /ˈgratu/ a grateful

gratuito /graˈtujtu/ a (de graça) free; (sem motivo) gratuitous

grau /graw/ m degree

graúdo /graˈudu/ a big; (importante) important

gra|vação /gravaˈsãw/ f (de som) recording; (de desenhos etc) engraving; **~vador** m (pessoa) engraver; (máquina) tape recorder; **~vadora** f record company; **~var** vt record <música, disco>; (fixar na memória) memorize; (estampar) engrave

gravata /graˈvata/ f tie

grave /ˈgravə/ a serious; <voz, som> deep; <acento> grave

grávida /ˈgravida/ f pregnant

gravidade /graviˈdadə/ f gravity

gravidez /graviˈdeʃ/ f pregnancy

gravura /graˈvura/ f engraving; (em livro) illustration

graxa /ˈgraʃa/ f (de sapatos) polish; (de lubrificar) grease

Grécia /ˈgrɛsja/ f Greece

grego /ˈgregu/ a & m Greek

grei /grej/ f flock

gre|lha /ˈgreʎa/ f grill; **~lhado** a grilled □ m grill; **~lhar** vt grill

grêmio /ˈgrɛmju/ m guild, association

grenat /grəˈna/ a & m dark red

gre|ta /ˈgreta/ f crack; **~tar** vt/i crack

gre|ve /ˈgrɛvə/ f strike; **entrar em ~ve** go on strike; **~ve de fome** hunger strike; **~vista** m/f striker

griffe /ˈgrifə/ f label, line

grilhão /griˈʎãw/ m fetter

grilo /ˈgrilu/ m (bicho) cricket; (Br) (fam) (preocupação) hang-up; (problema) hassle; (barulho) squeak

grinalda /griˈnalda/ f garland

gringo /ˈgrĩgu/ (fam) a foreign □ m foreigner

gri|pe /ˈgripə/ f flu, influenza

grisalho /griˈzaʎu/ a grey

gri|tante /griˈtãtə/ a <erro> glaring, gross; <cor> loud, garish; **~tar** vt/i shout (de medo) scream; **~taria** f shouting; **~to** m shout; (de medo) scream; **aos ~tos** in a loud voice

grogue /ˈgrɔgə/ a groggy

grosa /ˈgrɔza/ f gross

groselha /groˈzeʎa/ f (vermelha) redcurrant; (espinhosa) gooseberry; **~ negra** blackcurrant

gros|seiro /gruˈsejru/ a rude; (tosco, malfeito) rough; **~seria** f rudeness; (uma) rude thing; **~so** /o/ a thick; <voz> deep; (fam) <pessoa, atitude> rude; **~sura** f thickness; (fam: grosseria) rudeness

grotesco /gruˈteʃku/ a grotesque

grua /ˈgrua/ f crane

gru|dado /gruˈdadu/ a stuck; (Br) (fig) very attached (em to); **~dar** vt/i stick; **~de m** glue

gru|nhido /gruˈɲidu/ *m* grunt; **~nhir** *vi* grunt

grupo /ˈgrupu/ *m* group

gruta /ˈgrutɐ/ *f* cave

guaraná /gwaɾaˈna/ *m* guaraná

guarda /ˈgwardɐ/ *f* guard □ *m/f* guard; (*da polícia*) policeman (*f* -woman); ~ **costeira** coastguard; **~-chuva** *m* umbrella; **~-costas** *m invar* bodyguard; **~-dor** *m* parking attendant; **~-florestal** (*pl* ~s-florestais) *m/f* forest ranger; **~-louça** *m* china cupboard; **~-napo** *m* napkin, serviette; **~-nocturno** (*pl* ~s-nocturnos) *m* night watchman

guardar /gwarˈdar/ *vt* (*pôr no lugar*) put away; (*conservar*) keep; (*vigiar*) guard; (*não esquecer*) remember; **~-se de** guard against

guarda-redes /ˈgwardɐˈʀedəʃ/ *m invar* goalkeeper; **~-roupa** *m* wardrobe; **~-sol** (*pl* ~-sóis) *m* sunshade

guardi|ão /gwarˈdjãw/ (*pl* ~ães *ou* ~ões) *m* (*f* ~ã) guardian

guarita /gwaˈritɐ/ *f* sentry box

guar|necer /gwarnɐˈser/ *vt* (*fortificar*) garrison; (*munir*) equip; (*enfeitar*) garnish; **~nição** *f* (*mil*) garrison; (*enfeite*) garnish

Guatemala /gwatɐˈmalɐ/ *f* Guatemala

guatemalteco /gwatɐmalˈtɛku/ *a* & *m* Guatemalan

guelra /ˈgɛlrɐ/ *f* gill

guer|ra /ˈgɛrɐ/ *f* war; **~reiro**

m warrior □ *a* warlike; **~rilha** *f* guerrilla war; **~rilheiro** *a* & *m* guerrilla

gueto /ˈgetu/ *m* ghetto

guia /ˈgiɐ/ *m/f* guide □ *m* guide(book) □ *f* delivery note

Guiana /giˈɐnɐ/ *f* Guyana

guianense /giaˈnẽsɐ/ *a* & *m/f* Guyanan

guiar /giˈar/ *vt* guide; drive <veículo> □ *vi* drive; **~-se** *vpr* be guided

guichet /giˈʃe/ *m* window

guidão /giˈdãw/, *m* handlebars

guilhotina /giʎuˈtinɐ/ *f* guillotine

guinada /giˈnadɐ/ *f* change of direction; **dar uma ~** change direction

guinchar¹ /gĩˈʃar/ *vi* squeal; <freios> screech

guinchar² /gĩˈʃar/ *vt* tow <carro>; (*içar*) winch

guincho¹ /ˈgĩʃu/ *m* squeal; (*de freios*) screech

guincho² /ˈgĩʃu/ *m* (*máquina*) winch; (*veículo*) tow truck

guin|dar /gĩˈdar/ *vt* hoist; **~daste** *m* crane

Guiné /giˈnɛ/ *f* Guinea

gui|sado /giˈzadu/ *m* stew; **~sar** *vt* stew

guitar|ra /giˈtaʀɐ/ *f* (electric) guitar; **~rista** *m/f* guitarist

guizo /ˈgizu/ *m* bell

gu|la /ˈgulɐ/ *f* greed; **~lodice** *f* greed; **~loseima** *f* delicacy; **~loso** /o/ *a* greedy

gume /ˈgumɐ/ *m* cutting edge

guru /guˈru/ *m* guru

gutu|ral /gutuˈral/ (*pl* ~rais) *a* guttural

H

há|bil /'abil/ (*pl* ~**beis**) *a* clever, skilful

habili|dade /ɑbili'dadə/ *f* skill; **ter** ~**dade com** be good with; ~**doso** /o/ *a* skilful; ~**tação** *f* qualification; ~**tar** *vt* qualify

habi|tação /ɑbitɑ'sãw/ *f* housing; (*casa*) dwelling; ~**tacional** (*pl* ~**tacionais**) *a* housing; ~**tante** *m/f* inhabitant; ~**tar** *vt* inhabit □ *vi* live; ~**tável** (*pl* ~**táveis**) *a* habitable

hábito /'abitu/ *m* habit

habitu|al /ɑbitu'al/ (*pl* ~**ais**) *a* habitual; ~**ar** *vt* accustom (**a** a to); ~**ar-se** *vpr* get accustomed (**a** a to)

Haia /'ajɑ/ *f* the Hague

Haiti /aj'ti/ *m* Haiti

haitiano /ajti'ɑnu/ *a* & *m* Haitian

hálito /'alitu/ *m* breath

halitose /ɑli'tɔzə/ *f* halitosis

hall /ɔl/ (*pl* ~**s**) *m* hall; (*de hotel*) foyer

halte|r /al'tɛr/ *m* dumbbell; ~**rofilismo** *m* weight lifting; ~**rofilista** *m/f* weight lifter

hamburguer /ã'burgɛr/ *m* hamburger

hangar /ã'gar/ *m* hangar

haras /'arɑʃ/ *m invar* stud farm

hardware /'arduɛr/ *m* hardware

harmo|nia /ɑrmu'niɑ/ *f* harmony; ~**nioso** /o/ *a* harmonious; ~**nizar** *vt* harmonize; (*conciliar*) reconcile; ~**nizar-se** *vpr* (*combinar*) tone in; (*concordar*) coincide

harpa /'arpɑ/ *f* harp; ~**pista** *m/f* harpist

haste /'aʃtə/ *m* pole; (*de planta*) stem, stalk; ~**ar** *vt* hoist, raise

Havaí /ɑvɑ'i/ *m* Hawaii

havaiano /ɑvɑj'ɑnu/ *a* & *m* Hawaiian

haver /ɑ'ver/ *m* credit; *pl* possessions □ *vt* (*auxiliar*) **havia sido** it had been; (*impessoal*) **há** there is/are; **ele trabalha aqui há anos** he's been working here for years; **ela morreu há vinte anos** (*atrás*) she died twenty years ago

haxixe /a'ʃiʃə/ *m* hashish

he|braico /e'brajku/ *a* & *m* Hebrew; ~**breu** *a* & *m* (*f* ~**breia**) Hebrew

hectare /ɛk'tarə/ *m* hectare

hediondo /edi'õdu/ *a* hideous

hein /ẽj/ *int* eh

hélice /'ɛlisə/ *f* propeller

helicóptero /eli'kɔptəru/ *m* helicopter

hélio /'ɛlju/ *m* helium

heliporto /ɛli'portu/ *m* heliport

hem /ẽj/ *int* eh

hematoma /ema'tɔmə/ *m* bruise

hemisfério /emiʃ'fɛrju/ *m* hemisphere; **Hemisfério Norte/Sul** Northern/Southern Hemisphere

hemo|filia /emofi'lia/ *f* haemophilia; **~fílico** *a* & *m* haemophiliac; **~globina** *f* haemoglobin; **~grama** *m* blood count

hemor|ragia /emuRa'ʒia/ *f* haemorrhage; **~róidas** *f pl* haemorrhoids

henê /e'ne/ *m* henna

hepatite /epa'tʃitʃi/ *f* hepatitis

hera /'ɛra/ *f* ivy

heráldi|ca /e'raldika/ *f* heraldry; **~co** *a* heraldic

herança /e'rãsa/ *f* inheritance; *(de um povo etc)* heritage

her|bicida /ɛrbi'sida/ *m* weedkiller; **~bívoro** *a* herbivorous □ *m* herbivore

herdade /er'dadʒi/ *f* farm

her|dar /er'dar/ *vt* inherit; **~deiro** *m* heir

hereditário /iredʒi'tarju/ *a* hereditary

here|ge /i'rɛʒə/ *m/f* heretic; **~sia** *f* heresy

herético /i'rɛtʃiku/ *a* heretical

hermético /er'mɛtʃiku/ *a* airtight; *(fig)* obscure

hérnia /'ɛrnja/ *f* hernia

herói /e'rɔj/ *m* hero; **~co** *a* heroic

hero|ína /iru'ina/ *f (mulher)* heroine; *(droga)* heroin; **~ismo** *m* heroism

herpes /'ɛrpəʃ/ *m invar* herpes; **~zoster** *m* shingles

hesi|tação /ezita'sãw/ *f* hesitation; **~tante** *a* hesitant; **~tar** *vi* hesitate

hetero|doxo /etərɔ'dɔksu/ *a* unorthodox; **~géneo** *a* heterogeneous

heterossexu|al /etərɔsɛksu'al/ *(pl* **~ais***)* *a* & *m* heterosexual

hexago|nal /ezagu'nal/ *(pl* **~nais***)* *a* hexagonal

hexágono /e'zagunu/ *m* hexagon

hiato /i'atu/ *m* hiatus

hiber|nação /iberna'sãw/ *f* hibernation; **~nar** *vi* hibernate

híbrido /'ibridu/ *a* & *m* hybrid

hidrante /i'drãtʃi/ *m* fire hydrant

hidra|tante /idra'tãtʃi/ *a* moisturising □ *m* moisturizer; **~tar** *vt* moisturize <pele>; **~to** *m* **~to de carbono** carbohydrate

hidráuli|ca /i'drawlika/ *f* hydraulics; **~co** *a* hydraulic

hidro|avião /idroavi'ãw/ *m* seaplane; **~carboneto** /e/ *m* hydrocarbon

hidroeléctri|ca /idrɔi'lɛtrika/ *f* hydroelectric power station; **~co** *a* hydroelectric

hidrófilo /i'drɔfilu/ *a* absorbent; **algodão ~** cotton wool, *(Amer)* absorbent cotton

hidrofobia /idrɔfu'bia/ *f* rabies

hidro|génio /idrɔ'ʒenju/ *m* hydrogen; **~massagem** *f* **banheira de ~massagem** jacuzzi; **~via** *f* waterway

hiena /i'enɐ/ *f* hyena

hierarquia /jɛrɐr'kiɐ/ *f* hierarchy

hieróglifo /jɛ'rɔglifu/ *m* hieroglyphic

hífen /'ifɛn/ *m* hyphen

higi|ene /iʒi'enɐ/ *f* hygiene; **~énico** *a* hygienic

hilari|ante /ilɐri'ãtə/ *a* hilarious; **~dade** *f* hilarity

Himalaia /imɐ'lajɐ/ *m* Himalayas

hin|di /'ĩ'di/ *m* Hindi; **~du** *a* & *m/f* Hindu; **~duismo** *m* Hinduism; **~duista** *a* & *m/f* Hindu

hino /'inu/ *m* hymn; **~ nacional** national anthem

hipermercado /ipɛrmɐr'kadu/ *m* hypermarket

hipersensí|vel /ipɛrsẽ'sivɛl/ (*pl* **~veis**) *a* hypersensitive

hipertensão /ipɛrtẽ'sãw/ *f* hypertension

hípico /'ipiku/ *a* horseriding

hipismo /i'piʒmu/ *m* horseriding; (*corridas*) horseracing

hip|nose /ip'nɔzə/ *f* hypnosis; **~nótico** *a* hypnotic; **~notismo** *m* hypnotism; **~notizador** *m* hypnotist; **~notizar** *vt* hypnotize

hipocondríaco /ipokõ'driɐku/ *a* & *m* hypochondriac

hipocrisia /ipɔkri'ziɐ/ *f* hypocrisy

hipócrita /i'pɔkritɐ/ *m/f* hypocrite □ *a* hypocritical

hipódromo /i'pɔdrumu/ *m* race course, (*Amer*) race track

hipopótamo /ipɔ'pɔtɐmu/ *m* hippopotamus

hipote|ca /ipu'tɛkɐ/ *f* mortgage; **~car** *vt* mortgage; **~cário** *a* mortgage

hipotermia /ipotɐr'miɐ/ *f* hypothermia

hipótese /i'pɔtəzə/ *f* hypothesis; **na ~ de** in the event of; **na pior das ~s** at worst

hipotético /ipu'tɛtiku/ *a* hypothetical

hirto /'irtu/ *adj* rigid, stiff

hispânico /iʃ'pɐniku/ *a* Hispanic

histamina /iʃtɐ'minɐ/ *f* histamine

his|terectomia /iʃtɛrɐktu'miɐ/ *f* hysterectomy; **~teria** *f* hysteria; **~térico** *a* hysterical; **~terismo** *m* hysteria

his|tória /iʃ'tɔrjɐ/ *f* (*do passado*) history; (*conto*) story; *pl* (*aborrecimento*) trouble; **~toriador** *m* historian; **~tórico** *a* historical; (*marcante*) historic □ *m* history

hoje /'oʒə/ *adv* today; **~ em dia** nowadays; **~ de manhã** this morning; **~ à noite** tonight

Holanda /o'lãdɐ/ *f* Holland

holan|dês /olã'deʃ/ *a* (*f* **~desa**) Dutch □ *m* (*f* **~desa**) Dutchman (*f* **-woman**); (*língua*) Dutch; **os ~deses** the Dutch

holding /'oldĩg/ (*pl* **~s**) *f* holding company

holo|causto /ɔlɔ'kawʃtu/ *m* holocaust; **~fote** /œ/ *m* spotlight; **~grama** *m* hologram

homem /'ɔmɐ̃j/ *m* man; **~ de negócios** businessman; **~rã** (*pl* **homens-rã**) *m* frogman

homena|gear /ɔmənaʒi'ar/ vt
pay tribute to; **~gem** f tribute; **em ~gem a** in honour of
homeo|pata /ɔmjɔ'pata/ m/f
homoeopath; **~patia** f homoeopathy; **~pático** a homoeopathic
homérico /ɔ'mɛriku/ a (estrondoso) booming; (extraordinário) phenomenal
homi|cida /ɔmi'sida/ a homicidal □ m/f murderer; **~cídio**
m homicide; **~cídio involuntário** manslaughter
homo|geneizado /ɔmɔʒenej'zadu/ a (leite) homogenized; **~géneo** a homogeneous
homologar /omulo'gar/ vt ratify
homólogo /o'mɔlugu/ m opposite number □ a equivalent
homónimo /o'mɔnimu/ m (de
pessoa) namesake; (vocábulo) homonym
homossexu|al /CmCsYksu'al/
(pl **~ais**) a & m homosexual;
~alismo m homosexuality
Honduras /õ'duraʃ/ f Honduras
hondurenho /õdu'reɲu/ a & m
Honduran
hones|tidade /onəʃti'dadə/ f
honesty; **~to** /ɛ/ a honest
hono|rário /onu'rarju/ a honorary; **~rários** m pl fees; **~rífico** a honorific
hon|ra /'õRa/ f honour; **~radez** f honesty, integrity; **~rado** a honourable; **~rar** vt
honour; **~roso** /o/ a honourable
hóquei /'ɔkej/ m (field) hockey; **~ sobre gelo** ice hoc-

key; **~ sobre patins** roller
hockey
hora /'ɔra/ f (unidade de tempo) hour; (ocasião) time;
que ~s são? what's the time?; **a que ~s?** at what time?; **às três ~s** at three
o'clock; **dizer as ~s** tell the
time; **tem ~s?** do you have
the time?; **de ~ a ~** every
hour; **em cima da ~** at the
last minute; **na ~** (naquele
momento) at the time; (no
acto) on the spot; (a tempo)
on time; **está na ~ de ir** it's
time to go; **na ~ H** (no momento certo) at just the right
moment; (no momento crítico) at the crucial moment;
meia ~ half an hour; **toda a
~** all the time; **fazer ~** kill
time; **marcar** make an appointment; **esquecer-se das
~s** lose track of time; **não
tenho ~** my time is my own;
não vejo a ~ de ir I can't
wait to go; **~s extras** overtime; **~s vagas** spare time
horário /o'rarju/ a hourly; **km
~s** km per hour □ m (hora)
time; (tabela) timetable; (de
trabalho etc) hours; **~ nobre**
prime time
horda /'ɔrda/ f horde
horizon|tal /orizõ'tal/ (pl
~tais) a & f horizontal; **~te**
m horizon
hor|monal /ɔrmu'nal/ (pl
~monais) a hormonal; **~mónio** m hormone
horóscopo /o'rɔʃkupu/ m horoscope
horrendo /o'Rẽdu/ a horrid
horripi|lante /oRipi'lãtə/ a
horrifying; **~lar** vt horrify

horrí|vel /o'Rivɛl/ (*pl* ~**veis**) *a* horrible, awful

horror /o'Ror/ *m* horror (**a** of); (*coisa horrorosa*) horrible thing; **ser um** ~ be awful; **que** ~! how awful!

horro|rizar /oRuri'zar/ *vt/i* horrify; ~**rizar-se** *vpr* be horrified; ~**roso** /o/ *a* horrible

horta /'ɔrta/ *f* vegetable plot; ~ **comercial** market garden, (*Amer*) truck farm; ~**liça** *f* vegetable

hortelã /orte'lã/ *f* mint; ~~**pimenta** peppermint

horti|cultor /ortikul'tor/ *m* horticulturalist; ~**cultura** *f* horticulture

horto /'ɔrtu/ *m* market garden; (*viveiro*) nursery

hospe|dagem /ɔʃpe'daʒãʒ/ *f* accommodation; ~**dar** *vt* put up; ~**dar-se** *vpr* stay

hóspede /'ɔʃpedə/ *m/f* guest

hospedei|ra /ɔʃpe'dejra/ *f* landlady; ~**ra de bordo** stewardess; ~**ro** *m* landlord

hospício /ɔʃ'pisju/ *m* (*de loucos*) asylum

hospi|tal /ɔʃpi'tal/ (*pl* ~**tais**) *m* hospital; ~**talar** *a* hospital; ~**taleiro** *a* hospitable; ~**talidade** *f* hospitality; ~**talizar** *vt* hospitalize

hóstia /'ɔstja/ *f* Host, Communion wafer

hos|til /ɔʃ'til/ (*pl* ~**tis**) *a* hostile; ~**tilidade** *f* hostility; ~**tilizar** *vt* antagonize

ho|tel /ɔ'tɛl/ (*pl* ~**téis**) *m* hotel; ~**teleiro** *a* hotel □ *m* hotelier

huma|nidade /umani'dadə/ *f* humanity; ~**nismo** *m* humanism; ~**nista** *a* & *m/f* humanist; ~**nitário** *a* & *m* humanitarian; ~**nizar** *vt* humanize; ~**no** *a* human; (*compassivo*) humane; ~**nos** *m pl* humans

humedecer /umədə'ser/ *vt* moisten; ~~**se** *vpr* moisten

humidade /umi'dadə/ *f* moisture; (*desagradável*) damp; (*do ar*) humidity

húmido /'umidu/ *a* moist; <parede, roupa etc> damp; <ar, clima> humid

humil|dade /umil'dadə/ *f* humility; ~**de** *a* humble

humi|lhação /umiʎa'sãw/ *f* humiliation; ~**lhante** *a* humiliating; ~**lhar** *vt* humiliate

humor /u'mor/ *m* humour; (*disposição do espírito*) mood; **de bom/mau** ~ in a good/bad mood

humo|rismo /umu'riʒmu/ *m* humour; ~**rista** *m/f* (*no palco*) comedian; (*escritor*) humorist; ~**rístico** *a* humorous

húngaro /'ũgaru/ *a* & *m* Hungarian

Hungria /ũ'gria/ *f* Hungary

hurra /'uRa/ *int* hurrah □ *m* cheer

I

ia|te /i'atə/ *m* yacht

ibérico /i'bɛriku/ *a & m* Iberian

içar /i'sar/ *vt* hoist

iceberg /ajs'bɛrgə/ (*pl* ~s) *m* iceberg

ícone /'ikunə/ *m* icon

iconoclasta /ikɔnɔ'klaʃtə/ *m/f* iconoclast ☐ *a* iconoclastic

icterícia /ikta'risjə/ *f* jaundice

ida /'idə/ *f* going; **na** ~ on the way there; ~ **e volta** return, (*Amer*) round trip

idade /i'dadə/ *f* age; **meia** ~ middle age; **homem de meia** ~ middle-aged man; **senhor de** ~ elderly man; **Idade Média** Middle Ages

ide|al /idi'al/ (*pl* ~**ais**) *a & m* ideal; ~**alismo** *m* idealism; ~**alista** *m/f* idealist ☐ *a* idealistic; ~**alizar** *vt* (*criar*) devise; (*sublimar*) idealize; ~**ar** *vt* devise; ~**ário** *m* ideas

ideia /i'dejə/ *f* idea; **mudar de** ~ change one's mind

idem /'idɐj/ *adv* ditto

idêntico /i'dẽtiku/ *a* identical

identi|dade /idẽti'dadə/ *f* identity; ~**ficar** *vt* identify; ~**ficar-se** *vpr* identify (**com** with)

ideo|logia /idjulu'ʒiə/ *f* ideology; ~**lógico** *a* ideological

idílico /i'diliku/ *a* idyllic

idílio /i'diliu/ *m* idyll

idio|ma /idi'ɔmə/ *m* language; ~**mático** *a* idiomatic

idio|ta /idi'ɔtə/ *m/f* idiot ☐ *a* idiotic; ~**tice** *f* stupidity; (*uma*) stupid thing

idola|trar /idula'trar/ *vt* idolize; ~**tria** *f* idolatry

ídolo /'idulu/ *m* idol

idóneo /i'dɔnju/ *a* suitable

idoso /i'dozu/ *a* elderly

Iémen /'iɛmɛn/ *m* Yemen

iemenita /iɛmə'nitə/ *a & m/f* Yemeni

iene /'iɛnə/ *m* yen

iglu /i'glu/ *m* igloo

ignição /igni'sãw/ *f* ignition

ignomínia /ignu'minjə/ *f* ignominy

igno|rância /ignu'rãsjə/ *f* ignorance; ~**rante** *a* ignorant; ~**rar** (*desconsiderar*) ignore; (*desconhecer*) not know

igreja /i'grejʒə/ *f* church

igu|al /i'gwal/ (*pl* ~**ais**) *a* equal; (*em aparência*) identical; (*liso*) even ☐ *m/f* equal; **por** ~**al** equally; ~**alar** *vt* equal; level <terre-

no>; **~alar(-se) a** be equal to; **~aldade** f equality; **~alitário** a egalitarian; **~almente** adv equally; (*como resposta*) the same to you; **~alzinho** a exactly the same (**a** as)

iguaria /igwa'riɐ/ f delicacy

iídiche /i'idiʃə/ m Yiddish

ile|gal /ilə'gal/ (pl **~gais**) a illegal; **~galidade** f illegality

ilegítimo /ilə'ʒitimu/ a illegitimate

ilegí|vel /ilə'ʒivɛl/ (pl **~veis**) a illegible

ileso /i'lezu/ a unhurt

iletrado /ilə'tradu/ adj & m illiterate

ilha /'iλɐ/ f island

ilharga /i'λargɐ/ f side

ilhéu /i'λɛw/ m (f **ilhoa**) islander

ilhós /i'λɔʃ/ m invar eyelet

ilhota /i'λɔtɐ/ f small island

ilícito /i'lisitu/ a illicit

ilimitado /ilimi'tadu/ a unlimited

ilógico /i'lɔʒiku/ a illogical

iludir /ilu'dir/ vt delude; **~se** vpr delude o.s.

ilumi|nação /iluminɐ'sãw/ f lighting; (*inspiração*) enlightenment; **~nar** vt light up, illuminate; (*inspirar*) enlighten

ilu|são /ilu'zãw/ f illusion; (*sonho*) delusion; **~sionista** m/f illusionist; **~sório** a illusory

ilus|tração /iluʃtra'sãw/ f illustration; (*erudição*) learning; **~ trador** m illustrator; **~trar** vt illustrate; **~trativo** a illustrative; **~tre** a illustrious; **~tríssimo senhor** Dear Sir

ímã /'imã/ m magnet

imaculado /imaku'ladu/ a immaculate

imagem /i'maʒãj/ f image; (*da TV*) picture

imagi|nação /imaʒinɐ'sãw/ f imagination; **~nar** vt imagine; **~nário** a imaginary; **~nativo** a imaginative; **~nável** (pl **~náveis**) a imaginable; **~noso** /o/ a imaginative

imatu|ridade /imaturi'dadə/ f immaturity; **~ro** a immature

imbatí|vel /ĩba'tivɛl/ (pl **~veis**) a unbeatable

imbe|cil /ĩbə'sil/ (pl **~cis**) a stupid ☐ m/f imbecile

imberbe /ĩ'bɛrbə/ adj (*sem barba*) beardless

imbricar /ĩbri'kar/ vt overlap; **~-se** vpr overlap

imedia|ções /imədjɐ'sõjʃ/ f pl vicinity; **~tamente** adv immediately; **~to** a immediate

imemori|al /iməmuri'al/ (pl **~ais**) a immemorial

imen|sidão /imẽsi'dãw/ f vastness; **~so** a immense

imergir /imər'ʒir/ vt immerse

imi|gração /imigra'sãw/ f immigration; **~grante** a & m/f immigrant; **~grar** vi immigrate

imi|nência /imi'nẽsjɐ/ f imminence; **~nente** a imminent

imiscuir-se /imiʃku'irsə/ vpr interfere

imi|tação /imita'sãw/ f imitation; **~tador** m imitator; **~tar** vt imitate

imobili|ária /imubə'ljarjɐ/ f estate agent's, (*Amer*) realtor; **~ário** a property; **~dade** f immobility; **~zar** vt immobilize

imo|ral /imu'ral/ (*pl* ~**rais**) *a* immoral; ~**ralidade** *f* immorality

imor|tal /imur'tal/ (*pl* ~**tais**) *a* immortal **~talidade** *f* immortality; **~talizar** *vt* immortalize

imó|vel /i'mɔvɛl/ (*pl* ~**veis**) *a* motionless, immobile □ *m* building, property; *pl* property, real estate

impaci|ência /ĩpasi'ẽsja/ *f* impatience; ~**entar-se** *vpr* get impatient; ~**ente** *a* impatient

impacto /ĩ'paktu/ *m* impact

impagá|vel /ĩpa'gavɛl/ (*pl* ~**veis**) *a* priceless

ímpar /'ĩpar/ *a* unique; <número> odd

imparci|al /ĩpar'sjal/ (*pl* ~**ais**) *a* impartial; ~**alidade** *f* impartiality

impasse /ĩ'pasə/ *m* impasse

impassí|vel /ĩpa'sivɛl/ (*pl* ~**veis**) *a* impassive

impecá|vel /ĩpe'kavɛl/ (*pl* ~**veis**) *a* impeccable

impe|dido /ĩpe'didu/ *a* <rua> blocked; (*ocupado*) engaged, (*Amer*) busy; (*no futebol*) offside; ~**dimento** *m* prevention; (*estorvo*) obstruction; (*no futebol*) offside position; ~**dir** *vt* stop; (*estorvar*) hinder; block <rua>; ~**dir alg de ir** *ou* **que alg vá** stop s.o. going

impelir /ĩpe'lir/ *vt* drive

impenetrá|vel /ĩpene'travɛl/ (*pl* ~**veis**) *a* impenetrable

impensá|vel /ĩpẽ'savɛl/ (*pl* ~**veis**) *a* unthinkable

impe|rador /ĩpera'dor/ *m* emperor; ~**rar** *vi* reign, rule;

~**rativo** *a* & *m* imperative; ~**ratriz** *f* empress

impercepti|vel /ĩpərse'tivɛl/ (*pl* ~**veis**) *a* imperceptible

imperdí|vel /ĩpər'divɛl/ (*pl* ~**veis**) *a* unmissable

imperdoá|vel /ĩpərdu'avɛl/ (*pl* ~**veis**) *a* unforgivable

imperfei|ção /ĩpərfej'sãw/ *f* imperfection; ~**to** *a* & *m* imperfect

imperi|al /ĩperi'al/ (*pl* ~**ais**) *a* imperial; *f* (*fam*) (*cerveja*) draught lager **~alismo** *m* imperialism; ~**alista** *a* & *m/f* imperialist

império /ĩ'perju/ *m* empire

imperioso /ĩperi'ozu/ *a* imperious; <necessidade> pressing

imperme|abilizar /ĩpərmjabəli'zar/ *vt* waterproof; ~**ável** (*pl* ~**áveis**) *a* waterproof; (*fig*) impervious (**a** to) □ *m* raincoat

imperti|nência /ĩpərti'nẽsja/ *f* impertinence; ~**nente** *a* impertinent

impesso|al /ĩpesu'al/ (*pl* ~**ais**) *a* impersonal

ímpeto /'ĩpetu/ *m* (*vontade*) urge, impulse; (*de emoção*) start; (*movimento*) start; (*na física*) impetus

impetuo|sidade /ĩpetwuzi'dadə/ *f* impetuosity; ~**so** /o/ *a* impetuous

impiedoso /ĩpje'dozu/ *a* merciless

impingir /ĩpĩ'ʒir/ *vt* foist (**a** on)

implacá|vel /ĩpla'kavɛl/ (*pl* ~**veis**) *a* implacable

implan|tar /ĩplã'tar/ *vt* introduce; (no corpo) implant; ~te m implant

implemen|tar /ĩpləmẽ'tar/ vt implement; ~to m implementment

impli|cação /ĩplika.sãw/ f implication; ~cância f (acto) harassment; (antipatia) grudge; estar de ~cância com have it in for; ~cante a troublesome □ m/f troublemaker; ~car vt (comprometer) implicate; ~car (em) (dar a entender) imply; (acarretar, exigir) involve; ~car com (provocar) pick on; (antipatizar) not get on with

implícito /ĩ'plisitu/ a implicit

implorar /ĩplu'rar/ vt plead for (a from); implore, beg

imponente /ĩpu'nẽtə/ a imposing

impopular /ĩpupu'lar/ a unpopular

impor /ĩ'por/ vt impose (a on); command (respeito); ~se vpr assert o.s.

impor|tação /ĩporta.sãw/ f import; ~tações f pl imported goods; ~tador m importer; ~tadora f import company; ~tância f importance; (quantia) amount; ter ~tância be important; ~tante a important; ~tar vt import <mercadorias> □ vi matter; ~tar em (montar a) amount to; (resultar em) lead to; ~tar-se (com) mind

importu|nar /ĩpurtu'nar/ vt bother; ~no a annoying

imposição /ĩpuzi'sãw/ f imposition

impossibili|dade /ĩpusibəli'dadə/ f impossibility; ~tar vt make impossible; ~tar alg de ir, ~tar a alg ir prevent s.o. from going, make it impossible for s.o. to go

impossí|vel /ĩpo'sivɛl/ (pl ~veis) a impossible

impos|to /ĩ'po/tu/ m tax; ~to de renda income tax; ~to sobre o valor acrescentado VAT; ~tor m impostor; ~tura f deception

impo|tência /ĩpu'tẽsjɐ/ f impotence; ~tente a impotent

impreci|são /ĩprəsi'zãw/ f imprecision; ~so a imprecise

impregnar /ĩprəg'nar/ vt impregnate

imprensa /ĩ'prẽsɐ/ f press; ~ sensacionalista gutter press

imprescindí|vel /ĩprə/si'divɛl/ (pl ~veis) a essential

impres|são /ĩprə'sãw/ f impression; (no prelo) printing; ~são digital fingerprint; ~sionante a (imponente) impressive; (comovente) striking; ~sionar vt (causar admiração) impress; (comover) make an impression on; ~sionar-se vpr be impressed (com by); ~sionável (pl ~sionáveis) a impressionable; ~sionismo m impressionism; ~sionista a & m/f impressionist; ~so a printed □ m printed sheet; pl printed matter; ~sor m printer; ~sora f printer

imprestá|vel /ĩprə/'tavɛl/ (pl ~veis) a useless

impre|visível /ĩprəvi'zivɛl/ (pl ~visíveis) a unpredictable;

~**visto** *a* unforeseen □ *m* unforeseen circumstance

imprimir /ĩpri'mir/ *vt* print

impropério /ĩpru'pɛrju/ *m* term of abuse; *pl* abuse

impróprio /ĩ'prɔprju/ *a* improper; (*inadequado*) unsuitable (**para** for)

imprová|vel /ĩpru'vavɛl/ (*pl* ~ **veis**) *a* unlikely

improvi|sação /ĩpruviza'sãw/ *f* improvisation; ~**sar** *vt/i* improvise; **~so** *m* **de ~so** on the spur of the moment

impru|dência /ĩpru'dẽsja/ *f* recklessness; ~**dente** *a* reckless

impul|sionar /ĩpulsju'nar/ *vt* drive; ~**sivo** *a* impulsive; **~so** *m* impulse

impu|ne /ĩ'puni/ *a* unpunished; ~**nidade** *f* impunity

impu|reza /ĩpu'reza/ *f* impurity; ~**ro** *a* impure

imun|dície /imũ'disi(ə)/ *f* filth; ~**do** *a* filthy

imu|ne /i'muni/ *a* immune (**a** to); ~**nidade** *f* immunity; ~**nizar** *vt* immunize

inabalá|vel /inaba'lavɛl/ (*pl* ~**veis**) *a* unshakeable

iná|bil /i'nabil/ (*pl* ~**bis**) *a* (*desajeitado*) clumsy

inabitado /inabi'tadu/ *a* uninhabited

inacabado /inaka'badu/ *a* unfinished

inaceitá|vel /inasej'tavɛl/ (*pl* ~ **veis**) *a* unacceptable

inacessí|vel /inasɛ'sivɛl/ (*pl* ~**veis**) *a* inaccessible

inacreditá|vel /inakrɛdi'tavɛl/ (*pl* ~**veis**) *a* unbelievable

inadequado /inadɛ'kwadu/ *a* unsuitable

inadmissí|vel /inadmi'sivɛl/ (*pl* ~**veis**) *a* inadmissible

inadvertência /inadvɛr'tẽsja/ *f* oversight

inalar /ina'lar/ *vt* inhale

inalcançá|vel /inalkã'savɛl/ (*pl* ~**veis**) *a* unattainable

inalterá|vel /inaltɛ'ravɛl/ (*pl* ~**veis**) *a* unchangeable

inanição /inani'sãw/ *f* starvation

inanimado /inani'madu/ *a* inanimate

inapto /i'naptu/ *a* (*incapaz*) unfit

inati|vidade /inativi'dadə/ *f* inactivity; ~**vo** *a* inactive

inato /i'natu/ *a* innate

inaudito /inaw'ditu/ *a* unheard of

inaugu|ração /inawgura'sãw/ *f* inauguration; ~**ral** (*pl* ~**rais**) *a* inaugural; ~**rar** *vt* inaugurate

incabí|vel /ĩka'bivɛl/ (*pl* ~**veis**) *a* inappropriate

incalculá|vel /ĩkalku'lavɛl/ (*pl* ~**veis**) *a* incalculable

incandescente /ĩkadɛʃ'sẽtə/ *a* red-hot

incansá|vel /ĩkã'savɛl/ (*pl* ~ **veis**) *a* tireless

incapaci|tado /ĩkapasi'tadu/ *a* (*pessoa*) disabled; ~**tar** *vt* incapacitate

incauto /ĩ'kawtu/ *a* reckless

incendi|ar /ĩsẽdi'ar/ *vt* set alight; ~**ar-se** *vpr* catch fire; ~**ário** *a* incendiary; (*fig*) <*discurso*> inflammatory □ *m* arsonist; (*fig*) agitator

incêndio /ĩ'sẽdju/ *m* fire

incenso /ĩ'sẽsu/ *m* incense

incenti|var /ĩsẽti'var/ *vt* encourage; ~**vo** *m* incentive

incer|teza /ĩsər'tezɐ/ f uncertainty; **~to** /ε/ a uncertain

inces|to /ĩ'sɛ/tu/ m incest; **~tuoso** /o/ a incestuous

in|chaço /ĩ'ʃa'su/ m swelling; **~char** vt/i swell

inci|dência /ĩsi'dẽsjɐ/ f incidence; **~dente** m incident; **~dir** vi <luz> shine on; <imposto> be payable on

incinerar /ĩsinə'rar/ vt incinerate

inci|são /ĩsi'zãw/ f incision; **~sivo** a incisive

incitar /ĩsi'tar/ vt incite

incli|nação /ĩklinɐ'sãw/ f (do chão) incline; (da cabeça) nod; (propensão) inclination; **~nado** a <chão> sloping; <edificio> leaning; (propenso) inclined (**a** to); **~nar** vt tilt; nod <cabeça> □ vi <chão> slope; <edificio> lean; (tender) incline (**para** towards); **~nar-se** vpr lean

inclu|ir /ĩklu'ir/ vt include; **~são** f inclusion; **~sivé** prep including □ adv inclusive; (até) even; **~so** a included

incoe|rência /ĩkwe'rẽsjɐ/ f (falta de nexo) incoherence; (inconsequência) inconsistency; **~rente** a (sem nexo) incoherent; (inconsequente) inconsistent

incógni|ta /ĩ'kɔgnitɐ/ f unknown; **~to** adv incognito

incolor /ĩku'lor/ a colourless

incólume /ĩ'kɔlumə/ a unscathed

incomodar /ĩkumu'dar/ vt bother □ vi be a nuisance; **~se** vpr (dar-se ao traba-

lho) bother (**em** to); **~se** (**com**) be bothered (by), mind

incómodo /ĩ'kɔmodu/ a (desagradável) tiresome; (sem conforto) uncomfortable □ m nuisance

incompa|rável /ĩkõpɐ'ravɛl/ (pl **~ráveis**) a incomparable; **~tível** (pl **~tíveis**) a incompatible

incompe|tência /ĩkõpə'tẽsjɐ/ f incompetence; **~tente** a incompetent

incompleto /ĩkõ'plɛtu/ a incomplete

incompreensí|vel /ĩkõprjẽ'sivɛl/ (pl **~veis**) a incomprehensible

inconcebí|vel /ĩkõsə'bivɛl/ (pl **~veis**) a inconceivable

incondicio|nal /ĩkõdisju'nal/ (pl **~nais**) a unconditional; <fã, partidário> firm

inconformado /ĩkõfur'madu/ a unreconciled (**com** to)

inconfundí|vel /ĩkõfũ'divɛl/ (pl **~veis**) a unmistakeable

inconsciente /ĩkõ∫si'ẽtə/ a & m unconscious

inconsequente /ĩkõsə'kwẽtə/ a inconsistent

incons|tância /ĩkõ∫'tãsjɐ/ f changeability; **~tante** a changeable

inconstitucio|nal /ĩkõ∫titusju'nal/ (pl **~nais**) a unconstitutional

incontestá|vel /ĩkõtə∫'tavɛl/ (pl **~veis**) a indisputable, undeniable

inconveniente /ĩkõvəni'ẽtə/ a (difícil) inconvenient; (desagradável) annoying, tiresome; (*indecente*) unseemly □ *m* drawback

incorporar /ĩkurpu'rar/ *vt* incorporate

incorrer /ĩku'ʁer/ *vi* ~ **em** <multa etc> incur

incorrigí|vel /ĩkuʁi'ʒivɛl/ (*pl* ~**veis**) *a* incorrigible

incrédulo /ĩ'krɛdulu/ *a* incredulous

incremen|tado /ĩkrəmẽ'tadu/ *a* (*fam*) stylish; ~**tar** *vt* build up; (*fam*) jazz up; ~**to** *m* development, growth

incriminar /ĩkrimi'nar/ *vt* incriminate

incrí|vel /ĩ'krivɛl/ (*pl* ~**veis**) *a* incredible

incu|bação /ĩkuba'sãw/ *f* incubation; ~**badora** *f* incubator; ~**bar** *vt/i* incubate

inculto /ĩ'kultu/ *a* <pessoa> uneducated; <terreno> uncultivated

incum|bência /ĩkũ'bẽsja/ *f* task; ~**bir** *vt* ~**bir alg de aco/de ir** assign s.o. sth/to go □ *vi* ~**bir a** be up to; ~**bir-se de** take on

incurá|vel /ĩku'ravɛl/ (*pl* ~**veis**) *a* incurable

incursão /ĩkur'sãw/ *f* incursion

incutir /ĩku'tir/ *vt* instil (**em** in)

indagar /ĩda'gar/ *vt* inquire (into)

inde|cência /ĩdə'sẽsja/ *f* indecency; ~**cente** *a* indecent

indecifrá|vel /ĩdəsi'fravɛl/ (*pl* ~**veis**) *a* indecipherable

indeciso /ĩdə'sizu/ *a* undecided

indecoroso /ĩdəku'rozu/ *a* indecorous

indefi|nido /ĩdəfə'nidu/ *a* indefinite; ~**nível** (*pl* ~**níveis**) *a* indefinable

indelé|vel /ĩdə'lɛvɛl/ (*pl* ~**veis**) *a* indelible

indelica|deza /ĩdəlika'dezɐ/ *f* impoliteness; (*uma*) impolite thing; ~**do** *a* impolite

indemni|zação /ĩdɛmniza'sãw/ *f* compensation; ~**zar** *vt* compensate

indepen|dência /ĩdəpẽ'dẽsjɐ/ *f* independence; ~**dente** *a* independent

indescriti|vel /ĩdə'kri'tivɛl/ (*pl* ~**veis**) *a* indescribable

indesculpá|vel /ĩdə'kul'pavɛl/ (*pl* ~**veis**) *a* inexcusable

indesejá|vel /ĩdəzə'ʒavɛl/ (*pl* ~**veis**) *a* undesirable

indestruti|vel /ĩdə'tru'tivɛl/ (*pl* ~**veis**) *a* indestructible

indeterminado /ĩdətərmi'nadu/ *a* indeterminate

indevido /ĩdə'vidu/ *a* undue

indexar /ĩdɛk'sar/ *vt* index; index-link <salário, preços>

Índia /'ĩdjɐ/ *f* India

indiano /ĩdi'ɐnu/ *a* & *m* Indian

indi|cação /ĩdika'sãw/ *f* indication; (*do caminho*) directions; (*nomeação*) nomination; (*recomendação*) recommendation; ~~ **cador** *m* indicator; (*dedo*) index finger □ *a* indicative (**de** of); ~**car** *vt* indicate; (*para cargo, prémio*) nominate (**para** for); (*recomendar*) recommend; ~**cativo** *a* & *m* indicative

índice /'ĩdisə/ *m* (*taxa*) rate; (*em livro etc*) index; ~ **de audiência** ratings

indiciar /ĩdisi'ar/ vt charge

indício /ĩ'disju/ m sign, indication; (de crime) clue

indife|rença /ĩdifə'rẽsɐ/ f indifference; **~rente** a indifferent

indígena /ĩ'diʒənɐ/ a indigenous, native □ m/f native

indiges|tão /ĩdiʒəs'tãw/ f indigestion; **~to** a indigestible; (fig) heavy-going; (aborrecido) boring

indig|nação /ĩdigna'sãw/ f indignation; **~nado** a indignant; **~nar** vt make indignant; **~~ nar-se** vpr get indignant (com about)

indig|nidade /ĩdigni'dadə/ f indignity; **~no a** <pessoa> unworthy; <acto> despicable

índio /ĩdju/ a & m Indian

indirec|ta /ĩdi'rɛtɐ/ f hint; **~to** /ɛ/ a indirect

indis|creto /ĩdis'krɛtu/ a indiscreet; **~crição** f indiscretion

indiscriminado /ĩdəʃkrimi'nadu/ a indiscriminate

indiscutí|vel /ĩdəʃku'tivɛl/ (pl **~veis**) a unquestionable

indispensá|vel /ĩdəʃpẽ'savɛl/ (pl **~veis**) a indispensable, essential

indisponí|vel /ĩdəʃpu'nivɛl/ (pl **~veis**) a unavailable

indis|por /ĩdiʃ'por/ vt upset; **~por alg contra** turn s.o. against; **~por-se** vpr fall out (com with); **~posição** f indisposition; **~posto** a (doente) indisposed

indistinto /ĩdəʃ'tĩtu/ a indistinct

individu|al /ĩdividw'al/ (pl **~-**ais) a individual; **~alidade** f individuality; **~alismo** m individualism; **~alista** a & m/f individualist

indivíduo /ĩdi'vidwu/ m individual

indizí|vel /ĩdi'zivɛl/ (pl **~veis**) a unspeakable

índole /ĩdulə/ f nature

indo|lência /ĩdu'lẽsjɐ/ f indolence; **~lente** a indolent

indolor /ĩdu'lor/ a painless

Indonésia /ĩdo'nɛzjɐ/ f Indonesia

indonésio /ĩdo'nɛzju/ a & m Indonesian

indubitá|vel /ĩdubi'tavɛl/ (pl **~veis**) a undoubted

indul|gência /ĩdul'ʒẽsjɐ/ f indulgence; **~gente** a indulgent

indulto /ĩ'dultu/ m pardon

indumentária /ĩdumẽ'tarjɐ/ f outfit

indústria /ĩ'duʃtrjɐ/ f industry

industri|al /ĩduʃtri'al/ (pl **~ais**) a industrial □ m/f industrialist; **~alizado** a País industrialized; mercadoria manufactured; <comida> processed; process comida, lixo etc; **~alizar** vt industrialize <país, agricultura etc>; process comida, lixo etc; **~oso** /o/ a industrious

induzir /ĩdu'zir/ vt (persuadir) induce; (inferir) infer (de from); **~ em erro** lead astray, mislead s.o.

inebriante /inəbri'ãtə/ a intoxicating

inédito /i'nɛditu/ a unheard-of, unprecedented; (não publicado) unpublished

ineficaz /inəfi'kaʃ/ a ineffective

inefici|ência /inəfisiˈẽsjə/ f inefficiency; **~ente** a inefficient

inegá|vel /inəˈgavɛl/ (pl **~veis**) a undeniable

inépcia /iˈnɛpsjə/ f ineptitude

inepto /iˈnɛptu/ a inept

inequívoco /inəˈkivuku/ a unmistakeable

inércia /iˈnɛrsjə/ f inertia

inerente /inəˈrẽtə/ a inherent (**a** in)

inerte /iˈnɛrtə/ a inert

inesgotá|vel /inəʒguˈtavɛl/ (pl **~veis**) a inexhaustible

inesperado /inəʃpəˈradu/ a unexpected

inesqueci|vel /inəʃkeˈsivɛl/ (pl **~veis**) a unforgettable

inevitá|vel /inəviˈtavɛl/ (pl **~veis**) a inevitable

inexacto /inejˈzatu/ a inaccurate

inexis|tência /inəziʃˈtẽsjə/ f lack; **~tente** a non-existent

inexperi|ência /inəʃpəriˈẽsjə/ f inexperience; **~ente** a inexperienced

inexpressivo /inəʃprəˈsivu/ a expressionless

infali|vel /ĩfaˈlivɛl/ (pl **~veis**) a infallible

infame /ĩˈfamə/ a despicable; (péssimo) dreadful

infâmia /ĩˈfamjə/ f disgrace

infância /ĩˈfãsjə/ f childhood

infantaria /ĩfãtaˈriə/ f infantry

infan|til /ĩfaˈtil/ a <roupa, livro> children's; (criancice) childish; **~tilidade** f childishness; (uma) childish thing

infec|ção /ĩfɛˈsãw/ f infection; **~cionar** vt infect; **~cioso** a infectious

infectar /ĩfɛˈtar/ vt infect

infeliz /ĩfəˈliʃ/ a (não contente) unhappy; (inconveniente) unfortunate; (desgraçado) wretched ☐ m (desgraçado) wretch; **~mente** adv unfortunately

inferi|or /ĩfəriˈor/ a lower; (em qualidade) inferior (**a** to); **~oridade** f inferiority

inferir /ĩfəˈrir/ vt infer

infer|nal /ĩfərˈnal/ (pl **~nais**) a infernal; **~nizar** vt **~nizar a vida dele** make his life hell; **~no** /ɛ/ m hell

infér|til /ĩˈfɛrtil/ (pl **~teis**) a infertile

infertilidade /ĩfərtiliˈdadə/ f infertility

infestar /ĩfɛʃˈtar/ vt infest

infidelidade /ĩfidəliˈdadə/ f infidelity

infi|el /ĩfiˈɛl/ (pl **~éis**) a unfaithful

infiltrar /ĩfilˈtrar/ vt infiltrate; **~-se em** infiltrate

ínfimo /ĩˈfimu/ a lowest; (muito pequeno) tiny

infinda|vel /ĩfĩˈdavɛl/ (pl **~veis**) a unending

infinidade /ĩfəniˈdadə/ f infinity; **uma ~ de** an infinite number of

infini|tesimal /ĩfənitɛziˈmal/ (pl **~tesimais**) a infinitesimal; **~tivo** a & m infinitive; **~to** a infinite ☐ m infinity

infla|ção /ĩflaˈsãw/ f inflation; **~cionar** vt inflate; **~cionário** a inflationary; **~cionista** a & m/f inflationist

infla|mação /ĩflamaˈsãw/ f inflammation; **~mar** vt inflame; **~mar-se** vpr become inflamed; **~matório** *a* inflammatory; **~mável** (*pl* **~máveis**) *a* inflammable

in|flar /ĩ'flar/ *vt* inflate; **~flar-se** *vpr* inflate; **~flável** (*pl* **~fláveis**) *a* inflatable

infle|xibilidade /ĩflɛksibəli'dadə/ *f* inflexibility; **~xível** (*pl* **~xíveis**) *a* inflexible

infligir /ĩfli'ʒir/ *vt* inflict (**a** on)

influência /ĩflu'ẽsjə/ *f* influence

influen|ciar /ĩfluẽsi'ar/ *vt* **~ciar** (**em**) influence; **~ciar-se** *vpr* be influenced; **~ciável** (*pl* **~ciáveis**) *a* open to influence; **~te** *a* influential

influir /ĩflu'ir/ *vi* **~ em** *ou* **sobre** influence

informação /ĩformɐ'sãw/ *f* information; (*uma*) a piece of information; (*mil*) intelligence; *pl* information

infor|mal /ĩfur'mal/ (*pl* **~mais**) *a* informal; **~malidade** *f* informality

infor|mar /ĩfur'mar/ *vt* inform; **~mar-se** *vpr* find out (**de** about); **~mática** *f* (*ciência*) computer science; **~mativo** *a* informative; **~matizar** *vt* computerize; **~me** *m* (*mil*) briefing

infortúnio /ĩfur'tunju/ *m* misfortune

infracção /ĩfra'sãw/ *f* infringement

infrac|tor /ĩfra'tor/ *m* offender

infra-estrutura /ĩfrɐ/tru'turɐ/ *f* infrastructure

infravermelho /ĩfravər'meʎu/ *a* infrared

infringir /ĩfrĩ'ʒir/ *vt* infringe

infrutífero /ĩfru'tiferu/ *a* fruitless

infundado /ĩfũ'dadu/ *a* unfounded

infundir /ĩfũ'dir/ *vt* (*insuflar*) infuse; (*incutir*) instil

infusão /ĩfu'zãw/ *f* infusion

ingenuidade /ĩʒɘnwi'dadə/ *f* naivety

ingénuo /ĩ'ʒɛnwu/ *a* naive

Inglaterra /ĩglɐ'tɛrɐ/ *f* England

ingerir /ĩʒə'rir/ *vt* ingest; (*engolir*) swallow

in|glês /ĩ'gle/ *a* (*f* **~glesa**) English □ *m* (*f* **~glesa**) Englishman (*f* -woman); (*língua*) English; **os ~gleses** the English

ingra|tidão /ĩgrati'dãw/ *f* ingratitude; **~to** *a* ungrateful

ingrediente /ĩgrədi'ẽtə/ *m* ingredient

íngreme /'ĩgrəmə/ *a* steep

ingres|sar /ĩgrə'sar/ *vi* **~sar em** join; **~so** *m* entry; (*bilhete*) ticket

inhame /i'ɲɐmə/ *m* yam

ini|bição /inibi'sãw/ *f* inhibition; **~bir** *vt* inhibit

inici|al /inisi'adu/ *m* initiate; **~al** (*pl* **~ais**) *a & f* initial; **~ar** *vt* (*começar*) begin; (*em ciência, seita etc*) initiate (**em** into) □ *vi* begin; **~ativa** *f* initiative

início /i'nisju/ *m* beginning, start

inigualá|vel /inigwa.'lavɛl/ (*pl* **~veis**) *a* unparalleled

inimaginá|vel /inimaʒi'navɛl/ (*pl* **~veis**) *a* unimaginable

inimi|go /ini'migu/ *a & m* enemy; **~zade** *f* enmity

ininterrupto /ĩnĩtəˈʀuptu/ a continuous

injecção /ĩʒeˈsãw/ f injection; ~**tado** a <olhos> bloodshot; ~**tar** vt inject; ~**tável** (pl ~**táveis**) a <droga> intravenous

injúria /ĩˈʒurjɐ/ f insult

injuriar /ĩʒuriˈar/ vt insult

injustiça /ĩʒuˈtisɐ/ f injustice; ~**tiçado** a wronged; ~**to** a unfair, unjust

inocência /inuˈsẽsjɐ/ f innocence; ~**centar** vt clear (**de** of); ~~ **cente** a innocent

inocular /ino#kuˈlar/ vt inoculate

inócuo /iˈnɔkwu/ a harmless

inodoro /inuˈdoru/ a odourless

inofensivo /inuˈfẽsivu/ a harmless

inoportuno /inoporˈtunu/ a inopportune

inorgânico /inorˈgɐniku/ a inorganic

inóspito /iˈnɔspitu/ a inhospitable

inovação /inuvaˈsãw/ f innovation; ~**var** vt/i innovate

inoxidável /inoksiˈdavεl/ (pl ~**veis**) a <aço> stainless

inquérito /ĩˈkεritu/ m inquiry

inquietação /ĩkjetaˈsãw/ f concern; ~**tador**, ~**tante** a worrying; ~**tar** vt worry; ~**tar-se** vpr worry; ~**to** /ε/ a uneasy

inquilinato /ĩkiliˈnatu/ m tenancy; ~**no** m tenant

inquirir /ĩkiˈrir/ vt cross-examine <testemunha>

Inquisição /ĩkiziˈsãw/ f a ~ the Inquisition

insaciável /ĩsasiˈavεl/ (pl ~**veis**) a insatiable

insalubre /ĩsaˈlubrɐ/ a unhealthy

insatisfação /ĩsatisfaˈsãw/ f dissatisfaction; ~**fatório** a unsatisfactory; ~**feito** a dissatisfied

inscrever /ĩskrəˈver/ vt (registar) register; (gravar) inscribe; ~**crever-se** vpr register; (em escola etc) enrol; ~**crição** f (registo) registration; (em clube, escola) enrolment; (em monumento etc) inscription

insecticida /ĩsεtiˈsidɐ/ m insecticide; ~**to** /ε/ m insect

insegurança /ĩsəguˈrãsɐ/ f insecurity; ~**ro** a insecure

inseminação /ĩsəminaˈsãw/ f insemination; ~**nar** vt inseminate

insensatez /ĩsẽsaˈtef/ f folly; ~**sato** a foolish; ~**sibilidade** f insensitivity; ~**sível** (pl ~**síveis**) a insensitive

inseparável /ĩsəpaˈravεl/ (pl ~**veis**) a inseparable

inserção /ĩsərˈsãw/ f insertion

inserir /ĩsəˈrir/ vt insert; enter <dados>

insígnia /ĩˈsignjɐ/ f insignia

insignificância /ĩsignifiˈkãsjɐ/ f insignificance; ~**cante** a insignificant

insincero /ĩsĩˈsεru/ a insincere

insinuante /ĩsinuˈãtɐ/ a suggestive; ~**ar** vt/i insinuate

insípido /ĩˈsipidu/ a insipid

insistência /ĩsisˈtẽsjɐ/ f insistence; ~**tente** a insistent; ~**tir** vt/i insist (**em** on)

insolação /ĩsulaˈsãw/ f sunstroke

inso|lência /ĩsu'lẽsjɐ/ f insolence; ~lente a insolent

insólito /ĩ'sɔlitu/ a unusual

insolú|vel /ĩsu'luvɛl/ (pl ~veis) a insoluble

insone /ĩ'sɔnɐ/ a <noite> sleepless; <pessoa> insomniac □ m/f insomniac

insónia /ĩ'sɔnjɐ/ f insomnia

insosso /ĩ'sosu/ a bland; (sem sabor) tasteless; (sem sal) unsalted

inspec|ção /ĩʃpɛ'sãw/ f inspection; ~cionar vt inspect; ~tor m inspector

inspi|ração /ĩʃpira'sãw/ f inspiration; ~rar vt inspire; ~rar-se vpr take inspiration (em from)

instabilidade /ĩ∫tɐbəli'dadɐ/ f instability

insta|lação /ĩ∫tɐlɐ'sãw/ f installation; ~lar vt install; ~lar-se vpr install o.s.

instan|tâneo /ĩ∫tã'tɐnju/ a instant; ~te m instant

instaurar /ĩ∫taw'rar/ vt set up

instá|vel /ĩʃ'tavɛl/ (pl ~veis) a unstable; <tempo> unsettled

insti|gação /ĩ∫tiga'sãw/ f instigation; ~gante a stimulating; ~gar vt incite

instin|tivo /ĩ∫tĩ'tivu/ a instinctive; ~to m instinct

institu|cional /ĩ∫titusju'nal/ (pl ~cionais) a institutional; ~ição f institution; ~ir vt set up; set <prazo>; ~to m institute

instru|ção /ĩ∫tru'sãw/ f instruction; ~ir vt instruct; train <recrutas>; (informar) advise (sobre of)

instrumen|tal /ĩ∫trumẽ'tal/ (pl ~tais) a instrumental; ~tista m/f instrumentalist; ~to m instrument

instru|tivo /ĩ∫tru'tivu/ a instructive; ~tor m instructor

insubstituí|vel /ĩsub∫titu'ivɛl/ (pl ~veis) a irreplaceable

insucesso /ĩsu'sɛsu/ m failure

insufici|ência /ĩsufisi'ẽsjɐ/ f insufficiency; (dos órgãos) failure; ~ente a insufficient

insulina /ĩsu'linɐ/ f insulin

insul|tar /ĩsul'tar/ vt insult; ~to m insult

insuperá|vel /ĩsupɛ'ravɛl/ (pl ~veis) a <problema> insurmountable; <qualidade> unsurpassed

insuportá|vel /ĩsupur'tavɛl/ (pl ~veis) a unbearable

insur|gente /ĩsur'ʒẽtɐ/ a & m/f insurgent; ~gir-se vpr rise up, revolt; ~reição f insurrection

intacto /ĩ'taktu/ a intact

integra /ĩ'tɛgrɐ/ f full text; na ~ in full

inte|gração /ĩtɛgra'sãw/ f integration; ~gral (pl ~grais) a whole; arroz/pão ~gral brown rice/bread; ~grante a integral □ m/f member; ~grar vt make up, form; ~grar-se em become a part of; ~gridade f integrity

íntegro /ĩ'tɛgru/ a honest

intei|ramente /ĩtejrɐ'mẽtɐ/ adv completely; ~rar vt (informar) fill in, inform (de about); ~rar-se vpr find out (de about); ~riço a in one piece; ~ro a whole

intelec|to /ĩtɛ'lɛktu/ m intellect; ~tual (pl ~tuais) a & m/f intellectual

inteli|gência /ĩtəli'ʒẽsjɐ/ *f* intelligence; **~gente** *a* clever, intelligent; **~givel** (*pl* **~giveis**) *a* intelligible

intem|périe /ĩtẽ'pɛri(ə)/ *f* bad weather; **~pestivo** *a* ill-timed

inten|ção /ĩtẽ'sãw/ *f* intention; **segundas ~ções** ulterior motives

intencio|nado /ĩtẽsju'nadu/ *a* **bem ~nado** well-meaning; **~nal** (*pl* **~nais**) *a* intentional; **~nar** *vt* intend

inten|sidade /ĩtẽsi'dadɛ/ *f* intensity; **~sificar** *vt* intensify; **~sificar-se** *vpr* intensify; **~sivo** *a* intensive; **~so** *a* intense

intento /ĩ'tẽtu/ *m* intention

interac|ção /ĩtɛra'sãw/ *f* interaction; **~gir** *vi* interact; **~tivo** *a* interactive

inter|calar /ĩtɛrkɐ'lar/ *vt* insert; **~câmbio** *m* exchange; **~ceptar** *vt* intercept

intercomunicador /ĩtɛrcumunicɐ'dor/ *m* intercom

intercontinen|tal /ĩtɛrkõtinẽ'tal/ (*pl* **~tais**) *a* intercontinental

interdepen|dência /ĩtɛrdəpẽ'dẽsjɐ/ *f* interdependence; **~dente** *a* interdependent

interdi|ção /ĩtɛrdi'sãw/ *f* closure; (*jurid*) injunction; **~tar** *vt* close <rua etc>; (*proibir*) ban

interes|sante /ĩtərə'sãtɐ/ *a* interesting; **~~ sar** *vt* interest □ *vi* be relevant; **~sar-se** *vpr* be interested (**em** *ou* **por** in); **~se** /e/ *m* interest; (*próprio*) self-interest; **~seiro** *a* self-seeking

interestadu|al /ĩtɛrʃtɐdu'al/ (*pl* **~ais**) *a* interstate

interface /ĩtɛr'fasə/ *f* interface

interfe|rência /ĩtɛrfə'rẽsjɐ/ *f* interference; **~rir** *vi* interfere

interim /ĩtə'rĩ/ *m* interim; **nesse ~** in the meantime

interino /ĩtə'rinu/ *a* temporary

interior /ĩtəri'or/ *a* inner; (*dentro do país*) internal, domestic □ *m* inside; (*do país*) country, interior

inter|jeição /ĩtərʒej'sãw/ *f* interjection; **~ligar** *vt* interconnect; **~locutor** *m* interlocutor; **~~ mediário** *a* & *m* intermediary

intermédio /ĩtər'mɛdju/ *m* **por ~ de** through

interminá|vel /ĩtərmi'navɛl/ (*pl* **~veis**) *a* interminable, never-ending

intermitente /ĩtərmi'tẽtɐ/ *a* intermittent

internacio|nal /ĩtərnɐsju'nal/ (*pl* **~nais**) *a* international

inter|nar /ĩtər'nar/ *vt* intern <preso>; admit to hospital <doente>; **~~ nato** *m* boarding school; **~no** *a* internal

interpelar /ĩtərpə'lar/ *vt* question

interpor /ĩtər'por/ *vt* interpose; **~~se** *vpr* intervene

interpre|tação /ĩtərprətɐ'sãw/ *f* interpretation; (*Teat*) performance **~tar** *vt* interpret; perform <papel, música>; **intérprete** *m/f* (*de línguas*) interpreter; (*de teatro etc*) performer

interro|gação /ĩtəRugɐ'sãw/ *f* interrogation; **ponto de ~** question mark; **~gar** *vt* interrogate, question; **~gativo** a interrogative; **~gatório** m interrogation

inter|romper /ĩtərõ'per/ vt interrupt; **~rupção** f interruption; **~ruptor** m switch

interurbano /ĩtɛrur'banu/ a long-distance □ m trunk call

intervalo /ĩtər'valu/ m interval

inter|venção /ĩtərvẽ'sãw/ f intervention; **~vir** vi intervene

intesti|nal /ĩtəsti'nal/ (pl **~nais**) a intestinal; **~no** m intestine

inti|mação /ĩtima'sãw/ f (da justiça) summons; **~mar** vt order; (à justiça) summon

intimidade /ĩtimi'dadʒi/ f intimacy; (entre amigos) closeness; (vida íntima) private life; **ter ~ com** be close to

intimidar /ĩtimi'dar/ vt intimidate; **~se** vpr be intimidated

íntimo /'ĩtimu/ a intimate; <amigo> close; <vida> private □ m close friend

intitular /ĩtitu'lar/ vt entitle

intocá|vel /ĩtu'kavɛl/ (pl **~veis**) a untouchable

intole|rância /ĩtulo'rãsjə/ f intolerance; **~rante** a intolerant; **~rável** (pl **~ráveis**) a intolerable

intoxi|cação /ĩtoʃika'sãw/ f poisoning; **~cação alimentar** food poisoning; **~car** vt poison

intragá|vel /ĩtra'gavɛl/ (pl **~veis**) a <comida> inedible; <pessoa> unbearable

intransigente /ĩtrãzi'ʒẽtə/ a uncompromising

intransi|tável /ĩtrãzi'tavɛl/ (pl **~táveis**) a impassable; **~tivo** a intransitive

intratá|vel /ĩtra'tavɛl/ (pl **~veis**) a <pessoa> difficult

intra-uterino /ĩtrauto'rinu/ a dispositivo **~** intra-uterine device, IUD

intrépido /ĩ'trɛpidu/ a intrepid

intri|ga /ĩ'triga/ f intrigue; (enredo) plot; **~gante** a intriguing; **~gar** vt intrigue

intrincado /ĩtrĩ'kadu/ a intricate

intrínseco /ĩ'trĩsəku/ a intrinsic

introdu|ção /ĩtrudu'sãw/ f introduction; **~tório** a introductory; **~zir** vt introduce

introme|ter-se /ĩtrumə'tersə/ vpr interfere; **~tido** a interfering □ m busybody

introspec|ção /ĩtroʃpɛ'sãw/ f introspection; **~tivo** a introspective

introvertido /ĩtrovər'tidu/ a introverted □ m introvert

intruso /ĩ'truzu/ a intrusive □ m intruder

intu|ição /ĩtwi'sãw/ f intuition; **~ir** vt intuit; **~itivo** a intuitive; **~to** m purpose

inumano /inu'manu/ a inhuman

inumerá|vel /inumə'ravɛl/ (pl **~veis**) a innumerable

inúmero /i'numəru/ a countless

inun|dação /inũda'sãw/ f flood; **~dar** vt/i flood

inusitado /inuzi'tadu/ a unusual

inú|til /i'nutil/ (pl **~teis**) a useless

inutilmente /inutil'mẽtə/ adv in vain

inutilizar /inutəli'zar/ vt render useless; damage <aparelho>; thwart <esforços>

invadir /ĩva'dir/ *vt* invade

invali|dar /ĩvali'dar/ *vt* invalidate; disable <pessoa>; **~dez** /e/ *f* disability

inválido /ĩ'validu/ *a & m* invalid

invariá|vel /ĩvari'avɛl/ (*pl* ~**veis**) *a* invariable

inva|são /ĩva'zãw/ *f* invasion; **~sor** *m* invader □ *a* invading

inve|ja /ĩ'vɛʒa/ *f* envy; **~jar** *vt* envy; **~jável** (*pl* **~jáveis**) *a* enviable; **~joso** /o/ *a* envious

inven|ção /ĩvẽ'sãw/ *f* invention; **~tar** *vt* invent; **~tário** *m* inventory; **~tivo** *a* inventive; **~tor** *m* inventor

inver|nar /ĩver'nar/ *vi* winter, spend the winter; **I~no** /ɛ/ *m* winter

inverosí|mil /ĩvəru'zimil/ (*pl* **~meis**) *a* improbable

inver|são /ĩver'sãw/ *f* inversion; **fazer ~ de marcha** do a U-turn; **~so** *a* inverse; <ordem> reverse □ *m* reverse; **~ter** *vt* reverse; (*colocar de cabeça para baixo*) invert

invertebrado /ĩvərtə'bradu/ *a & m* invertebrate

invés /ĩ'vɛs/ *m* **ao ~ de** instead of

investida /ĩvəs'tida/ *f* attack

investidura /ĩvəsti'dura/ *f* investiture

investi|gação /ĩvəstiga'sãw/ *f* investigation; **~gar** *vt* investigate

inves|timento /ĩvəs'tĩmẽtu/ *m* investment; **~tir** *vt/i* invest; **~tir contra** attack

inveterado /ĩvətə'radu/ *a* inveterate

inviá|vel /ĩvi'avɛl/ (*pl* ~**veis**) *a* impracticable

invicto /ĩ'viktu/ *a* unbeaten

invisí|vel /ĩvi'zivɛl/ (*pl* ~**veis**) *a* invisible

invocar /ĩvu'kar/ *vt* invoke

invólucro /ĩ'vɔlukru/ *m* covering

involuntário /ĩvulũ'tarju/ *a* involuntary

invulnerá|vel /ĩvulnə'ravɛl/ (*pl* ~**veis**) *a* invulnerable

iodo /i'odu/ *m* iodine

ioga /i'ɔga/ *f* yoga

iogurte /jɔ'gurtə/ *m* yoghurt

ir /ir/ *vi* go; **~-se** *vpr* go away; **vou voltar** I will come back; **vou melhorando** I am (gradually) getting better

ira /'ira/ *f* wrath

iraniano /irani'anu/ *a & m* Iranian

Irão /i'rãw/ *m* Iran

Iraque /i'rakə/ *m* Iraq

iraquiano /ira'kjanu/ *a & m* Iraqui

Irlanda /ir'lãda/ *f* Ireland

irlan|dês /irlã'des/ *a* (*f* ~**desa**) Irish □ *m* (*f* ~**desa**) Irishman (*f* -woman); (*língua*) Irish; **os ~deses** the Irish

irmã /ir'mã/ *f* sister

irmandade /irmã'dadə/ *f* (*associação*) brotherhood

irmão /ir'mãw/ (*pl* ~**s**) *m* brother

ironia /iru'nia/ *f* irony

irónico /i'rɔniku/ *a* ironic

irracio|nal /iRasju'nal/ (*pl* ~**nais**) *a* irrational

irradiar /iRadi'ar/ *vt* radiate; (*pelo rádio*) broadcast □ *vi* shine; **~se** *vpr* spread, radiate

irre|al /iʀi'al/ (*pl* **~ais**) *a* unreal

irreconhecí|vel /iʀəkuɲo'sivɛl/ (*pl* **~veis**) *a* unrecognizable

irrecuperá|vel /iʀəkupə'ravɛl/ (*pl* **~veis**) *a* irretrievable

irreflectido /iʀəfle'tidu/ *a* rash

irregu|lar /iʀəgu'lar/ *a* irregular; (*inconstante*) erratic; **~laridade** *f* irregularity

irrelevante /iʀələ'vãtə/ *a* irrelevant

irreparáʾ|vel /iʀəpa'ravɛl/ (*pl* **~veis**) *a* irreparable

irrepreensí|vel /iʀəprjẽ'sivɛl/ (*pl* **~veis**) *a* irreproachable

irrequieto /iʀəki'ɛtu/ *a* restless

irresistí|vel /iʀəziʃ'tivɛl/ (*pl* **~veis**) *a* irresistible

irresoluto /iʀəzu'lutu/ *a* <questão> unresolved; <pessoa> indecisive

irresponsá|vel /iʀəʃpõ'savɛl/ (*pl* **~veis**) *a* irresponsible

irreverente /iʀəve'ʀẽtə/ *a* irreverent

irri|gação /iʀiga'sãw/ *f* irrigation; **~gar** *vt* irrigate

irrisório /iʀi'zɔrju/ *a* derisory

irri|tação /iʀita'sãw/ *f* irritation; **~tadiço** *a* irritable; **~tante** *a* irritating; **~tar** *vt* irritate; **~ tar-se** *vpr* get irritated

irromper /iʀõ'per/ *vi* ~ **em** burst into

isca /'iʃka/ *f* bait

isen|ção /izẽ'sãw/ *f* exemption; **~tar** *vt* exempt; **~to** *a* exempt

islâmico /iʒ'lɐmiku/ *a* Islamic

isla|mismo /iʒlɐ'miʒmu/ *m* Islam; **~mita** *a* & *m/f* Muslim

islan|dês /iʒlɐ'deʃ/ *a* (*f* **~desa**) Icelandic □ *m* (*f* **~desa**) Icelander; (*língua*) Icelandic

Islândia /iʒ'lɐdjə/ *f* Iceland

Islão /iʒ'lãw/ *m* Islam

iso|lamento /izula'mẽtu/ *m* isolation; (*electr*) insulation; **~lante** *a* insulating; **~lar** *vt* isolate; (*electr*) insulate □ *vi* (*contra azar*) touch wood, (*Amer*) knock on wood

isqueiro /iʃ'kejru/ *m* lighter

Israel /iʒʀa'ɛl/ *m* Israel

israe|lense /iʒʀae'lẽsə/ *a* & *m/f* Israeli; **~lita** *a* & *m/f* Israelite

isso /'isu/ *pron* that; **por ~** therefore

isto /'iʃtu/ *pron* this; ~ **é** that is

Itália /i'taljə/ *f* Italy

italiano /itali'ɐnu/ *a* & *m* Italian

itálico /i'taliku/ *a* & *m* italic

item /'itɐj/ *m* item

itine|rante /itinə'ʀɐtə/ *a* itinerant; **~rário** *m* itinerary

J

já /ˈʒa/ adv already; (agora) right away □ conj on the other hand; **desde ~** from now on; **~ não** no longer; **~ que** since; **~, ~** in no time

jacaré /ʒaka'rɛ/ m alligator

jacinto /ʒa'sĩtu/ m hyacinth

jactância /ʒak'tãsjɐ/ f boasting

jacto /ˈʒatu/ m jet

jade /ˈʒadɐ/ m jade

jaguar /ʒa'gwar/ m jaguar

jagunço /ʒa'gũsu/ m hired gunman

Jamaica /ʒa'majkɐ/ f Jamaica

jamaicano /ʒamaj'kɐnu/ a & m Jamaican

jamais /ʒa'majʃ/ adv never

Janeiro /ʒa'nejru/ m January

janela /ʒa'nɛlɐ/ f window

jangada /ʒã'gadɐ/ f (fishing) raft

janta /ˈʒãtɐ/ f (fam) dinner

jantar /ʒã'tar/ m dinner □ vi have dinner □ vt have for dinner

Japão /ʒa'pãw/ m Japan

japo|nês /ʒa'puneʃ/ a & m (**~nesa**) f Japanese

jaqueta /ʒa'ketɐ/ f jacket

jarda /ˈʒardɐ/ f yard

jar|dim /ʒar'dĩ/ m garden; **~dim-de-infância** (pl **~dins- -de-infância**) f kindergarten

jardi|nagem /ʒardi'naʒãj/ f gardening; **~nar** vi garden; **~- neiras** f&pl (calça) dungarees; (vestido) pinafore dress, (Amer) jumper; (para flores) flower stand; **~neiro** m gardener

jargão /ʒar'gãw/ m jargon

jar|ra /ˈʒaʀɐ/ f pot; **~ro** m jug

jasmim /ʒaʒ'mĩ/ m jasmine

jaula /ˈʒawlɐ/ f cage

ja|zer /ʒa'zer/ vi lie; **~zida** f deposit; **~zigo** m grave

jazz /ˈʒaze/ m jazz; **~ista** m/f jazz artist; **~ístico** a jazzy

jei|tão /ʒej'tãw/ m (fam) individual style; **~tinho** m knack; **~to** m way; (de pessoa) manner; (habilidade) skill; **de qualquer ~to** anyway; **de ~to nenhum** no way; **pelo ~to** by the looks of things; **sem ~to** awkward; **dar um ~to** find a way; **dar um ~to em** (arrumar) tidy up; (consertar) fix; (torcer) twist <pé etc>; **ter ~to de** look like; **ter ou levar ~to para** be good at; **tomar ~to** pull one's socks up; **~toso**

/o/ *a* skilful; *(de aparência)* elegant

jejuar /ʒəʒu'ar/ *vi* fast; **~jum** *m* fast

Jeová /ʒjɔ'va/ *m* **testemunha de ~** Jehovah's witness

jesuíta /ʒəzu'ita/ *a & m/f* Jesuit

Jesus /ʒə'zuʃ/ *m* Jesus

jibóia /ʒi'bɔjɐ/ *f* boa constrictor

jipe /'ʒipɐ/ *m* jeep

jiu-jitsu /ʒju'ʒitsu/ *m* jiu-jitsu

joa|lheiro /ʒwa'ʎejru/ *m* jeweller; **~lheria** *f* jeweller's (shop)

joaninha /ʒwa'niɲɐ/ *f* ladybird, *(Amer)* ladybug

joão-ninguém /ʒwãwnĩ'gãj/ *(pl* **joões-ninguém)** *m* nobody

jocoso /ʒu'kozu/ *a* jocular

joe|lhada /ʒwe'ʎadɐ/ *f* blow with the knee; **~lheira** *f* kneepad; **~lho** /e/ *m* knee; **de ~lhos** kneeling

jo|gada /ʒu'gadɐ/ *f* move; **~gado** *a* <pessoa> flat out; <papéis, roupa etc> lying around; **~gador** *m* player; *(no casino etc)* gambler; **~gar** *vt* play; *(atirar)* throw; *(arriscar no jogo)* gamble □ *vi* play; *(no casino etc)* gamble; *(balançar)* toss; **~gar fora** throw away; **~gatina** *f* gambling

jogging /'ʒɔgĩg/ *m (cooper)* jogging; *(roupa)* track suit

jogo /'ʒogu/ *m (partida)* game; *(acção de jogar)* play; *(jogatina)* gambling; *(conjunto)* set; **em ~** at stake; **~ de cintura** *(fig)* flexibility,

room to manoeuvre; **~ de luz** lighting effects; **~ do bicho** *(Br)* illegal numbers game; **Jogos Olímpicos** Olympic Games; **~ do galo** noughts and crosses

joguete /ʒu'getɐ/ *m* plaything

jóia /'ʒɔjɐ/ *f* jewel; *(propina)* entry fee □ *a (fam)* great

joio /'ʒoju/ *m* chaff; **separar o trigo do ~** separate the wheat from the chaff

jóquei /'ʒɔkej/ *m (pessoa)* jockey

Jordânia /ʒur'dɐnjɐ/ *f* Jordan

jordaniano /ʒurdɐni'ɐnu/ *a & m* Jordanian

jor|nada /ʒur'nadɐ/ *f (viagem)* journey; **~nada de trabalho** working day; **~nal** *(pl* **~nais)** *m* newspaper; *(na TV)* news

jorna|leco /ʒurnɐ'lɛku/ *m* rag, scandal sheet; **~leiro** *m (vendedor)* newsagent, *(Amer)* newsdealer; *(ardina)* paperboy; **~lismo** *m* journalism; **~lista** *m/f* journalist; **~lístico** *a* journalistic

jor|rar /ʒu'ʀar/ *vi* gush, spurt; **~ro** /'ʒoʀu/ *m* spurt

jota /'ʒɔtɐ/ *m* letter J

jovem /'ʒɔvãj/ *a* young; *(criado por jovens)* youth □ *m/f* young man *(f* -woman), pl young people

jovi|al /ʒuvi'al/ *(pl* **~ais)** *a* jovial

juba /'ʒubɐ/ *f* mane

jubileu /ʒubi'lew/ *m* jubilee

júbilo /'ʒubilu/ *m* joy

ju|daico /ʒu'dajku/ *a* Jewish; **~daísmo** *m* Judaism; **~deu** *(f* **~dia)** Jewish □ *m (f* **~dia)**

Jew; **~diação** f ill-treatment; (*uma*) terrible thing; **~diar** vi **~diar de** ill-treat

judici|al /ʒudisi'al/ (*pl* **~ais**) a judicial; **~ário** a judicial □ m judiciary; **~oso** /o/ a judicious

judo /ʒu'du/ m judo

judoca /ʒu'dɔkɐ/ m/f judo player

jugo /ʒugu/ m yoke

Jugoslávia /ʒuguʒ'lavjɐ/ f Yugoslavia

jugoslavo /ʒuguʒ'lavu/ a & m Yugoslavian

juiz /ʒu'iʃ/ m (f **juíza**) judge; (*em jogos*) referee

juízo /ʒu'izu/ m judgement; (*tino*) sense; (*tribunal*) court; **perder o ~** lose one's mind; **ter ~** be sensible; **tomar** ou **criar ~** come to one's senses

jul|gamento /ʒulgɐ'mẽtu/ m judgement; **~gar** vt judge; pass judgement on <réu>; (*imaginar*) think; **~gar-se** vpr consider o.s.

Julho /'ʒuʎu/ m July

jumento /ʒu'mẽtu/ m donkey

junção /ʒũ'sãw/ f join; (*acção*) joining

junco /'ʒũku/ m reed

Junho /'ʒuɲu/ m June

juni|no /ʒu'ninu/ a **festa ~na** St John's Day festival

júnior /'ʒunjɔr/ a & m junior

jun|ta /'ʒũtɐ/ f board; (*pol*) junta; **~tar** vt (*acrescentar*) add; (*uma coisa a outra*) join; (*uma coisa com outra*) combine; save up <dinheiro>; gather up <papéis, lixo etc> □ vi gather; **~tar-se** vpr

join together; <multidão> gather; <casal> live together; **~tar-se a** join; **~to** a together □ adv together; **~to a** next to; **~to com** together with

ju|ra /'ʒurɐ/ f vow; **~rado** m juror; **~ramentado** a accredited; **~ramento** m oath; **~rar** vt/i swear; **~ras?** (*fam*) really?

júri /'ʒuri/ m jury

jurídico /ʒu'ridiku/ a legal

juris|consulto /ʒuris'kõsultu/ m legal advisor; **~dição** f jurisdiction; **~prudência** f jurisprudence; **~ta** m/f jurist

juros /'ʒuruʃ/ m pl interest

jus /ʒuʃ/ m **fazer ~ a** live up to

jusante /ʒu'zãtɐ/ f **a ~** downstream

justamente /ʒuʃtɐ'mẽtɐ/ adv exactly; (*com justiça*) fairly

justapor /ʒuʃtɐ'por/ vt juxtapose

justi|ça /ʒuʃ'tisɐ/ f (*perante a lei*) justice; (*para com outros*) fairness; (*tribunal*) court; **~ ceiro** a fair-minded □ m vigilante

justifi|cação /ʒuʃtifikɐ'sãw/ f justification; **~car** vt justify; **~cável** (*pl* **~cáveis**) a justifiable

justo /'ʒuʃtu/ a fair (*apertado*) tight □ adv just

juve|nil /ʒuvɐ'nil/ (*pl* **~nis**) a youthful; (*para jovens*) for young people; <equipa, torneio> junior □ m junior championship

juventude /ʒuvẽ'tudɐ/ f youth

K

karaoke /kɑɾɑo'ke/ *m* karaoke
karaté /ka'ratɛ/ *m* karate
kart /'kartə/ (*pl* ~s) *m* go-kart
ketchup /kɛtʃupə/ *m* ketchup
kit /'kitə/ (*pl* ~s) *m* kit

kitchenette /kitʃə'nɛtə/ *f* kit-chenette
Kuwait /ku'ajtə/ *m* Kuwait
kuwaitiano /kwaj'tjɑnu/ *a* & *m* Kuwaiti

L

lá /la/ *adv* there; **até ~** ‹ir› there; ‹esperar etc› until then; **por ~** (*naquela direcção*) that way; (*naquele lugar*) around there; **~ fora** outside; **sei ~** how should I know?

lã /lã/ *f* wool

labareda /labaˈrɛda/ *f* flame

lábia /ˈlabja/ *f* flannel; **ter ~** have the gift of the gab

lábio /ˈlabju/ *m* lip

labirinto /labiˈrĩtu/ *m* labyrinth

laboratório /laburaˈtɔrju/ *m* laboratory

laborioso /laburiˈozu/ *a* hard-working

labu|ta /laˈbuta/ *f* drudgery; **~tar** *vi* slog

laca /ˈlaka/ *f* lacquer

laçada /laˈsada/ *f* slipknot

lacaio /laˈkaju/ *m* lackey

la|çar /laˈsar/ *vt* lasso ‹boi›; **~ço** *m* bow; (*de vaqueiro*) lasso; (*vínculo*) tie

lacónico /laˈkɔniku/ *a* laconic

la|crar /laˈkrar/ *vt* seal; **~cre** *m* (*substância*) sealing wax; (*fechamento*) seal

lacri|mejar /lakrimeˈʒar/ *vi* water; **~mogéneo** *a* ‹gás› tear; **~mejante** /o/ *a* tearful

lácteo /ˈlaktju/ *a* milk; **Via Láctea** Milky Way

lacticínio /latʃiˈsinju/ *m* dairy product

lacuna /laˈkuna/ *f* gap

ladainha /ladaˈiɲa/ *f* litany

la|dear /ladiˈar/ *vt* flank; sidestep ‹dificuldade›; **~deira** *f* slope

lado /ˈladu/ *m* side; **o ~ de cá/lá** this/that side; **ao ~ de** beside; **~ a ~** side by side; **para este ~** this way; **por outro ~** on the other hand

la|drão /laˈdrãw/ *m* (*f* **~dra**) thief □ *a* thieving

ladrar /laˈdrar/ *vi* bark

ladri|lhar /ladriˈʎar/ *vt* tile; **~lho** *m* tile

ladroagem /ladruˈaʒãj/ *f* stealing

lagar|ta /laˈgarta/ *f* caterpillar; (*numa roda*) caterpillar track; **~tear** *vi* bask in the sun; **~tixa** *f* gecko; **~to** *m* lizard

lago /ˈlagu/ *m* lake

lagoa /laˈgoa/ *f* lagoon

lagos|ta /laˈgoʃta/ *f* lobster; **~tim** *m* crayfish, (*Amer*) crawfish

lágrima /ˈlagrima/ *f* tear

laia /'lajɐ/ f kind

laico /'lajku/ adj <pessoa> lay; <ensino> secular

laivos /'lajvuʃ/ m pl traces

laje /'laʒə/ m flagstone; **~ar** /∫/ vt pave

lajota /la'ʒɔtɐ/ f small paving stone

lama /'lamɐ/ f km, mud; **~çal** (pl **~çais**) m bog; **~cento** a muddy

lamba|da /lã'badɐ/ f (dança) lambada; (fam) (bofetada) slap; **~teria** f lambada club

lam|ber /lã'ber/ vt lick; **~bida** f lick

lambreta /lã'bretɐ/ f moped

lambris /lã'briʃ/ m pl panelling

lambuzar /lãbu'zar/ vt smear; **~-se** vpr get sticky

lamen|tar /lamẽ'tar/ vt (lastimar) lament; (sentir) be sorry; **~tar-se de** lament; **~tável** (pl **~táveis**) a lamentable; **~to** m lament

lâmina /'laminɐ/ f blade; (de persiana) slat

laminar /lami'nar/ vt laminate

lâmpada /'lãpadɐ/ f light bulb; (abajour) lamp

lampe|jar /lãpe'ʒar/ vi flash; **~jo** /e/ m flash

lampião /lãpi'ãw/ m lantern

lamúria /la'murjɐ/ f moaning

lamuriar-se /lamuri'arsə/ vpr moan (de about)

lan|ça /'lãsɐ/ f spear; **~camento** m (de navio, foguete, produto) launch; (de filme, disco) release; (novo produto) new line; (novo livro) new title; (em livro comercial) entry; **~çar** vt (atirar) throw;

launch <navio, foguete, novo produto, livro>; release <filme, disco>; enter; (em leilão) bid; **~çar mão de** make use of; **~ce** m (num filme, jogo) bit, moment; (episódio) episode; (questão) matter; (jogada) move; (em leilão) bid; (de escada) flight; (de casas) row

lancha /'lã∫ɐ/ f launch

lan|char /lã'∫ar/ vi have a snack □ vt have a snack of; **~che** m snack; **~chonete** /ɛ/ (Br) f snack bar

lancinante /lãsi'nãtə/ a <dor> shooting; <grito> piercing

lânguido /'lãgidu/ a languid

lantejoula /lãte'ʒolɐ/ f sequin

lanter|na /lã'tɛrnɐ/ f lantern; (de bolso) torch, (Amer) flashlight

lanugem /la'nuʒãj/ f down

lapela /la'pɛlɐ/ f lapel

lapidar /lapi'dar/ vt cut <pedra preciosa>; (fig) polish

lápide /'lapidə/ f tombstone

lápis /'lapiʃ/ m invar pencil

lapiseira /lapi'zejrɐ/ f propelling pencil; (caixa) pencil box

Lapónia /la'ponjɐ/ f Lappland

lapso /'lapsu/ m lapse

la|quear /laki'ar/ vt lacquer

lar /lar/ m home

laran|ja /la'rãʒɐ/ f orange □ a invar orange; **~jada** f orangeade; **~jeira** f orange tree

laranjeira /la'rãʒɐ/ f hearth, fireplace

lar|gada /lar'gadɐ/ f start; **dar a ~gada** start off; **~gar** vt (soltar) let go of; give up

larin|ge /la.ˈrĩʒə/ f larynx; **~gi-te** f laryngitis

larva /ˈlarvɐ/ f larva

lasanha /la.ˈzaɲɐ/ f lasagna

las|ca /ˈlaʃkɐ/ f chip; **~car** vt/i chip

lástima /ˈlaʃtimɐ/ f shame

lastro /ˈlaʃtru/ m ballast

la|ta /ˈlatɐ/ f (material) tin; (recipiente) tin, (Amer) can; **~ta do lixo** dustbin, (Amer) trash can; **~tão** m brass

late|jante /latə.ˈʒãtə/ a throbbing; **~jar** vi throb

latente /la.ˈtẽtə/ a latent

late|ral /latə.ˈral/ (pl **~rais**) a side, lateral

latido /la.ˈtidu/ m bark

lati|fundiário /latifudiˈarju/ a landowning □ m landowner; **~ fúndio** m estate

latim /la.ˈtĩ/ m Latin

latino /la.ˈtinu/ a & m Latin; **~americano** a & m Latin American

latir /la.ˈtir/ vi bark

latitude /lati.ˈtudə/ f latitude

lauda /ˈlawdɐ/ f side

laudo /ˈlawdu/ m report, findings

lava /ˈlavɐ/ f lava

lava|bo /la.ˈvabu/ m toilet; **~gem** f washing; **~gem a seco** dry cleaning; **~gem cerebral** brainwashing

lavanda /la.ˈvãdɐ/ f lavender

lavandaria /lavãdɐ.ˈriɐ/ f laundry

lavar /la.ˈvar/ vt wash; **~ a seco** dry-clean; **~-se** vpr wash

lavatório /lava.ˈtɔrju/ m washbasin

lavoura /la.ˈvorɐ/ f (agricultura) farming; (terreno) field

lav|rador /lavra.ˈdor/ m farmer; **~rar** vt work; draw up <documento>

laxante /la.ˈʃãtə/ a & m laxative

lazer /la.ˈzer/ m leisure

le|al /liˈal/ (pl **~ais**) a loyal; **~aldade** f loyalty

leão /liˈãw/ m lion; **Leão** (signo) Leo

lebre /ˈlɛbrə/ f hare

leccionar /lɛsjuˈnar/ vt/i teach

lectivo /lɛ.ˈtivu/ a ano ~ (univ) academic year; (sch) school year

le|gação /ləgɐ.ˈsãw/ f legation; **~gado** m (pessoa) legate; (herança) legacy

le|gal /lə.ˈgal/ (pl **~gais**) a legal; (fam) good; <pessoa> nice; **'tá ~gal** (Br) OK; **~galidade** f legality; **~galizar** vt legalize

legar /lə.ˈgar/ vt bequeath

legenda /lə.ˈʒẽdɐ/ f (de quadro) caption; (de filme) subtitle; (inscrição) inscription

legi|ão /ləʒi.ˈãw/ f legion; **~onário** m (romano) legionary; (da legião estrangeira) legionnaire

legis|lação /ləʒiʒlɐ.ˈsãw/ f legislation; **~lador** m legislator; **~ lar** vi legislate; **~lativo** a legislative □ m legislature; **~latura** f legislature; **~ta** m/f legal expert

legiti|mar /ləʒitiˈmar/ vt legitimize; **~midade** f legitimacy

legítimo /lə.ˈʒitimu/ a legitimate

legí|vel /lə'ʒivɛl/ (*pl* **~veis**) *a* legible

légua /'lɛgwə/ *f* league

legume /lə'gumə/ *m* vegetable

lei /lej/ *f* law

leigo /'lejgu/ *a* lay □ *m* layman

lei|lão /lej'lãw/ *m* auction; **~loar** *vt* auction; **~loeiro** *m* auctioneer

leitão /lej'tãw/ *m* sucking pig

lei|te /'lejtə/ *m* milk; **~te condensado/desnatado** condensed/skimmed milk; **~teira** *f* (*jarro*) milk jug; (*panela*) milk saucepan □ *a* <vaca> dairy; **~teiro** □ *m* milkman

leito /'lejtu/ *m* bed

leitor /lej'tor/ *m* reader

leitoso /lej'tozu/ *a* milky

leitura /lej'turə/ *f* (*acção*) reading; (*material*) reading matter

lema /'lemə/ *m* motto

lem|brança /lẽ'brãsə/ *f* memory; (*presente*) souvenir; **~brar** *vt/i* remember; **~brar-se** *vpr* remember; **~brar aco a alg** remind s.o. of sth; **~brete** /e/ *m* reminder

leme /'lɛmə/ *m* rudder

len|ço /'lẽsu/ *m* (*para o nariz*) handkerchief; (*para vestir*) scarf; **~çol** /ɔ/ (*pl* **~çóis**) *m* sheet

len|da /'lẽdə/ *f* legend; **~dário** *a* legendary

lenha /'laɲə/ *f* firewood; (*uma*) log; **~dor** *m* woodcutter

lente /'lẽtə/ *f* lens; **~ de contacto** contact lens

lentidão /lẽti'dãw/ *f* slowness

lentilha /lẽ'tiʎə/ *f* lentil

lento /'lẽtu/ *a* slow

leoa /li'oa/ *f* lioness

leopardo /lju'pardu/ *m* leopard

le|pra /'lɛprə/ *f* leprosy; **~proso** /o/ *a* leprous □ *m* leper

leque /'lɛkə/ *m* fan; (*fig*) array

ler /ler/ *vt/i* read

ler|deza /lɛr'deza/ *f* sluggishness; **~do** /ɛ/ *a* sluggish

le|são /lə'zãw/ *f* lesion, injury; **~sar** *vt* damage

lésbi|ca /'lɛʒbikə/ *f* lesbian; **~co** *a* lesbian

lesionar /ləzju'nar/ *vt* injure

lesma /'leʒmə/ *f* slug

leste /'lɛʃtə/ *m* east

le|tal /lə'tal/ (*pl* **~tais**) *a* lethal

le|tão /lə'tãw/ *a* & *m* (*f* **~tã**) Latvian

letargia /lətar'ʒiə/ *f* lethargy

Letónia /lə'tonjə/ *f* Latvia

letra /'letrə/ *f* letter; (*de música*) lyrics, words; (*caligrafia*) writing; **Letras** Modern Languages; **ao pé da ~** literally; **com todas as ~s** in no uncertain terms; **tirar de ~** take in one's stride; **~ de fôrma** block letter

letreiro /lə'trejru/ *m* sign

leucemia /lewsə'miə/ *f* leukaemia

leva /'lɛvə/ *f* batch

levado /lə'vadu/ *a* naughty

levan|tamento /ləvãta'mẽtu/ *m* (*sondagem*) survey; (*rebelião*) uprising; **~tamento de pesos** weightlifting; **~tar** *vt* raise; lift <peso> □ *vi* get up; **~tar-se** *vpr* get up; (*revoltar-se*) rise up

levante /lə'vãtə/ *m* east

levar /lə'var/ *vt* take; lead <vi-

da>; get <tabefe, susto etc>
□ *vi* lead (**a** to)
leve /ˈlɛvə/ *a* light; (*não grave*) slight; **de ~** lightly
levedura /ləvəˈdurɐ/ *f* yeast
leveza /ləˈvezɐ/ *f* lightness
levi|andade /ləvjãˈdadə/ *f* fri-
volity; **~ano** *a* frivolous
levitar /ləviˈtar/ *vi* levitate
lexi|cal /lɛksiˈkal/ (*pl* **~cais**) *a*
lexical
léxico /ˈlɛksiku/ *m* lexicon
lexicografia /lɛksikugrɐˈfiɐ/ *f*
lexicography
lexívia /ləˈʒivjɐ/ *f* (household)
bleach
lhe /ʎə/ *pron* (*a ele*) to him; (*a
ela*) to her; (*a você*) to you;
~s *pron* to them; (*a vocês*)
to you
liba|nês /libɐˈneʃ/ *a & m* (*f*
~nesa) Lebanese
Líbano /ˈlibɐnu/ *m* Lebanon
libélula /liˈbɛlulɐ/ *f* dragonfly
libe|ração /libərɐˈsãw/ *f* relea-
se; **~ral** (*pl* **~rais**) *a & m* li-
beral; **~ralismo** *m* liberalism; **~ralizar** *vt* liberalize;
~rar *vt* release
liberdade /libərˈdadə/ *f* freedom; **pôr em ~** set free; **~
condicional** probation
líbero /ˈlibɐru/ *m* sweeper
liber|tação /libərtɐˈsãw/ *f* libera-
tion; **~tar** *vt* free
Líbia /ˈlibjɐ/ *f* Libya
líbio /ˈlibju/ *a & m* Libyan
libi|dinoso /libidiˈnozu/ *a* le-
cherous; **~do** *f* libido
li|bra /ˈlibrɐ/ *f* pound; **Libra**
(*signo*) Libra; **~briano** *a &
m* Libran
lição /liˈsãw/ *f* lesson
licen|ça /liˈsẽsɐ/ *f* leave; (*do-

cumento*) licence; **com ~ça**
excuse me; **de ~ça** on leave;
sob ~ça under licence; **~ciar**
vt (*autorizar*) license; (*dar
férias a*) give leave to;
~ciar-se *vpr* (*tirar férias*) take leave; (*formar-se*) graduate; **~ciatura** *f* degree;
~cioso *a* licentious
liceu /liˈsew/ *m* secondary
school, (*Amer*) high school
licor /liˈkor/ *m* liqueur
lida /ˈlidɐ/ *f* (*trabalho*) work
lidar /liˈdar/ *vt/i* **~ com** deal
with
lide /ˈlidə/ *f* (*trabalho*) work
líder /ˈlidɛr/ *m/f* leader
lide|rança /lidəˈrãsɐ/ *f* (*de
partido etc*) leadership; (*em
corrida, jogo etc*) lead; **~rar**
vt lead
lido /ˈlidu/ *a* well-read
liga /ˈligɐ/ *f* (*aliança*) league;
(*tira*) garter; (*presilha*) suspender; (*de metais*) alloy
li|gação /ligɐˈsãw/ *f* connec-
tion; (*telefónica*) call; (*amorosa*) liaison; **~gado** *a* <luz,
TV> on; **~gado em** attached
to <pessoa>; hooked on
<droga>; **~gamento** *m* liga-
ment; **~gar** *vt* join, connect;
switch up <luz, TV etc>;
start up <carro>; bind <ami-
gos> □ *vi* ring up, call; **~gar
para** (*telefonar*) ring, call;
~gar a (*dar importância*)
care about; (*dar atenção*)
pay attention to; **~gar-se** *vpr*
join
ligeiro /liˈʒejru/ *a* light; (*ferida, melhora*) slight; (*ágil*)
nimble
lilás /liˈlaʃ/ *m* lilac □ *a invar*
mauve

lima¹ /'limɑ/ f (ferramenta) file

lima² /'limɑ/ f (fruta) sweet orange

limão /li'mãw/ m lime; (amarelo) lemon

limar /li'mar/ vt file

limeira /li'mejrɑ/ f sweet orange tree

limiar /limi'ar/ m threshold

limitação /limitɑ'sãw/ f limitation; **~tar** vt limit; **~tar-se** vpr limit o.s.; **~tar(-se) com** border on; **~te** m limit; (de terreno) boundary; **passar dos ~tes** go too far; **~te de velocidade** speed limit

limoeiro /limu'ejru/ m lime tree; **~nada** f lemonade

limpa /'lĩpɑ/ m **~pa-pára--brisas** windscreen wiper; **~par** vt clean; (enxugar) wipe <lágrimas, suor>; (fig) clean up <cidade, organização>; **~peza** /e/ f (acto) cleaning; (qualidade) cleanness; (fig) clean-up; **~peza pública** sanitation; **~po** a clean; <céu, consciência> clear; <lucro> net, clear; (fig) pure; **passar a ~po** write up <trabalho>; (fig) sort out <vida>; **tirar a ~po** get to the bottom of <caso>

limusine /limu'zinɑ/ f limousine

lince /'lĩsɪ/ m lynx

lindo /'lĩdu/ a beautiful

linear /lini'ar/ a linear

lingote /lĩ'gotɪ/ m ingot

língua /'lĩgwɑ/ f (na boca) tongue; (idioma) language; **~ materna** mother tongue

linguado /lĩ'gwadu/ m sole

linguagem /lĩ'gwaʒãj/ f language; **~jar** m speech, dialect

lingueta /lĩ'gwetɑ/ f bolt

linguiça /lĩ'gwisɑ/ f pork sausage

linguista /lĩ'gwiʃtɑ/ m/f linguist; **~guística** f linguistics; **~guístico** a linguistic

linha /'liɲɑ/ f line; (fio) thread; **perder a ~** lose one's cool; **~ aérea** airline; **~ de fogo** firing line; **~ de montagem** assembly line; **~gem** f lineage

linho /'liɲu/ m linen; (planta) flax

linóleo /li'nɔlju/ m lino(leum)

lipoaspiração /lipoɑ'pirɑ'sãw/ f liposuction

liquidação /likidɑ'sãw/ f liquidation; (de loja) clearance sale; (de conta) settlement; **~dar** vt liquidate; settle <conta>; pay off <dívida>; sell off, clear <mercadorias>

liquidificador /likidifikɑ'dor/ m liquidizer

líquido /'likidu/ a liquid; <lucro, salário> net □ m liquid

lírica /'lirikɑ/ f (mus) lyrics; (poesia) lyric poetry; **~co** a lyrical; <poesia> lyric

lírio /'lirju/ m lily

Lisboa /liʒ'boɑ/ f Lisbon

lisboeta /liʒbu'etɑ/ a & m/f (person) from Lisbon

liso /'lizu/ a smooth; (sem desenho) plain; <cabelo> straight; (fam: teso) broke

lisonja /li'zõʒɑ/ f flattery; **~jear** vt flatter

lista /'liʃtɑ/ f list; (listra) stripe; ~ **telefónica** telephone directory

listra /'liʃtrɐ/ f stripe; **~do** a striped, stripey

lite|ral /litə'ral/ (pl **~rais**) a literal; **~rário** a literary; **~ratura** f literature

litígio /li'tiʒju/ m dispute; (jurid) lawsuit

lito|ral /litu'ral/ (pl **~rais**) m coastline; a coastal

litro /'litru/ m litre

Lituânia /li'twɐnjɐ/ f Lithuania

lituano /li'twɐnu/ a & m Lithuanian

livrar /li'vrar/ vt free; (salvar) save; **~-se** vpr escape; **~-se de** get rid of

livraria /livrɐ'riɐ/ f bookshop

livre /'livrɨ/ a free; ~ **de impostos** tax-free; **~-arbítrio** m free will

liv|reiro /li'vrejru/ m bookseller; **~ro** m book; **~ro de consulta** reference book; **~ro de cozinha** cookery book; **~ro de texto** text book

li|xa /'liʃɐ/ f (de unhas) emery board; (para madeira etc) sandpaper; **~xar** vt sand <madeira>; file <unhas>; **estou me ~xando** (fam) I couldn't care less

li|xeira /li'ʃejrɐ/ f dustbin, (Amer) garbage can; **~xeiro** m dustman, (Amer) garbage collector; **~xo** rubbish, (Amer) garbage; (atómico) waste

lobisomem /lubi'zɔmɐj/ m werewolf

lobo /'lobu/ m wolf; **~-mari-**

nho (pl **~s-marinhos**) m sea lion

lóbulo /'lɔbulu/ m lobe

lo|cal /lu'kal/ (pl **~cais**) a local □ m site; (de um acidente etc) scene; **~calidade** f locality; **~calização** f location; **~calizar** vt locate; **~calizar-se** vpr (orientar-se) get one's bearings

loção /lu'sɐw/ f lotion; ~ **após--barba** aftershave lotion

locatário /lukɐ'tarju/ m (de imóvel) tenant; (de carro etc) hirer

locomo|tiva /lukumu'tivɐ/ f locomotive; **~ver-se** vpr get around

locução /luku'sɐw/ f phrase; **~tor** m announcer

lodo /'lodu/ m mud; **~so** /o/ a muddy

logaritmo /logɐ'ritmu/ m logarithm

lógi|ca /'lɔʒikɐ/ f logic; **~co** a logical

logo /'logu/ adv (em seguida) straightaway; (em breve) soon; (justamente) just; ~ **mais** later; ~ **antes/depois** just before/straight after; ~ **que** as soon as; **até** ~ goodbye

logotipo /logu'tipu/ m logo

logradouro /logrɐ'doru/ m public place

loiro /'lojru/ a veja **louro**

lo|ja /'lɔʒɐ/ f shop, (Amer) store; **~ja de departamentos** department store; **~ja maçónica** masonic lodge; **~jista** m/f shopkeeper

lom|bada /lõ'badɐ/ f (de livro) spine; **~ba** (na rua) speed

bump; **~binho** *m* tenderloin;
~bo *m* back; (*carne*) loin

lona /'lɔnə/ *f* canvas

Londres /'lõdrəʃ/ *f* London

londrino /lõ'drinu/ *a* London
□ *m* Londoner

longa-metragem /lõgəmə'tra-
ʒãj/ (*pl* **longas-metragens**)
m feature film

longe /'lõʒə/ *adv* far, a long
way; **de ~** from a distance;
(*por muito*) by far; **~ disso**
far from it

longevidade /lõʒevi'dadə/ *f*
longevity

longínquo /lõ'ʒĩkwu/ *a* distant

longitude /lõʒi'tudə/ *f* longitude

longo /'lõgu/ *a* long □ *m* long
dress; **ao ~ de** along; (*durante*) through, over

lontra /'lõtrə/ *f* otter

lorde /'lɔrdə/ *m* lord

losango /lu'zãgu/ *m* diamond

lotação /luta'sãw/ *f* capacity;
(*autocarro*) bus; **~tação esgotada** full house; **~tado** *a*
crowded; <teatro, autocarro>
full; **~tar** *vt* fill □ *vi* fill up

lotaria /luta'ria/ *f* lottery

lote /'lɔtə/ *m* (*quinhão*) portion; (*de terreno*) plot,
(*Amer*) lot; (*em leilão*) lot;
(*porção de coisas*) batch

louça /'losə/ *f* china; (*pratos
etc*) crockery; **lavar a ~**
wash up, do the washing-up
(*Amer*) do the dishes

louco /'loku/ *a* mad, crazy □
m madman; **estou ~co para
ir** (*fam*) I'm dying to go;
~cura *f* madness; (*uma*) crazy thing

louro /'loru/ *a* blond □ *m* laurel; (*condimento*) bayleaf

lou|var /lo'var/ *vt* praise; **~vá-
vel** (*pl* **~váveis**) *a* praiseworthy; **~vor** /o/ *m* praise

lua /'luə/ *f* moon; **~-de-mel** *f*
honeymoon

lu|ar /lu'ar/ *m* moonlight;
~arento *a* moonlit

lubrifi|cação /lubrifika'sãw/ *f*
lubrication; **~cante** *a* lubri-
cating □ *m* lubricant; **~car**
vt lubricate

lucidez /lusi'deʃ/ *f* lucidity

lúcido /'lusidu/ *a* lucid

lu|crar /lu'krar/ *vi* profit (**com**
by); **~cratividade** *f* profita-
bility; **~crativo** *a* profitable,
lucrative; **~cro** *m* profit

ludibriar /ludibri'ar/ *vt* cheat

lúdico /'ludiku/ *a* playful

lugar /lu'gar/ *m* place; (*espaço*) room; **em ~ de** in place
of; **em primeiro ~** in the
first place; **em algum ~** somewhere; **em todo o ~** everywhere; **dar ~ a** give rise
to; **ter ~** take place

lugarejo /luga'reʒu/ *m* village

lúgubre /'lugubrə/ *a* gloomy,
dismal

lula /'lulə/ *f* squid

lume /'lumə/ *m* fire

luminária /lumi'narjə/ *f* light,
lamp; *pl* illuminations

luminoso /lumi'nozu/ *a* luminous; <idéia> brilliant

lunar /lu'nar/ *a* lunar □ *m* (*sinal*) mole

lupa /'lupə/ *f* magnifying
glass

lusco-fusco /luʃku'fuʃku/ *m*
twilight

lusitano /luzi'tɐnu/, **luso** /'lu-zu/ *a & m* Portuguese

lus|trar /luʃ'trar/ *vt* shine, polish; **~tre** *m* shine; (*fig*) lustre; (*luminária*) light, lamp; **~troso** /o/ *a* shiny

lu|ta /'luta/ *f* fight, struggle; **~ta livre** wrestling; **~tador** *m* fighter; (*de luta livre*) wrestler; **~tar** *vi* fight □ *vt* do <judo etc>

luto /'lutu/ *m* mourning

luva /'luva/ *f* glove

luxação /luʃɑ'sãw/ *f* dislocation

Luxemburgo /luʃẽ'burgu/ *m* Luxembourg

luxembur|guês /luʃẽbur'geʃ/ *a* (*f* **~guesa**) Luxemburg □ *m* (*f* **~guesa**) Luxemburger; (*língua*) Luxemburgish

luxo /'luʃu/ *m* luxury; **hotel de ~** luxury hotel

luxuoso /luʃu'ozu/ *a* luxurious

luxúria /lu'ʃurjɐ/ *f* lust

luxuriante /luʃu'rjãtɐ/ *a* lush

luz /luʃ/ *f* light; **à ~ de** by the light of <velas etc>; in the light of <factos etc>; **dar à ~** give birth to

luzidio /luzi'diu/ *a* shiny

luzir /lu'zir/ *vi* shine

M

maca /ˈmakɐ/ f stretcher

maçã /mɐˈsã/ f apple

macabro /mɐˈkabru/ a macabre

maca|cão /makɐˈkãw/ m (de trabalho) overalls, (Amer) coveralls; (tipo de calça) dungarees; (roupa inteiriça) jumpsuit; (para bebé) romper suit; ~**co** m monkey; (aparelho) jack

maçada /mɐˈsadɐ/ f bore

maçador /masɐˈdor/ a boring

maçaneta /masɐˈnetɐ/ f doorknob

ma|ção /mɐˈsãw/ m freemason; ~**çonaria** f freemasonry

macar|rão /makɐˈʀãw/ m pasta; (esparguete) spaghetti; ~**ronada** f pasta with tomato sauce and cheese

macarrónico /makɐˈʀoniku/ a broken

machado /mɐˈʃadu/ m axe

ma|chão /mɐˈʃãw/ a tough ▢ m tough guy; ~**chismo** m machismo; ~**chista** a chauvinistic ▢ m male chauvinist; ~**cho** a male; <homem> macho ▢ m male

maciço /mɐˈsisu/ a solid; <dose etc> massive ▢ m massif

macieira /mɐˈsjejrɐ/ f apple tree

maciez /mɐsiˈeʃ/ f softness

macilento /mɐsiˈlẽtu/ a haggard

macio /mɐˈsiu/ a soft; <carne> tender

maço /ˈmasu/ m (de cigarros) packet; (de notas) bundle

maconha /mɐˈkoɲɐ/ f marijuana

maçónico /mɐˈsoniku/ a masonic

má-criação /makrjɐˈsãw/ f rudeness

macrobiótico /makrɔˈbjotiku/ a macrobiotic

macum|ba /mɐˈkũbɐ/ f Afro-Brazilian cult; (uma) spell

madame /mɐˈdamɐ/ f lady

Madeira /mɐˈdejrɐ/ f Madeira

madeira /mɐˈdejrɐ/ f wood ▢ m (vinho) Madeira; ~ **de lei** hardwood

madeirense /mɐdejˈrẽsɐ/ a & m Madeiran

madeixa /mɐˈdejʃɐ/ f lock

madrasta /mɐˈdraʃtɐ/ f stepmother

madrepérola /madrɐˈpɛrulɐ/ f mother of pearl

madressilva /madrɐˈsilvɐ/ f honeysuckle

Madrid /maˈdri/ f Madrid

madrinha /maˈdriɲa/ f (de baptismo) godmother; (de casamento) bridesmaid

madru|gada /madruˈgada/ f early morning; **~gador** m early riser; **~gar** vi get up early

maduro /maˈduru/ a <fruta> ripe; <pessoa> mature

mãe /mãj/ f mother; **~-de--santo** (pl **~s-de-santo**) f macumba priestess

maes|tria /maeʃˈtria/ f expertise; **~tro** m conductor

máfia /ˈmafia/ f mafia

magia /maˈʒia/ f magic

mági|ca /ˈmaʒika/ f magic; (uma) magic trick; **~co** a magic □ m magician

magis|tério /maʒiʃˈtɛrju/ m teaching; (professores) teachers; **~ trado** m magistrate

magnânimo /magˈnanimu/ a magnanimous

magnata /magˈnata/ m magnate

magnésio /magˈnɛzju/ m magnesium

mag|nético /magˈnɛtiku/ a magnetic; **~netismo** m magnetism; **~netizar** vt magnetize; (fig) mesmerize

mag|nificência /magnifiˈsẽsja/ f magnificence; **~nífico** a magnificent

magnitude /magniˈtudʒi/ f magnitude

mago /ˈmagu/ m magician; **os reis ~s** the Three Wise Men

mágoa /ˈmagwa/ f sorrow

mago|ado /magoˈadu/ m injury; (na pele) sore patch; **~ar** vt/i hurt; **~ar-se** vpr hurt o.s.

ma|gricela /magriˈsɛla/ a skinny; **~gro** a thin; <leite> skimmed; <carne> lean; (fig) meagre

Maio /ˈmaju/ m May

maiô /majˈo/ (Br) m swimsuit

maionese /majoˈnɛzə/ f mayonnaise

maior /maˈjɔr/ a bigger; <escritor, amor etc> greater; **o ~ carro** the biggest car; **o ~ escritor** the greatest writer; **~ de idade** of age

Maiorca /majˈɔrka/ f Majorca

maio|ria /majuˈria/ f majority; **a ~ria dos portugueses** most Portuguese; **~ridade** f majority, adulthood

maioritário /majuriˈtarju/ a majority

mais /majʃ/ adv & pron more; **~ dois** two more; **dois dias a ~** two more days; **não trabalho ~** I don't work any more; **~ ou menos** more or less

maître /ˈmɛtrə/ m head waiter

maiúscula /majˈuʃkula/ f capital letter

maizena /majˈzena/ f cornflour, (Amer) cornstarch

majes|tade /maʒeʃˈtadʒi/ f majesty; **~toso** a majestic

major /maˈʒɔr/ m major

mal /mal/ adv badly; (quase não) hardly □ conj hardly □ m evil; (doença) sickness; **não faz ~** never mind; **levar a ~** take offence at; **passar ~** be sick

mala /ˈmala/ f suitcase; (do carro) boot, (Amer) trunk; **~ aérea** air courier

malabaris|mo /malabaˈriʒmu/ *m* juggling act; ~**ta** *m/f* juggler

malagradecido /malagra-dɔˈsidu/ *a* ungrateful

malagueta /malaˈgeta/ *f* chilli pepper

malaio /maˈlaju/ *a* & *m* Malay

malandragem /malãˈdraʒãj/ *f* hustling; (*uma*) clever trick; ~**dro** *a* cunning □ *m* hustler

malária /maˈlarja/ *f* malaria

Malásia /maˈlazja/ *f* Malaysia

mal-assombrado /malasõˈbra-du/ *a* haunted

Malavi /maˈlavi/ *m* Malawi

malcriado /malˈkrjadu/ *a* rude

maldade /malˈdadɛ/ *f* wickedness; (*uma*) wicked thing; **por** ~**dade** out of spite; ~**dição** *f* curse; ~**dito** *a* cursed, damned; ~**doso** /o/ *a* wicked

maleável /maˈljavɛl/ (*pl* ~**veis**) *a* malleable

maledicência /maledisˈẽsja/ *f* malicious gossip

maléfico /maˈlɛfiku/ *a* evil; (*prejudicial*) harmful

mal-encarado /malẽkaˈradu/ *a* shady, dubious □ *m* shady character

mal-entendido /malẽtẽˈdidu/ *m* misunderstanding

mal-estar /malaʃˈtar/ *m* (*doença*) ailment; (*constrangimento*) discomfort

maleta /maˈleta/ *f* overnight bag

malévolo /maˈlɛvulu/ *a* malevolent

malfeito /malˈfejtu/ *a* badly done; <roupa etc> badly made; (*fig*) wrongful; ~**tor** *m* wrongdoer; ~**toria** *f* wrongdoing

malha /ˈmaʎa/ *f* (*ponto*) stitch; (*tricô*) knitting; (*tecido*) jersey; (*camisola*) jumper, (*Amer*) sweater; (*para ginástica*) leotard; (*de rede*) mesh; **fazer** ~**lha** knit; ~**lhado** *a* <animal> dappled; ~**lhar** *vt* beat; thresh <trigo etc> □ *vi* (*fam*) work out

mal-humorado /malumuˈradu/ *a* in a bad mood, grumpy

malícia /maˈlisja/ *f* (*má indole*) malice; (*astúcia*) guile; (*humor*) innuendo

malicioso /maliˈsjozu/ *a* (*mau*) malicious; (*astuto*) crafty; (*que põe malícia*) dirty-minded

maligno /maˈlignu/ *a* malignant

malmequer /malməˈkɛr/ *m* marigold

malograr-se /maluˈgrarsɛ/ *vpr* go wrong, fail; ~**gro** /o/ *m* failure

mal-passado /malpaˈsadu/ *a* <carne> rare

Malta /ˈmalta/ *f* Malta

malte /ˈmaltɛ/ *m* malt

maltrapilho /maltraˈpiʎu/ *a* scruffy

maltratar /maltraˈtar/ *vt* ill-treat, mistreat

maluco /maˈluku/ *a* mad, crazy □ *m* madman; ~**quice** *f* madness; (*uma*) crazy thing

malvado /malˈvadu/ *a* wicked

Malvinas /malˈvinaʃ/ *f pl* Falklands

mamã /maˈmã/ *f* mum

mamão /maˈmãw/ *m* papaya

mamar /maˈmar/ *vi* suckle

mamífero /maˈmiferu/ *m* mammal

mamilo /mɑ'milu/ *m* nipple

manada /mɑ'nadɑ/ *f* herd

manancil|al /mɑnɑ̃si'al/ (*pl* ~**ais**) *m* spring; (*fig*) rich source

man|car /mã'kar/ *vi* (*coxear*) limp; ~**car-se** (*Br*) *vpr* (*fam*) take the hint, get the message

Mancha /'mãʃɑ/ *f* **o canal da** ~ the English Channel

man|cha /'mãʃɑ/ *f* stain; (*na pele*) mark; ~**char** *vt* stain

manchete /mã'ʃɛtɛ/ *f* headline

manco /'mãku/ *a* lame □ *m* cripple

mandachuva /mãdɑ'ʃuvɑ/ *m* (*fam*) bigwig; (*chefe*) boss

man|dado /mã'dadu/ *m* order; ~**dado de busca** search warrant; ~**dado de prisão** arrest warrant; ~**damento** *m* commandment; ~**dante** *m/f* person in charge; ~**dão** *a* (*f* ~**dona**) bossy; ~**dar** *vt* (*pedir*) order; (*enviar*) send □ *vi* be in charge; ~**dar-se** (*Br*) *vpr* (*fam*) take off; ~**dar buscar** send for; ~**dar dizer** send word; ~**dar alg ir** tell s.o. to go; ~**dar em alg** order s.o. about; ~**dato** *m* mandate

mandíbula /mã'dibulɑ/ *f* (lower) jaw

mandioca /mã'dʒiokɑ/ *f* manioc

maneira /mɑ'nejrɑ/ *f* way; *pl* (*boas*) manners; **desta** ~ in this way; **de qualquer** ~ anyway

mane|jar /mɑnɛ'ʒar/ *vt* handle; operate «*máquina*»; ~**jável** (*pl* ~**jáveis**) *a* manageable; ~**jo** /e/ *m* handling

manequim /mɑnɛ'kĩ/ *m* (*boneco*) dummy; (*medida*) size □ *m/f* mannequin, model

maneta /mɑ'netɑ/ *a* one-armed □ *m/f* person with one arm

manga[1] /'mãgɑ/ *f* (*de roupa*) sleeve

manga[2] /'mãgɑ/ *f* (*fruta*) mango

manganês /mãgɑ'neʃ/ *m* manganese

mangue /'mãgɛ/ *m* mangrove swamp

mangueira[1] /mã'gejrɑ/ *f* (*tubo*) hose

mangueira[2] /mã'gejrɑ/ *f* (*árvore*) mango tree

manha /'mɑɲɑ/ *f* tantrum

manhã /mɑ'ɲã/ *f* morning; **de** ~ in the morning

manhoso /mɑ'ɲozu/ *a* wilful

mania /mɑ'niɑ/ *f* (*moda*) craze; (*doença*) mania

maníaco /mɑ'niaku/ *a* manic □ *m* maniac; ~**depressivo** *a* & *m* manic depressive

manicómio /mɑni'kɔmju/ *m* lunatic asylum

manicura /mɑni'kurɑ/ *f* manicure; (*pessoa*) manicurist

manifes|tação /mɑnifɛʃtɑ'sãw/ *f* manifestation; (*desfile*) demonstration; ~**tante** *m/f* demonstrator; ~**tar** *vt* manifest, demonstrate; ~**tar-se** *vpr* (*revelar-se*) manifest o.s.; (*exprimir-se*) express an opinion; ~**to** /ɛ/ *a* manifest, clear □ *m* manifesto

manipular /mɑnipu'lar/ *vt* manipulate

manjedoura /mãʒɛ'dorɑ/ *f* manger

manjericão /mãʒəri'kãw/ *m* basil

mano|bra /mɑ.'nɔbrɑ/ *f* manoeuvre; **~brar** *vt* manoeuvre

mansão /mã'sãw/ *f* mansion

man|sidão /mãsi'dãw/ *f* gentleness; (*do mar*) calm; **~sinho** *adv* **de ~sinho** (*devagar*) slowly; (*de leve*) gently; (*de fininho*) stealthily; **~so** *a* gentle; <mar> calm; <animal> tame

manta /'mãtɑ/ *f* blanket; (*casaco*) cloak

mantei|ga /mã'tejgɑ/ *f* butter; **~gueira** *f* butter dish

manter /mã'ter/ *vt* keep; **~-se** *vpr* keep; (*sustentar-se*) keep o.s.

mantimentos /mãti'mẽtuʃ/ *m pl* provisions

manto /'mãtu/ *m* mantle

manu|al /mɑnu'al/ (*pl* **~ais**) *a* & *m* manual; **~factura** *f* manufacture; (*fábrica*) factory; **~facturar** *vt* manufacture

manuscrito /mɑnuʃ'kritu/ *a* handwritten □ *m* manuscript

manu|sear /mɑnuzi'ar/ *vt* handle; **~seio** *m* handling

manutenção /mɑnutẽ'sãw/ *f* maintenance; (*de prédio*) upkeep

mão /mãw/ (*pl* **~s**) *f* hand; (*do trânsito*) direction; (*de tinta*) coat; **abrir ~ de** give up; **aguentar a ~** hang on; **dar a ~ a alg** hold s.o.'s hand; (*cumprimentando*) shake s.o.'s hand; **deixar alg na ~** let s.o. down; **enfiar ou meter a ~ em** (*esbofetear*) hit, slap; **lançar ~ de** make use

of; **escrito à ~** written by hand; **ter à ~** have to hand; **de ~s dadas** hand in hand; **em segunda ~** second-hand; **fora de ~** out of the way; **~ única** one way; **~~-de-obra** *f* labour

mapa /'mapɑ/ *m* map

maquete /ma'kɛtə/ *f* model

maquiavélico /mɑkjɑ'veliku/ *a* Machiavellian

maqui|lhagem /mɑki'ʎaʒãj/ *f* make-up; **~lhar** *vt* make up; **~lhar-se** *vpr* put on make-up

máquina /'makinɑ/ *f* machine; (*ferroviária*) engine; **escrever à ~** type; **~ de costura** sewing machine; **~ de escrever** typewriter; **~ de lavar (roupa)** washing machine; **~ de lavar loiça** dishwasher; **~ fotográfica** camera

maqui|nação /mɑkinɑ'sãw/ *f* machination; **~nal** (*pl* **~nais**) *a* mechanical; **~nar** *vt/i* plot; **~naria** *f* machinery; **~nista** *m/f* (*ferroviário*) engine driver; (*de navio*) engineer

mar /mar/ *m* sea

maracujá /mɑrɑku'ʒɑ/ *m* passion fruit

marasmo /mɑ'raʒmu/ *f* stagnation

marato|na /mɑrɑ'tɔnɑ/ *f* marathon; **~nista** *m/f* marathon runner

maravi|lha /mɑrɑ'viʎɑ/ *f* marvel; **às mil ~lhas** wonderfully; **~lhar** *vt* amaze; **~lhar-se** *vpr* marvel (**de** at); **~lhoso** /o/ *a* marvellous

mar|ca /'markɑ/ *f* (*sinal*) mark; (*de carro, máquina*) make; (*de cigarro, sabão* *etc*) brand; ~**ca registada** registered trademark; ~**cação** *f* marking; (*discagem*) dialling; ~**cador** *m* marker; (*em livro*) bookmark; (*placard*) scoreboard; (*jogador*) scorer; ~**cante** *a* outstanding; ~**car** *vt* mark; arrange <hora, encontro, jantar etc>; score <golo, ponto>; (*discar*) dial; <relógio, termómetro> show; brand <gado>; (*observar*) keep a close eye on; (*impressionar*) leave one's mark on □ *vi* make one's mark; ~**car época** make history; ~**car hora** make an appointment; ~**car o compasso** beat time; ~**car os pontos** keep the score

marce|naria /marsəna'ria/ *f* cabinet-making; (*oficina*) cabinet maker's workshop; ~**neiro** *m* cabinet maker

mar|cha /'marʃa/ *f* march; (*de carro*) gear; **pôr-se em ~cha** get going; ~**cha atrás** reverse; ~**char** *vi* march

marci|al /marsi'al/ (*pl* ~**ais**) *a* martial; ~**ano** *a* & *m* Martian

marco[1] /'marku/ *m* (*sinal*) landmark

marco[2] /'marku/ *m* (*moeda*) mark

Março /'marsu/ *m* March

maré /ma'rɛ/ *f* tide

mare|chal /mara'ʃal/ (*pl* ~**chais**) *m* marshal

maresia /mara'zia/ *f* smell of the sea

marfim /mar'fĩ/ *m* ivory

margarida /marga'rida/ *f* daisy; (*para impressora*) daisywheel

margarina /marga'rina/ *f* margarine

mar|gem /'marʒãj/ *f* (*de rio*) bank; (*de lago*) shore; (*parte em branco, fig*) margin; ~**ginal** (*pl* ~ **ginais**) *a* marginal; (*delinquente*) delinquent □ *m/f* delinquent □ *f* (*rua*) riverside road; ~**ginalidade** *f* delinquency; ~**ginalizar** *vt* marginalize

marido /ma'ridu/ *m* husband

marimbondo /mari'bõdu/ *m* hornet

marina /ma'rina/ *f* marina

mari|nha /ma'riɲa/ *f* navy; ~**nha mercante** merchant navy; ~ **nheiro** *m* sailor; ~**nho** *a* marine

marionete /mario'nɛtə/ *f* puppet

mariposa /mari'poza/ *f* moth

mariscos /ma'riʃkuʃ/ *m* seafood

mari|tal /mari'tal/ (*pl* ~**tais**) *a* marital

marítimo /ma'ritimu/ *a* sea; <cidade> seaside

marmanjo /mar'mãʒu/ *m* grown-up

marme|lada /marmə'lada/ *f* quince jam; (*fam*) fix; ~**lo** /ɛ/ *m* quince

marmita /mar'mita/ *f* (*de soldado*) mess tin; (*de trabalhador*) lunchbox

mármore /'marmurə/ *m* marble

marmóreo /mar'mɔrju/ *a* marble

marreco /ma'ʀɛku/ *m* wild duck

Marrocos /ma'ʀɔkuʃ/ *m* Morocco

marroquino /maʀu'kinu/ a &
m Moroccan

Marte /'martə/ m Mars

marte|lada /martə'ladə/ f
hammer blow; **~lar** vt/i
hammer; **~lar em** (fig) go
on and on about; **~lo** /ɛ/ m
hammer

mártir /'martir/ m/f martyr

mar|tírio /mar'tirju/ m mar-
tyrdom; (fig) torture; **~tiri-
zar** vt martyr; (fig) torture

marujo /ma'ruʒu/ m sailor

mar|xismo /mark'siʒmu/ m
Marxism; **~xista** a & m/f
Marxist

mas /mas/ conj but

mascar /mas'kar/ vt chew

máscara /'maskaɾə/ f mask;
(tratamento facial) face-
-pack

mascarar /maskaɾa'rar/ vt
mask

mascavado /maska'vadu/ a
açúcar ~ brown sugar

mascote /mas'kɔtə/ f mascot

masculino /masku'linu/ a male; (para homens) men's;
<palavra> masculine □ m
masculine

másculo /'maskulu/ a masculine

masmorra /maʒ'moʀə/ f dungeon

masoquis|mo /mazu'kiʒmu/ m
masochism; **~ta** m/f maso-
chist □ a masochistic

massa /'masə/ f mass; (de
pão) dough; (de tarte, empada) pastry; (macarrão etc)
pasta; **cultura de ~** mass
culture; **em ~** en masse; **as
~s** the masses

massa|crante /masa'krãtə/ a

gruelling; **~crar** vt massacre; (fig: maçar) wear out;
~cre m massacre

massa|gem /ma'saʒãj/ f mas-
sage; **~gista** m/f masseur
(fmasseuse); **~jar** vt massage

mastigar /masti'gar/ vt chew;
(ponderar) chew over

mastro /'mastru/ m mast; (de
bandeira) flagpole

mastur|bação /masturba'sãw/
f masturbation; **~bar-se** vpr
masturbate

mata /'matə/ f forest

mata-borrão /matabu'ʀãw/ m
blotting paper

matadouro /mata'doru/ m
slaughterhouse

mata|gal /mata'gal/ (pl **~gais**)
m thicket

mata-moscas /mata'moʃkas/
m invar fly spray

ma|tança /ma'tãsə/ f slaugh-
ter; **~tar** vt kill; satisfy <fo-
me>; quench <sede>; guess
<charada>; (fazer rápido)
dash off; (fam) skive off
<aula, serviço> □ vi kill

mata-ratos /mata'ʀatuʃ/ m invar rat poison

mate[1] /'matə/ m (chá) maté

mate[2] /'matə/ a invar matt

matemáti|ca /mata'matikə/ f
mathematics; **~co** a mathe-
matical □ m mathematician

matéria /ma'tɛrjə/ f (assunto,
disciplina) subject; (no jornal) article; (substância)
matter; (usada para fazer algo) material; **em ~ de** in the
way of

materi|al /matəri'al/ (pl **~ais**)
m materials □ a material;

~alismo *m* materialism;
~alista *a* materialistic □ *m/f*
materialist; **~alizar-se** *vpr*
materialize

matéria-prima /mɑtɛrjɑ'primɑ/ (*pl* **matérias-primas**) *f*
raw material

mater|nal /mɑtər'nal/ (*pl* **~nais**) *a* maternal; **~nidade** *f*
maternity; (*clínica*) maternity hospital; (*taxa*) enrolment fee; (*de carro*) number plate,
(*Amer*) license plate

matricular /mɑtriku'lar/ *vt*
enrol; **~-se** *vpr* enrol

mati|nal /mɑti'nal/ (*pl* **~nais**)
a morning; **~née** *f* matinée

matiz /mɑ'tiʃ/ *m* shade; (*político*) colouring; (*pontinha:
de ironia etc*) tinge

matizar /mɑti'zar/ *vt* tinge (**de**
with)

mato /'matu/ *m* scrubland,
bush

matraca /mɑ'trakɑ/ *f* rattle;
(*tagarela*) chatterbox

matreiro /mɑ'treͅru/ *a* cunning

matriar|ca /mɑtri'arkɑ/ *f* matriarch; **~cal** (*pl* **~cais**) *a* matriarchal

matrícula /mɑ'trikulɑ/ *f* enrolment; (*taxa*) enrolment fee; (*de carro*) number plate,
(*Amer*) license plate

matri|monial /mɑtrimuni'al/
(*pl* **~moniais**) *a* marriage;
~mónio *m* marriage

matriz /mɑ'triʃ/ *f* matrix;
(*útero*) womb; (*sede*) head
office

maturidade /mɑturi'dadə/ *f*
maturity

matutino /mɑtu'tinu/ *a* morning □ *m* morning paper

matuto /mɑ'tutu/ *a* countrified
□ *m* country bumpkin

mau /maw/ *a* (*f* **má**) bad;
~carácter (*Br*) *m invar* bad
lot □ *a invar* no-good;
~-olhado *m* evil eye

mausoléu /mawzu'lɛw/ *m*
mausoleum

maus-tratos /mawʃ'tratuʃ/ *m
pl* ill-treatment

maxilar /maksi'lar/ *m* jaw

máxima /'masimɑ/ *f* maxim

maximizar /maksimi'zar/ *vt*
maximize; (*exagerar*) play
up

máximo /'masimu/ *a* (*antes do
substantivo*) utmost, greatest; (*depois do substantivo*)
maximum □ *m* maximum; **o
~** (*fam: o melhor*) really something; **ao ~** to the maximum; **no ~** at most

me /mə/ *pron* me; (*indirecto*)
(to) me; (*reflexivo*) myself

meada /mi'adɑ/ *f* skein; **perder o fio da ~** lose one's
thread

meados /mi'aduʃ/ *m pl* **~ de
Maio** mid-May

meandro /mi'ãdru/ *f* meander;
pl (*fig*) twists and turns

mecâni|ca /me'kanikɑ/ *f* mechanics; **~co** *a* mechanical □
m mechanic

meca|nismo /məkɑ'niʒmu/ *m*
mechanism; **~nizar** *vt* mechanize

mecenas /mɛ'sɛnɐʃ/ *m invar*
patron

mecha /'mɛʃɑ/ *f* (*de vela*)
wick; (*de bomba*) fuse; (*porção de cabelos*) lock; (*cabelo tingido*) highlight

meda|lha /mə'daʎɑ/ *f* medal;

~ **lhão** m medallion; (*jóia*) locket

média /'mɛdjɐ/ f average; **em ~ on average**

medi|ação /mɐdja'sãw/ f mediation; ~**ador** m mediator; ~- **ante** *prep* through, by; ~**ar** *vi* mediate

medica|ção /mɐdika'sãw/ f medication; ~**mento** m medicine

medição /mɐdi'sãw/ f measurement

medicar /mɐdi'kar/ *vt* treat □ *vi* practise medicine; ~**se** *vpr* dose o.s. up

medici|na /mɐdi'sinɐ/ f medicine; ~**na legal** forensic medicine; ~**nal** (*pl* ~**nais**) *a* medicinal

médico /'mɛdiku/ m doctor □ *a* medical; ~**legal** (*pl* ~**legais**) *a* forensic; ~**legista** (*pl* ~**s-legistas**) *m/f* forensic scientist

medi|da /me'didɐ/ f measure; (*dimensão*) measurement; **à ~da que** as; **feito à ~da** made to measure; **tirar as ~das de alg** take s.o.'s measurements; ~**dor** m meter

medie|val /mɐdje'val/ (*pl* ~**vais**) *a* medieval

médio /'mɛdju/ *a* (*típico*) average; <tamanho, prazo> medium; <classe, dedo> middle

medíocre /me'diukrɛ/ *a* mediocre

mediocridade /mɐdjukri'dadɛ/ f mediocrity

medir /me'dir/ *vt* measure; weigh <palavras> □ *vi* measure; ~**se** *vpr* measure o.s.; **quanto é que medes?** how tall are you?

medi|tação /mɐdita'sãw/ f meditation; ~**tar** *vi* meditate

mediterrâneo /mɐditɛ'ranju/ *a* Mediterranean □ *m* o **Mediterrâneo** the Mediterranean

médium /'mɛdiṽ/ *m/f* medium

medo /'medu/ m fear; **ter ~ de** be afraid of; **com ~** afraid; ~**nho** /o/ *a* frightful

medroso /me'drozu/ *a* fearful, timid

medula /me'dulɐ/ f marrow

megalomania /mɛgaloma'niɐ/ f megalomania

meia /'mejɐ/ f (*comprida*) stocking; (*curta*) sock; ~**calça** (*pl* ~**s-calças**) f tights, (*Amer*) pantihose; ~**idade** f middle age; ~**noite** f midnight; ~**volta** (*pl* ~**s-voltas**) f about-turn

mei|go /'mejgu/ *a* sweet; ~**guice** f sweetness

meio /'meju/ *a* half □ *adv* rather □ *m* (*centro*) middle; (*ambiente*) environment; (*recurso*) means; ~ **litro** half a litre; **dois meses e ~** two and a half months; **no ~ de** amid; **por ~ de** through; **o ~ ambiente** the environment; **os ~s de comunicação** the media; ~**dia** m midday; ~**termo** m (*acordo*) compromise

mel /mɛl/ m honey

mela|ço /me'lasu/ m molasses; ~**do** *a* sticky □ m treacle

melancia /melã'siɐ/ f watermelon

melan|colia /melãku'liɐ/ f melancholy; ~**cólico** *a* melancholy

melão /mə'lãw/ m melon

melar /mə'lar/ vt make sticky

melhor /mə'ʎɔr/ a & adv better; **o ~** the best

melho|ra /mə'ʎɔrɐ/ f improvement; **as ~ras!** get well soon!; **~ ramento** m improvement; **~rar** vt improve □ vi improve; <doente> get better

melin|drar /məlĩ'drar/ vt hurt; **~drar-se** vpr be hurt; **~droso** /o/ a delicate; <pessoa> sensitive

melodi|a /məlu'diɐ/ f melody; **~oso** /o/ a melodious

melodra|ma /məlɔ'drɐmɐ/ m melodrama; **~mático** a melodramatic

meloso /mə'lozu/ a sickly sweet

melro /'mɛlRu/ m blackbird

membrana /mẽ'brɐnɐ/ f membrane

membro /'mẽbru/ m member; (braço, perna) limb

memo|rando /memu'rãdu/ m memo; **~rável** (pl **~ráveis**) a memorable; **~rizar** vt memorize

memória /mə'mɔrjɐ/ f memory; pl (autobiografia) memoirs

men|ção /mẽ'sãw/ f mention; **fazer ~ção de** mention; **~cionar** vt mention

mendi|cância /mẽdi'kãsjɐ/ f begging; **~gar** vi beg; **~go** m beggar

menina /mə'ninɐ/ f girl; **a ~ dos olhos de alg** the apple of s.o.'s eye

meningite /mənĩ'ʒitə/ f meningitis

meni|nice /məni'nisə/ f (idade) childhood; **~no** m boy

menopausa /menɔ'pawzɐ/ f menopause

menor /mə'nɔr/ a smaller □ m/f minor; **o/a ~** the smallest; (mínimo) the slightest, the least

menos /'menuʃ/ adv & pron less □ prep except; **dois dias a ~** two days less; **a ~ que** unless; **ao ou pelo ~** at least; **o ~ bonito** the least pretty; **~prezar** vt look down upon; **~prezo** /e/ m disdain

mensa|geiro /mẽsa'ʒejru/ m messenger; **~gem** f message

men|sal /mẽ'sal/ (pl **~sais**) a monthly; **~salidade** f monthly payment; **~salmente** adv monthly

menstru|ação /mẽʃtrwa'sãw/ f menstruation; **~ada a estar ~ada** be having one's period; **~al** (pl **~ais**) a menstrual; **~ar** vi menstruate

menta /'mẽtɐ/ f mint

men|tal /mẽ'tal/ (pl **~tais**) a mental; **~talidade** f mentality; **~te** f mind

men|tir /mẽ'tir/ vi lie; **~tira** f lie; **~tiroso** /o/ a lying □ m liar

mentor /mẽ'tor/ m mentor

mercado /mər'kadu/ m market; **~ria** f commodity; pl goods

mercan|te /mər'kãtə/ a merchant; **~til** (pl **~tis**) a mercantile; **~tilismo** m commercialism

mercê /mər'se/ f **à ~ de** at the mercy of

merce|aria /mərsjɐ'riɐ/ f grocer's; **~eiro** m grocer

mercenário /mərsə'narju/ a & m mercenary

mercúrio /mər'kurju/ m mercury; **Mercúrio** Mercury

merda /'mɛrdɐ/ f shit

mere|cedor /mərəsə'dor/ a deserving; **~cer** vt deserve □ vi be deserving; **~cimento** m merit

merenda /mə'rẽdɐ/ f packed lunch; **~ escolar** school dinner

mere|trício /mərə'trisju/ m prostitution; **~triz** f prostitute

mergu|lhador /mərguʎɐ'dor/ m diver; **~lhar** vt dip (**em** into) □ vi (na água) dive; (no trabalho) bury o.s.; **~lho** m dive; (desporto) diving; (banho de mar) dip

meridi|ano /məridi'ɐnu/ m meridian; (pl **~onais**) a southern

mérito /'mɛritu/ m merit

merlúcio /mər'lucju/ m hake

mero /'mɛru/ a mere

mês /meʃ/ (pl **meses**) m month

mesa /'mezɐ/ f table; (de trabalho) desk; **~de cabeceira** bedside table; **~ de centro** coffee table; **~ de jantar** dining table; **~ telefónica** switchboard

mesada /mə'zadɐ/ f monthly allowance

mescla /'mɛʃklɐ/ f mixture, blend

mesmice /məʒ'misɐ/ f sameness

mesmo /'meʒmu/ a same □

adv (até) even; (justamente) right; (de verdade) really; **você ~** you yourself; **hoje ~** this very day; **~ assim** even so; **~ que** even if; **dá no ~** it comes to the same thing; **fiquei na mesma** I'm none the wiser

mesqui|nharia /məʃkiɲɐ'riɐ/ f meanness; (uma) mean thing; **~nho** a mean

mesquita /məʃ'kitɐ/ f mosque

Messias /mə'siɐʃ/ m Messiah

mesti|çagem /məʃti'saʒɐ̃/ f interbreeding; **~ço** a <pessoa> of mixed race; <animal> crossbred □ m (pessoa) person of mixed race; (animal) mongrel

mes|trado /mɛʃ'tradu/ m master's degree; **~tre** /ɛ/ m (f **~tra**) master (f mistress); (de escola) teacher □ a master; <ave> master; **~tre-de-obras** (pl **~tres-de-obras**) m foreman; **~ tre-sala** (pl **~tres-salas**) m master of ceremonies (in carnival procession); **~tria** f expertise

meta /'mɛtɐ/ f (de corrida) finishing post; (golo, fig) goal

meta|bólico /metɐ'bɔliku/ a metabolic; **~bolismo** m metabolism

metade /mə'tadɐ/ f half; **pela ~** halfway

metafísi|ca /mətɐ'fizikɐ/ f metaphysics; **~co** a metaphysical

metáfora /mə'tafurɐ/ f metaphor

metafórico /mətɐ'fɔriku/ a metaphorical

me|tal /mə'tal/ (pl **~tais**) m

metal; *pl (numa orquestra)* brass; **~tálico** *a* metallic

meta|lurgia /mətəlur'ʒiɐ/ *f* metallurgy; **~lúrgica** *f* metal works; **~lúrgico** *a* metallurgical □ *m* metalworker

metamorfose /mətəmur'fɔzə/ *f* metamorphosis

metano /me'tanu/ *m* methane

meteórico /məti'ɔriku/ *a* meteoric

meteoro /məti'ɔru/ *m* meteor; **~logia** *f* meteorology; **~lógico** *a* meteorological; **~logista** *m/f (cientista)* meteorologist; *(na TV)* weather forecaster

meter /me'ter/ *vt* put; **~-se** *vpr (envolver-se)* get **(em** into); *(intrometer-se)* meddle **(em** in); **~ medo** be frightening

meticuloso /mətiku'lozu/ *a* meticulous

metódico /mə'tɔdiku/ *a* methodical

metodista /mətu'diʃtə/ *a & m/f* Methodist

método /'mɛtudu/ *m* method

metra|lhadora /mətrɐʎɐ'dorɐ/ *f* machine gun; **~lhar** *vt* machine-gun

métri|co /'mɛtriku/ *a* metric; **fita ~ca** tape measure

metro[1] /'mɛtru/ *m* metre

metro[2] /'mɛtru/ *m (metropolitano)* underground, *(Amer)* subway

metrópole /mə'trɔpulə/ *f* metropolis

metropolitano /mətrupuli'tɐnu/ *a* metropolitan □ *m* underground, *(Amer)* subway

meu /mew/ *a (f* **minha)** my □ *pron (f* **minha)** mine; **um**

amigo ~ a friend of mine; **fico na minha** *(fam)* I keep myself to myself

mexer /me'ʃer/ *vt* move; *(com colher etc)* stir □ *vi* move; **~-se** *vpr* move; *(apressar-se)* get a move on; **~ com** *(comover)* affect, get to; *(brincar com)* tease; *(trabalhar com)* work with; **~ em** touch

mexeri|car /məʃəri'kar/ *vi* gossip; **~co** *m* piece of gossip; *pl* gossip; **~queiro** *a* gossiping □ *m* gossip

mexicano /məʃi'kɐnu/ *a & m* Mexican

México /'mɛʃiku/ *m* Mexico

mexido /mə'ʃidu/ *a* **ovos ~s** scrambled eggs

mexilhão /məʃi'ʎɐ̃w/ *m* mussel

mi|ado /mi'adu/ *m* miaow; **~ar** *vi* miaow

micróbio /mi'krɔbju/ *m* microbe

micro|cosmo /mikrɔ'kɔʒmu/ *m* microcosm; **~empresa** /e/ *f* small business; **~empresário** *m* small businessman; **~filme** *m* microfilm; **~fone** *m* microphone; **~onda** *f* microwave; **(forno de) ~s** *m* microwave (oven); **~processador** *m* microprocessor

microorganismo /mikrɔorgɐ'niʒmu/ *m* microorganism

microscó|pico /mikru'ʃkɔpiku/ *a* microscopic; **~pio** *m* microscope

migalha /mi'gaʎɐ/ *f* crumb

mi|gração /migrɐ'sɐ̃w/ *f* migration; **~grar** *vi* migrate; **~gratório** *a* migratory

mi|jar /mi'ʒar/ *vi (fam)* pee;

~**jar-se** *vpr* (*fam*) wet o.s.;
~**jo** *m* (*fam*) pee

mil /mil/ *a & m invar* thousand; **estar a** ~ be on top form

mila|gre /miˈlagrə/ *m* miracle;
~**groso** /o/ *a* miraculous

milénio /miˈlɛnju/ *m* millennium

milésimo /miˈlɛzimu/ *a* thousandth

milha /ˈmiʎa/ *f* mile

milhão /miˈʎãw/ *m* million;
um ~ **de dólares** a million dollars

milhar /miˈʎar/ *m* thousand;
~**es de vezes** thousands of times; **aos** ~**es** in their thousands

milho /ˈmiʎu/ *m* maize,
(*Amer*) corn

mílico /miˈliku/ *m* (*fam*) military man; **os** ~**s** the military

mili|grama /miliˈgrama/ *m* milligram; ~**litro** *m* millilitre; ~~ **metro** /e/ *m* millimetre

milionário /miljuˈnarju/ *a & m* millionaire

mili|tante /miliˈtãtə/ *a & m* militant; ~**tar** *a* military □ *m* soldier

mim /mĩ/ *pron* me

mimar /miˈmar/ *vt* spoil

mímica /ˈmimika/ *f* mime;
(*brincadeira*) charades

mi|na /ˈmina/ *f* mine;
(*fig: prejudicar*) undermine

mindinho /mĩˈdiɲu/ *m* little finger, (*Amer*) pinkie

mineiro /miˈnejru/ *a* mining;
□ *m* miner

mine|ração /minəraˈsãw/ *f* mining; ~**ral** (*pl* ~**rais**) *a & m* mineral; ~**rar** *vt/i* mine

minério /miˈnɛrju/ *m* ore

míngua /ˈmĩgwa/ *f* lack

minguante /mĩˈgwãtə/ *a* **quarto** ~ last quarter

minguar /mĩˈgwar/ *vi* dwindle

minha /ˈmiɲa/ *a & pron veja* **meu**

minhoca /miˈɲɔka/ *f* worm

miniatura /minjaˈtura/ *f* miniature

mini|malista /minimaˈliʃta/ *a & m/f* minimalist; ~**mizar** *vt* minimize; (*subestimar*) play down

mínimo /ˈminimu/ *a* (*muito pequeno*) tiny; (*mais baixo*) minimum □ *m* minimum; **a mínima idéia** the slightest idea; **no** ~ at least

minissaia /miniˈsaja/ *f* miniskirt

minis|terial /miniʃtəriˈal/ (*pl* ~**teriais**) *a* ministerial; ~**tério** *m* ministry; **Ministério do Interior** Home Office, (*Amer*) Department of the Interior

minis|trar /miniʃˈtrar/ *vt* administer; ~**tro** *m* minister;
primeiro ~**tro** prime minister

Minorca /miˈnɔrka/ *f* Menorca

mino|ritário /minuriˈtarju/ *a* minority; ~**ria** *f* minority

minúcia /miˈnusja/ *f* detail

minucioso /minuˈsjozu/ *a* thorough

minúscu|la /miˈnuʃkula/ *f* small letter; ~**lo** *a* <letra> small; (*muito pequeno*) minuscule

minuta /mi'nutɐ/ *f* (*rascunho*) rough draft

minuto /mi'nutu/ *m* minute

miolo /mi'olu/ *f* (*de fruta*) flesh; (*de pão*) crumb; *pl* brains

miope /'miupɐ/ *a* short-sighted

miopia /mju'piɐ/ *f* myopia

mira /'mirɐ/ *f* sight; **ter em ~** have one's sights on

mirabolante /mirɐbu'lãtɐ/ *a* amazing; <ideias, plano> grandiose

mi|ragem /mi'raʒẽj/ *f* mirage; **~rante** *m* lookout; **~rar** *vt* look at; **~rar-se** *vpr* look at o.s.

miscelânea /miʃsə'lɐnjɐ/ *f* miscellany

miscigenação /miʃsiʒənɐ'sãw/ *f* interbreeding

mise-en-plis /mizã'pli/ *m* shampoo and set

miserá|vel /mizɐ'ravɛl/ (*pl* **~veis**) *a* miserable

miséria /mi'zɛrjɐ/ *f* misery; (*pobreza*) poverty; **uma ~** (*pouco dinheiro*) a pittance; **chorar ~** claim poverty

miseri|córdia /mizɛri'kɔrdjɐ/ *f* mercy; **~cordioso** *a* merciful

misógino /mi'zɔʒinu/ *m* misogynist □ *a* misogynistic

miss /'mis/ *f* beauty queen

missa /'misɐ/ *f* mass

missão /mi'sãw/ *f* mission

mis|sil /'misil/ (*pl* **~seis**) *m* missile; **~sil de longo alcance** long-range missile

missionário /misju'narju/ *m* missionary

missiva /mi'sivɐ/ *f* missive

mis|tério /miʃ'tɛrju/ *m* mystery; **~terioso** /o/ *a* mysterious; **~ ticismo** *m* mysticism

místico /'miʃtiku/ *m* mystic □ *a* mystical

mis|to /'miʃtu/ *a* mixed □ *m* mix; **tosta ~ta** *f* toasted ham and cheese sandwich

mistu|ra /miʃ'turɐ/ *f* mixture; **~ rar** *vt* mix; (*confundir*) mix up; **~rar-se** *vpr* mix (**com** with)

mítico /'mitiku/ *a* mythical

mito /'mitu/ *m* myth; **~logia** *f* mythology; **~lógico** *a* mythological

miudezas /mju'dezɐʃ/ *f pl* odds and ends

miúdo /mi'udu/ *a* tiny, minute; <chuva> fine; <despesas> minor □ *m* (*criança*) child, little one; *pl* (*de galinha*) giblets; **trocar por ~s** go into detail

mixaria /miʃɐ'riɐ/ *f* (*fam*) (*soma irrisória*) pittance

mixórdia /mi'ʃɔrdjɐ/ *f* muddle

mnemónico /mənə'mɔniku/ *a* mnemonic

mobilar /mubi'lar/ *vt* furnish

mobília /mu'biljɐ/ *f* furniture

mobiliário /mubili'arju/ *m* furniture

mobili|dade /mubəli'dadə/ *f* mobility; **~zar** *vt* mobilize

moça /'mosɐ/ *f* girl

moçambicano /musãbi'kɐnu/ *a* & *m* Mozambican

Moçambique /musã'bikə/ *m* Mozambique

moção /mu'sãw/ *f* motion

mochila /mu'ʃilɐ/ *f* rucksack

moço /'mosu/ *a* young □ *m* boy, lad

moda /'mɔdɑ/ f fashion; **na ~** fashionable

modalidade /mudɑ'li'dadə/ f (*desporto*) event

mode|lagem /mudə'laʒãj/ f modelling; **~lar** vt model (**a** on); **~lar-se** vpr model o.s. (**a** on) □ a model; **~lo** /e/ m model

mode|ração /mudərɑ'sãw/ f moderation; **~rado** a moderate; **~rar** vt moderate; reduce **~velocidade, despesas>; ~rar-se** vpr restrain oneself

moder|nidade /mudɛrni'dadə/ f modernity; **~nismo** m modernism; **~nista** a & m/f modernist; **~nizar** vt modernize; **~no** /ɛ/ a modern

modess /mɔ'dɛs/ m invar sanitary towel

modéstia /mu'dɛʃtjɑ/ f modesty

modesto /mu'dɛʃtu/ a modest

módico /'mɔdiku/ a (*preço*) reasonable

modifi|cação /mudifikɑ'sãw/ f modification; **~car** vt modify

mo|dismo /'mɔdiʒmu/ m idiom; **~dista** f dressmaker

modo /'mɔdu/ m way; (*ling*) mood; *pl* (*maneiras*) manners

modular /mudu'lar/ vt modulate □ a modular

módulo /'mɔdulu/ m module

moeda /mu'ɛdɑ/ f (*peça de metal*) coin; (*dinheiro*) currency

mo|edor /mwe'dor/ m **~edor de café** coffee-grinder; **~edor de carne** mincer; **~er** vt grind **<café, trigo>;**

squeeze **<cana>;** mince **<carne>;** (*bater*) beat

mofo /'mo'fu/ m mould

mogno /'mɔgnu/ m mahogany

moinho /mu'iɲu/ m mill; **~ de vento** windmill

moita /'mojtɑ/ f bush

mola /'mɔlɑ/ f spring; (*de roupa*) peg

mol|dar /mol'dar/ vt mould; cast **<metal>; ~de** /ɔ/ m mould; (*para costura etc*) pattern

moldura /mol'durɑ/ f frame

mole /'mɔlɑ/ a soft; **<pessoa>** listless; (*Br*) (*fam*) (*fácil*) easy □ adv easily

molécula /mu'lɛkulɑ/ f molecule

moleque /mu'lɛkə/ (*Br*) m (*menino*) lad; (*de rua*) urchin; (*homem*) scoundrel

molestar /muləʃ'tar/ vt bother

moléstia /mu'lɛʃtjɑ/ f disease

moletom /mulə'tõ/ (*Br*) m (*tecido*) knitted cotton; (*blusa*) sweatshirt

moleza /mu'lezɑ/ f softness; (*de pessoa*) laziness; **viver na ~** lead a cushy life; **ser ~** (*Br*) be easy

mol|hado /mu'ʎadu/ a wet; **~lhar** vt wet; **~lhar-se** vpr get wet

molho¹ /'mɔʎu/ m (*de chaves*) bunch; (*de palha*) sheaf

molho² /'moʎu/ m sauce; (*para salada*) dressing; **deixar de ~** leave in soak **<roupa>; ~ inglês** Worcester sauce

molusco /mu'luʃku/ m mollusc

momen|tâneo /mumẽ'taɲu/ a momentary; **~to** m moment; (*força*) momentum

Mónaco /'mɔnɑku/ *m* Monaco

monar|ca /mu'narkɑ/ *m/f* monarch; **~quia** *f* monarchy; **~quico** *a* & *m* monarchist

monástico /mu'naʃtiku/ *a* monastic

monção /mõ'sãw/ *f* monsoon

mone|tário /munə'tarju/ *a* monetary; **~tarismo** *m* monetarism; **~tarista** *a* & *m/f* monetarist

monge /'mõʒə/ *m* monk

monitor /muni'tor/ *m* monitor; **~ de vídeo** VDU

monitorar /munitu'rar/ *vt* monitor

mono|cromo /mɔnɔ'krɔmu/ *a* monochrome; **~gamia** *f* monogamy

monógamo /mɔ'nɔgɑmu/ *a* monogamous

monograma /mɔnɔ'grɑmɑ/ *m* monogram

monólogo /mu'nɔlugu/ *m* monologue

mononucleose /mɔnɔnuk-li'ɔzə/ *f* glandular fever

mono|pólio /munu'pɔlju/ *m* monopoly; **~polizar** *vt* monopolize

monossílabo /mɔnɔ'silɑbu/ *a* monosyllabic □ *m* monosyllable

monotonia /munutu'niɑ/ *f* monotony

monótono /mu'nɔtunu/ *a* monotonous

monóxido /mɔ'nɔksidu/ *m* **~ de carbono** carbon monoxide

mons|tro /'mõʃtru/ *m* monster; **~truosidade** *f* monstrosity; **~truoso** /o/ *a* monstrous

monta|dor /mõtɑ'dor/ *m* (*de* cinema) editor; **~dora** *f* assembly company; **~gem** *f* assembly; (*de filme*) editing; (*de peça teatral*) production

monta|nha /mõ'tɑɲɑ/ *f* mountain; **~nha-russa** (*pl* **~nhas-russas**) *f* roller coaster; **~nhismo** *m* mountaineering; **~nhoso** /o/ *a* mountainous

mon|tante /mõ'tãtʃ/ *m* amount □ *a* rising; **a ~tante** upstream; **~tão** *m* heap; **~tar** *vt* ride <cavalo, bicicleta>; assemble <peças, máquina>; put up <tenda>; set up <empresa, escritório>; mount <guarda, diamante>; put on <espectáculo, peça>; edit <filme> □ *vi* ride; **~tar a** <dívidas etc> amount to; **~tar em** (*subir em*) mount; **~taria** *f* mount; **~te** *m* heap; **um ~te de coisas** (*fam*) loads of things; **o Monte Branco** Mont Blanc

Montevideu /mõtəvi'dew/ *f* Montevideo

montra /'mõtrɑ/ *f* shop window

monumen|tal /munumẽ'tal/ (*pl* **~tais**) *a* monumental; **~to** *m* monument

mora|da /mu'radɑ/ *f* dwelling; (*endereço*) address; **~dia** *f* dwelling; **~dor** *m* resident

mo|ral /mu'ral/ (*pl* **~rais**) *a* moral □ *f* (*ética*) morals; (*de uma história*) moral □ *m* (*ânimo*) morale; (*de pessoa*) moral sense; **~ralidade** *f* morality; **~ralista** *a* moralistic □ *m/f* moralist; **~ralizar** *vi* moralize

morango /mu'rãgu/ *m* strawberry

morar /mu'rar/ *vi* live

moratória /mura'tɔrjɐ/ *f* moratorium

mórbido /'mɔrbidu/ *a* morbid

morcego /mur'segu/ *m* bat

mor|daça /mur'dasɐ/ *f* gag; (*para cão*) muzzle; **~daz** *a* scathing; **~der** *vt/i* bite; **~didela** *f* bite

mordo|mia /murdu'miɐ/ *f* (*no emprego*) perk; (*de casa etc*) comfort; **~mo** /o/ *m* butler

more|na /mu'renɐ/ *f* brunette; **~no** *a* dark; (*bronzeado*) brown □ *m* dark person

morfina /mur'finɐ/ *f* morphine

moribundo /muri'bũdu/ *a* dying

morno /'mornu/ *a* lukewarm

moro|sidade /muruzi'dadɐ/ *f* slowness; **~so** /o/ *a* slow

morrer /mu'ʀer/ *vi* die; <luz, dia, ardor, esperança etc> fade; <carro> stall

morro /'moʀu/ *m* hill; (*fig: favela*) slum

mortadela /murta'dɛlɐ/ *f* mortadella, salami

mor|tal /mur'tal/ (*pl* **~tais**) *a & m* mortal; **~talha** *f* shroud; **~talidade** *f* mortality; **~tandade** *f* slaughter; **~te** /ɔ/ *f* death; **~tífero** *a* deadly; **~tificar** *vt* mortify; **~to** /o/ *a* dead

mosaico /mu'zajku/ *m* mosaic

mosca /'moʃkɐ/ *f* fly

Moscovo /muʃ'kovu/ *f* Moscow

mosquito /muʃ'kitu/ *m* mosquito

mostarda /muʃ'tardɐ/ *f* mustard

mosteiro /muʃ'tejru/ *m* monastery

mos|tra /'mɔʃtrɐ/ *f* display; **dar ~tras de** show signs of; **pôr à ~tra** show up; **~trador** *m* face, dial; **~trar** *vt* show; **~trar-se** *vpr* (*revelar--se*) show o.s. to be; (*exibir--se*) show off; **~truário** *m* display case

mo|tel /mɔ'tɛl/ (*pl* **~téis**) *m* motel

motim /mu'tĩ/ *m* riot; (*na marinha*) mutiny

moti|vação /mutivɐ'sãw/ *f* motivation; **~var** *vt* (*incentivar*) motivate; (*provocar*) cause; **~vo m** (*razão*) reason; (*estímulo*) motive; (*na arte, música*) motif; **dar ~vo de** give cause for

moto /'mɔtu/ *f* motorbike

motoci|cleta /mɔtɔsi'klɛtɐ/ *f* motorcycle; **~clismo** *m* motorcycling; **~clista** *m/f* motorcyclist

motoqueiro /moto'kejru/ *m* (*fam*) biker

motor /mu'tor/ *m* (*de carro, avião etc*) engine; (*eléctrico*) motor □ *a* (*f* **motriz**) <força> driving; (*anat*) motor; **~ de arranque** starter motor; **~ de popa** outboard motor

moto|rista /mutu'riʃtɐ/ *m/f* driver; **~rizado** *a* motorized; **~rizar** *vt* motorize

mousse /'musɐ/ *f* mousse

movedi|ço /muvɐ'disu/ *a* unstable, moving; **areia ~ça** quicksand

mó|vel /'mɔvɛl/ (*pl* **~veis**) *a* <peça, parte> moving; <tropas> mobile; <festa> movable □ *m* piece of furniture; *pl* furniture

mo|ver /mu'ver/ *vt* move; *(impulsionar, fig)* drive; **~ver-se** *vpr* move; **~vido** *a* driven; **~vido a álcool** alcohol-powered

movimen|tação /muvimẽta'sãw/ *f* bustle; **~tado** *a* <rua, loja> busy; <música> up-beat, lively; <pessoa, sessão> lively; **~tar** *vt* liven up; **~tar-se** *vpr* move; **~to** *m* movement; *(tecn)* motion; *(na rua)* activity

muco /'muku/ *m* mucus

muçulmano /musul'manu/ *a & m* Muslim

mu|da /'muda/ *f (planta)* seedling; **~da de roupa** change of clothes; **~dança** *f* change; *(de casa)* move; *(de carro)* transmission; **~dar** *vt/i* change; **~dar de assunto** change the subject; **~dar (de casa)** move (house); **~dar de cor** change colour; **~dar de ideia** change one's mind; **~dar de lugar** change places; **~dar de roupa** change (clothes); **~dar-se** *vpr* move

mu|dez /mu'deʃ/ *f* silence; **~do** *a* silent; *(deficiente)* dumb; <telefone> dead □ *m* mute

mu|gido /mu'ʒidu/ *m* moo; **~gir** *vi* moo

muito /'mũjtu/ *a* a lot of; *pl* many □ *pron* a lot □ *adv (com adjectivo, advérbio)* very; *(com verbo)* a lot; **~ maior** much bigger; **~ tempo** a long time

mula /'mula/ *f* mule

mulato /mu'latu/ *a & m* mulatto

muleta /mu'leta/ *f* crutch

mulher /mu'ʎɛr/ *f* woman; *(esposa)* wife

mulherengo /muʎə'rẽgu/ *a* womanizing □ *m* womanizer, ladies' man

mul|ta /'multa/ *f* fine; **~tar** *vt* fine

multicolor /multiku'lor/ *a* multicoloured

multidão /multi'dãw/ *f* crowd

multinacio|nal /multinasju'nal/ *(pl* **~nais)** *a & f* multinational

multipli|cação /multiplika'sãw/ *f* multiplication; **~car** *vt* multiply; **~car-se** *vpr* multiply; **~cidade** *f* multiplicity

múltiplo /'multiplu/ *a & m* multiple

multirraci|al /multiRasi'al/ *(pl* **~ais)** *a* multiracial

múmia /'mumja/ *f* mummy

mun|dano /mũ'danu/ *a* <prazeres etc> worldly; <vida, mulher> society; **~dial** *(pl* **~diais)** *a* world □ *m* world championship; **~do** *m* world; **todo (o) ~do** everybody

munição /muni'sãw/ *f* ammunition

muni|cipal /munisi'pal/ *(pl* **~cipais)** *a* municipal; **~cípio** *m (lugar)* borough, community; *(prédio)* town hall; *(autoridade)* local authority

munir /mu'nir/ *vt* provide (**de** with); **~-se** *vpr* equip o.s. (**de** with)

mu|ral /mu'ral/ *(pl* **~rais)** *a & m* mural; **~ralha** *f* wall

mur|char /murˈʃar/ *vi* <planta> wither, wilt; <salada> go limp; <beleza> fade □ *vt* wither, wilt <planta>; **~cho** *a* <planta> wilting; <pessoa> broken

mur|murar /murmuˈrar/ *vi* murmur; (*queixar-se*) mutter □ *vt* murmur; **~múrio** *m* murmur

muro /ˈmuru/ *m* wall

murro /ˈmuʀu/ *m* punch

musa /ˈmuza/ *f* muse

muscu|lação /muʃkulɑˈsãw/ *f* weight-training, body-building; **~lar** *a* muscular; **~latura** *f* musculature

músculo /ˈmuʃkulu/ *m* muscle

musculoso /muʃkuˈlozu/ *a* muscular

museu /muˈzew/ *m* museum

musgo /ˈmuʒgu/ *m* moss

música /ˈmuzikɑ/ *f* music; (*uma*) song; **~ de câmara** chamber music; **~ de fundo** background music; **~ clássica** *ou* **erudita** classical music

musi|cal /muziˈkal/ (*pl* **~cais**) *a* & *m* musical; **~car** *vt* set to music

músico /ˈmuziku/ *m* musician □ *a* musical

mutilar /mutiˈlar/ *vt* mutilate; maim <pessoa>

mútuo /ˈmutwu/ *a* mutual

N

na = **em** + **a**
nabo /ˈnabu/ m turnip
nação /naˈsɐ̃w/ f nation
nacio|nal /nasjuˈnal/ (pl **~nais**) a national; (português) home-produced; **~nalidade** f nationality; **~nalismo** m nationalism; **~nalista** a & m/f nationalist; **~nalizar** vt nationalize
naco /ˈnaku/ m chunk
nada /ˈnada/ pron nothing □ adv not at all; **de ~** (não há de quê) don't mention it; **~ disso!** no way!
na|dador /nadaˈdor/ m swimmer; **~dar** vi swim
nádegas /ˈnadəɡaʃ/ f pl buttocks
nado /ˈnadu/ m **atravessar a ~** swim across
naipe /ˈnajpə/ m (em jogo de cartas) suit
namo|rada /namuˈrada/ f girlfriend; **~rado** m boyfriend; **~ radora** a amorous □ m ladies' man; **~rar** vt (ter relação com) go out with; (cobiçar) eye up □ vi (casal) (ter relação) go out together; (beijar-se etc) kiss and cuddle; <homem> have a girlfriend; <mulher> have a boyfriend; **~ro** /o/ m relationship
nanar /naˈnar/ vi (col) sleep
nanico /naˈniku/ a tiny
não /nɐ̃w/ adv not; (resposta) no □ m no; **~-alinhado** a non-aligned; **~-conformista** a & m/f non-conformist
naquela, naquele, naquilo = **em** + **aquela, aquele, aquilo**
narci|sismo /narsiˈziʒmu/ m narcissism; **~sista** m/f narcissist □ a narcissistic; **~so** m narcissus
narcótico /narˈkɔtiku/ a & m narcotic
nari|gudo /nariˈɡudu/ a with a big nose; **ser ~gudo** have a big nose; **~na** f nostril
nariz /naˈriʃ/ m nose
nar|ração /naʁaˈsɐ̃w/ f narration; **~rador** m narrator; **~rar** vt narrate; **~rativa** f narrative; **~rativo** a narrative
nas = **em** + **as**
na|sal /naˈzal/ (pl **~sais**) a nasal; **~salizar** vt nasalize
nas|cença /naʃˈsẽsa/ f birth; **~cente** a nascent □ f source; **~cer** vi be born; <dente, es-

pinha> grow; <planta> sprout; <sol, lua> rise; <dia> dawn; *(fig)* <presa, projecto *etc*> come into being □ *m* **o ~cer do sol** sunrise; **~cimento** *m* birth

nata /'natə/ *f* cream

natação /nɑtɑ'sãw/ *f* swimming

Natal /nɑ'tal/ *m* Christmas

na|tal /nɑ'tal/ *(pl* **~tais**) *a* <país, terra> native

nata|lício /nɑtɑ'lisju/ *a & m* birthday; **~lidade** *f* índice *de* **~lidade** birth rate; **~lino** *a* Christmas

nati|vidade /nɑtivi'dadə/ *f* nativity; **~vo** *a & m* native

nato /'natu/ *a* born

natu|ral /nɑtu'ral/ *(pl* **~rais**) *a* natural; *(oriundo)* originating **(de** from) □ *m* native **(de** of)

natura|lidade /nɑturɑli'dadə/ *f* naturalness; **com ~lidade** with simplicity; **de ~lidade portuguesa** born in Oporto; **~lismo** *m* naturalism; **~lista** *a & m/f* naturalist; **~lizar** *vt* naturalize; **~lizar-se** *vpr* become naturalized

natureza /nɑtu'rezə/ *f* nature; **~ morta** still life

naturis|mo /nɑtu'riʒmu/ *m* naturism; **~ta** *m/f* naturist

nau|fragar /nawfrɑ'gar/ *vi* <navio> be wrecked; <tripulação> be shipwrecked; *(fig)* <plano, casamento *etc*> founder; **~frágio** *m* shipwreck; *(fig)* failure

náufrago /'nawfrɑgu/ *m* castaway

náusea /'nawzjɑ/ *f* nausea

nauseabundo /nawzjɑ'bʊdu/ *a* nauseating

náuti|ca /'nawtikɑ/ *f* navigation; **~co** *a* nautical

na|val /nɑ'val/ *(pl* **~vais**) *a* naval; **construção ~val** shipbuilding

navalha /nɑ'vaʎɑ/ *f* razor; **~da** *f* cut with a razor

nave /'navə/ *f* nave; **~ espacial** spaceship

nave|gação /nɑvəgɑ'sãw/ *f* navigation; *(tráfego)* shipping; **~gador** *m* navigator; **~gante** *m/f* seafarer; **~gar** *vt* navigate; sail <mar> □ *vi* sail; *(traçar o rumo)* navigate; **~gável** *(pl* **~gáveis**) *a* navigable

navio /nɑ'viu/ *m* ship; **~ cargueiro** cargo ship; **~ de guerra** warship; **~ petroleiro** oil tanker

nazista /na'ziʃtɑ/, *a & m/f* Nazi

neblina /nə'blinɑ/ *f* mist

nebulo|sa /nəbu'lozɑ/ *f* nebula; **~sidade** *f* cloud; **~so** /o/ *a* cloudy; *(fig)* obscure

neces|saire /nese'sɛr/ *m* toilet bag; **~sário** *a* necessary; **~sidade** *f* necessity; *(que se impõe)* need; *(pobreza)* need; **~sitado** *a* needy □ *m* person in need; **~sitar** *vt* require; *(tornar necessário)* necessitate; **~sitar de** need

necro|logia /nəkrulu'ʒiɑ/ *f* obituary column; **~tério** *m* mortuary, *(Amer)* morgue

néctar /'nɛktar/ *m* nectar

nectarina /nɛktɑ'rinɑ/ *f* nectarine

nefasto /nə'faʃtu/ *a* fatal

ne|gação /nəgɑ'sãw/ *f* denial;

(ling) negation; **ser uma ~gação em** be hopeless at; **~gar** vt deny; **~gar-se a** refuse to; **~gativa** f refusal; (ling) negative; **~gativo** a & m negative

negli|gência /nəgli'ʒẽsjɐ/ f negligence; **~genciar** vt neglect; **~gente** a negligent

negoci|ação /nəgusjɐ'sãw/ f negotiation; **~ador** m negotiator; **~ante** m/f dealer (de in); **~ar** vt/i negotiate; **~ar em** deal in; **~ata** f shady deal; **~ável** (pl **~áveis**) a negotiable

negócio /nə'gɔsju/ m deal; (fam: coisa) thing; pl business; **a** ou **de ~s** (viajar) on business

ne|grito /nə'gritu/ m bold; **~gro** /e/ a & m black; (de raça) Negro

nela, nele = em + ela, ele

nem /nɐj/ adv not even □ conj ~ ... ~ ... neither ... nor ...; ~ **sempre** not always; ~ **todos** not all; ~ **que** not even if; ~ **eu** nor do I

nenhum /nə'ɲũ/ a (f **nenhuma**) no □ pron (f **nenhuma**) not one; ~ **dos dois** neither of them; ~ **erro** no mistakes; ~ **erro** no mistakes at all, not a single mistake; ~ **lugar** nowhere

nenúfar /nə'nufar/ m waterlily

neologismo /nɛɔlu'ʒiʒmu/ m neologism

néon /nɛɔn/ m neon

neozelan|dês /nɛɔzəlɐ̃'deʃ/ a (f **~desa**) New Zealand □ m (f **~desa**) New Zealander

Nepal /nə'pal/ m Nepal

nervo /'nervu/ m nerve; **~sismo** m (chateação) annoyance; (medo) nervousness; **~so** /o/ a <sistema, doença> nervous; (chateado) annoyed; (medroso) nervous; **deixar alg ~so** get on s.o.'s nerves

nessa(s), nesse(s) = em + essa(s), esse(s)

nesta(s), neste(s) = em + esta(s), este(s)

ne|ta /'nɛtɐ/ f granddaughter; **~to** m grandson; pl grandchildren

neuro|logia /newrulu'ʒiɐ/ f neurology; **~lógico** a neurological; **~logista** m/f neurologist

neu|rose /new'rɔzə/ f neurosis; **~rótico** a neurotic

neutrão /new'trãw/ m neutron

neutro /'newtru/ a neutral

ne|vado /nə'vadu/ a snow-covered; **~var** vi snow; **~vasca** f snowstorm; **~ve** /ɛ/ f snow

névoa /'nɛvwɐ/ f haze

nevoeiro /nəvu'ejru/ m fog

nexo /'nɛksu/ m connection; **sem ~** incoherent

Nicarágua /nika'ragwɐ/ f Nicaragua

nicaraguense /nikɐrɐ'gwẽsə/ a & m/f Nicaraguan

nicho /'niʃu/ m niche

nicotina /niku'tinɐ/ f nicotine

Níger /'niʒɛr/ m Niger

Nigéria /ni'ʒɛrjɐ/ f Nigeria

nigeriano /niʒɐri'anu/ a & m Nigerian

Nilo /'nilu/ m Nile

ninar /ni'nar/ *vt* lull to sleep
ninfa /'nĩfə/ *f* nymph
ninguém /nĩ'gãj/ *pron* no-one, nobody
ninhada /ni'ɲadə/ *f* brood
ninharia /niɲa'riə/ *f* trifle
ninho /'niɲu/ *m* nest
níquel /'nikɛl/ *m* nickel
nisso = **em + isso**
nisto = **em + isto**
nitidez /niti'deʃ/ *f* (*de imagem etc*) sharpness
nítido /'nitidu/ *a* <imagem, foto> sharp; <diferença, melhora> distinct, clear
nitrogénio /nitrɔ'ʒɛnju/ *m* nitrogen
ní|vel /'nivɛl/ (*pl* ~**veis**) *m* level; **a ~vel de** in terms of
nivelamento /nivəla'mẽtu/ *m* levelling
nivelar /nivə'lar/ *vt* level
no = **em + o**
nó /nɔ/ *m* knot; **dar um ~** tie a knot; ~ **dos dedos** knuckle; **um ~ na garganta** a lump in one's throat
nobre /'nɔbrə/ *a* noble; <bairro> exclusive □ *m/f* noble; ~**za** /e/ *f* nobility
noção /nu'sãw/ *f* notion; *pl* (*rudimentos*) elements
nocivo /nu'sivu/ *a* harmful
noctívago /no'tivagu/ *a* nocturnal □ *m* night person
nocturno /no'turnu/ *a* night; <animal> nocturnal
nódoa /'nɔdwa/ *f* stain
nogueira /nu'gejrə/ *f* (*árvore*) walnut tree
noi|tada /noj'tadə/ *f* night; ~**te** *f* night; (*antes de dormir*) evening; **à** *ou* **de ~te** at night; (*antes de dormir*) in

the evening; **hoje à ~te** tonight; **ontem à ~te** last night; **boa ~te** (*ao chegar*) good evening; (*ao despedir--se*) good night; ~**te em branco** *ou* **claro** sleepless night
noi|vado /noj'vadu/ *m* engagement; ~**va** *f* fiancée; (*no casamento*) bride; ~**vo** *m* fiancé; (*no casamento*) bridegroom; **os ~- vos** the engaged couple; (*no casamento*) the bride and groom; **ficar ~vo** get engaged
no|jento /nu'ʒẽtu/ *a* disgusting; ~**jo** /o/ *m* disgust
nómada /'nomadə/ *m/f* nomad □ *a* nomadic
nome /'nomə/ *m* name; **de ~** by name; **em ~ de** in the name of; ~ **comercial** trade name; ~ **de baptismo** Christian name; ~ **de guerra** professional name
nome|ação /numja'sãw/ *f* appointment; ~**ar** *vt* (*para cargo*) appoint; (*chamar pelo nome*) name
nomi|nal /numi'nal/ (*pl* ~**nais**) *a* nominal
nonagésimo /nona'ʒɛzimu/ *a* ninetieth
nono /'nonu/ *a & m* ninth
nora /'nɔrə/ *f* daughter-in-law
nordes|te /nɔr'dɛ/tə/ *m* northeast; ~**tino** *a* Northeastern □ *m* person from the Northeast
nórdico /'nɔrdiku/ *a* Nordic
nor|ma /'nɔrmə/ *f* norm; ~**mal** (*pl* ~**mais**) *a* normal
normali|dade /normali'dadə/ *f* normality; ~**zar** *vt* bring

back to normal; normalize <relações diplomáticas>; ~**zar-se** *vpr* return to normal

noroeste /noruˈɛ/tɐ/ *a & m* northwest

norte /ˈnɔrtɐ/ *a & m* north; ~**-africano** *a & m* North African; ~**-americano** *a & m* North American; ~**-coreano** *a & m* North Korean

nortenho /norˈtaɲu/ *a* Northern □ *m/f* Northerner

Noruega /noruˈɛɡɐ/ *f* Norway

norue|guês /norweˈɡe/ʃ/ *a & m* (*f* ~**guesa**) Norwegian

nos¹ = **em** + **os**

nos² /nu/ʃ/ *pron* us; (*indirecto*) (to) us; (*reflexivo*) ourselves

nós /nɔ/ʃ/ *pron* we; (*depois de preposição*) us

nos|so /ˈnɔsu/ *a* our □ *pron* ours

nos|talgia /nu/talˈʒiɐ/ *f* nostalgia; ~**tálgico** *a* nostalgic

nota /ˈnɔtɐ/ *f* note; (*na escola etc*) mark; (*conta*) bill; **custar uma ~ (preta)** (*fam*) cost a bomb; **tomar ~** take note (**de** of); ~ **fiscal** receipt

no|tação /nutɐˈsãw/ *f* notation; ~**tar** *vt* notice, note; **fazer ~tar** point out; ~**tável** (*pl* ~**táveis**) *a & m/f* notable

notícia /nuˈtisjɐ/ *f* piece of news; *pl* news

notici|ar /nutisiˈar/ *vt* report; ~**ário** *m* (*na TV*) news; (*em jornal*) news section; ~**arista** *m/f* (*na TV*) newsreader; (*em jornal*) news reporter; ~**oso** /o/ *a* **agência ~osa** news agency

notifi|cação /nutifikɐˈsãw/ *f* notification; ~**car** *vt* notify

notório /nuˈtɔrju/ *a* well-known

nova /ˈnɔvɐ/ *f* piece of news; ~**mente** *adv* again

novato /nuˈvatu/ *m* novice

nove /ˈnɔvɐ/ *a & m* nine; ~**centos** *a & m* nine hundred

novela /nuˈvɛlɐ/ *f* (*na TV*) soap opera; (*livro*) novella

Novembro /nuˈvẽbru/ *m* November

noventa /nuˈvẽtɐ/ *a & m* ninety

noviço /nuˈvisu/ *m* novice

novidade /nuviˈdadɐ/ *f* novelty; (*notícia*) piece of news; *pl* (*notícias*) news

novilho /nuˈviʎu/ *m* calf

novo /ˈnovu/ *a* new; (*jovem*) young; **de ~** again; ~ **em folha** brand new

noz /nɔ/ʃ/ *f* walnut; ~ **moscada** nutmeg

nu /nu/ *a* (*f* ~**a**) <corpo, pessoa> naked; <braço, parede, quarto> bare □ *m* nude; ~ **em pêlo** stark naked; **a verdade ~a e crua** the plain truth

nu|blado /nuˈbladu/ *a* cloudy; ~**blar** *vt* cloud; ~**blar-se** *vpr* cloud over

nuca /ˈnukɐ/ *f* nape of the neck

nuclear /nukliˈar/ *a* nuclear

núcleo /ˈnuklju/ *m* nucleus

nu|dez /nuˈde/ʃ/ *f* nakedness; (*na TV etc*) nudity; (*da parede etc*) bareness; ~**dismo** *m* nudism; ~**dista** *m/f* nudist

nulo /ˈnulu/ *a* void

num, numa(s) = **em** + **um, uma(s)**

nume|ral /numɐˈral/ (*pl* ~**rais**)

a & *m* numeral; **~rar** *vt*
number; **~rário** *m* cash, money

numérico /nu'mɛriku/ *a* numerical

número /'numəru/ *m* number;
(*de jornal, revista*) issue; (*de
sapatos*) size; (*espectáculo*)
act; **fazer ~** make up the
numbers

numeroso /numə'rozu/ *a* numerous

nunca /'nʊkɐ/ *adv* never; **~
mais** never again

nuns = **em** + **uns**

nupci|al /nupsi'al/ (*pl* **~ais**) *a*
bridal

núpcias /'nupsjɐʃ/ *f pl* marriage

nu|trição /nutri'sãw/ *f* nutri-
tion; **~trir** *vt* nourish; (*fig*)
harbour <ódio, esperança>;
~tritivo *a* nourishing; <va-
lor> nutritional

nuvem /'nuvãj/ *f* cloud

O

o /u/ *artigo* the □ *pron* (*homem*) him; (*coisa*) it; (*você*) you; **~ que** (*a coisa que*) what; (*aquele que*) the one that; **~ quê? what?; meu livro e ~ do João** my book and John's (one)

ó /ɔ/ *int* (*fam*) look

oásis /oˈaziʃ/ *m invar* oasis

obcecar /obsEˈkar/ *vt* obsess

obe|decer /obədəˈser/ *vt* **~decer a** obey; **~diência** *f* obedience; **~diente** *a* obedient

obe|sidade /obəziˈdadə/ *f* obesity; **~so** /e/ *a* obese

óbito /ˈɔbitu/ *m* death

obituário /obituˈarju/ *m* obituary

objec|ção /obʒɛˈsãw/ *f* objection; **~tar** *vt/i* object (**a** to)

objecti|va /obʒɛˈtivɐ/ *f* lens; **~vidade** *f* objectivity; **~vo** *a* & *m* objective

objecto /obˈʒɛtu/ *m* object

oblíquo /oˈblikwu/ *a* oblique; <olhar> sidelong

obliterar /oblitəˈrar/ *vt* obliterate

oblongo /oˈblõgu/ *a* oblong

obo|é /oboˈɛ/ *m* oboe; **~ista** *m/f* oboist

obra /ˈɔbrɐ/ *f* work; **em ~s** being renovated; **~ de arte** work of art; **~ de caridade** charity; **~-prima** (*pl* **~s-primas**) *f* masterpiece

obri|gação /obrigɐˈsãw/ *f* obligation; (*título*) bond; **~gado** *int* thank you; (*não querendo*) no thank you; **~gar** *vt* force, oblige (**a** to); **~gar-se** *vpr* undertake (**a** to); **~gatório** *a* obligatory, compulsory

obsce|nidade /obsəniˈdadə/ *f* obscenity; **~no** /e/ *a* obscene

obscu|ridade /obʃkuriˈdadə/ *f* obscurity; **~ro** *a* obscure

obséquio /obˈzɛkju/ *m* favour

obsequioso /obzəkiˈozu/ *a* obsequious

obser|vação /obzɛrvɐˈsãw/ *f* observation; **~vador** *a* observant □ *m* observer; **~vância** *f* observance; **~var** *vt* observe; **~vatório** *m* observatory

obses|são /obsəˈsãw/ *f* obsession; **~sivo** *a* obsessive

obsoleto /obsuˈletu/ *a* obsolete

obstáculo /obʃˈtakulu/ *m* obstacle

obstar /obʃˈtar/ *vt* hinder

obs|tetra /obʃˈtetrɐ/ *m/f* obstetrician; **~tetrícia** *f* obstetrics; **~tétrico** *a* obstetric

obsti|nação /obʃtinɐˈsãw/ *f*
obstinacy; **~nado** *a* obstinate; **~nar-se** *vpr* insist (**em**
on)

obstru|ção /obʃtruˈsãw/ *f* obs-
truction; **~ir** *vt* obstruct

ob|tenção /obtẽˈsãw/ *f* obtai-
ning; **~ter** *vt* obtain

obtu|ração /obtura'sãw/ *f* fil-
ling; **~rador** *m* shutter; **~rar**
vt fill <dente>

obtuso /obˈtuzu/ *a* obtuse

óbvio /ˈɔbvju/ *a* obvious

ocasi|ão /okaziˈãw/ *f* occasion;
(*oportunidade*) opportunity;
(*compra*) bargain; **~onal** (*pl*
~onais) *a* chance; **~onar** *vt*
cause

Oceania /osjaˈniɐ/ *f* Oceania

oce|ânico /oˈsiɐniku/ *a* ocean;
~ano *m* ocean

ociden|tal /osideˈtal/ (*pl* **~tais**)
a western □ *m/f* Westerner;
~te *m* West

ócio /ˈɔsju/ *m* (*lazer*) leisure;
(*falta de trabalho*) idleness

ocioso /oˈsiozu/ *a* idle □ *m*
idler

oco /ˈoku/ *a* hollow; <cabeça>
empty

ocor|rência /okuˈʀẽsjɐ/ *f* oc-
currence; **~rer** *vi* occur (**a**
to)

ocu|lar /okuˈlar/ *a* **testemu-
nha ~lar** eye witness; **~lista**
m/f optician

óculos /ˈɔkuluʃ/ *m pl* glasses;
~ de sol sunglasses

ocul|tar /okulˈtar/ *vt* conceal;
~to *a* hidden; (*sobrenatural*)
occult

ocu|pação /okupaˈsãw/ *f* occu-
pation; **~pado** *a* <pessoa>
busy; <cadeira> taken; <te-

lefone> engaged, (*Amer*) busy; **~par** *vt* occupy; take up
<tempo, espaço>; hold <car-
go>; **~par-se** *vpr* keep busy;
~par-se com *ou* **de** be in-
volved with <política, literatura etc>; take care of
<cliente, doente, problema>;
occupy one's time with <lei-
tura, palavras cruzadas etc>

ode /ˈɔdɐ/ *f* ode

odiar /odiˈar/ *vt* hate

ódio /ˈɔdju/ *m* hatred, hate;
(*raiva*) anger

odioso /odiˈozu/ *a* hateful

odontologia /odõtuluˈʒiɐ/ *f*
dentistry

odor /oˈdor/ *m* odour

oeste /oˈɛʃtɐ/ *a* & *m* west

ofe|gante /ofeˈgãtɐ/ *a* panting;
~gar *vi* pant

ofen|der /ofeˈder/ *vt* offend;
~der-se *vpr* take offence;
~sa *f* insult; **~siva** *f* offensive; **~sivo** *a* offensive

ofere|cer /ofereˈser/ *vt* offer;
~cer-se *vpr* <pessoa> offer
o.s. (**como** as); <ocasião>
arise; **~cer-se para ajudar**
offer to help; **~cimento** *m*
offer

oferenda /ofeˈʀẽdɐ/ *f* offering

oferta /oˈfɛrtɐ/ *f* offer; **em ~**
on offer; **a ~ e a procura**
supply and demand

ofici|al /ofisiˈal/ (*pl* **~ais**) *a* of-
ficial □ *m* officer; **~alizar** *vt*
make official; **~ar** *vi* officiate

oficina /ofiˈsinɐ/ *f* workshop;
(*para carros*) garage,
(*Amer*) shop

ofício /oˈfisju/ *m* (*profissão*)
trade; (*na igreja*) service

oficioso /ofisi'ozu/ a unofficial

ofus|cante /ofuʃ'kãtɐ/ a dazzling; **~car** vt dazzle <pessoa>; obscure <sol etc>; (fig: eclipsar) outshine

oi|tavo /oi'tavu/ a & m eighth; **~tenta** a & m eighty; **~to** a & m eight; **~tocentos** a & m eight hundred

olá /C'la/ int hello

olaria /ola'riɐ/ f pottery

óleo /'ɔlju/ m oil

oleo|duto /olju'dutu/ m oil pipeline; **~so** /o/ a oily

olfacto /ol'fatu/ m sense of smell

olhadela /oʎa'dɛlɐ/ f look; **dar uma ~** have a look

olhar /o'ʎar/ vt look at; (assistir) watch □ vi look □ m look; **~ para** look at; **~ por** look after; **e olhe lá** (fam) and that's pushing it

olheiras /o'ʎejraʃ/ f pl dark rings under one's eyes

olho /'oʎu/ m eye; **a ~ nu** with the naked eye; **custar os ~s da cara** cost a fortune; **ficar de ~** keep an eye out; **ficar de ~ em** keep an eye on; **pôr alg no ~ da rua** throw s.o. out; **não pregar o ~** not sleep a wink; **~ gordo** ou **grande** envy; **~ mágico** peephole; **~ negro** black eye

Olimpíada /oli'piadɐ/ f Olympic Games

olímpico /o'lĩpiku/ a <jogos, vila> Olympic; (fig) blithe

oliveira /oli'vejrɐ/ f olive tree

olmo /'olmu/ m elm

om|breira /õ'brejrɐ/ f (para roupa) shoulder pad; **~bro** /o/ m shoulder; **dar de ~bros,**

encolher os ~bros shrug one's shoulders

omeleta /ɔmə'lɛtɐ/, f omelette

omis|são /omi'sãw/ f omission; **~so** /o/ a negligent, remiss

omitir /omi'tir/ vt omit

omnipotente /ɔmnipu'tẽtɐ/ a omnipotent

omnisciente /ɔmniʃsi'ẽtɐ/ a omniscient

omoplata /ɔmo'platɐ/ f shoulder blade

onça¹ /'õsɐ/ f (peso) ounce

onça² /'õsɐ/ f (animal) jaguar

onda /'õdɐ/ f wave

onde /'õdɐ/ adv where; **por ~?** which way?; **~ quer que** wherever

ondu|lação /õdulɐ'sãw/ f undulation; (do cabelo) wave; **~lado** a wavy; **~lante** a undulating; **~lar** vt wave <cabelo> □ vi undulate

onerar /one'rar/ vt burden

onírico /o'niriku/ a dreamlike

onomatopeia /ɔnumɐtu'pejɐ/ f onomatopoeia

ontem /'õtɐj/ adv yesterday

onze /'õzɐ/ a & m eleven

opaco /o'paku/ a opaque

opala /o'palɐ/ f opal

opção /op'sãw/ f option

ópera /'ɔpərɐ/ f opera

ope|ração /opɐrɐ'sãw/ f operation; (bancária etc) transaction; **~rador** m operator; **~rar** vt operate; operate on <doente>; work <milagre> □ vi operate; **~rar-se** vpr (acontecer) come about; (fazer operação) have an operation; **~rário** a working □ m worker

opereta /opɐ'retɐ/ f operetta

opinar /opi'nar/ *vt* think □ *vi* express one's opinion

opinião /opini'ãw/ *f* opinion; **na minha ~** in my opinion; **~ pública** public opinion

ópio /'ɔpju/ *m* opium

opor /o'por/ *vt* put up <resistência, argumento>; (*pôr em contraste*) contrast (**a** with); **~-se a** (*não aprovar*) oppose; (*ser diferente*) contrast with

oportu|nidade /opurtuni'dadʒ/ *f* opportunity; **~nista** *a & m/f* opportunist; **~no** *a* opportune

oposi|ção /opuzi'sãw/ *f* opposition (**a** to); **~cionista** *a* opposition □ *m/f* opposition politician

oposto /o'poʃtu/ *a & m* opposite

opres|são /oprɛ'sãw/ *f* oppression; (*no peito*) tightness; **~sivo** *a* oppressive; **~sor** *m* oppressor

oprimir /opri'mir/ *vt* oppress; (*com trabalho*) weigh down □ *vi* be oppressive

optar /op'tar/ *vi* opt (**por** for); **~ por ir** opt to go

ópti|ca /'ɔtika/ *f* (*ciência*) optics; (*loja*) optician's; (*ponto de vista*) viewpoint; **~co** *a* optical

optimis|mo /oti'miʒmu/ *m* optimism; **~ta** *m/f* optimist □ *a* optimistic

óptimo /'ɔtimu/ *a* excellent

opu|lência /opu'lẽsjɐ/ *f* opulence; **~lento** *a* opulent

ora /'ɔra/ *adv & conj* now □ *int* come; **~ essa!** come now!; **~ ..., ~ ...** first ..., then

oração /ora'sãw/ *f* (*prece*) prayer; (*discurso*) oration; (*frase*) clause

oráculo /o'rakulu/ *m* oracle

orador /ora'dor/ *m* orator

oral /o'ral/ (*pl* **orais**) *a & f* oral

orar /o'rar/ *vi* pray

órbita /'ɔrbita/ *f* orbit; (*do olho*) socket

orçamen|tário /CrsAmX'tarju/ *a* budgetary; **~to** *m* (*plano financeiro*) budget; (*previsão dos custos*) estimate

orçar /or'sar/ *vt* estimate (**em** at)

ordeiro /or'dejru/ *a* orderly

ordem /'ɔrdɐ̃j/ *f* order; **por ~ alfabética** in alphabetical order; **~ de pagamento** banker's draft; **~ do dia** agenda

orde|nação /ordɐna'sãw/ *f* ordering; (*de padre*) ordination; **~nado** *a* ordered □ *m* wages; **~nar** *vt* order; put in order <papéis, livros etc>; ordain <padre>

ordenhar /ordɐ'nar/ *vt* milk

ordinário /ordi'narju/ *a* (*normal*) ordinary; (*grosseiro*) vulgar; (*de má qualidade*) inferior; (*sem carácter*) rough

orégão /o'rɛgãw/ *m* oregano

ore|lha /o'reʎa/ *f* ear; **~lhão** *m* phone booth; **~lhudo** *a* with big ears; **ser ~lhudo** have big ears

orfanato /ɔrfa'natu/ *m* orphanage

ór|fão /'ɔrfãw/ (*pl* **~fãos**) *a & m* (*f* **~fã**) orphan

orgânico /or'gɐniku/ *a* organic

orga|nismo /orgɐ'niʒmu/ *m*
organism; (*do Estado etc*)
institution; **~nista** *m/f* orga-
nist

organi|zação /orgɐnizɐ'sãw/ *f*
organization; (*do Estado etc*)
nizing □ *m* organizer; **~zar**
vt organize

órgão /'ɔrgãw/ (*pl* **~s**) *m* organ; (*do Estado etc*) body

orgasmo /or'gaʒmu/ *m* orgasm

orgia /or'ʒiɐ/ *f* orgy

orgu|lhar /orgu'ʎar/ *vt* make
proud; **~lhar-se** *vpr* be
proud (of); **~lho** *m* pride;
~lhoso /o/ *a* proud

orien|tação /orjẽtɐ'sãw/ *f*
orientation; (*direcção etc*) direction; (*vocacional etc*) guidance; **~tador** *m* advisor;
~tal (*pl* **~tais**) *a* eastern; (*da
Ásia*) oriental; **~tar** *vt* direct;
(*aconselhar*) advise; (*situar*)
position; **~tar-se** *vpr* get
one's bearings; **~tar-se por**
be guided by; **~te** *m* east;
Médio Oriente Middle East;
Extremo Oriente Far East

orifício /ori'fisju/ *m* opening;
(*no corpo*) orifice

origem /o'riʒãj/ *f* origin; **dar ~
a** give rise to; **ter ~** originate

origi|nal /oriʒi'nal/ (*pl* **~nais**)
a & *m* original; **~nalidade** *f*
originality; **~nar** *vt* give rise
to; **~nar-se** *vpr* originate;
~nário *a* <planta, animal>
native (**de** to); <pessoa> originating (**de** from)

oriundo /ori'ũdu/ *a* originating
(**de** from)

orla /'ɔrlɐ/ *f* border; **~ marítima** seafront

ornamen|tação /ɔrnɐmẽ-
tɐ'sãw/ *f* ornamentation; **~tal**
(*pl* **~ tais**) *a* ornamental;
~tar *vt* decorate; **~to** *m* ornament, decoration

orques|tra /or'kɛʃtrɐ/ *f* or-
chestra; **~tra sinfônica**
symphony orchestra; **~tral**
(*pl* **~trais**) *a* orchestral;
~trar *vt* orchestrate

orquídea /or'kidjɐ/ *f* orchid

ortodoxo /ɔrtɔ'dɔksu/ *a* orthodox

orto|grafia /ɔrtugrɐ'fiɐ/ *f*
spelling, orthography; **~grá-
fico** *a* orthographic

orto|pedia /ɔrtɔpɔ'diɐ/ *f* ortho-
paedics; **~pédico** *a* orthopaedic; **~pedista** *m/f* orthopaedic surgeon

orvalho /or'vaʎu/ *m* dew

os /us/ *artigo* & *pron veja* **o**

oscilar /oʃsi'lar/ *vi* oscillate

ósseo /'ɔsju/ *a* bone

os|so /'osu/ *m* bone; **~sudo** *a*
bony

ostensivo /oʃtẽ'sivu/ *a* osten-
sible

osten|tação /oʃtẽtɐ'sãw/ *f* os-
tentation; **~tar** *vt* show off;
~toso *a* showy, ostentatious

osteopata /ɔʃtjɔ'patɐ/ *m/f* osteopath

ostra /'oʃtrɐ/ *f* oyster

ostracismo /oʃtrɐ'siʒmu/ *m*
ostracism

otário /ɔ'tarju/ *m* (*fam*) fool

otorrino /ɔtɔ'Rinu/ *m* ear, nose
and throat specialist

ou /o/ *conj* or; **~ ... ~ ...** either
... or ...; **~ seja** in other
words

ouriço /o'risu/ *m* hedgehog;
~do-mar (*pl* **~s-do-mar**) *m*
sea urchin

ouri|ves /o'rivəʃ/ *m/f invar* jeweller; **~vesaria** *f* (*loja*) jeweller's

ouro /'oru/ *m* gold; *pl* (*naipe*) diamonds; **de ~** golden

ou|sadia /oza'dia/ *f* daring; (*uma*) daring step; **~sado** *a* daring; **~sar** *vt/i* dare

outdoor /awt'dɔr/ (*pl* **~s**) *m* billboard

outo|nal /otu'nal/ (*pl* **~nais**) *a* autumnal; **O~no** /o/ *m* autumn, (*Amer*) fall

outorgar /otur'gar/ *vt* grant

ou|trem /o'trãj/ *pron* (*outro*) someone else; (*outros*) others; **~tro** *a* other □ *pron* (*um*) another (one); *pl* others; **~tro copo** another glass; **~tra coisa** something else; **~tro dia** the other day; **no ~tro dia** the next day; **~tra vez** again; **~trora** *adv*

once upon a time; **~trossim** *adv* equally

Outubro /o'tubru/ *m* October

ou|vido /o'vidu/ *m* ear; **de ~vido** by ear; **dar ~vidos a** listen to; **~vinte** *m/f* listener; **~vir** *vt* hear; (*atentamente*) listen to □ *vi* hear; **~vir dizer que** hear that; **~vir falar de** hear of

ovação /ova'sãw/ *f* ovation

oval /ɔ'val/ (*pl* **ovais**) *a & f* oval

ovário /o'varju/ *m* ovary

ovelha /o'veʎa/ *f* sheep

ovni /'ɔvni/ *m* UFO

ovo /'ovu/ *m* egg; **~ cozido/frito/mexido/escalfado** boiled/fried/scrambled/poached egg

oxi|genar /ɔksiʒə'nar/ *vt* bleach <cabelo>; **~génio** *m* oxygen

ozono /o'zɔnu/ *m* ozone

P

pá /pa/ *f* spade; (*de hélice*) blade; (*de moinho*) sail □ *m* (*fam*) mate

pacato /paˈkatu/ *a* quiet

paci|ência /pasiˈẽsjə/ *f* patience; **~ente** *a & m/f* patient

pacificar /pasifiˈkar/ *vt* pacify

pacífico /paˈsifiku/ *a* peaceful; **Oceano Pacífico** Pacific Ocean; **ponto ~** undisputed point

pacifis|mo /pasiˈfiʒmu/ *m* pacifism; **~ta** *a & m/f* pacifist

paço /ˈpasu/ *m* palace

pacote /paˈkɔtə/ *m* (*de biscoitos etc*) packet; (*mandado pelo correio*) parcel; (*económico, turístico, software*) package

pacto /ˈpaktu/ *m* pact

padaria /padaˈriə/ *f* baker's (shop), bakery

padecer /padəˈser/ *vt/i* suffer

padeiro /paˈdejru/ *m* baker

padiola /padiˈɔlə/ *f* stretcher

padrão /paˈdrãw/ *m* standard; (*desenho*) pattern

padrasto /paˈdrastu/ *m* stepfather

padre /ˈpadrə/ *m* priest

padrinho /paˈdriɲu/ *m* (*de baptismo*) godfather; (*de casamento*) best man

padroeiro /padruˈejru/ *m* patron saint

padronizar /padruniˈzar/ *vt* standardize

paga /ˈpagə/ *f* pay; **~mento** *m* payment

pa|gão /paˈgãw/ (*pl* **~gãos**) *a & m* (*f* **~gã**) pagan

pagar /paˈgar/ *vt* pay for <compra, erro etc>; pay <dívida, conta, empregado etc>; pay back <empréstimo>; repay <gentileza etc> □ *vi* pay; **eu pago para ver** I'll believe it when I see it

página /ˈpaʒinə/ *f* page

pago /ˈpagu/ *a* paid □ *pp de* **pagar**

pagode /paˈgɔdə/ *m* (*torre*) pagoda; (*fam*) singalong

pai /paj/ *m* father; *pl* (*pai e mãe*) parents; **P~ Natal** *m* Father Christmas, Santa Claus

pai|nel /pajˈnɛl/ (*pl* **~néis**) *m* panel; (*de carro*) dashboard

paio /ˈpaju/ *m* pork sausage

pairar /pajˈrar/ *vi* hover

país /paˈiʃ/ *m* country; **País de Gales** Wales; **Países Baixos** Netherlands

paisa|gem /pajˈzaʒãj/ *f* landsc

cape; ~**gista** m/f landscape gardener

paisana /paj'zana/ f à ~ <polícia> in plain clothes; <soldado> in civilian clothes

paixão /paj'ʃãw/ f passion

pala /'pala/ f (de boné) peak; (de automóvel) sun visor

palácio /pa'lasju/ m palace

paladar /pala'dar/ m palate, taste

palanque /pa'lãke/ m stand

palavra /pa'lavra/ f word; **pedir a** ~ ask to speak; **ter** ~ be reliable; **tomar a** ~ start to speak; **sem** ~ <pessoa> unreliable; ~ **de ordem** watchword; ~**s cruzadas** crossword

palavrão /pala'vrãw/ m swearword

palco /'palku/ m stage

palestino /pala'ʃtinu/ a & m Palestinian

palestra /pa'lɛʃtra/ f lecture

paleta /pa'leta/ f palette

pa|lha /'paʎa/ f straw; ~**lhinha** (de beber) straw

palha|çada /paʎa'sada/ f joke; ~ **ço** m clown

paliativo /palja'tivu/ a & m palliative

palidez /pali'deʃ/ f paleness

pálido /'palidu/ a pale

pali|tar /pali'tar/ vt pick □ vi pick one's teeth; ~**teiro** m toothpick holder; ~**to** m (para dentes) toothpick; (de fósforo) matchstick; (pessoa magra) beanpole

pal|ma /'palma/ f palm; pl (aplauso) clapping; **bater** ~**mas** clap; ~**meira** f palm tree; ~**mito** m palm heart;

~**mo** m span; ~**mo a** ~**mo** inch by inch

palpá|vel /pal'pavɛl/ (pl ~**veis**) a palpable

pálpebra /'palpəbra/ f eyelid

palpi|tação /palpita'sãw/ f palpitation; ~**tante** a (fig) thrilling; ~**tar** vi <coração> flutter; <pessoa> tremble; (dar palpite) stick one's oar in; ~**te** m (pressentimento) hunch; (no jogo etc) tip; **dar** ~**te** stick one's oar in

panaceia /pana'seja/ f panacea

Panamá /pana'ma/ m Panama

panamenho /pana'maɲu/ a & m Panamanian

pan-americano /panamə-ri'kanu/ a Pan-American

pança /'pãsa/ f paunch

pancada /pã'kada/ f blow; ~ **d'água** downpour; ~**ria** f fight, punch-up

pâncreas /'pãkrjaʃ/ m invar pancreas

pançudo /pã'sudu/ a paunchy

panda /'pãda/ f panda

pandarecos /pãda'rɛkuʃ/ m pl **aos** ou **em** ~ in pieces

pandeiro /pã'dejru/ m tambourine

pandemónio /pãdə'mɔnju/ m pandemonium

pane /'pana/ f breakdown

panela /pa'nɛla/ f saucepan; ~ **de pressão** pressure cooker

panfleto /pã'fletu/ m pamphlet

pânico /'paniku/ m panic; **em** ~ in a panic; **entrar em** ~ panic

panifica|ção /panifika'sãw/ f bakery; ~**dora** f bakery

pano /'panu/ m cloth; ~ **de**

fundo backdrop; **~ de pó** duster; **~ da loiça** tea towel

pano|rama /pa.nu'rama/ *m* panorama; **~râmico** *a* panoramic

panqueca /pã'kɛka/ *f* pancake

panta|nal /pãta'nal/ (*pl* **~nais**) *m* marshland

pântano /'pãtanu/ *m* marsh

pantanoso /pãta'nozu/ *a* marshy

pantera /pã'tɛra/ *f* panther

pão /pãw/ (*pl* **pães**) *m* bread; **~ de fôrma** sliced loaf; **~ integral** brown bread; **~~de -ló** *m* sponge cake; **~~ralado** *m* breadcrumbs; **~~zinho** *m* bread roll

Papa /'papa/ *m* Pope

papa /'papa/ *f* (*de bebé*) food; (*arroz etc*) mush

papá /pa'pa/ *m* dad, daddy

papagaio /papa'gaju/ *m* parrot; (*de papel*) kite

papar /pa'par/ *vt/i* (*fam*) eat

papari|car /papari'kar/ *vt* pamper; **~cos** *m pl* pampering

papeira /pa'pejra/ *f* mumps

pa|pel /pa'pɛl/ (*pl* **~péis**) *m* (*de escrever etc*) paper; (*um*) piece of paper; (*numa peça, filme*) part; (*fig: função*) role; **de ~ passado** officially; **~pel de aluminio** aluminium foil; **~pel higiénico** toilet paper; **~pelada** *f* paperwork; **~pelão** *m* cardboard; **~pelaria** *f* stationer's (shop); **~pelzinho** *m* scrap of paper

papo /'papu/ *f* (*Br fam: conversa*) talk; (*do rosto*) double chin; **bater um ~** (*Br*

fam) have a chat; **~ furado** (*Br*) idle talk

papoula /pa'pola/ *f* poppy

páprica /'paprika/ *f* paprika

paque|ra /pa'kɛra/ (*Br*) *f* (*fam*) pick-up; ☐ *m* flirt; **~rar** *vt* flirt with <pessoa>; eye up <vestido, carro etc> ☐ *vi* flirt

paquista|nês /pakiʃta'neʃ/ *a* & *m* (*f* **~nesa**) Pakistani

Paquistão /pakiʃ'tãw/ *m* Pakistan

par /par/ *a* even ☐ *m* pair; (*parceiro*) partner; **a ~ de** up to date with <noticias etc>; **sem ~** unequalled

para /'para/ *prep* for; (*a*) to; **~ que** so that; **~ quê?** what for?; **~ casa** home; **estar ~ sair** be about to leave; **era ~ eu ir** I was supposed to go

parabéns /para'bãjʃ/ *m pl* congratulations **dar os ~** *vt* congratulate (**por** on)

parábola /pa'rabula/ *f* (*conto*) parable; (*curva*) parabola

parabóli|co /para'boliku/ *a* **antena ~ca** satellite dish

pára-brisa /para'briza/ *m* windscreen, (*Amer*) windshield; **~choque** *m* bumper

para|da /pa'rada/ *f* stop; (*interrupção*) stoppage; (*militar*) parade; (*Br fam: coisa dificil*) ordeal, challenge; **~deiro** *m* whereabouts

paradisíaco /paradi'ziaku/ *a* idyllic

parado /pa'radu/ *a* <trânsito, carro> at a standstill, stopped; (*fig*) <pessoa> dull; **fi-car** <pessoa> stand still; <trânsito> come to a stands-

till; *(fig: deixar de trabalhar)* stop work
parado|xal /pɐɾɐdɔk'sal/ *(pl ~ xais)* *a* paradoxical; **~xo** /o/ *m* paradox
parafina /pɐɾɐ'finɐ/ *f* paraffin
paráfrase /pɐ'ɾafɾɐzə/ *f* paraphrase
parafrasear /pɐɾɐfɾɐzi'ar/ *vt* paraphrase
parafuso /pɐɾɐ'fuzu/ *f* screw; **entrar em ~** get into a state
para|gem /pɐ'ɾaʒɐ̃j/ *f* stop; **~gem cardíaca** heart failure, cardiac arrest; **nestas ~gens** in these parts
parágrafo /pɐ'ɾagɾɐfu/ *m* paragraph
Paraguai /pɐɾɐgu'aj/ *m* Paraguay
paraguaio /pɐɾɐgu'aju/ *a & m* Paraguayan
paraíso /pɐɾɐ'izu/ *m* paradise
pára-lama /paɾɐ'lamɐ/ *m* (de carro) wing, (Amer) fender; (de bicicleta) mudguard
parale|la /pɐɾɐ'lɛlɐ/ *f* parallel; *pl (aparelho)* parallel bars; **~lepípedo** *m* paving stone; **~lo** /ɛ/ *a & m* parallel
para|lisar /pɐɾɐli'zar/ *vt* paralyse; bring to a halt <fábrica, produção>; **~lisar-se** *vpr* become paralysed; <fábrica, produção> grind to a halt; **~lisia** *f* paralysis; **~lítico** *a & m* paralytic
paranói|a /pɐɾɐ'nojɐ/ *f* paranoia; **~co** *a* paranoid
parapeito /pɐɾɐ'pejtu/ *m* (muro) parapet; (da janela) window-sill
pára-que|das /paɾɐ'kɛdɐʃ/ *m invar* parachute; **~dista** *m/f*

parachutist; (militar) paratrooper
parar /pɐ'ɾar/ *vt/i* stop, **~ de fumar** stop smoking; **ir ~** end up
pára-raios /paɾɐ'ʁaju/ʃ/ *m invar* lightning conductor
parasita /pɐɾɐ'zitɐ/ *a & m/f* parasite
parceiro /paɾ'sejɾu/ *m* partner
parce|la /paɾ'sɛlɐ/ *f (de terreno)* plot; *(prestação)* instalment; **~lar** *vt* spread <pagamento>
parceria /pɐɾsə'ɾiɐ/ *f* partnership
parci|al /pɐɾsi'al/ *(pl ~ais)* *a* partial; *(partidário)* biased; **~alidade** *f* bias
parco /'paɾku/ *a* frugal; <recursos> scant
par|dal /paɾ'dal/ *(pl ~dais)* *m* sparrow; **~do** *a* <papel> brown; <pessoa> mulatto
pare|cer /pɐɾə'ser/ *vi (ter aparência de)* seem; *(ter semelhança de)* be like; **~cer-se com** look like, resemble □ *m* opinion; **~cido** *a* similar (com to)
parede /pɐ'ɾedə/ *f* wall
paren|te /pɐ'ɾẽtə/ *m/f* relative, relation; **~tesco** /e/ *m* relationship
parêntese /pɐ'ɾẽtəzə/ *f* parenthesis; *pl (sinais)* brackets, parentheses
paridade /pɐɾi'dadə/ *f* parity
parir /pɐ'ɾir/ *vt* give birth to □ *vi* give birth
parlamen|tar /pɐɾlɐmẽ'tar/ *a* parliamentary □ *m/f* member of parliament; **~tarismo** *m* parliamentary system; **~to** *m* parliament

parmesão /parmə'zãw/ a & m
(**queijo**) ~ Parmesan (cheese)
paródia /pa'rɔdjə/ f parody
parodiar /parudi'ar/ vt parody
paróquia /pa'rɔkjə/ f parish
parque /'parkə/ m park
parte /'partə/ f part; (quinhão)
share; (num litígio, contrato)
party; **a maior ~ de** most of;
à ~ (de lado) aside; (separa-
damente) separately; **um erro da sua ~** a mistake on
your part; **em ~** in part; **em
alguma ~** somewhere; **por
toda a ~** everywhere; **por ~
do pai** on one's father's side; **fazer ~ de** be part of; **tomar ~** em take part in
parteira /par'tejrə/ f midwife
partici|pação /partəsipa'sãw/ f
participation; (numa empresa, nos lucros) share; **~pan-
te** a participating □ m/f par-
ticipant; **~par** vi take part
(**de** ou **em** in)
particípio /partə'sipju/ m participle
partícula /par'tikulə/ f particle
particu|lar /partiku'lar/ a pri-
vate; (especial) unusual □ m
(pessoa) private individual;
pl (detalhes) particulars; **em
~lar** (especialmente) in particular; (a sós) in private;
~laridade f peculiarity
partida /par'tidə/ f (saída)
departure; (de corrida) start;
(de futebol, xadrez etc)
match; **dar ~ em** start up
par|tidário /parti'darju/ a par-
tisan □ m supporter; **~tido** a
broken □ m (político) party;

(casamento, par) match; **tirar ~tido de** benefit from;
tomar o ~tido de side with;
~tilha f division; **~tir** vi
(sair) depart; <corredor>
start □ vt break; **~tir-se** vpr
break; **a ~tir de ...** from ...
onwards; **~tir para** (fam) resort to; **~tir para outra** do
something different, change
direction; **~titura** f score
parto /'partu/ m birth
parvo /'parvu/ a stupid
Páscoa /'paʃkwa/ f Easter
pas|mar /paʒ'mar/ vt amaze;
~mar-se vpr be amazed
(**com** at); **~mo** a amazed □
m amazement
passa /'pasə/ f raisin
pas|sada /pa'sadə/ f **dar uma
~sada em** call in at; **~ sa-
deira** f (faixa) zebra crossing, (Amer) crosswalk; **~sa-
do** a <ano, mês, semana>
last; <tempo, participio etc>
past; <fruta, comida> off □
m past; **são duas horas ~sa-
das** it's gone two o'clock;
bem/mal ~sado <bife> well
done/rare
passa|geiro /pasa'ʒejru/ m
passenger □ a passing;
~gem f passage; (bilhete)
ticket; **de ~gem** <dizer etc>
in passing; **estar de ~gem**
be passing through; **~gem
de ida e volta** return ticket,
(Amer) round trip ticket
passaporte /pasa'pɔrtə/ m
passport
passar /pa'sar/ vt pass; spend
<tempo>; cross <ponte, rio>;
(a ferro) iron <roupa etc>;
(aplicar) put on <creme, ba-

ton etc> □ *vi* pass; <dor, medo, chuva etc> go; (*ser aceitável*) be passable □ *m* passing; **~-se** *vpr* happen; **passou a beber muito** he started to drink a lot; **passei dos 30 anos** I'm over thirty; **não passa de um boato** it's nothing more than a rumour; **~ por** go through; go along <rua>; (*ser considerado*) be taken for; **fazer-se ~ por** pass o.s. off as; **~ por cima de** (*fig*) overlook; **~ sem** do without

passarela /pasa.'rɛla/ *f* (*sobre rua*) footbridge; (*para desfile de moda*) catwalk

pássaro /'pasa.ru/ *m* bird

passatempo /pasa.'tẽpu/ *m* pastime

passe /'pasə/ *m* pass

pas|sear /pasi'ar/ *vi* go out and about; (*viajar*) travel around □ *vt* take for a walk; **~seio** *m* outing; (*volta a pé*) walk; (*volta de carro*) drive; **dar um ~seio** (*a pé*) go for a walk; (*de carro*) go for a drive

passio|nal /pasju'nal/ (*pl* **~nais**) *a* **crime ~nal** crime of passion

passí|vel /pa.'sivɛl/ (*pl* **~veis**) *a* **~vel de** subject to

passi|vidade /pasivi'dadə/ *f* passivity; **~vo** *a* passive □ *m* (*com*) liabilities; (*ling*) passive

passo /'pasu/ *m* step; (*velocidade*) pace; (*barulho*) footstep; **~ a** **~** step by step; **a dois ~s de** a stone's throw from; **dar um ~** take a step

pasta /'pasta/ *f* (*matéria*) paste; (*bolsa*) briefcase; (*de cartolina*) folder; **ministro sem ~** minister without portfolio; **~ de dentes** toothpaste

pas|tagem /pa.'taʒãʒ/ *f* pasture; **~tar** *vi* graze

pas|tel /pa.'tɛl/ (*pl* **~téis**) *m* (*para comer*) samosa; (*doce*) pastry; (*para desenhar*) pastel; **~telão** *m* (*comédia*) slapstick; **~telaria** *f* (*loja*) samosa vendor, pastry shop; (*pastéis*) pastries

pasteurizado /pastewri'zadu/ *a* pasteurized

pastilha /pa.'tiʎa/ *f* pastille

pas|to /'pa.tu/ *m* (*erva*) fodder, feed; (*lugar*) pasture; **~tor** *m* (*de gado*) shepherd; (*clérigo*) vicar; **~tor alemão** (*cão*) Alsatian; **~toral** (*pl* **~torais**) *a* pastoral

pata /'pata/ *f* paw; **~da** *f* kick

patamar /pata.'mar/ *m* landing; (*fig*) level

paté /pa.'tɛ/ *m* pâté

patente /pa.'tẽtə/ *a* obvious □ *f* (*mil*) rank; (*de invenção*) patent; **~ar** *vt* patent <produto, invenção>

pater|nal /pater'nal/ (*pl* **~nais**) *a* paternal; **~nidade** *f* paternity; **~no** /ɛ/ *a* paternal

pate|ta /pa.'tɛta/ *a* daft, silly □ *m/f* fool; **~tice** *f* stupidity; (*uma*) silly thing

patético /pa.'tɛtiku/ *a* pathetic

patíbulo /pa.'tibulu/ *m* gallows

pati|faria /patifa.'ria/ *f* roguishness; (*uma*) dirty trick; **~fe** *m* scoundrel

patim /pa.'tĩ/ *m* skate; **~ de rodas** roller skate

pati|nação /pɐtina'sãw/ *f* skating; (*rinque*) skating rink; **~nador** *m* skater; **~nar** *vi* skate; <carro> skid

pátio /'patju/ *m* courtyard; (*de escola*) playground

pato /'patu/ *m* duck

pato|logia /pɐtulu'ʒia/ *f* pathology; **~lógico** *a* pathological; **~logista** *m/f* pathologist

patrão /pɐ'trãw/ *m* boss

pátria /'patrja/ *f* homeland

patriar|ca /pɐtri'arka/ *m* patriarch; **~cal** (*pl* **~cais**) *a* patriarchal

património /pɐtri'mɔnju/ *m* (*bens*) estate, property; (*fig: herança*) heritage

patri|ota /pɐtri'ɔta/ *m/f* patriot; **~ótico** *a* patriotic; **~otismo** *m* patriotism

patroa /pɐ'troa/ *f* boss; (*fam: esposa*) missus, wife

patro|cinador /pɐtrusinɐ'dor/ *m* sponsor; **~cinar** *vt* sponsor; **~cínio** *m* sponsorship

patru|lha /pɐ'truʎa/ *f* patrol; **~lhar** *vt/i* patrol

pau /paw/ *m* stick; (*fam: escudo*) escudo; (*calão: pénis*) prick; *pl* (*naipe*) clubs; **a meio ~** at half mast; **~lada** *f* blow with a stick

pausa /'pawza/ *f* pause; **~do** *a* slow

pauta /'pawta/ *f* (*em papel*) lines; (*de música*) stave; **~do** *a* <papel> lined

pavão /pɐ'vãw/ *m* peacock

pavilhão /pɐvi'ʎãw/ *m* pavilion; (*no jardim*) summerhouse

pavimen|tar /pɐvimẽ'tar/ *vt* pave; **~to** *m* floor; (*de rua etc*) surface

pavio /pɐ'viu/ *m* wick

pavor /pɐ'vor/ *m* terror; **ter ~ de** be terrified of; **~oso** /o/ *a* dreadful

paz /pas/ *f* peace; **fazer as ~es** make up

pé /pɛ/ *m* foot; (*planta*) plant; (*de móvel*) leg; **a ~** on foot; **ao ~ da letra** literally; **estar de ~** <festa etc> be on; **ficar de ~** stand up; **em ~** standing (up); **em ~ de igualdade** on an equal footing

peão /pi'ãw/ *m* (*pedestre*) pedestrian; (*no xadrez*) pawn

peça /'pɛsa/ *f* piece; (*de máquina, carro etc*) part; (*teatral*) play; **pregar uma ~ em** play a trick on; **~ sobresselente** spare part; **~ de vestuário** item of clothing

pe|cado /pe'kadu/ *m* sin; **~cador** *m* sinner; **~caminoso** /o/ *a* sinful; **~car** *vi* (*contra a religião*) sin; (*fig*) fall down

pechin|cha /pe'ʃiʃa/ *f* bargain; **~char** *vi* bargain, haggle

peçonhento /pesu'ɲẽtu/ *a* animais **~s** vermin

pecu|ária /peku'arja/ *f* livestock-farming; **~ário** *a* livestock

peculi|ar /pekuli'ar/ *a* peculiar; **~aridade** *f* peculiarity

pecúlio /pe'kulju/ *m* savings

pedaço /pe'dasu/ *m* piece; **aos ~s** in pieces; **cair aos ~s** fall to pieces

peda|gogia /pedagu'ʒia/ *f* education; **~gógico** *a* educational; **~gogo** /o/ *m* educationalist

pe|dal /pe'dal/ (*pl* **~dais**) *m* pedal; **~dalar** *vt/i* pedal

pedante /pəˈdãtə/ a pretentious □ m/f pseud

pé¹-de-atleta /pɛdɔˈtlɛtɐ/ m athlete's foot; **~-de-meia** (pl **~-s-de-meia**) m nest egg

pederneira /pədərˈnejrɐ/ f flint

pedes|tal /pədəʃˈtal/ (pl **~tais**) m pedestal

pedestre /pəˈdɛʃtrə/ a & m/f pedestrian

pé¹-de-vento /pɛdɔˈvẽtu/ (pl **~-s-de-vento**) m gust of wind

pedia|tra /pədiˈatrɐ/ m/f paediatrician; **~tria** f paediatrics

pedicuro /pədiˈkuru/ m chiropodist, (Amer) podiatrist

pe|dido /pəˈdidu/ m request; (encomenda) order; **a ~dido de** at the request of; **~dido de demissão** resignation; **~dido de desculpa** apology; **~dir** vt ask for; (num restaurante etc) order □ vi ask; (num restaurante etc) order; **~dir aco a alg** ask s.o. for sth; **~dir para alg ir** ask s.o. to go; **~dir desculpa** apologize; **~dir em casamento** propose to

pedinte /pəˈdĩtə/ m/f beggar

pedra /ˈpɛdrɐ/ stone; **~ de gelo** ice cube; **chuva de ~** hail; **~ pomes** pumice stone

pedregoso /pədrəˈgozu/ a stony

pedreiro /pəˈdrejru/ m builder, stonemason

pegada /pɛˈgadɐ/ f footprint

pegajoso /pɛɡaˈʒozu/ a sticky

pegar /pəˈgar/ vt get; catch <bola, doença>; (segurar) get hold of; pick up <emissora, hábito, mania> □ vi

(aderir) stick; <doença> be catching; <moda> catch on; <carro, motor> start; <mentira, desculpa> stick; **~-se** vpr come to blows; **~ bem/mal** (Br) go down well/badly; **~ fogo** catch fire; **~ em** grab; **~ no sono** get to sleep

pei|dar /pejˈdar/ vi (calão) fart; **~do** m (calão) fart

pei|to /ˈpejtu/ m chest; (seio) breast; (fig: coragem) guts; **~toril** (pl **~toris**) m window-sill; **~tudo** a <mulher> busty; (fig: corajoso) gutsy

pei|xaria /pejʃaˈriɐ/ f fishmonger's; **~xe** m fish; **Peixes** (signo) Pisces; **~xeiro** m fishmonger

pela = **por** + **a**

pelado /pəˈladu/ (Br) a (nu) naked, in the nude

pelar /pəˈlar/ vt peel <fruta, batata>; skin <animal>

pelas = **por** + **as**

pele /ˈpɛlə/ f skin; (como roupa) fur; **~iro** m furrier; **~-vermelha** f m redskin

pelica /pəˈlikɐ/ f **luvas de ~** kid gloves

pelicano /pəliˈkɐnu/ m pelican

película /pəˈlikulɐ/ f skin; (de fotografia, filme) film

pelo = **por** + **o**

pêlo /ˈpelu/ m hair; (de animal) coat; **nu em ~** stark naked; **montar em ~** ride bareback

pelos = **por** + **os**

pelotão /pəluˈtãw/ m platoon

pelúcia /pəˈlusjɐ/ f **bicho de ~** soft toy, fluffy animal

peludo /pəˈludu/ a hairy

pena¹ /ˈpenɐ/ f (de ave) feather; (de caneta) nib

pena² /ˈpenɐ/ f (*castigo*) penalty; (*de amor etc*) pang; **é uma ~ que** it's a pity that; **que ~!** what a pity!; **dar ~** be upsetting; **estar com** ou **ter ~ de** feel sorry for; **(não) vale a ~** it's (not) worth it; **vale a ~ tentar** it's worth trying; **~ de morte** death penalty

pe|nal /pəˈnal/ (*pl* ~**nais**) *a* penal; **~nalidade** f penalty; **~nalizar** *vt* penalize

penalti /peˈnalti/ *m* penalty

penar /pəˈnar/ *vi* suffer

pen|dente /pẽˈdẽtə/ *a* hanging; (*fig: causa*) pending; **~der** *vi* hang; (*inclinar-se*) slope; (*tender*) be inclined (**a** to); **~dor** *m* inclination

pêndulo /ˈpẽdulu/ *m* pendulum

pendu|rado /pẽduˈradu/ *a* hanging; (*fam: por fazer, pagar*) outstanding; **~rar** *vt* hang (up); (*fam*) put on the slate <compra>; □ *vi* (*fam*) pay later; **~ricalho** *m* pendant

penedo /pəˈnedu/ *m* rock

penei|ra /pəˈnejrɐ/ f sieve; **~rar** *vt* sieve, sift

pene|tra /pəˈnɛtrɐ/ *m*/f (*fam*) gatecrasher; **~tração** f penetration; (*fig*) perspicacity; **~trante** *a* <som, olhar> piercing; <dor> sharp; <ferida> deep; <frio> biting; <análise, espírito> incisive, perceptive; **~trar** *vt* penetrate □ *vi* **~trar em** enter <casa>; (*fig*) penetrate

penhasco /pəˈɲaʃku/ *m* cliff

penhor /pəˈɲor/ *m* pledge; **casa de ~es** pawnshop

penicilina /pənisiˈlinɐ/ f penicillin

penico /pəˈniku/ *m* potty

península /pəˈnĩsulɐ/ f peninsula

pénis /ˈpɛniʃ/ *m invar* penis

penitência /pəniˈtẽsjɐ/ f (*arrependimento*) penitence; (*expiação*) penance

penitenciá|ria /pənitẽsiˈarjɐ/ f prison; **~rio** *a* prison □ *m* prisoner

penoso /pəˈnozu/ *a* <experiência, tarefa, assunto> painful; <trabalho, viagem> hard, difficult

pensa|dor /pẽsaˈdor/ *m* thinker; **~mento** *m* thought

pensão /pẽˈsãw/ f (*renda*) pension; (*hotel*) guesthouse; **~ (de alimentos)** (*paga por ex-marido*) alimony; **~ completa** full board

pen|sar /pẽˈsar/ *vt*/*i* think (**em** of ou about); **~sativo** *a* thoughtful, pensive

pên|sil /ˈpẽsil/ (*pl* ~**seis**) *a* **ponte ~sil** suspension bridge

penso /ˈpẽsu/ *m* (*curativo*) dressing

pentágono /pẽˈtagunu/ *m* pentagon

pentatlo /pẽˈtatlu/ *m* pentathlon

pente /ˈpẽtə/ *m* comb; **~ado** *m* hairstyle, hairdo; **~ar** *vt* comb; **~ar-se** *vpr* do one's hair; (*com pente*) comb one's hair

Pentecostes /pẽtəˈkɔʃtəʃ/ *m* Whitsun

pente-fino /pẽtəˈfinu/ *m* **passar a ~** go over with a fine--tooth comb

pente|lhar /pẽtə'ʎar/ vt (fam) bother; **~lho** /e/ m pubic hair; (fam: pessoa inconveniente) pain (in the neck)

penugem /pə'nuʒãj/ f down

penúltimo /pə'nultimu/ a last but one, penultimate

penumbra /pə'nũbra/ f half-light

penúria /pə'nurja/ f penury, extreme poverty

pepino /pə'pinu/ m cucumber

pepita /pə'pita/ f nugget

peque|nez /pəkə'neʃ/ f smallness; (fig) pettiness; **~nini-nho** a tiny; **~no** /e/ a small; (mesquinho) petty

Pequim /pə'kĩ/ f Peking, Beijing

pequinês /pəki'neʃ/ m Pekinese

pêra /'pera/ f pear

perambular /pərãbu'lar/ vi wander

perante /pə'rãtʃi/ prep before

percalço /pər'kalsu/ m pitfall

perceber /pərsə'ber/ vt realize; (entender) understand; (psiqu) perceive

percen|tagem /pərsẽ'taʒãj/ f percentage; **~tual** (pl **~tuais**) a & m percentage

percep|ção /pərsep'sãw/ f perception; **~tível** (pl **~tíveis**) a perceptible

percevejo /pərsə'veʒu/ m (bicho) bedbug; (tachinha) drawing pin, (Amer) thumbtack

per|correr /pərku'ʀer/ vt cross; cover <distância>; (viajar por) travel through; **~curso** m journey

percus|são /pərku'sãw/ f percussion; **~sionista** m/f percussionist

percutir /pərku'tir/ vt strike

perda /'perda/ f loss; **~ de tempo** waste of time

perdão /pər'dãw/ f pardon

perder /pər'der/ vt lose; (não chegar a ver, apanhar) miss <autocarro, programa na TV etc>; waste <tempo> □ vi lose; **~-se** vpr get lost; **~-se de alg** lose s.o.; **~ aco de vista** lose sight of sth

perdiz /pər'diʃ/ f partridge

perdoar /pərdu'ar/ vt forgive (aco a alg s.o. for sth)

perdulário /pərdu'larju/ a & m spendthrift

perdurar /pərdu'rar/ vi endure; <coisa ruim> persist

pere|cer /pərə'ser/ vi perish; **~cível** (pl **~cíveis**) a perishable

peregri|nação /pərəgrina'sãw/ f peregrination; (romaria) pilgrimage; **~nar** vi roam; (por motivos religiosos) go on a pilgrimage; **~no** m pilgrim

pereira /pə'rejra/ f pear tree

peremptório /pərẽ'tɔrju/ a peremptory

perene /pə'rɛnə/ a perennial

perfazer /pərfa'zer/ vt make up

perfeccionis|mo /pərfɛsju'niʒmu/ m perfectionism; **~ta** a & m/f perfectionist

perfei|ção /pərfej'sãw/ f perfection; **~to** a & m perfect

per|fil /pər'fil/ (pl **~fis**) m profile; **~filar** vt line up; **~filar-se** vpr line up

perfu|mado /pərfu'madu/ a <flor, ar> fragrant; <sabonete etc> scented; <pessoa>

with perfume on; **~mar** *vt* perfume; **~mar-se** *vpr* put perfume on; **~maria** *f* perfumery; **~me** *m* perfume

perfu|rador /pərfurɑ'dor/ *m* punch; **~rar** *vt* punch <papel, bilhete>; drill through <chão>; perforate <úlcera, pulmão etc>; **~radora** *f* drill

pergaminho /pərgɑ'miɲu/ *m* parchment

pergun|ta /pər'gutɑ/ *f* question; **fazer uma ~ta** ask a question; **~tar** *vt/i* ask; **~tar aco a alg** ask s.o. sth; **~tar por** ask after

perícia /pə'risjɑ/ *f* (*mestria*) expertise; (*inspecção*) investigation; (*peritos*) experts

perici|al /pərisi'al/ *a* (*pl* **~ais**) *a* expert

pericli|tante /pərikli'tãtə/ *a* precarious; **~tar** *vi* be at risk

peri|feria /pərifə'riɑ/ *f* periphery; (*da cidade*) outskirts; **~férico** *a* & *m* peripheral

perigo /pə'rigu/ *m* danger; **~so** /o/ *a* dangerous

perímetro /pə'rimɛtru/ *m* perimeter

periódico /pəri'ɔdiku/ *a* periodic ☐ *m* periodical

período /pə'riɐdu/ *m* period

peripécias /pəri'pɛsjɐ/ *f pl* ups and downs, vicissitudes; (*aventuras*) adventures

periquito /pəri'kitu/ *m* parakeet; (*de estimação*) budgerigar

periscópio /pəri'ʃkɔpju/ *m* periscope

perito /pə'ritu/ *a* & *m* expert (**em** at)

per|jurar /pərʒu'rar/ *vi* com-

mit perjury; **~júrio** *m* perjury; **~juro** *m* perjurer

perma|necer /pərmɑnə'ser/ *vi* remain; **~nência** *f* permanence; (*estadia*) stay; **~nente** *a* permanent ☐ *f* perm

permea|vel /pərmi'avεl/ (*pl* **~veis**) *a* permeable

permis|são /pərmi'sãw/ *f* permission; **~sível** (*pl* **~síveis**) *a* permissible; **~sivo** *a* permissive

permitir /pərmi'tir/ *vt* allow, permit; **~ a alg ir** allow s.o. to go

permutar /pərmu'tar/ *vt* exchange

perna /'pεrnɐ/ *f* leg

pernicioso /pərnisi'ozu/ *a* pernicious

per|nil /pər'nil/ (*pl* **~nis**) *m* leg

pernoi|tar /pərnoj'tar/ *vi* spend the night; **~ta** *m* overnight stay

pérola /'pɛrulɐ/ *f* pearl

perpendicular /pərpẽdiku'lar/ *a* & *m* perpendicular

perpetrar /pərpə'trar/ *vt* perpetrate

perpetu|ar /pərpetu'ar/ *vt* perpetuate; **~idade** *f* perpetuity

perpétuo /pər'pɛtwu/ *a* perpetual; **prisão ~a** life imprisonment

perple|xidade /pərplɛksi'dadɐ/ *f* puzzlement; **~xo** /ε/ *a* puzzled

persa /'pεrsɐ/ *a* & *m/f* Persian

perse|guição /pərsəgi'sãw/ *f* pursuit; (*de minorias etc*) persecution; **~guidor** *m* pursuer; (*de minorias etc*) persecutor; **~guir** *vt* pursue; persecute <minoria, seita etc>

perseve|rança /pərsəvə'rãsə/ *f* perseverance; **~rante** *a* persevering; **~rar** *vi* persevere

persiana /pərsi'ɐnɐ/ *f* blind

pérsico /'pɛrsiku/ *a* **Golfo Pérsico** Persian Gulf

persignar-se /pərsig'narsə/ *vt* cross o.s.

persis|tência /pərsis'tẽsjɐ/ *f* persistence; **~tente** *a* persistent; **~tir** *vi* persist

perso|nagem /pərsu'naʒɐ̃ʒ/ *m/f* (*pessoa famosa*) personality; (*em livro, filme etc*) character; **~ nalidade** *f* personality; **~ nalizar** *vt* personalize; **~nificar** *vt* personify

perspectiva /pərʃpe'tivɐ/ *f* (*na arte, ponto de vista*) perspective; (*possibilidade*) prospect

perspi|cácia /pərʃpi'kasjɐ/ *f* insight, perceptiveness; **~caz** *a* perceptive

persua|dir /pərswa'dir/ *vt* persuade (**alg a** s.o. to); **~são** *f* persuasion; **~sivo** *a* persuasive

perten|cente /pərtẽ'sẽtə/ *a* belonging (**a** to); (*que tem a ver com*) pertaining (**a** to); **~cer** *vi* belong (**a** to); (*referir-se*) pertain (**a** to); **~ces** *m pl* belongings

perto /'pɛrtu/ *adv* near (**de** to); **aqui ~** near here, nearby; **de ~** closely; **<ver>** close up

pertur|bação /pərturba'sãw/ *f* disturbance; (*do espírito*) anxiety; **~bado** *a* <pessoa> unsettled, troubled; **~bar** *vt* disturb; **~bar-se** *vpr* get upset, be perturbed

Peru /pə'ru/ *m* Peru

peru /pə'ru/ *m* turkey

peruano /pəru'ɐnu/ *a* & *m* Peruvian

peruca /pə'rukɐ/ *f* wig

perver|são /pərvər'sãw/ *f* perversion; **~so** *a* perverse; **~ter** *vt* pervert

pesadelo /pəza'delu/ *m* nightmare

pesado /pə'zadu/ *a* heavy; <estilo, livro> heavy-going □ *adv* heavily

pêsames /'pezaməʃ/ *m pl* condolences

pesar[1] /pə'zar/ *vt* weigh; (*fig: avaliar*) weigh up □ *vi* weigh; (*influir*) carry weight; **~ sobre** <ameaça etc> hang over; **~-se** *vpr* weigh o.s.

pesar[2] /pə'zar/ *m* sorrow; **~oso** /o/ *a* sorry, sorrowful

pes|ca /'pɛʃkɐ/ *f* fishing; **ir à ~ca** go fishing; **~cador** *m* fisherman; **~car** *vt* catch; (*retirar da água*) fish out □ *vi* fish; (*fam*) (*entender*) understand; **~car de** (*fam*) know all about

pescoço /pəʃ'kosu/ *m* neck

peseta /pə'zetɐ/ *f* peseta

peso /'pezu/ *m* weight; **de ~** (*fig*) <pessoa> influential; <livro, argumento> authoritative

pesqueiro /pəʃ'kejru/ *a* fishing

pesqui|sa /pəʃ'kizɐ/ *f* research; (*uma*) study; *pl* research; **~sa de mercado** market research; **~sador** *m* researcher; **~sar** *vt/i* research

pêssego /'pesəgu/ *m* peach

pessegueiro /pəsə'gejru/ *m* peach tree

pessimis|mo /pɛsiˈmiʒmu/ *m* pessimism; **~ta** *a* pessimistic □ *m/f* pessimist

péssimo /ˈpɛsimu/ *a* terrible, awful

pesso|a /pəˈsoa/ *f* person; *pl* people; **em ~a** in person; **~al** (*pl* **~ais**) *a* personal □ *m* staff; (*fam*) folks

pesta|na /pəʃˈtana/ *f* eyelash; **tirar uma ~na** (*fam*) have a nap; **~nejar** *vi* blink; **sem ~nejar** (*fig*) without batting an eyelid

pes|te /ˈpɛʃtə/ *f* (*doença*) plague; (*criança etc*) pest; **~ticida** *m* pesticide

pétala /ˈpɛtala/ *f* petal

peteca /pəˈtɛka/ (*Br*) *f* kind of shuttlecock; (*jogo*) kind of badminton played with the hand

petição /pətiˈsãw/ *f* petition

petisco /pəˈtiʃku/ *m* savoury, titbit

petrificar /pətrifiˈkar/ *vt* petrify; (*de surpresa*) stun; **~-se** *vpr* be petrified; (*de surpresa*) be stunned

petroleiro /pətruˈlejru/ *a* oil □ *m* oil tanker

petróleo /pəˈtrɔlju/ *m* oil, petroleum; **~ bruto** crude oil

petrolífero /pətruˈliferu/ *a* oil-producing

petroquími|ca /petrɔˈkimika/ *f* petrochemicals; **~co** *a* petrochemical

petu|lância /petuˈlãsja/ *f* cheek; **~lante** *a* cheeky

peúga /piˈuga/ *f* sock

pevide /pəˈvidə/ *f* pip

pia /ˈpia/ *f* (*da casa de banho*) washbasin; (*da cozinha*) sink; **~ baptismal** font

piada /piˈada/ *f* joke

pia|nista /pjaˈniʃta/ *m/f* pianist; **~no** *m* piano; **~no de cauda** grand piano

piar /piˈar/ *vi* <pinto> cheep; <coruja> hoot

picada /piˈkada/ *f* (*de agulha, alfinete etc*) prick; (*de abelha, vespa*) sting; (*de mosquito, cobra*) bite; (*de heroína*) shot; (*de avião*) nosedive; **o fim da ~** (*fig*) the limit

picadeiro /pikaˈdejru/ *m* ring

picante /piˈkãtə/ *a* <comida> hot, spicy; <piada> risqué; <filme, livro> raunchy

pica-pau /pikaˈpaw/ *m* woodpecker

picar /piˈkar/ *vt* (*com agulha, alfinete etc*) prick; <abelha, vespa, urtiga> sting; <mosquito, cobra> bite; <pássaro> peck; chop, mince <carne, alho etc>; shred <papel> □ *vi* <peixe> bite; <lã, cobertor> prickle

picareta /pikaˈreta/ *f* pickaxe

pi|chagem /piˈʃaʒ̃j/ *f* piece of graffiti; *pl* graffiti; **~char** *vt* spray with graffiti <muro, prédio>; spray <grafite, desenho>; **~che** *m* pitch

pickles /ˈpikləʃ/ *m pl* pickles

pico /ˈpiku/ *m* peak; **20 anos e ~** just over 20

picolé /pikoˈlɛ/ (*Br*) *m* ice lolly

pico|tar /pikuˈtar/ *vt* perforate; **~te** /ɔ/ *m* perforations

pie|dade /pjeˈdadə/ *f* (*religiosidade*) piety; (*compaixão*) pity; **~doso** /o/ *a* merciful, compassionate

pie|gas /pi'ɛgɐ/ *f* a invar <filme, livro> sentimental, tear-jerking, schmaltzy; <pessoa> soppy; **~guice** *f* sentimentality

pifar /pi'far/ *vi* (*fam*) break down, go wrong

pigar|rear /pigɐʀi'ar/ *vi* clear one's throat; **~ro** *m* frog in the throat

pigmento /pig'mẽtu/ *m* pigment

pig|meu /pig'mew/ *a & m* (*f* **~méia**) pygmy

pijama /pi'ʒamɐ/ *m* pyjamas

pilantra /pi'lãtrɐ/ *m/f* (*fam*) crook

pilão /pi'lãw/ *m* (*na cozinha*) pestle; (*na construção*) ram

pilar /pi'lar/ *m* pillar

pilastra /pi'lastrɐ/ *f* pillar

pileque /pi'lɛkɐ/ (*Br*) *m* drinking session; **tomar um ~** get drunk

pilha /'piʎɐ/ *f* (*monte*) pile; (*eléctrica*) battery

pilhar /pi'ʎar/ *vt* pillage

pilhéria /pi'ʎɛrjɐ/ *f* joke

pilotar /pilu'tar/ *vt* fly, pilot <avião>; drive <carro>

piloto /pi'lotu/ *m* pilot; (*de carro*) driver; (*de gás*) pilot light □ *a* invar pilot

pílula /'pilulɐ/ *f* pill

pimen|ta /pi'mẽtɐ/ *f* pepper; **~ta de Caiena** cayenne pepper; **~ ta-do-reino** *f* black pepper; **~ta-malagueta** (*pl* **~tas-malagueta**) *f* chilli pepper; **~tão** *m* (*Br*) (bell) pepper; **~teira** *f* pepper pot

pinacoteca /pinɐku'tɛkɐ/ *f* art gallery

pin|ça /'pĩsɐ/ (*para tirar pê-*

los) tweezers; (*para segurar*) tongs; (*de caranguejo etc*) pincer; **tirar com a ~ça** *vt* pluck <sobrancelhas>

pin|cel /pĩ'sɛl/ (*pl* **~céis**) *m* brush; **~celada** *f* brush stroke; **~celar** *vt* paint

pin|ga /'pĩgɐ/ *f* (*fam*) drink, esp. wine; **~gado** *a* <café> with a dash of milk; **~gar** *vi* drip; (*começar a chover*) spit (with rain) □ *vt* drip; **~gente** *m* pendant; **~go** *m* drop

pingue-pongue /pĩgə'põgə/ *m* table tennis

pinguim /pĩ'gwĩ/ *m* penguin

pi|nha /'piɲɐ/ *f* pine cone; **~nheiro** *f* pine tree; **~nho** *m* pine

pino /'pinu/ *m* pin; (*para trancar carro*) lock; **a ~** upright

pin|ta /'pĩtɐ/ *f* (*sinal*) mole; (*fam: aparência*) look; **~tar** *vt* paint; dye <cabelo>; put make-up on <rosto, olhos> □ *vi* paint; (*Br*) <problema, oportunidade> crop up; **~tar-se** *vpr* put on make-up

pintarroxo /pĩtɐ'ʀoʃu/ *m* robin

pinto /'pĩtu/ *m* chick

pin|tor /pĩ'tor/ *m* painter; **~tura** *f* painting

pio[1] /'piu/ *m* (*de pinto*) cheep; (*de coruja*) hoot

pio[2] /'piu/ *a* pious

piolho /pi'oʎu/ *m* louse

pioneiro /pio'nejru/ *m* pioneer □ *a* pioneering

pior /pi'ɔr/ *a & adv* worse; **o ~** the worst

pio|ra /pi'ɔrɐ/ *f* worsening; **~rar** *vt* make worse, worsen □ *vi* get worse, worsen

pipa /'pipɑ/ f (de vinho) cask
piparote /pipɑ'rɔtə/ m flick
pipilar /pipi'lar/ vi chirp
pipo|ca /pi'pɔkɑ/ f popcorn
pique /'pikə/ m (disposição)
energy; **a** ~ vertically; **ir a** ~
<navio> sink
piquenique /pikə'nikə/ m picnic
pique|te /pi'ketə/ m picket
pirado /pi'radu/ a (fam) crazy
pirâmide /pi'ramidə/ f pyramid
piranha /pi'raɲɑ/ f piranha;
(fam: mulher) maneater
pirar /pi'rar/ (fam) vi flip out,
go mad
pirata /pi'ratɑ/ a & m/f pirate;
~**ria** f piracy
pires /'pirəʃ/ m invar saucer
pirilampo /piri'lãpu/ m glow-
-worm
Pirinéus /piri'nɛwʃ/ m pl Py-
renees
piroso /pi'rozu/ adj (fam) naff,
tacky
pirra|ça /pi'ʀasɑ/ f spiteful
act; **fazer** ~**ça** be spiteful;
~**cento** a spiteful
pirueta /piru'etɑ/ f pirouette
pi|sada /pi'zadɑ/ f step; (ras-
to) footprint; ~**sar** vt tread
on; tread <uvas, palco>; (esmagar) trample on □ vi
step; ~**sar em** step on; (entrar) set foot in
pis|cadela /piʃkɑ'dɛlɑ/ f wink;
~**ca-pisca** m indicator; ~**car**
vi (com o olho) wink; (pestanejar) blink; <estrela, luz>
twinkle; <motorista> indica-
te □ m **num** ~**car de olhos**
in a flash
piscicultura /piʃsikul'turɑ/ f

fish farming; (lugar) fish
farm
piscina /piʃ'sinɑ/ f swimming
pool
piso /'pizu/ m floor
pisotear /pizuti'ar/ vt trample
pista /'piʃtɑ/ f track; (da estrada) carriageway; (para
aviões) runway; (de circo)
ring; (dica) clue; ~ **de dança** dancefloor
pistache /piʃ'taʃə/ m, **pista-
cho** /piʃ'taʃu/ m pistachio
(nut)
pisto|la /piʃ'tɔlɑ/ f pistol; (pa-
ra pintar) spray gun; ~**leiro**
m gunman
pitada /pi'tadɑ/ f pinch
pitoresco /pitu're ʃku/ a picturesque
pivete /pi'vetə/ (Br) m/f child
thief
pivot /pi'vo/ m pivot
pizza /'pizɑ/ f pizza; ~**ria** f
pizzeria
placa /'plakɑ/ f plate; (de carro) number plate, (Amer) license plate; (comemorativa)
plaque; (em computador)
board; ~ **de sinalização**
roadsign
placard /pla'kar/ m score-
board; (pontuação) scoreline
plácido /'plasidu/ a placid
plagi|ar /plaʒi'ar/ vt plagiarize
plágio /'plaʒiu/ m plagiarism
plaina /'plajnɑ/ f plane
planador /plana'dor/ m glider
planalto /pla'naltu/ m plateau
planar /pla'nar/ vi glide
plane|amento /planja'mẽtu/ m
planning; ~**amento familiar**
family planning; ~**ar** vt plan
planeta /pla'netɑ/ m planet

planície /plɐˈnisi/ f plain

planificar /plɐnifiˈkar/ vt (programar) plan (out)

plano /ˈplɐnu/ a flat □ m plan; (superfície, nível) plane; **primeiro ~** foreground

planta /ˈplãtɐ/ f plant; (do pé) sole; (de edifício) ground plan; **~ção** f (acto) planting; (terreno) plantation; **~do a deixar alg ~do** (fam) keep s.o. waiting around

plantão /plãˈtãw/ m duty; (nocturno) night duty; **estar de ~** be on duty

plantar /plãˈtar/ vt plant

plas|ma /ˈplaʒmɐ/ m plasma; **~mar** vt mould, shape

plásti|ca /ˈplastikɐ/ f face-lift; **~co** a & m plastic

plataforma /platɐˈformɐ/ f platform

plátano /ˈplatɐnu/ m plane tree

plateia /plaˈtejɐ/ f audience; (parte do teatro) stalls, (Amer) orchestra

platina /plɐˈtinɐ/ f platinum; **~dos** m pl points

platónico /plɐˈtɔniku/ a platonic

plausí|vel /plawˈzivɛl/ (pl **~veis**) a plausible

ple|be /ˈplɛbɐ/ f common people; **~beu** a (f **~beia**) plebeian □ m (f **~beia**) commoner; **~~ biscito** m plebiscite

plei|tear /plejtiˈar/ vt contest; **~to** m (litígio) case; (eleitoral) contest

ple|namente /plenɐˈmẽtɐ/ adv fully; **~nário** a plenary □ m plenary assembly; **~no** /e/ a full; **em ~no Verão** in the middle of summer

plissado /pliˈsadu/ a pleated

pluma /ˈplumɐ/ f feather; **~gem** f plumage

plu|ral /pluˈral/ (pl **~rais**) a & m plural

plutónio /pluˈtɔnju/ m plutonium

pluvi|al /pluviˈal/ (pl **~ais**) a rain

pneu /pˈnew/ m tyre; **~mático** a pneumatic □ m tyre

pneumonia /pneumuˈniɐ/ f pneumonia

pó /pɔ/ f powder; (poeira) dust; **leite em ~** powdered milk

pobre /ˈpɔbrɐ/ a poor □ m/f poor man (f woman); **os ~s** the poor; **~za** /e/ f poverty

poça /ˈposɐ/ f pool; (deixada pela chuva) puddle; int gosh!

poção /puˈsãw/ f potion

pocilga /puˈsilgɐ/ f pigsty

poço /ˈposu/ f (de água, petróleo) well; (de mina, elevador) shaft

podar /puˈdar/ vt prune

pó-de-arroz /pɔdɐˈʁoʃ/ m (face) powder

poder /puˈder/ m power □ v aux can, be able; (eventualidade) may; **ele pode/podia/poderá vir** he can/could/might come; **ele pôde vir** he was able to come; **pode ser que** it may be that; **~ com** stand up to; **em ~ de alg** in sb's possession; **estar no ~** be in power

pode|rio /pudɐˈriu/ m might; **~roso** /o/ a powerful

pódio /ˈpɔdju/ m podium

podre /ˈpodrɐ/ a rotten; (fam)

(*cansado*) exhausted; (*doente*) grotty; ~ **de rico** filthy rich; ~**s** m pl faults

poei|ra /pu'ejrɐ/ f dust; ~**rento** a dusty

poe|ma /pu'emɐ/ m poem; ~**sia** f (*arte*) poetry; (*poema*) poem; ~**ta** m poet

poético /pu'ɛtiku/ a poetic

poetisa /pue'tizɐ/ f poetess

pois /pojs/ *conj* as, since; ~ **é** that's right; ~ **não** of course; ~ **não?** can I help you?; ~ **sim** certainly not

polaco /pu'laku/ a Polish □ m Pole; (*língua*) Polish

polar /pu'lar/ a polar

polarizar /pulari'zar/ vt polarize; ~**-se** vpr polarize

pole|gada /pule'gadɐ/ f inch; ~**gar** m thumb

poleiro /pu'lejru/ m perch

polémi|ca /pu'lɛmikɐ/ f controversy, debate; ~**co** a controversial

pólen /'pɔlãj/ m pollen

polícia /pu'lisjɐ/ f police □ m/f policeman (f -woman)

polici|al /pulisi'al/ a (pl ~**ais**) a <carro, inquérito etc> police; <romance, filme> detective; ~**amento** m policing; ~**ar** vt police

poli|dez /puli'deʃ/ f politeness; ~**do** a polite

poli|gamia /puliga'miɐ/ f polygamy; ~**glota** a & m/f polyglot

Polinésia /puli'nɛzjɐ/ f Polynesia

polinésio /puli'nɛzju/ a & m Polynesian

polir /pu'lir/ vt polish

polissílabo /poli'silabu/ m polysyllable

políti|ca /pu'litikɐ/ f politics; (*uma*) policy; ~**co** a political □ m politician

pólo[1] /'pɔlu/ m pole

pólo[2] /'pɔlu/ m (*jogo*) polo; ~ **aquático** water polo

Polónia /pu'lɔnjɐ/ f Poland

polpa /'polpɐ/ f pulp

poltrona /pol'trɔnɐ/ f armchair

polu|ente /pulu'ẽtə/ a & m pollutant; ~**ição** f pollution; ~**ir** vt pollute

polvilhar /polvi'ʎar/ vt sprinkle

polvo /'polvu/ m octopus

pólvora /'pɔlvurɐ/ f gunpowder

polvorosa /polvu'rɔzɐ/ f uproar; **em** ~ in uproar; <pessoa> in a flap

pomada /pu'madɐ/ f ointment

pomar /pu'mar/ m orchard

pom|ba /'põbɐ/ f dove; ~**bo** m pigeon

pomo-de-Adão /pomudɐ'dãw/ m (*maçã de Adão* f) Adam's apple

pom|pa /'põpɐ/ f pomp; ~**poso** /o/ a pompous

ponche /'põʃə/ m punch

ponderar /põdə'rar/ vt/i ponder

pónei /'pɔnej/ m pony

ponta /'põtɐ/ f end; (*de faca, prego*) point; (*de nariz, dedo, língua*) tip; (*de sapato*) toe; (*Cin, Teat: papel curto*) walk-on part; (*no campo de futebol*) wing; (*jogador*) winger; **na** ~ **dos pés** on tip-toe; **uma** ~ **de** a touch of <ironia etc>; **aguentar as** ~**s** (*fam*) hold on

pontada /põ'tadɐ/ *f* (*dor*)
twinge

pontapé /põtɐ'pɛ/ *m* kick; ~
de saida kick-off

pontaria /põtɐ'riɐ/ *f* aim; **fazer** ~ take aim

ponte /'põtʃ/ *f* bridge; ~ **aérea**
shuttle; (*em tempo de guer-
ra*) airlift; ~ **pênsil** suspen-
sion bridge

ponteiro /põ'tejru/ *m* pointer;
(*de relógio*) hand

pontiagudo /põtʃa'gudu/ *a*
sharp

pontilhado /põtʃi'ʎadu/ *a* dot-
ted

ponto /'põtu/ *m* point; (*de costura, tricô*) stitch; (*no final
de uma frase*) full stop,
(*Amer*) period; (*sinalzinho
no i*) dot; (*no teatro*) promp-
ter; **a ~ de** on the point of;
no ~ <*carne*> medium; **até
certo** ~ to a certain extent;
às duas em ~ at exactly two
o'clock, at two o'clock
sharp; **dormir no** ~ (*fam*)
miss the boat; **entregar os
~s** (*fam*) give up; **dois ~s**
colon; ~ **de exclamação/in-
terrogação** exclamation/
question mark; ~ **de vista**
point of view; ~ **morto** neutral; ~**-e-vírgula** *m* semicolon

pontu|ação /põtwa'sãw/ *f*
punctuation; ~**al** (*pl* ~**ais**) *a*
punctual; ~**alidade** *f* punc-
tuality; ~**ar** *vt* punctuate

pontudo /põ'tudu/ *a* pointed

popa /'popɐ/ *f* stern

popu|lação /pupula'sãw/ *f* po-
pulation; ~**lacional** (*pl* ~**la-
cionais**) *a* population; ~**lar** *a*

popular; ~**laridade** *f* popula-
rity; ~**larizar** *vt* popularize;
~**larizar-se** *vpr* become popular

póquer /'pɔkɛr/ *m* poker

por /pur/ *prep* for; (*através
de*) through; (*indicando
meio, agente*) by; (*motivo*)
out of; ~ **ano/mês/***etc* per
year/month/*etc*; ~ **cento** per
cent; ~ **aqui** (*nesta área*)
around here; (*nesta direcção*) this way; ~ **dentro/fora**
on the inside/outside; ~ **isso**
for this reason; ~ **sorte** luckily; ~ **que** why; ~ **mais caro que seja** however expensive it may be; **está** ~
acontecer/fazer it is yet to
happen/to be done

pôr /por/ *vt* put; put on <*roupa, chapéu, óculos*>; lay
<*mesa, ovos*> □ *m* **o ~ do
sol** sunset; ~**-se** *vpr* <*sol*>
set; ~**-se a** start to; ~**-se a
caminho** set off

porão /pu'rãw/ *m* (*de navio*)
hold

porca /'pɔrkɐ/ *f* (*de parafuso*)
nut; (*animal*) sow

porção /pur'sãw/ *f* portion;
uma ~ de (*muitos*) a lot of

porcaria /purka'riɐ/ *f* (*sujei-
ra*) filth; (*coisa malfeita*)
piece of trash; *pl* trash

porcelana /pursə'lanɐ/ *f* china

porco /'porku/ *a* filthy □ *m*
(*animal, fig*) pig; (*carne*)
pork; ~**-espinho** (*pl* ~**s-espi-
nhos**) *m* porcupine

porém /pu'rãj/ *conj* however

pormenor /purmə'nɔr/ *m* detail

porno|grafia /purnugra'fiɐ/ *f*

pornography; **~gráfico** *a* pornographic

poro /'poru/ *m* pore; **~so** /o/ *a* porous

por|quanto /pur'kwãtu/ *conj* since; **~que** /'purkǝ/ *conj* because; *(por quê?)* why; **~quê** /pur'ke/ *adv* why □ *m* reason why

porquinho|-da-índia /purki ɲuɐ'ĩdjɐ/ *(pl* **~s-da-índia)** *m* guinea pig

porrada /pu'ʀadɐ/ *f (fam)* beating

porre /'poʀǝ/ *(Br) m (fam)* drinking session, booze-up; **de ~** drunk; **tomar um ~** get drunk

porta /'poʀtɐ/ *f* door

porta-aviões /poʀtɐvi'õjs/ *m invar* aircraft carrier

portador /puʀtɐ'dor/ *m* bearer

portagem /puʀ'taʒɐj/ *f* toll; *(cabine)* tollbooth

porta|chaves /poʀtɐ'ʃavǝʃ/ *m invar* key-holder *ou* key-ring; **~jóias** *m invar* jewellery box; **~lápis** *m invar* pencil holder; **~luvas** *m invar* glove compartment; **~moedas** *m invar* purse

portanto /puʀ'tãtu/ *conj* therefore

portão /puʀ'tãw/ *m* gate

portar /puʀ'tar/ *vt* carry; **~se** *vpr* behave

porta-retrato /poʀtɐʀǝ'tratu/ *m* photo frame; **~revistas** *m invar* magazine rack

portaria /puʀtɐ'riɐ/ *f (entrada)* entrance; *(decreto)* decree

portátil /puʀ'tatil/ *(pl* **~teis)** *a* portable

porta|-toalhas /poʀtatu'aλɐʃ/ *m invar* towel rail; **~-voz** *m/f* spokesman *(f* -woman)

porte /'poʀtǝ/ *m (frete)* carriage; *(de cartas etc)* postage; *(de pessoa)* bearing; *(dimensão)* scale; **de grande/pequeno ~** large-/small-scale

porteiro /puʀ'tejru/ *m* doorman; **~ electrónico** entryphone

porto /'poʀtu/ *m* port; **o Porto** Oporto; **~ de escala** port of call; **Porto Rico** *m* Puerto Rico; **~-riquenho** /e/ *a & m* Puertorican

portuense /puʀtu'ẽsǝ/ *a & m/f (person)* from Oporto

Portugal /puʀtu'gal/ *m* Portugal

portu|guês /puʀtu'geʃ/ *a & m (f* **~guesa)** Portuguese

portuário /puʀtu'arju/ *a* port □ *m* dock worker, docker

po|sar /pu'zar/ *vi* pose; **~se** /ɔ/ *f* pose; *(de filme)* exposure

pós-datar /pɔzdɐ'tar/ *vt* postdate

pós-escrito /pɔzǝʃ'kritu/ *m* postscript

pós-gradua|ção /pɔzgrɐdwɐ'sãw/ *f* postgraduation; **~do** *a & m* postgraduate

pós-guerra /pɔʒ'geʀɐ/ *m* post-war period; **a Europa do ~** post-war Europe

posi|ção /puzi'sãw/ *f* position; **~cionar** *vt* position; **~tivo** *a & m* positive

posologia /puzulu'ʒiɐ/ *f* dosage

pos|sante /pu'sãtǝ/ *a* powerful; **~se** /ɔ/ *f (de casa etc)* possession, ownership; *(do pre-*

sidente etc) swearing in; *pl*
(*pertences*) possessions; **tomar ~se** take office; **tomar ~se** take possession of
posses|são /pusə'sãw/ *f* possession; **~sivo** *a* possessive; **~so** /ɛ/ *a* possessed; (*com raiva*) furious
possibili|dade /pusibili'dadə/ *f* possibility; **~tar** *vt* make possible
possí|vel /pu'sivɛl/ (*pl* ~veis) *a* possible; **fazer todo o ~vel** do one's best
possuir /pusu'ir/ *vt* possess; (*ser dono de*) own
posta /'pɔʃtə/ *f* (*de peixe*) steak
pos|tal /puʃ'tal/ (*pl* ~tais) *a* postal □ *m* postcard
postar /puʃ'tar/ *vt* place; **~se** *vpr* position o.s.
poste /'pɔʃtə/ *m* post
poster /'pɔʃtɛr/ *m* poster
posteri|dade /puʃtəri'dadə/ *f* posterity; **~or** *a* (*no tempo*) subsequent, later; (*no espaço*) rear; **~ormente** *adv* subsequently
postiço /puʃ'tisu/ *a* false
posto /'poʃtu/ *m* post; **~ de gasolina** petrol station, (*Amer*) gas station; □ *pp de* **pôr**; **~ que** although
póstumo /'pɔʃtumu/ *a* posthumous
postura /puʃ'turə/ *f* posture
potá|vel /pu'tavɛl/ (*pl* ~veis) *a* **água ~vel** drinking water
pote /'pɔtə/ *m* pot; (*de vidro*) jar
potência /pu'tẽsjə/ *f* power
poten|cial /putẽsi'al/ (*pl* ~ciais) *a & m* potential; **~te** *a* potent

potro /'potru/ *m* foal
pouco /'poku/ *a & pron* little; *pl* few □ *adv* not much □ *m* **um ~** a little; **~ a ~** little by little; **aos ~s** gradually; **daqui a ~** shortly; **por ~** almost; **~ tempo** a short time
pou|pança /po'pãsə/ *f* saving; (*conta*) savings account; **~par** *vt* save; spare <vida>
pouquinho /po'kiɲu/ *m* **um ~ (de)** a little
pou|sada /po'zadə/ *f* inn; **~sar** *vi* land; **~so** *m* landing
po|vão /pu'vãw/ *m* common people; **~vo** /o/ *m* people
povo|ação /puvuə'sãw/ *f* settlement; **~ar** *vt* populate
pra /pra/ *prep* (*fam*) *veja* **para**
praça /'prasə/ *f* (*largo*) square; (*mercado*) market □ *m* (*soldado*) private
prado /'pradu/ *m* meadow
pra-frente /pra'frẽtə/ *a invar* (*fam*) with it, modern
praga /'pragə/ *f* curse; (*insecto, doença, pessoa*) pest
prag|mático /prag'matiku/ *a* pragmatic; **~matismo** *m* pragmatism
praguejar /pragə'ʒar/ *vt/i* curse
praia /'prajə/ *f* beach
pran|cha /'prãʃə/ *f* plank; (*de surf*) board; **~cheta** /e/ *f* drawing board
pranto /'prãtu/ *m* weeping
pra|ta /'pratə/ *f* silver; **~taria** *f* (*coisas de prata*) silverware; **~teado** *a* silver-plated; (*cor*) silver
prateleira /pratə'lejrə/ *f* shelf
prática /'pratikə/ *f* practice; **na ~** in practice

prati|cante /prɐti'kãtɐ/ a practising □ m/f apprentice; (de desporto etc) player; **~car** vt practise; (cometer, executar) carry out □ vi practise; **~cável** (pl **~cáveis**) a practicable

prático /'pratiku/ a practical

prato /'pratu/ m (objecto) plate; (comida) dish; (parte de uma refeição) course; (do gira-discos) turntable; pl (instrumento) cymbals; **~ fundo** soup plate; **~ principal** main course

praxe /'praʃɐ/ f normal practice; **de ~** usually

prazer /prɐ'zer/ m pleasure; **muito ~ (em conhecê-lo)** pleased to meet you; **~oso** /o/ a pleasurable

prazo /'prazu/ m term, time; a **~** <compra etc> on credit; a **curto/longo ~** in the short/ long term; **último ~** deadline

preâmbulo /pri'ãbulu/ m preamble

precário /prɐ'karju/ a precarious

precaução /prɐkaw'sãw/ f precaution

preca|ver-se /prɐkɐ'versɐ/ vpr take precautions (**de** against); **~vido** a cautious

prece /'presɐ/ f prayer

prece|dência /prɐsɐ'dẽsjɐ/ f precedence; **~dente** a preceding □ m precedent; **~der** vt/i precede

preceito /prɐ'sejtu/ m precept

precioso /prɐsi'ozu/ a precious

precipício /prɐsi'pisju/ m precipice

precipi|tação /prɐsipitɐ'sãw/ f haste; (chuva etc) precipitation; **~tado** a <fuga> headlong; <decisão, acto> hasty, rash; **~tar** vt (lançar) throw; (antecipar) hasten; **~tar-se** vpr (lançar-se) throw o.s.; (apressar-se) rush; (agir sem pensar) act rashly

precisão /prɐsi'zãw/ f precision, accuracy

precisamente /prɐsizɐ'mẽtɐ/ adv precisely

preci|sar /prɐsi'zar/ vt (necessitar) need; (indicar com exactidão) specify □ vi be necessary; **~sar de** need; **~so ir** I have to go; **~sa-se** wanted; **~so** a (exacto) precise; (necessário) necessary

preço /'presu/ m price; **~ de custo** cost price; **~ fixo** set price

precoce /prɐ'kɔsɐ/ a <fruto> early; <velhice, calvície etc> premature; <criança> precocious

precon|cebido /prɐkõsɐ'bidu/ a preconceived; **~ceito** m prejudice; **~ceituoso** a prejudiced

preconizar /prɐkuni'zar/ vt advocate

precursor /prɐkur'sor/ m forerunner

preda|dor /prɐdɐ'dor/ m predator; **~tório** a predatory

predecessor /prɐdɐsɐ'sor/ m predecessor

predestinar /prɐdɐʃti'nar/ vt predestine

predeterminar /prɐdɐtɐrmi'nar/ vt predetermine

predição /prɐdi'sãw/ f prediction

predilec|ção /prədilε'sãw/ f preference; **~to** /ε/ a favourite

prédio /'prɛdju/ m building

predis|por /prədiʒ'por/ vt prepare (**para** for); (tornar parcial) prejudice (**contra** against); **~por-se** vpr prepare o.s.; **~posto** a predisposed; (contra) prejudiced

predizer /prədi'zer/ vt predict, foretell

predomi|nância /prədumi'nãsja/ f predominance; **~nante** a predominant; **~nar** vi predominate

predomínio /prədu'minju/ m predominance

preencher /prjẽ'ʃer/ vt fill; fill in, (Amer) fill out <formulário>; meet <requisitos>

pré-escola /prɛ'ʃkɔla/ f infant school, (Amer) preschool; **~-escolar** a pre-school; **~-fabricado** a prefabricated

prefácio /pre'fasju/ m preface

prefei|to /pre'fejtu/ m mayor; **~tura** f prefecture; (prédio) town hall

prefe|rência /prəfə'rẽsja/ f preference; (direito no trânsito) right of way; **de ~rência** preferably; **~rencial** (pl **~renciais**) a preferential; <rua> main; **~~ rido** a favourite; **~rir** vt prefer (**a** to); **~rível** (pl **~ríveis**) a preferable

prefixo /pre'fiksu/ m prefix

prega /'prɛga/ f pleat

pre|gador /prɛga'dor/ m (quem prega) preacher; **~gão** m (de vendedor) cry; o **~gão** (na bolsa de valores) trading; (em leilão) bidding

pregar[1] /prə'gar/ vt fix; (com prego) nail; sew on <botão>; **não ~ olho** not sleep a wink; **~ uma peça em** play a trick on; **~ um susto em alg** give s.o. a fright

pregar[2] /prε'gar/ vt/i preach

prego /'prɛgu/ m nail

pregui|ça /prə'gisa/ f laziness; (bicho) sloth; **estou com ~ça de ir** I can't be bothered to go; **~çoso** a lazy

pré-histórico /prɛʃ'tɔriku/ a prehistoric

preia-mar /preja'mar/ f high tide

prejudi|car /prəʒudi'kar/ vt harm; damage <saúde>; **~car-se** vpr harm o.s.; **~cial** (pl **~ciais**) a harmful, damaging (**a** to)

prejuízo /prəʒu'izu/ m damage; (financeiro) loss; **em ~ de** to the detriment of

prejulgar /prɛʒul'gar/ vt prejudge

preliminar /prəlimi'nar/ a & m/f preliminary

prelo /'prɛlu/ m printing press; **no ~** being printed

prelúdio /prə'ludju/ m prelude

prematuro /prəma'turu/ a premature

premeditar /prəmedi'tar/ vt premeditate

premente /prə'mẽtə/ a pressing

premi|ado /prəmi'adu/ a <romance, atleta etc> prize-winning; <bilhete, número etc> winning □ m prize-winner; **~ar** vt award a prize to <romance, atleta etc>; reward <honestidade, mérito>

prémio /'prɛmju/ m prize; (de seguro) premium; **Grande Prémio** (de F1) Grand Prix

premissa /prə'misɐ/ f premiss

premonição /prəmuni'sãw/ f premonition

pré-na|tal /prɛnɐ'tal/ (pl ~tais) a antenatal, (Amer) prenatal

prenda /'prẽdɐ/ f present; ~do a domesticated; (dotado) gifted

pren|der /prẽ'der/ vt (pregar) fix; (capturar) arrest; (atar) tie up <cão>; tie back <cabelo>; (restringir) restrict; (ligar afectivamente) bind; ~der (a atenção de) alg grab s.o.('s attention)

prenhe /'prɛɲə/ a pregnant

prenome /prə'nɔmə/ m first name

pren|sa /'prẽsɐ/ f press; ~sar vt press

preocu|pação /prjɔkupɐ'sãw/ f concern; ~pante a worrying; ~par vt worry; ~par-se vpr worry (com about)

prepa|ração /prəpɐrɐ'sãw/ f preparation; ~rado m preparation; ~rar vt prepare; ~rar-se vpr prepare, get ready; ~rativos m pl preparations; ~ro m preparation; (competência) knowledge; ~ro físico physical fitness

preponderar /prəpõdə'rar/ vi prevail (sobre over)

preposição /prəpuzi'sãw/ f preposition

prerrogativa /prərɔgɐ'tivɐ/ f prerogative

presa /'prezɐ/ f (de caça) prey; (de cobra) fang; (de

elefante) tusk; ~ de guerra spoils of war

prescin|dir /prəʃsĩ'dir/ vi ~dir de dispense with; ~dível (pl ~díveis) a dispensable

pres|crever /prəʃkrə'ver/ vt prescribe; ~crição f prescription; (norma) rule

presen|ça /prə'zẽsɐ/ f presence; ~ça de espírito presence of mind; ~ciar vt (estar presente a) be present at; (testemunhar) witness; ~te a & m present; ~tear vt ~tear alg (com aco) give s.o. (sth as) a present

presépio /prə'zɛpju/ m crib

preser|vação /prəzɐrvɐ'sãw/ f preservation; ~var vt preserve, protect; ~vativo m (em comida) preservative; (camisinha) condom

presi|dência /prəzi'dẽsjɐ/ f presidency; (de uma reunião) chair; ~dencial (pl ~denciais) a presidential; ~dencialismo m presidential system; ~dente m/f president; (de uma reunião) chairperson

presidiário /prəzidi'arju/ m convict

presídio /prə'zidju/ m prison

presidir /prəzi'dir/ vi preside (a over)

presilha /prə'ziʎɐ/ f fastener

preso /'prezu/ pp de **prender** □ m prisoner; **ficar ~** get stuck; <saia, corda etc> get caught

pressa /'prɛsɐ/ f hurry; **às ~s** in a hurry, hurriedly; **estar com ou ter ~** be in a hurry

presságio /prə'saʒju/ m omen

pressão /prə'sãw/ f pressure;
fazer ~ sobre put pressure
on; **~ arterial** blood pressure

pressen|timento /prəsēti'mētu/
m premonition, feeling; **~tir**
vt sense

pressionar /prəsju'nar/ vt
press <botão>; pressure
<pessoa>

pressupor /prəsu'por/ vt <pes-
soa> presume; <coisa> pre-
suppose

pressurizado /prəsuri'zadu/ a
pressurized

pres|tação /prəʃta'sãw/ f re-
payment, instalment; **~tar** vt
render <contas, serviço> □
vi be of use; **não ~ta** he/it is
no good; **~tar atenção** pay
attention; **~tar juramento**
take an oath; **~tativo** a helpful; **~tável** (pl **~táveis**) a
serviceable

prestes /'prɛʃtəʃ/ a invar **~ a**
about to

prestidigita|ção /prəʃtidiʒi-
ta'sãw/ f conjuring; **~dor** m
conjurer, magician

pres|tigiar /prəʃtiʒi'ar/ vt give
prestige to; **~tígio** m prestige;
~tigioso /o/ a prestigious

préstimo /'prɛʃtimu/ m merit

presumir /prəzu'mir/ vt presume

presun|ção /prəzũ'sãw/ f pre-
sumption; **~çoso** /o/ a presumptuous

presunto /prə'zũtu/ m ham

pretendente /prətē'dēta/ m/f
(candidato) candidate, applicant

preten|der /prətē'der/ vt in-
tend; **~são** (f) pretension;
~sioso /o/ a pretentious

preterir /prətə'rir/ vt disregard

pretérito /prə'tɛritu/ m preteri-
te

pretexto /prə'tejʃtu/ m pretext

preto /'pretu/ a & m black;
~-e-branco a invar black
and white

prevalecer /prəvalə'ser/ vi
prevail

prevenção /prəvē'sãw/ f (impedimento) prevention; (parcialidade) bias

prevenir /prəvə'nir/ vt (evitar)
prevent; (avisar) warn; **~-se**
vpr take precautions

preventivo /prəvē'tivu/ a pre-
ventive

prever /prə'ver/ vt foresee,
predict

previdência /prəvi'dēsja/ f foresight; **~ social** social security

prévio /'prɛvju/ a prior

previ|são /prəvi'zãw/ f predic-
tion, forecast; **~são do tempo** weather forecast; **~sível**
(pl **~síveis**) a predictable

pre|zado /prə'zadu/ a esteee-
med; **Prezado Senhor** Dear
Sir; **~zar** vt think highly of;
~zar-se vpr have self-
respect

prima /'primə/ f cousin

primário /pri'marju/ a primary; (fundamental) basic

primata /pri'matə/ m primate

Primave|ra /prima'vɛrə/ f
spring; (flor) primrose; **~ril**
(pl **~ris**) a spring

primazia /prima'zia/ f prima-
cy

primei|ra /pri'mejrə/ f (mar-
cha) first (gear); **de ~ra**
first-rate; <carne> prime;

~ra-dama (*pl* **~ras-damas**) *f* first lady; **~ranista** *m/f* first-year (student); **~ro** *a & adv* first; **no dia ~ro de Maio** on the first of May; **em ~ro lugar** (*para começar*) in the first place; (*numa corrida, competição*) in first place; **~ro de tudo** first of all; **~ros socorros** first aid; **~ro-ministro** (*pl* **~ros- -ministros**) *m* (*f* **~ra- -ministra**) prime- minister

primitivo /primi'tivu/ *a* primitive

primo /'primu/ *m* cousin □ *a* **número** ~ prime number; **~génito** *a & m* first-born

primor /pri'mor/ *m* perfection

primordi|al /primurdi'al/ (*pl* **~ais**) *a* (*primitivo*) primordial; (*fundamental*) fundamental

primoroso /primu'rozu/ *a* exquisite

princesa /prĩ'seza/ *f* princess

princi|pado /prĩsi'padu/ *m* principality; **~pal** (*pl* **~pais**) *a* main □ *m* principal

príncipe /'prĩsəpə/ *m* prince

principiante /prĩsipi'ãtə/ *m/f* beginner

princípio /prĩ'sipju/ *m* (*início*) beginning; (*regra*) principle; **em ~** in principle; **por ~** on principle

priori|dade /prjuri'dadə/ *f* priority; **~tário** *a* a priority

prisão /pri'zãw/ *f* (*acto de prender*) arrest; (*cadeia*) prison; (*encarceramento*) imprisonment; **~ perpétua** life imprisonment; **~ de ventre** constipation

prisioneiro /prizju'nejru/ *m* prisoner

prisma /'prizma/ *m* prism

privação /priva'sãw/ *f* deprivation

privacidade /privasi'dadə/ *f* privacy

pri|vado /pri'vadu/ *a* private; **~vado de** deprived of; **~var** *vt* deprive (**de** of); **~var-se** *vpr* deprive o.s. (**de** of)

privati|vo /priva'tivu/ *a* private; **~zar** *vt* privatize

privi|legiado /privilǝʒi'adu/ *a* privileged; <*tratamento*> preferential; **~legiar** *vt* favour; **~ légio** *m* privilege

pro (*fam*) **= para + o**

pró /prɔ/ *adv* for □ *m* **os ~s e os contras** the pros and cons

proa /'proa/ *f* bow, prow

probabilidade /prubabili'dadə/ *f* probability

proble|ma /pru'blema/ *m* problem; **~mático** *a* problematic

proce|dência /prusǝ'dẽsja/ *f* origin; **~dente** *a* logical; **~dente de** coming from; **~der** *vi* proceed; (*comportar-se*) behave; (*na justiça*) take legal action; **~der de** come from; **~dimento** *m* procedure; (*comportamento*) behaviour; (*na justiça*) proceedings

proces|sador /prusǝsǝ'dor/ *m* processor; **~sador de texto** word processor; **~samento** *m* processing; (*na justiça*) prosecution; **~samento de dados** data processing; **~sar** *vt* process; (*por crime*) prosecute; (*por causa civil*) sue;

~so /ɛ/ *m* process; (*criminal*) trial; (*civil*) lawsuit

procla|mação /prukla.ma'sãw/ *f* proclamation; **~mar** *vt* proclaim

procri|ação /prukria'sãw/ *f* procreation; **~ar** *vt/i* procreate

procu|ra /pro'kura/ *f* search; (*de produto*) demand; **à ~ra de** in search of; **~ração** *f* power of attorney; **~rado** *a* sought after, in demand; **~rado pela polícia** wanted by the police; **~rador** *m* (*mandatário*) proxy; (*advogado*) public prosecutor; **~rar** *vt* look for; (*contactar*) get in touch with; (*ir visitar*) look up; **~rar saber** try to find out

prodígio /pru'diʒju/ *m* wonder; (*pessoa*) prodigy

prodigioso /prudiʒi'ozu/ *a* prodigious

pródigo /'prɔdigu/ *a* lavish, extravagant

produ|ção /prudu'sãw/ *f* production; **~tividade** *f* productivity; **~tivo** *a* productive; **~to** *m* product; (*renda*) proceeds; **~to nacional bruto** gross national product; **~tos agrícolas** agricultural produce; **~tor** *m* producer □ *a* **país ~tor de trigo** wheat-producing country; **~zido** (*Br*) *a* (*fam: arrumado*) done up; **~zir** *vt* produce

proeminente /prwimi'nẽtə/ *a* prominent

proeza /pru'eza/ *f* achievement

profa|nar /profa'nar/ *vt* desecrate; **~no** *a* profane

profecia /profə'sia/ *f* prophecy

proferir /profə'rir/ *vt* utter; give <discurso, palestra>; pass <sentença>

profes|sar /profə'sar/ *vt* profess; **~so** /ɛ/ *a* professed; <político etc> seasoned; **~sor** *m* teacher; **~sor catedrático** professor

pro|feta /pru'fɛta/ *m* prophet; **~fético** *a* prophetic; **~fetizar** *vt* prophesy

profissão /prufi'sãw/ *f* profession

profissio|nal /prufisju'nal/ (*pl* **~nais**) *a* & *m/f* professional; **~nalismo** *m* professionalism; **~nalizante** *a* vocational; **~nalizar-se** *vpr* <desportista etc> turn professional

profun|didade /prufũdi'dadə/ *f* depth; **~do** *a* deep; <sentimento etc> profound

profusão /prufu'zãw/ *f* profusion

prog|nosticar /prugnu'ti'kar/ *vt* forecast; **~nóstico** *m* forecast; (*med*) prognosis

progra|ma /pru'grama/ *m* programme; (*de computador*) program; (*diversão*) thing to do; **~mação** *f* programming; **~mador** *m* programmer; **~mar** *vt* plan; program <computador etc>; **~mável** (*pl* **~máveis**) *a* programmable

progredir /progrə'dir/ *vi* progress

progres|são /progrə'sãw/ *f* progression; **~sista** *a* & *m/f* progressive; **~sivo** *a* progressive; **~so** /ɛ/ *m* progress

proi|bição /prwibi'sãw/ *f* ban
(**de** on); **~bido** *a* forbidden;
~bir *vt* forbid (**alg de** s.o.
to); ban <livre, importações
etc>; **~bitivo** *a* prohibitive

projec|ção /pruʒe'sãw/ *f* pro-
jection; **~tar** *vt* plan <via-
gem, estrada etc>; design
<casa, carro etc>; project
<filme, luz>

projéc|til /pru'ʒɛtil/ (*pl* **~teis**)
m projectile

projec|tista /pruʒe'tiʃtɐ/ *m/f*
designer; (*de casa, carro*) design;
~to /ɛ/ *m* project;
(*de casa, carro*) design; **~to**
de lei bill; **~tor** *m* projector

prol /prɔl/ *m* **em ~ de** on behalf of

prole /'prɔlɐ/ *f* offspring; **~ta-**
riado *m* proletariat; **~tário** *a*
& *m* proletarian

prolife|ração /prulifɐra'sãw/ *f*
proliferation; **~rar** *vi* proli-
ferate

prolífico /pru'lifiku/ *a* prolific

prolixo /pru'liksu/ *a* verbose,
long-winded

prólogo /'prɔlugu/ *m* prologue

prolon|gado /prulõ'gadu/ *a*
prolonged; **~gar** *vt* prolong;
~~ gar-se *vpr* go on

promessa /pru'mɛsɐ/ *f* promise

prome|tedor /prumɐtɐ'dor/ *a*
promising; **~ter** *vt* promise
□ *vi* (*dar esperança*) show
promise; **~ter voltar** promise to return

promíscuo /pru'miʃkwu/ *a*
promiscuous

promis|sor /prumi'sor/ *a* pro-
mising; **~sória** *f* promissory
note

promoção /prumu'sãw/ *f* pro-
motion

promontório /prumõ'tɔrju/ *m*
promontory

promo|tor /prumu'tor/ *m* pro-
moter; (*advogado*) prosecu-
tor; **~ver** *vt* promote

promulgar /prumul'gar/ *vt*
promulgate

prono|me /pru'nɔmɐ/ *m* pro-
noun; **~minal** (*pl* **~minais**) *a*
pronominal

pron|tidão /prõti'dãw/ *f* readi-
ness; **com ~tidão** promptly;
estar de ~tidão be at the
ready; **~tificar** *vt* get ready;
~tificar-se *vpr* volunteer (**a**
to; **para** for); **~to** *a* ready;
(*rápido*) prompt □ *int* that's
that; **~to-socorro** (*pl* **~tos-**
-socorros) *m* casualty department; (*reboque*) towtruck; **~tuário** *m* (*manual*)
manual, handbook; (*médico*)
notes

pronúncia /pru'nũsjɐ/ *f* pronunciation

pronunci|ado /prunũsi'adu/ *a*
pronounced; **~amento** *m*
pronouncement; **~ar** *vt* pro-
nounce

propagar /prupa'gar/ *vt* propagate <espécie>; spread
<notícia, ideia, fé>; **~-se** *vpr*
spread; <espécie> propagate

propen|são /prupẽ'sãw/ *f* pro-
pensity, tendency; **~so** *a* in-
clined (**a** to)

pro|piciar /prupisi'ar/ *vt* pro-
vide; **~pício** *a* propitious

propina /pru'pinɐ/ *f* (*escolar*)
fee

propor /pru'por/ *vt* propose;
~-se *vpr* set o.s. <objecti-
vo>; **~-se a estudar** set out
to study

proporção /prupur'sãw/ f proportion

proporcio|nado /prupursju'nadu/ a proportionate (**a** to); **bem ~nado** well proportioned; **~ nal** (pl **~nais**) a proportional; **~nar** vt provide

proposi|ção /prupuzi'sãw/ f proposition; **~tado** a, **~tal** (pl **~tais**) a intentional

propósito /pru'pozitu/ m intention; **a ~** by the way; **a ~ de** on the subject of; **chegar a ~** arrive at the right time; **de ~** on purpose

proposta /pru'pɔʃta/ f proposal

propriamente /prɔprja'mẽtʃi/ adv strictly; **a casa ~ dita** the house proper

proprie|dade /prɔprje'dadʒi/ f property; (direito sobre bens) ownership; **~tário** m owner; (de casa alugada) landlord

próprio /'prɔprju/ a (de si) own; <sentido> literal; <nome> proper; **meu ~ carro** my own car; **um carro ~** a car of my own; **o ~ rei** the king himself; **~ de** peculiar to; **~ para** suited to

prorrogação /pruxuga'sãw/ f extension; (de divida) deferment; (em futebol etc) extra time; **~gar** vt extend <prazo>; defer <pagamento>

pro|sa /'prɔza/ f prose; **~sador** m prose writer; **~saico** a prosaic

proscrever /pruʃkro'ver/ vt proscribe

prospecto /pruʃ'pɛtu/ m (livro) brochure; (folheto) leaflet

prospe|rar /pruʃpə'rar/ vi prosper; **~ridade** f prosperity

próspero /'prɔʃpəru/ a prosperous

prosse|guimento /prusegi'mẽtu/ m continuation; **~guir** vt continue □ vi proceed, go on

prostitu|ição /pruʃtitui'sãw/ f prostitution; **~ta** f prostitute

pros|tração /pruʃtra'sãw/ f debility; **~trado** a prostrate; **~trar** vt prostrate; (enfraquecer) debilitate; **~trar-se** vpr prostrate o.s.

protago|nista /prutagu'niʃta/ m/f protagonist; **~nizar** vt be at the centre of <acontecimento>; feature in <peça, filme>

prote|ção /prute'sãw/ f protection; **~cionismo** m protectionism; **~cionista** a & m/f protectionist; **~ger** vt protect; **~gido** m protégé

protector /prute'tor/ m protector □ a protective

proteína /prɔta'ina/ f protein

protelar /prutə'lar/ vt put off

protes|tante /prutəʃ'tãtʃi/ a & m/f Protestant; **~tar** vt/i protest; **~to** /ɛ/ m protest

protocolo /prɔtɔ'kolu/ m protocol; (registo) register

protótipo /pro'tɔtipu/ m prototype

protuberância /prutubə'rãsja/ f bulge

pro|va /'prɔva/ f (que comprova) proof; (teste) trial; (exame) exam; (desportiva) competition; (de livro etc) proof; pl (na justiça) evidence; **à**

~va de bala bulletproof; **pôr à ~va** put to the test; **~vado** *a* proven; **~var** *vt* try <comida>; try on <roupa>; try out <carro, novo sistema etc> (*comprovar*) prove

prová|vel /pru'vavɛl/ (*pl* ~veis) *a* probable

proveito /pru'vejtu/ *m* profit, advantage; **tirar ~ de** (*beneficiar-se*) profit from; (*explorar*) take advantage of; **~so** /o/ *a* useful

proveni|ência /pruvəni'ẽsjə/ *f* origin; **~ente** *a* originating (**de** from)

proventos /pru'vẽtuʃ/ *m pl* proceeds

prover /pru'ver/ *vt* provide (**de** with)

provérbio /pru'vɛrbju/ *m* proverb

proveta /pru'vetə/ *f* test tube; **bebê de ~** test-tube baby

provi|dência /pruvi'dẽsjə/ *f* (*medida*) measure, step; (*divina*) providence; **tomar ~dências** take steps, take action; **~denciar** *vt* (*prover*) get hold of, provide; (*resolver*) see to, take care of □ *vi* take action

província /pru'vĩsjə/ *f* province; (*longe da cidade*) provinces

provinci|al /pruvĩsi'al/ (*pl* ~ais) *a* provincial; **~ano** *a* & *m* provincial; (*pej*) country bumpkin

provir /pru'vir/ *vi* come (**de** from); (*resultar*) be due (**de** to)

provi|são /pruvi'zãw/ *f* provision; **~sório** *a* provisional

provo|cação /pruvuka'sãw/ *f* provocation; **~cador, ~cante** *a* provocative; **~car** *vt* provoke; (*ocasionar*) cause

proximidade /prɔsimi'dadə/ *f* closeness; *pl* (*imediações*) vicinity

próximo /'prɔsimu/ *a* (*no tempo*) next; (*perto*) near, close (**de** to); <parente> close; <futuro> near □ *m* neighbour, fellow man

pru|dência /pru'dẽsjə/ *f* prudence; **~dente** *a* prudent

prumo /'prumu/ *m* plumb line; **a ~** vertically

prurido /pru'ridu/ *m* itch

pseudónimo /psew'dɔnimu/ *m* pseudonym

psica|nálise /psika'nalizə/ *f* psychoanalysis; **~nalista** *m/f* psychoanalyst

psi|cologia /psikulu'ʒiə/ *f* psychology; **~cológico** *a* psychological; **~cólogo** *m* psychologist

psico|pata /psikɔ'patə/ *m/f* psychopath; **~se** /ɔ/ *f* psychosis; **~terapeuta** *m/f* psychotherapist; **~terapia** *f* psychotherapy

psicótico /psi'kɔtiku/ *a & m* psychotic

psique /p'sikə/ *f* psyche

psiqui|atra /psiki'atrə/ *m/f* psychiatrist; **~atria** *f* psychiatry; **~átrico** *a* psychiatric

psíquico /p'sikiku/ *a* psychological

pua /'puə/ *f* bit

puberdade /pubər'dadə/ *f* puberty

publi|cação /publika'sãw/ *f* publication; **~car** *vt* publish

publici|dade /publisi'dadɐ/ f publicity; (reclame) advertising; ~**tário** a publicity; (de reclame) advertising □ m advertising executive

público /'publiku/ a public □ m public; (plateia) audience; **em** ~ in public; **o grande** ~ the general public

pudera /pu'dɛrɐ/ int no wonder!

pudico /pu'diku/ a prudish

pudim /pu'dĩ/ m pudding

pudor /pu'dor/ m modesty, shame

pue|ril /pwe'ril/ (pl ~ris) a puerile

pugilis|mo /puʒi'liʒmu/ m boxing; ~**ta** m boxer

pu|ido /pu'idu/ a worn through; ~**ir** vt wear through

pujan|ça /pu'ʒãsɐ/ f power; ~**te** a powerful; (de saúde) robust

pular /pu'lar/ vt jump (over); (omitir) skip □ vi jump; ~ **de contente** jump for joy

pulga /'pulgɐ/ f flea

pulmão /pul'mãw/ m lung

pulo /'pulu/ m jump; **dar um** ~ **em** drop by; **dar** ~**s** jump up and down

pulôver /pu'lovɛr/ m pullover

púlpito /'pulpitu/ m pulpit

pul|sar /pul'sar/ vi pulsate; ~**seira** f bracelet; ~**so** m (do braço) wrist; (batimento arterial) pulse

pulular /pulu'lar/ vi swarm (**de** with)

pulveri|zador /pulvɐriza'dor/ m spray; ~**zar** vt spray <líquido>; (reduzir a pó, fig) pulverize

pun|gente /pũ'ʒẽtɐ/ a consuming; ~**gir** vt afflict

pu|nhado /pu'ɲadu/ m handful; ~**nhal** (pl ~**nhais**) m dagger; ~**nhalada** f stab wound; ~**nho** m fist; (de camisa etc) cuff; (de espada) hilt

pu|nição /puni'sãw/ f punishment; ~**nir** vt punish; ~**nitivo** a punitive

pupila /pu'pilɐ/ f pupil

puré /pu'rɛ/ m purée; ~ **de batata** mashed potato

pureza /pu'rezɐ/ f purity

pur|gante /pur'gãtɐ/ a & m purgative; ~**gar** vt purge; ~**gatório** m purgatory

purificar /purifi'kar/ vt purify

puritano /puri'tɐnu/ a & m puritan

puro /'puru/ a pure; <aguardente> neat; ~ **e simples** pure and simple; ~~**sangue** (pl ~**s-sangues**) a & m thoroughbred

púrpura /'purpurɐ/ a purple

purpurina /purpu'rinɐ/ f glitter

purulento /puru'lẽtu/ a festering

pus /puʃ/ m pus

pusilânime /puzi'lɐnimɐ/ a faint-hearted

pústula /'pustulɐ/ f pimple

puta /'putɐ/ f (calão) whore; **filho da** ~ (calão) bastard; ~ **que (o) pariu!** (calão) fucking hell!

putrefazer /putrɐfa'zer/ vi putrefy

puxa /ˈpuʃɐ/ *int* gosh
pu|xado /puˈʃadu/ *a* (*fam*)
<exame> tough; <trabalho>
hard; <aluguer, preço>
steep; **~xador** *m* handle;
~xão *m* pull, tug; **~xar** *vt*
pull; strike up <conversa>;
bring up <assunto>; **~xar a**
(*parecer com*) take after;
~xar por (*exigir muito de*)
push (hard); **~xa-saco** *m* (*Br
fam*) creep

Q

QI /ke'i/ *m* IQ

quadrado /kwɑ'dradu/ *a & m* square

quadragésimo /kwɑdrɑ'ʒɛzimu/ *a* fortieth

qua|dril /kwɑ'dril/ (*pl* **~dris**) *m* hip

quadrilha /kwɑ'driʎɑ/ *f* (*bando*) gang; (*dança*) square dance

quadro /'kwadru/ *m* picture; (*pintado*) painting; (*tabela*) table; (*pessoal*) staff; (*equipa*) team; (*de uma peça*) scene; **~-negro** (*pl* **~s-negros**) *m* blackboard

quadruplicar /kwɑdrupli'kar/ *vt/i* quadruple

quádruplo /'kwadruplu/ *a* quadruple; **~s** *m pl* (*crianças*) quads

qual /kwal/ (*pl* **quais**) *pron* which (one); **o/a ~** (*coisa*) that, which; (*pessoa*) that, who; **~ é o seu nome?** what's your name?; **seja ~ for a decisão** whatever the decision may be

qualidade /kwɑli'dadɨ/ *f* quality; **na ~ de** in one's capacity as, as

qualifi|cação /kwɑlifikɑ'sãw/ *f* qualification; **~car** *vt* qualify; (*descrever*) describe (**de** as); **~car-se** *vpr* qualify

qualitativo /kwɑlitɑ'tivu/ *a* qualitative

qualquer /kwal'kɛr/ (*pl* **quaisquer**) *a* any; **um livro ~** any book; **~ um** any one

quando /'kwãdu/ *adv & conj* when; **~ quer que** whenever; **~ de** at the time of; **~ muito** at most

quantia /kwã'tiɑ/ *f* amount

quanti|dade /kwãti'dadɨ/ *f* quantity; **uma ~dade de** a lot of; **em ~dade** in large amounts; **~ficar** *vt* quantify; **~tativo** *a* quantitative

quanto /'kwãtu/ *adv & pron* how much; *pl* how many; **~ tempo?** how long?; **~ mais barato melhor** the cheaper the better; **tão alto ~ eu** as tall as me; **~ ri!** how I laughed!; **~ a** as for; **~ antes** as soon as possible

quaren|ta /kwɑ'rẽtɑ/ *a & m* forty; **~tão** *a & m* (*f* **~tona**) forty-year-old; **~tena** /e/ *f* quarantine

Quaresma /kwɑ'rɛʒmɑ/ *f* Lent

quarta /'kwartɑ/ *f* (*marcha*)

fourth (gear); **Q~** (*dia*) Wednesday; **~-feira** (*pl* **~s-fei-ras**) *f* Wednesday

quartanista /kwɑrtɐˈniʃtɐ/ *m/f* fourth-year (student)

quarteirão /kwɑrtejˈrãw/ *m* block

quar|tel /kwɑrˈtɛl/ (*pl* ~**téis**) *m* barracks; **~tel-general** (*pl* ~**-téis-generais**) *m* headquarters

quarteto /kwɑrˈtetu/ *m* quartet; ~ **de cordas** string quartet

quarto /ˈkwartu/ *a* fourth □ *m* (*parte*) quarter; (*aposento*) bedroom; (*guarda*) watch; **são três e/menos um ~** it's quarter past/to three; ~ **de banho** bathroom; ~ **de hora** quarter of an hour; ~ **de hóspedes** guest room; **~de-final** (*pl* ~s-de-final) *m* quarter final

quartzo /ˈkwartzu/ *m* quartz

quase /ˈkwazə/ *adv* almost, nearly; ~ **nada/nunca** hardly anything/ever

quatro /ˈkwatru/ *a & m* four; **de ~** (*no chão*) on all fours; **~- centos** *a & m* four hundred

que /kə/ *a* which, what; ~ **dia é hoje?** what's the date today?; ~ **homem!** what a man!; ~ **triste!** how sad! □ *pron* what; ~ **é ~ é?** what is it? □ *pron rel* (*coisa*) which, that; (*pessoa*) who, that; (*interrogativo*) what; **o dia em** ~ **...** the day when/that ... □ *conj* that; (*porque*) because; **espero ~ sim/não** I hope so/not

quê /ke/ *pron* what □ *m* **um ~** something; **não tem de ~** don't mention it

quebra /ˈkɛbrɐ/ *f* break; (*de empresa, banco*) crash; (*de força*) cut; **~-cabeça** *m* jigsaw (puzzle); (*fig*) puzzle; **~diço** *a* breakable; **~-do** *a* broken; <carro> broken down; **~-galho** (*Br fam*) *m* stopgap; **~-mar** *m* breakwater; **~-nozes** *m invar* nutcrackers; **~-pau** (*Br fam*) *m* row

quebrar /keˈbrar/ *vt* break □ *vi* break; <carro etc> break down; <banco, empresa etc> crash, go bust; **~-se** *vpr* break

queda /ˈkɛdɐ/ *f* fall; **ter uma ~ por** have a soft spot for

quei|jeira /kejˈʒejrɐ/ *f* cheese dish; **~jo** *m* cheese; **~jo prato** cheddar; **~jo ralado** *m* grated cheese

queima /ˈkejmɐ/ *f* burning; **~da** *f* forest fire; **~do** *a* burnt; (*bronzeado*) tanned, brown; **cheiro a/de ~do** smell of burning

queimar /kejˈmar/ *vt* burn; (*bronzear*) tan □ *vi* burn; <lâmpada> go; <fusível> blow; **~-se** *vpr* burn o.s.; (*bronzear-se*) go brown

queima-roupa /kejmɐˈʁopɐ/ *f* **à ~** point-blank

quei|xa /ˈkejʃɐ/ *f* complaint; **~xar-se** *vpr* complain (**de** about)

queixinhas /kejˈʃiɲɐʃ/ *m f* sneak, telltale

queixo /ˈkejʃu/ *m* chin; **bater o ~** shiver

queixoso /kej'ʃozu/ *a* plaintive ☐ *m* plaintiff

quem /kãj/ *pron* who; *(a pessoa que)* anyone who, he who; **de ~ é este livro?** whose is this book? whose book is this?; **~ quer que** whoever; **seja ~ for** whoever it is; **~ disse isso fui eu** it was me who said that; **~ me dera (que) ...** I wish ..., if only

Quénia /'kɛnjɐ/ *m* Kenya

queniano /kɛni'ɐnu/ *a* & *m* Kenyan

quen|te /kẽ'tɐ/ *a* hot; *(com calor agradável)* warm; **~tura** *f* heat

quer /kɛr/ *conj* **~ ... ~ ...** whether ... or ...

querer /kə'rer/ *vt/i* want; **quero ir** I want to go; **quero que você vá** I want you to go; **eu queria falar com o Sr X** I'd like to speak to Mr X; **vai ~ vir amanhã?** do you want to come tomorrow?; **vou ~ um cafezinho** I'd like a coffee; **se você quiser** if you want; **queira sentar-se** do sit down; **~ dizer** mean; **quer dizer** *(isto é)* that is to say, I mean

querido /kə'ridu/ *a* dear ☐ *m* darling

quermesse /kər'mɛsə/ *f* fête, fair

querosene /kəru'zɛnə/ *m* kerosene

questão /kəʃ'tãw/ *m* question; *(assunto)* matter; **em ~** in question; **fazer ~ de** really want to; **não faço ~ de ir** I don't mind not going; **fora de ~** out of question

questio|nar /kəʃtju'nar/ *vt/i* question; **~nário** *m* questionnaire; **~nável** *(pl* **~náveis)** *a* questionable

quiabo /ki'abu/ *m* okra

quiche /'kiʃə/ *f* quiche

quie|to /ki'etu/ *a* *(calado)* quiet; *(imóvel)* still; **~tude** *f* quiet

quilate /ki'latə/ *m* carat; *(fig)* calibre

quilha /'kiʎɐ/ *f* keel

quilo /'kilu/ *m* kilo; **~grama** *m* kilogram; **~metragem** *f* mileage; **~métrico** *a* milelong

quilómetro /ki'lɔmətru/ *m* kilometre

qui|mera /ki'mɛrɐ/ *f* fantasy; **~mérico** *a* fanciful

quími|ca /'kimikɐ/ *f* chemistry; **~co** *a* chemical ☐ *m* chemist

quimioterapia /kimjɔtərɐ'piɐ/ *f* chemotherapy

quimono /ki'monu/ *m* kimono

quina /'kinɐ/ *f* **de ~** edgeways

quinhão /ki'ɲãw/ *m* share

quinhentos /ki'ɲẽtuʃ/ *a* & *m* five hundred

quinina /ki'ninɐ/ *f* quinine

quinquagésimo /kĩkwa'ʒɛzimu/ *a* fiftieth

quinquilharias /kĩkiʎɐ'riɐʃ/ *f pl* knick-knacks

quinta¹ /'kĩtɐ/ *f* *(fazenda)* farm

Quinta² /'kĩtɐ/ *f* *(dia)* Thursday; **~-feira** *(pl* **~s-feiras)** *f* Thursday

quin|tal /kĩ'tal/ *m* *(pl* **~tais)** *m* back yard

quinteiro /kĩ'tejru/ *m* farmer

quinteto /kĩ'tetu/ *m* quintet

quin|to /'kĩtu/ *a & m* fifth;
~**tuplo** *a* fivefold; ~**tuplos** *m*
pl (*crianças*) quins
quinze /'kĩzə/ *a & m* fifteen;
às dez e ~ at quarter past
ten; **são ~ para as dez** it's
quarter to ten; ~**na** /e/ *f* fortnight; ~**nal** (*pl* ~**nais**) *a* fort-
nightly; ~**nalmente** *adv* fort-
nightly
quiosque /ki'ɔ∫kə/ *m* (*banca*)
kiosk; (*no jardim*) gazebo
quiro|mância /kiru'mãsjɐ/ *f*

palmistry; ~**mante** *m/f* pal-
mist
quisto /'ki∫tu/ *m* cyst
quitan|da /ki'tãdɐ/ *f* grocer's
(shop); ~**deiro** *m* grocer
qui|tar /ki'tar/ *vt* pay off <dí-
vida>; ~**te** *a* **estar** ~**tes** be
quits
quociente /kɔsi'ẽtə/ *m* quotient
quórum /'kwɔrʊ/ *m* quorum
quotidiano /kwutidi'ɐnu/ *adj*
everyday; *m* everyday life

R

rã /ʀ̃ã/ f frog

rabanete /ʀaba'netə/ m radish

rabino /ʀa'binu/ m rabbi

rabis|car /ʀabiʃ'kar/ vt scribble □ vi (escrever mal) scribble; (fazer desenhos) doodle; **~co** m doodle

rabo /'ʀabu/ m (de animal) tail; **com o ~ do olho** out of the corner of one's eye; **~-de-cavalo** (pl **~s-de-cavalo**) m pony tail

rabugento /ʀabu'ʒẽtu/ a grumpy

raça /'ʀasa/ f (de homens) race; (de animais) breed

ração /ʀa'sãw/ f (de comida) ration; (para animal) food

racha /'ʀaʃa/ f crack; **~dura** f crack

rachar /ʀa'ʃar/ vt (dividir) split; (abrir fendas em) crack; chop <lenha>; split <despesas> □ vi (dividir-se) split; (apresentar fendas) crack; (ao pagar) split the cost

raci|al /ʀasi'al/ (pl **~ais**) a racial

racio|cinar /ʀasjusi'nar/ vi reason; **~cínio** m reasoning; **~nal** (pl **~nais**) a rational; **~nalizar** vt rationalize

racio|namento /ʀasjuna'mẽtu/ m rationing; **~nar** vt ration

racis|mo /ʀa'siʒmu/ m racism; **~ta** a & m/f racist

radar /ʀa'dar/ m radar

radia|ção /ʀadja'sãw/ f radiation; **~dor** m radiator

radialista /ʀadja'liʃta/ m/f radio announcer

radiante /ʀadi'ãtə/ a (de alegria) overjoyed

radi|cal /ʀadi'kal/ (pl **~cais**) a & m radical; **~car-se** vpr settle

rádio[1] /'ʀadju/ m radio □ f radio station

rádio[2] /'ʀadju/ m (elemento) radium

radioacti|vidade /ʀadjuati-vi'dadə/ f radioactivity; **~vo** a radioactive

radiodifusão /ʀadjudifu'zãw/ f broadcasting

radiogra|far /ʀadjugra'far/ vt X-ray <pulmões, osso etc>; radio <mensagem>; **~fia** f X-ray

radiolo|gia /ʀadjulu'ʒia/ f radiology; **~gista** m/f radiologist

radio|novela /ʀadjunu'vɛla/ f radio serial; **~patrulha** f patrol car; ~**táxi** m radio taxi; ~**terapia** f radiotherapy, ray treatment

raia /'ʀajɐ/ f (em corrida) lane; (peixe) ray

rainha /ʀɐ'iɲɐ/ f queen; ~-**mãe** f queen mother

raio /'ʀaju/ m (de luz etc) ray; (de círculo) radius; (de roda) spoke; (relâmpago) bolt of lightning, lightning bolt; ~ **de acção** range

rai|va /'ʀajvɐ/ f rage; (doença) rabies; **estar com** ~**va de** furious (**de** with); **ter** ~**va de alg** have it in for s.o.; ~**voso** a furious; <cão> rabid

raiz /ʀɐ'iʃ/ f root; ~ **quadrada/cúbica** square/cube root

rajada /ʀɐ'ʒadɐ/ f (de vento) gust; (de tiros) burst

ra|lador /ʀɐlɐ'dor/ m grater; ~**lar** vt grate

ralé /ʀɐ'lɛ/ f rabble

ralhar /ʀɐ'ʎar/ vi scold

ralo[1] /'ʀalu/ m (ralador) grater; (de escoamento) drain

ralo[2] /'ʀalu/ a <cabelo> thinning; <sopa, tecido> thin; <vegetação> sparse; <café> weak

ra|mal /ʀɐ'mal/ m (pl ~**mais**) m (telefone) extension; (de ferrovia) branch line

ramalhete /ʀɐmɐ'ʎetɐ/ m posy, bouquet

ramifi|cação /ʀɐmifikɐ'sãw/ f branch; ~**car-se** vi branch off

ramo /'ʀamu/ m branch; (profissional etc) field; (de flores) bunch; **Domingo de Ramos** Palm Sunday

rampa /'ʀãpɐ/ f ramp

rancor /ʀã'kor/ m resentment; ~**oso** /o/ a resentful

rançoso /ʀã'sozu/ a rancid

ran|ger /ʀã'ʒer/ vt grind <dentes> □ vi creak; ~**gido** m creak

ranhura /ʀɐ'ɲurɐ/ f groove; (para moedas) slot

ranzinza /ʀã'zĩzɐ/ a cantankerous

rapariga /ʀɐpɐ'rigɐ/ f girl

rapaz /ʀɐ'paʃ/ m boy

rapé /ʀɐ'pɛ/ m snuff

rapidez /ʀɐpi'deʃ/ f speed

rápido /'ʀapidu/ a fast □ adv <fazer> quickly; <andar> fast

rapina /ʀɐ'pinɐ/ f **ave de** ~ bird of prey

rapo|sa /ʀɐ'pozɐ/ f vixen; ~**so** m fox

rapsódia /ʀɐp'zɔdjɐ/ f rhapsody

rap|tar /ʀɐp'tar/ vt abduct, kidnap <criança>; ~**to** m abduction, kidnapping (de criança)

raqueta /ʀɐ'kɛtɐ/ f racquet, racket

raquítico /ʀɐ'kitiku/ a puny

ra|ramente /ʀarɐ'mẽtɐ/ adv rarely; ~**ridade** f rarity; ~**ro** a rare □ adv rarely

rascunho /ʀɐʃ'kuɲu/ m rough version, draft

ras|gado /ʀɐʒ'gadu/ a torn; (fig) <elogios etc> effusive; ~**gão** m tear; ~**gar** vt tear; (em pedaços) tear up □ vi, ~**gar-se** vpr tear; ~**go** m tear; (fig) burst

raso /'ʀazu/ a <água> shallow; <sapato> flat; <colher etc> level

ras|pão /ʀɑʃ'pãw/ *m* graze; **atingir de ~pão** graze; **~par** *vt* shave <cabeça, pêlos>; plane <madeira>; (*para limpar*) scrape; (*tocar de leve*) graze; **~par em** scrape

ras|teiro /ʀɑʃ'tejru/ *a* <planta> creeping; <animal> crawling; **~tejante** a crawling; **~tejar** *vi* crawl

rasto /'ʀa/tu/ *m* trail

ras|trear /ʀɑʃtri'ar/ *vt* track <satélite etc>; scan <céu, corpo etc>

ratear[1] /ʀɑti'ar/ *vi* <motor> miss

ra|tear[2] /ʀɑti'ar/ *vt* share; **~teio** *m* sharing

ratifi|cação /ʀɑtifikɑ'sãw/ *f* ratification; **~car** *vt* ratify

rato /'ʀatu/ *m* rat; (*pequeno*) mouse; **~eira** *f* mousetrap

ravina /ʀɑ'vinɑ/ *f* ravine

razão /ʀɑ'zãw/ *f* reason; (*proporção*) ratio □ *m* ledger; **à ~ de** at the rate of; **em ~ de** on account of; **ter ~** be right; **não ter ~** be wrong

razoá|vel /ʀɑzu'avel/ (*pl* **~veis**) *a* reasonable

ré[1] /ʀɛ/ *f* (*na justiça*) defendant

ré[2] /ʀɛ/ *f* (*marcha*) reverse; **dar ~** reverse

reabastecer /ʀjɑbɑʃtəˈser/ *vt/i* refuel

reabilitar /ʀjɑbili'tar/ *vt* rehabilitate

reac|ção /ʀja'sãw/ *f* reaction; **~ção em cadeia** chain reaction; **~cionário** *a & m* reactionary

reactivar /ʀjati'var/ *vt* reactivate

readmitir /ʀjɑdmi'tir/ *vt* reinstate <funcionário>

reagir /ʀja'ʒir/ *vi* react; <doente> respond

reajus|tar /ʀjɑʒuʃ'tar/ *vt* readjust; **~te** *m* adjustment

re|al /ʀi'al/ (*pl* **~ais**) *a* (*verdadeiro*) real; (*da realeza*) royal

real|çar /ʀjal'sar/ *vt* highlight; **~ce** *m* prominence

realejo /ʀja'leʒu/ *m* barrel organ

realeza /ʀja'lezɑ/ *f* royalty

realidade /ʀjali'dadə/ *f* reality

realimentação /ʀjalimɛ̃tɑ'sãw/ *f* feedback

realis|mo /ʀja'liʒmu/ *m* realism; **~ta** *a* realistic □ *m/f* realist

reali|zado /ʀjali'zadu/ *a* <pessoa> fulfilled; **~zar** *vt* (*fazer*) carry out; (*tornar real*) realize <sonho, capital>; **~zar-se** *vpr* <sonho> come true; <pessoa> fulfil o.s.; <casamento, reunião etc> take place

realmente /ʀjal'mẽtɑ/ *adv* really

reaparecer /ʀjɑpɑrə'ser/ *vi* reappear

reaver /ʀja'ver/ *vt* get back

reavivar /ʀjɑvi'var/ *vt* revive

rebai|xar /ʀɑbaj'far/ *vt* lower <preço>; (*fig*) demean □ *vi* <preços> drop; **~se** *vpr* demean o.s.

rebanho /ʀɑ'baɲu/ *m* herd; (*fiéis*) flock

reba|te /ʀɑ'batə/ *m* alarm; **~ter** *vt* return <bola>; refute <acusação>; (*à máquina*) retype

rebelar-se /ʀəbə'larsə/ *vpr* rebel

rebel|de /ʀə'bɛldə/ *a* rebellious □ *m/f* rebel; **~dia** *f* rebelliousness

rebelião /ʀəbəli'ãw/ *f* rebellion

reben|tar /ʀəbẽ'tar/ *vt/i veja* **arrebentar**; **~to** *m* (*de planta*) shoot; (*descendente*) offspring

rebite /ʀə'bitə/ *m* rivet

rebobinar /ʀəbobi'nar/ *vt* rewind

rebo|cador /ʀəbuka'dor/ *m* tug; **~car** *vt* (*tirar*) tow; (*cobrir com reboco*) plaster; **~co** /o/ *m* plaster

rebolar /ʀəbu'lar/ *vi* swing one's hips

reboque /ʀə'bɔkə/ *m* towing; (*veículo a* ~) trailer; (*com guindaste*) towtruck; **a** ~ on tow

rebuçado /ʀəbu'sadu/ *m* sweet, (*Amer*) candy

rebuliço /ʀəbu'lisu/ *m* commotion

rebuscado /ʀəbuʃ'kadu/ *a* récherché

recado /ʀə'kadu/ *m* message

reca|ída /ʀəka'idɐ/ *f* relapse; **~ir** *vi* relapse; <acento, culpa> fall

recal|cado /ʀəkal'kadu/ *a* repressed; **~car** *vt* repress

recanto /ʀə'kãtu/ *m* nook, recess

recapitular /ʀəkapitu'lar/ *vt* review □ *vi* recap

reca|tado /ʀəka'tadu/ *a* reserved, withdrawn; **~to** *m* reserve

recear /ʀəsi'ar/ *vt/i* fear (*por* for)

rece|ber /ʀəsə'ber/ *vt* receive; entertain <convidados> □ *vi* (~*ber salário*) get paid; (~*ber convidados*) entertain; **~bimento** *m* receipt

receio /ʀə'seju/ *m* fear

recei|ta /ʀə'sejtɐ/ *f* (*de cozinha*) recipe; (*médica*) prescription; (*dinheiro*) revenue; **~tar** *vt* prescribe

recém|-casados /ʀəsãjkɐ'zaduʃ/ *m pl* newly-weds; **~-chegado** *m* newcomer; **~-nascido** *a* newborn □ *m* newborn child, baby

recente /ʀə'sẽtə/ *a* recent; **~mente** *adv* recently

receoso /ʀəsi'ozu/ *a* (*apreensivo*) afraid

recep|ção /ʀəsɛ'sãw/ *f* reception; (*de carta*) receipt; **~cionar** *vt* receive; **~cionista** *m/f* receptionist; **~táculo** *m* receptacle; **~tivo** *a* receptive; **~tor** *m* receiver

reces|são /ʀəsə'sãw/ *f* recession; **~so** /ɛ/ *m* recess

re|chear /ʀəʃi'ar/ *vt* stuff <frango, assado>; fill <empada>; **~cheio** *m* (*para frango etc*) stuffing; (*de empada etc*) filling

rechonchudo /ʀəʃõ'ʃudu/ *a* plump

recibo /ʀə'sibu/ *m* receipt

reciclar /ʀəsi'klar/ *vt* recycle

recife /ʀə'sifə/ *m* reef

recinto /ʀə'sĩtu/ *m* enclosure

recipiente /ʀəsipi'ẽtə/ *m* container

reciprocar /ʀəsipru'kar/ *vt* reciprocate

recíproco /ʀə'sipruku/ *a* reciprocal; <sentimento> mutual

reci|tal /ʀəsi'tal/ (*pl* ~**tais**) *m* recital; ~**tar** *vt* recite

recla|mação /ʀəklamaˈsãw/ *f* complaint; (*no seguro*) claim; ~**mar** *vt* claim □ *vi* complain (**de** about); (*no seguro*) claim; ~**mo** *m* advertising

reclinar-se /ʀəkliˈnarsə/ *vpr* recline

recluso /ʀəˈkluzu/ *a* reclusive □ *m* recluse

recobrar /ʀəkuˈbrar/ *vt* recover; ~**se** *vpr* recover

recolher /ʀəkuˈʎer/ *vt* collect; (*retirar*) withdraw; ~**se** *vpr* retire

recomeçar /ʀəkumeˈsar/ *vt/i* start again

recomen|dação /ʀəkomẽdaˈsãw/ *f* recommendation; ~**dar** *vt* recommend; ~**dável** (*pl* ~**dáveis**) *a* advisable

recompen|sa /ʀəkõˈpẽsa/ *f* reward; ~**sar** *vt* reward

reconcili|ação /ʀəkõsiljaˈsãw/ *f* reconciliation; ~**ar** *vt* reconcile; ~**ar-se** *vpr* be reconciled

reconhe|cer /ʀəkuɲeˈser/ *vt* recognize; (*admitir*) acknowledge; (*mil*) reconnoitre; identify <corpo>; ~**cimento** *m* recognition; (*gratidão*) gratitude; (*mil*) reconnaissance; (*de corpo*) identification; ~**cível** (*pl* ~**cíveis**) *a* recognizable

reconsiderar /ʀəkõsideˈrar/ *vt/i* reconsider

reconstituinte /ʀəkõstituˈĩtə/ *m* tonic

reconstituir /ʀəkõstituˈir/ *vt* reform; reconstruct <crime, cena>

reconstruir /ʀəkõstruˈir/ *vt* rebuild

recor|dação /ʀəkurdaˈsãw/ *f* recollection; (*objecto*) memento; ~**dar** *vt* recollect; ~**dar-se** (**de**) recall

recor|de /ʀɛˈkɔrdə/ *a invar* & *m* record; ~**dista** *a* record--breaking □ *m/f* record--holder

recorrer /ʀəkuˈʀer/ *vi* ~ **a** turn to <médico, amigo>; resort to <violência, táctica>; ~ **de** appeal against

recor|tar /ʀəkurˈtar/ *vt* cut out; ~**te** /ɔ/ *m* cutting, (*Amer*) clipping

recostar /ʀəkuʃˈtar/ *vt* lean back; ~**se** *vpr* lean back

recreio /ʀəˈkreju/ *m* recreation; (*na escola*) break

recriar /ʀəkriˈar/ *vt* recreate

recriminação /ʀəkriminaˈsãw/ *f* recrimination

recrudescer /ʀəkrudəʃˈser/ *vi* intensify

recru|ta /ʀəˈkruta/ *m/f* recruit; ~**tamento** *m* recruitment; ~**tar** *vt* recruit

recta /ʀɛta/ *f* (*linha*) straight line; (*de pista etc*) straight; ~ **final** home straight

rectangular /ʀɛtãguˈlar/ *a* rectangular

rectângulo /ʀɛˈtãgulu/ *m* rectangle

recti|dão /ʀɛtiˈdãw/ *f* rectitude; ~**ficar** *vt* rectify

recto /ʀɛtu/ *a* <linha etc> straight; <pessoa> honest

recu|ar /ʀəkuˈar/ *vi* move back; <tropas> retreat; (*no tempo*) go back; (*ceder*) back down; (*não cumprir*)

back out (**de** of) □ *vt* move
back; **~o** *m* retreat; (*fig: de
intento*) climbdown

recupe|ração /Rəkupərɑ.'sãw/ *f*
recovery; **~rar** *vt* recover;
make up <atraso, tempo perdido>; **~rar-se** *vpr* recover
(**de** from)

recurso /Rə'kursu/ *m* resort;
(*coisa útil*) resource; (*na justiça*) appeal; *pl* resources

recu|sa /Rə'kuza/ *f* refusal;
~sar *vt* refuse; turn down
<convite, oferta>; **~sar-se**
vpr refuse (**a** to)

redac|ção /Rəda'sãw/ *f* (*de livro, contrato*) draft; (*pessoal*) editorial staff; (*secção*)
editorial department; (*na escola*) composition; **~tor** *m*
editor

rede /'Redʒ/ *f* net; (*para deitar*) hammock; (*fig: sistema*)
network

rédea /'REdʒɐ/ *f* rein

redemoinho /Rədəmu'iɲu/ *m*
veja **remoinho**

reden|ção /Rədẽ'sãw/ *f* redemption; **~tor** *a* redeeming
□ *m* redeemer

redigir /Rədʒi'ʒir/ *vt* draw up
<contrato>; write <artigo>;
edit <dicionário>

redimir /Rədʒi'mir/ *vt* redeem

redobrar /Rədu'brar/ *vt* redouble

redon|deza /Rədõ'deza/ *f*
roundness; *pl* vicinity; **~do** *a*
round

redor /Rə'dor/ *m* **ao** *ou* **em ~
de** around

redução /Rədu'sãw/ *f* reduction

redun|dante /Rədũ'dãtə/ *a* redundant; **~dar** *vi* **~dar em**
develop into

redu|zido /Rədu'zidu/ *a* limited; (*pequeno*) small; **~zir** *vt*
reduce; **~zir-se** *vpr* (*ficar reduzido*) be reduced (**a** to);
(*resumir-se*) come down (**a**
to)

reeleger /Rjelə'ʒer/ *vt* re-elect;
~-se *vpr* be re-elected

reeleição /Rjelej'sãw/ *f* re-election

reembol|sar /Rjẽbol'sar/ *vt*
reimburse <pessoa>; refund
<dinheiro>; **~so** /o/ *m* refund; **contra ~so** cash on
delivery

reencarnação /Rjẽkɑrnɑ'sãw/ *f* reincarnation

reentrância /Rjẽ'trãsjɐ/ *f* recess

reescalonar /Rəʃkalu'nar/ *vt*
reschedule

reescrever /Rəʃkrə'ver/ *vt*
rewrite

refastelar-se /Rəfaʃtə'larsə/
vpr stretch out

refazer /Rəfa'zer/ *vt* redo; rebuild <vida>; **~-se** *vpr* recover (**de** from)

refei|ção /Rəfej'sãw/ *f* meal;
~tório *m* dining hall

refém /Rə'fãj/ *m* hostage

referência /Rəfə'rẽsjɐ/ *f* reference; **com ~ a** with reference
to

referendum /Rəfə'rẽdũ/ *m* referendum

refe|rente /Rəfə'rẽtə/ *a* **~rente
a** regarding; **~rir** *vt* report;
~rir-se *vpr* refer (**a** to)

refi|nado /Rəfi'nadu/ *a* refined; **~namento** *m* refinement; **~nar** *vt* refine; **~naria**
f refinery

reflec|tido /Rəflɛ'tidu/ *a* <deci-

são> well-thought-out; <pessoa> thoughtful; **~tir** vt/i reflect; **~tir-se** vpr be reflected; <xão /ks/ f reflection; **~xivo** /ks/ a reflexive; **~xo** /ɛks/ a <luz> reflected; <acção> reflex □ m (de luz etc) reflection; (físico) reflex; (no cabelo) streak

refluxo /Rə'fluksu/ m ebb

refo|gado /Rəfu'gadu/ m lightly fried mixture of onions and garlic; **~gar** vt fry lightly

refor|çar /Rəfur'sar/ vt reinforce; **~ço** /o/ m reinforcement

refor|ma /Rə'formɐ/ f (da lei etc) reform; (na casa etc) renovation; (de militar) discharge; (pensão) pension; **~ma ministerial** cabinet reshuffle; **~mado** a reformed; (aposentado) retired □ m pensioner; **~mar** vt reform <lei, sistema etc>; renovate <casa, prédio>; (aposentar) retire; **~mar-se** vpr (aposentar-se) retire; <criminoso> reform; **~matório** m reform school; **~mista** a & m/f reformist

refractário /Rəfra'tarju/ a <tigela etc> ovenproof, heatproof

refrear /Rəfri'ar/ vt rein in <cavalo>; (fig) curb, keep in check <paixões etc>; **~se** vpr restrain o.s.

refrega /Rə'frɛgɐ/ f clash, fight

refres|cante /Rəfreʃ'kãtɐ/ a refreshing; **~car** vt freshen, cool <ar>; refresh <pessoa, memória etc> □ vi get cooler; **~car-se** vpr refresh o.s.; **~co** /e/ m (bebida) soft drink; pl refreshments

refrige|rado /Rəfriʒə'radu/ a cooled; <casa etc> air-conditioned; (no frigorífico) refrigerated; **~rador** m refrigerator; **~rante** m soft drink; **~rar** vt keep cool; (no frigorífico) refrigerate

refugi|ado /Rəfuʒi'adu/ m refugee; **~ar-se** vpr take refuge

refúgio /Rə'fuʒju/ m refuge

refugo /Rə'fugu/ m waste, refuse

refutar /Rəfu'tar/ vt refute

regaço /Rə'gasu/ m lap

regador /Rəgɐ'dor/ m watering can

regalia /Rəgɐ'liɐ/ f privilege

regar /Rə'gar/ vt water

regata /Rə'gatɐ/ f regatta

regatear /Rəgɐti'ar/ vi bargain, haggle

re|gência /Rə'ʒẽsjɐ/ f (de verbo etc) government; **~gente** m/f (de orquestra) conductor; **~ger** vt govern □ vi rule

região /Rəʒi'ãw/ f region; (de cidade etc) area

regi|me /Rə'ʒime/ m regime; (dieta) diet; **fazer ~me** diet; **~~ mento** m (militar) regiment; (regulamento) regulations

régio /'Rɛʒju/ a regal

regio|nal /Rəʒju'nal/ (pl **~nais**) a regional

regis|tador /Rəʒiʃtɐ'dor/ a **caixa ~tadora** cash register; **~tar** vt register; (anotar) record; **~to** m (lista) register; (de um facto, em banco de *dados*) record; (*acto de ~tar*) registration

rego /ˈʀɛgu/ *m* (*de arado*) furrow; (*de roda*) rut; (*para escoamento*) ditch

regozi|jar /ʀəguziˈʒar/ *vt* delight; **~jar-se** *vpr* be delighted; **~jo** *m* delight

regra /ˈʀɛgɾɐ/ *f* rule; *pl* (*menstruações*) periods; **em ~** as a rule

regres|sar /ʀəgɾəˈsar/ *vi* return; **~sivo** *a* regressive; **contagem ~siva** countdown; **~so** /ɛ/ *m* return

régua /ˈʀɛgwɐ/ *f* ruler

regu|lagem /ʀəguˈlaʒɐj̃/ *f* (*de carro*) tuning; **~lamento** *m* regulations; **~lar** *a* regular; <estatura, qualidade etc> average □ *vt* regulate; tune <carro, motor>; set <relógio> □ *vi* work; **~lar-se por** go by, be guided by; **~laridade** *f* regularity; **~larizar** *vt* regularize

regurgitar /ʀəgurʒiˈtar/ *vt* bring up

rei /ʀej/ *m* king; **~nado** *m* reign

reincidir /ʀjĩsiˈdir/ *vi* <criminoso> reoffend

reino /ˈʀejnu/ *m* kingdom; (*fig: da fantasia etc*) realm; **Reino Unido** United Kingdom

reiterar /ʀejtəˈrar/ *vt* reiterate

reitor /ʀejˈtor/ *m* chancellor, (*Amer*) president

reivindi|cação /ʀejvĩdikaˈsãw/ *f* demand; **~car** *vt* claim, demand

rejei|ção /ʀəʒejˈsãw/ *f* rejection; **~tar** *vt* reject

rejuvenescer /ʀəʒuvənəʃˈser/ *vt* rejuvenate □ *vi* be rejuvenated

relação /ʀəlaˈsãw/ *f* relationship; (*relatório*) account; (*lista*) list; *pl* relations; **com ou em ~ a** in relation to, regarding

relacio|namento /ʀəlasjunaˈmẽtu/ *m* relationship; **~nar** *vt* relate (**com** to); (*listar*) list; **~nar-se** *vpr* relate (**com** to)

relações-públicas /ʀəlasõjʃˈpublikɐʃ/ *m/f invar* public-relations person

relâmpago /ʀəˈlãpagu/ *m* flash of lightning; *pl* lightning □ *a* lightning; **num ~** in a flash

relampejar /ʀəlãpəˈʒar/ *vi* flash; **relampejou** there was a flash of lightning

relance /ʀəˈlãsə/ *m* glance; **olhar de ~** glance (at)

rela|tar /ʀəlaˈtar/ *vt* relate; **~tivo** *a* relative; **~to** *m* account; **~tório** *m* report

rela|xado /ʀəlaˈʃadu/ *a* relaxed; <disciplina> lax; <pessoa> lazy, complacent; **~xamento** *m* (*físico*) relaxation; (*de pessoa*) complacency; **~xante** *a* relaxing □ *m* tranquillizer; **~xar** *vt* relax □ *vi* (*descansar*) relax; (*tornar-se omisso*) get complacent; **~xar-se** *vpr* relax; **~xe** *m* relaxation

reles /ˈʀɛləʃ/ *a invar* <gente> common; <acção> despicable

relevância /ʀələˈvãsjɐ/ *f* relevance; **~vante** *a* relevant; **~~**

var vt emphasize; **~vo** /e/ m relief; (*importância*) prominence

religi|ão /Rəliʒi'ãw/ f religion; **~oso** /o/ a religious

relin|char /Relĩ'ʃar/ vi neigh; **~cho** m neighing

relíquia /Rə'likjɐ/ f relic

relógio /Rə'lɔʒju/ m clock; (*de pulso*) watch

relu|tância /Relu'tãsjɐ/ f reluctance; **~tante** a reluctant; **~tar** vi be reluctant (**em** to)

reluzente /Relu'zẽte/ a shining, gleaming

relva /REʎva/ f grass; **~do** m lawn

remador /Rema'dor/ m rower

remanescente /Remanes'sẽte/ a remaining □ m remainder

remar /Re'mar/ vt/i row

rema|tar /Rema'tar/ vt finish off; **~te** m finish; (*adorno*) finishing touch; (*de piada*) punch line; (*na costura*) finishing off; (*no futebol*) finishing

remediar /Remedi'ar/ vt remedy

remédio /Re'mɛdju/ m (*contra doença*) medicine, drug; (*para problema etc*) remedy

remelento /Reme'lẽtu/ a bleary

remen|dar /Remẽ'dar/ vt mend; (*com pedaço de pano*) patch; **~do** m mend; (*pedaço de pano*) patch

remessa /Re'mɛsa/ f (*de mercadorias*) shipment; (*de dinheiro*) remittance

reme|tente /Reme'tẽtɐ/ m/f sender; **~ter** vt send <mercadorias, dinheiro etc>; refer <leitor> (**a** to)

remexer /Reme'ʃer/ vt shuffle <papéis>; stir up <poeira, lama>; wave <braços> □ vi rummage; **~-se** vpr move around

reminiscência /Reminis'sẽsjɐ/ f reminiscence

remir /Re'mir/ vt redeem; **~-se** vpr redeem o.s.

remissão /Remi'sãw/ f (*de pecados*) redemption; (*de doença, pena*) remission; (*num livro*) cross-reference

remo /REmu/ m oar; (*desporto*) rowing

remoção /Remu'sãw/ f removal

remoinho /Remo'iɲu/ m (*de vento*) whirlwind; (*na água*) whirlpool; (*fig*) whirl, swirl

remontar /Remõ'tar/ vi **~ a** <coisa> date back to; <pessoa> think back to

remorso /Re'mɔrsu/ m remorse

remo|to /Re'mɔtu/ a remote; **~ver** vt remove

remune|ração /Remunera'sãw/ f payment; **~rador** a profitable; **~rar** vt pay

rena /REna/ f reindeer

re|nal /Re'nal/ (pl **~nais**) a renal, kidney

Renascença /Rena'ʃsẽsa/ f Renaissance

renas|cer /Rena'ʃser/ vi be reborn; **~cimento** m rebirth

renda¹ /REda/ f (*tecido*) lace

ren|da² /'REda/ f income; (*aluguer*) rent; **~der** bring in, yield <lucro>; earn <juros>; fetch <preço>; bring <resultado> □ vi <investimento, trabalho, acção> pay off; <comida> go a long way;

<produto comprado> give value for money; **~der-se** *vpr* surrender; **~dição** *f* surrender; **~dimento** *m* (*renda*) income; (*de investimento, terreno*) yield; (*de motor etc*) output; (*de produto comprado*) value for money; **~doso** /o/ *a* cropped

rene|gado /Rənə'gadu/ *a & m* renegade; **~gar** *vt* renounce

renhido /Rə'ɲidu/ *a* hard-fought

Reno /'Renu/ *m* Rhine

reno|mado /Rənu'madu/ *a* renowned; **~me** /o/ *m* renown

reno|vação /Rənuva'sãw/ *f* renewal; **~var** *vt* renew

renque /'Rẽka/ *m* row

ren|tabilidade /Rẽtabili'dadʒ/ *f* profitability; **~tável** (*pl* **~táveis**) *a* profitable

rente /'Rẽtə/ *adv* ~ **a** close to □ *a* <cabelo> cropped

renúncia /Rə'nũsjə/ *f* renunciation (**a** of); (*a cargo*) resignation (**a** from)

renunciar /Rənũsi'ar/ *vi* <presidente etc> resign; ~ **a** give up; waive <direito>

reorganizar /Rjorgani'zar/ *vt* reorganize

repa|ração /Rəpara'sãw/ *f* reparation; (*conserto*) repair; **~rar** *vt* (*consertar*) repair; make up for <ofensa, injustiça, erro>; make good <danos, prejuízo> □ *vi* **~rar (em)** notice; **~ro** *m* (*observação*) observation

repar|tição /Rəparti'sãw/ *f* division; (*secção do governo*) department; **~tir** *vt* divide up

repassar /Rəpa'sar/ *vt* revise <matéria, lição>

repatriar /Rəpatri'ar/ *vt* repatriate

repe|lente /Rəpə'lẽtə/ *a & m* repellent; **~lir** *vt* repel; reject <ideia, proposta etc>

repensar /Rəpẽ'sar/ *vt/i* rethink

repen|te /Rə'pẽtə/ *m* **de ~te** suddenly; (*fam: talvez*) maybe; **~tino** *a* sudden

reper|cussão /Rəparku'sãw/ *f* repercussion; **~cutir** *vi* <som> reverberate; (*fig: ter efeito*) have repercussions

repertório /Rəpar'torju/ *m* (*músico etc*) repertoire; (*lista*) list

repe|tição /Rəpəti'sãw/ *f* repetition; **~tido** *a* repeated; **~tidas vezes** repeatedly; **~tir** *vt* repeat □ *vi* (*ao comer*) have seconds; **~tir-se** *vpr* <pessoa> repeat o.s.; <facto, acontecimento> recur; **~titivo** *a* repetitive

repi|car /Rəpi'kar/ *vt/i* ring; **~que** *m* ring

replay /Ri'plej/ (*pl* **~s**) *m* action replay

repleto /Rə'plɛtu/ *a* full up

réplica /'Rɛplikə/ *f* reply; (*cópia*) replica

replicar /Rəpli'kar/ *vt* answer □ *vi* reply

repolho /Rə'poʎu/ *m* cabbage

repor /Rə'por/ *vt* (*num lugar*) put back; (*substituir*) replace

reportagem /Rəpur'taʒãj/ *f* (*uma*) report; (*acto*) reporting

repórter /Rə'portɛr/ *m/f* reporter

reposição /Rəpuzi'sãw/ *f* replacement

repou|sar /Rəpo'zar/ vt/i rest; ~so m rest

repreen|der /Rəpriĕ'der/ vt rebuke, reprimand; ~são f rebuke, reprimand; ~sível (pl ~síveis) a reprehensible

represa /Rə'prezə/ f dam

represália /Rəprə'zaljə/ f reprisal

represen|tação /Rəprəzētɐ'sãw/ f representation; (espectáculo) performance; (ofício de actor) acting; ~tante m/f representative; ~tar vt represent; (no teatro) perform <peça>; play <papel, personagem> □ vi <actor> act; ~tativo a representative

repres|são /Rəprə'sãw/ f repression; ~sivo a repressive

repri|mido /Rəpri'midu/ a repressed; ~mir vt repress

reprise /Rə'prizə/ f (na TV) repeat; (de filme) rerun

reprodu|ção /Rəprodu'sãw/ f reproduction; ~zir vt reproduce; ~zir-se vpr (multiplicar-se) reproduce; (repetir-se) recur

repro|vação /Rəpruva'sãw/ f disapproval; (em exame) failure; ~var vt (rejeitar) disapprove of; (em exame) fail; ser ~vado <aluno> fail

rép|til /'Rɛptil/ (pl ~teis) m reptile

república /Rɛ'publikə/ f republic; (de estudantes) hall of residence

republicano /Rɛpubli'kɐnu/ a & m republican

repudiar /Rəpudi'ar/ vt disown; repudiate <esposa>

repug|nância /Rəpug'nãsjə/ f repugnance; ~nante a repugnant

repul|sa /Rə'pulsə/ f repulsion; (recusa) rejection; ~sivo a repulsive

reputação /Rəputɐ'sãw/ f reputation

reque|brar /Rəkə'brar/ vt swing; ~-se vpr sway

requeijão /Rəkej'ʒãw/ m {SYMBOL 187 Øf «Symbol»} cottage cheese

reque|rer /Rəkə'rer/ vt (pedir) apply for; (exigir) require; ~ rimento m application

requin|tado /Rəki'tadu/ a refined; ~tar vt refine; ~te m refinement

requisi|ção /Rəkəzi'sãw/ f requisition; ~tar vt requisition; ~to m requirement

rês /Reʃ/ (pl reses) m head of cattle; pl cattle

rescindir /Rəʃsi'dir/ vt rescind

rés-do-chão /Rɛʒdu'ʃãw/ m invar ground floor, (Amer) first floor

rese|nha /Rə'zeɲə/ f review; ~ nhar vt review

reser|va /Rə'zɛrvə/ f reserve; (em hotel, avião etc, ressalva) reservation; ~var vt reserve; ~ vatório m reservoir; ~vista m/f reservist

resfri|ado /Rəʃfri'adu/ (Br) a estar ~ado have a cold □ m cold; ~ar vt cool □ vi get cold; (tornar-se morno) cool down; ~ar-se vpr catch a cold

resga|tar /Rəʒgɐ'tar/ vt (salvar) rescue; (remir) redeem; ~te m (salvamento) rescue;

(*pago por refém*) ransom; (*remissão*) redemption

resguardar /rɜʒgwar'dar/ vt protect; **~-se** vpr protect o.s. (**de** from)

residência /rɜzi'dẽsjɜ/ f residence

residen|cial /rɜzidẽsi'al/ (*pl* **~ciais**) a <bairro> residential; <telefone etc> home; **~te** a & m/f resident

residir /rɜzi'dir/ vi reside

resíduo /rɜ'zidwu/ m residue

resig|nação /rɜzigna'sãw/ f resignation; **~nado** a resigned; **~nar-se** vpr resign o.s. (**com** to)

resina /rɜ'zina/ f resin

resis|tência /rɜzis'tẽsja/ f resistance; (*de atleta, mental*) endurance; (*de material, objecto*) toughness; **~tente** a strong, tough; <tecido, roupa> hard-wearing; <planta> hardy; **~~ tente a** resistant to; **~tir** vi (*opor ~tência*) resist; (*aguentar*) <pessoa> hold out; <objecto> hold; **~tir a** (*combater*) resist; (*aguentar*) withstand; **~tir ao tempo** stand the test of time

resmun|gar /rɜʒmũ'gar/ vi grumble; **~go** m grumbling

resolu|ção /rɜzulu'sãw/ f resolution; (*firmeza*) resolve; (*de problema*) solution; **~to** a resolute; **~to a** resolved to

resolver /rɜzol'ver/ vt (*esclarecer*) sort out; solve <problema, enigma>; (*decidir*) decide; **~-se** vpr make up one's mind (**a** to)

respaldo /rɜs'paldu/ m (*de cadeira*) back; (*fig: apoio*) backing

respectivo /rɜspe'tivu/ a respective

respei|tabilidade /rɜspejtabi-li'dadɜ/ f respectability; **~tador** a respectful; **~tar** vt respect; **~tável** (*pl* **~táveis**) a respectable; **~to** m respect (**por** for); **a ~to de** about; **a este ~to** in this respect; **com ~to a** with regard to; **dizer ~to a** a concern; **~toso** /o/ a respectful

respin|gar /rɜspĩ'gar/ vt/i splash; **~go** m splash

respi|ração /rɜspira'sãw/ f breathing; **~rador** m espirator; **~rar** vt/i breathe; **~ratório** a respiratory; **~ro** m breath; (*descanso*) break, breather

resplande|cente /rɜsplã-dɜ'sẽtɜ/ a resplendent; **~cer** vi shine

resplendor /rɜsplẽ'dor/ m brilliance; (*fig*) glory

respon|dão /rɜspõ'dãw/ a (f **~dona**) cheeky; **~der** vt/i answer; (*com insolência*) answer back; **~der a** answer; **~der por** answer for, take responsibility for

responsabili|dade /rɜspõsa-bili'dadɜ/ f responsibility; **~zar** vt hold responsible (**por** for); **~zar-se** vpr take responsibility (**por** for)

responsá|vel /rɜspõ'savel/ (*pl* **~veis**) a responsible (**por** for)

resposta /rɜs'pɔstɜ/ f answer

resquício /rɜs'kisju/ m vestige, remnant

ressabiado /ʀəsabi'adu/ *a* wary, suspicious

ressaca /ʀə'saka/ *f* (*depois de beber*) hangover; (*do mar*) undertow

ressaltar /ʀəsal'tar/ *vt* emphasize □ *vi* stand out

ressalva /ʀə'salva/ *f* reservation, proviso; (*protecção*) safeguard

ressarcir /ʀəsar'sir/ *vt* refund

ressen|tido /ʀəse'tidu/ *a* resentful; **~timento** *m* resentment; **~tir-se de** (*ofender-se*) resent; (*ser influenciado*) show the effects of

resse|quido /ʀəsə'kidu/ *a* <terra> parched; <pele> dry; **~car** *vt/i* dry up

resso|ar /ʀəsu'ar/ *vi* resound; **~ nância** *f* resonance; **~nante** *a* resonant; **~nar** *vi* snore

ressurgimento /ʀəsurʒi'mẽtu/ *m* resurgence

ressurreição /ʀəsuʀej'sãw/ *f* resurrection

ressuscitar /ʀəsusi'tar/ *vt* revive

restabele|cer /ʀəʃtabələ'ser/ *vt* restore; restore to health <doente>; **~cer-se** *vpr* recover; **~cimento** *m* restoration; (*de doente*) recovery

res|tante /ʀəʃ'tãtə/ *a* remaining □ *m* remainder; **~tar** *vi* remain; **~ta-me dizer que ...** it remains for me to say that

restau|ração /ʀəʃtawra'sãw/ *f* restoration; **~rante** *m* restaurant; **~rar** *vt* restore

restitu|ição /ʀəʃtitwi'sãw/ *f* return, restitution; **~ir** *vt* (*de-*

volver) return; restore <forma, força etc>

resto /'ʀɛʃtu/ *m* rest; *pl* (*de comida*) left-overs; (*de cadáver*) remains; **de ~** besides

restrição /ʀəʃtri'sãw/ *f* restriction

restringir /ʀəʃtrĩ'ʒir/ *vt* restrict

restrito /ʀəʃ'tritu/ *a* restricted

resul|tado /ʀəzul'tadu/ *m* result; **~tante** *a* resulting (**de** from); **~tar** *vi* result (**de** from; **em** in)

resu|mir /ʀəzu'mir/ *vt* (*abreviar*) summarize; (*conter em poucas palavras*) sum up; **~mir-se** *vpr* (*ser expresso em poucas palavras*) be summed up; **~mir-se em** (*ser apenas*) come down to; **~mo** *m* summary; **em ~mo** briefly

resvalar /ʀɛzva'lar/ *vi* (*sem querer*) slip; (*deslizar*) slide

retaguarda /ʀɛta'gwarda/ *f* rearguard

retalho /ʀə'taʎu/ *m* scrap; **a ~** retail

retaliação /ʀətalja'sãw/ *f* retaliation

retar|dado /ʀətar'dadu/ *a* retarded □ *m* retard; **~dar** *vt* delay; **~datário** *m* latecomer

retenção /ʀətẽ'sãw/ *f* retention

reter /ʀə'ter/ *vt* keep <pessoa>; hold back <águas, riso, lágrimas>; (*na memória*) retain; **~-se** *vpr* restrain o.s.

rete|sado /ʀətə'zadu/ *a* taut; **~sar** *vt* pull taut

reticência /ʀəti'sẽsja/ *f* reticence

reti|rada /ʀəti'rada/ *f* (*de tro-*

pas) retreat; (*de dinheiro*) withdrawal; **~rado** *a* secluded; **~rar** *vt* withdraw; (*afastar*) move away; **~rar--se** *vpr* <*tropas*> retreat; (*afastar-se*) withdraw; (*de uma actividade*) retire; **~ro** *m* retreat

retocar /Rətu'kar/ *vt* touch up <*desenho, maquilhagem etc*>; alter <*texto*>

reto|mada /Rətu'mada/ *f* (*continuação*) resumption; (*reconquista*) retaking; **~mar** *vt* (*continuar com*) resume; (*conquistar de novo*) retake

retoque /Rə'tɔkə/ *m* finishing touch

retorcer /Rətur'ser/ *vt* twist; **~-se** *vpr* writhe

retóri|ca /Rɛ'tɔrika/ *f* rhetoric; **~co** *a* rhetorical

retor|nar /Rətur'nar/ *vi* return; **~no** *m* return; (*na estrada*) turning place

retractar /Rətra'tar/ *vt* (*desdizer*) retract

retrair /Rətra'ir/ *vt* retract, withdraw; **~-se** *vpr* (*recuar*) withdraw; (*encolher-se*) retract

retra|tar /Rətra'tar/ *vt* (*em quadro, livro*) portray, depict; **~to** *m* portrait; (*foto*) photo; (*representação*) portrayal; **~to falado** identikit picture

retribuir /Rətribu'ir/ *vt* return <*favor, visita*>; repay <*gentileza*>

retroactivo /Rɛtroa'tivu/ *a* retroactive; <*pagamento*> backdated

retro|ceder /Rətruse'der/ *vi* re-

treat; (*desistir*) back down; **~cesso** /ɛ/ *m* retreat; (*ao passado*) regression

retrógrado /Rə'trɔgradu/ *a* retrograde

retrospec|tiva /Rɛtrɔʃpe'tiva/ *f* retrospective; **~tivo** *a* retrospective; **~to** /ɛ/ *m* look back; **em ~to** in retrospect

retrovisor /Rɛtrovi'zor/ *a & m* (**espelho**) ~ rear-view mirror

retrucar /Rətru'kar/ *vt/i* retort

retum|bante /Rətũ'bãta/ *a* resounding; **~bar** *vi* resound

réu /'Rɛw/ *m* (*f* **ré**) defendant

reumatismo /Rewma'tiʒmu/ *m* rheumatism

reu|nião /Rjuni'ãw/ *f* meeting; (*descontraída*) get-together; (*de família*) reunion; **~nião de cúpula** summit meeting; **~nir** *vt* bring together <*pessoas*>; combine <*qualidades*>; **~nir-se** *vpr* meet; <*amigos, familiares*> get-together; **~nir-se a** join

revanche /Rə'vãʃə/ *f* revenge; (*jogo*) return match

reveillon /Revej'õ/ *m* (*pl* **~s**) New Year's Eve

reve|lação /Rəvela.sãw/ *f* revelation; (*de fotos*) developing; (*novo talento*) promising newcomer; **~lar** *vt* reveal; develop <*filme, fotos*>; **~lar-se** *vpr* (*vir a ser*) turn out to be

revelia /Rəve'lia/ *f* **à ~** by default; **à ~ de** without the knowledge of

reven|dedor /Rəvẽdɐ'dor/ *m* dealer; **~der** *vt* resell

rever /Rə'ver/ *vt* (*ver de novo*) see again; (*revisar*) revise; (*examinar*) check

reve|rência /ʀəvəˈrẽsjɐ/ f reverence; *(movimento do busto)* bow; *(dobrando os joelhos)* curtsey; **~rente** *a* reverent

reverso /ʀəˈvɛrsu/ *m* reverse; **o ~ da medalha** the other side of the coin

revés /ʀəˈvɛʃ/ *(pl* reveses) *m* setback

reves|timento /ʀəvəʃtiˈmẽtu/ *m* covering; **~tir** *vt* cover

reve|zamento /ʀəvəzaˈmẽtu/ *m* alternation; **~zar** *vt/i* alternate; **~zar-se** *vpr* alternate

revi|dar /ʀəviˈdar/ *vt* return *(golpe, insulto)*; refute *(crítica)*; *(retrucar)* retort □ *vi* hit back; **~de** *m* response

revigorar /ʀəviguˈrar/ *vt* strengthen □ *vi*, **~-se** *vpr* regain one's strength

revi|rar /ʀəviˈrar/ *vt* turn out *(bolsos, gavetas)*; turn over *(terra)*; turn inside out *(roupa)*; roll *(olhos)*; **~rar-se** *vpr* toss and turn; **~ra-volta** /ɔ/ f *(na política etc)* about-face, about-turn; *(da situação)* turnabout, dramatic change

revi|são /ʀəviˈzãw/ f *(de lições etc)* revision; *(de máquina, motor)* overhaul; *(de carro)* service; **~são de provas** proofreading; **~sar** *vt* revise *(provas, lições)*; service *(carro)*; **~sor** *m* *(de bilhetes)* ticket inspector; **~sor de provas** proofreader

revis|ta /ʀəˈviʃtɐ/ f *(para ler)* magazine; *(teatral)* revue; *(de tropas etc)* review; **passar ~ta a** review; **~tar** *vt* search

reviver /ʀəviˈver/ *vt* relive □ *vi* revive

revogar /ʀəvuˈgar/ *vt* revoke <lei>; cancel <ordem>

revol|ta /ʀəˈvɔltɐ/ f *(rebelião)* revolt; *(indignação)* disgust; **~tante** *a* disgusting; **~tar** *vt* disgust; **~tar-se** *vpr* *(rebelar-se)* revolt; *(indignar-se)* be disgusted; **~to** /o/ *a* <casa, gaveta> upside down; <cabelo> dishevelled; <mar> rough; <mundo, região> troubled; <anos> turbulent

revolu|ção /ʀəvuluˈsãw/ f revolution; **~cionar** *vt* revolutionize; **~cionário** *a & m* re-volutionary

revolver /ʀəvolˈver/ *vt* turn over <terra>; roll <olhos>; go through <gavetas, arquivos>

revólver /ʀəˈvɔlver/ *m* revolver

re|za /ˈʀɛza/ f prayer; **~zar** *vi* pray □ *vt* say <missa, oração>; *(dizer)* state

riacho /ˈʀiaʃu/ *m* stream

ribalta /ʀiˈbaltɐ/ f footlights

ribanceira /ʀibɐˈsejrɐ/ f embankment

ribombar /ʀiboˈbar/ *vi* rumble

rico /ˈʀiku/ *a* rich □ *m* rich man; **os ~s** the rich

ricochete /ʀikuˈʃetə/ *m* ricochet; **~ar** *vi* ricochet

ridicularizar /ʀidikulaʀiˈzar/ *vt* ridicule

ridículo /ʀiˈdikulu/ *a* ridiculous

ri|fa /ˈʀifɐ/ f raffle; **~far** *vt* raffle

rifão /ʀiˈfãw/ *m* saying

rigidez /ʀiʒiˈdeʃ/ f rigidity

rígido /ˈʀiʒidu/ *a* rigid

rigor /ʀiˈgor/ *m* severity; *(meticulosidade)* rigour; **vestido a ~** evening dress; **de ~** essential

rigoroso /ʀiguˈrozu/ *a* strict; <Inverno, pena> severe, harsh; <lógica, estudo> rigorous

rijo /ˈʀiʒu/ *a* stiff; <músculos> firm

rim /ʀĩ/ *m* kidney; *pl (parte das costas)* small of the back

rima /ˈʀima/ *f* rhyme; **~mar** *vt/i* rhyme

rímel /ˈʀimɛl/ *(pl* **~meis)** *m* mascara

ringue /ˈʀĩgə/ *m* ring

rinoceronte /ʀinoseˈrõtə/ *m* rhinoceros

rinque /ˈʀĩkə/ *m* rink

rio /ˈʀiu/ *m* river

riqueza /ʀiˈkeza/ *f* wealth; *(qualidade)* richness; *pl* riches

rir /ʀir/ *vi* laugh (**de** at)

risada /ʀiˈzada/ *f* laugh, laughter; **dar uma ~** laugh

risca /ˈʀiʃka/ *f* stroke; *(lista)* stripe; *(do cabelo)* parting; **à ~ca** to the letter; **~car** *vt (apagar)* cross out <erro>; strike <fósforo>; scratch <mesa, carro etc>; write off <amigo etc>

risco[1] /ˈʀiʃku/ *m (na parede etc)* scratch; *(no papel)* line; *(esboço)* sketch

risco[2] /ˈʀiʃku/ *m* risk

riso /ˈʀizu/ *m* laugh; **~nho** /o/ *a* smiling

ríspido /ˈʀiʃpidu/ *a* harsh

rítmico /ˈʀitmiku/ *a* rhythmic

ritmo /ˈʀitmu/ *m* rhythm

rito /ˈʀitu/ *m* rite

ritual /ʀituˈal/ *(pl* **~ais)** *a* & *m* ritual

rival /ʀiˈval/ *(pl* **~vais)** *a* & *m/f* rival; **~validade** *f* rivalry; **~valizar** *vt* rival □ *vi* vie (**com** with)

rixa /ˈʀiʃa/ *f* fight

robot /ʀoˈbo/ *m* robot

robusto /ʀuˈbuʃtu/ *a* robust

roça /ˈʀɔsa/ *f (campo)* country

roçar /ʀuˈsar/ *vt* graze; **~ em** brush against

rocha /ˈʀɔʃa/ *f* rock; **~chedo** /e/ *m* cliff

rock /ˈʀɔkə/ *m (música)* rock; **~eiro** *m* rock musician

roda /ˈʀɔda/ *f (de carro etc)* wheel; *(de amigos etc)* circle; **~ dentada** cog; **~da** *f* round; **~do a saia ~da** full skirt; **~-gigante** *(pl* **~s-gigantes)** *f* big wheel, *(Amer)* ferris wheel; **rodar** /ʀuˈdar/ *vt (fazer girar)* spin; *(viajar por)* go round; do <quilometragem>; shoot <filme>; run <programa> □ *vi (girar)* spin; *(de carro)* drive round

rodear /ʀudiˈar/ *vt (circundar)* surround; *(andar ao redor de)* go round

rodeio /ʀuˈdeju/ *m (ao falar)* circumlocution; *(de gado)* round-up; **falar sem ~s** talk straight

rodela /ʀuˈdɛla/ *f (de limão etc)* slice; *(peça de metal)* washer

rodízio /ʀuˈdizju/ *m* rota

rodo /ˈʀodu/ *m* rake

rodopiar /ʀudupiˈar/ *vi* spin round

rodovi|a /ʀɔdo'via/ *f* highway; **~ária** *f* bus station; **~ário** *a* road

ro|edor /ʀwe'dor/ *m* rodent; **~er** *vt* gnaw; bite <unhas>; *(fig)* eat away

rogar /ʀu'gar/ *vi* request

rol /ʀɔl/ *(pl* **róis)** *m* roll

rolar /ʀu'lar/ *vt* roll □ *vi* roll; *(fam) (acontecer)* happen

roldana /ʀol'dana/ *f* pulley

roleta /ʀu'leta/ *f (jogo)* roulette; *(borboleta)* turnstile

rolha /'ʀoʎa/ *f* cork

roliço /ʀu'lisu/ *a* <objecto> cylindrical; <pessoa> plump

rolo /'ʀolu/ *m (de filme, tecido etc)* roll; *(máquina)* roller; **~ compressor** steamroller; **~ de massa** rolling pin

Roma /'ʀoma/ *f* Rome

romã /ʀu'mã/ *f* pomegranate

roman|ce /ʀu'mãsə/ *m (livro)* novel; *(caso)* romance; **~cista** *m/f* novelist

romano /ʀu'manu/ *a & m* Roman

romântico /ʀu'mãtiku/ *a* romantic

romantismo /ʀumã'tiʒmu/ *m (amor)* romance; *(idealismo)* romanticism

romaria /ʀuma'ria/ *f* pilgrimage

rombo /'ʀõbu/ *m* hole

Roménia /ʀu'mɛnia/ *f* Romania

romeno /ʀu'menu/ *a & m* Romanian

rom|per /ʀõ'per/ *vt* break; break off <relações> □ *vi* <dia> break; <sol> rise; **~per com** break up with; **~pimento** *m* break; *(de relações)* breaking off

ron|car /ʀõ'kar/ *vi (ao dormir)* snore; <estômago> rumble; **~co** *m* snoring; *(um)* snore; *(de motor)* roar

ron|da /'ʀõda/ *f* round, patrol; **~dar** *vt (patrulhar)* patrol; *(espreitar)* prowl around □ *vi* <vigia etc> patrol; <animal, ladrão> prowl around

ronronar /ʀõʀu'nar/ *vi* purr

roque /'ʀɔkə/ *m (em xadrez)* rook

rosa /'ʀɔza/ *f* rose □ *a invar* pink; **~do** *a* rosy; <vinho> rosé

rosário /ʀu'zarju/ *m* rosary

rosbife /ʀɔʒ'bifə/ *m* roast beef

rosca /'ʀoʃka/ *f (de parafuso)* thread; *(biscoito)* rusk

roseira /ʀu'zejra/ *f* rosebush

roseta /ʀu'zeta/ *f* rosette

rosnar /ʀuʒ'nar/ *vi* <cão> growl; <pessoa> snarl

rosto /'ʀoʃtu/ *m* face

rota /'ʀɔta/ *f* route

rota|ção /ʀuta'sãw/ *f* rotation; **~tividade** *f* turnround; **~tivo** *a* rotating

rotei|rista /ʀutej'riʃta/ *m/f* scriptwriter; **~ro** *m (de viagem)* itinerary; *(de filme, peça)* script; *(de discussão etc)* outline

roti|na /ʀu'tina/ *f* routine; **~neiro** *a* routine

rótula /'ʀɔtula/ *f* kneecap

rotular /ʀutu'lar/ *vt* label *(de* as)

rótulo /'ʀɔtulu/ *m* label

rou|bar /ʀo'bar/ *vt* steal <dinheiro, carro etc>; rob <pessoa, loja etc> □ *vi* steal; *(em jogo)* cheat; **~bo** *m* theft, robbery

rouco /ˈʀoku/ *a* hoarse; <voz> gravelly

roupa /ˈʀopɑ/ *f* clothes; (*uma*) outfit; **~pa de baixo** underwear; **~pa de cama** bedclothes; **~pão** *m* dressing gown

rouquidão /ʀoki'dãw/ *f* hoarseness

rouxi|nol /ʀoʃi'nɔl/ (*pl* **~nóis**) *m* nightingale

roxo /ˈʀoʃu/ *a* purple

rua /ˈʀuɑ/ *f* street

rubéola /ʀu'bɛwlɑ/ *f* German measles

rubi /ʀu'bi/ *m* ruby

rude /ˈʀudə/ *a* rude

rudimentos /ʀudi'mẽtuʃ/ *m pl* rudiments, basics

ruela /ʀu'ɛlɑ/ *f* backstreet

rufar /ʀu'far/ *vi* <tambor> roll □ *m* roll

ruga /ˈʀugɑ/ *f* (*na pele*) wrinkle; (*na roupa*) crease

ru|gido /ʀu'ʒidu/ *m* roar; **~gir** *vi* roar

ruibarbo /ʀwi'barbu/ *m* rhubarb

ruído /ʀu'idu/ *m* noise

ruidoso /ʀwi'dozu/ *a* noisy

ruim /ʀu'ĩ/ *a* bad

ruína /ʀu'inɑ/ *f* ruin

ruivo /ˈʀujvu/ *a* <cabelo> red; <pessoa> red-haired □ *m* redhead

rum /ʀũ/ *m* rum

ru|mar /ʀu'mar/ *vi* head (**para** for); **~mo** *m* course; **~mo a** heading for; **sem ~mo** <vida> aimless; <andar> aimlessly

rumor /ʀu'mor/ *m* (*da rua, de vozes*) hum; (*do trânsito*) rumble; (*boato*) rumour

ru|ral /ʀu'ral/ (*pl* **~rais**) *a* rural

rusga /ˈʀuʒgɑ/ *f* (*briga*) quarrel, disagreement; (*da polícia*) raid

Rússia /ˈʀusjɑ/ *f* Russia

russo /ˈʀusu/ *a* & *m* Russian

rústico /ˈʀuʃtiku/ *a* rustic

S

Saara /'sarɑ/ m Sahara

Sábado /'sabɑdu/ m Saturday

sabão /sɑ'bãw/ m soap; **~ em pó** soap powder

sabatina /sɑbɑ'tinɑ/ f test

sabedoria /sɑbɛdu'riɑ/ f wisdom

saber /sɑ'ber/ vt/i know (**de** about); (*descobrir*) find out (**de** about) □ m knowledge; **eu sei cantar** I know how to sing, I can sing; **sei lá** I've no idea; **que eu saiba** as far as I know

sabi|chão /sɑbi'ʃãw/ a & m (f **~chona**) know-it-all

sábio /'sabju/ a wise □ m wise man

sabone|te /sɑbu'netɑ/ m bar of soap; **~teira** f soapdish

sabor /sɑ'bor/ m flavour; **ao ~ de** at the mercy of

sabo|rear /sɑburi'ar/ vt savour; **~roso** a tasty

sabo|tador /sɑbutɑ'dor/ m saboteur; **~tagem** f sabotage; **~tar** vt sabotage

saca /'sakɑ/ f sack

sacada /sɑ'kadɑ/ f balcony

saca|na /sɑ'kanɑ/ (*fam*) a (*desonesto*) devious; (*lascivo*) dirty-minded, naughty □ m/f

rogue; **~nagem, ~nice** (*fam*) f (*esperteza*) trickery; (*sexo*) sex; (*uma*) dirty trick; **~near** (*fam*) vt (*enganar*) do the dirty on; (*chatear*) take the mickey out of

sacar /sɑ'kar/ vt/i withdraw <dinheiro>; draw <arma>; (*fam*) (*entender*) understand

saçaricar /sɑsɑri'kar/ (*Br*) vi play around

sacarina /sɑkɑ'rinɑ/ f saccharine

saca-rolhas /sakɑ'ʁoʎɑʃ/ m invar corkscrew

sacer|dócio /sɑsɛr'dɔsju/ m priesthood; **~dote** /ɔ/ m priest; **~dotisa** f priestess

saciar /sɑsi'ar/ vt satisfy

saco /'saku/ m bag; **que ~!** (*Br fam*) what a pain!; **estar de ~ cheio (de)** (*Br fam*) be fed up (with), be sick (of); **encher o ~ de alg** (*Br fam*) get on s.o.'s nerves; **puxar o ~ de alg** (*Br fam*) suck up to s.o.; **~ -cama** sleeping bag; **~la** /ɔ/ f bag;; **~lejar** vt shake

sacramento /sɑkrɑ'mẽtu/ m sacrament

sacri|ficar /sɑkrifi'kar/ vt sacrifice; have put down <cão etc>; ~**fício** m sacrifice; ~**légio** m sacrilege

sacrílego /sɑ.ˈkrilagu/ a sacrilegious

sacro /ˈsakru/ a <música, arte> religious

sacrossanto /sɑ.kru.ˈsɑ̃tu/ a sacrosanct

sacudida /sɑ.ku.ˈdidɑ/ f shake; ~**dir** vt shake

sádico /ˈsadiku/ a sadistic □ m sadist

sadio /sa.ˈdiu/ a healthy

sadismo /sa.ˈdiʒmu/ m sadism

safadeza /sɑ.fɑ.ˈdezɑ/ f (desonestidade) deviousness; (libertinagem) indecency; (uma) dirty trick; ~**do** a (desonesto) devious; (lascivo) dirty-minded; (esperto) quick; <criança> naughty

safira /sa.ˈfirɑ/ f sapphire

safra /ˈsafra/ f crop

sagitariano /sɑ.ʒitɑ.riˈanu/ a & m Sagittarian

Sagitário /sɑ.ʒiˈtarju/ m Sagittarius

sagrado /sa.ˈgradu/ a sacred

saia /ˈsajɑ/ f skirt; ~**-calça** (pl ~**s-calças**) f culottes, divided skirt

saída /sa.ˈidɑ/ f (partida) departure; (porta, fig) way out; **de** ~ at the outset; **estar de** ~ be on one's way out

sair /sa.ˈir/ vi (de dentro) go/ come out; (partir) leave; (desprender-se) come off; <mancha> come out; (resultar) turn out; ~**-se** vpr fare; ~**-se com** (dizer) come out with; ~ **mais barato** work out cheaper

sal /sal/ (pl **sais**) m salt; **sais de frutas** m pl Epsom salts

sala /ˈsalɑ/ f (numa casa) lounge; (num lugar público) hall; (classe) class; **fazer ~ a** entertain; ~ **(de aula)** classroom; ~ **de embarque** departure lounge; ~ **de espera** waiting room; ~**de estar** living room, sitting room; ~ **de jantar** dining room; ~ **de operações** operating theatre

salada /sɑ.ˈladɑ/ f salad; (fig) jumble, mishmash; ~**da de frutas** fruit salad; ~**deira** f salad bowl

sala-e-quarto /salaj.ˈkwartu/ m two-room flat

salame /sɑ.ˈlamɑ/ m salami; ~**minho** m pepperoni

salão /sɑ.ˈlɑ̃w/ m hall; (de cabeleireiro) salon; (de carros) show, ~ **de beleza** beauty salon

salarial /sɑlɑriˈal/ (pl ~**ais**) a wage

salário /sa.ˈlarju/ m salary

saldar /sal.ˈdar/ vt settle <contas>; ~**do** m balance ~**dos** sales

saleiro /sɑ.ˈlejru/ m salt cellar

salgadinhos /salgɑ.ˈdiɲuʃ/ m pl snacks; ~**gado** a salty; ~**gar** vt salt

salgueiro /sal.ˈgejru/ m willow; ~ **chorão** weeping willow

saliência /sɑli.ˈẽsjɑ/ f projection

salientar /sɑljẽ.ˈtar/ vt (deixar claro) point out; (acentuar) highlight; ~**tar-se** vpr distinguish o.s.; ~**te** a prominent

saliva /sɑ.ˈlivɑ/ f saliva

salmão /sal.ˈmɑ̃w/ m salmon

salmo /'salmu/ *m* psalm

salmonela /salmu'nɛlɐ/ *f* salmonella

salmoura /sal'moɾɐ/ *f* brine

salpicar /salpi'kar/ *vt* sprinkle; (*sem querer*) spatter

salsa /'salsɐ/ *f* parsley

salsicha /sal'siʃɐ/ *f* sausage

saltar /sal'tar/ *vt* (*pular*) jump; (*omitir*) skip □ *vi* jump; **~ à corda** skip;**~ à vista** be obvious; **~ do autocarro** get off the bus

saltear /salti'ar/ *vt* sauté <batatas etc>

saltitar /salti'tar/ *vi* hop

salto /'saltu/ *m* (*pulo*) jump; (*de sapato*) heel; **~ com vara** *or* **~ em altura** high jump; **~ em distância** long jump; **~~mortal** (*pl* **~s-mortais**) *m* somersault

salu|bre /sɐ'lubɾɐ/ *a* healthy; **~~ tar** *a* salutary

salva[1] /'salvɐ/ *f* (*de canhões*) salvo; (*bandeja*) salver; **~ de palmas** round of applause

salva[2] /'salvɐ/ *f* (*erva*) sage

salva|ção /salvɐ'sãw/ *f* salvation; **~dor** *m* saviour

salvaguar|da /salvɐ'gwaɾdɐ/ *f* safeguard; **~dar** *vt* safeguard

sal|vamento /salvɐ'mẽtu/ *m* rescue; (*de navio*) salvage; **~var** *vt* save; **~var-se** *vpr* escape; **~va-vidas** *m invar* (*bóia*) lifebelt □ *m/f* (*pessoa*) lifeguard □ *a* **barco ~va-vidas** lifeboat; **~vo** *a* safe □ *prep* save; **a ~vo** safe

sam|ba /'sãbɐ/ *m* samba; **~ba-canção** (*pl* **~bas-canção**) *m* slow samba □ *a invar* **~bar** *vi* dance the samba; **~bista**

m/f (*dançarino*) samba dancer; (*compositor*) composer of sambas; **~bódromo** *m* Carnival parade ground

samovar /samo'var/ *m* tea urn

sanar /sɐ'nar/ *vt* cure

san|ção /sã'sãw/ *f* sanction; **~cionar** *vt* sanction

sandália /sã'daljɐ/ *f* sandal

sandes /'sãdəʃ/ *f invar* sandwich

sanduíche /sãdu'iʃə/ *m* sandwich

sane|amento /sɐnjɐ'mẽtu/ *m* (*esgotos*) sanitation; (*de finanças*) rehabilitation; **~ar** *vt* set straight <finanças>

sanfona /sã'fonɐ/ *f* (*instrumento*) accordion; **~do** *a* <porta> folding

san|grar /sã'grar/ *vt/i* bleed; **~grento** *a* bloody; <carne> rare; **~gria** *f* bloodshed; (*de dinheiro*) extortion; (*bebida*) sangria

sangue /'sãgɐ/ *m* blood; **~ pisado** bruise; **~-frio** *m* cool, coolness

sanguessuga /sãgɐ'sugɐ/ *f* leech

sanguinário /sãgwi'narju/ *a* bloodthirsty

sanguíneo /sã'gwinju/ *a* bloody

sanidade /sɐni'dadɐ/ *f* sanity

sanitário /sɐni'tarju/ *a* sanitary; **~s** *mpl* toilets

san|tidade /sãti'dadɐ/ *f* sanctity; **~tificar** *vt* sanctify; **~to** *a* holy □ *m* saint; **todo o ~to dia** every single day; **~tuário** *m* sanctuary

São /sãw/ *a* Saint

são /sãw/ (*pl* **~s**) *a* (*f* **sã**) healthy; (*mentalmente*) sane; <conselho> sound

sapata /sa'pata/ *f* shoe; **~ria** *f* shoe shop

sapate|ado /sapati'adu/ *m* tap dancing; **~ador** *m* tap dancer; **~ar** *vi* tap one's feet; (*dançar*) tap-dance

sapa|teiro /sapa'tejru/ *m* shoemaker; **~tilha** *f* pump; **~tilha de balé** ballet shoe; **~to** *m* shoe

sa|pinho /sa'piɲu/ *m* thrush; **~po** *m* toad

saque¹ /'saki/ *m* (*do banco*) withdrawal

saque² /'saki/ *m* (*de loja etc*) looting; **~ar** *vt* loot

saquinho /sa'kiɲu/ *m* (*perfumado*) sachet

saraiva /sa'rajva/ *f* hail; **~da** *f* hailstorm; **uma ~da de** a hail of

sarampo /sa'rãpu/ *m* measles

sarar /sa'rar/ *vt* cure □ *vi* get better; <ferida> heal

sar|casmo /sar'kaʒmu/ *m* sarcasm; **~cástico** *a* sarcastic

sarda /'sarda/ *f* freckle

Sardenha /sar'daɲa/ *f* Sardinia

sardento /sar'dẽtu/ *a* freckled

sardinha /sar'diɲa/ *f* sardine

sardónico /sar'dɔniku/ *a* sardonic

sargento /sar'ʒẽtu/ *m* sergeant

sarjeta /sar'ʒeta/ *f* gutter

Satanás /sata'nas/ *m* Satan

satânico /sa'tɐniku/ *a* satanic

satélite /sa'tɛlitʃi/ *a & m* satellite

sátira /'satira/ *f* satire

satírico /sa'tiriku/ *a* satirical

satirizar /satiri'zar/ *vt* satirize

satisfa|ção /satiʃfa'sãw/ *f* satisfaction; **dar ~ções a** answer to; **~tório** *a* satisfactory; **~zer** *vt* **~zer (a)** satisfy □ *vi* be satisfactory; **~zer-se** *vpr* be satisfied

satisfeito /satiʃ'fejtu/ *a* satisfied; (*contente*) content; (*de comida*) full

saturar /satu'rar/ *vt* saturate

Saturno /sa'turnu/ *m* Saturn

saudação /sawda'sãw/ *f* greeting

saudade /saw'dadʒi/ *f* longing; (*lembrança*) nostalgia; **estar com ~s de** miss; **matar ~s** catch up

saudar /saw'dar/ *vt* greet

saudá|vel /saw'davɛl/ (*pl* **~veis**) *a* healthy

saúde /sa'udʒi/ *f* health □ *int* (*ao beber*) cheers; (*ao espirrar*) bless you

saudo|sismo /sawdu'ziʒmu/ *m* nostalgia; **~so** /o/ *a* longing; **estar ~so de** miss; **o nosso ~so amigo** our much-missed friend

sauna /'sawna/ *f* sauna

saxofo|ne /sakso'fɔni/ *m* saxophone; **~nista** *m/f* saxophonist

sazo|nado /sazu'nadu/ *a* seasoned; **~nal** (*pl* **~nais**) *a* seasonal

score /s'kɔre/ *m* score

se¹ /si/ *conj* if; **não sei ~ ...** I don't know if/whether

se² /si/ *pron* (*ele mesmo*) himself; (*ela mesma*) herself; (*você mesmo*) yourself; (*eles/elas*) themselves; (*vocês*) yourselves; (*um ao outro*) each other; **dorme~**

tarde no Brasil people go to bed late in Brazil; **aqui fala-~ inglês** English is spoken here

sebo /'sebu/ m (*sujidade*) grease; **~so** /o/ a greasy; **<pessoa>** slimy

seca /'sɛkə/ f drought; **~dor** m **~dor de cabelo** hairdryer; **~dora** f tumble dryer

secar /sə'kar/ vt/i dry

sec|ção /sɛk'sãw/ f section; (*de loja*) department; **~cionar** vt split up

seco /'seku/ a dry; **<resposta, tom>** curt; **<pessoa, carácter>** cold; **<barulho, pancada>** dull

secretaria /səkrətə'ria/ f (*de empresa*) general office; (*ministério*) department

secretá|ria /səkrə'tarjə/ f secretary; **~ria electrónica** ansaphone; **~rio** m secretary

secreto /sə'krɛtu/ a secret

sector /sɛ'tor/ m sector

secular /səku'lar/ a (*não religioso*) secular; (*antigo*) age-old

século /'sɛkulu/ m century; pl (*muito tempo*) ages

secundário /səku'darju/ a secondary

secura /sə'kurə/ f dryness

seda /'sedə/ f silk

sedativo /sədə'tivu/ a & m sedative

sede¹ /'sɛdə/ f headquarters; (*local do governo*) seat;

sede² /'sedə/ f thirst (**de** for); **estar com ~** be thirsty; **estar com uma ~** de be longing for / to

sedentário /sədẽ'tarju/ a sedentary

sedento /sə'dẽtu/ a thirsty (**de** for)

sediar /sədi'ar/ vt host, base

sedimen|tar /sədimẽ'tar/ vt consolidate; **~to** m sediment

sedoso /sə'dozu/ a silky

sedu|ção /sədu'sãw/ f seduction; **~tor** a seductive; **~zir** vt seduce

segmento /sɛg'mẽtu/ m segment

segredo /sə'gredu/ m secret; (*de cofre etc*) combination

segregar /səgrə'gar/ vt segregate

segui|da /sə'gidə/ f **em ~da** (*imediatamente*) straight away; (*depois*) next; **~do a** followed (**de** by); **cinco horas ~das** five hours running; **~dor** m follower; **~mento** m continuation; **dar ~mento a** go on with

se|guinte /sə'gĩtə/ a following; **<dia, semana etc>** next; **~guir** vt/i follow; (*continuar*) continue; **~guir-se** vpr follow; **~guir em frente** (*ir embora*) go; (*indicação na rua*) go straight ahead

segun|da /sə'gũdə/ f (*dia*) S~ Monday; (*marcha*) second; **de ~da** second-rate; **S~da-feira** (pl **~das-feiras**) f Monday; **~do** a & m second □ adv secondly □ prep according to; □ conj according to what; **~das intenções** ulterior motives; **de ~da mão** second-hand

segu|rança /səgu'rãsə/ f security; (*estado de seguro*) safety; (*certeza*) assurance □ m/f security guard; **~radora** f insurance company~**rar** *vt* hold; ~**rar-se** *vpr* (*controlar-se*) control o.s.; ~**rar-se em** hold on to; ~**ro** *a* secure; (*fora de perigo*) safe; (*com certeza*) sure □ *m* insurance; **estar no** ~**ro** <*bens*> be insured; **fazer** ~**ro de** insure

seio /'seju/ *m* breast, bosom; **no** ~ **de** within

seis /sejʃ/ *a & m* six; ~**centos** *a & m* six hundred

seita /'sejtɐ/ *f* sect

seixo /'sejʃu/ *m* pebble

sela /'sɛlɐ/ *f* saddle

selar[1] /sə'lar/ *vt* saddle <*cavalo*>

selar[2] /sə'lar/ *vt* seal; (*franquear*) stamp

selec|ção /səlɛ'sãw/ *f* selection; (*equipa*) team; ~**cionar** *vt* select; ~**to** /ɛ/ *a* select

selim /sə'lĩ/ *m* saddle

selo /'selu/ *m* seal; (*postal*) stamp; (*de discos*) label

selva /'sɛlvɐ/ *f* jungle; ~**gem** *a* wild; ~**geria** *f* savagery

sem /sãj/ *prep* without; ~ **eu saber** without me knowing; **ficar** ~ **dinheiro** run out of money

semáforo /sə'mafuru/ *m* (*na rua*) traffic lights; (*de ferrovia*) signal

sema|na /sə'manɐ/ *f* week; ~**nal** (*pl* ~**nais**) *a* weekly; ~**nalmente** *adv* weekly; ~**nário** *m* weekly

semear /semi'ar/ *vt* sow

semelhan|ça /səmə'ʎãsɐ/ *f* similarity; ~**te** *a* similar; (*tal*) such

sémen /'sɛmɛn/ *m* semen

semente /sə'mẽtɐ/ *f* seed; (*em fruta*) pip

semestre /sə'mɛʃtrə/ *m* six months; (*da faculdade etc*) term, (*Amer*) semester

semi|círculo /səmi'sirkulu/ *m* semicircle; ~**final** (*pl* ~**-finais**) *f* semifinal

seminário /səmi'narju/ *m* (*aula*) seminar; (*colégio religioso*) seminary

sem-número /sãj'numəru/ *m* **um** ~ **de** innumerable

sempre /'sẽprɐ/ *adv* always; **como** ~ as usual; **para** ~ for ever; ~ **que** whenever

sem-|terra /sãj'tɛrɐ/ *m/f invar* landless labourer; ~**-abrigo** *a* homeless □ *m/f* homeless person; ~**-vergonha** *a invar* brazen □ *m/f invar* scoundrel

sena|do /sə'nadu/ *m* senate; ~**dor** *m* senator

senão /sə'nãw/ *conj* otherwise; (*mas antes*) but rather □ *m* snag

senda /'sẽdɐ/ *f* path

senha /'seɲɐ/ *f* (*palavra*) password; (*número*) code; (*sinal*) signal

senhor /sə'ɲor/ *m* gentleman; (*homem idoso*) older man; (*tratamento*) sir □ *a* (*f* ~**a**) mighty; **Senhor** (*com nome*) Mr; (*Deus*) Lord; **o** ~ (*você*) you

senho|ra /sə'ɲorɐ/ *f* lady; (*mulher idosa*) older woman; (*tratamento*) madam; **Senhora** (*com nome*) Mrs; **a** ~**ra** (*você*) you; **nossa** ~**ra!** (*fam*) gosh; ~**ria** *f* Vossa Senhoria you; ~**rio** *m* landlord ~**rita** (*Br*) *f* young lady; (*tratamento*) miss

se|nil /sə'nil/ (pl ~nis) a senile; ~nilidade f senility

sensação /sẽsɑ'sãw/ f sensation

sensacio|nal /sẽsɑsju'nal/ (pl ~nais) a sensational; ~nalismo m sensationalism; ~nalista a sensationalist

sen|sato /sẽ'satu/ a sensible; ~sibilidade f sensitivity; ~sível (pl ~síveis) a sensitive; (que se pode sentir) noticeable; ~so m sense; ~sual (pl ~suais) a sensual

sen|tado /sẽ'tadu/ a sitting; ~tar vt/i sit; ~tar-se vpr sit down

sentença /sẽ'tẽsɑ/ f sentence

sentido /sẽ'tidu/ m sense; (direcção) direction □ a hurt; fazer ou ter ~ make sense

sentimen|tal /sẽtimẽ'tal/ (pl ~tais) a sentimental; vida ~tal love life; ~to m feeling

sentinela /sẽti'nɛlɑ/ f sentry

sentir /sẽ'tir/ vt feel; (notar) sense; smell <cheiro>; taste <gosto>; tell <diferença>; (ficar magoado por) be hurt by □ vi feel; ~se vpr feel; sinto muito I'm very sorry

sepa|ração /sɛpɑrɑ'sãw/ f separation; ~rado a separate; <casal> separated; ~rar vt separate; ~rar-se vpr separate

séptico /'sɛtiku/ a septic

septuagésimo /sɛptwɑ'ʒɛzimu/ a seventieth

sepul|tar /sɛpul'tar/ vt bury; ~tura f grave

sequência /sɛ'kwẽsjɑ/ f sequence

sequer /sɛ'kɛr/ adv nem ~ not even

seques|trador /sɛkwɛs'trɑ'dor/ m kidnapper; (de avião) hijacker; ~trar vt kidnap <pessoa>; hijack <avião>; sequestrate <bens>; ~tro /ɛ/ m (de pessoa) kidnapping; (de avião) hijack; (de bens) sequestration

ser /ser/ vi be □ m being; é (como resposta) yes; você gosta, não é? you like it, don't you?; ele foi morto he was killed; será que ele volta? I wonder if he's coming back; ou seja in other words; a não ~ except; a não ~ que unless; não sou de fofocar I'm not one to gossip

sereia /sə'rejɑ/ f mermaid

serenata /sɛrɛ'natɑ/ f serenade

sereno /sə'renu/ a serene; <tempo> fine

série /'sɛri/ f series; fora de ~ (fam) incredible

seriedade /sɛrjɛ'dadɛ/ f seriousness

serin|ga /sə'rĩgɑ/ f syringe; ~gueiro m rubber tapper

sério /'sɛrju/ a serious; (responsável) responsible; ~? really?; falar ~ be serious; levar a ~ take seriously

sermão /sɛr'mãw/ m sermon

serpen|te /sɛr'pẽtɑ/ f serpent; ~tear vi wind; ~tina f (de Carnaval) streamer

serra¹ /'sɛRɑ/ f (montanhas) mountain range

serra² /'sɛRɑ/ f (de serrar) saw; ~dura f sawdust; ~lheiro m locksmith

serrano /sə'Ranu/ a mountain

serrar /sə'Rar/ vt saw

ser|tanejo /sərtɐ'neʒu/ a from the backwoods □ m backwoodsman; **~tão** m backwoods

servente /sər'vẽtə/ m/f labourer

Sérvia /'sɛrvjɐ/ f Serbia

servi|çal /sərvi'sal/ (pl **~çais**) a helpful □ m/f servant; **~ço** m service; (trabalho) work; (tarefa) job; (desporto) serve; **estar de ~ço** be on duty; **~dor** m servant

ser|vil /sər'vil/ (pl **~vis**) a servile

sérvio /'sɛrvju/ a & m Serbian

servir /sər'vir/ vt serve □ vi serve; (ser adequado) do; (ser útil) be of use; <roupa, sapato etc> fit; **~~se** vpr (ao comer etc) help o.s. (**de** to); **~~se de** make use of; **~ como ou de** serve as; **para que serve isso?** what is this (used) for?

sessão /sə'sãw/ f session; (no cinema) showing, performance

sessenta /sə'sẽtɐ/ a & m sixty

seta /'sɛtɐ/ f arrow

sete /'sɛtə/ a & m seven; **~centos** a & m seven hundred

Setembro /sə'tẽbru/ m September

setenta /sə'tẽtɐ/ a & m seventy

sétimo /'sɛtimu/ a seventh

seu /sew/ a (f **sua**) (dele) his; (dela) her; (de coisa) its; (deles) their; (de você, de vocês) your □ pron (dele) his; (dela) hers; (deles) theirs; (de você, de vocês) yours; **~ idiota!** you idiot!; **seu João** Mr John

seve|ridade /səvəri'dadə/ f severity; **~ro** /ε/ a severe

sexagésimo /sɛksa'ʒɛzimu/ a sixtieth

sexo /'sɛksu/ m sex; **fazer ~** have sex

Sex|ta /'sejʃtɐ/ f Friday; **~ta-feira** (pl **~tas-feiras**) f Friday; **Sexta-feira Santa** Good Friday; **s~to** /e/ a & m sixth

sexu|al /sɛksu'al/ (pl **~ais**) a sexual; **vida ~al** sex life

sexy /'sɛksi/ a invar sexy

shopping /'ʃɔpĩg/ (pl **~s**) m shopping centre, (Amer) mall

shorts /'ʃɔrtʃ/ m (pl **~s**) shorts; **uns ~** a pair of shorts

show /ʃaw/ (pl **~s**) m show; (de música) concert

si /si/ pron (ele) himself; (ela) herself; (coisa) itself; (você) yourself; (eles) themselves; (vocês) yourselves; (qualquer pessoa) oneself; **em ~** in itself; **fora de ~** beside o.s.; **cheio de ~** full of o.s.; **voltar a ~** come round

sibilar /sibi'lar/ vi hiss

SIDA /'sidɐ/ f AIDS

side|ral /sidə'ral/ (pl **~rais**) a **espaço ~ral** outer space.

siderurgia /sidərur'ʒiɐ/ f iron and steel industry

siderúrgi|ca /sidə'rurʒikɐ/ f steelworks; **~co** a iron and steel □ m steelworker

sifão /si'fãw/ m syphon

sífilis /'sifəliʃ/ f syphilis

sigilo /si'ʒilu/ m secrecy; **~so** /o/ a secret

sigla /'siglɐ/ f acronym

signatário /signa'tarju/ m signatory

signifi|cação /signifika'sãw/ f significance; **~cado** m meaning; **~car** vt mean; **~cativo** a significant

signo /'signu/ m sign

sílaba /'silaba/ f syllable

silenciar /silẽsi'ar/ vt silence

silêncio /si'lẽsju/ m silence

silencioso /silẽsi'ozu/ a silent □ m silencer, (Amer) muffler

silhueta /siλu'eta/ f silhouette

silício /si'lisju/ m silicon

silicone /sili'kɔne/ m silicone

silo /'silu/ m silo

silvar /sil'var/ vi hiss

sil|vestre /sil'vɛʃtrə/ a wild; **~vicultura** f forestry

sim /sĩ/ adv yes; **acho que ~** I think so

simbólico /sĩ'bɔliku/ a symbolic

simbo|lismo /sĩbu'liʒmu/ m symbolism; **~lizar** vt symbolize

símbolo /'sĩbulu/ m symbol

si|metria /sime'tria/ f symmetry; **~métrico** a symmetrical

similar /simi'lar/ a similar

sim|patia /sĩpa'tia/ f (qualidade) pleasantness; (afecto) fondness (**por** for); (compreensão, apoio) sympathy; pl sympathies; **ter ~patia por** be fond of; **~~ pático** a nice

simpati|zante /sĩpati'zãtə/ a sympathetic □ m/f sympathizer; **~zar** vi **~zar com** take a liking to <pessoa>; sympathize with <ideias, partido etc>

simples /'sĩpləʃ/ a invar simple; (único) single **~mente** □ adv simply

simpli|cidade /sĩplisi'dadə/ f simplicity; **~ficar** vt simplify

simplório /sĩ'plɔrju/ a simple

simpósio /sĩ'pɔzju/ m symposium

simu|lação /simula'sãw/ f simulation; **~lar** vt simulate

simultâneo /simul'tanju/ a simultaneous

sina /'sina/ f fate

sinagoga /sina'gɔga/ f synagogue

si|nal /si'nal/ (pl **~nais**) m sign; (aviso, de rádio etc) signal; (de trânsito) traffic light; (no telefone) tone; (dinheiro) deposit; (na pele) mole; **por ~nal** as a matter of fact; **~nal de pontuação** punctuation mark; **~naliza|ção** f (na rua) road signs; **~nalizar** vt signal; signpost <rua, cidade>

since|ridade /sĩseri'dadə/ f sincerity; **~ro** /ɛ/ a sincere

sincro|nia /sĩkru'nia/ f synchronization; **~nizar** vt synchronize

sindi|cal /sĩdi'kal/ (pl **~cais**) a trade union; **~calismo** m trade unionism; **~calista** m/f trade unionist; **~calizar** vt unionize; **~cato** m trade union

síndroma, síndrome /'sĩdruma / ə/ f syndrome

sineta /si'neta/ f bell

sin|fonia /sĩfu'nia/ f symphony; **~fónica** f symphony orchestra

Singapura /sĩga'pura/ f Singapore

singe|leza /sĩʒə'leza/ f simplicity; **~lo** /ɛ/ a simple

singu|lar /sĩgu'lar/ a singular; (*estranho*) peculiar; **~lares** (*no ténis*) singles **~larizar** vt single out

sinis|trado /siniʃ'tradu/ a damaged; **~tro** /a sinister □ m accident

sino /'sinu/ m bell

sinónimo /si'nɔnimu/ a synonymous □ m synonym

sintaxe /sĩ'tasə/ f syntax

síntese /'sĩtəzə/ f synthesis

sin|tético /sĩ'tɛtiku/ a (*artificial*) synthetic; (*resumido*) concise; **~tetizar** vt summarize

sinto|ma /sĩ'toma/ m symptom; **~mático** a symptomatic

sintoni|zador /sĩtuniza'dor/ m tuner; **~zar** vt tune <rádio, TV>; tune in to <emissora> □ vi be in tune (**com** with)

sinuoso /sinu'ozu/ a winding

sinusite /sinu'zitə/ f sinusitis

sirene /si'rɛnə/ f siren

Síria /'sirja/ f Syria

sírio /'sirju/ a & m Syrian

siso /'sizu/ m good sense

siste|ma /siʃ'tema/ m system; **~mático** a systematic

sisudo /si'zudu/ a serious

sítio /'sitju/ m (*local*) place; **estado de ~** state of siege

situa|ção /sitwa'sãw/ f situation; (*no governo*) party in power; **~ar** vt situate; **~ar-se** vpr be situated; <pessoa> position o.s.

skate /s'kejtə/ m skateboard; **andar de ~** vt skateboard

ski /s'ki/ m ski; (*desporto*) skiing; **~ aquático** water skiing; **~ador** m skier; **~ar** vi ski

smoking /s'mokĩg/ (*pl* **~s**) m dinner jacket, (*Amer*) tuxedo

snobe /s'nɔbə/ a snobbish □ m/f snob; **~bismo** m snobbishness, snobbery

só /sɔ/ a alone; (*sentindo solidão*) lonely □ adv only; **um ~ voto** one single vote; **~ um carro** only one car; **a ~s** alone; **imagina ~** just imagine; **~ que** except (that)

soalho /su'aʎu/ m floor

soar /su'ar/ vt/i sound

sob /'sob/ prep under

sobera|nia /subəra'nia/ f sovereignty; **~no** a & m sovereign

soberbo /su'berbu/ a <pessoa> haughty; (*magnífico*) splendid

sobra /'sobra/ f surplus; pl leftovers; **tempo de ~** (*muito*) plenty of time; **ficar de ~** be left over; **ter aco de ~** (*sobrando*) have sth left over

sobraçar /subra'sar/ vt carry under one's arm

sobrado /su'bradu/ m (*casa*) house; (*andar*) upper floor

sobrancelha /subrã'seʎa/ f eyebrow

so|brar /su'brar/ vi be left; **~bram-me dois** I have two left

sobre /'sobrə/ prep (*em cima de*) on; (*por cima de, acima de*) over; (*acerca de*) about

sobreaviso /subrja'vizu/ m **estar de ~** be on one's guard

sobrecapa /subrə'kapa/ f (*cobertura*) cover

sobrecarregar /subrəkaRə'gar/ vt overload

sobreloja /subrə'lɔʒa/ f mezzanine

sobremesa /sobrə'mezə/ f dessert

sobrenatu|ral /sobrənatu'ral/ (pl ~**rais**) a supernatural

sobrenome /sobrə'nomə/ m surname

sobrepor /sobrə'por/ vt superimpose

sobrepujar /sobrəpu'ʒar/ vt (em altura) tower over; (em valor, número etc) surpass; overwhelm <adversário>; overcome <problemas>

sobressair /sobrəsa'ir/ vi stand out; ~**-se** vpr stand out

sobressalente /sobrəsa'lẽtə/ a spare

sobressal|tar /sobrəsal'tar/ vt startle; ~**tar-se** vpr be startled; ~**to** m (movimento) start; (susto) fright

sobretaxa /sobrə'taʃə/ f surcharge

sobretudo /sobrə'tudu/ adv above all □ m overcoat

sobrevir /sobrə'vir/ vi happen suddenly; (seguir) ensue; ~**a** follow

sobrevi|vência /sobrəvi'vẽsjə/ f survival; ~**vente** a surviving □ m/f survivor; ~**ver** vt/i ~**ver (a)** survive

sobrevoar /sobrəvu'ar/ vt fly over

sobri|nha /su'briɲə/ f niece; ~**nho** m nephew

sóbrio /'sobrju/ a sober

socar /su'kar/ vt (esmurrar) punch; (amassar) crush

soci|al /susi'al/ (pl ~**ais**) a social; ~**alismo** m socialism; ~**alista** a & m/f socialist; ~**ável** (pl ~**áveis**) a sociable

sociedade /susje'dadə/ f society; (parceria) partnership; ~ **anônima** limited company

sócio /'sosju/ m (de empresa) partner; (de clube) member

socio-económico /sosjoeku'nomiku/ a socio--economic

soci|ologia /susjulu'ʒiə/ f sociology; ~**ológico** a sociological; ~**ólogo** m sociologist

soco /'soku/ m punch; **dar um** ~ **em** punch

socor|rer /suku'Rer/ vt help; ~**ro** m aid □ int help; **primeiros** ~**ros** first aid

soda /'sodə/ f (água) soda water; ~ **cáustica** caustic soda

sódio /'sodju/ m sodium

sofá /so'fa/ m sofa; ~**-cama** (pl ~**s-camas**) m sofa-bed

sofisticado /sufiʃti'kadu/ a sophisticated

so|fredor /sufre'dor/ a martyred; ~**frer** vt suffer <dor, derrota, danos etc>; have <acidente>; undergo <operação, mudança etc> □ vi suffer; ~**frer de** suffer from <doença>; have trouble with <coração etc>; ~**frido** a long-suffering; ~**frimento** m suffering; ~**frível** (pl ~**fríveis**) a passable

software /softu'ɛr/ m software; (um) software package

so|gra /'sogrə/ f mother-in--law; ~**gro** /o/ m father-in--law; ~**- gros** /ɔ/ m pl in--laws

soja /'soʒə/ f soya, (Amer) soy

sol /sɔl/ (pl **sóis**) m sun; **faz** ~ it's sunny

sola /'solə/ f sole

solapar /sula'par/ vt undermine

solar /su'lar/ a solar

solavanco /sola'vãku/ m jolt; **dar ~s** jolt

soldado /sol'dadu/ m soldier

sol|dadura /solda'dura/ f weld; **~dar** vt weld

soldo /'soldu/ m pay

soleira /su'lejra/ f doorstep

sole|ne /su'lεnɐ/ a solemn; **~nidade** f (cerimónia) ceremony; (qualidade) solemnity

soletrar /sole'trar/ vt spell

solici|tação /sulisita'sãw/ f request (de for); (por escrito) application (de for); **~tante** m/f applicant; **~tar** vt request; (por escrito) apply for

solícito /su'lisitu/ a helpful

solidão /suli'dãw/ f loneliness

soli|dariedade /sulidarja'dadɐ/ f solidarity; **~dário** a supportive (com of)

soli|dez /suli'deʃ/ f solidity; **~dificar** vt solidify; **~dificar-se** vpr solidify

sólido /'sɔlidu/ a & m solid

solista /su'liʃtɐ/ m/f soloist

solitá|ria /suli'tarja/ f (verme) tapeworm; (cela) solitary confinement; **~rio** a solitary

solo¹ /'sɔlu/ m (terra) soil; (chão) ground

solo² /'sɔlu/ m solo

soltar /sol'tar/ vt let go <prisioneiros, animal etc>; let loose <cães>; (deixar de segurar) let go of; loosen <gravata, corda etc>; let down <cabelo>; let out <grito, suspiro etc>; let off <foguetes>; tell <piada>; take off <freio>; **~-se** vpr <peça, parafuso> come loose; <pessoa> let o.s. go

soltei|ra /sol'tejra/ f single woman; **~rão** m bachelor; **~ro** a single □ m single man; **~rona** f spinster

solto /'soltu/ a (livre) free; <cães> loose; <cabelo> down; <arroz> fluffy; (frouxo) loose; (à vontade) relaxed; (abandonado) abandoned; **correr ~** run wild

solução /sulu'sãw/ f solution

soluçar /sulu'sar/ vi (ao chorar) sob; (engasgar) hiccup

solucionar /sulusju'nar/ vt solve

soluço /su'lusu/ m (ao chorar) sob; (engasgo) hiccup; **estar com ~s** have the hiccups

solú|vel /su'luvεl/ a (pl **~veis**) a soluble

solvente /sol'vẽtɐ/ a & m solvent

som /sõ/ m sound; (aparelho) stereo

so|ma /'somɐ/ f sum; **~mar** vt add up <números etc>; (ter como soma) add up to

sombra /'sõbrɐ/ f shadow; (área abrigada do sol) shade; **à ~ de** in the shade of; **sem ~ de dúvida** without a shadow of a doubt

sombre|ado /sõbri'adu/ a shady □ m shading; **~ar** vt shade

sombrinha /sõ'briɲɐ/ f parasol

sombrio /sõ'briu/ a gloomy

somente /sɔ'mẽtɐ/ adv only

sonâmbulo /su'nãbulu/ m sleepwalker

sonante /su'nãtɐ/ a **moeda ~** hard cash

sonata /su'natɐ/ f sonata

son|da /'sõdɐ/ f probe; **~da-**

gem /f (*no mar*) sounding; (*de terreno*) survey; **~dagem de opinião** opinion poll; **~dar** vt probe; sound <*profundeza*>; (*fig*) sound out <*pessoas, opiniões etc*>

soneca /su'nɛkɐ/ f nap; **tirar uma ~** have a nap

sone|gação /sunɛga'sãw/ f (*de impostos*) tax evasion; **~gador** m tax dodger; **~gar** vt with-hold

soneto /su'netu/ m sonnet

so|nhador /suɲa'dor/ a dreamy □ m dreamer; **~nhar** vt/i dream (**com** about); **~nho** /'soɲu/ m dream; (*doce*) doughnut

sono /'sonu/ m sleep; **estar com ~** be sleepy; **pegar no ~** (*Br*) get to sleep; **~lento** a sleepy

sono|plastia /sonoplaʃ'tia/ f sound effects; **~ridade** f sound quality; **~ro** /ɔ/ a sound; <*voz*> sonorous; <*consoante*> voiced

sonso /'sõsu/ a devious

sopa /'sopɐ/ f soup

sopapo /su'papu/ m slap; **dar um ~ em** slap

sopé /su'pɛ/ m foot

sopeira /su'pejrɐ/ f soup tureen

soprano /su'pranu/ m/f soprano

so|prar /su'prar/ vt blow <*folhas etc*>; blow up <*balão*>; blow out <*vela*> □ vi blow; **~pro** m blow; (*de vento*) puff; **instrumento de ~pro** wind instrument

soquete[1] /so'kɛtɐ/ f ankle sock

soquete[2] /su'kɛtɐ/ m socket

sordidez /surdi'des/ f sordidness; (*imundície*) squalor

sórdido /'sɔrdidu/ a (*reles*) sordid; (*imundo*) squalid

soro /'soru/ m (*remédio*) serum; (*de leite*) whey

sorrateiro /suʀa'tejru/ a crafty, sly

sor|ridente /suʀi'dẽtɐ/ a smiling; **~rir** vi smile; **~riso** m smile

sorte /'sɔrtɐ/ f luck; (*destino*) fate; **pessoa de ~** lucky person; **por ~** luckily; **ter ou dar ~** be lucky; **tive a ~ de conhecê-lo** I was lucky enough to meet him; **tirar a ~** draw lots; **trazer ou dar ~** bring good luck

sor|tear /surti'ar/ vt draw for <*prêmio*>; select in a draw <*pessoa*>; **~teio** m draw

sorti|do /sur'tidu/ a assorted; **~mento** m assortment

sorumbático /suru'batiku/ a sombre, gloomy

sorver /sur'ver/ vt sip <*bebida*>

sósia /'sɔzja/ m/f double

soslaio /suʒ'laju/ m **de ~** sideways; <*olhar*> askance

sosse|gado /suse'gadu/ a <*vida*> quiet; **ficar ~gado** <*pessoa*> rest assured; **~gar** vt reassure □ vi rest; **~go** /e/ m peace

sótão /'sɔtãw/ (*pl* **~s**) m attic, loft

sotaque /su'takɐ/ m accent

soterrar /sute'ʀar/ vt bury

soutien /suti'ã/ (*pl* **~s**) m bra

sova|co /su'vaku/ m armpit; **~queira** f BO, body odour

soviético /suvi'ɛtiku/ a & m Soviet

sovi|na /su'vinɑ/ a stingy, mean, (*Amer*) cheap □ *m/f* cheapskate; **~nice** *f* stinginess, meanness, (*Amer*) cheapness

sozinho /so'ziɲu/ a (*sem ninguém*) alone, on one's own; (*por si próprio*) by o.s.; **falar ~** talk to o.s.

spray /s'prej/ (*pl* **~s**) *m* spray

squash /s'kwɔʃ/ *m* squash

stand /s'tãdə/ (*pl* **~s**) *m* stand

status /s'tatuʃ/ *m* status

stock /s'tɔk/ *m* stock

stress /s'trɛsə/ *m* stress

stripper /s'tripɑr/ (*pl* **~s**) *m/f* stripper

strip-tease /strip'tizə/ *m* strip-tease

sua /'suɑ/ a & pron veja **seu**

su|ado /su'adu/ a <pessoa, roupa> sweaty; (*fig*) hard-earned; **~ar** *vt/i* sweat; **~ar por/para** (*fig*) work hard for/to; **~ar frio** come out in a cold sweat

sua|ve /su'avə/ a <toque, subida> gentle; <gosto, cheiro, dor, Inverno> mild; <música, voz> soft; <vinho> smooth; <trabalho> light; <prestações> easy; **~vidade** *f* gentleness; mildness; softness; smoothness; veja **suave**; **~vizar** *vt* soften; soothe <dor, pessoa>

subalterno /subal'tɛrnu/ a & *m* subordinate

subconsciente /subkõʃsi'ẽtə/ a & *m* subconscious

subdesenvolvido /subdəzẽvol'vidu/ a underdeveloped

súbdito /'subditu/ *m* subject

subdividir /subdivi'dir/ *vt* subdivide

subemprego /subẽ'pregu/ *m* menial job

subemprei|tar /subẽprej'tar/ *vt* subcontract; **~teiro** *m* subcontractor

subenten|der /subẽtẽ'der/ *vt* infer; **~dido** a implied □ *m* insinuation

subestimar /subəʃti'mar/ *vt* underestimate

su|bida /su'bidɑ/ *f* (*acção*) ascent; (*ladeira*) incline; (*de preços etc*, *fig*) rise; **~bir** *vi* go up; <rio, águas> rise □ *vt* go up, climb; **~bir a climb** <árvore>; **~bir para cima** de get up onto <mesa>; **~bir para** get on <autocarro>

súbito /'subitu/ a sudden; (**de**) **~** suddenly

subjacente /subʒa'sẽtə/ a underlying

subjecti|vidade /subʒɛtivi'dadə/ *f* subjectivity; **~vo** a subjective

subjugar /subʒu'gar/ *vt* subjugate

subjuntivo /subʒũ'tivu/ a & *m* subjunctive

sublevar-se /sublə'varsə/ *vpr* rise up

sublime /su'blimə/ a sublime

subli|nhado /subli'ɲadu/ *m* underlining; **~nhar** *vt* underline

sublocar /sublu'kar/ *vt/i* sublet

submarino /subma'rinu/ a underwater □ *m* submarine

submer|gir /submər'ʒir/ *vt* submerge; **~gir-se** *vpr* submerge; **~so** a submerged

submeter /submə'ter/ *vt* subject (**a** to); put down, subdue <povo, rebeldes etc>; submit

submis|são /submi'sãw/ f submission; ~**so** a submissive

submundo /sub'mũdu/ m underworld

subnutrição /subnutri'sãw/ f malnutrition

subordi|nado /suburdi'nadu/ a & m subordinate; ~**nar** vt subordinate (**a** to)

subor|nar /subur'nar/ vt bribe; ~**no** /o/ m bribe

subproduto /supru'dutu/ m by-product

subs|crever /subʃkrə'ver/ vt sign <carta etc>; subscribe to <opinião>; subscribe <dinheiro> (**para** to); ~**crever-se** vpr sign one's name; ~**crição** f subscription; ~**crito** pp de ~**crever**

subsequente /subsə'kwẽtə/ a subsequent

subserviente /subsərvi'ẽtə/ a subservient

subsidiar /subsidi'ar/ vt subsidize

subsidiá|ria /subsidi'arjə/ f subsidiary; ~**rio** a subsidiary

subsídio /sub'sidju/ m subsidy

subsistência /subsiʃ'tẽsjə/ f subsistence

subsolo /sub'sɔlu/ m (cave) basement

substância /subʃ'tãsjə/ f substance

substan|cial /subʃtãsi'al/ (pl ~**ciais**) a substantial; ~**tivo** m noun

substitu|ição /subʃtitwi'sãw/ f replacement; substitution; ~**ir** vt (pôr B no lugar de A)

replace (**A por B** A with B); (usar B em vez de A) substitute (**A por B** B for A); ~**to** a & m substitute

subterfúgio /subtər'fuʒju/ m subterfuge

subterrâneo /subtə'Rãnju/ a underground

sub|til /sub'til/ (pl ~**tis**) a subtle; ~**tileza** /e/ f subtlety

subtrac|ção /subtra'sãw/ f subtraction; ~**ir** vt subtract <números>; (roubar) steal

suburbano /subur'banu/ a suburban

subúrbio /su'burbju/ m suburbs

subven|ção /subvẽ'sãw/ f grant, subsidy; ~**cionar** vt subsidize

subver|são /subvər'sãw/ f subversion; ~**sivo** a & m subversive

suca|ta /su'katə/ f scrap metal; ~**tear** vt scrap

succção /suk'sãw/ f suction

suce|der /susə'der/ vi (acontecer) happen □ vt ~**der a** succeed <rei etc>; (vir depois) follow; ~**der-se** vpr follow on from one another; ~**dido a bem** ~**dido** successful

suces|são /susə'sãw/ f succession; ~**sivo** a successive; ~**so** /ɛ/ m success; (música) hit; **fazer** ou **ter** ~**so** be successful; ~**sor** m successor

sucinto /su'sĩtu/ a succinct

suco /'suku/ m juice

suculento /suku'lẽtu/ a juicy

sucumbir /sukũ'bir/ vi succumb (**a** to)

sucur|sal /sukur'sal/ (pl ~**sais**) f branch

Sudão /su'dãw/ *m* Sudan

sudário /su'darju/ *m* shroud

sudeste /su'dɛ∫tʃa/ *a & m* southeast; **o Sudeste Asiático** Southeast Asia

sudoeste /sudu'ɛ∫tʃa/ *a & m* southwest

Suécia /su'ɛsja/ *f* Sweden

sueco /su'ɛku/ *a & m* Swedish

sufici|ência /sufisi'ẽsja/ *f* sufficiency; **~ente** *a* enough, sufficient; **o ~ente** enough

sufixo /su'fiksu/ *m* suffix

suflé /su'fle/ *m* soufflé

sufo|cante /sufu'kãtʃa/ *a* stifling; **~car** *vt (asfixiar)* suffocate; *(fig)* stifle □ *vi* suffocate; **~co** /o/ *m* hassle; **estar num ~co** be having a tough time

sufrágio /su'fraʒju/ *m* suffrage

sugar /su'gar/ *vt* suck

sugerir /suʒe'rir/ *vt* suggest

suges|tão /suʒe∫'tãw/ *f* suggestion; **dar uma ~tão** make a suggestion; **~tivo** *a* suggestive

Suíça /su'isa/ *f* Switzerland

suíças /su'isa∫/ *f pl* sideburns

sui|cida /sui'sida/ *a* suicidal □ *m/f* suicide (victim); **~cidar--se** *vpr* commit suicide; **~cídio** *m* suicide

suíço /su'isu/ *a & m* Swiss

suíno /su'inu/ *a & m* pig

suite /su'itʃa/ *f* suite

su|jar /su'ʒar/ *vt* dirty; *(fig)* sully <reputação etc> □ *vi*, **~jar-se** *vpr* get dirty; **~jar--se com alg** queer one's pitch with s.o.

suje|itar /suʒej'tar/ *vt* subject (a to); **~tar-se** *vpr* subject o.s. (a to); **~to** *a* subject (a

to) □ *m (de oração)* subject; *(pessoa)* person

su|jidade /suʒi'dadʒa/ *f* dirt; **~jo** *a* dirty

sul /suł/ *a invar & m* south; **~-africano** *a & m* South African; **~-americano** *a & m* South American; **~-coreano** *a & m* South Korean

sul|car /suł'kar/ *vt* furrow <testa>; **~co** *m* furrow

sulfúrico /suł'furiku/ *a* sulphuric

sulista /su'li∫ta/ *a* southern □ *m/f* southerner

sultão /suł'tãw/ *m* sultan

sumário /su'marju/ *a* <justiça> summary; <roupa> skimpy, brief *m* summary

su|miço /su'misu/ *m* disappearance; **dar ~miço em** spirit away; **~mido** *a* <cor, voz> faint; **ele anda ~mido** he's disappeared; **~mir** *vi* disappear

sumo /'sumu/ *m* juice

sumptuoso /sũtu'ozu/ *a* sumptuous

suor /su'or/ *m* sweat

superar /supe'rar/ *vt* overcome <dificuldade etc>; surpass <expectativa, pessoa>

superá|vel /supe'ravel/ *(pl ~veis)* *a* surmountable; **~vit** *(pl ~vits)* *m* surplus

superestimar /supere∫tʃi'mar/ *vt* overestimate

superestrutura /supere∫tru'tura/ *f* superstructure

superfici|al /superfisi'al/ *(pl ~ais)* *a* superficial

superfície /super'fisje/ *f* surface; *(medida)* area

supérfluo /su'perflwu/ *a* superfluous

superintendência /supɛrĩtẽ'dẽsjɐ/ f bureau

superi|or /supɛri'or/ a (de cima) upper; <ensino> higher; <número, temperatura etc> greater (**a** than); (melhor) superior (**a** to) □ m superior; **~oridade** f superiority

superlativo /supɛrlɐ'tivu/ a & m superlative

superlota|ção /supɛrlota'sãw/ f overcrowding; **~do** a overcrowded

supermercado /supɛrmɛr'kadu/ m supermarket

superpotência /supɛrpu'tẽsjɐ/ f superpower

superpovoado /supɛrpuvu'adu/ a overpopulated

supersecreto /supɛrsɛ'krɛtu/ a top secret

supersensí|vel /supɛrsẽ'sivɛl/ (pl **~veis**) a oversensitive

supersónico /supɛr'sɔniku/ a supersonic

supersti|ção /supɛrʃti'sãw/ f superstition; **~cioso** /o/ a superstitious

supervi|são /supɛrvi'zãw/ f supervision; **~sionar** vt supervise; **~sor** m supervisor

supetão /supɛ'tãw/ m de ~ all of a sudden

suplantar /suplã'tar/ vt supplant

suplemen|tar /suplɛmẽ'tar/ a supplementary □ vt supplement; **~to** m supplement

suplente /su'plẽtʃi/ a & m/f substitute

supletivo /suplɛ'tʃivu/ a supplementary; **ensino ~** adult education

súplica /'suplikɐ/ f plea; **tom de ~** pleading tone

suplicar /supli'kar/ vt plead for; (em juízo) petition for

suplício /su'plisju/ m torture; (fig: aflição) torment

supor /su'por/ vt suppose

supor|tar /supur'tar/ vt (sustentar) support; (tolerar) stand, bear; **~tável** (pl **~táveis**) a bearable; **~te** /ɔ/ m support

suposição /supuzi'sãw/ f supposition

supositório /supuzi'tɔrju/ m suppository

supos|tamente /supoʃta'mẽtɐ/ adv supposedly; **~to** /o/ a supposed; **~to que** supposing that

supre|macia /supremɐ'sia/ f supremacy; **~mo** /e/ a supreme

supressão /supre'sãw/ f (de lei, cargo, privilégio) abolition; (de jornal, informação, nomes) suppression; (de palavras, cláusula) deletion

suprimento /supri'mẽtu/ m supply

suprimir /supri'mir/ vt abolish <lei, cargo, privilégio>; suppress <jornal, informação, nomes>; delete <palavras, cláusula>

suprir /su'prir/ vt provide for <família, necessidades>; make up for <falta>; make up <quantia>; supply <o que falta>; (substituir) take the place of; **~ alg de** provide s.o. with; **~ A por B** substitute B for A

supurar /supu'rar/ vi turn septic

sur|dez /sur'deʃ/ f deafness;

~do *a* deaf; <consoante> voiceless □ *m* deaf person; **os ~dos** the deaf; **~do-mudo** (*pl* **~dos-mudos**) *a* deaf and dumb □ *m* deaf-mute

sur|f /'sɔrfə/ *m* surfing; **~fista** *m/f* surfer

sur|gimento /surʒi'mẽtu/ *m* appearance; **~gir** *vi* arise; **~gir à mente** spring to mind

Suriname /suri'nɒmə/ *m* Suriname

surpreen|dente /surpriẽ'dẽtə/ *a* surprising; **~der** *vt* surprise □ *vi* be surprising; **~der--se** *vpr* be surprised (**de** at)

surpre|sa /sur'prezə/ *f* surprise; **de ~sa** by surprise; **~so** /e/ *a* surprised

sur|ra /'suʀə/ *f* thrashing; **~rado** *a* <roupa> worn-out; **~rar** *vt* thrash <pessoa>; wear out <roupa>

surrealis|mo /suʀjə'lizmu/ *m* surrealism; **~ta** *a & m/f* surrealist

surtir /sur'tir/ *vt* produce; **~ efeito** be effective

surto /'surtu/ *m* outbreak

suscep|tibilidade /su/sɛtibə-li'dadə/ *f* (*de pessoa*) sensitivity; **~tível** (*pl* **~tíveis**) *a* <pessoa> touchy, sensitive; **~tível de** open to

suscitar /su/si'tar/ *vt* cause; raise <dúvida, suspeita>

suspei|ta /su/'pejtə/ *f* suspicion; **~tar** *vt/i* **~tar (de)** suspect; **~to** *a* suspicious; (*duvidoso*) suspect □ *m* suspect; **~toso** /o/ *a* suspicious

suspen|der /su/pẽ'der/ *vt* suspend; **~são** *f* suspension; **~se** *m* suspense; **~so** *a* suspended; **~sórios** *m pl* braces, (*Amer*) suspenders

suspi|rar /su/pi'rar/ *vi* sigh; **~rar por** long for; **~ro** *m* sigh; (*doce*) meringue

sussur|rar /susu'ʀar/ *vt/i* whisper; **~ro** *m* whisper

sustar /su/'tar/ *vt/i* stop

susten|táculo /su/tẽ'takulu/ *m* mainstay; **~tar** *vt* support; (*afirmar*) maintain; **~to** *m* support; (*ganha-pão*) livelihood

susto /'su/tu/ *m* fright

sutu|ra /su'turə/ *f* suture; **~rar** *vt* suture

T

tá /ta/ *int (fam)* OK; *veja* **estar**

taba|caria /taba.ka'ria/ *f* tobacconist's; **~co** *m* tobacco

tabefe /ta'bɛfa/ *m* slap

tabe|la /ta'bɛla/ *f* table; **~lar** *vt* tabulate

tablado /ta'bladu/ *m* platform

tabu /ta'bu/ *a & m* taboo

tábua /'tabwa/ *f* board; **~ de passar roupa** ironing board

tabuleiro /tabu'lejru/ *m (de xadrez etc)* board *(para transportar coisas)* tray

tabuleta /tabu'lɛta/ *f (letreiro)* sign

taça /'tasa/ *f (prémio)* cup; *(de champanhe etc)* glass

ta|cada /ta.'kada/ *f* shot; **de uma ~cada** in one go

tacha /'taʃa/ *f* tack

tachar /ta.'ʃar/ *vt* brand *(de as)*

tachinha /ta.'ʃiɲa/ *f* drawing pin, *(Amer)* thumbtack

tácito /'tasitu/ *a* tacit

taciturno /tasi'turnu/ *a* taciturn

taco /'taku/ *m (de golfe)* club; *(de bilhar)* cue; *(de hóquei)* stick

tactear /takti'ar/ *vt* feel □ *vi* feel one's way

táctica /'tatika/ *f* tactics; **~co** *a* tactical

táctil /'tatil/ *(pl* **~teis)** *a* tactile

tacto /'tatu/ *m (sentido)* touch; *(diplomacia)* tact

tagare|la /taga.'rɛla/ *a* chatty, talkative □ *m/f* chatterbox; **~lar** *vi* chatter

tailan|dês /tajlã'deʃ/ *a & m (f* **~desa)** Thai

Tailândia /taj'lãdja/ *f* Thailand

tailleur /'tajar/ *(pl* **~s)** *m* suit

Taiti /taj'ti/ *m* Tahiti

tal /tal/ *(pl* **tais)** *a* such; **que ~?** what do you think?, *(como está?)* how are you?; **que ~ uma cerveja?** how about a beer?; **~ como** such as; **~ qual** just like; **um ~ de João** someone called John; **e ~ and so on

tala /'tala/ *f* splint

talão /ta.'lãw/ *m* stub; **~ de cheques** chequebook

talco /'talku/ *m* talc

talen|to /ta.'lẽtu/ *m* talent; **~toso** /o/ *a* talented

talhar /ta.'ʎar/ *vt* slice <dedo, carne>; carve <pedra, imagem>

talharim /taʎa.'rĩ/ *m* tagliatelle

talher /taˈʎɛr/ m set of cutlery; pl cutlery

talho /ˈtaʎu/ m butcher's

talismã /taliʒˈmã/ m charm, talisman

talo /ˈtalu/ m stalk

talvez /talˈveʃ/ adv perhaps; **ele venha amanhã** he may come tomorrow

tamanco /taˈmãku/ m clog

tamanho /taˈmaɲu/ m size □ adj such

tâmara /ˈtamaɾa/ f date

tamarindo /tamaˈrĩdu/ m tamarind

também /tãˈbãj/ adv also; ~ **não** not ... either, neither

tam|bor /tãˈbor/ m drum; ~**borilar** vi <dedos> drum; <chuva> patter; ~**borim** m tambourine

Tamisa /taˈmiza/ m Thames

tam|pa /ˈtãpa/ f lid; ~**pão** m (vaginal) tampon; ~**par** vt put the lid on <recipiente>; (tapar) cover

tampouco /tãˈpoku/ adv nor, neither

tanga /ˈtãɡa/ f G-string

tangente /tãˈʒẽtʃi/ f tangent; **pela** ~ (fig) narrowly

tangerina /tãʒəˈrina/ f tangerine

tango /ˈtãɡu/ m tango

tanque /ˈtãki/ m tank; (para lavar roupa) sink

tanto /ˈtãtu/ a & pron so much; pl so many □ adv so much; ~ ... **como** ... both ... and ...; ~ (...) **quanto** as much (...) as; ~ **melhor** so much the better; ~ **tempo** so long; **vinte e ~s anos** twenty odd years; **nem** ~ not as

much; **um** ~ **difícil** somewhat difficult; ~ **que** to the extent that

Tanzânia /tãˈzɐˌnja/ f Tanzania

tão /tãw/ adv so; ~ **grande quanto** as big as; ~~**somente** adv solely

tapa /ˈtapa/ (Br) m ou f slap; **dar um** ~ **em** slap

tapar /taˈpar/ vt (cobrir) cover; block <luz, vista>; cork <garrafa>

tapeçaria /tapəsaˈria/ f tapestry

tape|tar /tapəˈtar/ vt carpet; ~**te** /e/ m carpet

tapioca /tapiˈɔka/ f tapioca

tapume /taˈpumə/ m fence

taquicardia /takikarˈdia/ f palpitations

taquigra|far /takigraˈfar/ vt/i write in shorthand; ~**fia** f shorthand

tara /ˈtara/ f fetish; ~**do** a sex-crazed □ m sex maniac; **ser** ~**do por** be crazy about

tar|dar /tarˈdar/ vi (atrasar) be late; (demorar muito) be long □ vt delay; ~**dar a responder** take a long time to answer, be a long time answering; **o mais** ~**dar** at the latest; **sem mais** ~**dar** without further delay; ~**de** adv late □ f afternoon; **hoje à** ~**de** this afternoon; ~**de da noite** late at night; ~**dinha** f late afternoon; ~**dio** a late

tarefa /taˈrefa/ f task, job

tarifa /taˈrifa/ f tariff; ~ **de embarque** airport tax

tarimbado /tarĩˈbadu/ a experienced

tarja /ˈtarʒa/ f strip

ta|rot /ta'ro/ *m* tarot; ~**rólogo** *m* tarot reader

tartamu|dear /taɾtamudi'aɾ/ *vi* stammer;~**do** *a* stammering □ *m* stammerer

tártaro /'taɾtaɾu/ *m* tartar

tartaruga /taɾta'ɾuga/ *f* (*bicho*) turtle; (*material*) tortoiseshell

tarte /'taɾtə/ *f* pie, tart

tatu /ta'tu/ *m* armadillo

tatu|ador /tatwa'doɾ/ *m* tattooist; ~**agem** *f* tattoo; ~**ar** *vt* tattoo

tauromaquia /tawɾuma'kiɐ/ *f* bullfighting

taxa /'taʃɐ/ *f* (*a pagar*) charge; (*índice*) rate; ~ **de câmbio** exchange rate; ~ **de juros** interest rate; ~ **rodoviária** road tax

taxar /ta'ʃaɾ/ *vt* tax

taxativo /taʃa'tivu/ *a* firm, categorical

táxi /'taksi/ *m* taxi

taxímetro /tak'simətɾu/ *m* taxi meter

taxista /tak'siʃtɐ/ *m/f* taxi driver

tchau /tʃaw/ *int* goodbye, bye

te /tə/ *pron* you; (*a ti*) to you

tear /ti'aɾ/ *m* loom

tea|tral /tjɐ'tɾal/ (*pl* ~**trais**) *a* theatrical; <grupo> theatre; ~**tro** *m* theatre; ~**trólogo** *m* playwright

tece|lagem /təsə'laʒɐ̃j/ *f* (*trabalho*) weaving; (*fábrica*) textile factory; ~**lão** *m* (*f* ~**lã**) weaver

te|cer /tə'seɾ/ *vt/i* weave; ~**cido** *m* cloth; (*no corpo*) tissue

te|cla /'tɛklɐ/ *f* key; ~**clado** *m* keyboard; ~**clar** *vt* key in; ~**clista** *m/f* (*músico*) keyboard player; (*de computador*) keyboard operator

técni|ca /'tɛknikɐ/ *f* technique; ~**co** *a* technical □ *m* specialist; (*de equipa*) manager; (*que mexe com máquinas*) technician

tecno|crata /tɛkno'kratɐ/ *m/f* technocrat; ~**logia** *f* technology; ~**lógico** *a* technological

tecto /'tɛtu/ *m* ceiling

tédio /'tɛdju/ *m* boredom

tedioso /tədi'ozu/ *a* boring, tedious

Teerão /tje'ɾãw/ *f* Teheran

teia /'tejɐ/ *f* web

tei|ma /'tejmɐ/ *f* persistence; ~**mar** *vi* insist; ~**mar em ir** insist on going; ~**mosia** *f* stubbornness; ~**moso** /o/ *a* stubborn; <ruído> insistent

teixo /'tejʃu/ *m* yew

Tejo /'tɛʒu/ *m* Tagus

tela /'tɛlɐ/ *f* (*de cinema, TV etc*) screen; (*tecido, pintura*) canvas

telecoman|dado /tɛlɛkumã'dadu/ *a* remote-controlled; ~**do** *m* remote control

telecomunicação /tɛlɛkumunikɐ'sãw/ *f* telecommunication

teleférico /tələ'fɛɾiku/ *m* cable car

telefo|nar /tələfu'naɾ/ *vi* telephone; ~**nar para alg** phone s.o.; ~**ne** /o/ *m* telephone; (*número*) phone number; ~**ne celular** cell phone; ~**ne sem fio** cordless phone; ~**nema** /e/ *m* phone call

telefóni|co /tələ'fɔniku/ *a* telephone; **cabine ~ca** phone box, (*Amer*) phone booth; **mesa ~ca** switchboard

telefonista /tələfu'ni∫tɐ/ *m/f* (*da companhia telefónica*) operator; (*dentro de empresa etc*) telephonist

tele|grafar /tələgrɐ'far/ *vt/i* telegraph; **~gráfico** *a* telegraphic

telégrafo /tə'lɛgrɐfu/ *m* telegraph

tele|grama /tələ'grɐmɐ/ *m* telegram; **~guiado** *a* remote--controlled

telejor|nal /tɛlɛʒur'nal/ (*pl* **~nais**) *m* television news

tele|novela /tɛlɛnu'vɛlɐ/ *f* TV soap opera; **~objectiva** *f* telephoto lens

tele|patia /tələpɐ'tiɐ/ *f* telepathy; **~pático** *a* telepathic

telescó|pico /tələʃ'kɔpiku/ *a* telescopic; **~pio** *m* telescope

telespectador /tɛlɛʃpɛtɐ'dor/ *m* television viewer □ *a* viewing

televi|são /tələvi'zãw/ *f* television; **~são por cabo** cable television; **~sionar** *vt* televise; **~sivo** *a* television; **~sor** *m* television set

telex /tɛ'lɛks/ *m invar* telex

telha /'teʎɐ/ *f* tile; **~do** *m* roof

te|ma /'temɐ/ *m* theme; **~mático** *a* thematic

temer /tə'mer/ *vt* fear □ *vi* be afraid; **~ por** fear for

teme|rário /təmə'rarju/ *a* reckless; **~ridade** *f* recklessness; **~roso** /o/ *a* fearful

te|mido /tə'midu/ *a* feared; **~~mível** (*pl* **~míveis**) *a* fearsome; **~mor** *m* fear

tempão /tẽ'pãw/ *m* **um ~** a long time

temperado /tẽpə'radu/ *a* <clima> temperate □ *pp de* **temperar**

temperamen|tal /tẽpərɐmẽ'tal/ (*pl* **~tais**) *a* temperamental; **~to** *m* temperament

temperar /tẽpə'rar/ *vt* season <comida>; temper <aço>

temperatura /tẽpərɐ'turɐ/ *f* temperature

tempero /tẽ'peru/ *m* seasoning

tempes|tade /tẽpəʃ'tadə/ *f* storm; **~tuoso** /o/ *a* stormy; (*fig*) tempestuous

templo /'tẽplu/ *m* temple

tempo /'tẽpu/ *m* (*período*) time; (*atmosférico*) weather; (*do verbo*) tense; (*de jogo*) half; **ao mesmo ~** at the same time; **nesse meio ~** in the meantime; **o ~ todo** all the time; **de todos os ~s** of all time; **quanto ~** how long; **muito/pouco ~** a long/ short time; **~ integral** full time

têmpora /'tẽpurɐ/ *f* temple

tempo|rada /tẽpu'radɐ/ *f* (*sazão*) season; (*tempo*) while; **~ral** (*pl* **~rais**) *a* temporal □ *m* storm; **~rário** *a* temporary

te|nacidade /tənɐsi'dadə/ *f* tenacity; **~naz** *a* tenacious □ *f* tongs

tenção /tẽ'sãw/ *f* intention

tencionar /tẽsju'nar/ *vt* intend

tenda /'tẽdɐ/ *f* tent

tendão /tẽ'dãw/ *m* tendon; **~ de Aquiles** Achilles tendon

tendência /tẽ'dẽsjɐ/ *f* (*moda*) trend; (*propensão*) tendency

tendencioso /tẽdẽsi'ozu/ *a* tendentious

ten|der /tẽ'der/ *vi* tend (**para** towards); **~de a engordar** he tends to get fat; **o tempo ~de a ficar bom** the weather is improving

tenebroso /tənə'brozu/ *a* dark; (*fig: terrível*) dreadful

tenente /tə'nẽta/ *m/f* lieutenant

ténis /'tɛniʃ/ *m invar* (*jogo*) tennis; (*sapato*) trainer; **uns ~** (*par*) a pair of trainers; **~ de mesa** table tennis

tenista /tə'niʃta/ *m/f* tennis player

tenor /tə'nor/ *m* tenor

tenro /'tẽʀu/ *a* tender

ten|são /tẽ'sãw/ *f* tension; **~são (arterial)** blood pressure; **~so** *a* tense

tentação /tẽta'sãw/ *f* temptation

tentáculo /tẽ'takulu/ *m* tentacle

ten|tador /tẽta'dor/ *a* tempting; **~tar** *vt* try; (*seduzir*) tempt □ *vi* try; **~tativa** *f* attempt; **~~ tativo** a tentative

ténue /'tɛnwə/ *a* a faint

teo|logia /tjulo'ʒia/ *f* theology; **~lógico** *a* theological

teólogo /ti'ɔlugu/ *m* theologian

teor /ti'or/ *m* (*de gordura etc*) content; (*de carta, discurso*) drift

teo|rema /tju'rema/ *m* theorem; **~ria** *f* theory

teórico /ti'ɔriku/ *a* theoretical

teorizar /tjuri'zar/ *vt* theorize

tépido /'tɛpidu/ *a* tepid

ter /ter/ *vt* have; **tenho vinte anos** I am twenty (years old); **~ medo/sede** be afraid/

thirsty; **tenho que** *ou* **de ir** I have to go; **tem** (*há*) there is/are; **não tem de quê** don't mention it; **~ a ver com** have to do with

tera|peuta /təra'pewta/ *m/f* therapist; **~pêutico** *a* therapeutic; **~pia** *f* therapy

Terça /'tersa/ *f* Tuesday; **~-feira** (*pl* **~s-feiras**) *f* Tuesday; **Terça-Feira Gorda** Shrove Tues- day

tercei|ra /ter'sejra/ *f* (*marcha*) third; **~ranista** *m/f* third--year; **~ro** *a* third □ *m* third party

terço /'tersu/ *m* third

ter|çol /ter'sol/ (*pl* **~çóis**) *m* stye

tergal /ter'gal/ *m* Terylene

térmi|co /'tɛrmiku/ *a* thermal; **garrafa ~ca** Thermos flask

termi|nal /tərmi'nal/ (*pl* **~nais**) *a & m* terminal; **~nal de vídeo** VDU; **~nante** *a* definite; **~nar** *vt* finish □ *vi* <pessoa, coisa> finish; <coisa> end; **~nar com alg** (*cortar relação*) break up with s.o.

terminologia /tərminulu'ʒia/ *f* terminology

termo[1] /'termu/ *m* term; **pôr a** put an end to; **meio ~** compromise

termo[2] /'tɛrmu/ *m* Thermos flask

ter|mómetro /ter'mɔmətru/ *m* thermometer; **~mostato** *m* thermostat

ter|no /'tɛrnu/ *a* tender; **~nura** *f* tenderness

terra /'tɛra/ *f* land; (*solo, eléctrico*) earth; (*chão*)

ground; **a Terra** Earth; **por
~** on the ground; **~ natal** homeland

terraço /tɛˈʁasu/ *m* terrace

terra|cota /tɛʁaˈkɔta/ *f* terra-
cotta; **~moto** /tɛʁaˈmɔtu/ *m*
earthquake; **~planagem** *f*
earth moving

terreiro /tɛˈʁejru/ (*Br*) *m* meeting place for Afro-Brazilian
cults

terreno /tɛˈʁenu/ *a* earthly □
m ground; (*geog*) terrain;
(*um*) piece of land; **~ baldio**
piece of waste ground

térreo /ˈtɛʁju/ *a* a ground-floor;
(andar) ~ ground floor,
(*Amer*) first floor

terrestre /tɛˈʁɛʃtrə/ *a* <animal,
batalha, forças> land; (*da
Terra*) of the Earth, the
Earth's; <alegrias etc> earthly

terrificante /tɛʁifiˈkãtə/ *a* terrifying

terrina /tɛˈʁina/ *f* tureen

territori|al /tɛʁituriˈal/ (*pl* ~-
ais) *a* territorial

território /tɛʁiˈtɔrju/ *m* territory

terrí|vel /tɛˈʁivɛl/ (*pl* ~veis) *a*
terrible

terror /tɛˈʁor/ *m* terror; **filme
de ~** horror film

terroris|mo /tɛʁuˈriʒmu/ *m*
terrorism; **~ta** *a* & *m/f* terro-
rist

tese /ˈtɛzə/ *f* theory; (*escrita*)
thesis

teso /ˈtezu/ *a* (*apertado*) taut;
(*rígido*) stiff; (*fam*) broke

tesoura /tɛˈzora/ *f* scissors;
uma ~ a pair of scissors

tesou|reiro /tɛzoˈrejru/ *m* trea-

surer; **~ro** *m* treasure; (*do
Estado*) treasury

testa /ˈtɛʃta/ *f* forehead; **~-de-
-ferro** (*pl* **~s-de-ferro**) *m*
frontman

testamento /tɛʃtaˈmẽtu/ *m*
will; (*na Bíblia*) testament

tes|tar /tɛʃˈtar/ *vt* test; **~te** /ɛ/
m test

testemu|nha /tɛʃtɛˈmuɲa/ *f*
witness; **~nha ocular** eye
witness; **~nhar** *vt* bear witness to □ *vi* testify; **~nho** *m*
evidence, testimony

testículo /tɛʃˈtikulu/ *m* testicle

teta /ˈteta/ *f* teat

tétano /ˈtɛtanu/ *m* tetanus

tétrico /ˈtɛtriku/ *a* (*triste*) dismal; (*medonho*) horrible

teu /tew/ (*f* **tua**) *a* your □
pron yours

têx|til /ˈtejʃtil/ (*pl* ~**teis**) *m*
textile

tex|to /ˈtejʃtu/ *m* text; **~tura** *f*
texture

texugo /tɛˈʃugu/ *m* badger

tez /tɛʃ/ *f* complexion

ti /ti/ *pron* you

tia /ˈtia/ *f* aunt; **~-avó** (*pl* **~s-
avós**) *f* great aunt

tiara /tiˈara/ *f* tiara

tíbia /ˈtibja/ *f* shinbone

tico /ˈtiku/ *m* **um ~ de** a little
bit of

tifo /ˈtifu/ *m* typhoid

tigela /tiˈʒɛla/ *f* bowl; **de meia
~** smalltime

tigre /ˈtigrə/ *m* tiger; **~sa** /e/ *f*
tigress

tijolo /tiˈʒolu/ *m* brick

til /til/ (*pl* **tis**) *m* tilde

tilintar /tilĩˈtar/ *vi* jingle □ *m*
jingling

timão /tiˈmãw/ *m* tiller

timbre /ˈtĩbrə/ *m* (*insígnia*) crest; (*em papel*) heading; (*de som*) tone; (*de vogal*) quality

timidez /timiˈdeʃ/ *f* shyness

tímido /ˈtimidu/ *a* shy

tímpano /ˈtĩpɐnu/ *m* (*tambor*) kettledrum; (*no ouvido*) eardrum

tina /ˈtinɐ/ *f* vat

tingir /tĩˈʒir/ *vt* (*tecido, cabelo*) dye <tecido, cabelo>; (*fig*) tinge

ti|nido /tiˈnidu/ *m* tinkling; **~nir** *vi* tinkle; <ouvidos> ring; (*tremer*) tremble; **estar ~nindo** (*fig*) be in peak condition

tino /ˈtinu/ *m* sense, judgement; **ter ~ para** have a flair for

tin|ta /ˈtĩtɐ/ *f* (*para pintar*) paint; (*para escrever*) ink; (*para tingir*) dye; **~teiro** *m* inkwell

tintim /tĩˈtĩ/ *m* **contar ~ por ~** give a blow-by-blow account of

tin|to /ˈtĩtu/ *a* dyed; <vinho> red; (*fig*) tinge; **~tura** *f* dye; (*fig*) tinge; **~~ turaria** *f* dry cleaner's

tio /ˈtiu/ *m* uncle; *pl* (**~ e tia**) uncle and aunt; **~~avô** (*pl* **~s-avôs**) *m* great uncle

típico /ˈtipiku/ *a* typical

tipo /ˈtipu/ *m* type

tipóia /tiˈpɔjɐ/ *f* sling

tique /ˈtikə/ *m* (*sinal*) tick; (*do rosto etc*) twitch

tiquinho /tiˈkiɲu/ *m* **um ~ de** a tiny bit of

tira /ˈtirɐ/ *f* strip

tiracolo /tiraˈkɔlu/ *m* **a ~** <bolsa> over one's shoulder; <pessoa> in tow

tiragem /tiˈraʒɐ̃j/ *f* (*de jornal*) circulation

tira-nódoas /tiraˈnɔdwaʃ/ *m* stain remover

ti|rania /tiraˈniɐ/ *f* tyranny; **~rânico** *a* tyrannical; **~rano** *m* tyrant

tirar /tiˈrar/ *vt* (*afastar*) take away; (*de dentro*) take out; take off <roupa, sapato, tampa>; take <foto, cópia, férias>; clear <mesa>; get <nota, diploma, salário>; get out <mancha>

tiritar /tiriˈtar/ *vi* shiver

tiro /ˈtiru/ *m* shot; **~ ao alvo** shooting; **é ~ e queda** (*fam*) it can't fail; **~teio** *m* shootout

titânio /tiˈtɐnju/ *m* titanium

títere /ˈtitərə/ *m* puppet

ti|ti /tiˈti/ *f* auntie

titubear /titubiˈar/ *vi* stagger, totter; (*fig: hesitar*) waver

titular /tituˈlar/ *m/f* title holder; (*de equipa*) captain □ *vt* title

título /ˈtitulu/ *m* title; (*obrigação*) bond; **a ~ de** on the basis of; **a ~ pessoal** on a personal basis

toa /ˈtoɐ/ *f* **à ~** (*sem rumo*) aimlessly; (*ao acaso*) at random; (*sem motivo*) without reason; (*em vão*) for nothing; (*desocupado*) at a loose end; (*de repente*) out of the blue

toada /tuˈadɐ/ *f* melody

toalha /tuˈaʎɐ/ *f* towel; **~ de mesa** tablecloth

tobogã /tɔbɔˈɡã/ *m* (*rampa*) slide; (*trenó*) toboggan

toca /ˈtɔkɐ/ *f* burrow

tocaia /tuˈkajɐ/ (Br) f ambush
tocante /tuˈkãtɐ/ a (enternecedor) touching, moving
tocar /tuˈkar/ vt touch; play <piano, música, disco etc> ; ring <campainha> □ vi touch; <pianista, música, disco etc> play; <campainha, telefone, sino> ring; ~-se vpr touch; ~ a (dizer respeito) concern; ~ em touch; touch on <assunto>
tocha /ˈtɔʃɐ/ f torch
toco /ˈtoku/ m (de árvore) stump; (de cigarro) stub
toda /ˈtodɐ/ f a ~ at full speed
todavia /todaˈviɐ/ conj however
todo /ˈtodu/ a all; (cada) every; pl all; ~ o dinheiro all the money; ~s os dias every day; ~s os alunos all the pupils; o dia ~ all day; em ~ o lugar everywhere; ~ o mundo, ~s everyone; ~s nós all of us; ao ~ in all; ~-poderoso a almighty
toga /ˈtɔgɐ/ f gown; (de romano) toga
toicinho /tojˈsiɲu/ m bacon
toldo /ˈtoldu/ m awning
tole|rância /toleˈrãsjɐ/ f tolerance; ~rante a tolerant; ~rar vt tolerate; ~rável (pl ~ráveis) a tolerable
to|lice /tuˈlisɐ/ f foolishness; (uma) foolish thing; ~lo /o/ a foolish □ m fool
tom /tõ/ m tone
to|mada /tuˈmadɐ/ f (conquista) capture; (eléctrica) plughole; (de filme) shot; ~mar vt take; (beber) drink; ~mar o pequeno alomoço have breakfast

tomara /tuˈmarɐ/ int I hope so; ~ que let's hope that; ~-que-caia a invar <vestido> strapless
tomate /tuˈmatɐ/ m tomato
tom|bar /tõˈbar/ vt (derrubar) knock down; □ vi fall over; ~bo m fall; levar um ~bo have a fall
tomilho /tuˈmiʎu/ m thyme
tomo /ˈtomu/ m volume
tona /ˈtonɐ/ f trazer à ~ bring up; vir à ~ emerge
tonalidade /tunaliˈdadɐ/ f (de música) key; (de cor) shade
to|nel /tuˈnɛl/ (pl ~néis) m cask; ~nelada f tonne
tóni|ca /ˈtɔnikɐ/ f tonic; (fig: assunto) keynote; ~co a & m tonic
tonificar /tunifiˈkar/ vt tone up
ton|tear /tõtiˈar/ vt ~tear alg make s.o.'s head spin; ~teira f dizziness; ~to a (zonzo) dizzy; (tolo) stupid; (atrapalhado) flustered; ~tura f dizziness
to|pada /tuˈpadɐ/ f trip; dar uma ~pada em stub one's toe on; ~par vt agree to, accept; ~par com bump into <pessoa> ; come across <coisa>
topázio /tuˈpazju/ m topaz
topete /tuˈpetɐ/ m (poupa) quiff
tópico /ˈtɔpiku/ a topical □ m topic
topless /tɔpˈlɛs/ a invar & adv topless
topo /ˈtopu/ m top
topografia /tupugraˈfiɐ/ f topography

topónimo /tu'pɔnimu/ *m* place name

toque /'tɔkə/ *m* touch; *(da campainha, do telefone)* ring; *(de instrumento)* playing; **dar um ~ em** *(fam)* have a word with

Tóquio /'tɔkju/ *f* Tokyo

toranja /to'rãʒə/ *f* grapefruit

tórax /'tɔraks/ *m invar* thorax

tor|ção /tur'sãw/ *f* *(do braço etc)* sprain; **~cedor** *m* supporter; **~cer** *vt* twist; *(magoar)* sprain; *(espremer)* wring <roupa>; *(centrifugar)* spin <roupa> □ *vi* *(gritar)* cheer (**por** for); *(desejar sucesso)* keep one's fingers crossed (**por** for; **para que** that); **~cer-se** *vpr* twist about; **~cicolo** /ɔ/ *m* stiff neck; **~cida** *f* *(torção)* twist; *(torcedores)* supporters; *(gritaria)* cheering

tordo /'tordu/tordu/ *m* thrush

tormen|ta /tur'mẽtə/ *f* storm; **~~ to** *m* torment; **~toso** /o/ *a* stormy

tornado /tur'nadu/ *m* tornado

tornar /tur'nar/ *vt* make; **~-se** *vpr* become

torne|ado /turni'adu/ *a* **bem ~~ado** shapely; **~ar** *vt* turn

torneio /tur'neju/ *m* tournament

torneira /tur'nejrə/ *f* tap, *(Amer)* faucet

torniquete /turni'ketə/ *m* *(para ferido)* tourniquet; *(de entrada)* turnstile

torno /'tornu/ *m* lathe; *(de ceramista)* wheel; **em ~ de** around

tornozelo /turnu'zelu/ *m* ankle

torpe /'tɔrpə/ *a* dirty

torpe|dear /turpədi'ar/ *vt* torpedo; **~do** /e/ *m* torpedo

torpor /tur'por/ *m* torpor

torra|da /tu'rada/ *f* piece of toast; *pl* toast; **~deira** *f* toaster

torrão /tu'rãw/ *m* *(de terra)* turf; *(de açúcar)* lump

torrar /tu'rar/ *vt* toast <pão>; roast <café>; blow <dinheiro>

torre /'tɔrə/ *f* tower; *(em xadrez)* rook; **~ de controle** control tower; **~ão** *m* turret

torrefacção /turəfa'sãw/ *f* *(acção)* roasting; *(fábrica)* coffee-roasting plant

torren|cial /turẽsi'al/ *(pl ~~ciais)* *a* torrential; **~te** *f* torrent

torresmo /tu'reʒmu/ *m* crackling

tórrido /'tɔridu/ *a* torrid

torso /'tɔrsu/ *m* torso

tor|to /'tortu/ *a* crooked; **a ~ e a direito** left, right and centre; **~tuoso** *a* winding

tortu|ra /tur'turə/ *f* torture; **~rador** *m* torturer; **~rar** *vt* torture

to|sa /'tɔzə/ *f* *(de cão)* clipping; *(de ovelhas)* shearing; **~são** *m* fleece; **~sar** *vt* clip <cão>; shear <ovelhas>; crop <cabelo>

tosco /'tɔʃku/ *a* rough, coarse

tosquiar /tuʃki'ar/ *vt* shear <ovelha>

tos|se /'tɔsə/ *f* cough; **~se de cão** whooping cough; **~sir** *vi* cough

tostão /tuʃ'tãw/ *m* penny

tostar /tuʃ'tar/ *vt* brown <car-

ne>; tan < pele, pessoa>; ~~-se vpr (ao sol) go brown

to|tal /tu'tal/ (pl ~tais) a & m total

totali|dade /tutɐli'dadɨ/ f entirety; ~tário a totalitarian; ~zar vt total

touca /'tokɐ/ f bonnet; (de freira) wimple; ~ de banho bathing cap; ~dor m dressing table

toupeira /to'pejrɐ/ f mole

tou|rada /to'radɐ/ f bullfight; ~reiro m bullfighter; ~ro m bull; Touro (signo) Taurus

tournée /tur'ne/ f tour

tóxico /'tɔksiku/ a toxic □ m toxic substance

toxicómano /tɔksi'kɔmɐnu/ m drug addict

toxina /tɔk'sinɐ/ f toxin

traba|lhador /trɐbaʎɐ'dor/ a <pessoa> hard-working; <classe> working □ m worker; ~ lhar vt work □ vi work; (numa peça, filme) act; ~lheira f big job; ~lhista a labour; ~lho m work; (um) job; (na escola) assignment; dar-se ao ~lho de go to the trouble of; ~lho de parto labour; ~lhos forçados hard labour; ~lhoso a laborious

traça /'trasɐ/ f moth

tra|çar /trɐ'sar/ vt draw; draw up <plano>; set out <ordens>; ~ço m stroke; (entre frases) dash; (vestígio) trace; (característica) trait; pl (do rosto) features

tracção /trɐ'sãw/ f traction

tractor /tra'tor/ m tractor

tradi|ção /trɐdi'sãw/ f tradi-

tion; ~cional (pl ~cionais) a traditional

tradu|ção /trɐdu'sãw/ f translation; ~tor m translator; ~-zir vt/i translate (de from; para into)

trafe|gar /trɐfɨ'gar/ vi run; ~-gável (pl ~gáveis) a open to traffic

tráfego /'trafɨgu/ m traffic

trafi|cância /trɐfi'kãsjɐ/ f trafficking; ~cante m/f trafficker; ~~ car vt/i traffic (com in)

tráfico /'trafiku/ m traffic

tra|gada /trɐ'gadɐ/ f (de bebida) swallow; (de cigarro) drag; ~gar vt swallow; inhale <fumaça>

tragédia /trɐ'ʒɛdjɐ/ f tragedy

trágico /'traʒiku/ a tragic

trago /'tragu/ m (de bebida) swallow; (de cigarro) drag; de um ~ in one go

trai|ção /traj'sãw/ f (acto) betrayal; (deslealdade) treachery; (da pátria) treason; ~coeiro a treacherous; ~dor a treacherous □ m traitor

trailer /'trejlɐr/ (pl ~s) m (de filme etc) trailer; (casa móvel) caravan, (Amer) trailer

traineira /traj'nejrɐ/ f trawler

trair /tra'ir/ vt betray; be unfaithful to <marido, mulher>; ~~-se vpr give o.s. away

tra|jar /trɐ'ʒar/ vt wear; ~jar-~-se vpr dress (de in); ~je m outfit; ~je a rigor evening dress; ~je espacial space suit

trajec|to /trɐ'ʒɛtu/ m (percurso) journey; (caminho) route; **~~ tória** f trajectory; (fig) course

tralha /ˈtraʎɐ/ f (trastes) junk

tra|ma /ˈtrɐmɐ/ f plot; **~mar** vt/i plot

trambi|que /trɐˈbikɐ/ (Br fam) m con; **~queiro** (fam) m con artist

tramitar /trɐmiˈtar/ vi be processed

trâmites /ˈtrɐmitəʃ/ m pl channels

tramóia /trɐˈmɔjɐ/ f scheme

trampolim /trɐpuˈlĩ/ m (de ginástica) trampoline; (de piscina, fig) springboard

tranca /ˈtrɐkɐ/ f bolt; (em carro) lock

trança /ˈtrɐsɐ/ f (de cabelo) plait

trançar /trɐˈsar/ vt plait <cabelo>; weave <palha etc>

tranco /ˈtrɐku/ m jolt; **aos ~s e barrancos** in fits and starts

tranqui|lidade /trɐkwiliˈdadɐ/ f tranquillity; **~lizador** a reassuring; **~lizante** m tranquillizer □ a reassuring; **~lizar** vt reassure; **~lizar-se** vpr be reassured; **~lo** a <bairro, sono> peaceful; <pessoa, voz, mar> calm; <consciência> clear; <sucesso, lucro> sure-fire □ adv with no trouble

tran|sa /ˈtrɐzɐ/ (Br) f (fam) (negócio) deal; (caso) affair; **~ção** f transaction; **~do** (Br) a (fam) <roupa, pessoa, casa> stylish; <relação> healthy

transar /trɐˈzar/ (Br) (fam) vt set up; do <drogas> □ vi (negociar) deal; (fazer sexo) have sex

transatlântico /trɐzaˈtlɐtiku/ a transatlantic □ m liner

transbordar /trɐʒburˈdar/ vi overflow

transcen|dental /trɐsẽdẽˈtal/ (pl **~dentais**) a transcendental; **~der** vt/i **~der (a)** transcend

trans|crever /trɐʃkroˈver/ vt transcribe; **~crição** f transcription; **~crito** a transcribed □ m transcript

transe /ˈtrɐzɐ/ m trance

transeunte /trɐziˈũtɐ/ m/f passer-by

transfe|rência /trɐʃfɐˈrẽsjɐ/ f transfer; **~ridor** m protractor; **~rir** vt transfer; **~rir-se** vpr transfer

transfor|mação /trɐʃfurmaˈsɐ̃w/ f transformation; **~mador** m transformer; **~mar** vt transform; **~mar-se** vpr be transformed

trânsfuga /ˈtrɐʃfugɐ/ m/f deserter; (de um país) defector

transfusão /trɐʃfuˈzɐ̃w/ f transfusion

trans|gredir /trɐʒɡroˈdir/ vt infringe; **~gressão** f infringement

transi|ção /trɐziˈsɐ̃w/ f transition; **~cional** (pl **~cionais**) a transitional

transi|gente /trɐziˈʒẽtɐ/ a open to compromise; **~gir** vi compromise

transis|tor /trɐziʃˈtor/ m transistor; **~torizado** a transistorized

transi|tar /trɐziˈtar/ vi pass; **~tável** (pl **~táveis**) a passable; **~tivo** a transitive

trânsito /ˈtrɐzitu/ m traffic; **em ~** in transit

transitório /trãzi'tɔrju/ a transitory

translúcido /trãʒ'lusidu/ a translucent

transmis|são /trãʒmi'sãw/ f transmission; **~sor** m transmitter

transmitir /trãʒmi'tir/ vt transmit <programa, calor, doença>; convey <notícia, ordens>; transfer <herança, direito>; **~-se** vpr <doença> be transmitted

transpa|recer /trãʃpaɾe'ser/ vi be visible; (fig) <emoção, verdade> come out; **~rência** f transparency; **~rente** a transparent

transpi|ração /trãʃpira'sãw/ f perspiration; **~rar** vt exude □ vi (suar) perspire; <notícia> trickle through; <verdade> come out

transplan|tar /trãʃplã'tar/ vt transplant; **~te** m transplant

transpor /trãʃ'por/ vt cross <rio, fronteira>; get over <obstáculo, dificuldade>; transpose <letras, música>

transpor|tadora /trãʃpurta'dora/ f transport company; **~tar** vt transport; (em contas) carry forward; **~te** m transport; **~ te colectivo** public transport

transposto /trãʃ'poʃtu/ pp de **transpor**

transtor|nar /trãʃtur'nar/ vt mess up <papéis, casa>; disrupt <rotina, ambiente>; disturb, upset <pessoa>; **~nar-se** vpr <pessoa> be rattled; **~no** /o/ m (de casa, rotina) disruption; (de pessoa) dis-

turbance; (contratempo) upset

transver|sal /trãʒvər'sal/ (pl **~sais**) a (rua) **~sal** cross street; **~so** /ε/ a transverse

transvi|ado /trãʒvi'adu/ a wayward; **~ar** vt lead astray

trapa|ça /tra'pasa/ f swindle; **~cear** vi cheat; **~ceiro** a crooked □ m cheat

trapa|lhada /trapa'ʎada/ f bungle; **~lhão** a (f **~lhona**) bungling □ m (f **~lhona**) bungler

trapézio /tra'pεzju/ m trapeze

trapezista /trape'ziʃta/ m/f trapeze artist

trapo /'trapu/ m rag

traquéia /tra'keja/ f windpipe, trachea

traquejo /tra'keʒu/ m knack

traquinas /tra'kinaʃ/ a invar mischievous

trás /traʃ/ adv de **~** from behind; **a roda de ~** the back wheel; **de ~ para a frente** back to front; **para ~** backwards; **deixar para ~** leave behind; **por ~ de** behind

traseiro /tra'zejru/ a rear, back □ m bottom

trasladar /traʒla'dar/ vt transport

traste /'traʃta/ m (pessoa) pain; (coisa) piece of junk

tra|tado /tra'tadu/ m (pacto) treaty; (estudo) treatise; **~tamento** m treatment; (título) title; **~tar** vt treat; negotiate <preço, venda> □ vi (manter relações) have dealings (**com** with); (combinar) negotiate (**com** with); **~tar de** deal with; **~tar alg de ou**

por address s.o. as; **~tar de
voltar** (*tentar*) seek to return; (*resolver*) decide to return; **~~ tar-se de** be a matter of; **~tável** (*pl* **~táveis**) *a*
<doença> treatable; <pes-
soa> accommodating; **~tos**
m pl maus **~tos** ill-treatment

trauma /ˈtrawmɐ/ *m* trauma;
~~ tizante *a* traumatic; **~ti-
zar** *vt* traumatize

tra|vão /trɐˈvãw/ *m* brake;
~var *vt* lock <rodas, múscu-
los>; stop <carro>; block
<passagem>; strike up <ami-
zade, conversa>; wage <luta,
combate> □ *vi* brake

trave /ˈtravə/ *f* beam, joist; (*do
golo*) crossbar

traves|sa /trɐˈvɛsɐ/ *f* (*trave*)
crossbar; (*rua*) side street;
(*prato*) dish; (*pente*) slide;
~são *m* dash; **~seiro** *m* pillow; **~sia** *f* crossing; **~so** /e/
a <criança> naughty; **~sura**
f prank; *pl* mischief

travesti /travɛʃˈti/ *m* transvestite; (*artista*) drag artist; **~do**
a in drag

trazer /trɐˈzer/ *vt* bring; bear
<nome, ferida>; wear <bar-
ba, chapéu, cabelo curto>

trecho /ˈtreʃu/ *m* (*de livro etc*)
passage; (*de rua etc*) stretch

treco /ˈtrɛku/ (*fam*) *m* (*Br*)
(*coisa*) thing; (*ataque*) turn

trégua /ˈtrɛgwɐ/ *f* truce; (*fig*)
respite

trei|nador /trejnɐˈdor/ *m* trai-
ner; **~namento** *m* training;
~nar *vt* train <atleta, ani-
mal>; practise <língua etc>
□ *vi* <atleta> train; <pianis-
ta, principiante> practise;

~no *m* training; (*um*) training session; **fato de ~no**
track suit

trejeito /treˈʒejtu/ *m* grimace

trela /ˈtrɛlɐ/ *f* lead, (*Amer*)
leash

treliça /trɐˈlisɐ/ *f* trellis

trem /trãj/ (*Br*) *m* train; **~ de
aterragem** undercarriage; **~
de carga** goods train,
(*Amer*) freight train

trema /ˈtremɐ/ *m* dieresis

treme|licar /trəməliˈcar/ *vi*
tremble; **~luzir** *vi* glimmer,
flicker

tremendo /trɐˈmẽdu/ *a* tremendous

tre|mer /trɐˈmer/ *vi* tremble;
<terra> shake; **~mideira** *f*
shiver **~mor** *m* tremor; (*tre-
mideira*) shiver; **~mular** *vi*
<bandeira> flutter; <luz, es-
trela> glimmer, flicker

trémulo /ˈtrɛmulu/ *a* trembling; <luz> flickering

trena /ˈtrenɐ/ *f* tape measure

trenó /trɐˈnɔ/ *m* sledge,
(*Amer*) sled; (*puxado a cavalos etc*) sleigh

tre|padeira /trɐpɐˈdejrɐ/ *f*
climbing plant; **~par** *vt*
climb □ *vi* climb; (*calão*)
fuck

três /treʃ/ *a & m* three

tresloucado /trɛʒloˈkadu/ *a*
deranged

trespas|sado /trɐʃpɐˈsadu/ *a*
<casaco> double-breasted;
~sar *vt* pierce

trevas /ˈtrɛvɐʃ/ *f pl* darkness

trevo /ˈtrevu/ *m* (*planta*) clover; (*rodoviário*) interchange

treze /ˈtrezə/ *a & m* thirteen

trezentos /trɐˈzẽtuʃ/ *a & m*
three hundred

triagem /tri'aʒãj/ *f* (*escolha*) selection; (*separação*) sorting; **fazer uma ~ de** sort

tri|angular /triãgu'lar/ *a* triangular; **~ângulo** *m* triangle

tri|bal /tri'bal/ (*pl* ~bais) *a* tribal; **~bo** *f* tribe

tribu|na /tri'buna/ *f* rostrum; **~nal** (*pl* ~nais) *m* court

tribu|tação /tributa'sãw/ *f* taxation; **~tar** *vt* tax; **~tário** *a* tax □ *m* tributary; **~to** *m* tribute

tri|cô /tri'ko/ *m* knitting; **artigos de ~cô** knitwear; **~cotar** *vt/i* knit

tridimensio|nal /tridimẽsju'nal/ (*pl* ~nais) *a* three-dimensional

trigémeo /tri'ʒɛmju/ *m* triplet

trigésimo /tri'ʒɛzimu/ *a* thirtieth

tri|go /'trigu/ *m* wheat; **~gueiro** *a* dark

trilha /'triʎa/ *f* path; (*pista, de disco*) track

trilho /'triʎu/ *m* track

trilião /trili'ãw/ *m* billion, (*Amer*) trillion

trilogia /trilu'ʒia/ *f* trilogy

trimes|tral /trimes'tral/ (*pl* ~trais) *a* quarterly; **~tre** /ɛ/ *m* quarter; (*do ano lectivo*) term

trincar /trĩ'kar/ *vt/i* crack

trincheira /trĩ'ʃejra/ *f* trench

trinco /'trĩku/ *m* latch

trindade /trĩ'dadɨ/ *f* trinity

trinta /'trĩta/ *a & m* thirty

trio /'triu/ *m* trio; **~ eléctrico** (*Br*) music float

tripa /'tripa/ *f* gut

tripé /tri'pɛ/ *m* tripod

tripli|car /tripli'kar/ *vt/i*, **~car-**

-se *vpr* treble; **~cata** *f* triplicate

triplo /'triplu/ *a & m* triple

tripu|lação /tripula'sãw/ *f* crew; **~lante** *m/f* crew member; **~lar** *vt* man

triste /'tristɨ/ *a* sad; **~za** /e/ *f* sadness; **é uma ~za** (*fam*) it's pathetic

tritu|rador /tritura'dor/ *m* (*de papel*) shredder; **~rador de lixo** waste disposal unit; **~rar** *vt* shred <legumes, papel>; grind up <lixo>

triun|fal /triũ'fal/ (*pl* ~fais) *a* triumphal; **~fante** *a* triumphant; **~far** *vi* triumph; **~fo** *m* triumph

trivi|al /trivi'al/ (*pl* ~ais) *a* trivial; **~alidade** *f* triviality; *pl* trivia

triz /triʃ/ *m* **por um ~** narrowly, by a hair's breadth; **não foi atropelado por um ~** he narrowly missed being knocked down

tro|ca /'trɔka/ *f* exchange; **em ~ca de** in exchange for; **~cadilho** *m* pun; **~cado** *m* change; **~car** *vt* (*dar e receber*) exchange (**por**); change <dinheiro, lençóis, lâmpada, lugares etc>; (*transpor*) change round; (*confundir*) mix up; **~car-se** *vpr* change; **~car de roupa/comboio/lugar** change clothes/trains/places; **~ co** /o/ *m* change; **a ~co de quê?** what for?; **dar o ~co em alg** pay s.o. back

troço /'trɔsu/ (*Br*) (*fam*) *m* (*coisa*) thing; (*ataque*) turn; **deu-me um ~** I had a funny turn

troféu /tru'fɛw/ m trophy

trom|ba /'trõbɐ/ f (de elefante) trunk; (cara amarrada) long face; **~bada** f crash; **~ba-d'água** (pl **~bas-d'água**) f downpour; **~badinha** (Br) f bag snatcher

trombo|ne /trõ'boni/ m trombone; **~nista** m/f trombonist

trompa /'trõpɐ/ f French horn; **~ de Falópio** fallopian tube

trompe|te /trõ'peti/ m trumpet; **~tista** m/f trumpeter

tron|co /'trõku/ m trunk

trono /'tronu/ m throne

tropa /'trɔpɐ/ f troop; (exército) army; pl troops; **~ de choque** riot police

trope|ção /trɔpe'sãw/ m trip; (erro) slip-up; **~çar** vi (errar) slip up; **~ço** /e/ m stumbling block

trôpego /'tropegu/ a unsteady

tropi|cal /trupi'kaw/ (pl **~cais**) a tropical

trópico /'trɔpiku/ m tropic

tro|tar /tru'tar/ vi trot; **~te** /ɔ/ m (de cavalo) trot; (Br: de estudantes) practical joke; (Br: mentira) hoax

trouxa /'troʃɐ/ f (de roupa etc) bundle □ m/f (fam) sucker □ a (fam) gullible

tro|vão /tru'vãw/ m clap of thunder; pl thunder; **~vejar** vi thunder; **~voada** f thunderstorm; **~voar** vi thunder

trucidar /trusi'dar/ vt slaughter

trucu|lência /truku'lẽsjɐ/ f barbarity; **~lento** a (cruel) barbaric; (brigão) belligerent

trufa /'trufɐ/ f truffle

trunfo /'trũfu/ m trump; (fig) trump card

truque /'trukə/ m trick

truta /'trutɐ/ f trout

tu /tu/ pron you

tua /'tuɐ/ veja **teu**

tuba /'tubɐ/ f tuba

tubarão /tubɐ'rãw/ m shark

tubá|rio /tu'barju/ a **gravidez ~ria** ectopic pregnancy

tuberculose /tubɛrcu'lɔzə/ f tuberculosis

tubo /'tubu/ m tube; (no corpo) duct

tubulação /tubulɐ'sãw/ f ducting

tucano /tu'kɐnu/ m toucan

tudo /'tudu/ pron everything; **~ bem?** (cumprimento) how are things?; **~ de bom** all the best; **em ~ quanto é lugar** all over the place

tufão /tu'fãw/ m typhoon

tulipa /tu'lipɐ/ f tulip

tumba /'tũbɐ/ f tomb

tumor /tu'mor/ m tumour; **~ cerebral** brain tumour

túmulo /'tumulu/ m grave

tumul|to /tu'multu/ m commotion; (motim) riot; **~tuado** a disorderly, rowdy; **~tuar** vt disrupt □ vi cause a commotion; **~tuoso** a tumultuous

tú|nel /'tunɛl/ (pl **~neis**) m tunnel

túnica /'tunikɐ/ f tunic

Tunísia /tu'nizjɐ/ f Tunisia

turbante /tur'bãtə/ m turban

turbilhão /turbi'ʎãw/ m whirlwind

turbina /tur'binɐ/ f turbine

turbu|lência /turbu'lẽsjɐ/ f turbulence; **~lento** a turbulent

turco /'turku/ a & m Turkish

turfa /'turfɐ/ f peat

turfe /'turfe/ m horse-racing
turis|mo /tu'riʒmu/ m tourism;
 fazer ~mo go sightseeing;
 ~ ta m/f tourist
turístico /tu'ri/tiku/ a <ponto,
 indústria> tourist; <viagem>
 sightseeing
turma /'turmɑ/ f group; (na
 escola) class
turno /'turnu/ m (de trabalho)
 shift; (de .competição, eleição) round

turquesa /tur'kezɑ/ m/f & a
 invar turquoise
Turquia /tur'kiɑ/ f Turkey
turra /'tuRɑ/ f **às ~s com** at
 loggerheads with
tur|var /tur'var/ vt cloud; **~vo**
 a cloudy
tutano /tu'tɑnu/ m marrow
tutela /tu'tɛlɑ/ f guardianship
tutor /tu'tor/ m guardian
TV /te've/ f TV

U

ubíquo /u'bikwʊ/ *a* ubiquitous
Ucrânia /u'kranjə/ *f* Ukraine
ucraniano /ukrɑni'ɑnu/ *a* & *m* Ukrainian
ufa /'ufɑ/ *int* phew
ufanis|mo /ufɑ'niʒmu/ *m* chauvinism; ~**ta** *a* & *m/f* chauvinist
Uganda /u'gãdɑ/ *m* Uganda
ui /uj/ *int* (*de dor*) ouch; (*de nojo*) ugh; (*de espanto*) oh
uísque /u'iʃkɑ/ *m* whisky
ui|var /ui'var/ *vi* howl; ~**vo** *m* howl
úlcera /'ulsɑrɑ/ *f* ulcer
ulterior /ultɛri'or/ *a* further
ulti|mamente /ultimɑ'mẽtɑ/ *adv* recently; ~**mar** *vt* finalize; ~**mato** *m* ultimatum
último /'ultimu/ *a* last; <*moda, notícia etc*> latest; **em ~ caso** as a last resort; **nos ~s anos** in recent years; **por ~** last
ultra|jante /ultrɑ'ʒãtɑ/ *a* offensive; ~**jar** *vt* offend; ~**je** *m* outrage
ultraleve /ultrɑ'lɛvɑ/ *m* microlite
ultra|mar /ultrɑ'mar/ *m* overseas; ~**marino** *a* overseas
ultrapas|sado /ultrɑpɑ'sadu/ *a* outdated; ~**sagem** *f* overtaking, (*Amer*) passing; ~**sar** *vt* (*de carro*) overtake, (*Amer*) pass; (*ser superior a*) surpass; (*exceder*) exceed; (*extrapolar*) go beyond □ *vi* overtake, (*Amer*) pass
ultra-sonografia /ultrɑ.sunugrɑ'fiɑ/ *f* ultrasound scan
ultravioleta /ultrɑ.vju'letɑ/ *a* ultraviolet
ulu|lante /ulu'lãtɑ/ *a* (*fig*) blatant; ~**lar** *vi* wail
um /ũ/ (*f* **uma**; *m pl* **uns**, *f pl* **umas**) *art* a, an; *pl* some □ *a* & *pron* one; ~ **ao outro** one another; **vieram umas 20 pessoas** about 20 people came
umbigo /ʊ'bigu/ *m* navel
umbili|cal /ʊbili'kal/ (*pl* ~**cais**) *a* umbilical
unânime /u'nɑnimɑ/ *a* unanimous
unanimidade /unɑnimi'dadɑ/ *f* unanimity
undécimo /ʊ'dɛsimu/ *a* eleventh
unguento /ʊ'gwẽtu/ *m* ointment
unha /'uɲɑ/ *f* nail; (*de animal, utensílio*) claw

unhar /u'ɲar/ vt claw

união /uni'ãw/ f union; (concórdia) unity; (acto de unir) joining

unicamente /unikɑ'mẽtɑ/ adv only

único /'uniku/ a only; (impar) unique

uni|dade /uni'dadʒ/ f unit; ~do a united; <família> close

unifi|cação /unifikɑ'sãw/ f unification; ~car vt unify

unifor|me /uni'fɔrmɑ/ a uniform; <superfície even □ m uniform; ~midade f uniformity; ~mizado a <policial etc> uniformed; (padronizado) standardized; ~zar vt (padronizar) standardize

unilate|ral /unilɑtə'ral/ (pl ~rais) a unilateral

unir /u'nir/ vt unite <povo, nações, família etc>; (ligar, casar) join; (combinar) combine (a ou com with); ~-se vpr (aliar-se) unite (a with); (juntar-se) join together; (combinar-se) combine (a ou com with)

unissexo /uni'sɛksu/ a invar unisex

uníssono /u'nisunu/ m em ~ in unison

univer|sal /univər'sal/ (pl ~sais) a universal

universi|dade /univərsi'dadʒ/ f university; ~tário a university □ m university student

universo /uni'vɛrsu/ m universe

untar /ʊ'tar/ vt grease <fôrma>; spread <pão>; smear <corpo, rosto etc>

upa /'upɑ/ int (incentivando)

upsadaisy; (ao cair algo etc) whoops

urânio /u'rɑnju/ m uranium

Urano /u'rɑnu/ m Uranus

urbanis|mo /urbɑ'niʒmu/ m town planning; ~ta m/f town planner

urbani|zado /urbɑni'zadu/ a built-up; ~zar vt urbanize

urbano /ur'bɑnu/ a (da cidade) urban; (refinado) urbane

urdir /ur'dir/ vt weave; (maquinar) hatch

urdu /ur'du/ m Urdu

ur|gência /ur'ʒẽsjɑ/ f urgency; ~gente a urgent; ~gir vi be urgent; <tempo press; ~ge irmos we must go urgently

uri|na /u'rinɑ/ f urine; ~nar vt pass <sangue> □ vi urinate; ~nol (pl ~nóis) m (penico) chamber pot; (em casa de banho) urinal

urna /'urnɑ/ f (para cinzas) urn; (para votos) ballot box; pl (fig) polls

ur|rar /u'xar/ vt/i roar; ~ro m roar

urso /'ursu/ m bear; ~-branco (pl ~s-brancos) m polar bear

urti|cária /urti'karjɑ/ f nettle rash; ~ga f nettle

urubu /uru'bu/ m black vulture

Uruguai /uru'gwaj/ m Uruguay

uruguaio /uru'gwaju/ a & m Uruguayan

urze /'urzɑ/ f heather

usado /u'zadu/ a used; <roupa> worn; <palavra> common

usar /u'zar/ vt wear <roupa, óculos, barba etc>; ~ (de) (utilizar) use

uso /'uzu/ *m* use; (*de palavras, linguagem*) usage; (*praxe*) practice

usu|al /uzu'al/ (*pl* ~**ais**) *a* common; ~**ário** *m* user; ~**fruir** *vt* enjoy <coisas boas>; have the use of <prédio, jardim etc>; ~**fruto** *m* use

usurário /uzu'rarju/ *a* money-grubbing □ *m* money-lender

usurpar /uzur'par/ *vt* usurp

uten|sílio /utẽ'silju/ *m* utensil; ~**te** *m/f* user

útero /'utəru/ *m* uterus, womb

UCI /use'i/ *f* intensive care unit

útil /'util/ (*pl* **úteis**) *a* useful; **dia** ~ workday

utili|dade /utili'dadə/ *f* usefulness; (*uma*) utility; ~**tário** *a* utilitarian; ~**zar** *vt* (*empregar*) use; (*tornar útil*) utilize; ~**zável** (*pl* ~**záveis**) *a* usable

utopia /utu'pia/ *f* Utopia

utópico /u'tɔpiku/ *a* Utopian

uva /'uva/ *f* grape

úvula /'uvulɑ/ *f* uvula

V

vaca /'vakɐ/ f cow

vacilante /vɐsi'lãtɐ/ a wavering; <luz> flickering; **~lar** vi waver; <luz> flicker; *(fam: enganar-se)* slip up

vacina /vɐ'sinɐ/ f vaccine; **~nação** f vaccination; **~nar** vt vaccinate

vácuo /'vakwu/ m vacuum

valdiar /vadi'ar/ vi *(viver ocioso)* laze around; *(fazer cera)* mess about; **~dio** a idle □ m idler

vaga /'vagɐ/ f *(posto)* vacancy; *(para estacionar)* parking place

vagabundear /vagɐbudi'ar/ vi *(perambular)* roam; *(vadiar)* laze around; **~do** a <pessoa, vida> idle; □ m tramp; *(pessoa vadia)* bum

vaga-lume /vagɐ'lumɐ/ m glow-worm

vagão /va'gãw/ m *(de passageiros)* carriage, *(Amer)* car; *(de carga)* wagon; **~gão-cama** *(pl* **~gões-cama***)* m sleeping car; **~gão-restaurante** *(pl* **~gões-restaurante***)* m dining car

vagar¹ /va'gar/ vi *(pessoa)* wander about; <barco> drift

vagar² /va'gar/ vi <cargo, apartamento> become vacant

vagaroso /vagɐ'rozu/ a slow

vagem /'vaʒẽj/ f green bean

vagina /va'ʒinɐ/ f vagina; **~nal** *(pl* **~nais***)* a vaginal

vago¹ /'vagu/ a *(indefinido)* vague

vago² /'vagu/ a *(desocupado)* vacant; <tempo> spare

vaguear /vagi'ar/ vi roam

vaia /'vajɐ/ f boo; **~ar** vi boo

vaidade /vaj'dadɐ/ f vanity; **~doso** a vain

vaivém /vaj'vãj/ m comings and goings, toing and froing; **~ espacial** m space shuttle

vala /'valɐ/ f ditch; **~ comum** mass grave

vale¹ /'valɐ/ m *(de rio etc)* valley

vale² /'valɐ/ m *(ficha)* voucher; **~ postal** postal order

valentão /valẽ'tãw/ a *(f* **~tona***)* tough □ m tough guy; **~te** a brave; **~tia** f bravery; *(uma)* feat

valer /va'ler/ vt be worth □ vi be valid; **~ aco a alg** earn s.o. sth; **~se de** avail o.s. of; **~ a pena** be worth it; **vale a**

pena tentar it's worth trying; **mais vale desistir** it's better to give up; **vale tudo** anything goes; **fazer ~** enforce <lei>; stand up for <direitos>; **para ~** (a sério) for real; (muito) really

vale|-refeição /valərəfej'sãw/ (pl **~s-refeição**) m luncheon voucher

valeta /vaˈletɐ/ f gutter

valete /vaˈletɐ/ m jack

valia /vaˈliɐ/ f value

validade /valiˈdadɐ/ f (de alimento, remédio, etc) best before date

validar /valiˈdar/ vt validate

válido /ˈvalidu/ a valid

valioso /valiˈozu/ a valuable

valor /vaˈlor/ m value; (valentia) valour; pl (titulos) securities; **no ~ de** to the value of; **sem ~** worthless; **objectos de ~** valuables; **~ nominal** face value

valori|zação /valurizaˈsãw/ f (apreciação) valuing; (aumento no valor) increase in value; **~zado** a highly valued; **~zar** vt (apreciar) value; (aumentar o valor de) increase the value of; **~zar-se** vt <coisa> increase in value; <pessoa> value o.s.

val|sa /ˈvalsɐ/ f waltz; **~sar** vi waltz

válvula /ˈvalvulɐ/ f valve

vampiro /vãˈpiru/ m vampire

vandalismo /vãdaˈliʒmu/ m vandalism

vândalo /ˈvãdalu/ m vandal

vangloriar-se /vãgluriˈarsɐ/ vpr brag (de about)

vanguarda /vãˈgwardɐ/ f vanguard; (de arte) avant-garde

vanta|gem /vãˈtaʒẽj/ f advantage; **contar ~gem** boast; **levar ~gem** have the advantage (**a** over); **tirar ~gem de** take advantage of; **~joso** /o/ a advantageous

vão /vãw/ (pl **~s**) a (f **vã**) vain □ m gap; **em ~** in vain

vapor /vaˈpor/ m (fumaça) steam; (gás) vapour; (barco) steamer; **máquina a ~** steam engine; **a todo ~** at full blast

vaporizar /vapuriˈzar/ vt vaporize; (com spray) spray

vaqueiro /vaˈkejru/ m cowboy

vaquinha /vaˈkiɲɐ/ f collection, whip-round

vara /ˈvarɐ/ f rod; **~ cívil** civil district; **~ mágica** ou **de condão** magic wand

va|ral /vaˈral/ (pl **~rais**) m washing line

varanda /vaˈrãdɐ/ f veranda

varão /vaˈrãw/ m male; (de metal) rod

varar /vaˈrar/ vt (furar) pierce; (passar por) sweep through

varejeira /varəˈʒejrɐ/ f bluebottle

vari|ação /variaˈsãw/ f variation; **~ado** a varied; **~ante** a & f variant; **~ar** vt/i vary; **para ~ar** for a change; **~ável** (pl **~áveis**) a variable; <tempo> changeable

varicela /variˈselɐ/ f chickpox

variedade /varieˈdadɐ/ f variety

vários /ˈvarjuʃ/ a pl several

varíola /vaˈriulɐ/ f smallpox

variz /vaˈriʃ/ f varicose vei

varo|nil /varuˈnil/ (pl **~nis**) manly

var|rer /vɑ.ˈʀer/ *vt* sweep; (*fig*) sweep away; **~redor de rua** *m* roadsweeper; (*Amer*) streetsweeper; **~rido a um doido ~rido** a raving lunatic

Varsóvia /vɑrˈsovjɑ/ *f* Warsaw

vascular /vɑ.ˌkuˈλar/ *vt* search through

vasectomia /vɑzɐktuˈmiɐ/ *f* vasectomy

vaselina /vɑzɐˈlinɐ/ *f* vaseline

vasilha /vɑˈziλɐ/ *f* jug

vaso /ˈvazu/ *m* pot; (*para flores*) vase; **~ sanguíneo** blood vessel

vassoura /vɑˈsorɐ/ *f* broom

vas|tidão /vɑ.ˌˈstiˈdãw/ *f* vastness; **~to a** vast

Vaticano /vɑtiˈkɐnu/ *m* Vatican

vati|cinar /vɑtisiˈnar/ *vt* prophesy; **~cínio** *m* prophecy

va|zamento /vɑzɐˈmẽtu/ *m* leak; (*marcha*) **~zão** *m* outflow; **dar ~zão a** (*fig*) give vent to; **~zar** *vt/i* leak; (*tornar vazio*) empty

vazio /vɑˈziu/ *a* empty ◻ *m* emptiness; (*um*) void

veado /viˈadu/ *m* deer

ve|dação /vɐdɐˈsãw/ *f* (*de casa, janela*) insulation; (*em motor etc*) gasket; **~dar** *vt* seal <recipiente, abertura>; stanch <sangue>; seal off <saída, área>; **~dar algo (a alg)** prohibit sth (from s.o.)

vedeta /vɐˈdetɐ/ *f* star

vee|mência /vjeˈmẽsjɐ/ *f* vehemence; **~mente** *a* vehement

vege|tação /vɛʒɐtɐˈsãw/ *f* vegetation; **~tal** (*pl* **~tais**) *a & m* vegetable; **~tar** *vi* vegetate; **~tariano** *a & m* vegetarian

veia /ˈvejɐ/ *f* vein

veicular /vejkuˈlar/ *vt* convey; place <anúncios>

veículo /vɑˈikulu/ *m* vehicle; (*de comunicação etc*) medium

vela¹ /ˈvɛlɐ/ *f* (*de barco*) sail; (*desporto*) sailing

vela² /ˈvɛlɐ/ *f* candle; (*em motor*) spark plug

velar¹ /vɛˈlar/ *vt* (*cobrir*) veil

velar² /vɐˈlar/ *vt* watch over ◻ *vi* keep vigil

veleidade /vɐlejˈdadɐ/ *f* whim

ve|leiro /vɐˈlejru/ *m* sailing boat; **~lejar** *vi* sail

velhaco /vɐˈλaku/ *a* crooked ◻ *m* crook

ve|lharia /vɐλaˈriɐ/ *f* old thing; **~lhice** *f* old age; **~lho** /ɛ/ *a* old ◻ *m* old man; **~lhote** /ɔ/ *m* old man

velocidade /vɐlusiˈdadɐ/ *f* speed; (*marcha*) gear; **a toda a ~** at full speed; **~ máxima** speed limit

velocímetro /vɐluˈsimɐtru/ *m* speedometer

velocista /vɐluˈsiʃtɐ/ *m/f* sprinter

velório /vɐˈlɔrju/ *m* wake

veloz /vɐˈlɔʃ/ *a* fast

veludo /vɐˈludu/ *m* velvet; **~ cotelê** corduroy

ven|cedor /vẽsɐˈdor/ *a* winning ◻ *m* winner; **~cer** *vt* win over <adversário etc>; win <partida, corrida, batalha> ◻ *vi* (*triunfar*) win; <prestação, aluguer, dívida> fall due; <contrato, passaporte, prazo> expire; <maturice> mature; **~cido a dar-se por ~cido** give in; **~cimento**

m (de dívida, aluguer.) due date; *(de contrato, prazo)* expiry date; *(salário)* payment; *pl* earnings ·

venda¹ /ˈvẽdɐ/ *f* sale; *(loja)* general store; **à ~** on sale; **pôr à ~** put up for sale

ven|da² /ˈvẽdɐ/ *f* blindfold; **~dar** *vt* blindfold

venda|val /vẽdɐˈval/ *(pl* **~vais)** *m* gale, storm

ven|dável /vẽˈdavel/ *(pl* **~dáveis)** *a* saleable; **~dedor** *m (de loja)* shop assistant; *(em geral)* seller; **~dedor ambulante** street vendor, hawker; **~der** *vt/i* sell; **estar a ~der saúde** be bursting with health

vendeta /vẽˈdetɐ/ *f* vendetta

veneno /vəˈnenu/ *m* poison; *(de cobra etc, malignidade)* venom; **~so** /o/ *a* poisonous; *(maldoso)* venomous

vene|ração /vənərɐˈsãw/ *f* reverence; *(de Deus etc)* worship; **~rar** *vt* revere; worship <Deus etc>

vené|reo /vəˈnɛrju/ *a* **doença ~ rea** venereal disease

Veneza /vəˈnezɐ/ *f* Venice

veneziana /vənəziˈanɐ/ *f* shutter

Venezuela /vənəzuˈɛlɐ/ *f* Venezuela

venezuelano /vənəzweˈlanu/ *a & m* Venezuelan

venta /ˈvẽtɐ/ *f* nostril

ven|tania /vẽtɐˈniɐ/ *f* gale; **~tar** *vi* be windy; **~tarola** /ɔ/ *f* fan

venti|lação /vẽtilɐˈsãw/ *f* ventilation; **~lador** *m* fan; **~lar** *vt* ventilate; air <sala, roupa>

ven|to /ˈvẽtu/ *m* wind; **de ~to em popa** smoothly; **~toinha** *f (ventilador)* fan; **~tosa** /ɔ/ *f* sucker; **~toso** /o/ *a* windy

ven|tre /ˈvẽtrə/ *m* belly; **~tríloquo** *m* ventriloquist

Vénus /ˈvɛnu/ *f* Venus

ver /ver/ *vt* see; watch <televisão>; *(resolver)* see to □ *vi* see □ *m* **a meu ~** in my view; **~se** *vpr (no espelho etc)* see o.s.; *(em estado, condição)* find o.s.; *(um ao outro)* see each other; **ter a ~ com** have to do with; **vai ~ que ela não sabe** *(fam)* I bet she doesn't know; **vê se não voltas tarde** see you don't get back late; **viu?** *(fam)* right?

veracidade /vərɐsiˈdadə/ *f* truthfulness

vera|near /vərɐniˈar/ *vi* spend the summer; **~neio** *m* summer holiday, *(Amer)* summer vacation; **~nista** *m/f* holidaymaker, *(Amer)* vacationer

Verão /vəˈrãw/ *m* summer

veraz /vəˈraʃ/ *a* truthful

verbas /ˈvɛrbɐʃ/ *f pl* funds

ver|bal /vərˈbal/ *(pl* **~bais)** *a* verbal; **~bete** /e/ *m* entry; **~bo** *m* verb; **~borragia** *f* waffle; **~boso** /o/ *a* verbose

verda|de /vərˈdadə/ *f* truth; **de ~de** <coisa> real; <fazer> really; **na ~de** actually; **para falar a ~de** to tell the truth; **~deiro** *a* <declaração, pessoa> truthful; *(real)* true

verde /ˈverdə/ *a & m* green; **jogar ~ para colher maduro** fish for information; **~abacate** *a invar* avocado;

~-**esmeralda** a invar emerald green; ~**jar** vi turn green

verdu|ra /vər'durɐ/ f (para comer) greens; (da natureza) greenery

vereador /verja'dor/ m councillor

vereda /və'redɐ/ f path

veredicto /vərə'ditu/ m verdict

vergar /vər'gar/ vt/i bend

vergo|nha /vər'goɲɐ/ f (pudor) shame; (constrangimento) embarrassment; (timidez) shyness; (uma) disgrace; ter ~**nha** be ashamed; be embarrassed; be shy; **crie ou tome ~nha na cara!** you should be ashamed of yourself!; ~**nhoso** a shameful

verídico /və'ridiku/ a true

verificar /vərifi'kar/ vt check, verify <factos, dados etc>; ~ **que** ascertain that; ~ **se** check that; ~-**se** vpr <previsão etc> come true; <acidente etc> happen

verme /'vɛrmə/ m worm

verme|lhidão /vərməʎi'dãw/ f redness; ~**lho** /e/ a & m red; **no ~lho** (endividado) in the red

vernáculo /vər'nakulu/ a & m vernacular

verniz /vər'niʃ/ f varnish; (couro) patent leather

vero|símil /vəru'zimil/ (pl ~**símeis**) a plausible; ~**similhança** f plausibility

verruga /və'Rugɐ/ f wart

ver|sado /vər'sadu/ a well--versed (**em** in); ~**são** f version; ~**sar** vi ~**sar sobre** concern; ~**sátil** (pl ~**sáteis** a

versatile; ~**satilidade** f versatility; ~**sículo** m (da Bíblia) verse

verso¹ /'vɛrsu/ m verse

verso² /'vɛrsu/ m (de página) reverse, other side; **vide ~** see over

vértebra /'vɛrtəbrɐ/ f vertebra

verte|brado /vərtə'bradu/ a & m vertebrate; ~**bral** (pl ~**brais**) a spinal

ver|tente /vər'tẽtə/ f slope; ~**ter** vt (derramar) pour; shed <lágrimas, sangue>; (traduzir) render (**para** into)

verti|cal /vərti'kal/ (pl ~**cais**) a & f vertical; ~**gem** f dizziness; ~**ginoso** /o/ a dizzy

vesgo /'veʒgu/ a cross-eyed

vesícula /və'zikulɐ/ f gall bladder

vespa /'vespɐ/ f wasp

véspera /'vɛspərɐ/ f a ~ the day before; **a ~ de** the eve of; **a ~ de Natal** Christmas Eve; **nas ~s** on the eve of

vespertino /vəspər'tinu/ m evening

ves|te /'vɛstə/ f robe; ~**tiário** m (para se trocar) changing room; (para guardar roupa) cloakroom

vestíbulo /vəʃ'tibulu/ m hall (way); (do teatro) foyer

vestido /vəʃ'tidu/ m dress □ a dressed (**de** in)

vestígio /vəʃ'tiʒju/ m trace

ves|timenta /vəʃti'mẽtɐ/ f (de sacerdote) vestments; ~**tir** vt (pôr) put on; (usar) wear; (pôr roupa em) dress; (dar roupa a) clothe; ~**tir-se** vpr dress; ~**tir-se de branco/de padre** dress in white/as a priest; ~**tuário** m clothing

vetar /ve'tar/ *vt* veto

veterano /vətə'rɐnu/ *a & m* veterano

veterinário /vətəri'narju/ *a* veterinary □ *m* vet

veto /'vɛtu/ *m* veto

véu /vɛw/ *m* veil

vexa|me /vɛ'ʃɐmə/ *m* disgrace; **dar um ~me** make a fool of o.s.

vexar /vɛ'ʃar/ *vt* shame; **~-se** *vpr* be ashamed (**de** of)

vez /veʃ/ *f* (*ocasião*) time; (*turno*) turn; **às ~es** sometimes; **cada ~ mais** more and more; **de ~** for good; **desta ~** this time; **de ~ em quando** now and again, from time to time; **de uma ~** (*ao mesmo tempo*) at once; (*de um golpe*) in one go; **de uma ~ por todas** once and for all; **duas ~es** twice; **em ~ de** instead of; **fazer as ~es de** take the place of; **mais uma ~, outra ~** again; **muitas ~es** (*com muita frequência*) often; (*repetidamente*) many times; **raras ~es** seldom; **repetidas ~es** repeatedly; **uma ~** once; **uma ~ que** since

via /'viɐ/ *f* (*estrada*) road; (*rumo, meio*) way; (*exemplar*) copy; *pl* (*trâmites*) channels □ *prep* via; **em ~s de** on the point of; **por ~ aérea/marítima** by air/sea; **por ~ das dúvidas** just in case; **por ~ de regra** as a rule; **Via Láctea** Milky Way

viabili|dade /vjabəli'dadə/ *f* feasibility; **~zar** *vt* make feasible

viação /vja'sãw/ *f* (*transporte*) road transport; (*estradas*) road network; (*companhia*) bus company

viaduto /vja'dutu/ *m* viaduct; (*rodoviário*) flyover, (*Amer*) overpass

via|gem /vi'aʒɐj/ *f* (*uma*) trip, journey; (*em geral*) travelling; *pl* (*de uma pessoa*) travels; (*em geral*) travel; **boa ~gem!** have a good trip!; **~gem de negócios** business trip; **~jado** *a* well-travelled; **~jante** *a* travelling □ *m/f* traveller; **~jar** *vi* travel

viário /vi'arju/ *a* road; **anel ~** ring road

viatura /vja'turɐ/ *f* vehicle

viá|vel /vi'avɛl/ (*pl* **~veis**) *a* feasible

víbora /'viburɐ/ *f* viper

vi|bração /vibra'sãw/ *f* vibration; (*fig*) thrill; **~brante** *a* vibrant; **~brar** *vt* shake □ *vi* vibrate; (*fig*) be thrilled (**com** by)

vice /'visə/ *m/f* deputy

vice-cam|peão /visəkɐ̃pi'ãw/ *m* (*f* **~peã**) runner-up

vicejar /vise'ʒar/ *vi* flourish

vice-presiden|te /visəprəzi'dẽtə/ *m* (*f* **~ta**) vice-president

vice-rei /visə'Rej/ *m* viceroy

vice-versa /visə'vɛrsɐ/ *adv* vice-versa

vici|ado /visi'adu/ *a* addicted (**em** to) □ *m* addict; **um ~ado em drogas** a drug addict; **~ar** *vt* (*falsificar*) tamper with; (*estragar*) ruin □ *vi* <*droga*> be addictive; **~ar-se** *vpr* get addicted (**em** to)

vício /ˈvisju/ *m* vice

vicioso /visiˈozu/ *a* **círculo ~** vicious circle

vicissitudes /visisiˈtudʒ/ *f pl* ups and downs

viço /ˈvisu/ *m* (*de plantas*) exuberance; (*de pessoa, pele*) freshness; **~so** /o/ *a* <planta> lush; <pele, pessoa> fresh

vida /ˈvidɐ/ *f* life; **sem ~** lifeless; **dar a ~** liven up; **ele passa a ~ a reclamar** he's always complaining

videira /viˈdejrɐ/ *f* vine

vidente /viˈdẽtʃ/ *m/f* clairvoyant

vídeo /ˈvidʒu/ *m* video; (*tela*) screen

video|cassete /vidʒokaˈsɛtʃ/ *m* (*fita*) video tape; (*aparelho*) video, (*Amer*) VCR; **~clip** *m* video; **~clube** *m* video club; **~game** *m* videogame; **~tape** *m* video tape

vidra|ça /viˈdrasɐ/ *f* window pane; **~ceiro** *m* glazier; **~ria** *f* (*fábrica*) glassworks; (*vidraças*) glazing

vi|drado /viˈdradu/ *a* glazed; **estar ~drado em** *ou* **por** (*Br*) (*fam*) love; **~drar** *vt* glaze □ *vi* (*Br*) (*fam*) fall in love (**em** *ou* **por** with); **~dro** *m* (*material*) glass; (*janela*) window; **~dro fumê** tinted glass

viela /viˈɛlɐ/ *f* alley

Viena /viˈenɐ/ *f* Vienna

Vietname /vietˈnamɐ/ *m* Vietnam

vietnamita /vietnaˈmitɐ/ *a* & *m/f* Vietnamese

viga /ˈvigɐ/ *f* joist

vigarice /vigaˈrisɐ/ *f* swindle

vigário /viˈgarju/ *m* vicar

vigarista /vigaˈristɐ/ *m/f* swindler, con artist

vi|gência /viˈʒẽsjɐ/ *f* (*qualidade*) force; (*tempo*) period in force; **~gente** *a* in force

vigésimo /viˈʒɛzimu/ *a* twentieth

vigi|a /viˈʒiɐ/ *f* (*guarda*) watch; (*em navio*) porthole □ *m* night watchman; **~ar** *vt* (*observar*) watch; (*cuidar de*) watch over; (*como sentinela*) guard □ *vi* keep watch

vigi|lância /viʒiˈlãsjɐ/ *f* vigilance; **~lante** *a* vigilant

vigília /viˈʒiljɐ/ *f* vigil

vigor /viˈgor/ *m* vigour; **em ~** in force

vigo|rar /viguˈrar/ *vi* be in force; **~roso** *a* vigorous

vil /vil/ (*pl* **vis**) *a* base, despicable

vila /ˈvilɐ/ *f* (*cidadezinha*) small town; (*casa elegante*) villa; (*conjunto de casas*) housing estate; **~ olímpica** Olympic village

vi|lania /vilaˈniɐ/ *f* villainy; **~lão** *m* (*f* **~lã**) villain

vilarejo /vilaˈreʒu/ *m* village

vilipendiar /vilipẽdʒiˈar/ *vt* disparage

vime /ˈvimɐ/ *m* wicker

vina|gre /viˈnagrɐ/ *m* vinegar; **~grete** /ɛ/ *m* vinaigrette

vin|car /vĩˈkar/ *vt* crease; line <rosto>; **~co** *m* crease; (*no rosto*) line

vincular /vĩkuˈlar/ *vt* bond, tie

vínculo /ˈvĩkulu/ *m* link, bond; **~ contratual** contract of employment

vinda /ˈvĩdɐ/ f coming; **dar as boas ~s a** welcome

vindicar /vĩdiˈkar/ vt vindicate

vindima /vĩˈdimɐ/ f vintage

vin|do /ˈvĩdu/ pp e pres de **vir**; **~douro** a coming

vin|gança /vĩˈgãsɐ/ f vengeance, revenge; **~gar** vt revenge □ vi <flores> thrive; <criança> survive; <plano, empreendimento> be successful; **~gar-se** vpr take one's revenge (**de** for; **em** on); **~gativo** a vindictive

vinha /ˈviɲɐ/ f vineyard

vinhedo /viˈɲedu/ m vineyard

vinheta /viˈɲetɐ/ f (na TV etc) sequence

vinho /ˈviɲu/ m wine □ a invar maroon; **~ do Porto** port

vinícola /viˈnikulɐ/ a wine-growing

vinicul|tor /vinikulˈtor/ m wine grower; **~tura** f wine growing

vinil /viˈnil/ m vinyl

vinte /ˈvĩtʃi/ a & m twenty; **~na** /e/ f score

viola /viˈɔlɐ/ f (guitarra) guitar

violação /vjulaˈsãw/ f violation, rape

violar /vjuˈlar/ vt violate, rape

vio|lência /vjuˈlẽsjɐ/ f violence; (uma) act of violence; **~lentar** vt rape <mulher>; **~lento** a violent

violeta /vjuˈletɐ/ f violet □ a invar violet

violi|nista /vjuliˈniftɐ/ m/f violinist; **~no** m violin

violonce|lista /vjulõsɛˈliftɐ/ m/f cellist; **~lo** /ɛ/ m cello

vir /vir/ vi come; **o ano que vem** next year; **venho lendo os jornais** I have been reading the papers; **vem cá** come here; (fam) listen; **isso não vem ao caso** that's irrelevant; **~ a ser** turn out to be; **~ com** give <argumento etc>

viração /viraˈsãw/ f breeze

vira-casacas /virakaˈzakaʃ/ m/f turncoat

vira|da /viˈradɐ/ f turn; **~do a** <roupa> inside out; (de cabeça para baixo) upside down; **~do para** facing

vira-lata /viraˈlatɐ/ m (Br) mongrel

virar /viˈrar/ vt turn; turn over <disco, barco etc>; turn inside out <roupa>; turn out <bolsos>; tip <balde, água etc> □ vi turn; <barco> turn over; (tornar-se) become; **~-se** vpr turn round; (na vida) get by, cope; **~-se para** turn to; **vira e mexe** every so often

viravolta /viraˈvɔltɐ/ f about-turn

virgem /ˈvirʒẽj/ a <fita> blank; <floresta, noiva etc> virgin f virgin; **Virgem** (signo) Virgo

virgindade /virʒĩˈdadʒi/ f virginity

vírgula /ˈvirgulɐ/ f comma; (decimal) point

vi|ril /viˈril/ (pl **~ris**) a virile

virilha /viˈriʎɐ/ f groin

virilidade /viriliˈdadʒi/ f virility

virtu|al /virtuˈal/ (pl **~ais**) a virtual

virtude /vir'tudə/ f virtue

virtuo|sismo /virtwu'ziʒmu/ m virtuosity; **~so** /o/ a virtuous □ m virtuoso

virulento /viru'lẽtu/ a virulent

vírus /'viruʃ/ m invar virus

visão /vi'zãw/ f vision; (aspecto, ponto de vista) view

visar /vi'zar/ vt aim at <caça, alvo>; ~ **(a)** aim for <objectivo>; <medida, acção> be aimed at

vísceras /'viʃsərəʃ/ f pl innards

viscon|de /viʃ'kõdə/ m viscount; **~dessa** /e/ f viscountess

viscoso /viʃ'kozu/ a viscous

viseira /vi'zejrə/ f visor

visibilidade /vizibili'dadə/ f visibility

visionário /vizju'narju/ a & m visionary

visi|ta /vi'zitɐ/ f visit; (visitante) visitor; **fazer uma ~ta a alg** pay s.o. a visit; **~tante** visiting □ m/f visitor; **~tar** vt visit

visí|vel /vi'zivɛl/ a (pl **~veis**) a visible

vislum|brar /viʒlũ'brar/ vt (entrever) glimpse; (imaginar) envisage; **~bre** m glimpse

vison /vi'zõ/ m mink

visor /vi'zor/ m viewfinder

vis|ta /'viʃtɐ/ f sight; (dos olhos) eyesight; (panorama) view; **à ~ta** (visível) in view; (em dinheiro) in cash; **à primeira ~ta** at first sight; **pôr à ~ta** put on show; **de ~ta** <conhecer> by sight; **em ~ta de** in view of; **ter em** **~ta** have in view; **dar nas** **~tas** attract attention; **fazer** **~ta** look nice; **fazer ~ta** **grossa** turn a blind eye (**a** to); **perder de ~ta** lose sight of; **a perder de ~ta** as far as the eye can see; **uma ~ta de** **olhos** a quick look; **~to** a seen □ m visa; **pelos ~tos** by the looks of things; **~to** **que** seeing that

visto|ria /viʃtu'riɐ/ f inspection; **~riar** vt inspect

vistoso /viʃ'tozu/ a eye-catching

visu|al /vizu'al/ (pl **~ais**) a visual □ m look; **~alizar** vt visualize

vi|tal /vi'tal/ (pl **~tais**) a vital; **~talício** a for life; **~talidade** f vitality

vita|mina /vitɐ'minɐ/ f vitamin; (BR: bebida) liquidized fruit drink; **~minado** a with added vitamins; **~mínico** a vitamin

vitela /vi'tɛlɐ/ f (carne) veal

viticultura /vitikul'turɐ/ f viticulture

vítima /'vitimɐ/ f victim

viti|mar /viti'mar/ vt (matar) claim the life of; **ser ~mado** **por** fall victim to

vitória /vi'tɔrjɐ/ f victory

vitorioso /vituri'ozu/ a victorious

vi|tral /vi'tral/ (pl **~trais**) m stained glass window

vitrine /vi'trinə/ f shop window

viú|va /vi'uvɐ/ f widow; **~vo** a widowed □ m widower

viva /'vivɐ/ f cheer □ int hurray; ~ **a rainha** long live the queen; **dar ~s** vt/i cheer

vivacidade /vivɐsiˈdadɨ/ f vivacity

vivalma /viˈvalmɐ/ f **não há ~lá fora** there's not a soul outside

vivaz /viˈvaʃ/ a lively, vivacious; <planta> hardy

viveiro /viˈvɐjru/ m (de plantas) nursery; (de peixes) fishpond; (de aves) aviary; (fig) breeding ground

vivência /viˈvẽsjɐ/ f experience

vívido /ˈvividu/ a vivid

viver /viˈver/ vt/i live (**de** on) □ m life

víveres /ˈvivɐrɨʃ/ m pl provisions

vivisecção /vivisɛkˈsãw/ f vivisection

vivo /ˈvivu/ a (que vive) living; (animado) lively; <cor> bright □ m **os ~s** the living; **ao ~** live; **estar ~** be alive; **dinheiro ~** cash

vizi|nhança /viziˈɲãsɐ/ f neighbourhood; **~nho** a neighbouring □ m neighbour

vo|ador /vwɐˈdor/ a flying; **~ar** vi fly; (explodir) blow up

vocabulário /vukɐbuˈlarju/ m vocabulary

vocábulo /vuˈkabulu/ m word

voca|ção /vukɐˈsãw/ f vocation; **~cional** (pl **~cionais**) a vocational; **orientação ~cional** careers guidance

vo|cal /vuˈkal/ (pl **~cais**) a vocal

você /vɔˈse/ pron you; **~s** pron you

vociferar /vusifɐˈrar/ vi shout abuse

vodca /ˈvɔdkɐ/ f vodka

voga /ˈvɔgɐ/ f (moda) vogue

vo|gal /vuˈgal/ (pl **~gais**) f vowel

volante /vuˈlãtɨ/ m (de carro) steering wheel

volá|til /vuˈlatil/ (pl **~teis**) a volatile

volei /ˈvɔlej/ m, **voleibol** /vɔlejˈbɔl/ m volleyball

volt /ˈvɔlt/ (pl **~s**) m volt

volta /ˈvɔltɐ/ f (retorno) return; (da pista) lap; (resposta) response; **às ~s com** tied up with; **de ~** back; **em ~** de around; **na ~** on the way back; **na ~ do correio** by return of post; **por ~ de** around; **dar a ~ ao mundo** go round the world; **dar a ~ por cima** make a comeback; **dar meia ~** turn round; **dar uma ~** (a pé) go for a walk; (de carro) go for a drive; **dar uma ~ em** turn round; **dar ~s** spin round; **ter ~** get a response; **~ e meia** every so often; **~do** a **~do para** geared towards

voltagem /volˈtaʒɐj/ f voltage

voltar /volˈtar/ vi go/come back, return □ vt rewind <fita>; **~-se** vpr turn round; **~-se para/contra** turn to/against; **~ a si** come to; **~ a fazer** do again; **~ atrás** backtrack

volu|me /vuˈlumɨ/ m volume; **~moso** a sizeable; <som> loud

voluntário /vulũˈtarju/ a & m volunteer

volúpia /vuˈlupjɐ/ f sensuality, lust

voluptuoso /vuluptuˈozu/ *a* sensual; <mulher> voluptuous

volú|vel /vuˈluvɛl/ (*pl* ~veis) *a* fickle

vomitar /vumiˈtar/ *vt/i* vomit

vómito /ˈvɔmitu/ *m* vomit; *pl* vomiting

vontade /võˈtadə/ *f* will; **à ~** (*bem*) at ease; (*quanto quiser*) as much as one likes; **fique à ~** make yourself at home; **tem comida à ~** there's plenty of food; **estar com ~ de** feel like; **isso dá-me ~ de chorar** it makes me feel like crying; **fazer a ~ de alg** do what s.o. wants

vôo /ˈvow/ *m* flight; **levantar ~** take off

voraz /vuˈraʃ/ *a* voracious

vos /vuʃ/ *pron* you; (*a vocês*) to you

vós /vɔʃ/ *pron* you

vosso /ˈvɔsu/ *a* your □ *pron* yours

vo|tação /vutaˈsãw/ *f* vote; **~tante** *m/f* voter; **~tar** *vt* vote on <lei etc>; (*dedicar*) de-

vote; (*prometer*) vow □ *vi* vote (**em** for)

voto /ˈvɔtu/ *m* (*em votação*) vote; (*promessa*) vow; *pl* (*desejos*) wishes

vo|vó /vɔˈvɔ/ *f* grandma; **~vô** *m* grandpa

voz /vɔʃ/ *f* voice; **dar ~ de prisão a alg** place s.o. under arrest

vozeirão /vuzejˈrãw/ *m* loud voice

vozerio /vuzɔˈriu/ *m* shouting

vul|cânico /vulˈkɑniku/ *a* volcanic; **~cão** *m* volcano

vul|gar /vulˈgar/ *a* ordinary; (*baixo*) vulgar; **~garizar** *vt* popularize; (*tornar baixo*) vulgarize; **~go** *adv* commonly known as

vulne|rabilidade /vulnərɑbiliˈdadə/ *f* vulnerability; **~rável** (*pl* ~ráveis) *a* vulnerable

vul|to /ˈvultu/ *m* (*figura*) figure; (*tamanho*) bulk; (*importância*) importance; **de ~to** important; **~toso** /o/ *a* bulky; (*importante*) important

W

walkie-talkie /uɔlki'tɔlki/ (*pl* ~**s**) *m* walkie-talkie

walkman /u'ɔlkmɑn/ *m invar* walkman

watt /u'ɔtə/ (*pl* ~**s**) *m* watt

windsur|f /uɪd'sɑrfə/ *m* windsurfing; ~**fista** *m/f* windsurfer

X

xadrez /ʃɑˈdreʃ/ *m* (*jogo*) chess; (*desenho*) check; (*fam: prisão*) prison □ *a invar* check

xale /ˈʃalə/ *m* shawl

xarope /ʃɑˈrɔpə/ *m* syrup

xenofobia /ʃənufuˈbiɑ/ *f* xenophobia

xenófobo /ʃəˈnɔfubu/ *a* xenophobic □ *m* xenophobe

xeque¹ /ˈʃɛkə/ *m* (*árabe*) sheikh

xeque² /ˈʃɛkə/ *m* (*no xadrez*) check; **~-mate** *m* checkmate

xerez /ʃəˈreʃ/ *m* sherry

xerife /ʃəˈrifə/ *m* sheriff

xerox /ʃɛˈrɔks/ *m invar* photocopy

xícara /ˈʃikɑrɑ/ (*Br*) *f* cup

xiita /ʃiˈitɑ/ *a & m/f* Shiite

xilofone /ʃiloˈfɔnə/ *m* xylophone

xingar /ʃĩˈgar/ (*Br*) *vt* swear at □ *vi* swear

xis /ʃiʃ/ *m invar* letter X; **o ~ do problema** the crux of the problem

xixi /ʃiˈʃi/ (*fam*) *m* wee; **fazer ~** do a wee

xô /ʃo/ *int* shoo

Z

Zaire /ˈzajrə/ *m* Zaire

Zâmbia /ˈzãbjə/ *f* Zambia

zan|gado /zã'gadu/ *a* cross, annoyed; **~gar** *vt* annoy; **~gar-se** *vpr* get cross, get annoyed (**com** with)

zanzar /zã'zar/ *vi* wander

zarpar /zar'par/ *vi* set off; (*de navio*) set sail

zebra /ˈzebrə/ *f* zebra

ze|lador /zelə'dor/ (*Br*) *m* caretaker, (*Amer*) janitor; **~lar** *vt* **~lar (por)** take care of; **~lo** /e/ *m* zeal; **~lo por** devotion to; **~loso** /o/ *a* zealous

zero /ˈzɛru/ *m* zero; (*em desporto*) nil; **~quilómetros** *a invar* brand new

ziguezague /zigə'zagə/ *m* zigzag; **~ar** *vi* zigzag

Zimbabwe /zĩ'babwɛ/ *m* Zimbabwe

zoeira /zu'ejrə/ *f* din

zom|bador /zõbɑ'dor/ *a* mocking; **~bar** *vi* **~bar (de)** mock; **~baria** *f* mockery

zona /ˈzɔnə/ *f* (*área*) zone; (*de cidade*) district; (*bairro do meretrício*) red-light district

zonzo /ˈzõzu/ *a* dizzy

zôo /ˈzow/ *m* zoo

zoo|logia /zwulu'ʒiə/ *f* zoology; **~lógico** *a* zoological

zoom /zum/ *m* zoom lens

zoólogo /zu'ɔlugu/ *m* zoologist

zulu /zu'lu/ *a* & *m/f* Zulu

zumbi /zu'bi/ *m* zombie

zum|bido /zũ'bidu/ *m* buzz; (*no ouvido*) ringing; **~bir** *vi* buzz

zu|nido /zu'nidu/ *m* (*de vento, bala*) whistle; (*de insecto*) buzz; **~nir** *vi* <vento, bala> whistle; <insecto> buzz

zinco /ˈzĩku/ *m* zinc
ziper /ˈzipɛr/ *m* zip, zipper
zodíaco /zuˈdiɑku/ *m* zodiac

zunzum /zʊˈzʊ/ *m* rumour
Zurique /zuˈrikə/ *f* Zurich
zurrar /zuˈʀar/ *vi* bray

INGLÊS-PORTUGUÊS

ENGLISH-PORTUGUESE

A

a /ə/; *emphatic* /eɪ/ (*before vowel* **an** /ən/; *emphatic* /æn/) *a* um. **two pounds a metre** duas libras o metro. **sixty miles an hour** sessenta milhas à hora; **once a year** uma vez por ano

aback /ə'bæk/ *adv* **taken ~** desconcertado, surpreendido

abandon /ə'bændən/ *vt* abandonar □ *n* abandono *m*. **~ed** *a* abandonado; (*behaviour*) livre, dissoluto. **~ment** *n* abandono *m*

abashed /ə'bæʃt/ *a* confuso, atrapalhado

abate /ə'beɪt/ *vt/i* abater, abrandar, diminuir. **~ment** *n* abrandamento *m*, diminuição *f*

abattoir /'æbətwa:(r)/ *n* matadouro *m*

abbey /'æbɪ/ *n* abadia *f*, mosteiro *m*

abbreviat|**e** /ə'bri:vɪeɪt/ *vt* abreviar. **~ion** /-ʃn/ *n* abreviação *f*; (*short form*) abreviatura *f*

abdicat|**e** /'æbdɪkeɪt/ *vt/i* abdicar. **~ion** /'keɪʃn/ *n* abdicação *f*

abdom|**en** /'æbdəmən/ *n* abdómen *m*. **~inal** /'dɒmɪnl/ *a* abdominal

abduct /æb'dʌkt/ *vt* raptar. **~ion** /-ʃn/ *n* rapto *m*. **~or** *n* raptor, *~a* *mf*

aberration /æbə'reɪʃn/ *n* aberração *f*

abet /ə'bet/ *vt* (*pt* abetted) (*jur*) instigar; (*aid*) auxiliar

abeyance /ə'beɪəns/ *n* **in ~** (*matter*) em suspenso; (*custom*) em desuso

abhor /əb'hɔ:(r)/ *vt* (*pt* abhorred) abominar, ter horror a. **~rence** /'hɒrəns/ *n* horror *m*. **~rent** /'hɒrənt/ *a* abominável, execrável

abide /ə'baɪd/ *vt* (*pt* abided) suportar, tolerar. **~ by** (*promise*) manter; (*rules*) acatar

abiding /ə'baɪdɪŋ/ *a* eterno, perpétuo

ability /ə'bɪlətɪ/ *n* capacidade *f* (**to do** para *or* de fazer); (*cleverness*) habilidade *f*, esperteza *f*

abject /'æbdʒekt/ *a* abjecto

ablaze /ə'bleɪz/ *a* em chamas; (*fig*) excitado

abl|**e** /'eɪbl/ *a* (**~er**, **~est**) capaz (**to** de). **be ~e to** (*have power, opportunity*) ser capaz de, poder; (*know how to*) ser capaz de, saber. ~**y** *adv* habilmente

ablutions /əˈbluːʃnz/ *npl* ablução *f*, abluções *fpl*

abnormal /æbˈnɔːml/ *a* anormal. ~**ity** /-ˈmælətɪ/ *n* anormalidade *f*. ~**ly** *adv* (*unusually*) excepcionalmente

aboard /əˈbɔːd/ *adv* a bordo □ *prep* a bordo de

abode /əˈbəʊd/ *n* (*old use*) habitação *f*. **place of** ~ domicílio *m*

aboli|sh /əˈbɒlɪʃ/ *vt* abolir, extinguir. ~**tion** /æbəˈlɪʃn/ *n* abolição *f*, extinção *f*

abominable /əˈbɒmɪnəbl/ *a* abominável, detestável

abominat|e /əˈbɒmɪneɪt/ *vt* abominar, detestar. ~**ion** /-ˈneɪʃn/ *n* abominação *f*

abort /əˈbɔːt/ *vt/i* (fazer) abortar. ~**ive** *a* (*attempt etc*) abortado, malogrado

abortion /əˈbɔːʃn/ *n* aborto *m*. **have an** ~ fazer um aborto, ter um aborto. ~**ist** *n* abortad/or, -eira *mf*

abound /əˈbaʊnd/ *vi* abundar (**in** em)

about /əˈbaʊt/ *adv* (*approximately*) aproximadamente, cerca de; (*here and there*) aqui e ali; (*all round*) por todos os lados, em roda, em volta; (*in existence*) por aí □ *prep* acerca de, sobre; (*round*) em torno de; (*somewhere in*) por, em. ~-**face**, ~-**turn** *ns* reviravolta *f*. ~ **here** por aqui. **be** ~ **to** estar prestes a. **he was** ~ **to eat** ia comer. **how** *or* **what** lea-

ving? e se nos fôssemos embora? **know/talk** ~ saber/falar sobre

above /əˈbʌv/ *adv* acima, por cima □ *prep* sobre. **he's not** ~ **lying** ele não é de mentir. ~ **all** sobretudo. ~-**board** *a* franco, honesto □ *adv* com lisura. ~-**mentioned** *a* acima, supracitado

abrasion /əˈbreɪʒn/ *n* atrito *m*; (*in·jury*) escoriação *f*, esfoladura *f*

abrasive /əˈbreɪsɪv/ *a* abrasivo; (*fig*) agressivo □ *n* abrasivo *m*

abreast /əˈbrest/ *adv* lado a lado. **keep** ~ **of** manter-se a par de

abridge /əˈbrɪdʒ/ *vt* abreviar. ~**ment** *n* abreviação *f*, abreviatura *f*, redução *f*; (*abridged text*) resumo *m*

abroad /əˈbrɔːd/ *adv* no estrangeiro; (*far and wide*) por todo o lado. **go** ~ ir para o estrangeiro

abrupt /əˈbrʌpt/ *a* (*sudden, curt*) brusco; (*steep*) abrupto. ~**ly** *adv* (*suddenly*) bruscamente; (*curtly*) com brusquidão. ~**ness** *n* brusquidão *f*; (*steepness*) declive *m*

abscess /ˈæbsɪs/ *m* abcesso

abscond /əbˈskɒnd/ *vi* evadir-se, andar fugido

absen|t[1] /ˈæbsənt/ *a* ausente; (*look etc*) distraído. ~**ce** *n* ausência *f*; (*lack*) falta *f*. ~**t-minded** *a* distraído. ~**t-mindedness** *f*, distracção *f*

absent[2] /əbˈsent/ *v refl* ~ **o.s.** ausentar-se

absentee /æbsənˈtiː/ *n* absentista *mf.* ~**ism** *n* absentismo *m*

absolute /ˈæbsəlu:t/ *a* absoluto; (*colloq: coward etc*) autêntico, verdadeiro. ~**ly** *adv* absolutamente

absolution /æbsəˈlu:ʃn/ *n* absolvição *f*

absolve /əbˈzɒlv/ *vt* (*from sin*) absolver (**from** de); (*from vow*) desligar (**from** de)

absor|b /əbˈsɔ:b/ *vt* absorver. ~**ption** *n* absorção *f*

absorbent /əbˈsɔ:bənt/ *a* absorvente. ~ **cotton** (*Amer*) algodão hidrófilo *m*

abst|ain /əbˈsteɪn/ *vi* abster-se (**from** de). ~**ention** /ˈstenʃn/ *n* abstenção *f*

abstemious /əbˈsti:mɪəs/ *a* abstémio, sóbrio

abstinen|ce /ˈæbstɪnəns/ *n* abstinência *f*. ~**t** *a* abstinente

abstract[1] /ˈæbstrækt/ *a* abstracto

abstract[2] /əbˈstrækt/ *vt* (*take out*) extrair; (*separate*) abstrair. ~**ed** *a* distraído. ~**ion** /-ʃn/ *n* (*of mind*) distracção *f*; (*idea*) abstracção *f*

absurd /əbˈsɜ:d/ *a* absurdo. ~**ity** *n* absurdo *m*

abundan|t /əˈbʌndənt/ *a* abundante. ~**ce** *n* abundância *f*

abuse[1] /əˈbju:z/ *vt* (*misuse*) abusar de; (*ill-treat*) maltratar; (*insult*) injuriar, insultar

abus|e[2] /əˈbju:s/ *n* (*wrong use*) abuso *m* (**of** de); (*insults*) insultos *m pl.* ~**ive** *a* injurioso, ofensivo

abysmal /əˈbɪzməl/ *a* abismal; (*colloq: bad*) abissal

abyss /əˈbɪs/ *n* abismo *m*

academic /ækəˈdemɪk/ *a* académico, universitário; (*scholarly*) intelectual; (*pej*) académico, teórico □ *n* universitário

academy /əˈkædəmɪ/ *n* academia *f*

accede /əkˈsi:d/ *vi* ~ **to** (*request*) aceder a; (*post*) assumir; (*throne*) ascender a, subir a

accelerat|e /əkˈseləreɪt/ *vt* acelerar □ *vi* acelerar-se; (*auto*) acelerar. ~**ion** /ˈreɪʃn/ *n* aceleração *f*

accelerator /əkˈseləreɪtə(r)/ *n* (*auto*) acelerador *m*

accent[1] /ˈæksənt/ *n* acento *m*; (*local pronunciation*) sotaque *m*

accent[2] /ækˈsent/ *vt* acentuar

accentuate /ækˈsentʃʊeɪt/ *vt* acentuar

accept /əkˈsept/ *vt* aceitar. ~**able** *a* aceitável. ~**ance** *n* aceitação *f*; (*approval*) aprovação *f*

access /ˈækses/ *n* acesso *m* (**to** a). ~**ible** /əkˈsesəbl/ *a* acessível

accessory /əkˈsesərɪ/ *a* acessório □ *n* acessório *m*; (*jur: person*) cúmplice *m*

accident /ˈæksɪdənt/ *n* acidente *m*, desastre *m*; (*chance*) acaso *m*. ~**al** /ˈdentl/ *a* acidental, fortuito. ~**ally** /ˈdentəlɪ/ *adv* acidentalmente, por acaso

acclaim /əˈkleɪm/ *vt* aclamar □ *n* aplauso *m*, aclamações *fpl*

acclimatiz|e /əˈklaɪmətaɪz/ *vt/i* aclimatar(-se). ~**ation** /ˈzeɪʃn/ *n* aclimatação *f*

accommodat|e /ə'kɒmədeɪt/ vt acomodar; (lodge) alojar; (adapt) adaptar; (supply) fornecer; (oblige) **fazer a vontade de**. **~ing** a obsequioso, amigo de fazer vontades. **~ion** /'deɪʃn/ n acomodação f; (rooms) alojamento m, quarto m

accompan|y /ə'kʌmpənɪ/ vt acompanhar. **~iment** n acompanhamento m. **~ist** n (mus) acompanhador mf

accomplice /ə'kʌmplɪs/ n cúmplice mf

accomplish /ə'kʌmplɪʃ/ vt (per- form) executar, realizar; (achieve) realizar, conseguir fazer. **~ed** a acabado. **~ment** n realização f; (ability) talento m, dote m

accord /ə'kɔːd/ vi concordar □ vt conceder □ n acordo m. **of one's own ~** por vontade própria, espontaneamente. **~ance** n **in ~ance with** em conformidade com, de acordo com

according /ə'kɔːdɪŋ/ adv **~ to** conforme. **~ly** adv (therefore) por conseguinte, por consequência; (appropriately) conformemente

accordion /ə'kɔːdɪən/ n acordeão m

accost /ə'kɒst/ vt abordar, abeirar-se de

account /ə'kaʊnt/ n (comm) conta f; (description) relato m; (importance) importância f □ vt considerar. **~ for** dar contas de, explicar. **on ~ of** por causa de. **on no ~** em caso algum. **take into ~** ter

or levar em conta. **~able** /-əbl/ a responsável (**for** por). **~ability** /-ə'bɪlətɪ/ n responsabilidade f

accountant /ə'kaʊntənt/ n contabilista mf

accrue /ə'kruː/ vi acumular-se. **~ to** reverter em favor de

accumulat|e /ə'kjuːmjʊleɪt/ vt/i acumular(-se). **~ion** /'leɪʃn/ n acumulação f, acréscimo m

accumulator /ə'kjuːmjʊleɪtə (r)/ n (electr) acumulador m

accura|te /'ækjərət/ a exacto, preciso. **~cy** n exactidão f, precisão f. **~ tely** adv exactidão

accus|e /ə'kjuːz/ vt acusar. **the ~ed** o acusado. **~ation** /ækjuː-'zeɪʃn/ n acusação f

accustom /ə'kʌstəm/ vt acostumar, habituar. **~ed** a acostumado, habituado. **get ~ed to** acostumar-se a, habituar-se a

ace /eɪs/ n ás m

ache /eɪk/ n dor f □ vi doer. **my leg ~s** dói-me a perna, tenho dores na perna

achieve /ə'tʃiːv/ vt realizar, efetuar; (success) alcançar. **~ment** n realização f; (feat) feito m, façanha f, sucesso m

acid /'æsɪd/ a ácido; (wine) azedo; (words) áspero □ n ácido m. **~ity** /ə'sɪdətɪ/ n acidez f

acknowledge /ək'nɒlɪdʒ/ vt reconhecer; **~ (receipt of)** acusar a recepção de. **~ment** n reconhecimento m; (letter etc) aviso m de recepção

acne /'æknɪ/ n acne mf

acorn /ˈeɪkɔːn/ n bolota f, glande f

acoustic /əˈkuːstɪk/ a acústico. **~s** npl acústica f

acquaint /əˈkweɪnt/ vt **~ s.o. with sth** pôr alg a par de alg coisa. **be ~ed with** (person, fact) conhecer. **~ance** n (knowledge, person) conhecimento m; (person) conhecido m

acquiesce /ækwɪˈes/ vi consentir. **~nce** /ækwɪˈesns/ n aquiescência f, consentimento m

acqui|re /əˈkwaɪə(r)/ vt adquirir. **~sition** /ækwɪˈzɪʃn/ n aquisição f

acquit /əˈkwɪt/ vt (pt acquitted) absolver. **~ o.s. well** sair-se bem. **~tal** n absolvição f

acrid /ˈækrɪd/ a acre

acrimon|ious /ækrɪˈməʊnɪəs/ a acrimonioso. **~y** /ˈækrɪmənɪ/ n acrimónia f

acrobat /ˈækrəbæt/ n acrobata mf. **~ic** /ˈbætɪk/ a acrobático. **~ics** /ˈbætɪks/ npl acrobacia f

acronym /ˈækrənɪm/ n sigla f

across /əˈkrɒs/ adv & prep (side to side) de lado a lado (de), de um lado para o outro (de); (on the other side) do outro lado (de); (crosswise) através (de), de través. **go** or **walk ~** atravessar. **swim ~** atravessar a nado

act /ækt/ n (deed, theatr) acto m; (in variety show) número m; (decree) lei f □ vi agir, actuar; (theatr) representar; (function) funcionar; (pretend) fingir □ vt (part, role)

desempenhar. **~ as** servir de. **~ing** a interino □ n (theatr) desempenho m

action /ˈækʃn/ n acção f; (mil) combate m. **out of ~** fora de combate; (techn) avariado. **take ~** actuar

activ|e /ˈæktɪv/ a activo; (interest) vivo; (volcano) em actividade. **~ity** /-ˈtɪvɪtɪ/ n actividade f

ac|tor /ˈæktə(r)/ n actor m. **~tress** n actriz f

actual /ˈæktʃʊəl/ a real, verdadeiro; (example) concreto. **the ~ pen which** a própria caneta que. **~ity** /ˈæləti/ n realidade f. **~ly** adv (in fact) na realidade

acumen /əˈkjuːmen/ n agudeza f, perspicácia f

acupunctur|e /ˈækjʊpʌŋktʃə(r)/ n acupunctura f. **~ist** n acupuncturista m

acute /əˈkjuːt/ a agudo; (mind) perspicaz; (emotion) intenso, vivo; (shortage) grande. **~ly** adv vivamente.

ad /æd/ n (colloq) anúncio m

AD abbr dC

adamant /ˈædəmənt/ a inflexível

adapt /əˈdæpt/ vt/i adaptar(-se). **~ation** /ædæpˈteɪʃn/ n adaptação f. **~or** (electr) n adaptador m

adaptab|le /əˈdæptəbl/ a adaptável. **~ility** /ˈbɪlətɪ/ n adaptabilidade f

add /æd/ vt/i acrescentar. **~ (up)** somar. **~ up to** (total) elevar-se a

adder /ˈædə(r)/ n víbora f

addict /ˈædɪkt/ n viciado m. **drug ~** toxicodependente mf

addict|ed /əˈdɪktɪd/ a be ~ed to (drink, drugs; fig) ter o vício de. ~ion /-ʃn/ n (med) dependência f; (fig) vício m. ~ive a que produz dependência

addition /əˈdɪʃn/ n adição f. in ~ além disso. in ~ to além de. ~al /-ʃənl/ a adicional, suplementar

address /əˈdres/ n endereço m; (speech) discurso m □ vt endereçar; (speak to) dirigir-se a

adenoids /ˈædɪnɔɪdz/ npl adenóides mpl

adept /ˈædept/ a & n especialista mf, perito m (at em)

adequa|te /ˈædɪkwət/ a adequado; (satisfactory) satisfatório. ~cy n adequação f; (of person) competência f. ~tely adv adequadamente

adhere /ədˈhɪə(r)/ vi aderir (to a)

adhesive /ədˈhiːsɪv/ a & n adesivo m. ~ plaster adesivo m

adjacent /əˈdʒeɪsnt/ a adjacente, contíguo (to a)

adjective /ˈædʒektɪv/ n adjectivo m

adjoin /əˈdʒɔɪn/ vt confinar com, ficar contíguo a

adjourn /əˈdʒɜːn/ vt adiar □ vi suspender a sessão. ~ to (go) passar a, ir para

adjudicate /əˈdʒuːdɪkeɪt/ vt/i julgar; (award) adjudicar

adjust /əˈdʒʌst/ vt/i (alter) ajustar, regular; (arrange) arranjar. ~ (o.s.) to adaptar-se a. ~able a regulável. ~ment n (techn) regulação f,

afinação f; (of person) adaptação f

ad lib /ædˈlɪb/ vi (pt ad libbed) (colloq) improvisar □ adv à vontade

administer /ədˈmɪnɪstə(r)/ vt administrar

administrat|e /ədˈmɪnɪstreɪt/ vt administrar, gerir. ~ion /ˈstreɪʃn/ n administração f. ~or n administrador m

administrative /ədˈmɪnɪstrətɪv/ a administrativo

admirable /ˈædmərəbl/ a admirável

admiral /ˈædmərəl/ n almirante m

admir|e /ədˈmaɪə(r)/ vt admirar. ~ation /-mɪˈreɪʃn/ n admiração f. ~er /ˈmaɪərə(r)/ n admirador m

admission /ədˈmɪʃn/ n admissão f; (to museum, theatre, etc) entrada f, (Br) ingresso m; (confession) confissão f

admit /ədˈmɪt/ vt (pt admitted) (let in) admitir, permitir a entrada a; (acknowledge) reconhecer, admitir. ~ to confessar. ~tance n admissão f

admoni|sh /ədˈmɒnɪʃ/ vt admoestar. ~tion /-ˈnɪʃn/ n admoestação f

adolescen|t /ædəˈlesnt/ a & n adolescente mf. ~ce n adolescência f

adopt /əˈdɒpt/ vt adoptar. ~ed child filho adoptivo. ~ion /-ʃn/ n adopção f

ador|e /əˈdɔː(r)/ vt adorar. ~able a adorável. ~ation /ædəˈreɪʃn/ n adoração f

adorn /əˈdɔːn/ vt adornar, enfeitar

adrenalin /ə'drenəlɪn/ *n* adrenalina *f*

adrift /ə'drɪft/ *a & adv* à deriva

adult /'ædʌlt/ *a & n* adulto (*m*). ~**hood** *n* idade *f* adulta, maioridade *f*

adulterat|e /ə'dʌltəreɪt/ *vt* adulterar. ~**ion** /'reɪʃn/ *n* adulteração *f*

adulter|y /ə'dʌltərɪ/ *n* adultério *m*. ~**er**, ~**ess** *n* adúlter/o, -a *mf*. ~**ous** *a* adúltero

advance /əd'vɑːns/ *vt/i* avançar □ *n* avanço *m*; (*payment*) adiantamento *m* □ *a* (*payment, booking*) adiantado. **in ~** com antecedência. ~**d** *a* avançado. ~**ment** *n* promoção *f*, ascensão *f*

advantage /əd'vɑːntɪdʒ/ *n* vantagem *f*. **take ~ of** aproveitar-se de, tirar partido de; (*person*) explorar. ~**ous** /ædvən'teɪdʒəs/ *a* vantajoso

adventur|e /əd'ventʃə(r)/ *n* aventura *f*. ~**er** *n* aventureiro *m*, explorador *m*. ~**ous** *a* aventuroso

adverb /'ædvɜːb/ *n* advérbio *m*

adversary /'ædvəsərɪ/ *n* adversário *m*, antagonista *f*

advers|e /'ædvɜːs/ *a* (*contrary*) adverso; (*unfavourable*) desfavorável. ~**ity** /əd'vɜːsətɪ/ *n* adversidade *f*

advert /'ædvɜːt/ *n* (*colloq*) anúncio *m*

advertise /'ædvətaɪz/ *vt/i* anunciar, fazer publicidade (de); (*sell*) pôr um anúncio (para). ~ **for** procurar ~**r** /-ə(r)/ *n* anunciante *mf*

advertisement /əd'vɜːtɪsmənt/ *n* anúncio *m*; (*advertising*) publicidade *f*

advice /əd'vaɪs/ *n* conselho(s) *mpl*; (*comm*) aviso *m*

advis|e /əd'vaɪz/ *vt* aconselhar; (*inform*) avisar, informar. ~**e against** desaconselhar. ~**able** *a* aconselhável. ~**er** *n* conselheiro *m*; (*in business*) consultor *m*. ~**ory** *a* consultivo

advocate[1] /'ædvəkət/ *n* (*jur*) advogado *m*; (*supporter*) defensor(a) *m/f*

advocate[2] /'ædvəkeɪt/ *vt* advogar, defender

aerial /'eərɪəl/ *a* aéreo □ *n* antena *f*

aerobatics /eərə'bætɪks/ *npl* acrobacia *f* aérea

aerobics /eə'rəʊbɪks/ *n* ginástica *f* aeróbica

aerodynamic /eərəʊdaɪ'næmɪk/ *a* aerodinâmico

aeroplane /'eərəpleɪn/ *n* avião *m*

aerosol /'eərəsɒl/ *n* aerossol *m*

aesthetic /iːs'θetɪk/ *a* estético.

affair /ə'feə(r)/ *n* (*business*) negócio *m*; (*romance*) ligação *f*, aventura *f*; (*matter*) assunto *m*. **love ~** paixão *f*

affect /ə'fekt/ *vt* afectar. ~**ation** /æfek'teɪʃn/ *n* afectação *f*. ~**ed** *a* afectado, pretencioso

affection /ə'fekʃn/ *n* afeição *f*, afecto *m*

affectionate /ə'fekʃənət/ *a* afectuoso, carinhoso

affiliat|e /ə'fɪlɪeɪt/ *vt* afiliar. ~**ed company** filial *f*. ~**ion** /'eɪʃn/ *n* afiliação *f*

affirm /ə'fɜːm/ *vt* afirmar. ~**ation** /æfə'meɪʃn/ *n* afirmação *f*

affirmative /əˈfɜːmətɪv/ a afirmativo □ n afirmativa f
afflict /əˈflɪkt/ vt afligir. **~ion** /-ʃn/ n aflição f
affluen|t /ˈæflʊənt/ a rico, afluente. **~ce** n riqueza f, afluência f
afford /əˈfɔːd/ vt (have money for) permitir-se, ter meios (para). **can you afford the time?** terias tempo? **I can't afford a car** eu não posso comprar um carro. **we can't afford to lose** não podemos perder
affront /əˈfrʌnt/ n afronta f □ vt insultar
afield /əˈfiːld/ adv **far ~** longe
afloat /əˈfləʊt/ adv & a à tona, a flutuar; (at sea) no mar; (business) lançado, sem dívidas
afraid /əˈfreɪd/ a **be ~** ter medo (of, to de; that que); (be sorry) lamentar, ter muita pena. **I'm ~ (that)** (regret to say) lamento or tenho muita pena de dizer que
afresh /əˈfreʃ/ adv de novo
Africa /ˈæfrɪkə/ n África f. **~n** a & n africano (m)
after /ˈɑːftə(r)/ adv depois □ prep depois de □ conj depois que. **~ all** afinal de contas. **~ doing**, depois de fazer. **be ~** (seek) querer, pretender. **~-effect** n sequela f, efeito m retardado; (of drug) efeito m secundário
aftermath /ˈɑːftəmæθ/ n consequências fpl
afternoon /ɑːftəˈnuːn/ n tarde f
aftershave /ˈɑːftəʃeɪv/ n loção f para a barba

afterthought /ˈɑːftəθɔːt/ n reflexão f posterior. **as an ~** pensando melhor
afterwards /ˈɑːftəwədz/ adv depois, mais tarde
again /əˈɡen/ adv de novo, outra vez; (on the other hand) por outro lado. **then ~** além disso
against /əˈɡenst/ prep contra
age /eɪdʒ/ n idade f; (period) época f, idade f □ vt/i (pres p **ageing**) envelhecer. **~s** (colloq: very long time) há séculos mpl. **of ~** (jur) maior. **ten years of ~** com/ de dez anos. **under ~** menor. **~-group** n faixa etária f. **~less** a sempre jovem
aged¹ /eɪdʒd/ a **~ six** de seis anos de idade
aged² /ˈeɪdʒɪd/ a idoso, velho
agen|cy /ˈeɪdʒənsɪ/ n agência f; (means) intermédio m. **~t** n agente mf
agenda /əˈdʒendə/ n ordem f do dia
aggravat|e /ˈæɡrəveɪt/ vt agravar; (colloq: annoy) irritar. **~ion** /ˈveɪʃn/ n (worsening) agravamento m; (exasperation) irritação f; (colloq: trouble) aborrecimentos mpl
aggregate /ˈæɡrɪɡeɪt/ vt/i agregar (-se) □ a /ˈæɡrɪɡət/ total, global □ n (total, mass, materials) agregado m. **in the ~** no todo
aggress|ive /əˈɡresɪv/ a agressivo; (weapons) ofensivo. **~ion** /-ʃn/ n agressão f. **~iveness** n agressividade f. **~or** n agressor m
aggrieved /əˈɡriːvd/ a (having a grievance) lesado

agil|e /'ædʒaɪl/ *a* ágil. **~ity** /ə'dʒɪlətɪ/ *n* agilidade *f*

agitat|e /'ædʒɪteɪt/ *vt* agitar. **~ion** /'teɪʃn/ *n* agitação *f*. **~or** *n* agitador *m*

agnostic /æg'nɒstɪk/ *a* & *n* agnóstico (*m*)

ago /ə'gəʊ/ *adv* há. **a month ~** há um mês. **long ~** há muito tempo

agon|y /'ægənɪ/ *n* agonia *f*; (*mental*) angústia *f*. **~ize** *vi* atormentar-se, torturar-se. **~izing** *a* angustiante, doloroso

agree /ə'griː/ *vt/i* concordar; (*of figures*) acertar. **~ that** reconhecer que. **~ to do** concordar em or aceitar fazer. **~ to sth** concordar com alguma coisa. **seafood doesn't ~ with me** não me dou bem com mariscos. **~d** *a* (*time, place*) combinado. **be ~d** estar de acordo

agreeable /ə'griːəbl/ *a* agradável. **be ~ to** estar de acordo com

agreement /ə'griːmənt/ *n* acordo *m*; (*gramm*) concordância *f*; (*contract*) contrato *m*. **in ~** de acordo

agricultur|e /'ægrɪkʌltʃə(r)/ *n* agricultura *f*. **~al** /'kʌltʃərəl/ *a* agrícola

aground /ə'graʊnd/ *adv* **run ~** (*of ship*) encalhar

ahead /ə'hed/ *adv* à frente, adiante; (*in advance*) adiantado. **~ of sb** diante de alguém, à frente de alguém. **~ of time** antes da hora, adiantado. **straight ~** sempre em frente

aid /eɪd/ *vt* ajudar □ *n* ajuda *f*. **~ and abet** ser cúmplice de. **in ~ of** em auxílio de, a favor de

AIDS /eɪdz/ *n* (*med*) sida *m*

ail /eɪl/ *vt* **what ~s you?** o que é que você tem? **~ing** *a* doente. **~ment** *n* doença *f*, achaque *m*

aim /eɪm/ *vt* (*gun*) apontar; (*efforts*) dirigir; (*send*) atirar (*at* para) □ *vi* visar □ *n* alvo *m*. **~ at** visar. **~ to** aspirar a, tencionar. **take ~** fazer pontaria. **~less** *a*, **~lessly** *adv* sem objectivo

air /eə(r)/ *n* ar *m* □ *vt* arejar; (*views*) expor □ *a* (*base etc*) aéreo. **in the ~** (*rumour*) espalhado; (*plans*) no ar. **on the ~** (*radio*) no ar. **~-conditioned** *a* com ar condicionado. **~-conditioning** *n* ar *m* condicionado. **~-force** Força *f* Aérea. **~ hostess** hospedeira *f* de bordo. **~ raid** ataque *m* aéreo

airborne /'eəbɔːn/ *a* (*aviat: in flight*) no ar; (*diseases*) levado pelo ar; (*freight*) por via aérea

aircraft /'eəkrɑːft/ *n* (*pl invar*) avião *m*. **~-carrier** *n* porta-aviões *m*

airfield /'eəfiːld/ *n* campo *m* de aviação

airgun /'eəgʌn/ *n* espingarda *f* de pressão

airlift /'eəlɪft/ *n* ponte *f* aérea □ *vt* transportar em ponte aérea

airline /'eəlaɪn/ *n* linha *f* aérea

airlock /'eəlɒk/ *n* câmara *f* de vácuo; (*in pipe*) bolha *f* de ar

airmail /'eəmeɪl/ n correio m
aéreo. **by ~** por avião

airport /'eəpɔːt/ n aeroporto m

airsick /'eəsɪk/ a enjoado.
~ness /-nɪs/ n enjoo m

airstrip /'eəstrɪp/ n pista f de
aterragem

airtight /'eətaɪt/ a hermético

airy /'eərɪ/ a (**-ier, -iest**) arejado; (*manner*) desenvolto

aisle /aɪl/ n (*of church*) nave f
lateral; (*gangway*) coxia f

ajar /ə'dʒɑː(r)/ adv & a entreaberto

alabaster /'æləbɑːstə(r)/ n ala-
bastro m

à la carte /aːlaːˈkaːt/ adv & a
à lista

alarm /ə'lɑːm/ n alarme m;
(*clock*) campainha f □ vt
alarmar. **~-clock** n desperta-
dor m. **~-bell** n campainha f
de alarme. **~ing** a alarmante.
~ist n alarmista mf

alas /ə'læs/ int ai! ai de mim!

albatross /'ælbətrɒs/ n alba-
troz m

album /'ælbəm/ n álbum m

alcohol /'ælkəhɒl/ n álcool m.
~ic /'hɒlɪk/ a (*person, drink*)
alcoólico □ n alcoólico m.
~ism n alcoolismo m

alcove /'ælkəʊv/ n recesso m,
alcova f

ale /eɪl/ n cerveja f inglesa

alert /ə'lɜːt/ a (*lively*) vivo;
(*watchful*) vigilante □ n
alerta m □ vt alertar. **be on
the ~** estar alerta

algebra /'ældʒɪbrə/ n álgebra
f. **~ic** /'breɪɪk/ a algébrico

Algeria /æl'dʒɪərɪə/ n Argélia
f. **~n** a & n argelino (m)

alias /'eɪlɪəs/ n (pl **-ases**) outro

nome m, nome falso m,
pseudónimo m □ adv aliás

alibi /'ælɪbaɪ/ n (pl **-is**) álibi m

alien /'eɪlɪən/ n & a estrangeiro m; (*from space*) extraterrestre mf. **~ to** (*contrary*)
contrário a; (*differing*) alheio
a, estranho a

alienate /'eɪlɪəneɪt/ vt alienar.
~ion /-'neɪʃn/ n alienação f

alight[1] /ə'laɪt/ vi descer; (*bird*)
pousar

alight[2] /ə'laɪt/ a (*on fire*) em
chamas; (*lit up*) aceso

align /ə'laɪn/ vt alinhar. **~ment**
n alinhamento m

alike /ə'laɪk/ a semelhante, parecido □ adv da mesma ma-
neira. **look** or **be ~** parecer-
-se

alimony /'ælɪmənɪ/ n pensão f
de alimentos

alive /ə'laɪv/ a vivo. **~ to** sensível a. **~ with** a fervilhar de

alkali /'ælkəlaɪ/ n (pl **-is**) álcali m, alcali m

all /ɔːl/ a & pron todo (f & pl
-a, -os, -as) □ pron (*everything*) tudo □ adv completamente, de todo □ n tudo m.
**~ the better/less/more/wor-
se** etc tanto melhor/menos/
mais/pior etc. **~ (the) men**
todos os homens. **~ of us**
todos nós. **~ but** quase, todos
menos. **~ in** (*colloq: exhausted*) estafado. **~-in** a tudo in-
cluído. **~ out** a fundo, completamente. **~-out** a (*effort*)
máximo. **~ over** (*in one's
body*) todo; (*finished*) acabado; (*in all parts of*) por todo.
~ right bem; (*as a response*)
está bem. **~ round** em tudo;

(*for all*) para todos. **~-round**
a geral. **~ the same** apesar
de tudo. **it's ~ the same to
me** (para mim) tanto faz

allay /ə'leɪ/ *vt* acalmar

allegation /ælɪ'geɪʃn/ *n* alegação *f*

alleg|e /ə'ledʒ/ *vt* alegar. **~dly**
/-ɪdlɪ/ *adv* segundo dizem,
alegadamente

allegiance /ə'li:dʒəns/ *n* fidelidade *f*, lealdade *f*

allegor|y /'ælɪgɒrɪ/ *n* alegoria
f. **~ical** /'gɒrɪkl/ *a* alegórico

allerg|y /'ælədʒɪ/ *n* alergia *f*.
~ic /ə'lɜ:dʒɪk/ *a* alérgico

alleviate /ə'li:vɪeɪt/ *vt* aliviar

alley /'ælɪ/ *n* (*pl* **-eys**) (*street*)
viela *f*; (*for bowling*) pista *f*

alliance /ə'laɪəns/ *n* aliança *f*

allied /'ælaɪd/ *a* aliado

alligator /'ælɪgeɪtə(r)/ *n* jacaré
m

allocat|e /'æləkeɪt/ *vt* (*share
out*) distribuir; (*assign*) destinar. **~ion** /'keɪʃn/ *n* atribuição *f*

allot /ə'lɒt/ *vt* (*pt* **allotted**)
atribuir. **~ment** *n* atribuição
f; (*share*) distribuição *f*;
(*land*) horta *f* alugada

allow /ə'laʊ/ *vt* permitir;
(*grant*) conceder, dar; (*reckon on*) contar com; (*agree*)
admitir, reconhecer. **~ sb to**
(+ *inf*) permitir a alg (+ *inf*
or que + *subj*). **~ for** levar
em conta

allowance /ə'laʊəns/ *n* (*for
employees*) ajudas *fpl* de
custo; (*monthly, for wife,
child*) mesada*f*; (*tax*) desconto *m*. **make ~s for** (*person*)
levar em consideração, ser

indulgente com; (*take
into account*) atender a, levar em consideração

alloy /'ælɔɪ/ *n* liga *f*

allude /ə'lu:d/ *vi* **~ to** aludir a

allure /ə'lʊə(r)/ *vt* seduzir,
atrair

allusion /ə'lu:ʒn/ *n* alusão *f*

ally¹ /'ælaɪ/ *n* (*pl* **-lies**) aliado
m

ally² /ə'laɪ/ *vt* aliar. **~ oneself
with/to** aliar-se com/a

almanac /'ɔ:lmənæk/ *n* almanaque *m*

almighty /ɔ:l'maɪtɪ/ *a* todo-
-poderoso; (*colloq*) grande,
formidável

almond /'a:mənd/ *n* amêndoa
f. **~ paste** maçapão *m*

almost /'ɔ:lməʊst/ *adv* quase

alone /ə'ləʊn/ *a* & *adv* só. **leave ~** (*abstain from interfe-
ring with*) deixar em paz. **let
~** (*without considering*) sem
or para não falar de

along /ə'lɒŋ/ *prep* ao longo de
□ *adv* (*onward*) para diante.
all ~ durante todo o tempo.
~ with com. **move ~, please**
ande, por favor

alongside /əlɒŋ'saɪd/ *adv*
(*naut*) atracado. **come ~**
acostar □ *prep* ao lado de

aloof /ə'lu:f/ *adv* à parte □ *a*
distante. **~ness** *n* reserva *f*

aloud /ə'laʊd/ *adv* em voz alta

alphabet /'ælfəbet/ *n* alfabeto
m. **~ical** /'betɪkl/ *a* alfabético

alpine /'ælpaɪn/ *a* alpino, al-
pestre

Alps /ælps/ *npl* **the ~** os Alpes
mpl

already /ɔ:l'redɪ/ *adv* já

also /'ɔ:lsəʊ/ *adv* também

altar /'ɔ:ltə(r)/ *n* altar *m*

alter /'ɔ:ltə(r)/ *vt/i* alterar(-se), modificar(-se). **~ation** /reɪʃn/ *n* alteração *f*; (*to garment*) modificação *f*

alternate¹ /'ɔ:ltɜ:nət/ *a* alternado. **~ly** *adv* alternadamente

alternate² /'ɔ:ltəneɪt/ *vt/i* alternar(-se). **~ing current** (*elect*) corrente *f* alterna. **~or** *n* (*elect*) alternador *m*

alternative /ɔ:l'tɜ:nətɪv/ *a* alternativo □ *n* alternativa *f*. **~ly** *adv* em alternativa. **or ~ly** ou então

although /ɔ:l'ðəʊ/ *conj* embora, conquanto

altitude /'æltɪtju:d/ *n* altitude *f*

altogether /ɔ:ltə'geðə(r)/ *adv* (*completely*) completamente; (*in total*) ao todo; (*on the whole*) de modo geral

aluminium /æljʊ'mɪnɪəm/ (*Amer* **aluminum** /ə'lu:mɪnəm/) *n* alumínio *m*

always /'ɔ:lweɪz/ *adv* sempre

am /æm/ *see* be

a.m. /eɪ'em/ *adv* da manhã

amalgamate /ə'mælgəmeɪt/ *vt/i* amalgamar(-se); (*comm*) fundir

amass /ə'mæs/ *vt* amontoar, juntar

amateur /'æmətə(r)/ *n & a* amador (*m*). **~ish** *a* (*pej*) de amador, amadorístico

amaze /ə'meɪz/ *vt* assombrar, espantar. **~ed** *a* assombrado. **~ement** *n* assombro *m*. **~ingly** *adv* espantosamente

Amazon /'æməzən/ *n* the ~ o Amazonas

ambassador /æm'bæsədə(r)/ *n* embaixador *m*

amber /'æmbə(r)/ *n* âmbar *m*; (*traffic light*) luz *f* amarela

ambigu|ous /æm'bɪgjʊəs/ *a* ambíguo. **~ity** /'gju:ətɪ/ *n* ambiguidade *f*

ambiti|on /æm'bɪʃn/ *n* ambição *f*. **~ous** *a* ambicioso

ambivalen|t /æm'bɪvələnt/ *a* ambivalente. **~ce** *n* ambivalência *f*

amble /'æmbl/ *vi* caminhar sem pressas

ambulance /'æmbjʊləns/ *n* ambulância *f*

ambush /'æmbʊʃ/ *n* emboscada *f* □ *vt* fazer uma emboscada a

amenable /ə'mi:nəbl/ *a* **~ to** (*responsive*) sensível a

amend /ə'mend/ *vt* emendar, corrigir. **~ment** *n* (*to rule*) emenda *f*. **~s** *n* **make ~s for** reparar, compensar

amenities /ə'mi:nətɪz/ *npl* (*pleasant features*) atractivos *mpl*; (*facilities*) confortos *mpl*, comodidades *fpl*

America /ə'merɪkə/ *n* América *f*. **~n** *a & n* americano *m*. **~nism** /-nɪzəm/ *n* americanismo *m*. **~nize** *vt* americanizar

amiable /'eɪmɪəbl/ *a* amável

amicable /'æmɪkəbl/ *a* amigável, amigo

amid(st) /ə'mɪd(st)/ *prep* entre, no meio de

amiss /ə'mɪs/ *a & adv* mal. **sth ~** qq coisa que não está bem. **take sth ~** levar qq coisa a mal

ammonia /ə'məʊnɪə/ *n* amoníaco *m*

ammunition /æmjʊ'nɪʃn/ *n* munições *fpl*

amnesia /æm'niːzɪə/ n amnésia f

amnesty /'æmnəstɪ/ n amnistia f

amok /ə'mɒk/ adv **run** ~ enlouquecer; (crowd) correr desordenadamente

among(st) /ə'mʌŋ(st)/ prep entre, no meio de. ~ **ourselves** (aqui) entre nós

amoral /eɪ'mɒrəl/ a amoral

amorous /'æmərəs/ a amoroso

amount /ə'maʊnt/ n quantidade f; (total) montante m; (sum of money) quantia f □ vi ~ **to** elevar-se a; (fig) equivaler a

amp /æmp/ n (colloq) ampère m

amphibian /æm'fɪbɪən/ n anfíbio m. ~**ous** a anfíbio

ampl|e /'æmpl/ a (-er, -est) (large, roomy) amplo; (enough) suficiente, bastante. ~**y** adv amplamente

amplif|y /'æmplɪfaɪ/ vt ampliar, amplificar. ~**ier** n amplificador m

amputat|e /'æmpjʊteɪt/ vt amputar. ~**ion** /-'teɪʃn/ n amputação f

amus|e /ə'mjuːz/ vt divertir. ~**ement** n divertimento m. ~ **ing** a divertido

an /ən, æn/ see **a**

anachronism /ə'nækrənɪzəm/ n anacronismo m

anaem|ia /ə'niːmɪə/ n anemia f. ~**ic** a anémico

anaesthetic /ænɪs'θetɪk/ n anestésico m. **give an** ~ **to** anestesiar

anaesthetist /ə'niːsθətɪst/ n anestesista mf

anagram /'ænəgræm/ n anagrama m

analog(ue) /'ænəlɒg/ a análogo

analogy /ə'nælədʒɪ/ n analogia f

analys|e /'ænəlaɪz/ vt analisar. ~**t** /-ɪst/ n analista mf

analysis /ə'næləsɪs/ n (pl -yses) /-əsiːz/ análise f

analytic(al) /ænə'lɪtɪk(l)/ a analítico

anarch|y /'ænəkɪ/ n anarquia f. ~**ist** n anarquista mf

anatom|y /ə'nætəmɪ/ n anatomia f. ~**ical** /ænə'tɒmɪkl/ a anatómico

ancest|or /'ænsestə(r)/ n antepassado m. ~**ral** /sestrəl/ a ancestral (pl -ais)

ancestry /'ænsestrɪ/ n ascendência f, estirpe f

anchor /'æŋkə(r)/ n âncora f □ vt/i ancorar. ~**age** /-rɪdʒ/ n ancoradouro m

anchovy /'æntʃəvɪ/ n anchova f

ancient /'eɪnʃənt/ a antigo

ancillary /æn'sɪlərɪ/ a ancilar, subordinado

and /ənd/; emphatic /ænd/ conj e **go** ~ **see** vá ver. **better** ~ **better/less** ~ **less** etc cada vez melhor/menos etc

anecdote /'ænɪkdəʊt/ n anedota f

angel /'eɪndʒl/ n anjo m. ~**ic** /æn'dʒelɪk/ a angélico, angelical

anger /'æŋgə(r)/ n cólera f, zanga f □ vt irritar

angle[1] /'æŋgl/ n ângulo m

angle[2] /'æŋgl/ vi (fish) pescar (à linha). ~ **for** (fig: compli-

ments, information) andar à procura de. ~r /-ə(r)/ n pescador m

anglicism /'æŋglɪsɪzəm/ n anglicismo m

Anglo- /'æŋgləʊ/ pref anglo-

Anglo-Saxon /'æŋgləʊ'sæksn/ a & n anglo-saxão (m)

angr|y /'æŋgrɪ/ a (**-ier, -iest**) zangado. **get ~y** zangar-se (**with** com). ~**ily** adv furiosamente

anguish /'æŋgwɪʃ/ n angústia f

angular /'æŋgjʊlə(r)/ a angular; (*features*) anguloso

animal /'ænɪml/ a & n animal (m)

animate[^1] /'ænɪmət/ a animado

animat|e[^2] /'ænɪmeɪt/ vt animar. ~**ion** /'meɪʃn/ n animação f. ~**ed cartoon** filme m de desenhos animados

animosity /ænɪ'mɒsətɪ/ n animosidade f

aniseed /'ænɪsiːd/ n semente f de anis

ankle /'æŋkl/ n tornozelo m. ~ **sock** meia f, soquete m, peúga f

annex /ə'neks/ vt anexar. ~**ation** /ænek'seɪʃn/ n anexação f

annexe /'æneks/ n anexo m

annihilate /ə'naɪəleɪt/ vt aniquilar

anniversary /ænɪ'vɜːsərɪ/ n aniversário m

announce /ə'naʊns/ vt anunciar. ~**ment** n anúncio m. ~**r** /-ə(r)/ n (*radio, TV*) locutor m

annoy /ə'nɔɪ/ vt irritar, aborrecer. ~**ance** n aborrecimento

m. ~**ed** a aborrecido (**with** com). **get ~ed** aborrecer-se. ~**ing** a irritante

annual /'ænjʊəl/ a anual □ n (*bot*) planta f anual; (*book*) anuário m. ~**ly** adv anualmente

annuity /ə'njuːətɪ/ n anuidade f

annul /ə'nʌl/ vt (*pt* **annulled**) anular. ~**ment** n anulação f

anomal|y /ə'nɒmǝlɪ/ n anomalia f. ~**ous** a anómalo

anonym|ous /ə'nɒnɪməs/ a anónimo. ~**ity** /ænə'nɪmətɪ/ n anonimato m

anorak /'ænəræk/ n anorak m

another /ə'nʌðə(r)/ a & pron (um) outro. ~ **ten minutes** mais de dez minutos. **to one ~** um ao outro, uns aos outros

answer /'aːnsə(r)/ n resposta f; (*solution*) solução f □ vt responder a; (*prayer*) atender a □ vi responder. ~ **the door** atender à porta. ~ **back** retrucar, responder torto. ~ **for** responder por. ~**able** a responsável (**for** por; **to** perante). ~**ing machine** n secretária f electrónica

ant /ænt/ n formiga f

antagonis|m /æn'tægənɪzəm/ n antagonismo m. ~**t** n antagonista mf. ~**tic** /'nɪstɪk/ a antagónico, hostil

antagonize /æn'tægənaɪz/ vt antagonizar, hostilizar

Antarctic /æn'taːktɪk/ n Antárctico m □ a antárctico

ante- /'æntɪ/ pref ante-

antecedent /æntɪ'siːdnt/ a & n antecedente (m)

antelope /'æntɪləʊp/ n antílope m

antenatal /ˌæntɪˈneɪtl/ a pré--natal

antenna /ænˈtenə/ n (pl -ae /-iː/) antena f

anthem /ˈænθəm/ n cântico m. **national ~** hino m nacional

anthology /ænˈθɒlədʒɪ/ n antologia f

anthropolog|y /ænθrəˈpɒlədʒɪ/ n antropologia f. **~ist** n antropólogo m

anti- /æntɪ/ pref anti-. **--aircraft** /-eəkraːft/ a antiaéreo

antibiotic /æntɪbaɪˈɒtɪk/ n antibiótico m

antibody /ˈæntɪbɒdɪ/ n anticorpo m

anticipat|e /ænˈtɪsɪpeɪt/ vt (foresee, expect) prever; (forestall) antecipar-se a. **~ion** /ˈpeɪʃn/ n antecipação f; (expectation) expectativa f. **in ~ion of** na previsão or expectativa de

anticlimax /æntɪˈklaɪmæks/ n anticlímax m; (let-down) decepção f. **it was an ~** não correspondeu à expectativa

anticlockwise /æntɪˈklɒkwaɪz/ adv & a no sentido contrário ao dos ponteiros dum relógio

antics /ˈæntɪks/ npl (of clown) palhaçadas fpl; (behaviour) comportamento m bizarro

anticyclone /%æntɪˈsaɪkləʊn/ n anticiclone m

antidote /ˈæntɪdəʊt/ n antídoto m

antifreeze /ˈæntɪfriːz/ n anticongelante m

antihistamine /æntɪˈhɪstəmiːn/ a & n anti-histamínico (m)

antipathy /ænˈtɪpəθɪ/ n antipatia f

antiquated /ˈæntɪkweɪtɪd/ a antiquado

antique /ænˈtiːk/ a antigo □ n antiguidade f. **~ dealer** antiquário m. **~ shop** loja f de antiguidades, antiquário m

antiquity /ænˈtɪkwətɪ/ n antiguidade f

antiseptic /æntɪˈseptɪk/ a & n antiséptico m

antisocial /æntɪˈsəʊʃl/ a anti--social; (unsociable) insociável

antithesis /ænˈtɪθəsɪs/ n (pl -eses) /-siːz/ antítese f.

antlers /ˈæntləz/ npl chifres mpl, esgalhos mpl

antonym /ˈæntənɪm/ n antónimo m

anus /ˈeɪnəs/ n ânus m

anvil /ˈænvɪl/ n bigorna f

anxiety /ænˈzaɪətɪ/ n ansiedade f; (eagerness) ânsia f

anxious /ˈænkʃəs/ a (worried, eager) ansioso (**to** de, por). **~ly** adv ansiosamente; (eagerly) impacientemente

any /ˈenɪ/ a & pron qualquer, quaisquer; (in neg and interr sentences) algum, alguns; (in neg sentences) nenhum, nenhuns; (every) todo. **at ~ moment** a qualquer momento. **at ~ rate** de qualquer modo, em todo o caso. **in ~ case** em todo o caso. **have you ~ money/friends**? tens (algum) dinheiro/(alguns) amigos? **I don't have ~ time** não tenho nenhum tempo or tempo nenhum or tempo algum. **has she ~**? ela tem algum? **she doesn't have ~** ela não tem nenhum □

adv (at all) de modo algum
or nenhum; (a little) um
pouco. **~ the less/the worse**
etc menos/pior etc

anybody /'enɪbɒdɪ/ *pron* qualquer pessoa; *(somebody)* alguém; *(after negative)* ninguém. **he didn't see ~** ele não viu ninguém

anyhow /'enɪhaʊ/ *adv (no matter how)* de qualquer modo; *(badly)* de qualquer maneira, ao acaso; *(in any case)* em todo o caso. **you can try, ~** em todo o caso, podes tentar

anyone /'enɪwʌn/ *pron* = **anybody**

anything /'enɪθɪŋ/ *pron (something)* alguma coisa; *(no matter what)* qualquer coisa; *(after negative)* nada. **he didn't say ~** não disse nada. **it is ~ but cheap** é tudo menos barato. **~ you do** tudo o que fizeres

anyway /'enɪweɪ/ *adv* de qualquer modo; *(in any case)* em todo o caso

anywhere /'enɪweə(r)/ *adv (some- where)* em qualquer parte; *(after negative)* em parte alguma/nenhuma. **~ el-se** em qualquer outro lado. **~ you go** onde quer que vás. **he doesn't go ~** ele não vai a lado nenhum

apart /ə'pɑːt/ *adv (a part)* à parte; *(separated)* separado; *(into pieces)* aos bocados. **~ from** à parte, além de. **ten metres ~** a dez metros de distância entre si. **come ~** desfazer-se. **keep ~** manter separado. **take ~** desmontar

apartment /ə'pɑːtmənt/ *n (Amer)* apartamento *m*. **~s** aposentos *mpl*

apathy /'æpəθɪ/ *n* apatia *f*. **~etic** /'θetɪk/ *a* apático

ape /eɪp/ *n* macaco *m* □ *vt* macaquear

aperitif /ə'perətɪf/ *n* aperitivo *m*

aperture /'æpətʃə(r)/ *n* abertura *f*

apex /'eɪpeks/ *n* ápice *m*, cume *m*

apiece /ə'piːs/ *adv* cada, por cabeça

apologetic /əpɒlə'dʒetɪk/ *a (tone etc)* apologético, de desculpas. **be ~** desculpar-se. **~ally** /-əlɪ/ *adv* desculpando-se

apologize /ə'pɒlədʒaɪz/ *vi* desculpar-se *(for* de, por; *to* junto de, perante), pedir desculpa *(for* por; *to,* a)

apology /ə'pɒlədʒɪ/ *n* desculpa *f; (defence of belief)* apologia *f*

apostle /ə'pɒsl/ *n* apóstolo *m*

apostrophe /ə'pɒstrəfɪ/ *n* apóstrofe *f*

appal /ə'pɔːl/ *vt (pt* **appalled***)* estarrecer. **~ling** *a* estarrecedor

apparatus /æpə'reɪtəs/ *n* aparelho *m*

apparent /ə'pærənt/ *a* aparente. **~ly** *adv* aparentemente

apparition /æpə'rɪʃn/ *n* aparição *f*

appeal /ə'piːl/ *vi (jur)* apelar *(to* para); *(attract)* atrair *(to* a); *(for funds)* angariar □ *n* apelo *m; (attractiveness)* atractivo *m; (for funds)* angariação f. ~ **to sb for sth** pedir uma coisa a alg. ~**ing** a (*attractive*) atraente

appear /əˈpɪə(r)/ vi aparecer; (*seem*) parecer; (*in court, theatre*) apresentar-se. ~**ance** n aparição f; (*aspect*) aparência f; (*in court*) comparência f

appease /əˈpiːz/ vt apaziguar

appendage /əˈpendɪdʒ/ n apêndice m

appendicitis /əpendɪˈsaɪtɪs/ n apendicite f

appendix /əˈpendɪks/ n (pl -ices /-siːz/) (*of book*) apêndice m; (pl -ixes /-ksɪz/) (*anat*) apêndice m

appetite /ˈæpɪtaɪt/ n apetite m

appetizer /ˈæpɪtaɪzə(r)/ n (*snack, drink*) aperitivo m

appetizing /ˈæpɪtaɪzɪŋ/ a apetitoso

applaud /əˈplɔːd/ vt/i aplaudir. ~**se** n aplauso(s) m(pl)

apple /ˈæpl/ n maçã f. ~ **tree** macieira f

appliance /əˈplaɪəns/ n aparelho m, instrumento m, utensílio m. **household** ~**s** utensílios mpl domésticos

applicable /ˈæplɪkəbl/ a aplicável

applicant /ˈæplɪkənt/ n candidato m (**for** a)

application /æplɪˈkeɪʃn/ n aplicação f; (*request*) pedido m; (*form*) formulário m; (*for job*) candidatura f

apply /əˈplaɪ/ vt aplicar □ vi ~**y to** (*refer*) aplicar-se a; (*ask*) dirigir-se a. ~**y for** (*job, grant*) candidatar-se a. ~**y o.s. to** aplicar-se a. ~**ied** a aplicado

appoint /əˈpɔɪnt/ vt (*to post*) nomear; (*time, date*) marcar. **well~ed** a bem equipado, bem provido. ~**ment** n nomeação f; (*meeting*) entrevista f; (*with friends*) encontro m; (*with doctor etc*) consulta f, marcação f; (*job*) posto m

appraise /əˈpreɪz/ vt avaliar. ~**al** n avaliação f

appreciable /əˈpriːʃəbl/ a apreciável

appreciate /əˈpriːʃɪeɪt/ vt (*value*) apreciar; (*understand*) compreender; (*be grateful for*) estar/ficar grato por □ vi encarecer. ~**ion** /-ˈeɪʃn/ n apreciação f; (*rise in value*) encarecimento m; (*gratitude*) reconhecimento m. ~**ive** /əˈpriːʃɪətɪv/ a apreciador; (*grateful*) reconhecido

apprehend /æprɪˈhend/ vt (*seize, understand*) apreender; (*dread*) recear. ~**sion** n apreensão f

apprehensive /æprɪˈhensɪv/ a apreensivo

apprentice /əˈprentɪs/ n aprendiz, -a mf □ vt pôr como aprendiz (**to** de). ~**ship** n aprendizagem f

approach /əˈprəʊtʃ/ vt aproximar; (*with request or offer*) abordar □ vi aproximar-se □ n aproximação f. ~ **to** (*problem*) abordagem f de; (*place*) acesso m a; (*person*) diligência junto de. ~**able** a acessível

appropriate[1] /əˈprəʊprɪət/ a apropriado, próprio. ~**ly** adv apropriadamente, a propósito

appropriate[2] /əˈprəʊprIeIt/ vt apropriar-se de

approval /əˈpruːvl/ n aprovação f. **on** ~ (comm) sob condição, à aprovação

approv|e /əˈpruːv/ vt/i aprovar. ~**e of** aprovar. ~**ingly** adv com ar de aprovação

approximate[1] /əˈprɒksImət/ a aproximado. ~**ly** adv aproximadamente

approximat|e[2] /əˈprɒksImeIt/ vt/i aproximar(-se) de. ~**ion** /ˈmeI∫n/ n aproximação f

apricot /ˈeIprIkɒt/ n damasco m

April /ˈeIprəl/ n Abril m. ~ **Fool's Day** o primeiro de Abril, o dia das mentiras. **make an** ~ **fool of** pregar uma mentira a

apron /ˈeIprən/ n avental m

apt /æpt/ a apto; (pupil) dotado. **be** ~ **to** ser propenso a. ~**ly** adv apropriadamente

aptitude /ˈæptItjuːd/ n aptidão f

aqualung /ˈækwəlʌŋ/ n escafandro autónomo m

aquarium /əˈkweərIəm/ n (pl -ums) aquário m

Aquarius /əˈkweərIəs/ n (astr) Aquário m

aquatic /əˈkwætIk/ a aquático; (sport) náutico, aquático

aqueduct /ˈækwIdʌkt/ n aqueduto m

Arab /ˈærəb/ a & n árabe mf. ~**ic** a & n (lang) árabe m, arábico m. **a~ic numerals** algarismos mpl árabes or arábicos

Arabian /əˈreIbIən/ a árabe

arable /ˈærəbl/ a arável

arbitrary /ˈaːbItrərI/ a arbitrário

arbitrat|e /ˈaːbItreIt/ vi arbitrar. ~**ion** /ˈtreI∫n/ n arbitragem f. ~**or** n árbitro m

arc /aːk/ n arco m. ~ **lamp** lâmpada f de arco. ~ **welding** soldadura f a arco

arcade /aːˈkeId/ n (shop) arcada f. **amusement** ~ sala f de jogos

arch /aːt∫/ n arco m; (vault) abóbada f □ vt/i arquear(-se)

arch- /aːt∫/ pref arqui-.

archaeolog|y /aːkIˈɒlədӡI/ n arqueologia f. ~**ical** /-əˈlɒdӡIkl/ a arqueológico. ~**ist** n arqueólogo m

archaic /aːˈkeIIk/ a arcaico

archbishop /aːt∫ˈbI∫əp/ n arcebispo m

arch-enemy /aːt∫ˈenəmI/ n inimigo n número um

archer /ˈaːt∫ə(r)/ n arqueiro m. ~**y** n tiro m ao arco

archetype /ˈaːkItaIp/ n arquétipo m

architect /ˈaːkItekt/ n arquitecto m

architectur|e /ˈaːkItekt∫ə(r)/ n arquitectura f. ~**al** /ˈtekt∫ərəl/ a arquitectónico

archiv|es /ˈaːkaIvz/ npl arquivo m. ~**ist** /-IvIst/ n arquivista mf

archway /ˈaːt∫weI/ n arcada f

Arctic /ˈaːktIk/ n Arctico m □ a árctico. ~ **weather** tempo m glacial

ardent /ˈaːdnt/ a ardente. ~**ly** adv ardentemente

ardour /ˈaːdə(r)/ n ardor m

arduous /ˈaːdjʊəs/ a árduo

are /ə(r)/; emphatic /aː(r)/ see **be**

area /ˈeərɪə/ n área f

arena /əˈriːnə/ n arena f

aren't /aːnt/ = **are not**

Argentin|a /aːdʒənˈtiːnə/ n Argentina f. **~ian** /ˈtɪnɪən/ a & n argentino (m)

argu|e /ˈaːgjuː/ vi discutir; (reason) argumentar, arguir □ vt (debate) discutir. **~able** a alegável. **it's ~ able that** pode-se sustentar que

argument /ˈaːgjʊmənt/ n (dispute) disputa f; (reasoning) argumento m. **~ative** /ˈmentətɪv/ a que gosta de discutir, argumentativo

arid /ˈærɪd/ a árido

Aries /ˈeəriːz/ n (astr) Carneiro m, Áries m

arise /əˈraɪz/ vi (pt arose, pp arisen) surgir. **~ from** resultar de

aristocracy /ærɪˈstɒkrəsɪ/ n aristocracia f

aristocrat /ˈærɪstəkræt/ n aristocrata mf. **~ic** /ˈkrætɪk/ a aristocrático

arithmetic /əˈrɪθmətɪk/ n aritmética f

ark /aːk/ n Noah's **~** arca f de Noé

arm¹ /aːm/ n braço m. **~ in ~** de braço dado

arm² /aːm/ vt armar □ n (mil) arma f. **~ed robbery** assalto m à mão armada

armament /ˈaːməmənt/ n armamento m

armchair /ˈaːmtʃeə(r)/ n cadeira f de braços, poltrona f

armistice /ˈaːmɪstɪs/ n armistício m

armour /ˈaːmə(r)/ n armadura

f; (on tanks etc) blindagem f. **~ed** a blindado

armoury /ˈaːmərɪ/ n arsenal m

armpit /ˈaːmpɪt/ n axila f, sovaco m

arms /aːmz/ npl armas fpl. **coat of ~** brasão m

army /ˈaːmɪ/ n exército m

aroma /əˈrəʊmə/ n aroma m. **~tic** /ærəˈmætɪk/ a aromático

arose /əˈrəʊz/ see **arise**

around /əˈraʊnd/ adv em redor, em volta; (here and there) por aí □ prep em redor de, em torno de, em volta de; (approximately) aproximadamente. **~ here** por aqui

arouse /əˈraʊz/ vt despertar; (excite) excitar

arrange /əˈreɪndʒ/ vt arranjar; (time, date) combinar. **~ to do sth** combinar fazer qq coisa. **~ment** n arranjo m; (agreement) acordo m. **make ~ments (for)** (plans) tomar disposições (para); (preparations) fazer preparativos (para)

array /əˈreɪ/ vt revestir □ n **an ~ of** (display) um leque de, uma série de

arrears /əˈrɪəz/ npl dívidas fpl em atraso, atrasos mpl. **in ~** em atraso

arrest /əˈrest/ vt (by law) deter, prender; (process, movement) deter □ n captura f. **under ~** sob prisão

arrival /əˈraɪvl/ n chegada f. **new ~** recém-chegado m

arrive /əˈraɪv/ vi chegar

arrogan|t /ˈærəgənt/ a a arrogante. **~ce** n arrogância f. **~tly** adv com arrogância

arrow /ˈærəʊ/ n flecha f, seta f
arsenal /ˈaːsənl/ n arsenal m
arsenic /ˈaːsnɪk/ n arsénico m
arson /ˈaːsn/ n fogo m posto.
~**ist** n incendiário m
art[1] /aːt/ n arte f. **the ~s** (univ)
letras fpl. **fine ~s** belas-artes
fpl. ~ **gallery** museu m (de
arte); (private) galeria f de
arte
artery /ˈaːtərɪ/ n artéria f
artful /ˈaːtfl/ a manhoso.
~**ness** n manha f
arthritis /aːˈθraɪtɪs/ n artrite f
artichoke /ˈaːtɪtʃəʊk/ n alcachofra f. **Jerusalem ~** topi-
nambo m
article /ˈaːtɪkl/ n artigo m. ~**d**
a (jur) em estágio, a estagiar
articulate[1] /aːˈtɪkjʊlət/ a que
se exprime com clareza;
(speech) bem articulado
articulate[2] /aːˈtɪkjʊleɪt/ vt/i
articular. ~**ed lorry** camião
m articulado. ~**ion** /ˈleɪʃn/ n
articulação f
artifice /ˈaːtɪfɪs/ n artifício m
artificial /aːtɪˈfɪʃl/ a artificial
artillery /aːˈtɪlərɪ/ n artilharia
f
artisan /aːtɪˈzæn/ n artífice mf,
artesão m, artesã f
artist /ˈaːtɪst/ n artista mf. ~**ic**
/ˈtɪstɪk/ a artístico. ~**ry** n arte f
artiste /aːˈtiːst/ n artista mf
artless /ˈaːtlɪs/ a ingénuo, simples
as /əz/; emphatic /æz/ adv &
conj como; (while) enquanto;
(when) quando. ~ **a gift**
de presente. ~ **tall as** tão alto como □ pron que. **I ate
the same ~** he comi o mes-

mo que ele. ~ **for,** ~ **to**
quanto a. ~ **from** a partir de.
~ **if** como se. ~ **much** tanto,
tantos. ~ **many** quanto,
quantos. ~ **soon as** logo que.
~ **well** (also) também. ~
well as (in addition to) assim como
asbestos /æzˈbestəs/ n asbesto
m, amianto m
ascend /əˈsend/ vt/i subir. ~
the throne ascender or subir
ao trono
ascent /əˈsent/ n ascensão f;
(slope) subida f, rampa f
ascertain /æsəˈteɪn/ vt certifi-
car-se de. ~ **that** certificar-
-se de que
ascribe /əˈskraɪb/ vt atribuir
ash[1] /æʃ/ n ~(-**tree**) freixo m
ash[2] /æʃ/ n cinza f. **A~ Wednesday** Quarta-feira f de
Cinzas. ~**en** a pálido
ashamed /əˈʃeɪmd/ a **be** ~ ter
vergonha, ficar envergonha-
do (of de, por)
ashore /əˈʃɔː(r)/ adv em terra.
go ~ desembarcar
ashtray /ˈæʃtreɪ/ n cinzeiro m
Asia /ˈeɪʃə/ n ásia f. ~**n** a & n
asiático (m)
aside /əˈsaɪd/ adv de lado, de
parte □ n (theat) aparte m. ~
from (Amer) à parte
ask /aːsk/ vt/i pedir; (a question) perguntar; (invite) convidar. ~ **sb sth** pedir uma
coisa a alguém. ~ **about** informar-se de. ~ **after sb** pedir notícias de alg, perguntar
por alg. ~ **for** pedir. ~ **sb in**
mandar entrar alg. ~ **sb to
do sth** pedir a alguém para
fazer alguma coisa

askew /ə'skju:/ *adv & a* de través, de esguelha

asleep /ə'sli:p/ *adv & a* adormecido; *(numb)* dormente. **fall ~** adormecer

asparagus /ə'spærəgəs/ *n* *(plant)* espargo *m*; *(culin)* espargo *m*

aspect /'æspekt/ *n* aspecto *m*; *(direction)* exposição *f*

aspersions /ə'spɜ:ʃnz/ *npl* **cast ~ on** caluniar

asphalt /'æsfælt/ *n* asfalto *m* □ *vt* asfaltar

asphyxiat|e /əs'fɪksɪeɪt/ *vt/i* asfixiar. **~ion** /eɪʃn/ *n* asfixia *f*

aspir|e /əs'paɪə(r)/ *vi* **~e to** aspirar a. **~ation** /æspə'reɪʃn/ *n* aspiração *f*

aspirin /'æsprɪn/ *n* aspirina *f*

ass /æs/ *n* burro *m*. **make an ~ of o.s.** fazer figura de parvo

assail /ə'seɪl/ *vt* assaltar, agredir. **~ant** *n* assaltante *m*, agressor *m*

assassin /ə'sæsɪn/ *n* assassino *m*

assassinat|e /ə'sæsɪneɪt/ *vt* assassinar. **~ion** /eɪʃn/ *n* assassinato *m*

assault /ə'sɔ:lt/ *n* assalto *m* □ *vt* assaltar, atacar

assemble /ə'sembl/ *vt* *(people)* reunir; *(fit together)* montar □ *vi* reunir-se

assembly /ə'semblɪ/ *n* assembleia *f*. **~ line** linha *f* de montagem

assent /ə'sent/ *n* assentimento *m* □ *vi* **~ to** consentir em

assert /ə'sɜ:t/ *vt* afirmar; *(one's rights)* reivindicar. **~ o.s.** impor-se. **~ion** /-ʃn/ *n* asserção *f*. **~ive** *a* dogmático, peremptório. **~iveness** *n* assertividade, firmeza *f*

assess /ə'ses/ *vt* avaliar; *(payment)* estabelecer o montante de. **~ment** *n* avaliação *f*. **~or** *n* *(valuer)* avaliador *m*

asset /'æset/ *n* *(advantage)* vantagem *f*. **~s** *m*; *(comm)* activo *m*; *(possessions)* bens *mpl*

assiduous /ə'sɪdjʊəs/ *a* assíduo

assign /ə'saɪn/ *vt* atribuir, destinar; *(jur)* transmitir. **~ sb to** designar alg para

assignation /æsɪg'neɪʃn/ *n* combinação *f* (de hora e local) de encontro

assignment /ə'saɪnmənt/ *n* tarefa *f*, missão *f*; *(jur)* transmissão *f*

assimilat|e /ə'sɪmɪleɪt/ *vt/i* assimilar(-se). **~ion** /eɪʃn/ *n* assimilação *f*

assist /ə'sɪst/ *vt/i* ajudar. **~ance** *n* ajuda *f*, assistência *f*

assistant /ə'sɪstənt/ *n* *(helper)* assistente *mf*, auxiliar *mf*; *(in shop)* ajudante *mf*, empregado *m* □ *a* adjunto

associat|e¹ /ə'səʊʃɪeɪt/ *vt* associar □ *vi* **~e with** conviver com. **~ion** /eɪʃn/ *n* associação *f*

associate² /ə'səʊʃɪət/ *a & n* associado *m*

assort|ed /ə'sɔ:tɪd/ *a* variados; *(foods)* sortidos. **~ment** *n* sortido *m*

assume /ə'sju:m/ *vt* assumir; *(presume)* supor, presumir

assumption /ə'sʌmpʃn/ *n* suposição *f*

assurance /ə'ʃʊərəns/ n certeza f, garantia f; (*insurance*) seguro m; (*self-confidence*) segurança f, confiança f

assure /ə'ʃʊə(r)/ vt assegurar. ~d a certo, garantido. **rest** ~d that ficar certo que

asterisk /'æstərɪsk/ n asterisco m

asthma /'æsmə/ n asma f. ~**tic** /'mætɪk/ a & n asmático (m)

astonish /ə'stɒnɪʃ/ vt espantar. ~**ingly** adv espantosamente. ~**ment** n espanto m

astound /ə'staʊnd/ vt assombrar

astray /ə'streɪ/ adv & a **go** ~ perder-se, extraviar-se. **lead** ~ desencaminhar

astride /ə'straɪd/ adv & prep escarranchado (em)

astringent /ə'strɪndʒənt/ a & n adstringente m

astrology /ə'strɒlədʒɪ/ n astrologia f. ~**er** n astrólogo m

astronaut /'æstrənɔːt/ n astronauta m

astronomy /ə'strɒnəmɪ/ n astronomia f. ~**er** n astrónomo m. ~**ical** /æstrə'nɒmɪkl/ a astronómico

astute /ə'stjuːt/ a astuto, astucioso. ~**ness** n astúcia f

asylum /ə'saɪləm/ n asilo m

at /ət/; emphatic /æt/ prep a, em. ~ **home** em casa. ~ **night** à noite. ~ **once** imediatamente; (*simultaneously*) ao mesmo tempo. ~ **school** na escola. ~ **sea** no mar. ~ **the door** à porta. ~ **times** às vezes. **angry/surprised** ~ zangado/surpreendido com. **not** ~ **all** de nada. **no wind** ~ **all** nenhum vento

ate /et/ see **eat**

atheist /'eɪθɪɪst/ n ateu m. ~**m** /-zəm/ n ateísmo m

athlete /'æθliːt/ n atleta mf. ~**ic** /'letɪk/ a atlético. ~**ics** /'letɪks/ n(pl) atletismo m

Atlantic /ət'læntɪk/ a atlântico □ n ~ **(Ocean)** Atlântico m

atlas /'ætləs/ n atlas m

atmospher|e /'ætməsfɪə(r)/ n atmosfera f. ~**ic** /'ferɪk/ a atmosférico

atom /'ætəm/ n átomo m. ~**ic** /ə'tɒmɪk/ a atómico. ~**(ic) bomb** bomba f atómica

atomize /'ætəmaɪz/ vt atomizar, vaporizar, pulverizar. ~**r** /-ə(r)/ n pulverizador m, vaporizador m

atone /ə'təʊn/ vi ~ **for** expiar. ~**ment** n expiação f

atrocious /ə'trəʊʃəs/ a atroz

atrocity /ə'trɒsətɪ/ n atrocidade f

atrophy /'ætrəfɪ/ n atrofia f □ vt/i atrofiar(-se)

attach /ə'tætʃ/ vt/i (*affix*) ligar (-se), prender(-se); (*join*) juntar (-se). ~**ed** a (*document*) junto, anexo. **be** ~**ed to** (*like*) estar apegado a. ~**ment** n ligação f; (*affection*) apego m; (*accessory*) acessório m

attaché /ə'tæʃeɪ/ n (pol) adido m. ~ **case** pasta f

attack /ə'tæk/ n ataque m □ vt/i atacar. ~**er** n atacante m

attain /ə'teɪn/ vt atingir. ~**able** a atingível. ~**ment** n consecução f. ~**ments** npl conhecimentos mpl, talentos mpl adquiridos

attempt /ə'tempt/ vt tentar □ n tentativa f

attend /ə'tend/ vt/i atender (**to** a); (escort) acompanhar; (look after) tratar; (meeting) comparecer a; (school) frequentar. **~ance** n comparecimento m; (times present) frequência f; (people) assistência f

attendant /ə'tendənt/ a concomitante, que acompanha □ n empregado m; (servant) servidor m

attention /ə'tenʃn/ n atenção f. **~!** (mil) sentido! **pay ~** prestar atenção (**to** a)

attentive /ə'tentɪv/ a atento; (considerate) atencioso

attest /ə'test/ vt/i **~ (to)** atestar. **~ a signature** reconhecer uma assinatura. **~ation** /ætə'steɪʃn/ n atestação f, prova f

attic /'ætɪk/ n sótão m, água-furtada f

attitude /'ætɪtjuːd/ n atitude f

attorney /ə'tɜːnɪ/ n (pl **-eys**) procurador m; (Amer) advogado m

attract /ə'trækt/ vt atrair. **~ion** /-ʃn/ n atracção f; (charm) atractivo m

attractive /ə'træktɪv/ a atraente. **~ly** adv atraentemente, agradavelmente

attribute[1] /ə'trɪbjuːt/ vt **~ to** atribuir a

attribute[2] /'ætrɪbjuːt/ n atributo m

attrition /ə'trɪʃn/ n war of **~** guerra f de desgaste

aubergine /'əʊbəʒiːn/ n beringela f

auburn /'ɔːbən/ a cor de acaju, castanho-avermelhado

auction /'ɔːkʃn/ n leilão m □ vt leiloar. **~eer** /-ə'nɪə(r)/ n leiloeiro m, pregoeiro m

audacious /ɔː'deɪʃəs/ a audacioso, audaz. **~ty** /-æsətɪ/ n audácia f

audible /'ɔːdəbl/ a audível

audience /'ɔːdɪəns/ n auditório m; (theat, radio; interview) audiência f

audiovisual /ɔːdɪəʊ'vɪʒʊəl/ a audio-visual

audit /'ɔːdɪt/ n auditoria f □ vt fazer uma auditoria

audition /ɔː'dɪʃn/ n audição f □ vt dar/fazer uma audição

auditor /'ɔːdɪtə(r)/ n perito-contabilista m

auditorium /ɔːdɪ'tɔːrɪəm/ n auditório m

augment /ɔːg'ment/ vt/i aumentar(-se)

augur /'ɔːgə(r)/ vi **~ well/ill** ser de bom ou mau agoiro

August /'ɔːgəst/ n Agosto m

aunt /ɑːnt/ n tia f

au pair /əʊ'peə(r)/ n au pair f

aura /'ɔːrə/ n aura f, emanação f

auspices /'ɔːspɪsɪz/ npl **under the ~ of** sob os auspícios or o patrocínio de

auspicious /ɔː'spɪʃəs/ a auspicioso

austere /ɔː'stɪə(r)/ a austero. **~ity** /-erətɪ/ n austeridade f

Australia /ɒ'streɪlɪə/ n Austrália f. **~n** a & n australiano (m)

Austria /'ɒstrɪə/ n Áustria f. **~n** a & n austríaco (m)

authentic /ɔː'θentɪk/ a autêntico. **~ity** /-ən'tɪsətɪ/ n autenticidade f

authenticate /ɔ:'θentɪkeɪt/ vt autenticar

author /'ɔ:θə(r)/ n autor m, autora f. ~**ship** n (origin) autoria f

authoritarian /ɔ:θɒrɪ'teərɪən/ a autoritário

authority /ɔ:'θɒrətɪ/ n autoridade f; (permission) autorização f. ~**ative** /-ɪtətɪv/ a (trusted) autorizado; (manner) autoritário

authorize /'ɔ:θəraɪz/ vt autorizar. ~**ation** /'zeɪʃn/ n autorização f

autistic /ɔ:'tɪstɪk/ a autista, autístico

autobiography /ɔ:tə'baɪɒɡrə-fɪ/ n autobiografia f

autocrat /'ɔ:təkræt/ n autocrata mf. ~**ic** /'krætɪk/ a autocrático

autograph /'ɔ:təɡra:f/ n autógrafo m ☐ vt autografar

automate /'ɔ:təmeɪt/ vt automatizar. ~**ion** /ɔ:tə'meɪʃn/ n automatização f

automatic /ɔ:tə'mætɪk/ a automático ☐ n (car) automático m. ~**ally** /-klɪ/ adv automaticamente

automobile /'ɔ:təməbi:l/ n (Amer) automóvel m

autonomy /ɔ:'tɒnəmɪ/ n autonomia f. ~**ous** a autónomo

autopsy /'ɔ:tɒpsɪ/ n autópsia f

autumn /'ɔ:təm/ n Outono m. ~**al** /'tʌmnəl/ a outonal

auxiliary /ɔ:ɡ'zɪlɪərɪ/ a & n auxiliar mf. ~ **verb** verbo m auxiliar

avail /ə'veɪl/ vt ~ **o.s.** of servir-se de ☐ vi (be of use) valer ☐ n **of no** ~ inútil. **to no** ~ sem resultado, em vão

available /ə'veɪləbl/ a disponível. ~**ility** /'bɪlətɪ/ n disponibilidade f

avalanche /'ævəla:nʃ/ n avalanche f

avarice /'ævərɪs/ n avareza f. ~**ious** /'rɪʃəs/ a avarento

avenge /ə'vendʒ/ vt vingar

avenue /'ævənju:/ n avenida f; (fig: line of approach) via f

average /'ævərɪdʒ/ n média f ☐ a médio ☐ vt tirar a média de; (produce, do) fazer em média ☐ vi ~ **out at** dar de média, dar uma média de. **on** ~ em média

averse /ə'vɜ:s/ a **be ~e to** ser avesso a. ~**ion** /-ʃn/ n aversão f, repugnância f

avert /ə'vɜ:t/ vt (turn away) desviar; (ward off) evitar

aviary /'eɪvɪərɪ/ n aviário m

aviation /eɪvɪ'eɪʃn/ n aviação f

avid /'ævɪd/ a ávido

avocado /ævə'ka:dəʊ/ n (pl -s) abacate m

avoid /ə'vɔɪd/ vt evitar. ~**able** a que se pode evitar, evitável. ~**ance** n acto m de evitar

await /ə'weɪt/ vt aguardar

awake /ə'weɪk/ vt/i (pt awoke, pp awoken) acordar ☐ a **be ~** estar acordado

awaken /ə'weɪkən/ vt/i despertar. ~**ing** n despertar m

award /ə'wɔ:d/ vt atribuir, conferir; (jur) adjudicar ☐ n recompensa f prémio m; (scholarship) bolsa f

aware /ə'weə(r)/ a ciente, cônscio. **be ~ of** estar consciente de or ter consciência *de.* **become ~ of** tomar consciência de. **make sb ~ of** sensibilizar alg para. **~ness** *n* consciência *f*

away /ə'weɪ/ *adv* (*at a distance*) longe; (*to a distance*) para longe; (*absent*) fora; (*persistently*) sem parar; (*entirely*) completamente. **eight miles ~** a oito milhas (de distância). **four days ~** daí a quatro dias □ *a* & *n* ~ **(match)** jogo *m* fora de casa

awe /ɔ:/ *n* assombro *m*, admiração *f* reverente, terror *m* respeitoso. **~some** *a* assombroso. **~struck** *a* assombrado, aterrado

awful /'ɔ:fl/ *a* terrível. **~ly** *adv* muito, terrivelmente

awhile /ə'waɪl/ *adv* por algum tempo

awkward /'ɔ:kwəd/ *a* difícil; (*clumsy, difficult to use*) desajeitado, maljeitoso; (*inconvenient*) inconveniente; (*embarrassing*) embaraçoso; (*embarrassed*) embaraçado. **an ~ customer** (*colloq*) um freguês perigoso *or* intratável

awning /'ɔ:nɪŋ/ *n* toldo *m*

awoke, awoken /ə'wəʊk, ə'wəʊkən/ *see* **awake**

awry /ə'raɪ/ *adv* torto. **go ~** dar errado. **be ~** estar torto

axe /æks/ *n* machado *m* □ *vt* (*pres p* **axing**) (*reduce*) cortar; (*dismiss*) despedir

axiom /'æksɪəm/ *n* axioma *m*

axis /'æksɪs/ *n* (*pl* **axes** /-i:z/) eixo *m*

axle /'æksl/ *n* eixo (de roda) *m*

Azores /ə'zɔ:z/ *n* Açores *mpl*

B

BA *abbr see* **Bachelor of Arts**

babble /'bæbl/ *vi* balbuciar; (*baby*) palrar; (*stream*) murmurar □ *n* balbucio *m*; (*of baby*) palrice *f*; (*of stream*) murmúrio *m*

baboon /bə'buːn/ *n* babuíno *m*

baby /'beɪbɪ/ *n* bebé *m*. ~ **carriage** (*Amer*) carrinho *m* de bebé. ~-**sit** *vi* tomar conta de crianças. ~-**sitter** *n* baby--sitter *mf*

babyish /'beɪbɪɪʃ/ *a* infantil

bachelor /'bætʃələ(r)/ *n* solteiro *m*. **B~ of Arts/Science** Bacharel *m* em Letras/Ciencias

back /bæk/ *n* (*of person, hand, chair*) costas *fpl*; (*of animal*) dorso *m*; (*of car, train*) parte *f* traseira; (*of house, room*) fundo *m*; (*of coin*) reverso *m*; (*of page*) verso *m*; (*football*) defesa *m* □ *a* traseiro, posterior; (*taxes*) em atraso □ *adv* atrás, para trás; (*returned*) de volta □ *vt* (*support*) apoiar; (*horse*) apostar em; (*car*) (fazer) recuar □ *vi* recuar. **at the ~ of beyond** no fim do mun-do. ~-**bencher** *n* (*pol*) deputado *m* sem pasta. ~ **down** desistir (**from** de). ~ **number** número *m* atrasado. ~ **out** (*of an undertaking etc*) fugir (ao combinado *etc*). ~ **up** (*auto*) fazer marcha atrás; (*comput*) tirar um back-up de. ~-**up** *n* apoio *m*; (*comput*) back-up *m*; (*Amer: traffic-jam*) engarrafamento *m* □ *a* de reserva; (*comput*) back-up

backache /'bækeɪk/ *n* dor *f* nas costas

backbiting /'bækbaɪtɪŋ/ *n* maledicência *f*

backbone /'bækbəʊn/ *n* espinha *f* dorsal

backdate /bæk'deɪt/ *vt* antedatar

backer /'bækə(r)/ *n* (*of horse*) apostador *m*; (*of cause*) partidário *m*, apoiante *mf*; (*comm*) patrocinador *m*, financiador *m*

backfire /bæk'faɪə(r)/ *vi* (*auto*) dar explosões no tubo de escape; (*fig*) sair o tiro pela culatra

background /'bækgraʊnd/ *n* (*of picture*) fundo *m*, segun-

do-plano *m*; (*context*) contexto *m*; (*environment*) meio *m*; (*experience*) formação *f*
backhand /ˈbækhænd/ *n* (*tennis*) esquerda *f*. **~ed** *a* com as costas da mão. **~ed compliment** cumprimento *m* ambíguo. **~er** /ˈhændə(r)/ *n* (*sl: bribe*) suborno *m*, luvas *fpl* (*colloq*)
backing /ˈbækɪŋ/ *n* apoio *m*; (*comm*) patrocínio *m*
backlash /ˈbæklæʃ/ *n* (*fig*) reacção *f* violenta, repercussões *fpl*
backlog /ˈbæklɒg/ *n* acúmulo *m* (de trabalho *etc*)
backside /ˈbæksaɪd/ *n* (*colloq: buttocks*) traseiro *m*
backstage /ˈbækˈsteɪdʒ/ *a* & *adv* nos bastidores
backstroke /ˈbækstrəʊk/ *n* estilo *m* costas
backtrack /ˈbæktræk/ *vi* (*fig*) voltar atrás
backward /ˈbækwəd/ *a* retrógrado; (*retarded*) atrasado; (*step, look, etc*) para trás
backwards /ˈbækwədz/ *adv* para trás; (*walk*) para trás; (*fall*) de costas, para trás; (*in reverse order*) de trás para diante, às avessas. **go ~ and forwards** ir e vir, andar para trás e para a frente. **know sth ~** saber alg coisa de trás para a frente
backwater /ˈbækwɔ:tə(r)/ *n* (*pej: place*) parvónia *f*
bacon /ˈbeɪkən/ *n* toucinho *m* defumado; (*in rashers*) bacon *m*
bacteria /bækˈtɪərɪə/ *npl* bactérias *fpl*. **~l** *a* bacteriano

bad /bæd/ *a* (**worse**, **worst**) mau; (*accident*) grave; (*food*) estragado; (*ill*) doente. **feel ~** sentir-se mal. **~ language** palavrões *mpl*. **~-mannered** *a* mal educado. **~-tempered** *a* mal humorado. **~ly** *adv* mal; (*seriously*) gravemente. **want ~ly** (*desire*) desejar imensamente, ter grande vontade de; (*need*) precisar muito de
badge /bædʒ/ *n* emblema *m*; (*policeman's*) distintivo *m*
badger /ˈbædʒə(r)/ *n* texugo *m* □ *vt* atormentar; (*pester*) importunar
badminton /ˈbædmɪntən/ *n* badminton *m*
baffle /ˈbæfl/ *vt* atrapalhar, desconcertar
bag /bæg/ *n* saco *m*; (*handbag*) bolsa *f*, carteira *f*. **~s** (*luggage*) malas *fpl* □ *vt* (*pt* **bagged**) ensacar; (*colloq: take*) embolsar
baggage /ˈbægɪdʒ/ *n* bagagem *f*
baggy /ˈbægɪ/ *a* (*clothes*) muito largo, largueirão
bagpipes /ˈbægpaɪps/ *npl* gaita *f* de foles
Bahamas /bəˈha:məz/ *npl* **the ~** as Bahamas *fpl*
bail[1] /beɪl/ *n* fiança *f* □ *vt* pôr em liberdade sob fiança. **be out on ~** estar solto sob fiança
bail[2] /beɪl/ *vt* **~ (out)** (*naut*) esgotar, tirar água de
bailiff /ˈbeɪlɪf/ *n* (*officer*) oficial *m* de diligências; (*of estate*) feitor *m*
bait /beɪt/ *n* isca *f* □ *vt* pôr is-

ca; *(fig)* atormentar (com insultos), atezanar

bak|e /beɪk/ *vt/i* cozer (no forno); *(bread, cakes, etc)* assar; *(in the sun)* torrar. **~er** *n* padeiro *m*; *(of cakes)* doceiro *m*. **~ing** *n* cozedura *f.* *(batch)* fornada *f.* **~ing--powder** *n* fermento *m* em pó. **~ing tin** forma *f*

bakery /ˈbeɪkərɪ/ *n* padaria *f*; *(cakes)* confeitaria *f*

balance /ˈbæləns/ *n* equilíbrio *m*; *(scales)* balança *f*; *(sum)* saldo *m*; *(comm)* balanço *m.* **~ of power** equilíbrio *m* político. **~ of trade** balança *f* comercial. **~-sheet** *n* balanço *m* □ *vt* equilibrar; *(weigh up)* pesar; *(budget)* equilibrar □ *vi* equilibrar-se. **~d** *a* equilibrado

balcony /ˈbælkənɪ/ *n* balcão *m*; *(in a house)* varanda *f*

bald /bɔːld/ *a* (**-er, -est**) calvo, careca; *(tyre)* careca. **~ing** *a* **be ~ing** ficar calvo. **~ly** *adv* nu e cru, secamente. **~ness** *n* calvície *f*

bale¹ /beɪl/ *n* *(of straw)* fardo *m*; *(of cotton)* balote *m* □ *vt* enfardar

bale² /beɪl/ *vi* **~ out** saltar em páraquedas

balk /bɔːk/ *vt* frustrar, contrariar □ *vi* **~ at** assustar-se com, recuar perante

ball¹ /bɔːl/ *n* bola *f.* **~-bearing** *n* rolamento *m* de esferas. **~-cock** *n* válvula *f* de depósito de água. **~-point** *n* esferográfica *f*

ball² /bɔːl/ *n* *(dance)* baile *m*

ballad /ˈbæləd/ *n* balada *f*

ballast /ˈbæləst/ *n* lastro *m*

ballerina /bæləˈriːnə/ *n* bailarina *f*

ballet /ˈbæleɪ/ *n* ballet *m*, bailado *m*

balloon /bəˈluːn/ *n* balão *m*

ballot /ˈbælət/ *n* escrutínio *m.* **~(-paper)** *n* boletim *m* de voto. **~-box** *n* urna *f* □ *vi* *(of members)* votar □ *vt (pol)* votar □ *vt (members)* consultar por voto secreto

ballroom /ˈbɔːlruːm/ *n* salão *m* de baile

balm /baːm/ *n* bálsamo *m.* **~y** *a* balsâmico; *(mild)* suave

balustrade /bæləˈstreɪd/ *n* balaustrada *f*

bamboo /bæmˈbuː/ *n* bambu *m*

ban /bæn/ *vt (pt banned)* banir. **~ from** proibir de □ *n* proibição *f*

banal /bəˈnaːl/ *a* banal. **~ity** /-ælətɪ/ *n* banalidade *f*

banana /bəˈnaːnə/ *n* banana *f*

band /bænd/ *n (for fastening)* cinta *f*, faixa *f*; *(strip)* tira *f*, banda *f*; *(mus: mil)* banda *f*; *(mus: dance, jazz)* conjunto *m*; *(group)* bando *m* □ *vi* **~ together** juntar-se

bandage /ˈbændɪdʒ/ *n* ligadura *f* □ *vt* ligar

bandit /ˈbændɪt/ *n* bandido *m*

bandstand /ˈbændstænd/ *n* coreto *m*

bandwagon /ˈbændwægən/ *n* **climb on the ~** *(fig)* apanhar o comboio

bandy /ˈbændɪ/ *vt* trocar. **~ a story about** espalhar uma história

bandy-legged /ˈbændɪlegd/ *a* cambaio, de pernas tortas

bang /bæŋ/ n (blow) pancada f; (loud noise) estouro m, estrondo m; (of gun) detonação f □ vt/i (hit, shut) bater □ vi explodir □ int pum. ~ **in the middle** mesmo no meio. **shut the door with a** ~ bater (com) a porta

banger /ˈbæŋə(r)/ n (firework) bomba f; (sl: sausage) salsicha f. **(old)** ~ (sl: car) calhambeque m (colloq)

bangle /ˈbæŋgl/ n pulseira f, bracelete m

banish /ˈbænɪʃ/ vt banir, desterrar

banisters /ˈbænɪstəz/ npl corrimão m

banjo /ˈbændʒəʊ/ pl (-os) banjo m

bank¹ /bæŋk/ n (of river) margem f; (of earth) talude m; (of sand) banco m □ vt amontoar □ vi (aviat) inclinar-se numa curva

bank² /bæŋk/ n (comm) banco m □ vt depositar no banco. ~ **account** conta f bancária. ~ **holiday** feriado m nacional. ~ **on** contar com. ~ **rate** taxa f bancária. ~ **with** ter conta em

bank|er /ˈbæŋkə(r)/ n banqueiro m. ~**ing** /-ɪŋ/ n operações fpl bancárias; (career) carreira f bancária, banca f

banknote /ˈbæŋknəʊt/ n nota f de banco

bankrupt /ˈbæŋkrʌpt/ a & n falido m. **go** ~ falir □ vt levar à falência. ~**cy** n falência f, bancarrota f

banner /ˈbænə(r)/ n bandeira f, estandarte m

banns /bænz/ npl banhos mpl

banquet /ˈbæŋkwɪt/ n banquete m

banter /ˈbæntə(r)/ n gracejo m, brincadeira f □ vi gracejar, brincar

baptism /ˈbæptɪzəm/ n baptismo m

Baptist /ˈbæptɪst/ n baptista mf

baptize /bæpˈtaɪz/ vt baptizar

bar /baː(r)/ n (of chocolate) tablette f, barra f; (of metal, soap, sand etc) barra f; (of door, window) tranca f; (in pub) bar m; (counter) balcão m, bar m; (mus) barra f de compasso; (fig: obstacle) barreira f; (in lawcourt) teia f. **the B**~ a advocacia f □ vt (pt **barred**) (obstruct) barrar; (prohibit) proibir (**from** de); (exclude) excluir; (door, window) trancar □ prep salvo, excepto. ~ **none** sem excepção. ~ **code** código m de barra. **behind** ~s na cadeia

Barbados /baːˈbeɪdɒs/ n Barbados mpl

barbarian /baːˈbeərɪən/ n bárbaro m

barbari|c /baːˈbærɪk/ a bárbaro. ~**ty** /-ətɪ/ n barbaridade f

barbarous /ˈbaːbərəs/ a bárbaro

barbecue /ˈbaːbɪkjuː/ n (grill) churrasqueira f; (occasion, food) churrasco m □ vt assar

barbed /baːbd/ a ~ **wire** arame m farpado

barber /ˈbaːbə(r)/ n barbeiro m

barbiturate /baːˈbɪtjʊrət/ n barbitúrico m

bare /beə(r)/ *a* (**-er, -est**) nu; (*room*) vazio; (*mere*) mero □ *vt* pôr à mostra, pôr a nu, descobrir

bareback /'beəbæk/ *adv* em pêlo

barefaced /'beəfeɪst/ *a* descarado

barefoot /'beə(r)fʊt/ *adv* descalço

barely /'beəlɪ/ *adv* apenas, mal

bargain /'ba:gɪn/ *n* (*deal*) negócio *m*; (*good buy*) pechincha *f* □ *vi* negociar; (*haggle*) regatear. ~ **for** esperar

barge /ba:dʒ/ *n* barcaça *f* □ *vi* ~ **in** interromper (despropositadamente); (*into room*) irromper

bark[1] /ba:k/ *n* (*of tree*) casca *f*

bark[2] /ba:k/ *n* (*of dog*) latido *m* □ *vi* latir. **his ~ is worse than his bite** cão que ladra não morde

barley /'ba:lɪ/ *n* cevada *f*. ~ **sugar** *n* açúcar *m* de cevada. ~ **water** *n* água *f* de cevada

barmaid /'ba:meɪd/ *n* empregada *f* de bar

barman /'ba:mən/ *n* (*pl* **-men**) barman *m*, empregado *m* de bar

barmy /'ba:mɪ/ *a* (*sl*) maluco

barn /ba:n/ *n* celeiro *m*

barometer /bə'rɒmɪtə(r)/ *n* barómetro *m*

baron /'bærən/ *n* barão *m*. ~**ess** *n* baronesa *f*

baroque /bə'rɒk/ *a* & *n* barroco *m*

barracks /'bærəks/ *n* quartel *m*, caserna *f*

barrage /'bæra:ʒ/ *n* barragem

f; (*fig*) enxurrada *f*; (*mil*) fogo *m* de barragem

barrel /'bærəl/ *n* (*of oil, wine*) barril *m*; (*of gun*) cano *m*. ~**-organ** *n* realejo *m*

barren /'bærən/ *a* estéril; (*soil*) árido, estéril

barricade /'bærɪ'keɪd/ *n* barricada *f* □ *vt* barricar

barrier /'bærɪə(r)/ *n* barreira *f*; (*hindrance*) entrave *m*, barreira *f*

barring /'ba:rɪŋ/ *prep* salvo, excepto

barrister /'bærɪstə(r)/ *n* advogado *m*

barrow /'bærəʊ/ *n* carrinho *m* de mão

barter /'ba:tə(r)/ *n* troca *f* □ *vt* trocar

base /beɪs/ *n* base *f* □ *vt* basear (**on** em) □ *a* baixo, ignóbil. ~**less** *a* infundado

baseball /'beɪsbɔ:l/ *n* beisebol *m*

basement /'beɪsmənt/ *n* cave *f*

bash /bæʃ/ *vt* bater com violência □ *n* pancada *f* forte. **have a ~ at** (*sl*) experimentar

bashful /'bæʃfl/ *a* tímido

basic /'beɪsɪk/ *a* básico, elementar, fundamental. ~**ally** *adv* basicamente, no fundo

basil /'bæzl/ *n* mangericão *m*

basin /'beɪsn/ *n* bacia *f*; (*for food*) tigela *f*; (*naut*) antedoca *f*; (*for washing*) pia *f*

basis /'beɪsɪs/ *n* (*pl* **bases** /-si:z/) base *f*

bask /ba:sk/ *vi* ~ **in the sun** apanhar sol

basket /'ba:skɪt/ *n* cesto *m*

basketball /'ba:skɪtbɔ:l/ *n* basquete(bol) *m*

Basque /baːsk/ a & n basco m

bass¹ /bæs/ n (pl **bass**) (fish) perca f

bass² /beɪs/ a (mus) grave □ n (pl **basses**) (mus) baixo m

bassoon /bəˈsuːn/ n fagote m

bastard /ˈbaːstəd/ n (illegitimate child) bastardo m; (sl: pej) safado (sl) m; (colloq: not pej) tipo (colloq) m

baste /beɪst/ vt (culin) regar (com molho)

bastion /ˈbæstɪən/ n bastião m, baluarte m

bat¹ /bæt/ n (cricket) pá f; (baseball) bastão m; (table tennis) raquete f □ vt/i (pt **batted**) bater (em). without ~ting an eyelid sem pestanejar

bat² /bæt/ n (zool) morcego m

batch /bætʃ/ n (loaves) fornada f; (people) monte m; (goods) remessa f; (papers, letters etc) batelada f, monte m

bated /ˈbeɪtɪd/ a **with ~ breath** com a respiração suspensa

bath /baːθ/ n (pl **-s** /baːðz/) banho m; (tub) banheira f. ~s (washing) banho m público; (swimming) piscina f □ vt dar banho a □ vi tomar banho

bathe /beɪð/ vt dar banho em; (wound) limpar □ vi tomar banho (de mar) □ n banho m (de mar). ~r /-ə(r)/ n banhista mf

bathing /ˈbeɪðɪŋ/ n banho m de mar. ~-costume/-suit n fato m de banho

bathrobe /ˈbaːθrəʊb/ n (Amer) roupão m

bathroom /ˈbaːθruːm/ n casa f de banho

baton /ˈbætən/ n (mus) batuta f; (policeman's) cassetete m; (mil) bastão m

battalion /bəˈtælɪən/ n batalhão m

batter /ˈbætə(r)/ vt bater, espancar, maltratar □ n (culin: for cakes) massa f de bolos; (culin: for frying) polme m~ed a (car, pan) amassado; (child, wife) maltratado, espancado. ~ing n take a ~ing levar pancada or uma surra

battery /ˈbætərɪ/ n (mil, auto) bateria f; (electr) pilha f

battle /ˈbætl/ n batalha f; (fig) luta f □ vi combater, batalhar, lutar

battlefield /ˈbætlfiːld/ n campo m de batalha

battlements /ˈbætlmənts/ npl ameias fpl

battleship /ˈbætlʃɪp/ n couraçado m

baulk /bɔːlk/ vt/i = **balk**

bawdy /ˈbɔːdɪ/ a (-ier, -iest) obsceno, indecente

bawl /bɔːl/ vt/i berrar

bay¹ /beɪ/ n (bot) loureiro m

bay² /beɪ/ n (geog) baía f. ~-window janela f saliente

bay³ /beɪ/ n (bark) latido m □ vi latir. **at ~** (animal; fig) cercado, em apuros; **keep at ~** manter à distância

bayonet /ˈbeɪənɪt/ n baioneta f

bazaar /bəˈzaː(r)/ n bazar m

BC abbr (before Christ) a C

be /biː/ vi (pres **am, are, is**; pt **was, were**; pp **been**) (permanent quality/place) ser; (temporary place/state) estar; (*become*) ficar. ~ **hot/ right** *etc* ter calor/razão *etc*. **he's 30** (*age*) ele tem 30 anos. **it's fine/cold** *etc* (*weather*) faz bom tempo/ frio *etc*. **how are you?** (*health*) como está? **I'm a doctor --- are you?** eu sou médico --- é mesmo? **it's pretty, isn't it?** é bonito, não é? **he is to come** (*must*) ele deve vir. **how much is it?** (*cost*) quanto é? ~ **reading / eating** *etc* estar a ler/a comer *etc*. **the money was found** o dinheiro foi encontrado. **have been to** ter ido a, ter estado em

beach /biːtʃ/ *n* praia *f*.

beacon /ˈbiːkən/ *n* farol *m*; (*marker*) baliza *f*

bead /biːd/ *n* conta *f*. ~ **of sweat** gota *f* de suor

beak /biːk/ *n* bico *m*

beaker /ˈbiːkə(r)/ *n* copo *m* de plástico com bico; (*in lab*) proveta *f*

beam /biːm/ *n* (*of wood*) trave *f*, viga *f*; (*of light*) raio *m*; (*of torch*) feixe *m* de luz □ *vt/i* (*radiate*) irradiar; (*fig*) sorrir radiante. ~**ing** *a* radiante

bean /biːn/ *n* feijão *m*. **broad** ~ fava *f*. **coffee** ~**s** café *m* em grão. **runner** ~ feijão *m* verde

bear[1] /beə(r)/ *n* urso *m*

bear[2] /beə(r)/ *vt/i* (*pt* **bore**, *pp* **borne**) sustentar, suportar; (*endure*) aguentar, suportar; (*child*) dar à luz. ~ **in mind** ter em mente, lembrar. ~ **left** virar à esquerda. ~ **on** rela-

cionar-se com, ter a ver com. ~ **out** confirmar. ~ **up!** coragem! ~**able** *a* tolerável, suportável. ~**er** *n* portador *m*

beard /biəd/ *n* barba *f*. ~**ed** *a* barbado, com barba

bearing /ˈbeərɪŋ/ *n* (*manner*) porte *m*; (*relevance*) relação *f*; (*naut*) marcação *f*. **get one's** ~**s** orientar-se

beast /biːst/ *n* (*animal, person*) besta *f*, animal *m*; (*in fables*) fera *f*. ~ **of burden** besta *f* de carga

beat /biːt/ *vt/i* (*pt* **beat**, *pp* **beaten**) bater □ *n* (*med*) batimento *m*; (*mus*) compasso *m*, ritmo *m*; (*of drum*) toque *m*; (*of policeman*) ronda *f*, giro *m*. ~ **about the bush** estar com rodeios. ~ **a retreat** bater em retirada. ~ **it** (*sl: go away*) pôr-se a andar. **it** ~**s me** (*colloq*) não consigo entender. ~ **up** espancar. ~**er** *n* (*culin*) batedeira *f*. ~**ing** *n* sova *f*

beautician /bjuːˈtɪʃn/ *n* esteticista *mf*

beautiful /ˈbjuːtɪfl/ *a* belo, lindo. ~**ly** *adv* lindamente

beautify /ˈbjuːtɪfaɪ/ *vt* embelezar

beauty /ˈbjuːtɪ/ *n* beleza *f*. ~ **parlour** instituto *m* de beleza. ~ **spot** sinal *m* no rosto, mosca *f*; (*place*) local *m* pitoresco

beaver /ˈbiːvə(r)/ *n* castor *m*

became /bɪˈkeɪm/ *see* **become**

because /bɪˈkɒz/ *conj* porque □ *adv* ~ **of** por causa de

beckon /ˈbekən/ *vt/i* ~ (**to**) fazer sinal (para)

become /bɪ'kʌm/ *vt/i* (*pt* beca-me, *pp* become) tornar-se; (*befit*) ficar bem a. **what has ~ of her?** que é feito dela?
becoming /bɪ'kʌmɪŋ/ *a* que fi-ca bem, apropriado
bed /bed/ *n* cama *f*; (*layer*) camada *f*; (*of sea*) fundo *m*; (*of river*) leito *m*; (*of flowers*) canteiro *m* □ *vt/i* (*pt* bed-ded) ~ **down** ir deitar-se. ~ **in** plantar. ~ **and breakfast** (**b & b**) quarto *m* com pe-queno almoço. ~**sit(ter)** *n* (*colloq*) misto *m* de quarto e sala. **go to** ~ ir para cama. **in** ~ na cama. ~**ding** *n* roupa *f* de cama
bedclothes /'bedkləʊðz/ *n* rou-pa *f* de cama
bedlam /'bedləm/ *n* confusão *f*, balbúrdia *f*
bedraggled /bɪ'drægld/ *a* (*wet*) molhado; (*untidy*) fa-sarrumado; (*dishevelled*) desgrenhado
bedridden /'bedrɪdn/ *a* preso ao leito, (*doente*) de cama
bedroom /'bedru:m/ *n* quarto *m* de dormir
bedside /'bedsaɪd/ *n* cabeceira *f*. ~ **manner** (*doctor's*) mo-dos *mpl* que inspiram con-fiança
bedspread /'bedspred/ *n* col-cha *f*
bedtime /'bedtaɪm/ *n* hora *f* de deitar, hora *f* de ir para a ca-ma
bee /bi:/ *n* abelha *f*. **make a ~-line for** ir directo a
beech /bi:tʃ/ *n* faia *f*
beef /bi:f/ *n* carne *f* de vaca
beefburger /'bi:fbɜːgə(r)/ *n* hambúrguer *m*

beehive /'bi:haɪv/ *n* colméia *f*
been /bi:n/ *see* be
beer /bɪə(r)/ *n* cerveja *f*
beet /bi:t/ *n* beterraba *f*
beetle /'bi:tl/ *n* escaravelho *m*
beetroot /'bi:tru:t/ *n* (raiz de) beterraba *f*
before /bɪ'fɔ:(r)/ *prep* (*time*) antes de; (*place*) em frente de □ *adv* antes; (*already*) já □ *conj* antes que. ~ **leaving** antes de partir. ~ **he leaves** antes que ele parta, antes de ele partir
beforehand /bɪ'fɔːhænd/ *adv* de antemão, antecipadamen-te
befriend /bɪ'frend/ *vt* tornar--se amigo de; (*be helpful to*) auxiliar
beg /beg/ *vt/i* (*pt* begged) mendigar; (*entreat*) suplicar. ~ **sb's pardon** pedir descul-pa a alg. ~ **the question** fa-zer uma petição de princí-pio. **it's going ~ging** está a mais
began /bɪ'gæn/ *see* begin
beggar /'begə(r)/ *n* mendigo *m*, pedinte *mf*; (*colloq: per-son*) tipo (*colloq*) *m*
begin /bɪ'gɪn/ *vt/i* (*pt* began, *pp* begun, *pres p* begin-ning) começar, principiar. ~**ner** *n* principiante *mf*. ~**ning** *n* começo *m*, princí-pio *m*
begrudge /bɪ'grʌdʒ/ *vt* ter in-veja de; (*give*) dar de má vontade. ~ **doing** fazer de má vontade *or* a contragosto
beguile /bɪ'gaɪl/ *vt* enganar
begun /bɪ'gʌn/ *see* begin
behalf /bɪ'ha:f/ *n* **on ~ of** em

nome de; (*in the interest of*) em favor de

behave /bɪˈheɪv/ *vi* portar-se. ~ (**o.s.**) portar-se bem

behaviour /bɪˈheɪvjə(r)/ *n* conduta *f*, comportamento *m*

behead /bɪˈhed/ *vt* decapitar

behind /bɪˈhaɪnd/ *prep* atrás de □ *adv* atrás; (*late*) com atraso □ *n* (*colloq: buttocks*) traseiro (*colloq*) *m*. ~ **the times** antiquado, retrógrado. **leave** ~ deixar para trás

behold /bɪˈhəʊld/ *vt* (*pt* beheld) (*old use*) ver

beholden /bɪˈhəʊldən/ *a* em dívida (to para com)

beige /beɪʒ/ *a* & *n* beige *m*

being /ˈbiːɪŋ/ *n* ser *m*. **bring into** ~ criar. **come into** ~ nascer, originar-se

belated /bɪˈleɪtɪd/ *a* tardio, atrasado

belch /beltʃ/ *vi* arrotar □ *vt* ~ **out** (*smoke*) vomitar, lançar □ *n* arroto *m*

belfry /ˈbelfrɪ/ *n* campanário *m*

Belgi|um /ˈbeldʒəm/ *n* Bélgica *f*. ~**an** *a* & *n* belga *mf*

belief /bɪˈliːf/ *n* crença *f*; (*trust*) confiança *f*; (*opinion*) convicção *f*

believ|e /bɪˈliːv/ *vt/i* acreditar. ~**e in** acreditar em. ~**able** *a* crível. ~**er** /-ə(r)/ *n* crente *mf*

belittle /bɪˈlɪtl/ *vt* depreciar

bell /bel/ *n* sino *m*; (*small*) sineta *f*; (*on door, of phone*) campainha *f*; (*on cat, toy*) guizo *m*

belligerent /bɪˈlɪdʒərənt/ *a* & *n* beligerante *m*

bellow /ˈbeləʊ/ *vt/i* berrar, bramir. ~ **out** rugir

bellows /ˈbeləʊz/ *npl* fole *m*

belly /ˈbelɪ/ *n* barriga *f*, ventre *m*. ~~**-ache** *n* dor *f* de barriga

bellyful /ˈbelɪfʊl/ *n* **have a** ~ estar com a barriga cheia

belong /bɪˈlɒŋ/ *vi* ~ (**to**) pertencer (a); (*club*) ser sócio (de)

belongings /bɪˈlɒŋɪŋz/ *npl* pertences *mpl*. **personal** ~ objetos *mpl* de uso pessoal

beloved /bɪˈlʌvɪd/ *a* & *n* amado *m*

below /bɪˈləʊ/ *prep* abaixo de, debaixo de □ *adv* abaixo, em baixo; (*on page*) abaixo

belt /belt/ *n* cinto *m*; (*techn*) correia *f*; (*fig*) zona *f* □ *vt* (*sl: hit*) zurzir □ *vi* (*sl: rush*) safar-se

bemused /bɪˈmjuːzd/ *a* estonteado, confuso; (*thoughtful*) pensativo

bench /bentʃ/ *n* banco *m*; (*seat, working-table*) bancada *f*. **the** ~ (*jur*) os magistrados (no tribunal)

bend /bend/ *vt/i* (*pt* & *pp* bent) curvar(-se); (*arm, leg*) dobrar; (*road, river*) fazer uma curva, virar □ *n* curva *f*. ~ **over** debruçar-se *or* inclinar-se sobre

beneath /bɪˈniːθ/ *prep* abaixo de, debaixo de; (*fig*) abaixo de □ *adv* debaixo, em baixo

benediction /benɪˈdɪkʃn/ *n* benção *f*

benefactor /ˈbenɪfæktə(r)/ *n* benfeitor *m*

beneficial /benɪˈfɪʃl/ *a* benéfico, proveitoso

benefit /ˈbenɪfɪt/ *n* (*advantage, performance*) benefício *m*; (*profit*) proveito *m*; (*allowance*) subsídio *m* □ *vt/i* (*pt* **benefited**, *pres p* **benefiting**) (*be useful to*) beneficiar (**by** de); (*do good to*) beneficiar, fazer bem a; (*receive benefit*) lucrar, ganhar (**by, from** com)

beneficiary /benɪ'fɪʃərɪ/ *n* beneficiário *m*

benevolen|t /bɪ'nevələnt/ *a* benevolente. ~**ce** *n* benevolência *f*

benign /bɪ'naɪn/ *a* (*incl med*) benigno

bent /bent/ *see* **bend** □ *n* (**for** para) (*skill*) aptidão *f*, jeito *m*; (*liking*) queda *f* □ *a* curvado; (*twisted*) torcido; (*sl: dishonest*) desonesto. ~ **on** decidido a

bequeath /bɪ'kwi:ð/ *vt* legar

bequest /bɪ'kwest/ *n* legado *m*

bereave|d /bɪ'ri:vd/ *a* the ~**d wife/***etc* a esposa/*etc* do falecido. **the ~d family** a família enlutada. ~**ment** *n* luto *m*

bereft /bɪ'reft/ *a* ~ **of** privado de

beret /'bereɪ/ *n* boina *f*

Bermuda /bə'mju:də/ *n* Bermudas *fpl*

berry /'berɪ/ *n* baga *f*

berserk /bə'sɜːk/ *a* **go** ~ ficar louco de raiva, perder a cabeça

berth /bɜːθ/ *n* (*in ship*) beliche *m*; (*in train*) couchette *f*; (*anchorage*) ancoradouro *m* □ *vi* atracar. **give a wide** ~ **to** passar ao largo

beside /bɪ'saɪd/ *prep* ao lado de, junto de. ~ **o.s.** fora de

si. **be** ~ **the point** não ter nada a ver com o assunto, não vir ao caso

besides /bɪ'saɪdz/ *prep* além de; (*except*) fora, salvo □ *adv* além disso

besiege /bɪ'si:dʒ/ *vt* sitiar, cercar. ~ **with** assediar

best /best/ *a & n* (**the**) ~ (o/a) melhor *mf* □ *adv* melhor. ~ **man** padrinho *m* de casamento. **at (the)** ~ na melhor das hipóteses. **do one's** ~ fazer o (melhor) que se pode. **make the** ~ **of** tirar o melhor partido de. **the** ~ **part of** a maior parte de. **to the** ~ **of my knowledge** que eu saiba

bestow /bɪ'stəʊ/ *vt* conferir. ~ **praise** fazer *or* tecer elogios

best-seller /best'selə(r)/ *n* best-seller *m*

bet /bet/ *n* aposta *f* □ *vt/i* (*pt* **bet** *or* **betted**) apostar (**on** em)

betray /bɪ'treɪ/ *vt* trair. ~**al** *n* traição *f*

better /'betə(r)/ *a & adv* melhor □ *vt* melhorar □ *n* **our** ~**s** os nossos superiores *mpl*. **all the** ~ tanto melhor. ~ **off** (*richer*) mais rico. **he's** ~ **off at home** é melhor para ele ficar em casa. **I'd** ~ **go** é melhor ir-me embora. **the** ~ **part of it** a maior parte disso. **get** ~ melhorar. **get the** ~ **of sb** levar a melhor em relação a alg

betting-shop /'betɪŋʃɒp/ *n* agência *f* de apostas

between /bɪ'twi:n/ *prep* entre □ *adv* **in** ~ no meio, no intervalo. ~ **you and me** aqui entre nós

beverage /'bevərɪdʒ/ n bebida f

beware /bɪ'weə(r)/ vi acautelar-se (**of** com), tomar cuidado (**of** com)

bewilder /bɪ'wɪldə(r)/ vt desorientar. ~**ment** n desorientação f, confusão f

bewitch /bɪ'wɪtʃ/ vt encantar, cativar

beyond /bɪ'jɒnd/ prep além de; (doubt, reach) fora de □ adv além. **it's ~ me** isso ultrapassa-me. **he lives ~ his means** ele vive acima dos seus meios

bias /'baɪəs/ n parcialidade f; (pej: prejudice) preconceito m; (sewing) viés m □ vt (pt biased) influenciar. ~**ed** a parcial. ~**- ed against** de pé atrás contra

bib /bɪb/ n babette m

Bible /'baɪbl/ n Bíblia f

biblical /'bɪblɪkl/ a bíblico

bibliography /bɪblɪ'ɒgrəfɪ/ n bibliografia f

bicarbonate /baɪ'kɑːbənət/ n ~ **of soda** bicarbonato m de soda

biceps /'baɪseps/ n bíceps m

bicker /'bɪkə(r)/ vi questionar, discutir

bicycle /'baɪsɪkl/ n bicicleta f □ vi andar de bicicleta

bid /bɪd/ n oferta f, lanço m; (attempt) tentativa f □ vt/i (pt **bid**, pres p **bidding**) fazer uma oferta, lançar, oferecer como lance. ~**der** n licitante mf. **the highest ~der** quem dá or oferece mais

bide /baɪd/ vt ~ **one's time** esperar pelo bom momento

bidet /'biːdeɪ/ n bidé m

biennial /baɪ'enɪəl/ a bienal

bifocals /baɪ'fəʊklz/ npl óculos mpl bifocais

big /bɪg/ a (**bigger**, **biggest**) grande; (sl: generous) generoso □ adv (colloq) em grande. ~**-headed** a pretensioso, convencido. ~ **shot** (sl) manda-chuva m. **talk ~** gabar-se (colloq). **think ~** (colloq) ter grandes planos

bigam|y /'bɪgəmɪ/ n bigamia f. ~**ist** n bígamo m. ~**ous** a bígamo

bigot /'bɪgət/ n fanático m, intolerante mf. ~**ed** a fanático, intolerante. ~**ry** n fanatismo m, intolerância f

bigwig /'bɪgwɪg/ n (colloq) manda-chuva m

bike /baɪk/ n (colloq) bicicleta f

bikini /bɪ'kiːnɪ/ n (pl **-is**) biquíni m

bilberry /'bɪlbərɪ/ n arando m

bile /baɪl/ n bílis f

bilingual /baɪ'lɪŋgwəl/ a bilíngue

bilious /'bɪlɪəs/ a bilioso

bill¹ /bɪl/ n (invoice) factura f; (in restaurant) conta f; (pol) projecto m de lei; (Amer: banknote) nota f de banco; (poster) cartaz m □ vt facturar; (theatre) anunciar, pôr no programa. ~ **of exchange** letra f de câmbio. ~ **sb for** apresentar a conta a alguém, debitar a conta de alguém

bill² /bɪl/ n (of bird) bico m

billiards /'bɪlɪədz/ n bilhar m

billion /'bɪlɪən/ n mil milhões; um milhão de milhões

bin /bɪn/ n (for storage) caixa f, lata f; (for rubbish) caixote m do lixo

bind /baɪnd/ vt (pt **bound**) (tie) atar; (book) encadernar; (jur) obrigar; (cover the edge of) debruar □ n (sl: bore) chatice f (sl). **be ~ing on** ser obrigatório para

binding /baɪndɪŋ/ n encadernação f; (braid) debrum m

binge /bɪndʒ/ n (sl) **go on a ~** cair na farra; (overeat) empanturrar-se

bingo /bɪŋgəʊ/ n bingo m □ int acerte!

binoculars /bɪˈnɒkjʊləz/ npl binóculo m

biochemistry /baɪəʊˈkemɪstrɪ/ n bioquímica f

biodegradable /baɪəʊdɪˈgreɪdəbl/ a biodegradável

biograph|y /baɪˈɒgrəfɪ/ n biografia f. **~er** n biógrafo m

biolog|y /baɪˈɒlədʒɪ/ n biologia f. **~ical** /-əˈlɒdʒɪkl/ a biológico. **~ist** n biólogo m

biopsy /baɪɒpsɪ/ n biópsia f

birch /bɜːtʃ/ n (tree) bétula f; (whip) vara f de vidoeiro

bird /bɜːd/ n ave f, pássaro m; (sl: girl) garota f (colloq). **~ sanctuary** refúgio m ornitológico. **~-watcher** n ornitófilo m

Biro /baɪərəʊ/ n (pl **-os**) (caneta) esferográfica f, Bic f (P)

birth /bɜːθ/ n nascimento m. **~ certificate** certidão f de nascimento. **~ control/rate** controle m/índice m de natalidade. **~-place** n lugar m de nascimento. **give ~ to** dar à luz

birthday /bɜːθdeɪ/ n aniversário m, dia m de anos. **his ~ is on 9 July** ele faz anos no dia 9 de Julho

birthmark /bɜːθmɑːk/ n sinal m

biscuit /bɪskɪt/ n biscoito m, bolacha f

bisect /baɪˈsekt/ vt dividir ao meio

bishop /bɪʃəp/ n bispo m

bit¹ /bɪt/ n (small piece, short time) pedaço m, bocado m; (of bridle) freio m; (of tool) broca f. **a ~** um pouco

bit² /bɪt/ see **bite**

bitch /bɪtʃ/ n cadela f; (sl: woman) peste f (fig), cadela f (sl) □ vt/i (colloq: criticize) malhar, cortar (em) (colloq); (colloq: grumble) resmungar. **~y** a (colloq) maldoso

bite /baɪt/ vt/i (pt **bit**, pp **bitten**) morder; (insect) picar □ n mordida f; (sting) picada f. **have a ~ (to eat)** comer qualquer coisa

biting /baɪtɪŋ/ a cortante

bitter /bɪtə(r)/ a amargo; (weather) glacial. **~ly** adv amargamente. **it's ~ly cold** está um frio de rachar. **~ness** n amargura f; (resentment) ressentimento m

bizarre /bɪˈzɑː(r)/ a bizarro

black /blæk/ a (**-er, -est**) negro, preto □ n negro m, preto m. **to a B~** (person) um preto, um negro □ vt enegrecer; (goods) boicotar. **~ and blue** coberto de nódoas negras. **~ coffee** café m (sem leite). **~ eye** olho m negro. **~ ice** gelo *m* negro sobre o asfalto. ~ **market** mercado *m* negro. ~ **spot** *n* (*place*) local *m* perigoso, ponto *m* negro

blackberry /'blækbərɪ/ *n* amora *f* silvestre

blackbird /'blækbɜːd/ *n* melro *m*

blackboard /'blækbɔːd/ *n* quadro *m* preto

blackcurrant /'blækkʌrənt/ *n* groselha *f* negra

blacken /'blækən/ *vt/i* escurecer. ~ **sb's name** difamar, denegrir alg

blackleg /'blækleg/ *n* fura-greves *m*

blacklist /'blæklɪst/ *n* lista *f* negra □ *vt* pôr na lista negra

blackmail /'blækmeɪl/ *n* chantagem *f* □ *vt* fazer chantagem. ~**er** *n* chantagista *mf*

blackout /'blækaʊt/ *n* (*wartime*) blackout *m*; (*med*) desmaio *m*; (*electr*) falta *f* de corrente; (*theatr*) apagar *m* de luzes

blacksmith /'blæksmɪθ/ *n* ferreiro *m*

bladder /'blædə(r)/ *n* bexiga *f*

blade /bleɪd/ *n* lâmina *f*; (*of oar, propeller*) pá *f*; (*of grass*) ervinha *f*, folhinha *f* de erva

blame /bleɪm/ *vt* culpar □ *n* culpa *f*. **be to** ~ ser o culpado. ~**less** *a* irrepreensível; (*innocent*) inocente

bland /blænd/ *a* (-**er**, -**est**) (*of manner*) suave; (*mild*) brando; (*insipid*) insípido, sensaborão

blank /blæŋk/ *a* (*space, cheque*) em branco; (*look*) vago;

(*wall*) nu □ *n* espaço *m* em branco; (*cartridge*) cartucho *m* sem bala

blanket /'blæŋkɪt/ *n* cobertor *m*; (*fig*) manto *m* □ *vt* (*pt* **blanketed**) cobrir com cobertor; (*cover thickly*) encobrir, recobrir. **wet** ~ desmancha-prazeres *mf*

blare /bleə(r)/ *vt/i* ressoar, atroar □ *n* clangor *m*; (*of horn*) buzinar *m*

blasé /'blɑːzeɪ/ *a* blasé

blaspheme /blæs'fiːm/ *vt/i* blasfemar

blasphem|y /'blæsfəmɪ/ *n* blasfémia *f*. ~**ous** *a* blasfemo

blast /blɑːst/ *n* (*gust*) rajada *f*; (*sound*) som *m*; (*explosion*) explosão *f* □ *vt* dinamitar. ~! droga! ~**ed** *a* maldito. ~-**furnace** *n* alto forno *m*. ~-**off** *n* (*of missile*) lançamento *m*, início *m* de combustão

blatant /'bleɪtnt/ *a* flagrante; (*shameless*) descarado

blaze /bleɪz/ *n* chamas *fpl*; (*light*) clarão *m*; (*outburst*) explosão *f* □ *vi* arder; (*shine*) resplandecer, brilhar. ~ **a trail** abrir o caminho, ser pioneiro

blazer /'bleɪzə(r)/ *n* blazer *m*

bleach /bliːtʃ/ *n* descolorante *m*; (*household*) lixívia *f* □ *vt/i* branquear; (*hair*) oxigenar

bleak /bliːk/ *a* (-**er**, -**est**) (*place*) desolado; (*chilly*) frio; (*fig*) desanimador

bleary-eyed /'blɪərɪaɪd/ *a* com olhos injectados

bleat /bliːt/ *n* balido *m* □ *vi* balir

bleed /bliːd/ vt/i (pt **bled**) sangrar

bleep /bliːp/ n bip m. **~er** n bip m

blemish /ˈblemɪʃ/ n defeito m; (on reputation) mancha f □ vt manchar

blend /blend/ vt/i misturar(-se); (go well together) combinar-se □ n mistura f. **~er** n (culin) liquidificador m

bless /bles/ vt abençoar. **be ~ed with** ter a felicidade de ter. **~ing** n benção f; (thing one is glad of) felicidade f. **it's a ~ing in disguise** há males que vêm por bem

blessed /ˈblesɪd/ a bem-aventurado; (colloq: cursed) maldito

blew /bluː/ see **blow**

blight /blaɪt/ n doença f de plantas; (fig) influência f maligna □ vt arruinar, frustrar

blind /blaɪnd/ a cego □ vt cegar □ n (on window) persiana f; (deception) ardil m. **~ alley** (incl fig) beco m sem saída. **~ man/woman** cego m/cega f. **be ~ to** não ver. **turn a ~ eye to** fingir não ver, fechar os olhos a. **~ly** adv às cegas. **~ness** n cegueira f

blindfold /ˈblaɪndfəʊld/ a & adv de olhos vendados □ n venda f □ vt vendar os olhos a

blink /blɪŋk/ vi piscar

blinkers /ˈblɪŋkəz/ npl antolhos mpl

bliss /blɪs/ n felicidade f, beatitude f. **~ful** a felicíssimo. **~fully** adv maravilhosamente

blister /ˈblɪstə(r)/ n bolha f, empola f □ vi empolar

blizzard /ˈblɪzəd/ n tempestade f de neve, nevasca f

bloated /ˈbləʊtɪd/ a inchado

bloater /ˈbləʊtə(r)/ n arenque m salgado e defumado

blob /blɒb/ n pingo m grosso; (stain) mancha f

bloc /blɒk/ n bloco m

block /blɒk/ n bloco m; (buildings) quarteirão m; (in pipe) entupimento m. **~ of (of flats)** prédio m (de andares) □ vt bloquear, obstruir; (pipe) entupir. **~ letters** maiúsculas fpl. **~age** n obstrução f

blockade /blɒˈkeɪd/ n bloqueio m □ vt bloquear

bloke /bləʊk/ n (colloq) sujeito m (colloq), tipo m (colloq)

blond /blɒnd/ a & n louro m

blonde /blɒnd/ a & n loura f

blood /blʌd/ n sangue m □ a (bank, donor, transfusion, etc) de sangue; (poisoning) do sangue; (group, vessel) sanguíneo. **~-curdling** a horrendo. **~ pressure** tensão f arterial. **~ test** exame m de sangue. **~less** a (fig) pacífico

bloodhound /ˈblʌdhaʊnd/ n sabujo m

bloodshed /ˈblʌdʃed/ n derramamento m de sangue, carnificina f

bloodshot /ˈblʌdʃɒt/ a injectado de sangue

bloodstream /ˈblʌdstriːm/ n sangue m, fluxo m sanguíneo

bloodthirsty /'blʌdθɜːstɪ/ a sanguinário

bloody /'blʌdɪ/ a (**-ier, -iest**) ensanguentado; (*with much bloodshed*) sangrento; (*sl*) grande, maldito □ adv (*sl*) muito. **~-minded** a (*colloq*) do contra (*colloq*), chato (*sl*)

bloom /bluːm/ n flor f; (*beauty*) frescura f, viço m □ vi florir; (*fig*) vicejar. **in ~** em flor

blossom /'blɒsəm/ n flor f. **in ~** em flor □ vi (*flower*) florir, desabrochar; (*develop, flourish*) florescer, desabrochar

blot /blɒt/ n mancha f □ vt (*pt* **blotted**) manchar; (*dry*) secar. **~ out** apagar; (*hide*) tapar, toldar. **~ter**, **~ting--paper** n (papel) mata-borrão m

blotch /blɒtʃ/ n mancha f. **~y** a manchado

blouse /blaʊz/ n blusa f; (*in uniform*) blusão m

blow¹ /bləʊ/ vt/i (*pt* **blew**, *pp* **blown**) soprar; (*fuse*) fundir-se, queimar; (*sl: squander*) esbanjar; (*trumpet etc*) tocar. **~ a whistle** apitar. **~ away or off** vt levar, soprar □ vi voar, ir pelos ares (fora). **~-dry** vt (*hair*) fazer um brushing □ n brushing m. **~ one's nose** assoar o nariz. **~ out** (*candle*) apagar, soprar. **~-out** n (*colloq: of tyre*) rebentar m; (*colloq: large meal*) comezaina f (*colloq*). **~ over** passar. **~ up** vt (*explode*) explodir; (*tyre*) encher; (*photograph*) ampliar □ vi (*explode*) explodir

blow² /bləʊ/ n pancada f; (*slap*) bofetada f; (*punch*) murro m; (*fig*) golpe m

blowlamp /'bləʊlæmp/ n maçarico m

blown /bləʊn/ see **blow¹**

bludgeon /'blʌdʒən/ n moca f □ vt malhar em. **~ to death** matar à pancada

blue /bluː/ a (**-er, -est**) azul; (*indecent*) indecente □ n azul m. **come out of the ~** ser inesperado. **~s** n (*mus*) blues. **have the ~s** estar deprimido (*colloq*)

bluebell /'bluːbel/ n jacinto m dos bosques

bluebottle /'bluːbɒtl/ n mosca f varejeira

blueprint /'bluːprɪnt/ n cópia f fotográfica de planta; (*fig*) projecto m

bluff /blʌf/ vi fazer bluff □ vt enganar (fingindo); □ n bluff m

blunder /'blʌndə(r)/ vi cometer um erro crasso; (*move*) avançar às cegas *or* tacteando □ n erro m crasso, bronca f

blunt /blʌnt/ a (**-er, -est**) embotado; (*person*) directo □ vt embotar. **~ly** adv sem rodeios. **~ness** n franqueza f rude

blur /blɜː(r)/ n mancha f □ vt (*pt* **blurred**) (*smear*) manchar; (*make indistinct*) toldar

blurb /blɜːb/ n contracapa f, sinopse f de um livro

blurt /blɜːt/ vt **~ out** deixar escapar

blush /blʌʃ/ vi corar □ n rubor m, vermelhidão f

bluster /ˈblʌstə(r)/ *vi* (*wind*) soprar em rajadas; (*swagger*) andar com ar fanfarrão. ~**y** *a* borrascoso

boar /bɔː(r)/ *n* varrão *m*. **wild ~** javali *m*

board /bɔːd/ *n* tábua *f*; (*for notices*) quadro *m*, placard *m*; (*food*) pensão *f*; (*admin*) conselho *m* □ *vt/i* cobrir com tábuas; (*aircraft, ship, train*) embarcar (em); (*bus, train*) subir (em). **full ~** pensão *f* completa. **half ~** meia-pensão *f*. **on ~** a bordo. **~ up** entaipar. **~ with** ser pensionista em casa de. **~er** *n* pensionista *mf*; (*at school*) interno *m*. **~ing-card** *n* cartão *m* de embarque. **~ing-house** *n* pensão *f*. **~ing-school** *n* internato *m*

boast /bəʊst/ *vi* gabar-se □ *vt* orgulhar-se de □ *n* gabarolice *f*. **~er** *n* gabarola *mf*. **~ful** *a* vaidoso. **~fully** *adv* com vaidade, gabando-se

boat /bəʊt/ *n* barco *m*. **in the same ~** nas mesmas circunstâncias. **~ing** *n* passear de barco

bob /bɒb/ *vt/i* (*pt* **bobbed**) (*curtsy*) inclinar-se; (*hair*) cortar pelos ombros, cortar à Joãozinho. **~ (up and down)** andar para cima e para baixo

bobbin /ˈbɒbɪn/ *n* bobina *f*; (*sewing-machine*) canela *f*, bobina *f*

bob-sleigh /ˈbɒbsleɪ/ *n* trenó *m*

bode /bəʊd/ *vi* ~ **well/ill** ser de bom/mau agouro

bodice /ˈbɒdɪs/ *n* corpete *m*

bodily /ˈbɒdɪlɪ/ *a* corporal, físico. □ *adv* (*in person*) fisicamente, em pessoa; (*lift*) em peso

body /ˈbɒdɪ/ *n* corpo *m*; (*organization*) organismo *m*. **~(work)** *n* (*of car*) carroçaria *f*. **in a ~** em massa. **the main ~ of** o grosso de. **~-building** *n* musculação *f*, body building *m*

bodyguard /ˈbɒdɪɡɑːd/ *n* guarda-costas *m*; (*escort*) escolta *f*

bog /bɒɡ/ *n* pântano *m* □ *vt* **get ~ged down** atolar-se; (*fig*) ficar emperrado

boggle /ˈbɒɡl/ *vi* **the mind ~s** não dá para imaginar

bogus /ˈbəʊɡəs/ *a* falso

boil¹ /bɔɪl/ *n* (*med*) furúnculo *m*

boil² /bɔɪl/ *vt/i* ferver. **come to the ~** ferver. **~ down to** resumir-se a. **~ over** transbordar. **~ing hot** fervendo. **~ing point** ponto *m* de ebulição

boiler /ˈbɔɪlə(r)/ *n* caldeira *f*. **~ suit** macacão *m*, fato *m* de macaco

boisterous /ˈbɔɪstərəs/ *a* turbulento; (*noisy and cheerful*) animado

bold /bəʊld/ *a* (**-er**, **-est**) ousado; (*of colours*) vivo. **~ness** *n* ousadia *f*

Bolivia /bəˈlɪvɪə/ *n* Bolívia *f*. **~n** *a* & *n* boliviano *m*

bollard /ˈbɒləd/ *n* (*ship*) abita *f*; (*road*) poste *m*

bolster /ˈbəʊlstə(r)/ *n* travesseiro *m* □ *vt* sustentar; ajudar. **~ one's spirits** levantar o moral

bolt /bəʊlt/ n (on door etc) ferrolho m; (for nut) parafuso m; (lightning) relâmpago m □ vt aferrolhar; (food) engolir □ vi fugir, disparar. ~ **upright** recto como um fuso

bomb /bɒm/ n bomba f □ vt bombardear. ~**er** n (aircraft) bombardeiro m; (person) bombista mf

bombard /bɒm'ba:d/ vt bombardear. ~**ment** n bombardeamento m

bombastic /bɒm'bæstɪk/ a bombástico

bombshell /'bɒmʃel/ n granada f; (fig) bomba f

bond /bɒnd/ n (agreement) compromisso m; (link) laço m, vínculo m; (comm) obrigação f. **in** ~ em depósito na alfândega

bondage /'bɒndɪdʒ/ n escravidão f, servidão f

bone /bəʊn/ n osso m; (of fish) espinha f □ vt desossar. ~-**dry** a completamente seco, ressecado. ~ **idle** preguiçoso

bonfire /'bɒnfaɪə(r)/ n fogueira f

bonnet /'bɒnɪt/ n chapéu m; (auto) capot m

bonus /'bəʊnəs/ n bónus m

bony /'bəʊnɪ/ a (-ier, -iest) ossudo; (meat, fish) cheio de ossos/de espinhas

boo /bu:/ int fora □ vt/i vaiar □ n vaia f

boob /bu:b/ n (sl: mistake) asneira f, disparate m □ vi (sl) fazer asneira

booby /'bu:bɪ/ n ~ **prize** prémio m de consolação. ~ **trap** bomba f armadilhada

book /bʊk/ n livro m. ~**s** (comm) contas fpl, escrita f □ vt (enter) averbar, registrar; (comm) escriturar; (reserve) marcar, reservar. ~ **of matches** carteira f de fósforos. ~ **of tickets** (bus, tube) caderneta f de módulos. **be fully ~ed** ter a lotação esgotada. ~**ing office** bilheteira f

bookcase /'bʊkkeɪs/ n estante f

bookkeep|er /'bʊkki:pə(r)/ n guarda-livros m. ~**ing** n contabilidade f, escrituração f

booklet /'bʊklɪt/ n brochura f

bookmaker /'bʊkmeɪkə(r)/ n apostador m profissional

bookmark /'bʊkmɑ:k/ n marca f de livro, marcador m de página

bookseller /'bʊkselə(r)/ n livreiro m

bookshop /'bʊkʃɒp/ n livraria f

bookstall /'bʊkstɔ:l/ n quiosque m

boom /bu:m/ vi ribombar; (of trade) prosperar □ n (sound) ribombo m; (comm) boom m, prosperidade f

boon /bu:n/ n benção f, vantagem f

boost /bu:st/ vt desenvolver, promover; (morale) levantar; (price) aumentar □ n força f (colloq). ~**er** n (med) dose suplementar f; (vaccine) reforço m

boot /bu:t/ n bota f; (auto) porta-bagagens m, mala f □ vt ~ (**up**) (comput) dar carga em to ~ (in addition) ainda por cima

booth /buːð/ n barraca f; (telephone, voting) cabine f

booty /'buːtɪ/ n saque m, pilhagem f

booze /buːz/ vi (colloq) embebedar-se (colloq), encharcar-se (colloq) □ n (colloq) pinga f (colloq)

border /'bɔːdə(r)/ n borda f, margem f; (frontier) fronteira f; (garden bed) canteiro m □ vi ~ **on** confinar com; (be almost the same as) atingir as raias de

borderline /'bɔːdəlaɪn/ n linha f divisória. ~ **case** caso m limite

bore[1] /bɔː(r)/ see **bear**[2]

bore[2] /bɔː(r)/ vt/i (techn) furar, perfurar □ n (of gun barrel) calibre m

bore[3] /bɔː(r)/ vt aborrecer, entediar □ n maçador m; (thing) chatice f. **be ~d** aborrecer-se, maçar-se. **~dom** n tédio m. **boring** a tedioso, maçador

born /bɔːn/ a nascido. **be ~** nascer

borne /bɔːn/ see **bear**[2]

borough /'bʌrə/ n município m

borrow /'bɒrəʊ/ vt pedir emprestado (**from** a)

bosom /'bʊzəm/ n peito m; (woman's; fig: midst) seio m. ~ **friend** amigo m íntimo

boss /bɒs/ n (colloq) patrão m, patroa f, manda-chuva (colloq) m □ vt mandar. ~ **sb about** (colloq) mandar em alg

bossy /'bɒsɪ/ a mandão, autoritário

botany /'bɒtənɪ/ n botânica f. **~ical** /bə'tænɪkl/ a botânico. **~ist** /-ɪst/ n botânico m

botch /bɒtʃ/ vt atamancar; (spoil) estragar, escangalhar

both /bəʊθ/ a & pron ambos, os dois □ adv ~ **... and** não só ... mas também, tanto ... como. ~ **of us** nós dois. ~ **the books** ambos os livros

bother /'bɒðə(r)/ vt/i incomodar (-se) □ n (inconvenience) incómodo m, trabalho m; (effort) custo m, trabalho m; (worry) preocupação f. **don't ~** não se incomode. **I can't be ~ed** não posso me dar ao trabalho

bottle /'bɒtl/ n garrafa f; (small) frasco m; (for baby) biberão m □ vt engarrafar. **~-opener** n saca-rolhas m. **~ up** reprimir

bottleneck /'bɒtlnek/ n (obstruction) entrave m; (traffic-jam) engarrafamento m

bottom /'bɒtəm/ n fundo m; (of hill) sopé m; (buttocks) traseiro m □ a inferior; (last) último. **from top to ~** de alto a baixo. **~less** a sem fundo

bough /baʊ/ n ramo m

bought /bɔːt/ see **buy**

boulder /'bəʊldə(r)/ n pedregulho m

bounce /baʊns/ vi saltar; (of person) pular, dar pulos; (sl: of cheque) ser devolvido □ vt fazer saltar □ n (of ball) ressalto m

bound[1] /baʊnd/ vi pular; (move by jumping) ir aos pulos □ n pulo m

bound   46   **brain**

bound[2] /baʊnd/ *see* **bind** □ *a*
be ~ for ir com destino a, ir
para. **be ~ to** (*obliged*) ser
obrigado *a*; (*certain*) haver
de. **she's ~ to like it** ela há-
-de gostar disso
boundary /ˈbaʊndrɪ/ *n* limite
m
bound|s /baʊndz/ *npl* limites
mpl. **out of ~s** interdito. **~ed**
by limitado por. **~less** *a* sem
limites
bouquet /bʊˈkeɪ/ *n* ramo *m* de
flores; (*wine*) aroma *m*
bout /baʊt/ *n* período *m*;
(*med*) ataque *m*; (*boxing*)
combate *m*
boutique /buːˈtiːk/ *n* boutique
f
bow[1] /baʊ/ *n* (*weapon, mus*)
arco *m*; (*knot*) laço *m*. **~-leg-**
ged *a* de pernas tortas. **~-tie**
n laço *m*
bow[2] /baʊ/ *n* vénia *f* □ *vt/i* in-
clinar(-se), curvar-se
bow[3] /baʊ/ *n* (*naut*) proa *f*
bowels /ˈbaʊəlz/ *npl* intestinos
mpl; (*fig*) entranhas *fpl*
bowl[1] /bəʊl/ *n* (*basin*) bacia *f*;
(*for food*) tigela *f*; (*of pipe*)
fornilho *m*
bowl[2] /bəʊl/ *n* (*ball*) bola *f* de
madeira. **~s** *npl* bolas *m* (jogo inglês), (*Br*) boliche *m* □
vt (*cricket*) lançar. **~ over** si-
derar, varar. **~ing** *n* bowling
m, (*Br*) boliche *m*. **~ing-**
-alley *n* pista *f*
bowler[1] /ˈbəʊlə(r)/ *n* (*cricket*)
lançador *m*
bowler[2] /ˈbəʊlə(r)/ *n ~* (**hat**)
(chapéu de) coco *m*
box[1] /bɒks/ *n* caixa *f*; (*theatr*)
camarote *m* □ *vt* pôr dentro

duma caixa. **~ in** fechar. **~**
office *n* bilheteira *f*. **Boxing**
Day feriado *m* no primeiro
dia útil depois do Natal
box[2] /bɒks/ *vt/i* (*sport*) combater. **~ the ears of** esbofetear. **~er** *n* pugilista *m*, bo-
xeur *m*. **~ing** *n* boxe *m*,
pugilismo *m*
boy /bɔɪ/ *n* rapaz *m*. **~-friend**
n namorado *m*. **~hood** *n* infância *f*. **~ish** *a* agarotado
boycott /ˈbɔɪkɒt/ *vt* boicotar □
n boicote *m*
bra /braː/ *n* soutien *m*
brace /breɪs/ *n* braçadeira *f*;
(*dental*) aparelho *m*; (*tool*)
berbequim *m*; (*of birds*) par
m. **~s** *npl* (*for trousers*) suspensórios *mpl* □ *vt* apoiar,
firmar. **~ o.s.** concentrar as
energias, fazer força; (*for*
blow) preparar-se
bracelet /ˈbreɪslɪt/ *n* bracelete
m, pulseira *f*
bracing /ˈbreɪsɪŋ/ *a* tonifican-
te, estimulante
bracken /ˈbrækən/ *n* (*bot*) feto
m
bracket /ˈbrækɪt/ *n* suporte *m*;
(*group*) grupo *m* □ *vt* (*pt*
bracketed) pôr entre parênteses; (*put together*) pôr em
pé de igualdade, agrupar.
age/income ~ faixa *f* etária/
salarial. **round ~s** parênteses
mpl. **square ~s** parênteses
mpl rectos
brag /bræg/ *vi* (*pt* **bragged**)
gabar-se (**about** de)
braid /breɪd/ *n* galão *m*; (*of*
hair) trança *f*
Braille /breɪl/ *n* braile *m*
brain /breɪn/ *n* cérebro *m*,

miolos *mpl* (*colloq*); (*fig*) inteligência *f*. **~s** (*culin*) miolos *mpl*. **~child** *n* invenção *f*. **~less** *a* estúpido

brainwash /ˈbreɪnwɒʃ/ *vt* fazer uma lavagem ao cérebro

brainwave /ˈbreɪnweɪv/ *n* ideia *f* genial

brainy /ˈbreɪnɪ/ *a* (**-ier, -iest**) inteligente, esperto

braise /breɪz/ *vt* (*culin*) estufar

brake /breɪk/ *n* travão *m* □ *vt/i* travar. **~ light** luz *f* do travão

bran /bræn/ *n* (*husks*) farelo *m*

branch /braːntʃ/ *n* ramo *m*; (*of road*) ramificação *f*; (*of railway line*) ramal *m*; (*comm*) sucursal *f*; (*of bank*) balcão *m* □ *vi* ~ (**off**) bifurcar-se, ramificar-se

brand /brænd/ *n* marca *f* □ *vt* marcar. **~ name** marca *f* de fábrica. **~-new** *a* novo em folha. **~ sb as** rotular alg de

brandish /ˈbrændɪʃ/ *vt* brandir

brandy /ˈbrændɪ/ *n* aguardente *f*, conhaque *m*

brass /braːs/ *n* latão *m*. the ~ (*mus*) os metais *mpl* □ *a* de cobre, de latão. **get down to ~ tacks** tratar das coisas sérias. **top ~** (*sl*) os chefões (*colloq*)

brassière /ˈbræsɪə(r)/ *n* soutien *m*

brat /bræt/ *n* (*pej*) fedelho *m*

bravado /brəˈvaːdəʊ/ *n* bravata *f*

brave /breɪv/ *a* (**-er, -est**) bravo, valente □ *vt* arrostar. **~ry** /-ərɪ/ *n* bravura *f*

brawl /brɔːl/ *n* briga *f*, rixa *f*, desordem *f* □ *vi* brigar

brawn /brɔːn/ *n* força *f* muscular, músculo *m*. **~y** *a* musculoso

bray /breɪ/ *n* zurro *m* □ *vi* zurrar

brazen /ˈbreɪzn/ *a* descarado

brazier /ˈbreɪzɪə(r)/ *n* braseiro *m*

Brazil /brəˈzɪl/ *n* Brasil *m*. **~ian** *a* & *n* brasileiro *m*. **~ nut** castanha *f* do Pará

breach /briːtʃ/ *n* quebra *f*; (*gap*) brecha *f* □ *vt* abrir uma brecha em. **~ of contract** quebra *f* de contrato. **~ of the peace** perturbação *f* da ordem pública. **~ of trust** abuso *m* de confiança

bread /bred/ *n* pão *m*. **~-winner** *n* ganha-pão *m*

breadcrumbs /ˈbredkrʌmz/ *npl* migalhas *fpl*; (*culin*) pão *m* ralado

breadline /ˈbredlaɪn/ *n* **on the ~** na miséria

breadth /bredθ/ *n* largura *f*; (*of mind, view*) abertura *f*

break /breɪk/ *vt* (*pt* **broke**, *pp* **broken**) partir, quebrar; (*vow, silence, etc*) quebrar; (*law*) transgredir; (*journey*) interromper; (*news*) dar; (*a record*) bater □ *vi* partir-se, quebrar-se; (*voice, weather*) mudar □ *n* quebra *f*, ruptura *f*; (*interval*) intervalo *m*; (*colloq: opportunity*) oportunidade *f*, chance *f*. **~ one's arm/leg** quebrar o braço/a perna. **~ down** *vi* analisar □ *vi* (*of person*) ir-se abaixo; (*of machine*) avariar-se. **~ in** forçar uma entrada **~ off** *vt* quebrar □ *vi* desligar-se. **~**

out rebentar. ~ **up** vt/i terminar □ vi (of schools) entrar em férias. ~~**able** a quebrável. ~**age** n quebra f

breakdown /'breɪkdaʊn/ n (techn) avaria f, pane f; (med) esgotamento m nervoso; (of figures) análise f □ a (auto) de pronto-socorro. ~**van** pronto-socorro m

breaker /'breɪkə(r)/ n vaga f de rebentação

breakfast /'brekfəst/ n pequeno-almoço m

breakthrough /'breɪkθruː/ n descoberta f decisiva, avanço m

breakwater /'breɪkwɔːtə(r)/ n quebra-mar m

breast /brest/ n peito m. ~~**feed** vt (pt -**fed**) amamentar. ~-**stroke** n estilo m braços

breath /breθ/ n respiração f. **bad** ~ mau hálito m. **out of** ~ sem fôlego. **under one's** ~ num murmúrio, baixo. ~**less** a ofegante

breathalyser /'breθəlaɪzə(r)/ n aparelho m para medir o nível de álcool no sangue

breath|e /briːð/ vt/i respirar. ~**e in** inspirar. ~ **out** expirar. ~**ing** n respiração f. ~**ing-space** n pausa f

breather /'briːðə(r)/ n pausa f de descanso, momento m para respirar

breathtaking /'breθteɪkɪŋ/ a assombroso, arrebatador

bred /bred/ see **breed**

breed /briːd/ vt (pt **bred**) criar □ vi reproduzir-se □ n raça f. ~**er** n criador m. ~**ing** n criação f; (fig) educação f

breez|e /briːz/ n brisa f. ~**y** a fresco

brevity /'brevətɪ/ n brevidade f

brew /bruː/ vt (beer) fabricar; (tea) fazer; (fig) armar, tramar □ vi fermentar; (tea) preparar; (fig) armar-se, preparar-se □ n decocção f; (tea) infusão f. ~**er** n cervejeiro m. ~**ery** n cervejaria f

bribe /braɪb/ n suborno m, peita f □ vt subornar. ~**ry** /-ərɪ/ n suborno m, corrupção f

brick /brɪk/ n tijolo m

bricklayer /'brɪkleɪə(r)/ n pedreiro m

bridal /'braɪdl/ a nupcial

bride /braɪd/ n noiva f

bridegroom /'braɪdɡrʊm/ n noivo m

bridesmaid /'braɪdzmeɪd/ n dama f de honor

bridge[1] /brɪdʒ/ n ponte f; (of nose) cana f □ vt - **a gap** preencher uma lacuna

bridge[2] /brɪdʒ/ n (cards) bridge m

bridle /'braɪdl/ n cabeçada f freio m □ vt refrear. ~-**path** n atalho m, carreiro m

brief[1] /briːf/ a (-**er**, -**est**) breve. ~**s** npl (men's) slip m; (women's) cuecas fpl. ~**ly** adv brevemente

brief[2] /briːf/ n (jur) sumário m; (case) causa f; (instructions) instruções fpl □ vt dar instruções

briefcase /'briːfkeɪs/ n pasta f

brigad|e /brɪ'ɡeɪd/ n brigada f. ~**ier** /-ə'dɪə(r)/ n brigadeiro m

bright /braɪt/ a (-er, -est) brilhante; (of colour) vivo; (of light) forte; (room) claro; (cheerful) alegre; (clever) inteligente. ~ness n (sheen) brilho m; (clarity) claridade f; (intelligence) inteligência f

brighten /ˈbraɪtn/ vt alegrar □ vi (of weather) clarear; (of face) animar-se, iluminar-se

brilliant /ˈbrɪljənt/ a brilhante. ~ce n brilho m

brim /brɪm/ n borda f; (of hat) aba f □ vi (pt brimmed) ~ over transbordar, cair por fora

brine /braɪn/ n salmoura f

bring /brɪŋ/ vt (pt brought) trazer. ~ about causar. ~ back trazer (de volta); (call to mind) relembrar. ~ down trazer para baixo; (bird, plane) abater; (prices) baixar. ~ forward adiantar, apresentar. ~ it off ser bem sucedido (em alg coisa). ~ out (take out) tirar; (show) revelar; (book) publicar. ~ round or to reanimar, fazer voltar a si. ~ to bear (pressure etc) exercer. ~ up educar; (med) vomitar; (question) levantar

brink /brɪŋk/ n beira f, borda f

brisk /brɪsk/ a (-er, -est) (pace, movement) vivo, rápido; (business, demand) grande

bristle /ˈbrɪsl/ n pêlo m. ~y a eriçado

Britain /ˈbrɪtən/ n Grã-Bretanha f

British /ˈbrɪtɪʃ/ a britânico. the ~ o povo m britânico, os britânicos mpl

brittle /ˈbrɪtl/ a frágil

broach /brəʊtʃ/ vt abordar, entabular, encetar

broad /brɔːd/ a (-er, -est) largo; (daylight) pleno. ~ bean fava f. ~-minded a tolerante, liberal. ~ly adv de modo geral

broadcast /ˈbrɔːdkɑːst/ vt/i (pt broadcast) transmitir, fazer uma transmissão; (person) cantar, falar etc na rádio or na TV □ n emissão f. ~ing a & n (de) rádiodifusão f

broaden /ˈbrɔːdn/ vt/i alargar (-se)

broccoli /ˈbrɒkəlɪ/ n inv brócolos mpl

brochure /ˈbrəʊʃə(r)/ n brochura f

broke /brəʊk/ see break □ a (sl) depenado (sl), liso (sl), teso (sl)

broken /ˈbrəʊkən/ see break □ a ~ English inglês m estropeado. ~-hearted a com o coração despedaçado

broker /ˈbrəʊkə(r)/ n corretor m, broker m

bronchitis /brɒŋˈkaɪtɪs/ n bronquite f

bronze /brɒnz/ n bronze m

brooch /brəʊtʃ/ n broche m

brood /bruːd/ n ninhada f □ vi chocar; (fig) cismar. ~y a (hen) choca; (fig) sorumbático, melancólico

brook /brʊk/ n regato m, ribeiro m

broom /bruːm/ n vassoura f; (bot) giesta f

broth /brɒθ/ n caldo m

brothel /ˈbrɒθl/ n bordel m

brother /ˈbrʌðə(r)/ n irmão m. ~-in-law n (pl ~s-in-law) cunhado *m*. **~hood** *n* irmandade *f*, fraternidade *f*. **~ly** *a* fraternal

brought /brɔːt/ *see* **bring**

brow /braʊ/ *n* (*forehead*) testa *f*; (*of hill*) cume *m*; (*eyebrow*) sobrancelha *f*

browbeat /'braʊbiːt/ *vt* (*pt* **-beat**, *pp* **-beaten**) intimidar

brown /braʊn/ *a* (**-er**, **-est**) castanho □ *n* castanho *m* □ *vt/i* acastanhar; (*in the sun*) bronzear, tostar; (*meat*) alourar

browse /braʊz/ *vi* (*through book*) folhear; (*of animal*) pastar; (*in a shop*) olhar sem comprar

bruise /bruːz/ *n* hematoma *m*, contusão *f* □ *vt* causar um hematoma. **~d** *a* coberto de hematomas, contuso; (*fruit*) tocado

brunette /bruː'net/ *n* morena *f*

brunt /brʌnt/ *n* **the ~ of** *o* maior peso de, o pior de

brush /brʌʃ/ *n* escova *f*; (*painter's*) pincel *m*; (*skirmish*) escaramuça *f*. **~ against** roçar. **~ aside** não fazer caso de. **~ off** (*colloq: reject*) mandar passear (*colloq*). **~ up (on)** aperfeiçoar

brusque /bruːsk/ *a* brusco

Brussels /'brʌslz/ *n* Bruxelas *f*. **~ sprouts** couve-de--Bruxelas *f*

brutal /bruːtl/ *a* brutal. **~ity** /'tælətɪ/ *n* brutalidade *f*

brute /bruːt/ *n & a* (*animal, person*) bruto *m*. **by ~ force** pela força bruta

BSc *abbr see* **Bachelor of Science**

bubble /'bʌbl/ *n* bolha *f*; (*of soap*) bola *f* de sabão □ *vi* borbulhar. **~le gum** *n* pastilha *f* elástica. **~le over** transbordar. **~ly** *a* efervescente

buck[1] /bʌk/ *n* macho *m* □ *vi* corcovear. **~ up** *vt/i* (*sl*) animar(-se); (*sl: rush*) apressar--se, despachar-se

buck[2] /bʌk/ *n* (*Amer sl*) dólar *m*

buck[3] /bʌk/ *n* **pass the ~** (*sl*) fazer o jogo do empurra

bucket /'bʌkɪt/ *n* balde *m*

buckle /'bʌkl/ *n* fivela *f* □ *vt/i* afivelar(-se); (*bend*) torcer(-se), vergar. **~ down to** empenhar-se

bud /bʌd/ *n* botão *m*, rebento *m* □ *vi* (*pt* **budded**) rebentar. **in ~** em botão

Buddhist /'bʊdɪst/ *a & n* budista *mf*. **~m** /-zəm/ *n* budismo *m*

budding /'bʌdɪŋ/ *a* nascente, em botão, incipiente

budge /bʌdʒ/ *vt/i* mexer(-se)

budgerigar /'bʌdʒərɪgɑː(r)/ *n* periquito *m*

budget /'bʌdʒɪt/ *n* orçamento *m* □ *vi* (*pt* **budgeted**) **~ for** prever no orçamento *m*

buff /bʌf/ *n* (*colour*) cor *f* de camurça; (*colloq*) fanático *m*, entusiasta *mf* □ *vt* polir

buffalo /'bʌfələʊ/ *n* (*pl* **-oes**) búfalo *m*; (*Amer*) bisão *m*

buffer /'bʌfə(r)/ *n* pára--choques *m*

buffet[1] /'bʊfeɪ/ *n* (*meal, counter*) bufete *m*

buffet[2] /'bʌfɪt/ *vt* (*pt* **buffeted**) esbofetear; (*by wind, rain; fig*) fustigar

buffoon /bə'fu:n/ n palhaço m

bug /bʌg/ n (insect) bicho m; (bed-bug) percevejo m; (sl: germ) vírus m; (sl: device) microfone m de escuta; (sl: defect) defeito m □ vt (pt bugged) pôr sob escuta; (Amer sl: annoy) chatear (sl)

bugbear /'bʌgbeə(r)/ n papão m

buggy /'bʌgɪ/ n (for baby) carrinho m

bugle /'bju:gl/ n clarim m, corneta f

build /bɪld/ vt/i (pt built) construir, edificar □ n físico m, compleição f. ~ up vt/i criar; (increase) aumentar; (accumulate) acumular(-se). ~-up n acumulação f; (fig) publicidade f. ~er n construtor m, empreiteiro m; (workman) operário m

building /'bɪldɪŋ/ n edifício m, prédio m. ~ site estaleiro m de obras. ~ society sociedade f de investimentos imobiliários

built /bɪlt/ see **build**. ~-in a incorporado. ~-in **wardrobe** armário m embutido na parede. ~-up a urbanizado

bulb /bʌlb/ n bolbo m; (electr) lâmpada f. ~ous a bolboso

Bulgaria /bʌl'geərɪə/ n Bulgária f. ~n a & n búlgaro m

bulge /bʌldʒ/ n bojo m, saliência f □ vi inchar; (jut out) fazer uma saliência. ~ing a inchado; (pocket etc) cheio

bulk /bʌlk/ n quantidade f, volume m. **in ~** por grosso; (loose) a granel. **the ~ of a**

maior parte de. ~y a volumoso

bull /bʊl/ n touro m. ~'s-eye n (of target) centro m do alvo, mosca f

bulldog /'bʊldɒg/ n buldogue m

bulldoze /'bʊldəʊz/ vt terraplanar. ~r /-ə(r)/ n bulldozer m

bullet /'bʊlɪt/ n bala f. ~-proof a à prova de balas; (vehicle) blindado

bulletin /'bʊlətɪn/ n boletim m

bullfight /'bʊlfaɪt/ n tourada f, corrida f de touros. ~er n toureiro m. ~ing n tauromaquia f

bullring /'bʊlrɪŋ/ n arena f, praça f de touros

bully /'bʊlɪ/ n mandão m, pessoa f prepotente; (schol) terror m, o mau □ vt intimidar; (treat badly) atormentar; (coerce) forçar (into a)

bum[1] /bʌm/ n (sl: buttocks) traseiro m, (BR) bunda f (sl)

bum[2] /bʌm/ n (Amer sl) vagabundo m

bump /bʌmp/ n choque m, embate m; (swelling) inchaço m; (on head) galo m □ vt/i bater, chocar. ~ **into** bater em, chocar com; (meet) esbarrar com, encontrar. ~y a (surface) irregular; (ride) aos solavancos

bumper /'bʌmpə(r)/ n pára-choques m inv □ a excepcional

bun /bʌn/ n pãozinho m doce com passas; (hair) carrapito m

bunch /bʌntʃ/ n (of flowers)

ramo m; (of keys) molho m; (of people) grupo m; (of grapes) cacho m

bundle /ˈbʌndl/ n molho m □ vt atar num molho; (push) despachar

bung /bʌŋ/ n batoque m, rolha f □ vt rolhar; (sl: throw) atirar, deitar. ~ **up** entupir

bungalow /ˈbʌŋgələʊ/ n chalé m; (outside Europe) bungalow m

bungle /ˈbʌŋgl/ vt fazer mal feito, estragar

bunion /ˈbʌnjən/ n (med) joanete m

bunk /bʌŋk/ n (in train) couchette f; (in ship) beliche m. ~**-beds** npl beliches mpl

bunker /ˈbʌŋkə(r)/ n (mil) abrigo m, casamata f, bunker m; (golf) obstáculo m em cova de areia

buoy /bɔɪ/ n bóia f □ vt ~ **up** animar

buoyan|t /ˈbɔɪənt/ a flutuante; (fig) alegre. ~**cy** n (fig) alegria f, exuberância f

burden /ˈbɜːdn/ n fardo m □ vt sobrecarregar. ~**some** a pesado

bureau /ˈbjʊərəʊ/ n (pl -**eaux** /-əʊz/ (desk) secretária f; (office) secção f

bureaucracy /bjʊəˈrɒkrəsɪ/ n burocracia f

bureaucrat /ˈbjʊərəkræt/ n burocrata mf. ~**ic** /ˈkrætɪk/ a burocrático

burger /ˈbɜːgə(r)/ n hambúrguer m

burglar /ˈbɜːglə(r)/ n ladrão m, assaltante mf. ~ **alarm** n alarme m contra ladrões.

~**ize** vt (Amer) assaltar. ~**y** n assalto m

burgle /ˈbɜːgl/ vt assaltar

burial /ˈberɪəl/ n enterro m

burlesque /bɜːˈlesk/ n paródia f

burly /ˈbɜːlɪ/ a (-**ier**, -**iest**) robusto e corpulento, forte

Burm|a /ˈbɜːmə/ n Birmânia f. ~**ese** /ˈmiːz/ a & n birmanês m

burn /bɜːn/ vt (pt **burned** or **burnt**) queimar □ vi queimar (-se), arder □ n queimadura f. ~ **down** reduzir a cinzas. ~**er** n (of stove) bico m de gás. ~**ing** a (thirst, desire) ardente; (topic) candente

burnish /ˈbɜːnɪʃ/ vt polir, brunir

burnt /bɜːnt/ see **burn**

burp /bɜːp/ n (colloq) arroto m □ vi (colloq) arrotar

burrow /ˈbʌrəʊ/ n toca f □ vi cavar, fazer uma toca

burst /bɜːst/ vt/i (pt **burst**) arrebentar □ n estouro m, rebentar m; (of anger, laughter) explosão f; (of firing) rajada f; (of energy) acesso m. ~ **into** (flames, room, etc) irromper em. ~ **into tears** desatar num choro, desfazer-se em lágrimas. ~ **out laughing** desatar a rir

bury /ˈberɪ/ vt sepultar, enterrar; (hide) esconder; (engross, thrust) mergulhar

bus /bʌs/ n (pl **buses**) autocarro m. ~**-stop** n paragem f

bush /bʊʃ/ n arbusto m; (land) mato m. ~**y** a espesso

business /ˈbɪznɪs/ n (trade, shop, affair) negócio m;

(*task*) função *f*; (*occupation*)
ocupação *f*. **have no ~ to**
não ter o direito de. **it's no
~ of yours** não é da sua conta. **mind your own ~** cuide
da sua vida. **that's my ~** isso é cá comigo, isso é problema meu. **~like** *a* eficiente, sistemático. **~man** *n*
homem *m* de negócios, comerciante *m*

busker /ˈbʌskə(r)/ *n* músico *m*
ambulante

bust[1] /bʌst/ *n* busto *m*

bust[2] /bʌst/ *vt/i* (*pt* busted *or*
bust) (*sl*) = **burst**, **break** □
a falido. **~-up** *n* (*sl*) discussão *f*, bulha *f*. **go ~** (*sl*) falir

bustl|**e** /ˈbʌsl/ *vi* andar numa
azáfama; (*hurry*) apressar-se
□ *n* azáfama *f*. **~ing** *a* animado, movimentado

bus|**y** /ˈbɪzɪ/ *a* (**-ier**, **-iest**)
ocupado; (*street*) movimen-
tado; (*day*) atarefado □ *vt*
~y o.s. with ocupar-se com.
~ily *adv* ativamente, atarefa-
damente

busybody /ˈbɪzɪbɒdɪ/ *n* intrometido *m*, pessoa *f* abelhuda

but /bʌt/ *conj* mas □ *prep* excepto, senão □ *adv* apenas,
só. **all ~** todos menos; (*nearly*) quase, por pouco não. **~
for** sem, se não fosse. **last ~
one/two** penúltimo/antepe-
núltimo. **nobody ~** ninguém
a não ser

butcher /ˈbʊtʃə(r)/ *n* homem
m do talho, talhante; (*fig*)
carrasco *m* □ *vt* chacinar.
the ~'s talho *m*. **~y** *n* chacina *f*

butler /ˈbʌtlə(r)/ *n* mordomo
m

butt /bʌt/ *n* (*of gun*) coronha
f; (*of cigarette*) ponta *f*, beata
f (*target*) alvo *m* de troça, de
ridículo *etc*; (*cask*) barril *m*
□ *vt/i* dar cabeçada em. **~ in**
interromper

butter /ˈbʌtə(r)/ *n* manteiga *f*
□ *vt* pôr manteiga em.
~-bean *n* feijão *m* branco

buttercup /ˈbʌtəkʌp/ *n* botão-
-de-ouro *m*

butterfly /ˈbʌtəflaɪ/ *n* borboleta *f*

buttock /ˈbʌtək/ *n* nádega *f*

button /ˈbʌtn/ *n* botão *m* □
vt/i abotoar(-se)

buttonhole /ˈbʌtnhəʊl/ *n* casa
f de botão; (*in lapel*) botoeira *f* □ *vt* (*fig*) obrigar a ouvir

buttress /ˈbʌtrɪs/ *n* contraforte
m; (*fig*) esteio *m* □ *vt* sustentar

buxom /ˈbʌksəm/ *a* roliço, rechonchudo

buy /baɪ/ *vt* (*pt* bought) comprar (**from** *a*); (*sl: believe*)
engolir (*colloq*) □ *n* compra
f. **~er** *n* comprador *m*

buzz /bʌz/ *n* zumbido *m* □ *vi*
zumbir. **~ off** (*sl*) pôr-se a
andar. **~er** *n* campainha *f*

by /baɪ/ *prep* (*near*) junto de,
perto de; (*along, past,
means*) por; (*according to*)
conforme; (*before*) antes de.
~ land/sea/air por terra/mar/
ar. **~ bike/car** *etc* de bicicle-
ta/carro *etc*. **~ day/night** de
dia/noite. **~ the kilo** por quilo. **~ now** a esta hora. **~ ac-
cident/mistake** sem querer.
~ oneself sozinho □ *adv*
(*near*) perto. **~ and** *adv* muito
em breve. **~ and large** no

conjunto. **~-election** n eleição f suplementar. **~-law** n regulamento m. **~-product** n derivado m

bye(-bye) /ˈbaɪ(baɪ)/ int (*colloq*) adeus, adeusinho

bygone /ˈbaɪgɒn/ a passado. **let ~s be ~s** o que passou, passou; o que lá vai, lá vai

bypass /ˈbaɪpɑːs/ n (estrada) secundária f, desvio m; (*med*) by-pass m □ vt fazer um desvio; (*fig*) contornar

bystander /ˈbaɪstændə(r)/ n circumstante mf, espectador m

byte /baɪt/ n byte m

C

cab /kæb/ n táxi m; (*of lorry, train*) cabina f, cabine f

cabaret /ˈkæbəreɪ/ n variedades *fpl*, cabaré m

cabbage /ˈkæbɪdʒ/ n couve f, repolho m

cabin /ˈkæbɪn/ n cabana f; (*in plane*) cabina f; (*in ship*) camarote m

cabinet /ˈkæbɪnɪt/ n armário m. **C~** (*pol*) gabinete m

cable /ˈkeɪbl/ n cabo m. **~-car** n funicular m, teleférico m. **~ railway** funicular m. **~ television** televisão f a cabo

cache /kæʃ/ n esconderijo m de) tesouro m, armas *fpl*, provisões *f pl*

cackle /ˈkækl/ n cacarejo m □ vi cacarejar

cactus /ˈkæktəs/ n (*pl* ~es or **cacti** /-taɪ/) cacto m

caddie /ˈkædɪ/ n (*golf*) caddie m

caddy /ˈkædɪ/ n lata f para o chá

cadet /kəˈdet/ n cadete m

cadge /kædʒ/ vt/i cravar

Caesarean /sɪˈzeərɪən/ a ~ (**section**) cesariana f

café /ˈkæfeɪ/ n café m

cafeteria /kæfɪˈtɪərɪə/ n cafeteria f, restaurante m self-service

caffeine /ˈkæfiːn/ n cafeína f

cage /keɪdʒ/ n gaiola f

cagey /ˈkeɪdʒɪ/ a (*colloq: secretive*) misterioso, reservado

cajole /kəˈdʒəʊl/ vt ~ **sb into doing sth** convencer alguém (com lábia ou lisonjas) a fazer alg coisa

cake /keɪk/ n bolo m. **~d** a empastado. **his shoes were ~d with mud** tinha os sapatos cobertos de lama. **a piece of ~** (*sl*) canja f (*sl*)

calamity /kəˈlæmətɪ/ n calamidade f

calcium /ˈkælsɪəm/ n cálcio m

calculat|e /ˈkælkjʊleɪt/ vt/i calcular; (*Amer: suppose*) supor. **~ed** a (*action*) deliberado, calculado. **~ing** a calculista. **~ion** /-ˈleɪʃn/ n cálculo m. **~or** n calculadora f, máquina f de calcular

calendar /ˈkælɪndə(r)/ n calendário m

calf¹ /kɑːf/ n (*pl* **calves**) (*young cow or bull*) vitelo m, bezerro m; (*of other animals*) cria f

calf² /ka:f/ n (pl **calves**) (of leg) barriga f da perna

calibrat|e /'kælɪbreɪt/ vt calibrar. **~ion** /-'breɪʃn/ n calibragem f

calibre /'kælɪbə(r)/ n calibre m

calico /'kælɪkəʊ/ n pano m de algodão; (printed) chita f, algodão m

call /kɔ:l/ vt/i chamar; (summon) convocar; (phone) telefonar. **~ (in or round)** (visit) passar por casa de □ n chamada f; (bird's cry) canto m; (shout) brado m, grito m. be **~ed** (named) chamar-se. be **on ~** estar de serviço. **~ back** (phone) tornar a telefonar; (visit) voltar. **~ for** (demand) pedir, requerer; (fetch) ir buscar. **~ off** cancelar. **~ on** (visit) visitar, fazer uma visita a. **~ out (to)** chamar. **~ up** (mil) mobilizar, recrutar; (phone) telefonar. **~-box** n cabina f telefónica. **~er** n visitante f, (phone) pessoa f que faz a chamada. **~ing** n vocação f

callous /'kæləs/ a insensível. **~ly** adv sem piedade.

callow /'kæləʊ/ a (-er, -est) inexperiente, verde

calm /ka:m/ a (-er, -est) calmo □ n calma f □ vt/i **~ (down)** acalmar(-se). **~ness** n calma f

calorie /'kælərɪ/ n caloria f

camber /'kæmbə(r)/ n (of road) abaulamento m

camcorder /'kæmkɔ:də(r)/ n câmara f de filmar

came /keɪm/ see **come**

camel /'kæml/ n camelo m

camera /'kæmərə/ n máquina f fotográfica; (cine, TV) câmara f. **~man** n (pl **-men**) operador m

camouflage /'kæməflɑ:ʒ/ n camuflagem f □ vt camuflar

camp¹ /kæmp/ n acampamento m □ vi acampar. **~-bed** n cama f de campanha. **~er** n campista m/f; (car) auto-caravana f. **~ing** n campismo m

camp² /kæmp/ a afectado, efeminado

campaign /kæm'peɪn/ n campanha f □ vi fazer campanha

campsite /'kæmpsaɪt/ n parque m de campismo

campus /'kæmpəs/ n (pl **-puses** /-pəsɪz/) cidade f universitária, campus m

can¹ /kæn/ n vasilha f de lata; (for food) lata f (de conserva) □ vt (pt **canned**) enlatar. **~ned music** música f gravada em locais públicos. **~-opener** n abre-latas m

can² /kæn/ v aux (be able to) poder, ser capaz de; (know how to) saber. **I ~not/~'t go** não posso ir

Canada /'kænədə/ n Canadá m. **~ian** /kə'neɪdɪən/ a & n canadiano m

canal /kə'næl/ n canal m

canary /kə'neərɪ/ n canário m. **C~ Islands** npl as (Ilhas) Canárias

cancel /'kænsl/ vt (pt **cancelled**) cancelar; (cross out) riscar; (stamps) inutilizar. **~ out** vi (fig) neutralizar-se mutuamente. **~lation** /-'leɪʃn/ n cancelamento m

cancer /ˈkænsə(r)/ n cancro m. **C~** (astrol) Caranguejo m, Câncer m. **~ous** a canceroso

candid /ˈkændɪd/ a franco. **~ly** adv francamente

candida|te /ˈkændɪdeɪt/ n candidato m. **~cy** /-əsɪ/ n candidatura f

candle /ˈkændl/ n vela f; (in church) vela f, círio m. **~-light** n luz f de velas

candlestick /ˈkændlstɪk/ n castiçal m

candour /ˈkændə(r)/ n franqueza f, candura f

candy /ˈkændɪ/ n açúcar cândi; (Amer: sweet, sweets) doce (s) m (pl). **~-floss** n algodão-doce m

cane /keɪn/ n cana f; (walking--stick) bengala f; (for baskets) verga f; (school: for punishment) vergasta f □ vt vergastar

canine /ˈkeɪnaɪn/ a & n canino m

canister /ˈkænɪstə(r)/ n lata f

cannabis /ˈkænəbɪs/ n cânhamo m, maconha f

cannibal /ˈkænɪbl/ n canibal mf. **~ism** /-zəm/ n canibalismo m

cannon /ˈkænən/ n inv canhão m. **~-ball** n bala f de canhão

cannot /ˈkænət/ = **can not**

canny /ˈkænɪ/ a (-ier, -iest) astuto, manhoso

canoe /kəˈnuː/ n canoa f □ vi andar de canoa. **~ing** n (sport) canoagem f. **~ist** n canoísta mf

canon /ˈkænən/ n cónego m; (rule) cânone m

canonize /ˈkænənaɪz/ vt canonizar

canopy /ˈkænəpɪ/ n dossel m; (over doorway) toldo m; (fig) abóbada f

can't /kaːnt/ = **can not**

cantankerous /kænˈtæŋkərəs/ a irascível, intratável

canteen /kænˈtiːn/ n cantina f; (flask) cantil m; (for cutlery) faqueiro m

canter /ˈkæntə(r)/ n meio galope m, cânter m □ vi andar a meio galope

canton /ˈkæntən/ n cantão m

canvas /ˈkænvəs/ n lona f; (for painting or tapestry) tela f

canvass /ˈkænvəs/ vt/i angariar votos or fregueses

canyon /ˈkænjən/ n desfiladeiro m

cap /kæp/ n (with peak) boné m; (without peak) barrete m; (of nurse) touca f; (of bottle, pen, tube, etc) tampa f; (mech) tampa f, tampão m □ vt (pt capped) (bottle, pen, tube, etc) tapar; (rates) impor um limite a; (outdo) suplantar; (sport) seleccionar. **~ped with** encimado de, coroado de

capab|le /ˈkeɪpəbl/ a (person) capaz (of de); (things, situations) susceptível (of de). **~ility** /ˈbɪlətɪ/ n capacidade f. **~ly** adv capazmente

capacity /kəˈpæsətɪ/ n capacidade f. in one's **~ as** na (sua) qualidade de

cape¹ /keɪp/ n (cloak) capa f

cape² /keɪp/ n (geog) cabo m

caper¹ /ˈkeɪpə(r)/ vi andar aos pinotes

caper² /ˈkeɪpə(r)/ n (culin) alcaparra f

capillary /kə'pɪlərɪ/ n (pl **-ies**)
vaso m capilar

capital /'kæpɪtl/ a capital □ n
(town) capital f; (money) capital m. ~ **(letter)** maiúscula
f. ~ **punishment** pena f de
morte

capitalis|t /'kæpɪtəlɪst/ a & n
capitalista mf. ~**m** /-zəm/ n
capitalismo m

capitalize /'kæpɪtəlaɪz/ vi ca-
pitalizar; (finance) financiar;
(writing) escrever com
maiúscula. ~ **on** tirar partido
de

capitulat|e /kə'pɪtʃʊleɪt/ vi ca-
pitular. ~**ion** /'leɪʃn/ n capitulação f

capricious /kə'prɪʃəs/ a caprichoso

Capricorn /'kæprɪkɔːn/ n (astrol) Capricórnio m

capsicum /'kæpsɪkəm/ n pimento m

capsize /kæp'saɪz/ vt/i virar-
(-se)

capsule /'kæpsjuːl/ n cápsula f

captain /'kæptɪn/ n capitão m;
(navy) capitão-de-mar-
-e-guerra m □ vt capitanear,
comandar

caption /'kæpʃn/ n legenda f;
(heading) título m

captivate /'kæptɪveɪt/ vt cativar

captiv|e /'kæptɪv/ a & n cativo
m, prisioneiro m. ~**ity** /'tɪvə-
tɪ/ n cativeiro m

captor /'kæptə(r)/ n captor m

capture /'kæptʃə(r)/ vt captu-
rar; (attention) prender □ n
captura f

car /kɑː(r)/ n carro m. ~ **ferry**
barca f para carros. ~~**park** n

(parque m de) estacionamento m. ~ **phone** telefone m de
carro. ~~**wash** n estação f de
lavagem

carafe /kə'ræf/ n garrafa f para
água ou vinho

caramel /'kærəmel/ n caramelo m.

carat /'kærət/ n quilate m

caravan /'kærəvæn/ n caravana f, reboque m

caraway /'kærəweɪ/ n ~ **seed**
cariz f

carbohydrate /kɑ:bəʊ'haɪ-
dreɪt/ n hidrato m de carbono

carbon /'kɑːbən/ n carbono m.
~ **copy** cópia f em papel químico. ~ **monoxide** óxido m
de carbono. ~ **paper** papel
m químico

carburettor /kɑ:bjʊ'retə(r)/ n
carburador m

carcass /'kɑːkəs/ n carcaça f

card /kɑːd/ n cartão m; (postcard) postal m; (playing-
-card) carta f. ~~**game(s)**
n(pl) jogo(s) m(pl) de cartas.
~ **index** n ficheiro m

cardboard /'kɑːdbɔːd/ n cartão m, papelão m

cardiac /'kɑːdɪæk/ a cardíaco

cardigan /'kɑːdɪgən/ n casaco
m de malha

cardinal /'kɑːdɪnl/ a cardeal,
principal. ~ **number** numeral m cardinal □ n (relig)
cardeal m

care /keə(r)/ n cuidado m;
(concern) interesse m □ vi ~
about (be interested) estar
interessado por; (be worried)
estar preocupado com. ~ **for**
(like) gostar de; (look after)

tomar conta de. **take** ~ to-mar cuidado. **take ~ of** cuidar de; (*deal with*) tratar de.
he couldn't ~ **less** ele não se rala nada, ele está-se marimbando (*colloq*)
career /kə'rɪə(r)/ n carreira f □ vi ir a toda a velocidade, ir numa carreira
carefree /'keəfri:/ a despreocupado
careful /'keəfl/ a cuidadoso; (*cautious*) cauteloso. ~! cuidado! ~**ly** adv cuidadosamente; (*cautiously*) cautelosamente
careless /'keəlɪs/ a descuidado (**about** com). ~**ly** adv descuidadamente. ~**ness** n descuido m, negligência f
caress /kə'res/ n carícia f □ vt acariciar
caretaker /'keəteɪkə(r)/ n zelador m duma casa vizia; (*janitor*) porteiro m
cargo /'ka:gəʊ/ n (pl -**oes**) carregamento m, carga f
Caribbean /kærɪ'bi:ən/ a caraíba. **the** ~ as Caraíbas fpl
caricature /'kærɪkətʃʊə(r)/ n caricatura f □ vt caricaturar
caring /'keərɪŋ/ a carinhoso, afectuoso
carnage /'ka:nɪdʒ/ n carnificina f
carnation /ka:'neɪʃn/ n cravo m
carnival /'ka:nɪvl/ n carnaval m
carol /'kærəl/ n cântico m or canto m de Natal
carp[1] /ka:p/ n inv carpa f
carp[2] /ka:p/ vi ~ (**at**) criticar
carpent|er /'ka:pɪntə(r)/ n car-

pinteiro m. ~**ry** n carpintaria f
carpet /'ka:pɪt/ n tapete m □ vt (pt **carpeted**) atapetar. **with fitted** ~**s** (estar) alcatifado. **be on the** ~ (*colloq*) ser chamado à ordem. ~-**sweeper** n sabrina f
carport /'ka:pɔ:t/ n telheiro m para automóveis
carriage /'kærɪdʒ/ n carruagem f; (*of goods*) frete m, transporte m; (*cost, bearing*) porte m
carriageway /'kærɪdʒweɪ/ n faixa f de rodagem, pista f
carrier /'kærɪə(r)/ n transportador m; (*company*) transportadora f; (*med*) portador m. ~ (**bag**) saco m de plástico
carrot /'kærət/ n cenoura f
carry /'kærɪ/ vt/i levar; (*goods*) transportar; (*involve*) acarretar; (*have for sale*) ter à venda. **be carried away** entusiasmar-se, deixar-se levar. ~-**cot** n porta-bébés m. ~ **off** levar à força; (*prize*) incluir. ~ **it off** sair-se bem (de). ~ **on** continuar; (*colloq: flirt*) namorar; (*colloq: behave*) portar-se (mal). ~ **out** executar; (*duty*) cumprir. ~ **through** levar a cabo
cart /ka:t/ n carroça f; carro m □ vt **acarretar**; (*colloq*) carregar com
cartilage /'ka:tɪlɪdʒ/ n cartilagem f
carton /'ka:tn/ n embalagem f de cartão or de plástico; (*of yogurt*) embalagem f, pote m; (*of milk*) pacote m

cartoon /ka:'tu:n/ n desenho m humorístico, caricatura f; (strip) banda f desenhada; (film) desenhos mpl animados. ~**ist** n caricaturista mf; (of strip, film) desenhador m

cartridge /'ka:trɪdʒ/ n cartucho m

carv|e /ka:v/ vt esculpir, talhar; (meat) trinchar. ~**ing** n obra f de talha; (on tree-trunk) incisão f. ~**ing knife** faca f de trinchar, trinchante m

cascade /kæs'keɪd/ n cascata f □ vi cair em cascata

case¹ /keɪs/ n caso m; (jur) causa f, processo m; (phil) argumentos mpl. **in any** ~ em todo caso. **in** ~ (**of**) no caso (de). **in that** ~ nesse caso

case² /keɪs/ n caixa f; (crate) caixa f, caixote m; (for camera, jewels, spectacles, etc) estojo m; (suitcase) mala f; (for cigarettes) cigarreira f

cash /kæʃ/ n dinheiro m, numerário m, cash m □ vt (obtain money for) cobrar, receber; (give money for) pagar. **be short of** ~ ter pouco dinheiro. ~ **a cheque** (receive/give) cobrar/descontar um cheque. ~ **in** receber. ~ **in** (**on**) aproveitar-se de. **in** ~ em dinheiro. **pay** ~ pagar em dinheiro. ~ **desk** caixa f. ~ **dispenser** caixa m automático. ~**flow** n cash-flow m. ~ **register** caixa registadora f

cashew /kæ'ʃu:/ n caju m

cashier /kæ'ʃɪə(r)/ n caixa mf

cashmere /kæʃ'mɪə(r)/ n caxemira f

casino /kə'si:nəʊ/ n (pl **-os**) casino m

cask /ka:sk/ n casco m, barril m

casket /'ka:skɪt/ n pequeno cofre m; (Amer: coffin) caixão m

casserole /'kæsərəʊl/ n caçarola f; (stew) estufado m

cassette /kə'set/ n cassette f. ~ **player** gravador m,leitor m de cassettes . ~ **recorder** n gravador m

cast /ka:st/ vt (pt **cast**) lançar, arremessar; (shed) despojar-se de; (vote) dar; (metal) fundir; (shadow) projectar □ n (theatr) elenco m; (mould) molde m; (med) aparelho m de gesso. ~ **iron** n ferro m fundido. ~-**iron** a de ferro fundido; (fig) muito forte. ~-**offs** npl roupa f velha

castanets /kæstə'nets/ npl castanholas fpl

castaway /'ka:stəweɪ/ n náufrago m

caste /ka:st/ n casta f

castigate /'kæstɪgeɪt/ vt castigar

castle /ka:sl/ n castelo m; (chess) torre f

castor /'ka:stə(r)/ n roda f de pé de móvel. ~ **sugar** açúcar m em pó

castrat|e /kæ'streɪt/ vt castrar. ~**ion** /-/n/ n castração f

casual /'kæʒʊəl/ a (chance: meeting) casual; (careless, unmethodical) descuidado; (informal) informal. ~ **clot-**

hes roupa f prática or de lazer. ~ work trabalho m ocasional. ~ly adv casualmente; (carelessly) sem cuidado

casualty /ˈkæʒʊəltɪ/ n (dead) morto m; (death) morte f; (injured) ferido m; (victim) vítima f; (mil) baixa f

cat /kæt/ n gato m. ~'s-eyes npl reflectores mpl

Catalonia /kætəˈləʊnɪə/ n Catalunha f

catalogue /ˈkætəlɒg/ n catálogo m □ vt catalogar

catalyst /ˈkætəlɪst/ n catalisador m

catapult /ˈkætəpʌlt/ n (child's) fisga f □ vt catapultar

cataract /ˈkætərækt/ f (waterfall & med) catarata f

catarrh /kəˈtɑ:(r)/ n catarro m

catastroph|e /kəˈtæstrəfɪ/ n catástrofe f. ~ic /kætəsˈtrɒfɪk/ a catastrófico

catch /kætʃ/ vt (pt caught) apanhar; (grasp) agarrar; (hear) perceber □ vi prender-se (in em); (get stuck) ficar preso □ n panʃa f; (of fish) pesca f; (trick) ratoeira f; (snag) problema m; (on door) trinco m; (fastener) fecho m. ~ fire incendiar-se. ~ on (colloq) pegar, tornar-se popular. ~ sb's eye atrair a atenção de alg. ~ sight of avistar. ~ up (with) pôr-se a par (com); (work) pôr em dia. ~-phrase n clichê m

catching /ˈkætʃɪŋ/ a contagioso, infeccioso

catchment /ˈkætʃmənt/ n ~ area (geog) bacia f de captação; (fig: of school, hospital) área f

catchy /ˈkætʃɪ/ a (tune) que entra no ouvido

categorical /kætɪˈgɒrɪkl/ a categórico

category /ˈkætɪgərɪ/ n categoria f

cater /ˈkeɪtə(r)/ vi fornecer comida (para clubes, casamentos, etc). ~ for (pander to) satisfazer; (consumers) dirigir-se a. ~er n fornecedor m. ~ing n catering m

caterpillar /ˈkætəpɪlə(r)/ n lagarta f

cathedral /kəˈθi:drəl/ n catedral f

catholic /ˈkæθəlɪk/ a universal; (eclectic) eclético. C~ a & n católico m. C ~ism /kəˈθɒlɪsɪzəm/ n catolicismo m

cattle /ˈkætl/ npl gado m

catty /ˈkætɪ/ a (dissimuladamente) maldoso, com perfídia

caught /kɔ:t/ see catch

cauldron /ˈkɔ:ldrən/ n caldeirão m

cauliflower /ˈkɒlɪflaʊə(r)/ n couve-flor f

cause /kɔ:z/ n causa f □ vt causar. ~ sth to grow/move etc fazer crescer/mexer etc alg coisa

causeway /ˈkɔ:zweɪ/ n estrada f elevada, caminho m elevado

caustic /ˈkɔ:stɪk/ a cáustico

cauti|on /ˈkɔ:ʃn/ n cautela f; (warning) aviso m □ vt avisar. ~ous /ˈkɔ:ʃəs/ a cauteloso. ~ously adv cautelosamente

cavalry /ˈkævəlrɪ/ n cavalaria f

cave /keɪv/ n caverna f, gruta f □ vi ~ **in** desabar, dar de si

caveman /ˈkeɪvmæn/ n (pl -men) troglodita m, homen m das cavernas; (fig) (tipo) primário m

cavern /ˈkævən/ n caverna f. ~**ous** a cavernoso

caviare /ˈkævɪɑː(r)/ n caviar m

caving /ˈkeɪvɪŋ/ n espeleologia f

cavity /ˈkævətɪ/ n cavidade f

cavort /kəˈvɔːt/ vi curvetear; (person) andar aos pinotes

CD /siːˈdiː/ see compact disc

cease /siːs/ vt/i cessar. ~-**fire** n cessar-fogo m. ~**less** a incessante

cedar /ˈsiːdə(r)/ n cedro m

cedilla /sɪˈdɪlə/ n cedilha f

ceiling /ˈsiːlɪŋ/ n (lit & fig) tecto m

celebrat|e /ˈselɪbreɪt/ vt/i celebrar, festejar. ~**ion** /ˈbreɪ/n/ n celebração f, festejo m

celebrated /ˈselɪbreɪtɪd/ a célebre

celebrity /sɪˈlebrətɪ/ n celebridade f

celery /ˈselərɪ/ n aipo m

celiba|te /ˈselɪbət/ a celibatário. ~**cy** n celibato m

cell /sel/ n (of prison, convent) cela f; (biol, pol, electr) célula f, pilha f eléctrica

cellar /ˈselə(r)/ n cave f; (for wine) adega f, cave f

cell|o /ˈtʃeləʊ/ n (pl -os) violoncelo m. ~**ist** n violoncelista mf

Cellophane /ˈseləfeɪn/ n celofane m

cellular /ˈseljʊlə(r)/ a celular

Celt /kelt/ n celta mf. ~**ic** a celta, céltico

cement /sɪˈment/ n cimento m □ vt cimentar. ~-**mixer** n betoneira f

cemetery /ˈsemətrɪ/ n cemitério m

censor /ˈsensə(r)/ n censor m □ vt censurar. ~**ship** n censura f

censure /ˈsenʃə(r)/ n censura f, crítica f □ vt censurar, criticar

census /ˈsensəs/ n recenseamento m, censo m

cent /sent/ n cêntimo m

centenary /senˈtiːnərɪ/ n centenário m

centigrade /ˈsentɪɡreɪd/ a centígrado

centilitre /ˈsentɪliːtə(r)/ n centilitro m

centimetre /ˈsentɪmiːtə(r)/ n centímetro m

centipede /ˈsentɪpiːd/ n centopeia f

central /ˈsentrəl/ a central. ~ **heating** aquecimento m central. ~**ize** vt centralizar. ~**ly** adv no centro

centre /ˈsentə(r)/ n centro m □ vt (pt **centred**) centrar □ vi ~ **on** concentrar-se em, fixar-se em

centrifugal /senˈtrɪfjʊɡl/ a centrífugo

century /ˈsentʃərɪ/ n século m

ceramic /sɪˈræmɪk/ a (object) em cerâmica. ~**s** n cerâmica f

cereal /ˈsɪərɪəl/ n cereal m

cerebral /ˈserɪbrəl/ a cerebral

ceremonial /serɪˈməʊnɪəl/ a de cerimónia □ n cerimonial m

ceremony /ˈserɪmənɪ/ n ceri-

mónia f. **~ious** /'məʊnɪəs/ a
cerimonioso

certain /'sɜːtn/ a certo. **be ~**
ter a certeza. **for ~** com certeza, ao certo. **make ~** confirmar, verificar. **~ly** adv
com certeza, certamente. **~ty**
n certeza f

certificate /sə'tɪfɪkət/ n certificado m; (birth, marriage)
certidão f; (health) atestado
m

certif|y /'sɜːtɪfaɪ/ vt/i certificar. **~ied** a (as insane) declarado

cervical /sɜː'vaɪkl/ a cervical;
(of cervix) do útero

cesspit, cesspool /'sespɪt, 'sespuːl/ n fossa f sanitária

chafe /tʃeɪf/ vt/i esfregar;
(make/become sore) esfolar/
ficar esfolado; (fig) irritar-
(-se)

chaff /tʃɑːf/ vt brincar com □
n brincadeira f; (husk) casca
f

chaffinch /'tʃæfɪntʃ/ n tentilhão m

chagrin /'ʃægrɪn/ n decepção
f, desgosto m, aborrecimento
m

chain /tʃeɪn/ n corrente f, cadeia f; (series) cadeia f □ vt
acorrentar. **~ reaction** reacção f em cadeia. **~-smoke** vi
fumar cigarros um atrás do
outro. **~ store** loja f pertencente a uma cadeia

chair /tʃeə(r)/ n cadeira f; (position of chairman) presidência f; (univ) cátedra f □ vt
presidir

chairman /'tʃeəmən/ n (pl
-men) presidente mf

chalet /'ʃæleɪ/ n chalé m

chalk /tʃɔːk/ n greda f, cal f;
(for writing) giz m □ vt traçar com giz

challeng|e /'tʃælɪndʒ/ n desafio m; (by sentry) interpelação f □ vt desafiar; (question
truth of) contestar. **~er** n
(sport) pretendente mf (ao título). **~ing** a estimulante,
que constitui um desafio

chamber /'tʃeɪmbə(r)/ n (old
use) aposento m. **~-maid** n
arrumadeira f. **~ music** música f de câmara. **C~ of
Commerce** Câmara f de Comércio

chamois /'ʃæmɪ/ n. **~(-leather)** camurça f

champagne /ʃæm'peɪn/ n
champanhe m

champion /'tʃæmpɪən/ n campeão m, campeã f □ vt defender. **~ship** n campeonato
m

chance /tʃɑːns/ n acaso m;
(luck) sorte f; (opportunity)
oportunidade f, chance f; (likelihood) hipótese f, probabilidade f; (risk) risco m □ a
casual, fortuito □ vi calhar
□ vt arriscar. **by ~** por acaso

chancellor /'tʃɑːnsələ(r)/ n
chanceler m. **C~ of the Exchequer** Ministro m das Finanças

chancy /'tʃɑːnsɪ/ a arriscado

chandelier /ʃændə'lɪə(r)/ n
lustre m

change /tʃeɪndʒ/ vt mudar;
(exchange) trocar (for por);
(clothes, house, trains, etc)
mudar de □ vi mudar; (clothes) mudar-se, mudar de

roupa □ *n* mudança *f*; (*money*) troco *m*. **a ~ of clothes** uma muda de roupa. **~ hands** (*ownership*) mudar de dono. **~ into** (*a butterfly etc*) transformar-se em; (*evening dress etc*) pôr. **~ one's mind** mudar de idéia. **~over** passar, mudar (**to** para). **~over** *n* mudança *f*. **~able** *a* variável

channel /'tʃænl/ *n* canal *m* □ *vt* (*pt* **channelled**) canalizar. **the C~ Islands** as Ilhas do Canal da Mancha. **the (English) C~** o Canal da Mancha

chant /tʃɑ:nt/ *n* cântico *m*; (*of crowd etc*) *vt/i* cantar, entoar

chao|s /'keɪɒs/ *n* caos *m*. **~tic** /'ɒtɪk/ *a* caótico

chap /tʃæp/ *n* (*colloq*) sujeito *m*, tipo *m*

chapel /'tʃæpl/ *n* capela *f*

chaperon /'ʃæpərəʊn/ *n* pau-de-cabeleira *m*, chaperon *m* □ *vt* servir de pau-de-cabeleira *or* de chaperon

chaplain /'tʃæplɪn/ *n* capelão *m*. **~cy** *n* capelania *f*

chapter /'tʃæptə(r)/ *n* capítulo *m*

char /tʃɑ:(r)/ *vt* (*pt* **charred**) carbonizar

character /'kærəktə(r)/ *n* carácter *m*; (*in novel, play*) personagem *f*; (*reputation*) fama *f*; (*eccentric person*) excêntrico *m*; (*letter*) carácter *m*. **~ize** *vt* caracterizar

characteristic /kærəktə'rɪstɪk/ *a* característico □ *n* característica *f*. **~ally** *adv* tipicamente

charade /ʃə'rɑ:d/ *n* charada *f*

charcoal /'tʃɑ:kəʊl/ *n* carvão *m* de lenha

charge /tʃɑ:dʒ/ *n* preço *m*; (*electr, mil*) carga *f*; (*jur*) acusação *f*; (*task, custody*) cargo *m* □ *vt/i* (*price*) cobrar; (*enemy*) atacar; (*jur*) incriminar. **be in ~ of** ter a cargo. **take ~ of** encarregar-se de

chariot /'tʃærɪət/ *n* carro *m* de guerra *or* triunfal

charisma /kə'rɪzmə/ *n* carisma *m*. **~tic** /kærɪz'mætɪk/ *a* carismático

charit|y /'tʃærətɪ/ *n* caridade *f*; (*society*) instituição *f* de caridade. **~able** *a* caridoso

charlatan /'ʃɑ:lətən/ *n* charlatão *m*

charm /tʃɑ:m/ *n* encanto *m*, charme *m*; (*spell*) feitiço *m*; (*talisman*) amuleto *m* □ *vt* encantar. **~ing** *a* encantador

chart /tʃɑ:t/ *n* (*naut*) carta *f*; (*table*) mapa *m*, gráfico *m*, tabela *f* □ *vt* fazer o mapa de

charter /'tʃɑ:tə(r)/ *n* carta *f*. **~ (flight)** (voo) charter *m* □ *vt* fretar. **~ed accountant** *n* perito *m* de contabilidade

charwoman /'tʃɑ:wʊmən/ *n* (*pl* **-women**) mulher *f* a dias

chase /tʃeɪs/ *vt* perseguir □ *vi* (*colloq*) correr (**after** atrás de) □ *n* caça *f*, perseguição *f*. **~ away** *or* **off** afugentar, expulsar

chasm /'kæzm/ *n* abismo *m*

chassis /'ʃæsɪ/ *n* chassi *m*

chaste /tʃeɪst/ *a* casto

chastise /tʃæs'taɪz/ *vt* castigar

chastity /'tʃæstətɪ/ *n* castidade *f*

chat /tʃæt/ *n* conversa *f* □ *vi* (*pt* **chatted**) conversar, cavaquear. **have a ~** dar dois dedos de conversa. **~ty** *a* conversador

chatter /'tʃætə(r)/ *vi* tagarelar. **his teeth are ~ing** ele está a bater os dentes □ *n* tagarelice *f*

chauffeur /'ʃəʊfə(r)/ *n* motorista *m*, chofer (*particular*) *m*, chauffeur *m*

chauvinis|t /'ʃəʊvɪnɪst/ *n* chauvinista *mf*. **male ~t** (*pej*) machista *m*. **~m** /-zəm/ *n* chauvinismo *m*

cheap /tʃiːp/ *a* (**-er, -est**) barato; (*fare, rate*) reduzido. **~(ly)** *adv* barato. **~ness** *n* barateza *f*

cheapen /'tʃiːpən/ *vt* depreciar

cheat /tʃiːt/ *vt* enganar, trapacear □ *vi* (*at games*) fazer batota; (*in exams*) copiar □ *n* intrujão *m*; (*at games*) batoteiro *m*, (*Br*) trapaceiro *m*

check[1] /tʃek/ *vt/i* (*examine*) verificar; (*tickets*) revisar; (*restrain*) controlar, refrear □ *n* verificação *f*; (*tickets*) controle *m*; (*curb*) freio *m*; (*chess*) xeque *m*; (*Amer: bill*) conta *f*; (*Amer: cheque*) cheque *m*. **~ in** assinar o registro; (*at airport*) fazer o check-in. **~-in** *n* check-in *m*. **~ out** pagar a conta. **~-out** *n* caixa *f*. **~-up** *n* exame *m* médico, check-up *m*

check[2] /tʃek/ *n* (*pattern*) xadrez *m*. **~ed** *a* de xadrez

checkmate /'tʃekmeɪt/ *n* xeque-mate *m*

cheek /tʃiːk/ *n* face *f*; (*fig*) descaramento *m*. **~y** *a* descarado

cheer /tʃɪə(r)/ *n* alegria *f*; (*shout*) viva *m* □ *vt/i* aclamar, aplaudir. **~s!** à tua / vossa (saúde)!; (*thank you*) obrigadinho. **~ (up)** animar(-se). **~ful** *a* bem disposto; alegre

cheerio /tʃɪərɪ'əʊ/ *int* (*colloq*) até logo, adeusinho

cheese /tʃiːz/ *n* queijo *m*

cheetah /'tʃiːtə/ *n* chita *f*, lobo-tigre *m*

chef /ʃef/ *n* cozinheiro-chefe *m*,chefe *m* de cozinha

chemical /'kemɪkl/ *a* químico □ *n* produto *m* químico

chemist /'kemɪst/ *n* farmacêutico *m*; (*scientist*) químico *m*. **~'s (shop)** *n* farmácia *f*. **~ry** *n* química *f*

cheque /tʃek/ *n* cheque *m*. **~-book** *n* talão *m* de cheques. **~-card** *n* cartão *m* de banco

cherish /'tʃerɪʃ/ *vt* estimar, querer; (*hope*) acalentar

cherry /'tʃerɪ/ *n* cereja *f*. **~-tree** *n* cerejeira *f*

chess /tʃes/ *n* jogo *m* de xadrez. **~-board** *n* tabuleiro *m* de xadrez

chest /tʃest/ *n* peito *m*; (*for money, jewels*) cofre *m*. **~ of drawers** cómoda *f*

chestnut /'tʃesnʌt/ *n* castanha *f*. **~-tree** *n* castanheiro *m*

chew /tʃuː/ *vt* mastigar. **~ing-gum** *n* pastilha *f* elástica

chic /ʃiːk/ *a* chique

chick /tʃɪk/ *n* pinto *m*

chicken /'tʃɪkɪn/ *n* galinha *f* □ *vi* **~ out** (*sl*) acobardar-se. **~-pox** *n* varicela *f*

chicory /'tʃɪkərɪ/ n (for coffee) chicória f; (for salad) endívia f

chief /tʃiːf/ n chefe m □ a principal. **~ly** adv principalmente

chilblain /'tʃɪlbleɪn/ n frieira f

child /tʃaɪld/ n (pl **children** /'tʃɪldrən/) criança f; (son) filho m; (daughter) filha f. **~hood** n infância f, meninice f. **~ish** a infantil; (immature) acriançado, pueril. **~less** a sem filhos. **~ like** a infantil. **~minder** n ama f

childbirth /'tʃaɪldbɜːθ/ n parto m

Chile /'tʃɪlɪ/ n Chile m. **~an** a & n chileno m

chill /tʃɪl/ n frio m; (med) constipação f □ vt/i arrefecer; (culin) refrigerar. **~y** a frio. **be** or **feel ~y** ter frio

chilli /'tʃɪlɪ/ n (pl **-ies**) malagueta f

chime /tʃaɪm/ n carrilhão m; (sound) música m de carrilhão □ vt/i tocar

chimney /'tʃɪmnɪ/ n (pl **-eys**) chaminé f. **~-sweep** n limpa-chaminés f

chimpanzee /tʃɪmpæn'ziː/ n chimpanzé m

chin /tʃɪn/ n queixo m

china /'tʃaɪnə/ n porcelana f; (crockery) louça f

China /'tʃaɪnə/ n China f. **~ese** /-'niːz/ a & n chinês m

chink[1] /tʃɪŋk/ n (crack) fenda f, fresta f

chink[2] /tʃɪŋk/ n tinir m □ vt/i (fazer) tinir

chip /tʃɪp/ n (broken piece) bocado m; (culin) batata f frita aos palitos; (gambling) ficha f; (electronic) chip m, circuito m integrado □ vt/i (pt **chipped**) lascar(-se)

chipboard /'tʃɪpbɔːd/ n aglomerado m (de madeira)

chiropodist /kɪ'rɒpədɪst/ n calista mf

chirp /tʃɜːp/ n pipilar m; (of cricket) cricri m □ vi pipilar; (cricket) cantar, fazer cricri

chisel /'tʃɪzl/ n cinzel m, escopro m □ vt (pt **chiselled**) talhar

chivalr|y /'ʃɪvlrɪ/ n cavalheirismo m. **~ous** a cavalheiresco

chive /tʃaɪv/ n cebolinho m

chlorine /'klɔːriːn/ n cloro m

chocolate /'tʃɒklɪt/ n chocolate m

choice /tʃɔɪs/ n escolha f □ a escolhido, seleccionado

choir /'kwaɪə(r)/ n coro m

choirboy /'kwaɪəbɔɪ/ n menino m de coro, coralista m

choke /tʃəʊk/ vt/i sufocar; (on food) engasgar(-se) □ n (auto) botão m do ar (colloq)

cholesterol /kə'lestərɒl/ n colesterol m

choose /tʃuːz/ vt/i (pt **chose**, pp **chosen**) escolher; (prefer) preferir. **~ to do** decidir fazer

choosy /'tʃuːzɪ/ a (colloq) exigente, difícil de contentar

chop /tʃɒp/ vt/i (pt **chopped**) cortar □ n (wood) machadada f; (culin) costeleta f. **~ down** abater. **~per** n cutelo m; (sl: helicopter) helicóptero m

choppy /'tʃɒpɪ/ a (sea) picado

chopstick /'tʃɒpstɪk/ n pauzinho m

choral /'kɔːrəl/ a coral

chord /kɔːd/ n (mus) acorde m

chore /tʃɔː(r)/ n trabalho m; (unpleasant task) tarefa f maçadora. **household ~s** afazeres mpl domésticos

choreograph|er /kɒrɪ'ɒgrəfə(r)/ n coreógrafo m. **~y** n coreografia f

chortle /'tʃɔːtl/ n risada f □ vi rir alto

chorus /'kɔːrəs/ n coro m; (of song) refrão m, estribilho m

chose, chosen /tʃəʊz, 'tʃəʊzn/ see **choose**

Christ /kraɪst/ n Cristo m

christen /'krɪsn/ vt baptizar. **~ing** n baptismo m

Christian /'krɪstʃən/ a & n cristão m. **~ name** nome m de baptismo m. **~ity** /-stɪ'ænətɪ/ n cristandade f

Christmas /'krɪsməs/ n Natal m □ a do Natal. **~ card** cartão m de Boas Festas. **~ Day/Eve** dia m/véspera f de Natal. **~ tree** árvore f de Natal

chrome /krəʊm/ n crómio m

chromosome /'krəʊməsəʊm/ n cromossoma m

chronic /'krɒnɪk/ a crónico

chronicle /'krɒnɪkl/ n crónica f

chronological /krɒnə'lɒdʒɪkl/ a cronológico

chrysanthemum /krɪ'sænθəməm/ n crisântemo m

chubby /'tʃʌbɪ/ a (-ier, -iest) gorducho, rechonchudo

chuck /tʃʌk/ vt (colloq) deitar, atirar. **~ out** (person) expulsar; (thing) deitar fora

chuckle /'tʃʌkl/ n riso m abafado □ vi rir sozinho

chum /tʃʌm/ n (colloq) amigo m íntimo, camarada mf. **~my** a amigável

chunk /tʃʌŋk/ n (grande) bocado m, naco m

church /tʃɜːtʃ/ n igreja f

churchyard /'tʃɜːtʃjɑːd/ n cemitério m

churlish /'tʃɜːlɪʃ/ a grosseiro, indelicado

churn /tʃɜːn/ n batedeira f; (milk-can) vasilha f de leite □ vt bater. **~ out** produzir em série

chute /ʃuːt/ n calha f; (for rubbish) conduta f de lixo

chutney /'tʃʌtnɪ/ n (pl -eys) chutney m

cider /'saɪdə(r)/ n cidra f

cigar /sɪ'gɑː(r)/ n charuto m

cigarette /sɪgə'ret/ n cigarro m. **~-case** n cigarreira f

cinder /'sɪndə(r)/ n brasa f. **burnt to a ~** estorricado

cinema /'sɪnəmə/ n cinema m

cinnamon /'sɪnəmən/ n canela f

cipher /'saɪfə(r)/ n cifra f

circle /'sɜːkl/ n círculo m; (theat) balcão m □ vt dar a volta a □ vi descrever círculos, voltear

circuit /'sɜːkɪt/ n circuito m

circuitous /sɜː'kjuːɪtəs/ a indirecto, tortuoso

circular /'sɜːkjʊlə(r)/ a circular

circulat|e /'sɜːkjʊleɪt/ vt/i (fazer) circular. **~ion** /-'leɪʃn/ n circulação f; (sales of newspaper) tiragem f

circumcis|e /'sɜːkəmsaɪz/ vt

circuncidar. ~**ion** /'sɪʒn/ *n* circuncisão *f*

circumference /sə'kʌmfərəns/ *n* circunferência *f*

circumflex /'sɜ:kəmfleks/ *n* circunflexo *m*

circumstance /'sɜ:kəmstəns/ *n* circunstância *f*. ~**s** (*means*) situação *f* económica

circus /'sɜ:kəs/ *n* circo *m*

cistern /'sɪstən/ *n* reservatório *m*; (*of WC*) autoclismo *m*

cit|e /'saɪt/ *vt* citar. ~**ation** /'teɪʃn/ *n* citação *f*

citizen /'sɪtɪzn/ *n* cidadão *m*, cidadã *f*; (*of town*) habitante *mf*. ~**ship** *n* cidadania *f*

citrus /'sɪtrəs/ *n* ~ **fruit** citrino *m*

city /'sɪtɪ/ *n* cidade *f*

civic /'sɪvɪk/ *a* cívico

civil /'sɪvl/ *a* civil; (*rights*) cívico; (*polite*) delicado. ~ **servant** funcionário *m* público. **C~ Service** Administração *f* Pública. ~ **war** guerra *f* civil. ~**ity** /'vɪlətɪ/ *n* civilidade *f*, cortesia *f*

civilian /sɪ'vɪlɪən/ *a & n* civil *mf*, paisano *m*

civiliz|e /'sɪvəlaɪz/ *vt* civilizar. ~**ation** /'zeɪʃn/ *n* civilização *f*

claim /kleɪm/ *vt* reclamar; (*assert*) pretender □ *vi* (*from insurance*) reclamar □ *n* reivindicação *f*; (*assertion*) afirmação *f*; (*right*) direito *m*; (*from insurance*) reclamação *f*

clairvoyant /kleə'vɔɪənt/ *n* vidente *mf* □ *a* clarividente

clam /klæm/ *n* molusco *m*

clamber /'klæmbə(r)/ *vi* trepar

clammy /'klæmɪ/ *a* (**-ier, -iest**) húmido e pegajoso

clamour /'klæmə(r)/ *n* clamor *m*, vociferação *f* □ *vi* ~ **for** exigir aos gritos

clamp /klæmp/ *n* grampo *m*; (*for car*) bloqueador *m* □ *vt* prender com grampo; (*a car*) bloquear. ~ **down on** apertar, suprimir; (*colloq*) cair em cima de (*colloq*)

clan /klæn/ *n* clã *m*

clandestine /klæn'destɪn/ *a* clandestino

clang /klæŋ/ *n* tinir *m*

clap /klæp/ *vt/i* (*pt* **clapped**) aplaudir; (*put*) meter □ *n* aplauso *m*; (*of thunder*) ribombo *m*. ~ **one's hands** bater palmas

claptrap /'klæptræp/ *n* parlapatice *f*

claret /'klærət/ *n* clarete *m*

clarif|y /'klærɪfaɪ/ *vt* esclarecer. ~**ication** /-ɪ'keɪʃn/ *n* esclarecimento *m*

clarinet /klærɪ'net/ *n* clarinete *m*

clarity /'klærətɪ/ *n* claridade *f*

clash /klæʃ/ *n* choque *m*; (*sound*) estridor *m*; (*fig*) conflito *m* □ *vt/i* entrechocar(-se); (*of colours*) destoar

clasp /kla:sp/ *n* (*fastener*) fecho *m*; (*hold, grip*) aperto *m* de mão □ *vt* apertar, serrar

class /kla:s/ *n* classe *f* □ *vt* classificar

classic /'klæsɪk/ *a & n* clássico *m*. ~**s** *npl* estudos *mpl* clássicos. ~**al** *a* clássico

classif|y /'klæsɪfaɪ/ *vt* classificar. ~**ication** /-ɪ'keɪʃn/ *n* classificação *f*. ~**ied** adverti-

sement (anúncio *m*) classificado *m*

classroom /ˈklɑːsruːm/ *n* sala *f* de aulas

clatter /ˈklætə(r)/ *n* estardalhaço *m* □ *vi* fazer barulho

clause /klɔːz/ *n* cláusula *f*; (*gram*) oração *f*

claustrophob|ia /klɔːstrəˈfəʊbɪə/ *n* claustrofobia *f*. **~ic** *a* claustrofóbico

claw /klɔː/ *n* garra *f*; (*of lobster*) tenaz *f*, pinça *f* □ *vt* (*seize*) agarrar; (*scratch*) arranhar; (*tear*) rasgar

clay /kleɪ/ *n* argila *f*, barro *m*

clean /kliːn/ *a* (**-er, -est**) limpo □ *adv* completamente □ *vt* limpar □ *vi* **~ up** fazer a limpeza. **~-shaven** *a* de cara rapada. **~er** *n* mulher *f* da limpeza; (*of clothes*) empregado *m* da tinturaria. **~ly** *adv* com limpeza, como deve ser

cleans|e /klenz/ *vt* limpar; (*fig*) purificar. **~ing cream** creme *m* de limpeza

clear /klɪə(r)/ *a* (**-er, -est**) claro; (*glass*) transparente; (*without obstacles*) livre; (*profit*) líquido; (*sky*) limpo □ *adv* claramente □ *vt* (*snow, one's name, etc*) limpar; (*the table*) tirar; (*jump*) transpor; (*debt*) saldar; (*jur*) absolver; (*through customs*) despachar □ *vi* (*fog*) dissipar-se; (*sky*) limpar. **~ of** (*away from*) afastado de. **~ off** *or* **out** (*sl*) pôr-se a andar, zarpar. **~ out** (*clean*) fazer a limpeza. **~ up** (*tidy*) arrumar; (*mystery*) desvendar; (*of weather*) clarear, limpar. **~ly** *adv* claramente

clearance /ˈklɪərəns/ *n* autorização *f*; (*for ship*) despacho *m*; (*space*) espaço *m* livre. **~ sale** liquidação *f*, saldos *mpl*

clearing /ˈklɪərɪŋ/ *n* clareira *f*

clearway /ˈklɪəweɪ/ *n* rodovia *f* de estacionamento proibido

cleavage /ˈkliːvɪdʒ/ *n* divisão *f*; (*between breasts*) rego *m*; (*of dress*) decote *m*

cleaver /ˈkliːvə(r)/ *n* cutelo *m*

clef /klef/ *n* (*mus*) clave *f*

cleft /kleft/ *n* fenda *f*

clench /klentʃ/ *vt* (*teeth, fists*) cerrar; (*grasp*) agarrar

clergy /ˈklɜːdʒɪ/ *n* clero *m*. **~man** *n* (*pl* **-men**) clérigo *m*, sacerdote *m*

cleric /ˈklerɪk/ *n* clérigo *m*. **~al** *a* (*relig*) clerical; (*of clerks*) de escritório

clerk /klɑːk/ *n* auxiliar *m* de escritório

clever /ˈklevə(r)/ *a* (**-er, -est**) esperto, inteligente; (*skilful*) hábil, habilidoso. **~ly** *adv* inteligentemente; (*skilfully*) habilmente, habilidosamente. **~ness** *n* esperteza *f*, inteligência *f*

cliché /ˈkliːʃeɪ/ *n* chavão *m*, lugar-comum *m*, clichê *m*

click /klɪk/ *n* estalido *m*, clique *m* □ *vi* dar um estalido

client /ˈklaɪənt/ *n* cliente *mf*

clientele /kliːənˈtel/ *n* clientela *f*

cliff /klɪf/ *n* penhasco *m*. **~s** *npl* falésia *f*

climat|e /ˈklaɪmɪt/ *n* clima *m*. **~ic** /-ˈmætɪk/ *a* climático

climax /ˈklaɪmæks/ *n* clímax *m*, ponto *m* culminante

climb /klaɪm/ *vt* (*stairs*) subir;

(*tree, wall*) subir a, trepar a; (*mountain*) escalar □ *vi* subir, trepar □ *n* subida *f*; (*mountain*) escalada *f*. ~ **down** descer; (*fig*) dar a mão à palmatória (*fig*). ~**er** *n* (*sport*) alpinista *mf*; (*plant*) trepadeira *f*

clinch /klɪntʃ/ *vt* (*deal*) fechar; (*argument*) resolver

cling /klɪŋ/ *vi* (*pt* **clung**) ~ (**to**) agarrar-se (a); (*stick*) colar-se (a)

clinic /ˈklɪnɪk/ *n* clínica *f*

clinical /ˈklɪnɪkl/ *a* clínico

clink /klɪŋk/ *n* tinido *m* □ *vt/i* (*fazer*) tilintar

clip[1] /klɪp/ *m* (*for paper*) clip *m*; (*for hair*) gancho *m*; (*for tube*) braçadeira *f* □ *vt* (*pt* **clipped**) prender

clip[2] /klɪp/ *vt* (*pt* **clipped**) cortar; (*trim*) aparar □ *n* tosquia *f*; (*colloq: blow*) murro *m*. ~**ping** *n* recorte *m*

clique /kliːk/ *n* panelinha *f*, facção *f*, conventículo *m*

cloak /kləʊk/ *n* capa *f*, manto *m*

cloakroom /ˈkləʊkruːm/ *n* vestiário *m*; (*toilet*) lavabo *m*

clock /klɒk/ *n* relógio *m* □ *vi* ~**in/out** marcar o ponto (à entrada/à saída). ~ **up** (*colloq: miles etc*) fazer

clockwise /ˈklɒkwaɪz/ *a & adv* no sentido dos ponteiros do relógio

clockwork /ˈklɒkwɜːk/ *n* mecanismo *m*. **go like** ~ ir às mil maravilhas

clog /klɒg/ *n* tamanco *m*, soco *m* □ *vt/i* (*pt* **clogged**) entupir(-se)

cloister /ˈklɔɪstə(r)/ *n* claustro *m*

close[1] /kləʊs/ *a* (**-er** , **-est**) próximo (**to** de); (*link, collaboration*) estreito; (*friend*) íntimo; (*weather*) abafado □ *adv* perto. ~ **at hand**, ~ **by** muito perto. ~ **together** (*crowded*) espremido. **have a** ~ **shave** (*fig*) escapar por um triz. ~~**up** *n* grande plano *m*. ~**ly** *adv* de perto. ~**ness** *n* proximidade *f*

close[2] /kləʊz/ *vt/i* fechar(-se); (*end*) terminar; (*of shop etc*) fechar □ *n* fim *m*. ~**d shop** organização *f* que só admite trabalhadores sindicalizados

closet /ˈklɒzɪt/ *n* (*Amer*) armário *m*

closure /ˈkləʊʒə(r)/ *n* encerramento *m*

clot /klɒt/ *n* coágulo *m* □ *vi* (*pt* **clotted**) coagular

cloth /klɒθ/ *n* pano *m*; (*tablecloth*) toalha *f* de mesa

clothe /kləʊð/ *vt* vestir. ~**ing** *n* vestuário *m*, roupa *f*

clothes /kləʊðz/ *npl* roupa *f*, vestuário *m*. ~~**line** *n* varal *m* para roupa

cloud /klaʊd/ *n* núvem *f* □ *vt/i* toldar(-se). ~**y** *a* nublado, toldado; (*liquid*) turvo

clout /klaʊt/ *n* cascudo *m*, carolo *m*; (*colloq: power*) poder *m* efectivo □ *vt* (*colloq*) bater

clove /kləʊv/ *n* cravo *m*. ~ **of garlic** dente *m* de alho

clover /ˈkləʊvə(r)/ *n* trevo *m*

clown /klaʊn/ *n* palhaço *m* □ *vi* fazer palhaçadas

club /klʌb/ *n* clube *m*; (*wea-*

pon) cacete *m.* ~**s** *(cards)* paus *mpl* □ *vt/i (pt* **clubbed)** dar bordoadas *or* cacetadas (em). ~ **together** *(share costs)* cotizar-se

cluck /klʌk/ *vi* cacarejar

clue /klu:/ *n* indício *m,* pista *f;* *(in crossword)* definição *f.* **not have a** ~ *(colloq)* não fazer a menor idéia

clump /klʌmp/ *n* maciço *m,* tufo *m*

clumsy /ˈklʌmzɪ/ *a* (**-ier, -iest)** desajeitado

clung /klʌŋ/ *see* **cling**

cluster /ˈklʌstə(r)/ *n (pequeno)* grupo *m; (bot)* cacho *m* □ *vt/i* agrupar(-se)

clutch /klʌtʃ/ *vt* agarrar (em), apertar *f* □ *vi* agarrar-se **(at** a) □ *n (auto)* embraiagem *f.* ~**es** *npl* garras *fpl*

clutter /ˈklʌtə(r)/ *n* barafunda *f,* desordem *f* □ *vt* atravancar

coach /kəʊtʃ/ *n* camioneta *f,* *(of train)* carruagem *f;* *(sport)* treinador *m* □ *vt (tutor)* dar aulas a; *(sport)* treinar

coagulate /kəʊˈægjʊleɪt/ *vt/i* coagular(-se)

coal /kəʊl/ *n* carvão *m*

coalfield /ˈkəʊlfiːld/ *n* região *f* carbonífera

coalition /kəʊəˈlɪʃn/ *n* coligação *f*

coarse /kɔːs/ *a* (**-er, -est)** grosseiro

coast /kəʊst/ *n* costa *f* □ *vi* costear; *(cycle)* descer em roda-livre; *(car)* ir em ponto morto. ~**al** *a* costeiro

coastguard /ˈkəʊstgaːd/ *n* polícia *f* marítima

coastline /ˈkəʊstlaɪn/ *n* litoral *m*

coat /kəʊt/ *n* casaco *m;* *(of animal)* pêlo *m;* *(of paint)* camada *f,* demão *f* □ *vt* cobrir. ~ **of arms** brasão *m.* ~**ing** *n* camada *f*

coax /kəʊks/ *vt* levar com afagos ou lisonjas, convencer

cobble /ˈkɒbl/ *n* ~**(-stone)** *n* pedra *f* de calçada

cobweb /ˈkɒbweb/ *n* teia *f* de aranha

cocaine /kəʊˈkeɪn/ *n* cocaína *f*

cock /kɒk/ *n (male bird)* macho *m; (rooster)* galo *m* □ *vt* *(gun)* engatilhar; *(ears)* arrebitar. ~**-eyed** *a (sl: askew)* de esguelha

cockerel /ˈkɒkərəl/ *n* frango *m,* galo *m* novo

cockle /ˈkɒkl/ *n* berbigão *m*

cockney /ˈkɒknɪ/ *n (pl* **-eys)** *(person)* londrino *m;* *(dialect)* dialecto *m* do leste de Londres

cockpit /ˈkɒkpɪt/ *n* cabine *f*

cockroach /ˈkɒkrəʊtʃ/ *n* barata *f*

cocktail /ˈkɒkteɪl/ *n* cocktail *m* **fruit** ~ salada *f* de frutas

cocky /ˈkɒkɪ/ *a* (**-ier, -iest)** convencido *(colloq)*

cocoa /ˈkəʊkəʊ/ *n* cacau *m*

coconut /ˈkəʊkənʌt/ *n* coco *m*

cocoon /kəˈkuːn/ *n* casulo *m*

cod /kɒd/ *n (pl invar)* bacalhau *m.* ~**-liver oil** *n* óleo *m* de fígado de bacalhau

code /kəʊd/ *n* código *m* □ *vt* codificar

coeducational /kəʊedʒʊˈkeɪʃənl/ *a* misto

coerc|e /kəʊˈɜːs/ *vt* coagir. ~**ion** /-ʃn/ *n* coacção *f*

coexist /ˌkəʊɪgˈzɪst/ vi coexistir. **~ence** n coexistência f

coffee /ˈkɒfɪ/ n café m. **~ bar** café m. **~-pot** n cafeteira f. **~-table** n mesa f baixa

coffin /ˈkɒfɪn/ n caixão m

cog /kɒg/ n dente m de roda. **a ~ in the machine** (fig) um pauzinho na engrenagem

cogent /ˈkəʊdʒənt/ a convincente; (relevant) pertinente

cognac /ˈkɒnjæk/ n conhaque m

cohabit /kəʊˈhæbɪt/ vi coabitar

coherent /kəˈhɪərənt/ a coerente

coil /kɔɪl/ vt/i enrolar(-se) □ n rolo m; (electr) bobina f; (one ring) espiral f; (contraceptive) dispositivo m intra-uterino, DIU

coin /kɔɪn/ n moeda f □ vt cunhar

coincide /kəʊɪnˈsaɪd/ vi coincidir

coinciden|ce /kəʊˈɪnsɪdəns/ n coincidência f. **~tal** /ˈdentl/ a que acontece por coincidência

colander /ˈkʌləndə(r)/ n peneira f, coador m

cold /kəʊld/ a (-er, -est) frio □ n frio m; (med) resfriado m, constipação f. **be or feel ~** estar com frio. **it's ~** está frio. **~-blooded** a (person) insensível; (deed) a sangue frio. **~ cream** creme m para a pele. **~ness** n frio m; (of feeling) frieza f

coleslaw /ˈkəʊlslɔː/ n salada f de repolho cru

colic /ˈkɒlɪk/ n cólica(s) f (pl)

collaborat|e /kəˈlæbəreɪt/ vi colaborar. **~ion** /ˈreɪʃn/ n colaboração f. **~or** n colaborador m

collapse /kəˈlæps/ vi desabar; (med) ter um colapso □ n colapso m

collapsible /kəˈlæpsəbl/ a desmontável, dobrável

collar /ˈkɒlə(r)/ n gola f; (of shirt) colarinho m; (of dog) coleira f □ vt (colloq) deitar a mão a. **~-bone** n clavícula f

colleague /ˈkɒliːg/ n colega mf

collect /kəˈlekt/ vt (gather) juntar; (fetch) ir/vir buscar; (money, rent) cobrar; (as hobby) coleccionar □ vi juntar-se. **call ~** (Amer) chamar a cobrar. **~ion** /-ʃn/ n colecção f; (in church) colecta f; (of mail) tiragem f, abertura f. **~or** n (as hobby) coleccionador m

collective /kəˈlektɪv/ a colectivo

college /ˈkɒlɪdʒ/ n colégio m

collide /kəˈlaɪd/ vi colidir

colliery /ˈkɒlɪərɪ/ n mina f de carvão

collision /kəˈlɪʒn/ n colisão f, choque m; (fig) conflito m

colloquial /kəˈləʊkwɪəl/ a coloquial. **~ism** n expressão f coloquial

collusion /kəˈluːʒn/ n conluio m

colon /ˈkəʊlən/ n (gram) dois pontos mpl; (anat) cólon m

colonel /ˈkɜːnl/ n coronel m

colonize /ˈkɒlənaɪz/ vt colonizar

colon|y /ˈkɒlənɪ/ n colónia f.

~**ial** /kə'ləʊnɪəl/ *a* & *n* colonial *mf*

colossal /kə'lɒsl/ *a* colossal

colour /'kʌlə(r)/ *n* cor *f* □ *a* (photo, TV, film, etc) a cores □ *vt* colorir, dar cor a □ *vi* (blush) corar. ~-**blind** *a* daltónico. ~**ful** *a* colorido. ~**ing** *n* (of skin) cor *f*; (in food) corante *m*. ~**less** *a* descolorido

coloured /'kʌləd/ *a* (pencil, person) de cor □ *n* pessoa *f* de cor

column /'kɒləm/ *n* coluna *f*

columnist /'kɒləmnɪst/ *n* colunista *mf*

coma /'kəʊmə/ *n* coma *m*

comb /kəʊm/ *n* pente *m* □ *vt* pentear; (search) vasculhar. ~ **one's hair** pentear-se

combat /'kɒmbæt/ *n* combate *m* □ *vt* (pt **combated**) combater

combination /kɒmbɪ'neɪʃn/ *n* combinação *f*

combine /kəm'baɪn/ *vt/i* combinar(-se), juntar(-se), reunir(-se)

combustion /kəm'bʌstʃən/ *n* combustão *f*

come /kʌm/ *vi* (pt **came**, pp **come**) vir; (arrive) chegar; (occur) suceder. ~ **about** acontecer. ~ **across** encontrar, dar com. ~ **away** *or* **off** soltar-se. ~ **back** voltar. ~-**back** *n* regresso *m*; (retort) réplica *f*. ~ **by** obter. ~ **down** descer; (price) baixar. ~-**down** *n* humilhação *f*. ~ **from** vir de. ~ **in** entrar. ~ **into** (money) herdar. ~ **off** (succeed) ter êxito; (fare)

sair-se. ~ **on!** vamos! ~ **out** sair. ~ **round** (after fainting) voltar a si; (be converted) deixar-se convencer. ~ **to** (amount to) montar a. ~ **up** subir; (seeds) despontar; (fig) surgir. ~ **up with** (idea) vir com, propor. ~-**uppance** *n* castigo *m* merecido

comedian /kə'miːdɪən/ *n* comediante *mf*

comedy /'kɒmədɪ/ *n* comédia *f*

comet /'kɒmɪt/ *n* cometa *m*

comfort /'kʌmfət/ *n* conforto *m* □ *vt* confortar, consolar. ~**able** *a* confortável

comic /'kɒmɪk/ *a* cómico □ *n* cómico *m*; (periodical) revista *f* de banda desenhada. ~ **strip** banda *f* desenhada, (Br) estória *f* em quadrinhos. ~**al** *a* cómico

coming /'kʌmɪŋ/ *n* vinda *f* □ *a* próximo. ~**s and goings** idas e vindas *fpl*

comma /'kɒmə/ *n* vírgula *f*

command /kə'mɑːnd/ *n* (mil) comando *m*; (order) ordem *f*; (mastery) domínio *m* □ *vt* comandar; (respect) inspirar, impor. ~**er** *n* comandante *m*. ~**ing** *a* imponente

commandeer /kɒmən'dɪə(r)/ *vt* requisitar

commandment /kə'mɑːndmənt/ *n* mandamento *m*

commemorat|e /kə'meməreɪt/ *vt* comemorar. ~**ion** /-'reɪʃn/ *n* comemoração *f*. ~**ive** *a* comemorativo

commence /kə'mens/ *vt/i* começar. ~**ment** *n* começo *m*

commend /kə'mend/ *vt* louvar;

(*entrust*) confiar. ~**able** *a* louvável. ~**ation** /kɒmen'deɪʃn/ *n* louvor *m*

comment /'kɒment/ *n* comentário *m* □ *vi* comentar. ~ **on** comentar, fazer comentários

commentary /'kɒməntrɪ/ *n* comentário *m*; (*radio, TV*) relato *m*

commentat|e /'kɒmənteɪt/ *vi* fazer um relato. ~**or** *n* (*radio, TV*) comentador *m*

commerce /'kɒmɜːs/ *n* comércio *m*

commercial /kə'mɜːʃl/ *a* comercial □ *n* publicidade (comercial) *f*. ~**ize** *vt* comercializar

commiserat|e /kə'mɪzəreɪt/ *vi* ~ **with** compadecer-se de. ~**ion** /'reɪʃn/ *n* comiseração *f*, pesar *m*

commission /kə'mɪʃn/ *n* missão *f*; (*order for work*) encomenda *f* □ *vt* encomendar; (*mil*) nomear. ~ **to do** encarregar de fazer. **out of** ~ fora de serviço activo. ~**er** *n* comissário *m*; (*police*) chefe *m*

commit /kə'mɪt/ *vt* (*pt* **committed**) cometer; (*entrust*) confiar. ~ **o.s.** comprometer-se, em-penhar-se. ~ **suicide** suicidar-se. ~ **to memory** decorar. ~**ment** *n* compromisso *m*

committee /kə'mɪtɪ/ *n* comissão *f*, comité *m*

commodity /kə'mɒdətɪ/ *n* artigo *m*, mercadoria *f*

common /'kɒmən/ *a* (-**er**, -**est**) comum; (*usual*) usual, corrente; (*pej*: ill-bred) ordiná-

rio □ *n* baldio *m*. ~ **law** direito *m* consuetudinário. **C~ Market** Mercado *m* Comum. ~-**room** *n* sala *f* dos professores. ~ **sense** bom senso *m*, senso *m* comum. **House of C~s** Câmara *f* dos Comuns. **in** ~ em comum. ~**ly** *adv* mais comum

commoner /'kɒmənə(r)/ *n* plebeu *m*

commonplace /'kɒmənpleɪs/ *a* banal □ *n* lugar-comum *m*

commotion /kə'məʊʃn/ *n* agitação *f*, confusão *f*, barulheira *f*

communal /'kɒmjʊnl/ *a* (*of a commune*) comunal; (*shared*) comum

commune /'kɒmjuːn/ *n* comuna *f*

communicat|e /kə'mjuːnɪkeɪt/ *vt/i* comunicar. ~**ion** /'keɪʃn/ *n* comunicação *f*. ~**ion cord** sinal *m* de alarme. ~**ive** /-ətɪv/ *a* comunicativo

communion /kə'mjuːnɪən/ *n* comunhão *f*

communis|t /'kɒmjʊnɪst/ *n* comunista *mf* □ *a* comunista. ~**m** /-zəm/ *n* comunismo *m*

community /kə'mjuːnətɪ/ *n* comunidade *f*. ~ **centre** centro *m* comunitário

commute /kə'mjuːt/ *vi* viajar diariamente para o trabalho. ~**r** /-ə(r)/ *n* pessoa *f* que viaja diariamente para o trabalho

compact[1] /kəm'pækt/ *a* compacto. ~ **disc** /'kɒmpækt/ cd *m*

compact[2] /'kɒmpækt/ *n* caixa *f* de pó-de-arroz

companion /kəmˈpænɪən/ n
companheiro m. ~**ship** n
companhia f, convívio m
company /ˈkʌmpənɪ/ n companhia f; (guests) visitas fpl.
keep sb ~ fazer companhia
a alg
comparable /ˈkɒmpərəbl/ a
comparável
compar|e /kəmˈpeə(r)/ vt/i
comparar(-se) (**to, with**
com). ~**ative** /ˈpærətɪv/ a
comparativo; (comfort etc)
relativo
comparison /kəmˈpærɪsn/ n
comparação f
compartment /kəmˈpɑːtmənt/
n compartimento m
compass /ˈkʌmpəs/ n bússola
f. ~**es** compasso m
compassion /kəmˈpæʃn/ n
compaixão f. ~**ate** a compassivo
compatib|le /kəmˈpætəbl/ a
compatível. ~**ility** /ˈbɪlətɪ/ n
compatibilidade f
compel /kəmˈpel/ vt (pt **compelled**) compelir, forçar.
~**ling** a irresistível, convincente
compensat|e /ˈkɒmpənseɪt/ vt/i
compensar. ~**ion** /ˈseɪʃn/ n
compensação f; (financial)
indemnização f
compete /kəmˈpiːt/ vi competir. ~ **with** rivalizar com
competen|t /ˈkɒmpɪtənt/ a
competente. ~**ce** n competência f
competition /kɒmpəˈtɪʃn/ n
competição f; (comm) concorrência f
competitive /kəmˈpetɪtɪv/ a
(sport, prices) competitivo.
~ **examination** concurso m

competitor /kəmˈpetɪtə(r)/ n
competidor m, concorrente
mf
compile /kəmˈpaɪl/ vt compilar, coligir. ~**r** /-ə(r)/ n compilador m
complacen|t /kəmˈpleɪsnt/ a
satisfeito consigo mesmo,
complacente. ~**cy** n (auto-)
satisfação f, complacência f
complain /kəmˈpleɪn/ vi queixar-se (**about, of** de)
complaint /kəmˈpleɪnt/ n queixa f; (in shop) reclamação f;
(med) doença f, achaque m
complement /ˈkɒmplɪmənt/ n
complemento m □ vt completar, complementar. ~**ary**
/ˈmentrɪ/ a complementar
complet|e /kəmˈpliːt/ a completo; (finished) acabado;
(downright) perfeito □ vt
completar; (a form) preencher. ~**ely** adv completamente. ~**ion** /-ʃn/ n conclusão f,
feitura f, realização f
complex /ˈkɒmpleks/ a complexo □ n complexo m. ~**ity**
/kəmˈpleksətɪ/ n complexidade f
complexion /kəmˈplekʃn/ n
cor f da tez; (fig) carácter m,
aspecto m
compliance /kəmˈplaɪəns/ n
docilidade f; (agreement)
conformidade f. **in ~ with**
em conformidade com
complicat|e /ˈkɒmplɪkeɪt/ vt
complicar. ~**ed** a complicado. ~**ion** /ˈkeɪʃn/ n complicação f
compliment /ˈkɒmplɪmənt/ n
cumprimento m □ vt
/ˈkɒmplɪment/ cumprimentar

complimentary /kɒmplɪ'men-trɪ/ *a* amável, elogioso. ~ **copy** oferta *f*. ~ **ticket** bilhete *m* grátis

comply /kəm'plaɪ/ *vi* ~ **with** agir em conformidade com

component /kəm'pəʊnənt/ *n* componente *m*; (*of machine*) peça *f* □ *a* componente, constituinte

compose /kəm'pəʊz/ *vt* compor. ~ **o.s.** acalmar-se, dominar-se. ~**d** *a* calmo, senhor de si. ~**r** /-ə(r)/ *n* compositor *m*

composition /kɒmpə'zɪʃn/ *n* composição *f*

compost /'kɒmpɒst/ *n* húmus *m*, adubo *m*

composure /kəm'pəʊʒə(r)/ *n* calma *f*, domínio *m* de si mesmo

compound /'kɒmpaʊnd/ *n* composto *m*; (*enclosure*) cercado *m*, recinto *m* □ *a* composto. ~ **fracture** fractura *f* exposta

comprehen|d /kɒmprɪ'hend/ *vt* compreender. ~**sion** /-ʃn/ *n* compreensão *f*

comprehensive /kɒmprɪ'hen-sɪv/ *a* compreensivo, vasto; (*insurance*) contra todos os riscos. ~ **school** escola *f* de ensino secundário técnico e académico

compress /kəm'pres/ *vt* comprimir. ~**ion** /-ʃn/ *n* compressão *f*

comprise /kəm'praɪz/ *vt* compreender, abranger

compromise /'kɒmprəmaɪz/ *n* compromisso *m* □ *vt* comprometer □ *vi* chegar a um meio-termo

compulsion /kəm'pʌlʃn/ *n* (*constraint*) coacção *f*; (*psych*) desejo *m* irresistível

compulsive /kəm'pʌlsɪv/ *a* (*psych*) compulsivo; (*liar, smoker etc*) inveterado

compulsory /kəm'pʌlsərɪ/ *a* obrigatório, compulsório

computer /kəm'pju:tə(r)/ *n* computador *m*. ~ **science** informática *f*. ~**ize** *vt* computorizar

comrade /'kɒmreɪd/ *n* camarada *mf*. ~**ship** *n* camaradagem *f*

con¹ /kɒn/ *vt* (*pt* **conned**) (*sl*) enganar □ *n* (*sl*) intrujice *f*, vigarice *f*, burla *f*. ~ **man** (*sl*) intrujão *m*, vigarista *m*, burlão *m*

con² /kɒn/ *see* **pro**

concave /'kɒnkeɪv/ *a* côncavo

conceal /kən'si:l/ *vt* ocultar, esconder. ~**ment** *n* encobrimento *m*

concede /kən'si:d/ *vt* conceder, admitir; (*in a game etc*) ceder

conceit /kən'si:t/ *n* presunção *f*. ~**ed** *a* presunçoso, presumido, cheio de si

conceivabl|e /kən'si:vəbl/ *a* concebível. ~**y** *adv* possivelmente

conceive /kən'si:v/ *vt/i* conceber

concentrat|e /'kɒnsntreɪt/ *vt/i* concentrar(-se). ~**ion** /'treɪʃn/ *n* concentração *f*

concept /'kɒnsept/ *n* conceito *m*

conception /kən'sepʃn/ *n* concepção *f*

concern /kən'sɜ:n/ *n* (*worry*)

preocupação f; (business) negócio m □ vt dizer respeito a, respeitar. ~ o.s. with, be ~ed with interessar-se por, ocupar-se de; (regard) dizer respeito a. it's no ~ of mine não me diz respeito. ~ing prep sobre, respeitante a

concerned /kən'sɜːnd/ a inquieto, preocupado (**about** com)

concert /'kɒnsət/ n concerto m

concerted /kən'sɜːtɪd/ a concertado

concession /kən'seʃn/ n concessão f

concise /kən'saɪs/ a conciso. ~ly adv concisamente

conclu|de /kən'kluːd/ vt concluir □ vi terminar. ~ding a final. ~sion n conclusão f

conclusive /kən'kluːsɪv/ a conclusivo. ~ly adv de forma conclusiva

concoct /kən'kɒkt/ vt preparar por mistura; (fig: invent) fabricar. ~ion /-ʃn/ n mistura f; (fig) invenção f, mentira f

concrete /'kɒnkriːt/ n betão m, cimento m □ a concreto □ vt betomar, cimentar

concur /kən'kɜː(r)/ vi (pt **concurred**) concordar; (of circumstances) concorrer

concussion /kən'kʌʃn/ n comoção f cerebral

condemn /kən'dem/ vt condenar. ~ation /kɒndem'neɪʃn/ n condenação f

condens|e /kən'dens/ vt/i condensar(-se). ~ation /kɒnden'seɪʃn/ n condensação f

condescend /kɒndɪ'send/ vi condescender; (lower o.s.) rebaixar-se

condition /kən'dɪʃn/ n condição f □ vt condicionar. on ~ that com a condição de que. ~al a condicional. ~er n (for hair) amaciador m

condolences /kən'dəʊlənsɪz/ npl condolências fpl, pêsames mpl, sentimentos mpl

condom /'kɒndəm/ n preservativo m

condone /kən'dəʊn/ vt desculpar, fechar os olhos a

conducive /kən'djuːsɪv/ a be ~ to contribuir para, ser propício a

conduct[1] /kən'dʌkt/ vt conduzir, dirigir; (orchestra) reger

conduct[2] /'kɒndʌkt/ n conduta f

conductor /kən'dʌktə(r)/ n maestro m; (electr; of bus) condutor m

cone /kəʊn/ n cone m; (bot) pinha f; (for ice-cream) cone m

confectioner /kən'fekʃnə(r)/ n pasteleiro m. ~y n pastelaria f

confederation /kənfedə'reɪʃn/ n confederação f

confer /kən'fɜː(r)/ vt (pt **conferred**) vt conferir, outorgar □ vi conferenciar

conference /'kɒnfərəns/ n conferência f. **in** ~ em reunião f

confess /kən'fes/ vt/i confessar; (relig) confessar(-se). ~ion /-ʃn/ n confissão f. ~ional n confessionário m. ~or n confessor m

confetti /kən'fetɪ/ n confetti mpl

confide /kən'faɪd/ vt confiar □
vi ~ **in** confiar em

confiden|t /'kɒnfɪdənt/ a confiante, confiado. ~**ce** n confiança f; (boldness) confiança f em si; (secret) confidência f. ~**ce trick** vigarice f. **in** ~**ce** em confidência

confidential /kɒnfɪ'denʃl/ a confidencial

confine /kən'faɪn/ vt fechar; (limit) limitar (**to** a). ~**ment** n detenção f; (med) parto m

confirm /kən'fɜ:m/ vt confirmar. ~**ation** /kɒnfə'meɪʃn/ n confirmação f. ~**ed** a (bachelor) inveterado

confiscat|e /'kɒnfɪskeɪt/ vt confiscar. ~**ion** /'keɪʃn/ n confiscação f

conflict[1] /'kɒnflɪkt/ n conflito m

conflict[2] /kən'flɪkt/ vi estar em contradição. ~**ing** a contraditório

conform /kən'fɔ:m/ vt/i conformar(-se)

confound /kən'faʊnd/ vt confundir. ~**ed** a (colloq) maldito

confront /kən'frʌnt/ vt confrontar, defrontar, enfrentar. ~ **with** confrontar-se com. ~**ation** /kɒnfrʌn'teɪʃn/ n confrontação f

confus|e /kən'fju:z/ vt confundir. ~**ed** a confuso. ~**ing** a que faz confusão. ~**ion** /-ʒn/ n confusão f

congeal /kən'dʒi:l/ vt/i congelar, solidificar

congenial /kən'dʒi:nɪəl/ a (agreeable) simpático

congenital /kən'dʒenɪtl/ a congénito

congest|ed /kən'dʒestɪd/ a congestionado. ~**ion** /-tʃn/ n (traffic) congestionamento m; (med) congestão f

congratulat|e /kən'grætjʊleɪt/ vt felicitar, dar os parabéns (**on** por). ~**ions** /'leɪ/nz/ npl felicitações fpl, parabéns mpl

congregat|e /'kɒngrɪgeɪt/ vi reunir-se. ~**ion** /'geɪ/n/ n (in church) congregação f, fiéis mpl

congress /'kɒngres/ n congresso m. **C~** (Amer) Congresso m

conjecture /kən'dʒekt/ə(r)/ n conjectura f □ vt/i conjecturar

conjugal /'kɒndʒʊgl/ a conjugal

conjugat|e /'kɒndʒʊgeɪt/ vt conjugar. ~**ion** /'geɪ/n/ n conjugação f

conjunction /kən'dʒʌŋkʃn/ n conjunção f

conjur|e /'kʌndʒə(r)/ vi fazer truques mágicos □ vt ~ **up** fazer aparecer. ~**or** n mágico m, prestidigitador m

connect /kə'nekt/ vt/i ligar(-se); (of train) fazer ligação. ~**ed** a ligado. **be** ~**ed with** estar relacionado com

connection /kə'nek/n/ n relação f; (phone call) ligação f; (electr) contacto m

connoisseur /kɒnə'sɜ:(r)/ n conhecedor m, apreciador m

connotation /kɒnə'teɪ/n/ n conotação f

conquer /'kɒŋkə(r)/ vt vencer;

(*country*) conquistar. **~or** *n* conquistador *m*

conquest /ˈkɒŋkwest/ *n* conquista *f*

conscience /ˈkɒnʃəns/ *n* consciência *f*

conscientious /kɒnʃɪˈenʃəs/ *a* consciencioso

conscious /ˈkɒnʃəs/ *a* consciente. **~ly** *adv* conscientemente. **~ ness** *n* consciência *f*

conscript[1] /kənˈskrɪpt/ *vt* recrutar. **~ion** /-ʃn/ *n* serviço *m* militar obrigatório

conscript[2] /ˈkɒnskrɪpt/ *n* recruta *m*

consecrate /ˈkɒnsɪkreɪt/ *vt* consagrar

consecutive /kənˈsekjʊtɪv/ *a* consecutivo, seguido

consensus /kənˈsensəs/ *n* consenso *m*

consent /kənˈsent/ *vi* consentir (**to** em) □ *n* consentimento *m*

consequence /ˈkɒnsɪkwəns/ *n* consequência *f*

consequent /ˈkɒnsɪkwənt/ *a* resultante (**on, upon** de). **~ly** *adv* por consequência, por conseguinte

conservation /kɒnsəˈveɪʃn/ *n* conservação *f*

conservative /kənˈsɜːvətɪv/ *a* conservador; (*estimate*) moderado. **C~** *a* & *n* conservador *m*

conservatory /kənˈsɜːvətrɪ/ *n* (*greenhouse*) estufa *f*; (*house extension*) jardim *m* de Inverno

conserve /kənˈsɜːv/ *vt* conservar

consider /kənˈsɪdə(r)/ *vt* considerar; (*allow for*) levar em consideração. **~ation** /ˈreɪʃn/ *n* consideração *f*. **~ing** *prep* em vista de, tendo em conta

considerabl|e /kənˈsɪdərəbl/ *a* considerável; (*much*) muito. **~y** *adv* consideravelmente

considerate /kənˈsɪdərət/ *a* atencioso, delicado

consign /kənˈsaɪn/ *vt* consignar. **~ment** *n* consignação *f*

consist /kənˈsɪst/ *vi* consistir (**of, in**) em

consisten|t /kənˈsɪstənt/ *a* (*unchanging*) constante; (*not contradictory*) coerente. **~t with** conforme com. **~cy** *n* consistência *f*; (*fig*) coerência *f*. **~tly** *adv* regularmente

consol|e /kənˈsəʊl/ *vt* consolar. **~ation** /kɒnsəˈleɪʃn/ *n* consolação *f*. **~ation prize** prémio *m* de consolação

consolidat|e /kənˈsɒlɪdeɪt/ *vt/i* consolidar(-se). **~ion** /ˈdeɪʃn/ *n* consolidação *f*

consonant /ˈkɒnsənənt/ *n* consoante *f*

consortium /kənˈsɔːtɪəm/ *n* (*pl* **-tia**) consórcio *m*

conspicuous /kənˈspɪkjʊəs/ *a* conspícuo, visível; (*striking*) notável. **make o.s. ~** fazer-se notar, chamar a atenção

conspira|cy /kənˈspɪrəsɪ/ *n* conspiração *f*. **~tor** *n* conspirador *m*

conspire /kənˈspaɪə(r)/ *vi* conspirar

constable /ˈkʌnstəbl/ *n* polícia *m*

constant /ˈkɒnstənt/ *a* constante. **~ly** *adv* constantemente

constellation /kɒnstəˈleɪʃn/ n
constelação f

consternation /kɒnstəˈneɪʃn/
n consternação f

constipation /kɒnstɪˈpeɪʃn/ n
prisão f de ventre

constituency /kənˈstɪtjʊənsɪ/ n
(pl -cies) círculo m eleitoral

constituent /kənˈstɪtjʊənt/ a &
n constituinte m

constitut|e /ˈkɒnstɪtjuːt/ vt
constituir. **~ion** /-ˈtjuːʃn/ n
constituição f. **~ional**
/-ˈtjuːʃənl/ a constitucional

constrain /kənˈstreɪn/ vt cons-
tranger

constraint /kənˈstreɪnt/ n
constrangimento m

constrict /kənˈstrɪkt/ vt cons-
tringir, apertar. **~ion** /-ʃn/ n
constrição f

construct /kənˈstrʌkt/ vt construir. **~ion** /-ʃn/ n construção
f. **under ~ion** em construção

constructive /kənˈstrʌktɪv/ a
construtivo

consul /ˈkɒnsl/ n cônsul m

consulate /ˈkɒnsjʊlət/ n consulado m

consult /kənˈsʌlt/ vt consultar.
~ation /kɒnslˈteɪʃn/ n consulta f

consultant /kənˈsʌltənt/ n consultor m; (med) especialista
mf

consume /kənˈsjuːm/ vt consumir. **~r** /-ə(r)/ n consumidor
m

consumption /kənˈsʌmpʃn/ n
consumo m

contact /ˈkɒntækt/ n contacto
m; (person) relação f. **~ len-
ses** lentes fpl de contacto □
vt contactar

contagious /kənˈteɪdʒəs/ a
contagioso

contain /kənˈteɪn/ vt conter. **~
o.s.** conter-se. **~er** n recipiente m; (for transport)
contentor m

contaminat|e /kənˈtæmɪneɪt/
vt contaminar. **~ion** /-ˈneɪʃn/
n contaminação f

contemplat|e /ˈkɒntempleɪt/ vt
contemplar; (intend) ter em
vista; (consider) esperar,
pensar em. **~ion** /-ˈpleɪʃn/ n
contemplação f

contemporary /kənˈtemprərɪ/
a & n contemporâneo m

contempt /kənˈtempt/ n desprezo m. **~ible** a desprezível.
~uous /-tʃʊəs/ a desdenhoso

contend /kənˈtend/ vt afirmar,
sustentar □ vi **~ with** lutar
contra. **~er** n adversário m,
contendor m

content[1] /kənˈtent/ a satisfeito,
contente □ vt contentar. **~ed**
a satisfeito, contente. **~ment**
n contentamento m, satisfação f

content[2] /ˈkɒntent/ n conteúdo
m. **(table of) ~s** índice m

contention /kənˈtenʃn/ n disputa f, contenda f; (assertion) argumento m

contest[1] /ˈkɒntest/ n competição f; (struggle) luta f

contest[2] /kənˈtest/ vt contestar;
(compete for) disputar. **~ant**
n concorrente mf

context /ˈkɒntekst/ n contexto
m

continent /ˈkɒntɪnənt/ n continente m. **the C~** a Europa
(continental) f. **~al** /ˈnentl/ a
continental; (of mainland

Europe) europeu. ~**al breakfast** pequeno almoço *m* europeu. ~**al quilt** edredão *m*
contingen|t /kən'tɪndʒənt/ *a &
n* contingente *m*. ~**cy** *n* con-
tingência *f*. ~**cy plan** plano
m de emergência
continual /kən'tɪnjʊəl/ *a* contínuo. ~**ly** *adv* continua-
mente
continu|e /kən'tɪnjuː/ *vt/i* con-
tinuar. ~**ation** /-tɪnjʊ'eɪʃn/ *n*
continuação *f*.
continuity /kɒntɪ'njuːətɪ/ *n*
continuidade *f*
continuous /kən'tɪnjʊəs/ *a*
contínuo. ~**ly** *adv* continua-
mente
contort /kən'tɔːt/ *vt* contorcer;
(fig) distorcer. ~**ion** /-ʃn/ *n*
contorção *f*
contour /'kɒntʊə(r)/ *n* contorno *m*
contraband /'kɒntrəbænd/ *n*
contrabando *m*
contraception /kɒntrə'sepʃn/
n contracepção *f*
contraceptive /kɒntrə'septɪv/
a &n contraceptivo *m*
contract[1] /'kɒntrækt/ *n* contrato *m*
contract[2] /kən'trækt/ *vt/i* con-
trair(-se); *(make a contract)*
contratar. ~**ion** /-ʃn/ *n* contracção *f*
contractor /kən'træktə(r)/ *n*
empreiteiro *m*; *(firm)* recru-
tadora *f* de mão de obra temporária
contradict /kɒntrə'dɪkt/ *vt*
contradizer. ~**ion** /-ʃn/ *n*
contradição *f*. ~**ory** *a* contraditório
contraflow /'kɒntrəfləʊ/ *n* fluxo *m* em sentido contrário

contrary[1] /'kɒntrərɪ/ *a & n
(opposite)* contrário *m* □ *adv*
~ **to** contrariamente a. **on
the** ~ ao *ou* pelo contrário
contrary[2] /kən'treərɪ/ *a (perverse)* do contra, embirrento
contrast[1] /'kɒntrɑːst/ *n* contraste *m*
contrast[2] /kən'trɑːst/ *vt/i* con-
trastar. ~**ing** *a* contrastante
contravene /kɒntrə'viːn/ *vt* infringir. ~**tion** /'-venʃn/ *n*
contravenção *f*
contribut|e /kən'trɪbjuːt/ *vt/i*
contribuir **(to** para); *(to
newspaper etc)* colaborar **(to**
em). ~**ion** /kɒntrɪ'bjuːʃn/ *n*
contribuição *f*. ~**or** /'trɪbjuːtə
(r)/ *n* contribuinte *mf*; *(to
newspaper)* colaborador *m*
contrivance /kən'traɪvəns/ *n*
(invention) engenho *m*; *(device)* engenhoca *f*; *(trick)*
maquinação *f*
contrive /kən'traɪv/ *vt* imaginar, inventar. ~ **to do** conseguir fazer
control /kən'trəʊl/ *vt (pt controlled) (check, restrain)*
controlar; *(firm etc)* dirigir □
n controle *m*; *(management)*
direcção *f*. ~**s** *(of car, plane)*
comandos *mpl*; *(knobs)* botões *mpl*. **be in** ~ **of** dirigir.
under ~ sob controle
controversial /kɒntrə'vɜːʃl/ *a*
controverso, discutível
controversy /'kɒntrəvɜːsɪ/ *n*
controvérsia *f*
convalesce /kɒnvə'les/ *vi* con-
valescer. ~**nce** *n* convalescen-
ça *f*. ~**nt** /-nt/ *a & n* con-
valescente *mf*. ~**nt home**
casa *f* de repouso

convene /kən'viːn/ vt convocar □ vi reunir-se

convenience /kən'viːnɪəns/ n conveniência f. ~**s** (appliances) comodidades fpl; (lavatory) casa f de banho. at **your** ~ quando (e como) lhe convier. ~ **foods** alimentos mpl semiprontos

convenient /kən'viːnɪənt/ a conveniente. **be** ~ **for** convir a. ~**ly** adv sem inconveniente; (situated) bem; (arrive) a propósito

convent /'kɒnvənt/ n convento m. ~ **school** colégio m de freiras

convention /kən'venʃn/ n convenção f; (custom) uso m, costume m. ~**al** a convencional

converge /kən'vɜːdʒ/ vi convergir

conversant /kən'vɜːsnt/ a **be** ~ **with** conhecer; (fact) saber; (machinery) estar familiarizado com

conversation /kɒnvə'seɪʃn/ n conversa f. ~**al** a de conversa, coloquial

converse[1] /kən'vɜːs/ vi conversar

converse[2] /'kɒnvɜːs/ a & n inverso m. ~**ly** /kən'vɜːslɪ/ adv ao invés, inversamente

conver|t[1] /kən'vɜːt/ vt converter; (house) transformar. ~**sion** /-ʃn/ n conversão f; (house) transformação f. ~**tible** a convertível, conversível □ n (auto) conversível m

convert[2] /'kɒnvɜːt/ n convertido m, converso m

convex /'kɒnveks/ a convexo

convey /kən'veɪ/ vt transmitir; (goods) transportar; (idea, feeling) comunicar. ~**ance** n transporte m. ~**or belt** tapete m rolante, correia f transportadora

convict[1] /kən'vɪkt/ vt declarar culpado. ~**ion** /-ʃn/ n condenação f; (opinion) convicção f

convict[2] /'kɒnvɪkt/ n condenado m

convinc|e /kən'vɪns/ vt convencer. ~**ing** a convincente

convoluted /kɒnvə'luːtɪd/ a retorcido; (fig) complicado; (bot) convoluto

convoy /'kɒnvɔɪ/ n escolta f

convuls|e /kən'vʌls/ vt convulsionar; (fig) abalar. **be** ~**ed with laughter** torcer-se de riso. ~**ion** /-ʃn/ n convulsão f

coo /kuː/ vi (pt cooed) arrulhar □ n arrulho m

cook /kʊk/ vt/i cozinhar □ n cozinheira f, cozinheiro m. ~ **up** (colloq) cozinhar (fig), fabricar

cooker /'kʊkə(r)/ n fogão m

cookery /'kʊkərɪ/ n cozinha f. ~ **book** livro m de culinária

cookie /'kʊkɪ/ n (Amer) biscoito m

cool /kuːl/ a (-er, -est) fresco; (calm) calmo; (unfriendly) frio □ n frescura f; (sl: composure) sangue-frio m □ vt/i arrefecer. ~-**box** n geladeira f portátil. **in the** ~ ao fresco. ~**ly** /'kuːllɪ/ adv calmamente; (fig) friamente. ~**ness** n frescura f; (fig) frieza f

coop /kuːp/ n galinheiro m □ vt ~ **up** engaiolar, fechar

co-operat|e /kəʊˈɒpəreɪt/ vi cooperar. **~ion** /ˈreɪʃn/ n cooperação f

cooperative /kəʊˈɒpərətɪv/ a cooperativo □ n cooperativa f

coordinat|e /kəʊˈɔːdɪneɪt/ vt coordenar. **~ion** /ˈneɪʃn/ n coordenação f

cop /kɒp/ n (sl) chui m (sl)

cope /kəʊp/ vi aguentar-se, arranjar-se. **~ with** poder com, dar conta de

copious /ˈkəʊpɪəs/ a copioso

copper¹ /ˈkɒpə(r)/ n cobre m □ a de cobre

copper² /ˈkɒpə(r)/ n (sl) chui m (sl)

coppice /ˈkɒpɪs/, **copse** /kɒps/ ns mata f de corte

copulat|e /ˈkɒpjʊleɪt/ vi copular. **~ion** /ˈleɪʃn/ n cópula f

copy /ˈkɒpɪ/ n cópia f; (of book) exemplar m; (of newspaper) número m □ vt/i copiar

copyright /ˈkɒpɪraɪt/ n direitos mpl autorais

coral /ˈkɒrəl/ n coral m

cord /kɔːd/ n cordão m; (electr) fio m

cordial /ˈkɔːdɪəl/ a & n cordial m

cordon /ˈkɔːdn/ n cordão m □ vt **~ off** fechar (com um cordão de isolamento)

corduroy /ˈkɔːdərɔɪ/ n veludo m cotelé

core /kɔː(r)/ n âmago m; (of apple, pear) coração m

cork /kɔːk/ n cortiça f; (for bottle) rolha f □ vt rolhar

corkscrew /ˈkɔːkskruː/ n saca-rolhas m

corn¹ /kɔːn/ n trigo m; (Amer: maize) milho m; (seed) grão m. **~ on the cob** espiga f de milho

corn² /kɔːn/ n (hard skin) calo m

corned /kɔːnd/ a **~ beef** carne f de vaca enlatada

corner /ˈkɔːnə(r)/ n canto m; (of street) esquina f; (bend in road) curva f □ vt encurralar; (market) monopolizar □ vi dar uma curva, virar

cornet /ˈkɔːnɪt/ n (mus) cornetim m; (for ice-cream) cone m

cornflakes /ˈkɔːnfleɪks/ npl cornflakes mpl, cereais mpl

cornflour /ˈkɔːnflaʊə(r)/ n fécula f de milho, maisena f

Corn|wall /ˈkɔːnwəl/ n Cornualha f. **~ish** a da Cornualha

corny /ˈkɔːnɪ/ a (colloq) batido, estafado

coronary /ˈkɒrənrɪ/ n **~ (thrombosis)** infarto m, enfarte m

coronation /kɒrəˈneɪʃn/ n coroação f

coroner /ˈkɒrənə(r)/ n magistrado m que investiga os casos de morte suspeita

corporal¹ /ˈkɔːpərəl/ n (mil) cabo m

corporal² /ˈkɔːpərəl/ a **~ punishment** castigo m corporal

corporate /ˈkɔːpərət/ a colectivo; (body) corporativo

corporation /kɔːpəˈreɪʃn/ n corporação f; (of town) municipalidade f

corps /kɔː(r)/ n (pl **corps** /kɔːz/) corpo m

corpse /kɔːps/ n cadáver m
corpuscle /'kɔːpʌsl/ n corpúsculo m
correct /kə'rekt/ a correcto. **the ~ time** a hora certa. **you are ~** tem razão □ vt corrigir. **~ion** /-ʃn/ n correcção f, emenda f
correlat|e /'kɒrəleɪt/ vt/i correlacionar(-se). **~ion** /leɪʃn/ n correlação f
correspond /kɒrɪ'spɒnd/ vi corresponder (**to**, **with**, a); (write letters) corresponder-se (**with**, com). **~ence** n correspondência f. **~ent** n correspondente mf. **~ing** a correspondente
corridor /'kɒrɪdɔː(r)/ n corredor m
corroborate /kə'rɒbəreɪt/ vt corroborar
corro|de /kə'rəʊd/ vt/i corroer (-se). **~sion** n corrosão f
corrugated /'kɒrəgeɪtɪd/ a corrugado. **~ cardboard** cartão m canelado. **~ iron** chapa f ondulada
corrupt /kə'rʌpt/ a corrupto □ vt corromper. **~ion** /-ʃn/ n corrupção f
corset /'kɔːsɪt/ n espartilho m; (elasticated) cinta f elástica
Corsica /'kɔːsɪkə/ n Córsega f
cosmetic /kɒz'metɪk/ n cosmético m □ a cosmético; (fig) superficial
cosmonaut /'kɒzmənɔːt/ n cosmonauta mf
cosmopolitan /kɒzmə'pɒlɪtən/ a & n cosmopolita mf
cosset /'kɒsɪt/ vt (pt **cosseted**) proteger
cost /kɒst/ vt (pt **cost**) custar;

(pt **costed**) fixar o preço de □ n custo m. **~s** (jur) custos mpl. **at all ~s** custe o que custar. **to one's ~** à sua custa. **~ of living** custo m de vida
costly /'kɒstlɪ/ a (**-ier**, **-iest**) caro; (valuable) precioso
costume /'kɒstjuːm/ n traje m
cos|y /'kəʊzɪ/ a (**-ier**, **-iest**) confortável, íntimo □ n abafador m (do bule do chá). **~iness** n conforto m
cot /kɒt/ n cama f de bebé, berço m
cottage /'kɒtɪdʒ/ n pequena casa f de campo. **~ cheese** requeijão m; **~ industry** artesanato m. **~ pie** empada f de carne picada
cotton /'kɒtn/ n algodão m; (thread) fio m, linha f. **~ wool** algodão m hidrófilo
couch /kaʊtʃ/ n divã m
couchette /kuː'ʃet/ n couchette f
cough /kɒf/ vi tossir □ n tosse f
could /kʊd, kəd/ pt of **can²**
couldn't /'kʊdnt/ = **could not**
council /'kaʊnsl/ n conselho m. **~ house** casa f de bairro camarário
councillor /'kaʊnsələ(r)/ n vereador m
counsel /'kaʊnsl/ n conselho m; (pl invar) (jur) advogado m. **~lor** n conselheiro m
count¹ /kaʊnt/ vt/i contar □ n conta f. **~-down** n (rocket) contagem f regressiva. **~ on** contar com
count² /kaʊnt/ n (nobleman) conde m

counter¹ /'kaʊntə(r)/ n (in shop) balcão m; (in game) ficha f, tento m

counter² /'kaʊntə(r)/ adv ~ **to** contrário a; (in the opposite direction) em sentido contrário a □ a oposto □ vt opor; (blow) aparar □ vi ripostar

counter- /'kaʊntə(r)/ pref contra-

counteract /kaʊntər'ækt/ vt neutralizar, frustrar

counter-attack /'kaʊntərətæk/ n contra-ataque m □ vt/i contra-atacar

counterbalance /'kaʊntəbæləns/ n contrapeso m □ vt contrabalançar

counterfeit /'kaʊntəfɪt/ a falsificado, falso □ n falsificação f □ vt falsificar

counterfoil /'kaʊntəfɔɪl/ n talão m, canhoto m

counterpart /'kaʊntəpaːt/ n equivalente m; (person) homólogo m

counter-productive /'kaʊntəprədʌktɪv/ a contraproducente

countersign /'kaʊntəsaɪn/ vt subscrever documento já assinado; (cheque) contrassinar

countess /'kaʊntɪs/ n condessa f

countless /'kaʊntlɪs/ a sem conta, incontável, inúmero

country /'kʌntrɪ/ n país m; (homeland) pátria f; (countryside) campo m

countryside /'kʌntrɪsaɪd/ n campo m

county /'kaʊntɪ/ n condado m

coup /kuː/ n ~ (**d'état**) golpe m (de estado)

couple /'kʌpl/ n par m, casal m □ vt/i unir(-se), ligar(-se); (techn) acoplar. **a ~ of** um par de

coupon /'kuːpɒn/ n cupão m

courage /'kʌrɪdʒ/ n coragem f. ~**ous** /kə'reɪdʒəs/ a corajoso

courgette /kʊə'ʒet/ n abobrinha f

courier /'kʊrɪə(r)/ n correio m; (for tourists) guia mf; (for parcels, mail) estafeta f

course /kɔːs/ n curso m; (series) série f; (culin) prato m; (for golf) campo m; (fig) caminho m. **in due ~** na altura devida, oportunamente. **in the ~ of** durante. **of ~** está claro, com certeza

court /kɔːt/ n (of monarch) corte f; (courtyard) pátio m; (tennis) court m, campo m; (jur) tribunal m □ vt cortejar; (danger) provocar. ~ **martial** (pl courts martial) conselho m de guerra

courteous /'kɜːtɪəs/ a cortês, delicado

courtesy /'kɜːtəsɪ/ n cortesia f

courtship /'kɔːtʃɪp/ n namoro m, corte f

courtyard /'kɔːtjaːd/ n pátio m

cousin /'kʌzn/ n primo m. **first/second ~** primo m em primeiro/segundo grau

cove /kəʊv/ n angra f, enseada f

covenant /'kʌvənənt/ n convenção f, convénio m; (jur) contrato m; (relig) aliança f

cover /'kʌvə(r)/ vt cobrir □ n cobertura f; (for bed) colcha f; (for book, furniture) capa f; (lid) tampa f; (shelter) abrigo *m.* ~ **charge** serviço *m.* ~ **up** tapar; (*fig*) encobrir. **~up** *n* (*fig*) encobrimento *m.* **take** ~ abrigar-se. **under separate** ~ em separado. **~ing** *n* cobertura *f.* **~ing letter** carta *f* (que acompanha um documento)

coverage /ˈkʌvərɪdʒ/ *n* (*of events*) reportagem *f*, cobertura *f*

covet /ˈkʌvɪt/ *vt* cobiçar

cow /kaʊ/ *n* vaca *f*

coward /ˈkaʊəd/ *n* cobarde *mf.* **~ly** *a* cobarde

cowardice /ˈkaʊədɪs/ *n* cobardia *f*

cowboy /ˈkaʊbɔɪ/ *n* cowboy *m*, vaqueiro *m*

cower /ˈkaʊə(r)/ *vi* encolher-se (de medo)

cowshed /ˈkaʊʃed/ *n* estábulo *m*

coy /kɔɪ/ *a* (**-er, -est**) (falsamente) tímido

crab /kræb/ *n* caranguejo *m*

crack /kræk/ *n* fenda *f*; (*in glass*) rachadura *f*; (*noise*) estalo *m*; (*sl: joke*) piada *f*; (*drug*) crack *m* □ *a* (*colloq*) de elite □ *vt/i* estalar; (*nut*) quebrar; (*joke*) contar; (*problem*) resolver; (*voice*) mudar. ~ **down on** (*colloq*) cair em cima de. **get ~ing** (*colloq*) deitar mãos à obra

cracker /ˈkrækə(r)/ *n* petardo *m*, bomba *f* de estalo; (*culin*) bolacha *f* de água e sal

crackers /ˈkrækəz/ *a* (*sl*) desmiolado, maluco

crackle /ˈkrækl/ *vi* crepitar □ *n* crepitação *f*

crackpot /ˈkrækpɒt/ *n* (*sl*) desmiolado, maluco

cradle /ˈkreɪdl/ *n* berço *m* □ *vt* embalar

craft[1] /kra:ft/ *n* ofício *m*; (*technique*) arte *f*; (*cunning*) manha *f*, astúcia *f*

craft[2] /kra:ft/ *n* (*invar*) (*boat*) embarcação *f*

craftsman /ˈkra:ftsmən/ *n* (*pl* **-men**) artífice *mf.* **~ship** *n* arte *f*

crafty /ˈkra:ftɪ/ *a* (**-ier, -iest**) manhoso, astucioso

crag /kræg/ *n* penhasco *m.* **~gy** *a* escarpado, íngreme

cram /kræm/ *vt* (*pt* **crammed**) ~ (**for an exam**) decorar, empinar. ~ **into/with** entulhar com

cramp /kræmp/ *n* cãimbra *f* □ *vt* restringir, tolher. **~ed** *a* apertado

crane /kreɪn/ *n* grua *f*; (*bird*) grou *m* □ *vt* (*neck*) esticar

crank[1] /kræŋk/ *n* (*techn*) manivela *f.* **~shaft** *n* (*techn*) cambota *f*

crank[2] /kræŋk/ *n* excêntrico *m.* **~y** *a* excêntrico

crash /kræʃ/ *n* acidente *m*; (*noise*) estrondo *m*; (*comm*) falência *f*; (*financial*) colapso *m*, crash *m* □ *vt/i* (*fall/strike*) cair/bater com estrondo; (*two cars*) chocar, bater; (*comm*) abrir falência; (*plane*) cair □ *a* (*course, programme*) intensivo. **~helmet** *n* capacete *m.* **~-land** *vi* fazer uma aterragem forçada

crate /kreɪt/ *n* engradado *m*

crater /ˈkreɪtə(r)/ *n* cratera *f*

crav|e /kreɪv/ *vt/i* ~**e (for)** ansiar por. ~**ing** *n* desejo *m* irresistível, ânsia *f*

crawl /krɔːl/ *vi* rastejar; (*of baby*) andar de gatas; (*of car*) mover-se lentamente □ *n* rastejo *m*; (*swimming*) crawl *m*. be ~ing with fervilhar de, estar cheio de

crayfish /ˈkreɪfɪʃ/ *n* (*pl invar*) lagostim *m*

crayon /ˈkreɪən/ *n* crayon *m*, lápis *m* de pastel

craze /kreɪz/ *n* moda *f*, febre *f*

craz|y /ˈkreɪzɪ/ *a* (**-ier, -iest**) doido, louco (**about** por). ~**iness** *n* loucura *f*

creak /kriːk/ *n* rangido *m* □ *vi* ranger

cream /kriːm/ *n* (*milk fat; fig*) nata *f*; (*cosmetic; culin*) creme *m* □ *a* creme *invar* □ *vt* desnatar. ~ **cheese** queijo-creme *m*. ~**y** *a* cremoso

crease /kriːs/ *n* vinco *m* □ *vt/i* amarrotar(-se)

creat|e /kriːˈeɪt/ *vt* criar. ~**ion** /-ʃn/ *n* criação *f*. ~**ive** *a* criador. ~**or** *n* criador *m*

creature /ˈkriːtʃə(r)/ *n* criatura *f*

crèche /kreɪʃ/ *n* creche *f*

credentials /krɪˈdenʃlz/ *npl* credenciais *fpl*; (*of competence etc*) referências *fpl*

credib|le /ˈkredəbl/ *a* crível, verosímil; ~**ility** /-ˈbɪlətɪ/ *n* credibilidade *f*

credit /ˈkredɪt/ *n* crédito *m*; (*honour*) honra *f*. ~**s** (*cinema*) créditos *mpl* □ *vt* (*pt* **credited**) acreditar em; (*comm*) creditar. ~ **card** cartão *m* de crédito. ~ **sb with** atribuir a alg. ~**or** *n* credor *m*

creditable /ˈkredɪtəbl/ *a* louvável, honroso

credulous /ˈkredjʊləs/ *a* crédulo

creed /kriːd/ *n* credo *m*

creek /kriːk/ *n* enseada *f* estreita. be up the ~ (*sl*) estar frito (*sl*)

creep /kriːp/ *vi* (*pt* **crept**) rastejar; (*move stealthily*) mover-se furtivamente □ *n* (*sl*) tipo *m* nojento. give sb the ~s dar arrepios a alg. ~**er** *n* (planta *f*) trepadeira *f*. ~**y** *a* arrepiante

cremat|e /krɪˈmeɪt/ *vt* cremar. ~**ion** /-ʃn/ *n* cremação *f*

crematorium /kreməˈtɔːrɪəm/ *n* (*pl* **-ia**) crematório *m*

crêpe /kreɪp/ *n* crepe *m*. ~ **paper** papel *m* crepom

crept /krept/ *see* **creep**

crescent /ˈkresnt/ *n* crescente *m*; (*street*) rua *f* em semicírculo

cress /kres/ *n* agrião *m*

crest /krest/ *n* (*of bird, hill*) crista *f*; (*on coat of arms*) timbre *m*

Crete /kriːt/ *n* Creta *f*

crevasse /krɪˈvæs/ *n* fenda *f* (em geleira)

crevice /ˈkrevɪs/ *n* racha *f*, fenda *f*

crew[1] /kruː/ *see* **crow**

crew[2] /kruː/ *n* tripulação *f*; (*gang*) bando *m*. ~**-cut** *n* corte *m* à escovinha. ~**-neck** *n* gola *f* redonda e um pouco subida

crib[1] /krɪb/ *n* berço *m*; (*Christmas*) presépio *m*

crib[2] /krɪb/ *vt/i* (*pt* **cribbed**) (*colloq*) cabular (*sl*) □ *n* cópia *f*, plágio *m*; (*translation*) burro *m* (*sl*)

cricket[1] /ˈkrɪkɪt/ n críquete m. **~er** n jogador m de críquete

cricket[2] /ˈkrɪkɪt/ n (insect) grilo m

crime /kraɪm/ n crime m; (minor) delito m; (collectively) criminalidade f

criminal /ˈkrɪmɪnl/ a & n criminoso m

crimp /krɪmp/ vt preguear; (hair) frisar

crimson /ˈkrɪmzn/ a & n carmesim m

cring|le /ˈkrɪndʒ/ vi encolher-se. **~ing** a servil

crinkle /ˈkrɪŋkl/ vt/i enrugar(-se) □ n vinco m, ruga f

cripple /ˈkrɪpl/ n aleijado m, coxo m □ vt estropiar; (fig) paralisar

crisis /ˈkraɪsɪs/ n (pl **crises** /-siːz/) crise f

crisp /krɪsp/ a (-er, est) (culin) crocante, estaladiço; (air) fresco; (manners, reply) decidido. **~s** npl batatas fpl fritas às rodelas

criterion /kraɪˈtɪərɪən/ n (pl **-ia**) critério m

critic /ˈkrɪtɪk/ n crítico m. **~al** a crítico. **~ally** adv de forma crítica; (ill) gravemente

criticism /ˈkrɪtɪsɪzəm/ n crítica f

criticize /ˈkrɪtɪsaɪz/ vt/i criticar

croak /krəʊk/ n (frog) coaxar m; (raven) crocitar m, crocito m □ vi (frog) coaxar; (raven) crocitar

crochet /ˈkrəʊʃeɪ/ n crochê m □ vt fazer em crochê

crockery /ˈkrɒkərɪ/ n louça f

crocodile /ˈkrɒkədaɪl/ n crocodilo m

crocus /ˈkrəʊkəs/ n (pl **-uses** /-sɪz/) croco m

crony /ˈkrəʊnɪ/ n camarada mf, parceiro m

crook /krʊk/ n (colloq: criminal) vigarista mf; (stick) cajado m

crooked /ˈkrʊkɪd/ a torcido; (winding) tortuoso; (askew) torto; (colloq: dishonest) desonesto. **~ly** adv de través

crop /krɒp/ n colheita f; (fig) quantidade f; (haircut) corte m rente □ vt (pt **cropped**) cortar □ vi **~ up** aparecer, surgir

croquet /ˈkrəʊkeɪ/ n croquet m

cross /krɒs/ n cruz f □ vt/i cruzar; (cheque) cruzar; (oppose) contrariar; (of paths) cruzar-se □ a zangado. **~ off** or **out** riscar. **~ o.s.** benzer-se. **~ sb's mind** passar pela cabeça or pelo espírito de alg, ocorrer a alg. **talk at ~ purposes** falar sem se entender. **~~country** a corta-mato. **~~examine** vt fazer o contra-interrogatório (de testemunhas). **~~eyed** a vesgo, estrábico. **~~fire** n fogo m cruzado. **~~reference** n nota f remissiva. **~~section** n corte m transversal; (fig) grupo m or sector m representativo. **~ly** adv irritadamente

crossbar /ˈkrɒsbɑː(r)/ n barra f transversal f; (of bicycle) travessão m

crossing /ˈkrɒsɪŋ/ n cruzamento m; (by boat) travessia f; (on road) passagem f

crossroads /'krɒsrəʊdz/ n encruzilhada f, cruzamento m

crossword /'krɒswɜːd/ n palavras fpl cruzadas

crotch /krɒtʃ/ n entrepernas fpl

crotchet /'krɒtʃɪt/ n (mus) semínima f

crouch /kraʊtʃ/ vi agachar-se

crow /krəʊ/ n corvo m □ vi (cock) (pt crew) cantar; (fig) rejubilar-se (over com). **as the ~ flies** em linha recta

crowbar /'krəʊbɑː(r)/ n alavanca f, pé-de-cabra m

crowd /kraʊd/ n multidão f □ vi afluir □ vt encher. **~ into** apinhar-se em. **~ed** a cheio, apinhado

crown /kraʊn/ n coroa f; (of hill) topo m, cume m □ vt coroar; (tooth) pôr uma coroa em

crucial /'kruːʃl/ a crucial

crucifix /'kruːsɪfɪks/ n crucifixo m

crucif|y /'kruːsɪfaɪ/ vt crucificar. **~ixion** /'fɪkʃn/ n crucificação f

crude /kruːd/ a (**-er, -est**) (raw) bruto; (rough, vulgar) grosseiro. **~ oil** petróleo m bruto

cruel /krʊəl/ a (**crueller, cruellest**) cruel. **~ty** n crueldade f

cruis|e /kruːz/ n cruzeiro m □ vi cruzar; (of tourists) fazer um cruzeiro; (of car) ir a velocidade de cruzeiro. **~er** n cruzador m. **~ing speed** velocidade f de cruzeiro

crumb /krʌm/ n migalha f, farelo m

crumble /'krʌmbl/ vt/i desfazer (-se); (bread) esmigalhar(-se); (collapse) desmoronar-se

crumple /'krʌmpl/ vt/i amarrotar (-se)

crunch /krʌntʃ/ vt trincar; (under one's feet) fazer ranger

crusade /kruː'seɪd/ n cruzada f. **~r** /-ə(r)/ n cruzado m; (fig) militante mf

crush /krʌʃ/ vt esmagar; (clothes, papers) amassar, amarrotar □ n aperto m. **a ~ on** (sl) uma paixoneta por.

crust /krʌst/ n côdea f, crosta f. **~y** a crocante, estaladiço

crutch /krʌtʃ/ n muleta f; (crotch) entrepernas fpl

crux /krʌks/ n (pl **cruxes**) o ponto crucial

cry /kraɪ/ n grito m □ vi (weep) chorar; (call out) gritar. **a far ~ from** muito diferente de.

crying /'kraɪɪŋ/ a **a ~ shame** uma grande vergonha

crypt /krɪpt/ n cripta f

cryptic /'krɪptɪk/ a críptico, enigmático

crystal /'krɪstl/ n cristal m. **~lize** vt/i cristalizar(-se)

cub /kʌb/ n cria f, filhote m. **C~ (Scout)** lobito m

Cuba /'kjuːbə/ n Cuba f. **~n** a & n cubano m

cubby-hole /'kʌbɪhəʊl/ n cochicho m; (snug place) cantinho m

cub|e /kjuːb/ n cubo m. **~ic** a cúbico

cubicle /'kjuːbɪkl/ n cubículo m, compartimento m; (at swimming- pool) cabine f

cuckoo /'kʊku:/ n cuco m
cucumber /'kju:kʌmbə(r)/ n pepino m
cuddl|e /'kʌdl/ vt/i abraçar com carinho; (nestle) aninhar(-se) □ n abracinho m, festinha f. ~y a fofo, aconchegante
cudgel /'kʌdʒl/ n cacete m, moca f □ vt (pt cudgelled) dar cacetadas em
cue¹ /kju:/ n (theat) deixa f; (hint) sugestão f, sinal m
cue² /kju:/ n (billiards) taco m
cuff /kʌf/ n punho m; (blow) sopapo m □ vt dar um sopapo. ~-link n botão m de punho. off the ~ de improviso
cul-de-sac /'kʌldəsæk/ n (pl culs-de-sac) beco m sem saída
culinary /'kʌlɪnərɪ/ a culinário
cull /kʌl/ vt (select) escolher; (kill) abater selectivamente □ n abate m
culminat|e /'kʌlmɪneɪt/ vi ~e in acabar em. ~ion /'neɪʃn/ n auge m, ponto m culminante
culprit /'kʌlprɪt/ n culpado m
cult /kʌlt/ n culto m
cultivat|e /'kʌltɪveɪt/ vt cultivar. ~ion /'veɪʃn/ n cultivo m, cultivação f
cultural /'kʌltʃərəl/ a cultural
culture /'kʌltʃə(r)/ n cultura f. ~d a culto
cumbersome /'kʌmbəsəm/ a (unwieldy) pesado, incómodo
cumulative /'kju:mjʊlətɪv/ a cumulativo
cunning /'kʌnɪŋ/ a astuto, manhoso □ n astúcia f, manha f

cup /kʌp/ n chávena f, (Br) xícara f; (prize) taça f. **C~ Final** Final de Campeonato f
cupboard /'kʌbəd/ n armário m
cupful /'kʌpfʊl/ n chávena f (cheia)
curable /'kjʊərəbl/ a curável
curator /kjʊə'reɪtə(r)/ n (museum) conservador m; (jur) curador m
curb /kɜ:b/ n freio m □ vt refrear; (price increase etc) suster
curdle /'kɜ:dl/ vt/i coalhar
cure /kjʊə(r)/ vt curar □ n cura f
curfew /'kɜ:fju:/ n toque m de recolher
curio /'kjʊərɪəʊ/ n (pl -os) curiosidade f
curi|ous /'kjʊərɪəs/ a curioso. ~osity /'ɒsətɪ/ n curiosidade f
curl /kɜ:l/ vt/i encaracolar(-se) □ n caracol m. ~ up enroscar(-se)
curler /'kɜ:lə(r)/ n rolo m
curly /'kɜ:lɪ/ a (-ier, -iest) encaracolado, crespo
currant /'kʌrənt/ n passa f de Corinto
currency /'kʌrənsɪ/ n moeda f corrente; (general use) circulação f. **foreign** ~ moeda f estrangeira
current /'kʌrənt/ a (common) corrente; (event, price, etc) actual □ n corrente f. ~ **account** conta f corrente. ~ **affairs** actualidades fpl. ~ly adv actualmente
curriculum /kə'rɪkjʊləm/ n (pl -la) currículo m, programa m de estudos. ~ **vitae** n curriculum vitae m

curry¹ /ˈkʌrɪ/ n caril m
curry² /ˈkʌrɪ/ vt ~ favour
with procurar agradar a
curse /kɜːs/ n maldição f, praga f; (bad language) palavrão m □ vt amaldiçoar, praguejar contra □ vi praguejar;
(swear) dizer palavrões
cursor /ˈkɜːsə(r)/ n cursor m
cursory /ˈkɜːsərɪ/ a apressado,
superficial. a ~ look uma
olhada superficial
curt /kɜːt/ a brusco
curtail /kɜːˈteɪl/ vt abreviar;
(expenses etc) reduzir
curtain /ˈkɜːtn/ n cortina f;
(theat) pano m
curtsy /ˈkɜːtsɪ/ n reverência f
□ vi fazer uma reverência
curve /kɜːv/ n curva f □ vt/i
curvar(-se); (of road) fazer
uma curva
cushion /ˈkʊʃn/ n almofada f
□ vt (a blow) amortecer;
(fig) proteger
cushy /ˈkʊʃɪ/ a (-ier, -iest)
(colloq) fácil, agradável. ~
job sinecura f, trabalho m
fácil e bem pago (fig)
custard /ˈkʌstəd/ n leite-creme
m
custodian /kʌˈstəʊdɪən/ n
guarda m
custody /ˈkʌstədɪ/ n (safe keeping) custódia f; (jur) detenção f; (of child) tutela f
custom /ˈkʌstəm/ n costume
m; (comm) freguesia f, clientela f. ~ary a habitual
customer /ˈkʌstəmə(r)/ n freguês m, cliente mf
customs /ˈkʌstəmz/ npl alfândega f □ a alfandegário. ~
clearance desembaraço m

alfandegário. ~ officer funcionário m da alfândega
cut /kʌt/ vt/i (pt cut, pres p
cutting) cortar; (prices etc)
reduzir □ n corte m, golpe
m; (of clothes, hair) corte m;
(piece) pedaço m; (prices
etc) redução f, corte m; (sl:
share) comissão f, talhada f
(sl). ~ back or down (on)
reduzir. ~~back n corte m. ~
in intrometer-se; (auto) cortar. ~ off cortar; (fig) isolar.
~ out recortar; (leave out)
suprimir. ~~out n figura f para recortar. ~~price a a preço
(s) reduzido(s). ~ short encurtar, atalhar
cute /kjuːt/ a (-er, -est) (colloq: clever) esperto; (attractive) bonito, giro (colloq)
cuticle /ˈkjuːtɪkl/ n cutícula f
cutlery /ˈkʌtlərɪ/ n talheres
mpl
cutlet /ˈkʌtlɪt/ n costeleta f
cutting /ˈkʌtɪŋ/ a cortante □ n
(from newspaper) recorte m;
(plant) estaca f. ~ edge gume m
CV abbr see curriculum vitae
cyanide /ˈsaɪənaɪd/ n cianeto
m
cycl|e /ˈsaɪkl/ n ciclo m; (bicy-
cle) bicicleta f □ vi andar de
bicicleta. ~ing n ciclismo m.
~ist n ciclista mf
cyclone /ˈsaɪkləʊn/ n ciclone
m
cylind|er /ˈsɪlɪndə(r)/ n cilin-
dro m. ~rical /ˈlɪndrɪkl/ a cilíndrico

cymbals /'sɪmblz/ *npl* (*mus*) pratos *mpl*

cynic /'sɪnɪk/ *n* cínico *m*. **~al** *a* cínico. **~ism** /-sɪzəm/ *n* cinismo *m*

Cypr|us /'saɪprəs/ *n* Chipre *m*. **~iot** /'sɪprɪət/ *a & n* cipriota *mf*

cyst /sɪst/ *n* quisto *m*

Czech /tʃek/ *a & n* checo *m*

D

dab /dæb/ vt (pt **dabbed**) aplicar levemente □ n **a ~ of** sth on aplicar qq coisa com gestos leves

dabble /ˈdæbl/ vi **~ in** interessar-se por, fazer um pouco de (como amador). **~r** /-ə(r)/ n amador m

dad /dæd/ n (colloq) paizinho m. **~dy** n (children's use) papá m. **~dy-long-legs** n mosquito m

daffodil /ˈdæfədɪl/ n narciso m

daft /dɑːft/ a (-er, -est) doido, maluco

dagger /ˈdægə(r)/ n punhal m. **at ~s drawn** prestes a lutar (**with** com)

daily /ˈdeɪlɪ/ a diário, quotidiano □ adv diariamente, todos os dias □ n (newspaper) diário m; (colloq: charwoman) mulher f a dias

dainty /ˈdeɪntɪ/ a (-ier, -iest) delicado; (pretty, neat) gracioso

dairy /ˈdeərɪ/ n leitaria f. **~ products** lacticínios mpl

daisy /ˈdeɪzɪ/ n margarida f

dam /dæm/ n barragem f, represa f □ vt (pt **dammed**) represar

damag|e /ˈdæmɪdʒ/ n estrago (s) mpl. **~es** (jur) perdas fpl e danos mpl □ vt estragar, danificar; (fig) prejudicar. **~ing** a prejudicial

dame /deɪm/ n (old use) dama f; (Amer sl) mulher f

damn /dæm/ vt (relig) condenar ao inferno; (swear at) amaldiçoar, maldizer; (fig: condemn) condenar □ int raios!, bolas! □ n **not care a ~** (colloq) estar pouco ligando (colloq), estar-se marimbando (colloq) □ a (colloq) do diabo, danado □ adv (colloq) muitíssimo. **I'll be ~ed if** que um raio me atinja se. **~ation** /ˈneɪʃn/ n danação f, condenação f. **~ing** a comprometedor, condenatório

damp /dæmp/ n humidade f □ a (-er, -est) húmido □ vt humedecer. **~en** vt = **damp.** **~ness** n humidade f

dance /dɑːns/ vt/i dançar □ n dança f. **~ hall** sala f de baile. **~r** /-ə(r)/ n dançarino m; (professional) bailarino m

dandelion /ˈdændɪlaɪən/ n dente-de-leão m

dandruff /'dændrʌf/ n caspa f
Dane /deɪn/ n dinamarquês m
danger /'deɪndʒə(r)/ n perigo
m. **be in** ~ **of** correr o risco
de. **~ous** a perigoso
dangle /'dæŋgl/ vi oscilar,
pender □ vt ter or trazer dependurado; (hold) balançar;
(fig: hopes, etc) acenar com
Danish /'deɪnɪʃ/ a dinamarquês □ n (lang) dinamarquês
m
dank /dæŋk/ a (-er, -est) frio
e húmido
dare /deə(r)/ vt ~ **to do** ousar
fazer. ~ **sb to do** desafiar alg
a fazer □ n desafio m. **I ~
say** creio
daredevil /'deədevl/ n louco
m, temerário m
daring /'deərɪŋ/ a audacioso
□ n audácia f
dark /daːk/ a (-er, -est) escuro, sombrio; (gloomy) sombrio; (of colour) escuro; (of
skin) moreno □ n escuridão
f, escuro m; (nightfall) anoitecer m, cair m da noite. ~
horse concorrente mf que é
uma incógnita. ~**room** n câmara f escura. **be in the** ~
about (fig) ignorar. **~ness** n
escuridão f
darken /'daːkən/ vt/i escurecer
darling /'daːlɪŋ/ a & n querido m
darn /daːn/ vt serzir, remendar
dart /daːt/ n dardo m, flecha f.
~**s** (game) jogo m de dardos
□ vi lançar-se
dartboard /'daːtbɔːd/ n alvo m
dash /dæʃ/ vi precipitar-se □
vt arremessar; (hopes) destruir □ n corrida f; (stroke)

travessão m; (Morse) traço
m. **a** ~ **of** um pouco de. ~
off partir a toda a velocidade; (letter) escrever à pressa
dashboard /'dæʃbɔːd/ n painel m de instrumentos, quadro m de bordo
data /'deɪtə/ npl dados mpl. ~
capture aquisição f de informações, recolha f de dados.
~base n base f de dados. ~
processing processamento m
or tratamento m de dados
date[1] /deɪt/ n data f; (colloq)
encontro m marcado □ vt/i
datar; (colloq) andar com.
out of ~ desactualizado. **to** ~
até à data. **up to** ~ (style)
moderno; (information etc)
em dia. **~d** a antiquado
date[2] /deɪt/ n (fruit) tâmara f
daub /dɔːb/ vt borrar, pintar
toscamente
daughter /'dɔːtə(r)/ n filha f.
~-in-law n (pl **~s-in-law**)
nora f
daunt /dɔːnt/ vt assustar, intimidar, desencorajar
dawdle /'dɔːdl/ vi perder tempo
dawn /dɔːn/ n madrugada f □
vi madrugar, amanhecer. ~
on (fig) fazer-se luz no espírito de, começar a perceber
day /deɪ/ n dia m; (period)
época f, tempo m. **~dream**
n devaneio m □ vi devanear.
the ~ **before** a véspera
daybreak /'deɪbreɪk/ n romper
m do dia, aurora f, amanhecer m
daylight /'deɪlaɪt/ n luz f do
dia. ~ **robbery** roubar des-
caradamente

daytime /ˈdeɪtaɪm/ n dia m, dia m claro

daze /deɪz/ vt aturdir □ **in a ~** aturdido

dazzle /ˈdæzl/ vt deslumbrar; (with headlights) ofuscar

dead /ded/ a morto; (numb) dormente □ adv completamente, de todo □ **n in the ~ of the night** a horas mortas, na calada da noite. **the ~** os mortos. **in the ~ centre** bem no meio. **stop ~** estacar. **~ beat** a (colloq) morto de cansaço. **~ end** beco m sem saída. **~~pan** a inexpressivo

deaden /dedn/ vt (sound, blow) amortecer; (pain) aliviar

deadline /ˈdedlaɪn/ n prazo m final

deadlock /ˈdedlɒk/ n impasse m

deadly /ˈdedlɪ/ a (-ier, -iest) mortal; (weapon) mortífero

deaf /def/ a (-er, -est) surdo. **turn a ~ ear** fingir que não ouve. **~ mute** surdo-mudo m. **~ness** n surdez f

deafen /defn/ vt ensurdecer. **~ing** a ensurdecedor

deal /diːl/ vt (pt dealt) distribuir; (a blow, cards) dar □ vi negociar □ n negócio m; (cards) vez de dar f. **a great ~** muito (of de). **~ in** negociar em. **~ with** (person) tratar (com); (affair) tratar de. **~er** n comerciante m; (agent) concessionário m; representante m

dealings /ˈdiːlɪŋz/ npl relações fpl; (comm) negócios mpl

dealt /delt/ see deal

dean /diːn/ n decano m, deão m

dear /dɪə(r)/ a (-er, -est) (cherished) caro, querido; (expensive) caro □ n amor m □ adv caro □ int **oh ~!** meu Deus! **~ly** adv (very much) muito; (pay) caro

dearth /dɜːθ/ n escassez f

death /deθ/ n morte f. **~ certificate** certidão f de óbito. **~ penalty** pena f de morte. **~ rate** taxa f de mortalidade. **~~trap** n lugar m perigoso, ratoeira f. **~ly** a de morte, mortal

debase /dɪˈbeɪs/ vt degradar

debat|e /dɪˈbeɪt/ n debate m □ vt debater. **~able** a discutível

debauchery /dɪˈbɔːtʃərɪ/ n deboche m, devassidão f

debility /dɪˈbɪlətɪ/ n debilidade f

debit /ˈdebɪt/ n débito m □ vt (pt debited) debitar

debris /ˈdeɪbriː/ n destroços mpl

debt /det/ n dívida f. **in ~** endividado. **~or** n devedor m

debunk /diːˈbʌŋk/ vt (colloq) desmitificar

début /ˈdeɪbjuː/ n (of actor, play etc) estreia f

decade /ˈdekeɪd/ n década f

decaden|t /ˈdekədənt/ a decadente. **~ce** n decadência f

decaffeinated /diːˈkæfiːɪneɪtɪd/ a sem cafeína

decanter /dɪˈkæntə(r)/ n garrafa f para vinho, de vidro ou cristal

decapitate /dɪˈkæpɪteɪt/ vt decapitar

decay /dɪˈkeɪ/ vi apodrecer,

estragar-se; (*food; fig*) deteriorar-se; (*building*) degradar-se □ *n* apodrecimento *m*; (*of tooth*) cárie *f*; (*fig*) declínio *m*, decadência *f*

deceased /dɪ'siːst/ *a* & *n* falecido *m*, defunto *m*

deceit /dɪ'siːt/ *n* engano *m*. **~ful** *a* enganador

deceive /dɪ'siːv/ *vt* enganar, iludir

December /dɪ'sembə(r)/ *n* Dezembro *m*

decen|t /'diːsnt/ *a* decente; (*colloq: good*) (bastante) bom; (*colloq: likeable*) simpático. **~cy** *n* decência *f*

decentralize /diː'sentrəlaɪz/ *vt* descentralizar

decept|ive /dɪ'septɪv/ *a* enganador, ilusório. **~ion** /-ʃn/ *n* engano *m*

decibel /'desɪbel/ *n* decibel *m*

decide /dɪ'saɪd/ *vt/i* decidir. **~ on** decidir-se por. **~ to do** decidir fazer. **~d** /-ɪd/ *a* decidido; (*clear*) definido, nítido. **~dly** /-ɪdlɪ/ *adv* decididamente

decimal /'desɪml/ *a* decimal □ *n* (fracção *f*) decimal *m*. **~ point** vírgula *f* decimal

decipher /dɪ'saɪfə(r)/ *vt* decifrar

decision /dɪ'sɪʒn/ *n* decisão *f*

decisive /dɪ'saɪsɪv/ *a* decisivo; (*manner*) decidido. **~ly** *adv* decisivamente

deck /dek/ *n* convés *m*; (*of cards*) baralho *m*. **~-chair** *n* espreguiçadeira *f*

declar|e /dɪ'kleə(r)/ *vt* declarar. **~ation** /deklə'reɪʃn/ *n* declaração *f*

decline /dɪ'klaɪn/ *vt* (*refuse*) declinar, recusar delicadamente; (*gram*) declinar □ *vi* (*deteriorate*) declinar; (*fall*) baixar □ *n* declínio *m*; (*fall*) abaixamento *m*

decode /diː'kəʊd/ *vt* descodificar

decompos|e /diːkəm'pəʊz/ *vt/i* decompor(-se). **~ition** /-ɒmpəzɪʃn/ *n* decomposição *f*

décor /'deɪkɔː(r)/ *n* decoração *f*

decorat|e /'dekəreɪt/ *vt* decorar, enfeitar; (*paint*) pintar; (*paper*) pôr papel em. **~ion** /'reɪʃn/ *n* decoração *f*; (*medal etc*) condecoração *f*. **~ive** /-ətɪv/ *a* decorativo

decorum /dɪ'kɔːrəm/ *n* decoro *m*

decoy[1] /'diːkɔɪ/ *n* chamariz *m*, engodo *m*; (*trap*) armadilha *f*

decoy[2] /dɪ'kɔɪ/ *vt* atrair, apanhar

decrease[1] /dɪ'kriːs/ *vt/i* diminuir

decrease[2] /'diːkriːs/ *n* diminuição *f*

decree /dɪ'kriː/ *n* decreto *m*; (*jur*) decisão *f* judicial □ *vt* decretar

decrepit /dɪ'krepɪt/ *a* decrépito

dedicat|e /'dedɪkeɪt/ *vt* dedicar. **~ed** *a* dedicado. **~ion** /'keɪʃn/ *n* dedicação *f*; (*in book*) dedicatória *f*

deduce /dɪ'djuːs/ *vt* deduzir

deduct /dɪ'dʌkt/ *vt* deduzir; (*from pay*) descontar

deduction /dɪ'dʌkʃn/ *n* dedução *f*; (*from pay*) desconto *m*

deed /di:d/ *n* ato *m*; (*jur*) contrato *m*

deem /di:m/ *vt* julgar, considerar

deep /di:p/ *a* (**-er, -est**) profundo □ *adv* profundamente. **~-freeze** *n* congelador *m* □ *vt* congelar. **take a ~ breath** respirar fundo. **~ly** *adv* profundamente

deepen /di:pən/ *vt/i* aprofundar (-se); (*mystery, night*) adensar-se

deer /dɪə(r)/ *n* (*pl invar*) veado *m*

deface /dɪˈfeɪs/ *vt* danificar, degradar

defamation /defəˈmeɪʃn/ *n* difamação *f*

default /dɪˈfɔːlt/ *vi* faltar □ *n* **by ~** à revelia. **win by ~** (*sport*) ganhar por não comparência □ *a* (*comput*) default *m*

defeat /dɪˈfiːt/ *vt* derrotar; (*thwart*) malograr □ *n* derrota *f*; (*of plan, etc*) malogro *m*

defect[1] /ˈdiːfekt/ *n* defeito *m*. **~ive** /dɪˈfektɪv/ *a* defeituoso

defect[2] /dɪˈfekt/ *vi* desertar. **~ion** /-ʃn/ *n* defecção *m*. **~or** *n* trânsfuga *mf*, dissidente *mf*; (*political*) asilado *m* político

defence /dɪˈfens/ *n* defesa *f*. **~less** *a* indefeso

defend /dɪˈfend/ *vt* defender. **~ant** *n* (*jur*) réu *m*, acusado *m*. **~er** *n* advogado *m* de defesa, defensor *m*

defensive /dɪˈfensɪv/ *a* defensivo □ *n* **on the ~** na defensiva *f*; (*person, sport*) na retranca *f* (*colloq*)

defer /dɪˈfɜː(r)/ *vt* (*pt* **defer-**

red) adiar, diferir □ *vi* **~ to** ceder, deferir

deferen|ce /ˈdefərəns/ *n* deferência *f*. **~tial** /ˈrenʃl/ *a* deferente

defian|ce /dɪˈfaɪəns/ *n* desafio *m*. **in ~ of** sem respeito por. **~t** *a* de desafio. **~tly** *adv* com ar de desafio

deficien|t /dɪˈfɪʃnt/ *a* deficiente. **be ~t in** ter falta de. **~cy** *n* deficiência *f*

deficit /ˈdefɪsɪt/ *n* déficit *m*

define /dɪˈfaɪn/ *vt* definir

definite /ˈdefɪnɪt/ *a* definido; (*clear*) categórico, claro; (*certain*) certo. **~ly** *adv* decididamente; (*clearly*) claramente

definition /defɪˈnɪʃn/ *n* definição *f*

definitive /dɪˈfɪnətɪv/ *a* definitivo

deflat|e /dɪˈfleɪt/ *vt* esvaziar; (*person*) desemproar, desinchar. **~ion** /-ʃn/ *n* esvaziamento *m*; (*econ*) deflação *f*

deflect /dɪˈflekt/ *vt/i* desviar(-se)

deform /dɪˈfɔːm/ *vt* deformar. **~ed** *a* deformado, disforme. **~ity** *n* deformidade *f*

defraud /dɪˈfrɔːd/ *vt* defraudar

defrost /diːˈfrɒst/ *vt* descongelar

deft /deft/ *a* (**-er, -est**) hábil

defunct /dɪˈfʌŋkt/ *a* (*law etc*) caduco, extinto

defuse /diːˈfjuːz/ *vt* (*a bomb*) desactivar; (*a situation*) acalmar

defy /dɪˈfaɪ/ *vt* desafiar; (*attempts*) resistir a; (*the law*) desobedecer a; (*public opinion*) opor-se a

degenerate /dɪ'dʒenəreɪt/ vi degenerar (**into** em)

degrad|e /dɪ'greɪd/ vt degradar. ~ation /degrə'deɪʃn/ n degradação f

degree /dɪ'gri:/ n grau m; (univ) diploma m. **to a ~** ao mais alto grau, muito

dehydrate /di:'haɪdreɪt/ vt/i desidratar(-se)

de-ice /di:'aɪs/ vt descongelar, degelar; (windscreen) tirar o gelo de

deign /deɪn/ vt **to do** dignar-se (a) fazer

deity /'di:ɪtɪ/ n divindade f

dejected /dɪ'dʒektɪd/ a abatido

delay /dɪ'leɪ/ vt atrasar; (postpone) retardar □ vi atrasar-se □ n atraso m, demora f

delegate[1] /'delɪgət/ n delegado m

delegat|e[2] /'delɪgeɪt/ vt delegar. ~ion /ge'ɪʃn/ n delegação f

delet|e /dɪ'li:t/ vt riscar, apagar. ~ion /-ʃn/ n rasura f

deliberate[1] /dɪ'lɪbərət/ a deliberado; (steps etc) compassado. ~ly adv deliberadamente, de propósito

deliberat|e[2] /dɪ'lɪbəreɪt/ vt/i deliberar. ~ion /'reɪʃn/ n deliberação f

delica|te /'delɪkət/ a delicado. ~cy n delicadeza f; (food) guloseima f, iguaria f, acepipe m

delicatessen /delɪkə'tesn/ n (shop) charcutaria f, mercearias fpl finas

delicious /dɪ'lɪʃəs/ a delicioso

delight /dɪ'laɪt/ n grande prazer m, delícia f; (thing) delícia f, encanto m □ vt deliciar □ vi **in** deliciar-se com. ~ed a deliciado, encantado. ~ful a delicioso, encantador

delinquen|t /dɪ'lɪŋkwənt/ a & n delinquente mf. ~cy n delinquência f

deliri|ous /dɪ'lɪrɪəs/ a delirante. **be ~ous** delirar. ~um /-əm/ n delírio m

deliver /dɪ'lɪvə(r)/ vt entregar; (letters) distribuir; (free) libertar; (med) fazer o parto. ~ance n libertação f. ~y n entrega f; (letters) distribuição f; (med) parto m

delu|de /dɪ'lu:d/ vt enganar. ~de o.s. ter ilusões. ~sion /-ʒn/ n ilusão f

deluge /'delju:dʒ/ n dilúvio m □ vt inundar

de luxe /dɪ'lʌks/ a de luxo

delve /delv/ vi **into** pesquisar, rebuscar

demand /dɪ'mɑ:nd/ vt exigir; (ask to be told) perguntar □ n exigência f; (comm) procura f; (claim) reivindicação f. **in ~** procurado. ~ing a exigente; (work) puxado, custoso

demean /dɪ'mi:n/ vt **o.s.** rebaixar-se

demeanour /dɪ'mi:nə(r)/ n comportamento m, conduta f

demented /dɪ'mentɪd/ a louco, demente. **become ~** enlouquecer

demo /'deməʊ/ n (pl **-os**) (colloq) manifestação f, manif f (colloq)

democracy /dɪ'mɒkrəsɪ/ n democracia f

democrat /ˈdeməkræt/ n democrata mf. **~ic** /ˈkrætɪk/ a democrático

demoli|sh /dɪˈmɒlɪʃ/ vt demolir. **~tion** /deməˈlɪʃn/ n demolição f

demon /ˈdiːmən/ n demónio m

demonstrat|e /ˈdemənstreɪt/ vt demonstrar □ vi (pol) fazer uma manifestação, manifestar-se. **~ion** /ˈstreɪʃn/ n demonstração f; (pol) manifestação f. **~or** n (pol) manifestante mf

demonstrative /dɪˈmɒnstrətɪv/ a demonstrativo

demoralize /dɪˈmɒrəlaɪz/ vt desmoralizar

demote /dɪˈməʊt/ vt fazer baixar de posto, rebaixar

demure /dɪˈmjʊə(r)/ a recatado, modesto

den /den/ n antro m, covil m; (room) cantinho m, recanto m

denial /dɪˈnaɪəl/ n negação f; (refusal) recusa f; (statement) desmentido m

denigrate /ˈdenɪɡreɪt/ vt denegrir

denim /ˈdenɪm/ n ganga f. **~s** (jeans) blue-jeans mpl

Denmark /ˈdenmɑːk/ n Dinamarca f

denomination /dɪnɒmɪˈneɪʃn/ n denominação f; (relig) confissão f, seita f; (money) valor m

denote /dɪˈnəʊt/ vt denotar

denounce /dɪˈnaʊns/ vt denunciar

dens|e /dens/ a (-er, -est) denso; (colloq: person) obtuso. **~ely** adv (packed etc) muito. **~ity** n densidade f

dent /dent/ n mossa f, depressão f □ vt dentear

dental /ˈdentl/ a dentário, dental

dentist /ˈdentɪst/ n dentista mf. **~ry** n odontologia f

denture /ˈdentʃə(r)/ n dentadura f (postiça)

denunciation /dɪnʌnsɪˈeɪʃn/ n denúncia f

deny /dɪˈnaɪ/ vt negar; (rumour) desmentir; (disown) renegar; (refuse) recusar

deodorant /diːˈəʊdərənt/ n & a desodorizante m

depart /dɪˈpɑːt/ vi partir. **~ from** (deviate) afastar-se de, desviar-se de

department /dɪˈpɑːtmənt/ n departamento m; (in shop, office) secção f; (government) repartição f. **~ store** grande armazém m

departure /dɪˈpɑːtʃə(r)/ n partida f. **a ~ from** (custom, diet etc) uma mudança de. **a new ~** uma nova orientação

depend /dɪˈpend/ vi **~ on** depender de; (trust) contar com. **~able** a de confiança. **~ence** n dependência f. **~ent (on)** a dependente (de)

dependant /dɪˈpendənt/ n dependente mf

depict /dɪˈpɪkt/ vt descrever; (in pictures) representar

deplete /dɪˈpliːt/ vt reduzir; (use up) esgotar

deplor|e /dɪˈplɔː(r)/ vt deplorar. **~able** a deplorável

deport /dɪˈpɔːt/ vt deportar. **~ation** /diːpɔːˈteɪʃn/ n deportação f

depose /dɪˈpəʊz/ vt depor

deposit /dɪ'pɒzɪt/ vt (pt **deposited**) depositar □ n depósito m. ~ **account** conta f de depósito a prazo. ~**or** n depositante mf

depot /'depəʊ/ n (mil) depósito m; (buses) garagem f; (Amer: station) rodoviária f, estação f de comboio

deprav|e /dɪ'preɪv/ vt depravar. ~**ity** /'prævɪtɪ/ n depravação f

depreciat|e /dɪ'pri:ʃɪeɪt/ vt/i depreciar(-se). ~**ion** /'eɪʃn/ n depreciação f

depress /dɪ'pres/ vt deprimir; (press down) carregar em. ~**ion** /-ʃn/ n depressão f

deprivation /deprɪ'veɪʃn/ n privação f

deprive /dɪ'praɪv/ vt ~ **of** privar de. ~**d** a privado; (underprivileged) desderdado (da sorte), destituído; (child) carente

depth /depθ/ n profundidade f. **be out of one's** ~ não ter pé; (fig) ficar desnorteado, estar perdido. **in the** ~(**s**) **of** no mais fundo de, nas profundezas de

deputation /depjʊ'teɪʃn/ n delegação f

deputy /'depjʊtɪ/ n (pl -**ies**) delegado m □ a adjunto. ~ **chairman** vice-presidente m

derail /dɪ'reɪl/ vt descarrilar. **be** ~**ed** descarrilar. ~**ment** n descarrilamento m

deranged /dɪ'reɪndʒd/ a (mind) transtornado, louco

derelict /'derəlɪkt/ a abandonado

deri|de /dɪ'raɪd/ vt escarnecer

de. ~**sion** /'rɪʒn/ n escárnio m. ~**sive** a escarninho. ~**sory** a escarninho; (offer etc) irrisório

derivative /dɪ'rɪvətɪv/ a derivado; (work) pouco original □ n derivado m

deriv|e /dɪ'raɪv/ vt ~**e from** tirar de □ vi ~**e from** derivar de. ~**ation** /derɪ'veɪʃn/ n derivação f

derogatory /dɪ'rɒgətrɪ/ a pejorativo; (remark) depreciativo

derv /dɜːv/ n gasóleo m

descend /dɪ'send/ vt/i descer, descender. **be** ~**ed from** descender de. ~**ant** n descendente mf

descent /dɪ'sent/ n descida f; (lineage) descendência f, origem f

descri|be /dɪs'kraɪb/ vt descrever. ~**ption** /'krɪpʃn/ n descrição f; ~**ptive** /'krɪptɪv/ a descritivo

desecrat|e /'desɪkreɪt/ vt profanar. ~**ion** /'kreɪʃn/ n profanação f

desert[1] /'dezət/ a & n deserto (m). ~ **island** ilha f deserta

desert[2] /dɪ'zɜːt/ vt/i desertar. ~**ed** a abandonado. ~**er** n desertor m. ~**ion** /-ʃn/ n deserção f

deserv|e /dɪ'zɜːv/ vt merecer. ~**edly** /dɪ'zɜːvɪdlɪ/ adv merecidamente, a justo título. ~**ing** a (person) merecedor; (action) meritório

design /dɪ'zaɪn/ n desenho m; (artistic) design m; (style of dress) modelo m; (pattern) padrão m, motivo □ vt desenhar; (devise) conceber.

~er n desenhador m; (of dresses) costureiro m; (of machine) inventor m

designat|e /'dezɪgneɪt/ vt designar. **~ion** /-'neɪ/n/ n designação f

desir|e /dɪ'zaɪə(r)/ n desejo m □ vt desejar. **~able** a desejável, atraente

desk /desk/ n secretária f; (of pupil) carteira f; (in hotel) recepção f; (in bank) caixa f

desolat|e /'desələt/ a desolado. **~ion** /'leɪ/n/ n desolação f

despair /dɪ'speə(r)/ n desespero m □ vi desesperar (of de)

desperate /'despərət/ a desesperado; (criminal) capaz de tudo. **be ~ for** ter uma vontade doida de. **~ly** adv desesperadamente

desperation /despə'reɪ/n/ n desespero m

despicable /dɪ'spɪkəbl/ a desprezível

despise /dɪ'spaɪz/ vt desprezar

despite /dɪ'spaɪt/ prep apesar de, a despeito de, mau grado

despondent /dɪ'spɒndənt/ a desanimado. **~cy** n desânimo m

despot /'despɒt/ n déspota mf

dessert /dɪ'zɜːt/ n sobremesa f. **~spoon** n colher f de sobremesa

destination /destɪ'neɪ/n/ n destino m, destinação f

destine /'destɪn/ vt destinar

destiny /'destɪnɪ/ n destino m

destitute /'destɪtjuːt/ a destituído, indigente

destr|oy /dɪ'strɔɪ/ vt destruir. **~uction** /'strʌk/n/ n destruição f. **~uctive** a destrutivo, destruidor

detach /dɪ'tæt/ʃ/ vt separar, arrancar. **~able** a separável; (lining etc) solto. **~ed** a separado; (impartial) imparcial; (unemotional) desprendido. **~ed house** vivenda f, moradia f

detachment /dɪ'tæt/mənt/ n separação f; (indifference) desprendimento m; (mil) destacamento m; (impartiality) imparcialidade f

detail /'diːteɪl/ n pormenor m, detalhe m □ vt detalhar; (troops) destacar. **~ed** a detalhado

detain /dɪ'teɪn/ vt reter; (in prison) deter. **~ee** /diːteɪ'niː/ n detido m

detect /dɪ'tekt/ vt detectar. **~ion** /-/n/ n detecção f. **~or** n detector m

detective /dɪ'tektɪv/ n detective m. **~ story** romance m policial

detention /dɪ'ten/n/ n detenção f. **be given a ~** (school) ficar de castigo na escola

deter /dɪ'tɜː(r)/ vt (pt deterred) dissuadir; (hinder) impedir

detergent /dɪ'tɜːdʒənt/ a & n detergente m

deteriorat|e /dɪ'tɪərɪəreɪt/ vi deteriorar(-se). **~ion** /'reɪ/n/ n deterioração f

determin|e /dɪ'tɜːmɪn/ vt determinar. **~e to do** decidir fazer. **~ation** /'neɪ/n/ n determinação f. **~ed** a determinado. **~ed to do** decidido a fazer

deterrent /dɪ'terənt/ n dissuasivo m

detest /dɪ'test/ vt detestar. ~**able** a detestável

detonat|e /'detəneɪt/ vt/i detonar. ~**ion** /'neɪʃn/ n detonação f. ~**or** n espoleta f, detonador m

detour /'diːtʊə(r)/ n desvio m

detract /dɪ'trækt/ vi ~ **from** depreciar, menosprezar

detriment /'detrɪmənt/ n detrimento m. ~**al** /'mentl/ a prejudicial

devalu|e /diː'væljuː/ vt desvalorizar. ~**ation** /'eɪʃn/ n desvalorização f

devastat|e /'devəsteɪt/ vt devastar; (fig: overwhelm) arrasar. ~**ing** a devastador; (criticism) de arrasar

develop /dɪ'veləp/ vt/i (pt developed) desenvolver(-se); (get) contrair; (build on) urbanizar; (film) revelar. ~ **into** tornar-se. ~**ing country** país m subdesenvolvido. ~**ment** n desenvolvimento m; (film) revelação f; (of land) urbanização f

deviat|e /'diːvieɪt/ vi desviar-se. ~**ion** /'eɪʃn/ n desvio m

device /dɪ'vaɪs/ n dispositivo m; (scheme) processo m. **left to one's own** ~**s** entregue a si mesmo

devil /'devl/ n diabo m

devious /'diːvɪəs/ a tortuoso; (fig: means) escuso; (fig: person) pouco franco

devise /dɪ'vaɪz/ vt imaginar, inventar

devoid /dɪ'vɔɪd/ a ~ **of** desprovido de, destituído de

devot|e /dɪ'vəʊt/ vt dedicar, devotar. ~**ed** a dedicado, de-

votado. ~**ion** /-ʃn/ n dedicação, devoção f

devotee /devə'tiː/ n ~ **of** adepto m de, entusiasta mf de

devour /dɪ'vaʊə(r)/ vt devorar

devout /dɪ'vaʊt/ a devoto; (prayer) fervoroso

dew /djuː/ n orvalho m

dext|erity /dek'sterətɪ/ n destreza f, jeito m. ~**rous** /'dekstrəs/ a destro, hábil

diabet|es /daɪə'biːtiːz/ n diabetes f. ~**ic** /'betɪk/ a & n diabético m

diabolical /daɪə'bɒlɪkl/ a diabólico

diagnose /'daɪəgnəʊz/ vt diagnosticar

diagnosis /daɪəg'nəʊsɪs/ n (pl -oses /-siːz/) diagnóstico m

diagonal /daɪ'ægənl/ a & n diagonal f

diagram /'daɪəgræm/ n diagrama m, esquema m

dial /'daɪəl/ n mostrador m □ vt (pt dialled) (number) marcar, discar. ~**ling code** código m, indicativo m ~**ling tone** sinal m de marcar

dialect /'daɪəlekt/ n dialecto m

dialogue /'daɪəlɒg/ n diálogo m

diameter /daɪ'æmɪtə(r)/ n diâmetro m

diamond /'daɪəmənd/ n diamante m, brilhante m; (shape) losango m. ~**s** (cards) ouros mpl

diaper /'daɪəpə(r)/ n (Amer) fralda f

diaphragm /'daɪəfræm/ n diafragma m

diarrhoea /daɪə'rɪə/ n diarreia f

diary /ˈdaɪərɪ/ n agenda f; (record) diário m

dice /daɪs/ n (pl invar) dado m

dictat|e /dɪkˈteɪt/ vt/i ditar. ~**ion** /-ʃn/ n ditado m

dictator /dɪkˈteɪtə(r)/ n ditador m. ~**ship** n ditadura f

diction /ˈdɪkʃn/ n dicção f

dictionary /ˈdɪkʃənrɪ/ n dicionário m

did /dɪd/ see **do**

diddle /ˈdɪdl/ vt (colloq) trapacear, enganar

didn't /ˈdɪdnt/ = **did not**

die /daɪ/ vi (pres p **dying**) morrer. **be dying to** estar doido para. ~ **down** diminuir, baixar. ~ **out** desaparecer, extinguir-se

diesel /ˈdiːzl/ n diesel m. ~ **engine** motor m diesel

diet /ˈdaɪət/ n dieta f □ vi fazer dieta, estar de dieta

differ /ˈdɪfə(r)/ vi diferir; (disagree) discordar

differen|t /ˈdɪfrənt/ a diferente. ~**ce** n diferença f; (disagreement) desacordo m. ~**ly** adv diferentemente

differentiate /dɪfəˈrenʃɪeɪt/ vt/i diferençar(-se), diferenciar(-se)

difficult /ˈdɪfɪkəlt/ a difícil. ~**y** n dificuldade f

diffiden|t /ˈdɪfɪdənt/ a acanhado, inseguro. ~**ce** n acanhamento m, insegurança f

diffuse¹ /dɪˈfjuːs/ a difuso

diffus|e² /dɪˈfjuːz/ vt difundir. ~**ion** /-ʒn/ n difusão f

dig /dɪɡ/ vt/i (pt **dug**, pres p **digging**) cavar; (thrust) espetar □ n (with elbow) cotovelada f; (with finger) espe-

tadela f; (remark) ferroada f; (archaeol) excavação f. ~**s** (colloq) quarto m alugado. ~ **up** desenterrar

digest /dɪˈdʒest/ vt/i digerir. ~**ible** a digerível, digestível. ~**ion** /-ʃn/ n digestão f

digestive /dɪˈdʒestɪv/ a digestivo

digit /ˈdɪdʒɪt/ n dígito m

digital /ˈdɪdʒɪtl/ a digital. ~ **clock** relógio m digital

dignif|y /ˈdɪɡnɪfaɪ/ vt dignificar. ~**ied** a digno

dignitary /ˈdɪɡnɪtərɪ/ n dignitário m

dignity /ˈdɪɡnətɪ/ n dignidade f

digress /daɪˈɡres/ vi digressar, divagar. ~ **from** desviar-se de. ~**ion** /-ʃn/ n digressão f

dike /daɪk/ n dique m

dilapidated /dɪˈlæpɪdeɪtɪd/ a (house) arruinado, degradado; (car) estragado

dilat|e /daɪˈleɪt/ vt/i dilatar(-se). ~**ion** /-ʃn/ n dilatação f

dilemma /dɪˈlemə/ n dilema m

diligen|t /ˈdɪlɪdʒənt/ a diligente, aplicado. ~**ce** n diligência f, aplicação f

dilute /daɪˈljuːt/ vt diluir □ a diluído

dim /dɪm/ a (**dimmer, dimmest**) (weak) fraco; (dark) sombrio; (indistinct) vago; (colloq: stupid) burro (colloq) □ vt/i (pt **dimmed**) (light) baixar. ~**ly** adv (shine) fracamente; (remember) vagamente

dime /daɪm/ n (Amer) moeda f de dez centavos

dimension /daɪˈmenʃn/ n dimensão f

diminish /dɪˈmɪnɪʃ/ vt/i diminuir

diminutive /dɪˈmɪnjʊtɪv/ a diminuto ☐ n diminutivo m

dimple /ˈdɪmpl/ n covinha f

din /dɪn/ n barulheira f, chinfrim m

dine /daɪn/ vi jantar. ~**r** /-ə(r)/ n (person) comensal m; (rail) vagão-restaurante m; (Amer: restaurant) snack-bar m

dinghy /ˈdɪŋɡɪ/ n (pl **-ghies**) bote m; (inflatable) barco m de borracha

dingy /ˈdɪndʒɪ/ a (**-ier, -iest**) com ar sujo, esquálido

dining-room /ˈdaɪnɪŋruːm/ n sala f de jantar

dinner /ˈdɪnə(r)/ n jantar m; (lunch) almoço m. ~**-jacket** n smoking m

dinosaur /ˈdaɪnəsɔː(r)/ n dinossauro m

dip /dɪp/ vt/i (pt **dipped**) mergulhar; (lower) baixar ☐ n mergulho m; (bathe) banho m rápido, mergulho m; (slope) descida f; (culin) molho m. ~ **into** (book) folhear. ~ **one's headlights** baixar para médios

diphtheria /dɪfˈθɪərɪə/ n difteria f

diphthong /ˈdɪfθɒŋ/ n ditongo m

diploma /dɪˈpləʊmə/ n diploma m

diplomacy /dɪˈpləʊməsɪ/ n diplomacia f

diplomat /ˈdɪpləmæt/ n diplomata mf. ~**ic** /ˈmætɪk/ a diplomático

dire /daɪə(r)/ a (**-er, -est**) terrível; (need, poverty) extremo

direct /dɪˈrekt/ a directo ☐ adv directamente ☐ vt dirigir. ~ **sb to** indicar a alg o caminho para

direction /dɪˈrekʃn/ n direcção f, sentido m. ~**s** instruções fpl. ~**s for use** modo m de emprego

directly /dɪˈrektlɪ/ adv directamente; (at once) imediatamente, logo

director /dɪˈrektə(r)/ n director m

directory /dɪˈrektərɪ/ n (**telephone**) ~ lista f telefónica

dirt /dɜːt/ n sujidade f. ~ **cheap** (colloq) baratíssimo

dirty /ˈdɜːtɪ/ a (**-ier, -iest**) sujo; (word) obsceno ☐ vt/i sujar(-se). ~ **trick** golpe m baixo

disability /dɪsəˈbɪlətɪ/ n deficiência f

disable /dɪsˈeɪbl/ vt incapacitar. ~**d** a inválido, deficiente

disadvantage /dɪsədˈvɑːntɪdʒ/ n desvantagem f

disagree /dɪsəˈɡriː/ vi discordar (**with** de). ~ **with** (food, climate) não fazer bem. ~**ment** n desacordo m; (quarrel) desentendimento m

disagreeable /dɪsəˈɡriːəbl/ a desagradável

disappear /dɪsəˈpɪə(r)/ vi desaparecer. ~**ance** n desaparecimento m

disappoint /dɪsəˈpɔɪnt/ vt desapontar, decepcionar. ~**ment** n desapontamento m, decepção f

disapprov|e /dɪsəˈpruːv/ vi ~e

(of) desaprovar. **~al** n desaprovação f

disarm /dɪˈsɑːm/ vt/i desarmar. **~ament** n desarmamento m

disaster /dɪˈzɑːstə(r)/ n desastre m. **~rous** a desastroso

disband /dɪsˈbænd/ vt/i debandar; (troops) dispersar

disbelief /dɪsbɪˈliːf/ n incredulidade f

disc /dɪsk/ n disco m. **~ jockey** disc(o) jockey m

discard /dɪsˈkɑːd/ vt pôr de lado, descartar(-se) de; (old clothes etc) desfazer-se de

discern /dɪˈsɜːn/ vt discernir. **~ible** a perceptível. **~ing** a perspicaz. **~ment** n discernimento m, perspicácia f

discharge[1] /dɪsˈtʃɑːdʒ/ vt descarregar; (dismiss) despedir, mandar embora; (duty) cumprir; (liquid) vazar, deitar, (patient) dar alta a; (prisoner) absolver, pôr em liberdade; (pus) deitar

discharge[2] /ˈdɪstʃɑːdʒ/ n descarga f; (dismissal) despedimento m; (of patient) alta f; (of prisoner) absolvição f; (med) secreção f

disciple /dɪˈsaɪpl/ n discípulo m

disciplin|e /ˈdɪsɪplɪn/ n disciplina f □ vt disciplinar; (punish) castigar. **~ary** a disciplinar

disclaim /dɪsˈkleɪm/ vt (jur) repudiar; (deny) negar. **~er** n desmentido m

disclos|e /dɪsˈkləʊz/ vt revelar. **~ure** /-ʒə(r)/ n revelação f

disco /ˈdɪskəʊ/ n (pl **-os**) (colloq) discoteca f

discolour /dɪsˈkʌlə(r)/ vt/i descolorir(-se); (in sunlight) desbotar (-se)

discomfort /dɪsˈkʌmfət/ n mal-estar m; (lack of comfort) desconforto m

disconcert /dɪskənˈsɜːt/ vt desconcertar. **~ing** a desconcertante

disconnect /dɪskəˈnekt/ vt desligar

discontent /dɪskənˈtent/ n descontentamento m. **~ed** a descontente

discontinue /dɪskənˈtɪnjuː/ vt descontinuar, suspender

discord /ˈdɪskɔːd/ n discórdia f. **~ant** /ˈskɔːdənt/ a discordante

discothèque /ˈdɪskətek/ n discoteca f

discount[1] /ˈdɪskaʊnt/ n desconto m

discount[2] /dɪsˈkaʊnt/ vt descontar; (disregard) dar o desconto a

discourage /dɪsˈkʌrɪdʒ/ vt desencorajar

discourte|ous /dɪsˈkɜːtɪəs/ a indelicado. **~sy** /-sɪ/ n indelicadeza f

discover /dɪsˈkʌvə(r)/ vt descobrir. **~y** n descoberta f; (of island etc) descobrimento m

discredit /dɪsˈkredɪt/ vt (pt **discredited**) desacreditar □ n descrédito m

discreet /dɪsˈkriːt/ a discreto

discrepancy /dɪˈskrepənsɪ/ n discrepância f

discretion /dɪˈskreʃn/ n discrição f; (prudence) prudência f

discriminat|e /dɪsˈkrɪmɪneɪt/ vt/i discriminar. **~e against**

tomar partido contra, fazer discriminação contra. ~ing *a* discriminador; (*having good taste*) com discernimento. ~ion /'neɪʃn/ *n* discernimento *m*; (*bias*) discriminação *f*

discus /'dɪskəs/ *n* disco *m*

discuss /dɪ'skʌs/ *vt* discutir. ~ion /-ʃn/ *n* discussão *f*

disdain /dɪs'deɪn/ *n* desdém *m* □ *vt* desdenhar. ~ful *a* desdenhoso

disease /dɪ'ziːz/ *n* doença *f*. ~d *a* (*plant*) atacada por doença; (*person, animal*) doente

disembark /dɪsɪm'baːk/ *vt/i* desembarcar

disembodied /dɪsɪm'bɒdɪd/ *a* desencarnado

disenchant /dɪsɪn'tʃaːnt/ *vt* desencantar. ~ment *n* desencantamento *m*

disengage /dɪsɪn'geɪdʒ/ *vt* desprender, soltar; (*mech*) desengatar

disentangle /dɪsɪn'tæŋgl/ *vt* desembaraçar, desenredar

disfavour /dɪs'feɪvə(r)/ *n* desfavor *m*, desgraça *f*

disfigure /dɪs'fɪgə(r)/ *vt* desfigurar

disgrace /dɪs'greɪs/ *n* vergonha *f*; (*disfavour*) desgraça *f* □ *vt* desonrar. ~ful *a* vergonhoso

disgruntled /dɪs'grʌntld/ *a* descontente

disguise /dɪs'gaɪz/ *vt* disfarçar □ *n* disfarce *m*. in ~ disfarçado

disgust /dɪs'gʌst/ *n* repugnância *f* □ *vt* repugnar. ~ing *a* repugnante

dish /dɪʃ/ *n* prato *m* □ *vt* ~

out (*colloq*) distribuir. ~ up servir. the ~es (*crockery*) a louça *f*

dishcloth /'dɪʃklɒθ/ *n* pano *m* da louça

dishearten /dɪs'haːtn/ *vt* desencorajar, desalentar

dishevelled /dɪ'ʃevld/ *a* desgrenhado

dishonest /dɪs'ɒnɪst/ *a* desonesto. ~y *n* desonestidade *f*

dishonour /dɪs'ɒnə(r)/ *n* desonra *f* □ *vt* desonrar. ~able *a* desonroso

dishwasher /'dɪʃwɒʃə(r)/ *n* máquina *f* de lavar louça

disillusion /dɪsɪ'luːʒn/ *vt* desiludir. ~ment *n* desilusão *f*

disinfect /dɪsɪn'fekt/ *vt* desinfectar. ~ant *n* desinfectante *m*

disinherit /dɪsɪn'herɪt/ *vt* deserdar

disintegrate /dɪs'ɪntɪgreɪt/ *vt/i* desintegrar(-se)

disinterested /dɪs'ɪntrəstɪd/ *a* desinteressado

disjointed /dɪs'dʒɔɪntɪd/ *a* (*talk*) sem nexo, desconexo

disk /dɪsk/ *n* (*comput*) disco *m*; (*Amer*) = **disc**. ~ drive unidade *f* de disco

dislike /dɪs'laɪk/ *n* aversão *f*, antipatia *f* □ *vt* não gostar de, antipatizar com

dislocat|e /'dɪsləkeɪt/ *vt* (*limb*) deslocar. ~ion /'keɪʃn/ *n* deslocação *f*

dislodge /dɪs'lɒdʒ/ *vt* desalojar

disloyal /dɪs'lɔɪəl/ *a* desleal. ~ty *n* deslealdade *f*

dismal /'dɪzməl/ *a* tristonho

dismantle /dɪs'mæntl/ *vt* desmantelar

dismay /dɪsˈmeɪ/ n consternação f □ vt consternar

dismiss /dɪsˈmɪs/ vt despedir; (from mind) afastar, pôr de lado. ~al n despedimento m

dismount /dɪsˈmaʊnt/ vi desmontar

disobedien|t /dɪsəˈbiːdɪənt/ a desobediente. ~ce n desobediência f

disobey /dɪsəˈbeɪ/ vt/i desobedecer (a)

disorder /dɪsˈɔːdə(r)/ n desordem f; (med) perturbações fpl, disfunção f. ~ly a desordenado; (riotous) desordeiro

disorganize /dɪsˈɔːɡənaɪz/ vt desorganizar

disorientate /dɪsˈɔːrɪənteɪt/ vt desorientar

disown /dɪsˈəʊn/ vt repudiar

disparaging /dɪsˈpærɪdʒɪŋ/ a depreciativo

disparity /dɪsˈpærətɪ/ n disparidade f

dispatch /dɪsˈpætʃ/ vt despachar □ n despacho m

dispel /dɪsˈpel/ vt (pt dispelled) dissipar

dispensary /dɪsˈpensərɪ/ n dispensário m, farmácia f

dispense /dɪsˈpens/ vt dispensar □ vi ~ with dispensar, passar sem. ~r /-ə(r)/ n (container) distribuidor m

dispers|e /dɪsˈpɜːs/ vt/i dispersar (-se). ~al n dispersão f

dispirited /dɪsˈpɪrɪtɪd/ a desanimado

displace /dɪsˈpleɪs/ vt deslocar; (take the place of) substituir. ~d person deslocado m de guerra

display /dɪsˈpleɪ/ vt exibir,

mostrar; (feeling) manifestar, dar mostras de □ n exposição f; (of computer) apresentação f visual; (comm) objectos mpl expostos

displeas|e /dɪsˈpliːz/ vt desagradar a. ~ed with descontente com. ~ure /ˈpleʒə(r)/ n desagrado m

disposable /dɪsˈpəʊzəbl/ a descartável

dispos|e /dɪsˈpəʊz/ vt dispor □ vi ~e of desfazer-se de. well ~ed towards bem disposto para com. ~al n (of waste) eliminação f. at sb's ~al à disposição de alg

disposition /dɪspəˈzɪʃn/ n disposição f; (character) índole f

disproportionate /dɪsprəˈpɔːʃənət/ a desproporcionado

disprove /dɪsˈpruːv/ vt refutar

dispute /dɪsˈpjuːt/ vt contestar; (fight for, quarrel) disputar □ n disputa f; (industrial, pol) conflito m. in ~ em questão

disqualif|y /dɪsˈkwɒlɪfaɪ/ vt tornar inapto; (sport) desqualificar. ~y from driving apreender a carteira de motorista. ~ication /-ɪˈkeɪʃn/ n desqualificação f

disregard /dɪsrɪˈɡɑːd/ vt não fazer caso de □ n indiferença f (for por)

disrepair /dɪsrɪˈpeə(r)/ n mau estado m, abandono m, degradação f

disreputable /dɪsˈrepjʊtəbl/ a pouco recomendável; (in appearance) com mau aspecto;

(*in reputation*) vergonhoso, de má fama

disrepute /dɪsrɪ'pjuːt/ n descrédito m

disrespect /dɪsrɪ'spekt/ n falta f de respeito. **~ful** a desrespeitoso, irreverente

disrupt /dɪs'rʌpt/ vt perturbar; (*plans*) transtornar; (*break up*) dividir. **~ion** /-ʃn/ n perturbação f. **~ive** a perturbador

dissatisf|ied /dɪ'sætɪsfaɪd/ a descontente. **~action** /dɪsætɪs'fækʃn/ n descontentamento m

dissect /dɪ'sekt/ vt dissecar. **~ion** /-ʃn/ n dissecação f

dissent /dɪ'sent/ vi dissentir, discordar □ n dissensão f, desacordo m

dissertation /dɪsə'teɪʃn/ n dissertação f

disservice /dɪs'sɜːvɪs/ n **do sb a ~** prejudicar alg

dissident /'dɪsɪdənt/ a & n dissidente mf

dissimilar /dɪ'sɪmɪlə(r)/ a diferente

dissipate /'dɪsɪpeɪt/ vt dissipar; (*efforts, time*) desperdiçar. **~d** a dissoluto

dissociate /dɪ'səʊʃɪeɪt/ vt dissociar, desassociar

dissolution /dɪsə'luːʃn/ n dissolução f

dissolve /dɪ'zɒlv/ vt/i dissolver (-se)

dissuade /dɪ'sweɪd/ vt dissuadir

distance /'dɪstəns/ n distância f. **from a ~** de longe. **in the ~** ao longe, à distância

distant /'dɪstənt/ a distante; (*relative*) afastado

distaste /dɪs'teɪst/ n aversão f. **~ful** a desagradável

distemper /dɪ'stempə(r)/ n pintura f a têmpera; (*animal disease*) esgana f □ vt pintar a têmpera

distend /dɪ'stend/ vt/i distender (-se)

distil /dɪ'stɪl/ vt (pt **distilled**) destilar. **~lation** /'leɪʃn/ n destilação f

distillery /dɪ'stɪlərɪ/ n destilaria f

distinct /dɪ'stɪŋkt/ a distinto; (*marked*) claro, nítido. **~ion** /-ʃn/ n distinção f. **~ive** a distintivo, característico. **~ly** adv distintamente; (*markedly*) claramente

distinguish /dɪ'stɪŋwɪʃ/ vt/i distinguir. **~ed** a distinto

distort /dɪ'stɔːt/ vt distorcer; (*misrepresent*) deturpar. **~ion** /-ʃn/ n distorção f, (*misrepresentation*) deturpação f

distract /dɪ'strækt/ vt distrair. **~ed** a (*distraught*) desesperado, fora de si. **~ing** a enlouquecedor. **~ion** /-ʃn/ n distracção f

distraught /dɪ'strɔːt/ a desesperado, fora de si

distress /dɪ'stres/ n (*physical*) dor f; (*anguish*) aflição f; (*poverty*) miséria f; (*danger*) perigo m □ vt afligir. **~ing** a aflitivo, doloroso

distribut|e /dɪ'strɪbjuːt/ vt distribuir. **~ion** /'bjuːʃn/ n distribuição f. **~or** n distribuidor m

district /'dɪstrɪkt/ n região f; (*of town*) zona f

distrust /dɪs'trʌst/ n desconfiança f □ vt desconfiar de
disturb /dɪ'stɜːb/ vt perturbar; (move) desarrumar; (bother) incomodar. ~ance n (noise, disorder) distúrbio m. ~ed a perturbado. ~ing a perturbador
disused /dɪs'juːzd/ a fora de uso, desusado, em desuso
ditch /dɪtʃ/ n fosso m □ vt (sl: abandon) abandonar, largar
dither /'dɪðə(r)/ vi hesitar
ditto /'dɪtəʊ/ adv idem
div|e /daɪv/ vi mergulhar; (rush) precipitar-se □ n mergulho m; (of plane) picada f; (sl: place) espelunca f. ~er n mergulhador m. ~ing-board n prancha f de saltos. ~ing-suit n escafandro m
diverge /daɪ'vɜːdʒ/ vi divergir
divergent /daɪ'vɜːdʒənt/ a divergente
diverse /daɪ'vɜːs/ a diverso
diversify /daɪ'vɜːsɪfaɪ/ vt diversificar
diversity /daɪ'vɜːsətɪ/ n diversidade f
diver|t /daɪ'vɜːt/ vt desviar; (entertain) divertir. ~sion /-ʃn/ n diversão f; (traffic) desvio m
divide /dɪ'vaɪd/ vt/i dividir(-se). ~ in two (branch, river, road) bifurcar-se
dividend /'dɪvɪdend/ n dividendo m
divine /dɪ'vaɪn/ a divino
divinity /dɪ'vɪnətɪ/ n divindade f; (theology) teologia f
division /dɪ'vɪʒn/ n divisão f
divorce /dɪ'vɔːs/ n divórcio m

□ vt/i divorciar(-se) de. ~d a divorciado
divorcee /dɪvɔː'siː/ n divorciado m
divulge /daɪ'vʌldʒ/ vt divulgar
DIY abbr see **do-it-yourself**
dizz|y /'dɪzɪ/ a (-ier, -iest) tonto. **be** or **feel** ~y ter tonturas, sentir-se tonto. ~iness n tontura f, vertigem f
do /duː/ vt/i (3 sing pres **does**, pt **did**, pp **done**) fazer; (be suitable) servir; (be enough) bastar (a); (sl: swindle) enganar, levar (colloq). **how** ~ **you** ~? como vai? **well done** muito bem!, bravo!; (culin) bem passado. **done for** (colloq) liquidado (colloq), arrumado (colloq) □ v aux ~ **you see?** vês?; **I** ~ **not smoke** não fumo. **don't you?, doesn't he?** etc não é? □ n (pl **dos** or **do's**) festa f. ~**it-yourself** a faça-você-mesmo. ~ **away with** eliminar, suprimir. ~ **in** (sl) matar, liquidar (colloq). ~ **out** limpar. ~ **up** (fasten) fechar; (house) renovar. **I could** ~ **with a cup of tea** apetecia-me uma chávena de chá. **it could** ~ **with a wash** precisa de uma lavagem
docile /'dəʊsaɪl/ a dócil
dock¹ /dɒk/ n doca f □ vt levar à doca □ vi entrar na doca. ~**er** n estivador m
dock² /dɒk/ n (jur) banco m dos réus
dockyard /'dɒkjɑːd/ n estaleiro m
doctor /'dɒktə(r)/ n médico m, doutor m; (univ) doutor m □

vt (*cat*) capar; (*fig*) adulterar, falsificar

doctorate /ˈdɒktərət/ *n* doutoramento *m*

doctrine /ˈdɒktrɪn/ *n* doutrina *f*

document /ˈdɒkjʊmənt/ *n* documento *m* □ *vt* documentar. ~**ary** /-ˈmentrɪ/ *a* documental □ *n* documentário *m*

dodge /dɒdʒ/ *vt/i* esquivar(-se), furtar(-se) a □ *n* (*colloq*) truque *m*

dodgy /ˈdɒdʒɪ/ *a* (-**ier**, -**iest**) (*colloq*) delicado, difícil, embaraçoso

does /dʌz/ *see* **do**

doesn't /ˈdʌznt/ = **does not**

dog /dɒg/ *n* cão *m* □ *vt* (*pt* **dogged**) ir no encalço de, perseguir. ~**-eared** *a* com os cantos dobrados

dogged /ˈdɒgɪd/ *a* obstinado, persistente

dogma /ˈdɒgmə/ *n* dogma *m*. ~**tic** /ˈmætɪk/ *a* dogmático

dogsbody /ˈdɒgzbɒdɪ/ *n* (*colloq*) pau-para-toda-a-obra *m* (*colloq*), factótum *m*

doldrums /ˈdɒldrəmz/ *npl* **be in the** ~ estar com a neura; (*business*) estar parado

dole /dəʊl/ *vt* ~ **out** distribuir □ *n* (*colloq*) auxílio *m* desemprego. **on the** ~ (*colloq*) desempregado (titular de subsídios)

doleful /ˈdəʊlfl/ *a* tristonho, melancólico

doll /dɒl/ *n* boneca *f* □ *vt/i* ~ **up** (*colloq*) embonecar(-se)

dollar /ˈdɒlə(r)/ *n* dólar *m*

dolphin /ˈdɒlfɪn/ *n* golfinho *m*

domain /dəʊˈmeɪn/ *n* domínio *m*

dome /dəʊm/ *n* cúpula *f*; (*vault*) abóbada *f*

domestic /dəˈmestɪk/ *a* (*of home, animal, flights*) doméstico; (*trade*) interno; (*news*) nacional. ~**ated** /-keɪtɪd/ *a* (*animal*) domesticado; (*person*) que gosta de trabalhos caseiros

dominant /ˈdɒmɪnənt/ *a* dominante

dominat|e /ˈdɒmɪneɪt/ *vt/i* dominar. ~**ion** /ˈneɪʃn/ *n* dominação *f*, domínio *m*

domineer /dɒmɪˈnɪə(r)/ *vi* ~ **over** mandar (em), ser autocrático (para com). ~**ing** *a* mandão, autocrático

dominion /dəˈmɪnjən/ *n* domínio *m*

domino /ˈdɒmɪnəʊ/ *n* (*pl* -**oes**) dominó *m*

donat|e /dəʊˈneɪt/ *vt* fazer doação de, doar, dar. ~**ion** /-ʃn/ *n* donativo *m*

done /dʌn/ *see* **do**

donkey /ˈdɒŋkɪ/ *n* burro *m*

donor /ˈdəʊnə(r)/ *n* (*of blood*) dador *m*

don't /dəʊnt/ = **do not**

doodle /ˈduːdl/ *vi* rabiscar

doom /duːm/ *n* ruína *f*; (*fate*) destino *m*. **be** ~**ed to** ser/estar condenado a. ~**ed** (**to failure**) con-denado ao fracasso

door /dɔː(r)/ *n* porta *f*

doorman /ˈdɔːmən/ *n* (*pl* -**men**) porteiro *m*

doormat /ˈdɔːmæt/ *n* capacho *m*

doorstep /ˈdɔːstep/ *n* degrau *m* da porta

doorway /ˈdɔːweɪ/ *n* entrada *f*, vão *m* da porta

dope /dəʊp/ n (colloq) droga f; (sl: idiot) imbecil mf □ vt dopar, drogar

dormant /'dɔ:mənt/ a dormente; (inactive) inactivo; (latent) latente

dormitory /'dɔ:mɪtrɪ/ n dormitório m; (Amer univ) residência f

dormouse /'dɔ:maʊs/ n (pl -mice) arganaz m

dos|e /dəʊs/ n dose f □ vt medicar. ~age n dosagem f; (on label) posologia f

doss /dɒs/ vi ~ (down) dormir sem conforto. ~-house n pensão f miserável, asilo m nocturno. ~er n vagabundo m

dot /dɒt/ n ponto m. on the ~ no momento preciso □ vt be ~ted with estar semeado de. ~ted line linha f pontilhada

dote /dəʊt/ vi ~ on ser louco por, adorar

double /'dʌbl/ a duplo; (room, bed) de casal □ adv duas vezes mais □ n dobro m. ~s (tennis) pares mpl □ vt/i dobrar, duplicar; (fold) dobrar em dois. at the ~ a passo acelerado. ~-bass n contrabaixo m. ~ chin papada f. ~-cross vt enganar. ~-dealing n jogo m duplo. ~-decker n autocarro m de dois andares. ~ Dutch algaravia da f, fala f incompreensível. ~ glazing (janela f de) vidro m duplo. **doubly** adv duplamente

doubt /daʊt/ n dúvida f □ vt duvidar de. ~ if or that duvidar que. ~ful a duvidoso;

(hesitant) que tem dúvidas. ~less adv sem dúvida, indubitavelmente

dough /dəʊ/ n massa f

doughnut /'daʊnʌt/ n donut m

dove /dʌv/ n pomba f

dowdy /'daʊdɪ/ a (-ier, -iest) sem graça, sem gosto

down¹ /daʊn/ n (feathers, hair) penugem f

down² /daʊn/ adv (to lower place) abaixo, para baixo; (in lower place) em baixo. be ~ (level, price) descer; (sun) estar posto □ prep por (+n) (n+) abaixo. ~ the hill/ street etc pelo monte/pela rua etc abaixo □ vt (colloq: knock down) deitar abaixo; (colloq: drink) esvaziar. come or go ~ descer. ~-and-out n marginal m. ~-hearted a desencorajado, desanimado. ~-to-earth a terra-a-terra invar. ~ under na Austrália. ~ with abaixo

downcast /'daʊnkɑ:st/ a abatido, deprimido, desmoralizado

downfall /'daʊnfɔ:l/ n queda f, ruína f

downhill /daʊn'hɪl/ adv go ~ descer; (fig) ir abaixo □ a /'daʊnhɪl/ a descer, descendente

downpour /'daʊnpɔ:(r)/ n aguaceiro m forte, chuvada f

downright /'daʊnraɪt/ a franco; (utter) autêntico, verdadeiro □ adv positivamente

downstairs /daʊn'steəz/ adv (at/to) em/para baixo, no/para o andar de baixo □ a /'daʊnsteəz/ (flat etc) de baixo, do andar de baixo

downstream /'daʊnstriːm/ adv
rio abaixo

downtown /'daʊntaʊn/ a &
adv (de, em, para) o centro
da cidade. ~ **Boston** o centro
de Boston

downtrodden /'daʊntrɒdn/ a
espezinhado, oprimido

downward /'daʊnwəd/ a descendente. ~(s) adv para baixo

dowry /'daʊrɪ/ n dote m

doze /dəʊz/ vi dormitar. ~ **off**
passar pelas brasas □ n so-
neca f

dozen /'dʌzn/ n dúzia f. ~s **of**
(colloq) dezenas de, dúzias
de

Dr abbr (Doctor) Dr

drab /dræb/ a insípido; (of colour) morto, apagado

draft¹ /drɑːft/ n rascunho m;
(comm) ordem f de paga-
mento □ vt fazer o rascunho
de; (draw up) redigir. **the** ~
(Amer: mil) recrutamento m

draft² /drɑːft/ n (Amer) =
draught

drag /dræg/ vt/i (pt dragged)
arrastar(-se); (river) dragar;
(pull away) arrancar □ n
(colloq: task) chatice f (sl);
(colloq: person) estorvo m;
(sl: clothes) travesti m

dragon /'drægən/ n dragão m

dragonfly /'drægənflaɪ/ n libélula f

drain /dreɪn/ vt drenar; (vegetables) escorrer; (glass,
tank) esvaziar; (use up) esgotar □ vi ~ (**off**) escoar-se
□ n cano m. ~s npl (sewers)
esgotos mpl. ~**age** n drena-
gem f. ~(-**pipe**) cano m de

esgoto. ~**ing-board** n escorredouro m

drama /'drɑːmə/ n arte f dra-
mática; (play, event) drama
m. ~**tic** /drə'mætɪk/ a dramá-
tico. ~**tist** /'dræmətɪst/ n dramaturgo m. ~**tize** /'dræmə-
taɪz/ vt dramatizar

drank /dræŋk/ see **drink**

drape /dreɪp/ vt ~ **round/over**
dispor (tecido) em pregas à
volta de or sobre. ~**s** npl
(Amer) cortinas fpl

drastic /'dræstɪk/ a drástico,
violento

draught /drɑːft/ n corrente f
de ar; (naut) calado m. ~**s**
(game) (jogo m das) damas
fpl. ~ **beer** cerveja f à caneca, imperial f (colloq). ~**y**
a com correntes de ar, ventoso

draughtsman /'drɑːftsmən/ n
(pl -men) desenhador m

draw /drɔː/ vt (pt **drew**, pp
drawn) puxar; (attract)
atrair; (picture) desenhar; (in
lottery) tirar à sorte; (line)
traçar; (open curtains) abrir;
(close curtains) fechar □ vi
desenhar; (sport) empatar;
(come) vir □ n (sport) empate m; (lottery) sorteio m. ~
back recuar. ~ **in** (of days)
diminuir. ~ **near** aproximar-
-se. ~ **out** (money) levantar.
~ **up** deter-se, parar; (document) redigir; (chair) aproximar, chegar

drawback /'drɔːbæk/ n inconveniente m, desvantagem f

drawer /drɔː(r)/ n gaveta f

drawing /'drɔːɪŋ/ n desenho
m. ~-**board** n prancheta f.
~-**pin** n percevejo m

drawl /drɔːl/ n fala f arrastada

drawn /drɔːn/ see **draw**

dread /dred/ n terror m □ vt temer

dreadful /'dredfl/ a medonho, terrível. ~ly adv terrivelmente

dream /driːm/ n sonho m □ vt/i (pt **dreamed** or **dreamt**) sonhar (**of** com) □ a (ideal) dos seus sonhos. ~ **up** imaginar. ~**er** n sonhador m. ~**y** a sonhador; (music) romântico

dreary /'drɪərɪ/ a (-**ier**, -**iest**) tristonho; (boring) aborrecido

dredge /dredʒ/ n draga f □ vt/i dragar. ~**r** /-ə(r)/ n draga f; (for sugar) polvilhador m

dregs /dregz/ npl depósito m, sedimento m; (fig) escória f

drench /drentʃ/ vt encharcar

dress /dres/ n vestido m; (clothing) roupa f □ vt/i vestir(-se); (food) temperar; (wound) fazer curativo, colocar um penso, tratar. ~ **rehearsal** ensaio m geral. ~ **up as** fantasiar-se de. **get** ~**ed** vestir-se

dresser /'dresə(r)/ n (furniture) guarda-louça m

dressing /'dresɪŋ/ n (sauce) tempero m; (bandage) curativo m, penso m. ~**-gown** n roupão m. ~**-room** n (sport) vestiário m; (theat) camarim m. ~**-table** n toucador m

dressmak|er /'dresmeɪkə(r)/ n costureira f, modista f. ~**ing** n costura f

dressy /'dresɪ/ a (-**ier**, -**iest**) elegante, chique invar

drew /druː/ see **draw**

dribble /'drɪbl/ vi pingar; (person) babar-se; (football) driblar

dried /draɪd/ a (fruit etc) seco

drier /'draɪə(r)/ n secador m

drift /drɪft/ vi ir à deriva; (pile up) amontoar-se □ n força f da corrente; (pile) monte m; (of events) rumo m; (meaning) sentido m. ~**er** n pessoa f sem rumo

drill /drɪl/ n (tool) broca f; (training) exercício m, treino m; (routine procedure) exercícios mpl □ vt furar, perfurar; (train) treinar; (tooth) abrir □ vi treinar-se

drink /drɪŋk/ vt/i (pt **drank**, pp **drunk**) beber □ n bebida f. **a** ~ **of water** um copo de água. ~**able** a potável; (palatable) bebível. ~**er** n bebedor m. ~**ing water** água f potável

drip /drɪp/ vi (pt **dripped**) pingar □ n pingar m; (sl: person) banana f (colloq). ~**-dry** vt deixar escorrer □ a que não precisa de ser passado a ferro

dripping /'drɪpɪŋ/ n gordura f do assado

drive /draɪv/ vt (pt **drove**, pp **driven** /'drɪvn/) empurrar, impelir, levar; (car, animal) conduzir, guiar; (machine) accionar □ vi conduzir, guiar □ n passeio m de carro; (private road) entrada f para veículos; (fig) energia f; (psych) drive m, compulsão f, impulso m; (campaign) campanha f. ~ **at** chegar a. ~

away (*car*) partir. ~ **in** (*force in*) enterrar. ~**in** *n* (*bank, cinema etc*) banco *m*, cinema *m etc* em que se é atendido no carro, drive-in *m*. ~ **mad** (*fazer*) enlouquecer, pôr fora de si

drivel /ˈdrɪvl/ *n* baboseira *f*, (BR) bobagem *f*

driver /ˈdraɪvə(r)/ *n* condutor *m*; (*of taxi, bus*) chofer *m*, motorista *mf*

driving /ˈdraɪvɪŋ/ *n* condução *f*. ~-**licence** *n* carta *f* de condução. ~ **school** escola *f* de condução; ~ **test** exame *m* de condução

drizzle /ˈdrɪzl/ *n* chuvisco *m* □ *vi* chuviscar

drone /drəʊn/ *n* zumbido *m*; (*male bee*) zangão *m* □ *vi* zumbir; (*fig*) falar monotonamente

drool /druːl/ *vi* babar(-se)

droop /druːp/ *vi* pender, curvar-se

drop /drɒp/ *n* gota *f*; (*fall*) queda *f*; (*distance*) altura *f* de queda □ *vt/i* (*pt dropped*) (deixar) cair; (*fall, lower*) baixar. ~ (**off**) (*person from car*) deixar, largar. ~ **a line** escrever duas linhas (**to** a). ~ **in** passar por (**on em** casa de). ~ **off** (*doze*) adormecer. ~ **out** (*withdraw*) retirar-se; (*of student*) abandonar. ~**out** *n* marginal *mf*, marginalizado *m*

droppings /ˈdrɒpɪŋz/ *npl* excrementos *mpl* de animal; (*of birds*) cócó *m* (*colloq*), porcaria *f* (*colloq*)

dross /drɒs/ *n* escória *f*; (*refuse*) lixo *m*

drought /draʊt/ *n* seca *f*

drove /drəʊv/ *see* **drive**

drown /draʊn/ *vt/i* afogar(-se)

drowsy /ˈdraʊzɪ/ *a* sonolento. **be** *or* **feel** ~ ter vontade de dormir

drudge /drʌdʒ/ *n* mouro *m* de trabalho. ~**ry** /-ərɪ/ *n* trabalho *m* penoso e monótono, estafa *f*

drug /drʌg/ *n* droga *f*; (*med*) medicamento *m*, remédio *m* □ *vt* (*pt* **drugged**) drogar. ~ **addict** drogado *m*, tóxicodependente *m*

drugstore /ˈdrʌgstɔː(r)/ *n* (*Amer*) farmácia *f* que vende também sorvetes etc

drum /drʌm/ *n* (*mus*) tambor *m*; (*for oil*) barril *m*, tambor *m*. ~**s** (*mus*) bateria *f* □ *vi* (*pt* **drummed**) tocar tambor; (*with one's fingers*) tamborilar □ *vt* ~ **into sb** fazer entrar na cabeça de alg. ~ **up** (*support*) conseguir obter; (*business*) criar. ~**mer** *n* tambor *m*; (*in pop group etc*) baterista *m*

drunk /drʌŋk/ *see* **drink** □ *a* embriagado, bêbedo. **get** ~ embebedar-se, embriagar-se □ *n* bêbedo *m*. ~**ard** *n* alcoólico *m*, bêbedo *m*. ~**en** *a* embriagado, bêbedo; (*habitually*) bêbedo. ~**ness** *n* embriaguez *f*

dry /draɪ/ *a* (**drier, driest**) seco; (*day*) sem chuva □ *vt/i* secar. **be** *or* **feel** ~ ter sede. ~-**clean** *vt* limpar a seco. ~-**cleaner's** *n* (loja de) lavagem *f* a seco, lavandaria *f*. ~ **up** (*dishes*) secar a louça *f*; (*of supplies*) esgotar-se. ~**ness** *n* secura *f*

dual /'dju:əl/ a duplo. ~ **carriageway** estrada f dividida por faixa central. --**purpose** a com fim duplo

dub /dʌb/ vt (pt **dubbed**) (film) dobrar; (nickname) apelidar de

dubious /'dju:bɪəs/ a duvidoso; (character, compliment) dúbio. **feel** ~ **about** ter dúvidas quanto a

duchess /'dʌtʃɪs/ n duquesa f

duck /dʌk/ n pato m □ vi abaixar-se rapidamente □ vt (head) baixar; (person) pregar uma amona em. ~**ling** n patinho m

duct /dʌkt/ n canal m, tubo m

dud /dʌd/ a (sl: thing) que não presta ou não funciona; (sl: coin) falso; (sl: cheque) sem fundo, careca (sl)

due /dju:/ a devido; (expected) esperado □ adv ~ **east**/etc exactamente a leste/etc □ n devido m. ~**s** direitos mpl; (of club) cota f. ~ **to** devido a, por causa de. **in** ~ **course** no tempo devido

duel /'dju:əl/ n duelo m

duet /dju:'et/ n dueto m

duffel /'dʌfl/ a ~ **bag** saco m de lona. ~**coat** n canadiana f com carapuço

dug /dʌg/ see **dig**

duke /dju:k/ n duque m

dull /dʌl/ a (-er, -est) (boring) enfadonho; (colour) morto; (mirror) embaciado; (weather) encoberto; (sound) surdo; (stupid) burro

duly /'dju:lɪ/ adv devidamente; (in due time) no tempo devido

dumb /dʌm/ a (-er, -est) mudo; (colloq: stupid) bronco, burro

dumbfound /dʌm'faʊnd/ vt pasmar

dummy /'dʌmɪ/ n imitação f, coisa f simulada; (of tailor) manequim m; (of baby) chupeta f

dump /dʌmp/ vt (rubbish) deitar fora; (put down) deixar cair; (colloq: abandon) largar □ n monte m de lixo; (tip) lixeira f; (mil) depósito m; (colloq) buraco m

dunce /dʌns/ n burro m. ~'s **cap** orelhas fpl de burro

dune /dju:n/ n duna f

dung /dʌŋ/ n esterco m; (manure) estrume m

dungarees /dʌŋgə'ri:z/ npl jardineiras f pl, fato m de macaco

dungeon /'dʌndʒən/ n calabouço m, masmorra f

dupe /dju:p/ vt enganar □ n trouxa m

duplicate[1] /'dju:plɪkət/ n duplicado m □ a idêntico

duplicate[2] /'dju:plɪkeɪt/ vt duplicar, fazer em duplicado; (on machine) fotocopiar

duplicity /dju:'plɪsətɪ/ n duplicidade f

durable /'djʊərəbl/ a resistente; (enduring) duradouro, durável

duration /djʊ'reɪʃn/ n duração f

duress /djʊ'res/ n **under** ~ sob coacção f

during /'djʊərɪŋ/ prep durante

dusk /dʌsk/ n crepúsculo m, anoitecer m

dusky /'dʌskɪ/ a (-ier, -iest)
escuro, sombrio

dust /dʌst/ n pó m, poeira f □
vt limpar o pó de; (sprinkle)
polvilhar. ~-jacket n sobrecapa f de livro

dustbin /'dʌstbɪn/ n caixote m
do lixo

duster /'dʌstə(r)/ n pano m do
pó

dustman /'dʌstmən/ n (pl
-men) homem m do lixo

dusty /'dʌstɪ/ a (-ier, -iest)
poeirento, empoeirado

Dutch /dʌtʃ/ a holandês □ n
(lang) holandês m. ~man n
holandês m. ~woman n ho-
landesa f. go ~ pagar cada
um a sua despesa

dutiful /'dju:tɪfl/ a cumpridor;
(showing respect) respeitador

dut|y /'dju:tɪ/ n dever m; (tax)
impostos mpl. ~ies (of official etc) funções fpl. off ~y
de folga. on ~y de serviço.
~y-free a isento de impos-

tos. ~y-free **shop** free shop
m

duvet /'dju:veɪ/ n edredão m
de penas

dwarf /dwɔ:f/ n (pl -fs) anão
m

dwell /dwel/ vi (pt dwelt) morar. ~ **on** alongar-se sobre.
~er n habitante. ~ing n habitação f

dwindle /'dwɪndl/ vi diminuir,
reduzir-se

dye /daɪ/ vt (pres p dyeing)
tingir □ n tinta f

dying /'daɪɪŋ/ see **die**

dynamic /daɪ'næmɪk/ a dinâmico

dynamite /'daɪnəmaɪt/ n dinamite f □ vt dinamitar

dynamo /'daɪnəməʊ/ n (pl
-os) dínamo m

dynasty /'dɪnəstɪ/ n dinastia f

dysentery /'dɪsəntrɪ/ n disenteria f

dyslex|ia /dɪs'leksɪə/ n dislexia
f. ~ic a disléxico

E

each /iːtʃ/ *a & pron* cada. **~ one** cada um. **~ other** um ao outro, uns aos outros. **they like ~ other** gostam um do outro/uns dos outros. **know/love/etc ~ other** conhecer-se/amar-se/*etc*

eager /ˈiːɡə(r)/ *a* ansioso (**to** por), desejoso (**for** de); (*supporter*) entusiástico. **be ~ to** ter vontade de. **~ly** *adv* com impaciência, ansiosamente; (*keenly*) com entusiasmo. **~ness** *n* ansiedade *f*, desejo *m*; (*keenness*) entusiasmo *m*

eagle /ˈiːɡl/ *n* águia *f*

ear /ɪə(r)/ *n* ouvido *m*; (*external part*) orelha *f*. **~-drum** *n* tímpano *m*. **~-ring** *n* brinco *m*

earache /ˈɪəreɪk/ *n* dor *f* de ouvidos

earl /ɜːl/ *n* conde *m*

early /ˈɜːlɪ/ (**-ier, -iest**) *adv* cedo □ *a* primeiro; (*hour*) matinal; (*fruit*) temporão; (*retirement*) antecipado. **have an ~ dinner** jantar cedo. **in ~ summer** no princípio do Verão

earmark /ˈɪəmaːk/ *vt* destinar, reservar (**for** para)

earn /ɜːn/ *vt* ganhar; (*deserve*) merecer

earnest /ˈɜːnɪst/ *a* sério. **in ~** a sério

earnings /ˈɜːnɪŋz/ *npl* salário *m*; (*profits*) ganhos *mpl*, lucros *mpl*

earshot /ˈɪəʃɒt/ *n* **within ~** ao alcance da voz

earth /ɜːθ/ *n* terra *f* □ *vt* (*electr*) ligar à terra. **why on ~?** por que diabo?, por que carga d'água? **~ly** *a* terrestre, terreno

earthenware /ˈɜːθənweə(r)/ *n* louça *f* de barro, faiança *f*

earthquake /ˈɜːθkweɪk/ *n* tremor *m* de terra, terremoto *m*

earthy /ˈɜːθɪ/ *a* terroso, térreo; (*coarse*) grosseiro

earwig /ˈɪəwɪɡ/ *n* bicha-cadela *f*

ease /iːz/ *n* facilidade *f*; (*comfort*) bem-estar *m* □ *vt/i* (*from pain, anxiety*) acalmar(-se); (*slow down*) afrouxar; (*slide*) deslizar. **at ~** à vontade; (*mil*) descansar. **ill at ~** pouco à vontade. **with ~** facilmente. **~ in/out** fazer entrar/sair com cuidado

easel /ˈiːzl/ *n* cavalete *m*

east /i:st/ n este m, leste m, nascente m, oriente m. **the E~** o Oriente □ a este, (de) leste, oriental □ adv a/para leste. **~ of** para o leste de **~erly** a para o/de leste **~ward** a, **~ward(s)** adv para leste

Easter /'i:stə(r)/ n Páscoa f. **~ egg** ovo m de Páscoa

eastern /'i:stən/ a oriental, leste

easy /'i:zɪ/ a (**-ier, -iest**) fácil; (relaxed) natural, descontraído. **take it ~** levar as coisas com calma. **~ chair** poltrona f. **~-going** a bonacheirão. **easily** adv facilmente

eat /i:t/ vt/i (pt **ate**, pp **eaten**) comer. **~ into** corroer. **~able** a comestível

eaves /i:vz/ npl beiral m

eavesdrop /'i:vzdrɒp/ vi (pt **-dropped**) escutar por detrás da porta

ebb /eb/ n vazante f, baixa-mar m □ vi vazar; (fig) declinar

EC /i:'si:/ n (abbr of European Community) CE f

eccentric /ɪk'sentrɪk/ a & n excêntrico (m). **~ity** /eksen'trɪsətɪ/ n excentricidade f

ecclesiastical /ɪkliːzɪ'æstɪkl/ a eclesiástico

echo /'ekəʊ/ n (pl **-oes**) eco m □ vt/i (pt **echoed**, pres p **echoing**) ecoar; (fig) repetir

eclipse /ɪ'klɪps/ n eclipse m □ vt eclipsar

ecology /i:'kɒlədʒɪ/ n ecologia f. **~ical** /i:kə'lɒdʒɪkl/ a ecológico

economic /i:kə'nɒmɪk/ a eco-

nómico; (profitable) rentável. **~al** a económico. **~s** n economia f política

economist /ɪ'kɒnəmɪst/ n economista mf

economy /ɪ'kɒnəmɪ/ n economia f. **~ize** vt/i economizar

ecstasy /'ekstəsɪ/ n êxtase m

ecstatic /ɪk'stætɪk/ a extático, extasiado

ecu /'eɪkjuː/ n unidade f monetária européia

eczema /'eksɪmə/ n eczema m

edge /edʒ/ n borda f, beira f; (of town) periferia f, limite m; (of knife) fio m □ vt debruar □ vi (move) avançar pouco a pouco

edging /'edʒɪŋ/ n bordadura f

edgy /'edʒɪ/ a irritadiço, nervoso

edible /'edɪbl/ a comestível

edict /'i:dɪkt/ n édito m

edifice /'edɪfɪs/ n edifício m

edit /'edɪt/ vt (pt **edited**) (newspaper) dirigir; (text) editar

edition /ɪ'dɪʃn/ n edição f

editor /'edɪtə(r)/ n (of newspaper) director m, editor m responsável; (of text) organizador m de texto. **the ~ (in chief)** redactor-chefe m. **~ial** /edɪ'tɔːrɪəl/ a & n editorial (m)

educat|e /'edʒʊkeɪt/ vt instruir; (mind, public) educar. **~ed** a instruído; educado. **~ion** /'keɪʃn/ n educação f; (schooling) ensino m. **~ional** /'keɪʃənl/ a educativo, pedagógico

EEC /i:'si:/ n (abbr of European Economic Community) CEE f

eel /iːl/ n enguia f

eerie /ˈɪərɪ/ a (-ier, -iest) arrepiante, misterioso

effect /ɪˈfekt/ n efeito m □ vt efectuar. **come into** ~ entrar em vigor. **in** ~ na realidade. **take** ~ ter efeito

effective /ɪˈfektɪv/ a eficaz, eficiente; (striking) sensacional; (actual) efectivo. ~**ly** adv (efficiently) eficazmente; (strikingly) de forma sensacional; (actually) efectivamente. ~**ness** n eficácia f

effeminate /ɪˈfemɪnət/ a efeminado

effervescent /efəˈvesnt/ a efervescente

efficien|t /ɪˈfɪʃnt/ a eficiente, eficaz. ~**cy** n eficiência f. ~**tly** adv eficientemente

effigy /ˈefɪdʒɪ/ n efígie f

effort /ˈefət/ n esforço m. ~**less** a fácil, sem esforço

effrontery /ɪˈfrʌntərɪ/ n desfaçatez f

effusive /ɪˈfjuːsɪv/ a efusivo, expansivo

e.g. /iːˈdʒiː/ abbr por ex

egg[1] /eg/ n ovo m. ~**-cup** n copinho m para ovo quente, oveiro m. ~**-plant** n beringela f

egg[2] /eg/ vt ~ **on** (colloq) incitar

eggshell /ˈegʃel/ n casca f de ovo

ego /ˈegəʊ/ n (pl -os) ego m, eu m. ~**ism** n egoísmo m. ~**ist** n egoísta mf. ~**tism** n egotismo m. ~**tist** n egotista mf

Egypt /ˈiːdʒɪpt/ n Egito m. ~**ian** /ɪˈdʒɪpʃn/ a & n egípcio m

eh /eɪ/ int (colloq) hã?

eiderdown /ˈaɪdədaʊn/ n edredão m, edredom m

eight /eɪt/ a & n oito m.

eighth /eɪtθ/ a & n oitavo m

eighteen /eɪˈtiːn/ a & n dezoito m. ~**th** a & n décimo oitavo m

eight|y /ˈeɪtɪ/ a & n oitenta m. ~**ieth** a & n octogésimo m

either /ˈaɪðə(r)/ a & pron um e outro; (with negative) nem um nem outro; (each) cada □ adv também não □ conj ~ ... **or** ou ... ou; (with negative) nem ... nem

ejaculate /ɪˈdʒækjʊleɪt/ vt/i ejacular; (exclaim) exclamar

eject /ɪˈdʒekt/ vt expelir; (expel) expulsar, despejar

elaborate[1] /ɪˈlæbərət/ a elaborado, rebuscado, minucioso

elaborate[2] /ɪˈlæbəreɪt/ vt elaborar □ vi entrar em pormenores. ~ **on** estender-se sobre

elapse /ɪˈlæps/ vi decorrer

elastic /ɪˈlæstɪk/ a & n elástico m. ~ **band** elástico m

elat|ed /ɪˈleɪtɪd/ a radiante, exultante. ~**ion** n exultação f

elbow /ˈelbəʊ/ n cotovelo m

elder[1] /ˈeldə(r)/ a mais velho. ~**s** npl pessoas fpl mais velhas

elder[2] /ˈeldə(r)/ n (tree) sabugueiro m

elderly /ˈeldəlɪ/ a idoso. **the** ~ as pessoas de idade

eldest /ˈeldɪst/ a & n o mais velho m

elect /ɪˈlekt/ vt eleger □ a eleito. ~**ion** n eleição f

electric /ɪˈlektrɪk/ a eléctrico. ~**al** a eléctrico

electrician /Ilek'trI∫n/ n electricista m

electricity /Ilek'trIsətI/ n electricidade f

electrify /I'lektrIfaI/ vt electrificar; (fig: excite) electrizar

electrocute /I'lektrəkju:t/ vt electrocutar

electronic /Ilek'trɒnIk/ a electrónico. ~s n electrónica f

elegan|t /'elIgənt/ a elegante. ~ce n elegância f. ~tly adv elegantemente, com elegância

element /'elImənt/ n elemento m; (of heater etc) resistência f. ~ary /'mentrI/ a elementar; (school) primário

elephant /'elIfənt/ n elefante m

elevat|e /'elIveIt / vt elevar. ~ion /'veI/n/ n elevação f

elevator /'elIveItə(r)/ n (Amer: lift) elevador m, ascensor m

eleven /I'levn/ a & n onze m. ~th a & n décimo primeiro m. at the ~th hour à última hora

elf /elf/ n (pl elves) elfo m, duende m

elicit /I'lIsIt/ vt extrair, obter

eligible /'elIdʒəbl/ a (for office) idóneo (for para); (desirable) aceitável. be ~ for (entitled to) ter direito a

eliminat|e /I'lImIneIt/ vt eliminar. ~ion /'neI/n/ n eliminação f

élite /eI'li:t/ n elite f

ellip|se /I'lIps/ n elipse f. ~tical a elíptico

elm /elm/ n olmo m, ulmeiro m

elocution /elə'kju:∫n/ n elocução f

elongate /'i:lɒŋgeIt/ vt alongar

elope /I'ləʊp/ vi fugir. ~ment n fuga f (de amantes)

eloquen|t /'eləkwənt/ a eloquente. ~ce n eloquência f

else /els/ adv mais. **everybody** ~ todos os outros. **nobody** ~ mais ninguém. **nothing** ~ nada mais. **or** ~ ou então, senão. **somewhere** ~ noutro lado qualquer. ~**where** adv noutro lado

elude /I'lu:d/ vt escapar a; (a question) evadir

elusive /I'lu:sIv/ a (person) esquivo, difícil de apanhar; (answer) evasivo

emaciated /I'meI∫IeItId/ a emaciado, macilento

emancipat|e /I'mænsIpeIt/ vt emancipar. ~ion /'peI∫n/ n emancipação f

embalm /Im'ba:m/ vt embalsamar

embankment /Im'bæŋkmənt/ n (of river) dique m; (of railway) talude m, aterro m

embargo /Im'ba:gəʊ/ n (pl -oes) embargo m

embark /Im'ba:k/ vt/i embarcar. ~ **on** (business etc) embarcar em, meter-se em (colloq); (journey) começar

embarrass /Im'bærəs/ vt embaraçar, confundir. ~ment n embaraço m, atrapalhação f

embassy /'embəsI/ n embaixada f

embellish /Im'belI∫/ vt embelezar, enfeitar. ~ment n embelezamento m, enfeite m

embezzle /Im'bezl/ vt desviar (fundos). ~ment n desfalque m

embitter /ɪmˈbɪtə(r)/ vt (*person*) amargurar; (*situation*) azedar

emblem /ˈembləm/ n emblema m

embod|y /ɪmˈbɒdɪ/ vt encarnar; (*include*) incorporar, incluir. ~**iment** n personificação f

emboss /ɪmˈbɒs/ vt (*metal*) gravar em relevo; (*paper*) gofrar

embrace /ɪmˈbreɪs/ vt/i abraçar (-se); (*offer, opportunity*) acolher □ n abraço m

embroider /ɪmˈbrɔɪdə(r)/ vt bordar. ~**y** n bordado m

embryo /ˈembrɪəʊ/ n (pl -os) embrião m. ~**nic** /ˈɒnɪk/ a embrionário

emerald /ˈemərəld/ n esmeralda f

emerge /ɪˈmɜːdʒ/ vi emergir, surgir

emergency /ɪˈmɜːdʒənsɪ/ n emergência f; (*urgent case*) urgência f. ~ **exit** saída f de emergência. **in an** ~ em caso de urgência

emigrant /ˈemɪgrənt/ n emigrante mf

emigrat|e /ˈemɪgreɪt/ vi emigrar. ~**ion** /ˈgreɪʃn/ n emigração f

eminen|t /ˈemɪnənt/ a eminente. ~**tly** adv eminentemente

emit /ɪˈmɪt/ vt (pt emitted) emitir. ~**ssion** /-ʃn/ n emissão f

emotion /ɪˈməʊʃn/ n emoção f. ~**al** a (*person, shock*) emotivo; (*speech, scene*) emocionante

emperor /ˈempərə(r)/ n imperador m

emphasis /ˈemfəsɪs/ n ênfase f. **lay** ~ **on** pôr em relevo

emphasize /ˈemfəsaɪz/ vt enfatizar, sublinhar; (*syllable, word*) acentuar

emphatic /ɪmˈfætɪk/ a enfático; (*manner*) enérgico. ~**ally** adv enfaticamente

empire /ˈempaɪə(r)/ n império m

employ /ɪmˈplɔɪ/ vt empregar. ~**ee** /emplɔɪˈiː/ n empregado m. ~**er** n patrão m. ~**ment** n emprego m. ~**ment agency** agência f de empregos

empower /ɪmˈpaʊə(r)/ vt autorizar (**to do** a fazer)

empress /ˈemprɪs/ n imperatriz f

empt|y /ˈemptɪ/ a vazio; (*promise*) falso □ vt/i esvaziar (-se). **on an** ~**y stomach** com o estômago vazio, em jejum. ~**ies** npl garrafas fpl vazias. ~**iness** n vazio m

emulate /ˈemjʊleɪt/ vt imitar, rivalizar com, emular com

emulsion /ɪˈmʌlʃn/ n emulsão f

enable /ɪˈneɪbl/ vt ~ **sb to do** permitir a alg fazer

enact /ɪˈnækt/ vt (*jur*) decretar; (*theat*) representar

enamel /ɪˈnæml/ n esmalte m □ vt (pt **enamelled**) esmaltar

enamoured /ɪˈnæməd/ a ~ **of** enamorado de, apaixonado por

encase /ɪnˈkeɪs/ vt encerrar (**in** em); (*cover*) revestir (**in** de)

enchant /ɪnˈtʃɑːnt/ vt encantar. ~**ing** a encantador. ~**ment** n encantamento m

encircle /ɪnˈsɜːkl/ vt cercar, rodear

enclose /ɪn'kləʊz/ vt (land) cercar; (with letter) enviar incluso/junto. ~d a (space) fechado; (with letter) anexo, incluso, junto

enclosure /ɪn'kləʊʒə(r)/ n cercado m, recinto m; (with letter) documento m anexo

encompass /ɪn'kʌmpəs/ vt abranger

encore /ɒŋ'kɔː(r)/ int & n bis m

encounter /ɪn'kaʊntə(r)/ vt encontrar, deparar com □ n encontro m

encourage /ɪn'kʌrɪdʒ/ vt encorajar. ~ment n encorajamento m

encroach /ɪn'krəʊtʃ/ vi ~ on (land) invadir; (time) abusar de

encumb|er /ɪn'kʌmbə(r)/ vt estorvar; (burden) sobrecarregar. ~rance n estorvo m, empecilho m; (burden) ónus m, encargo m

encycloped|ia /ɪnsaɪkləʊ'piːdɪə/ n enciclopédia f. ~ic a enciclopédico

end /end/ n fim m; (farthest part) extremo m, ponta f □ vt/i acabar, terminar. ~ up (arrive finally) ir parar (in a/ em). ~ up doing acabar por fazer. in the ~ por fim. no ~ of (colloq) muito, enorme, imenso. on ~ (upright) em pé; (consecutive) a fio, de seguida

endanger /ɪn'deɪndʒə(r)/ vt pôr em perigo

endear|ing /ɪn'dɪərɪŋ/ a cativante. ~ment n palavra f meiga; (act) carinho m

endeavour /ɪn'devə(r)/ n esforço m □ vi esforçar-se (to por)

ending /'endɪŋ/ n fim m; (of word) terminação f

endless /'endlɪs/ a interminável; (times) sem conta; (patience) infinito

endorse /ɪn'dɔːs/ vt (document) endossar; (action) aprovar. ~ment n (auto) averbamento m

endow /ɪn'daʊ/ vt doar. ~ment n doação f

endur|e /ɪn'djʊə(r)/ vt suportar □ vi durar. ~able a suportável. ~ance n resistência f

enemy /'enəmɪ/ n & a inimigo m

energetic /enə'dʒetɪk/ a enérgico

energy /'enədʒɪ/ n energia f

enforce /ɪn'fɔːs/ vt aplicar

engage /ɪn'geɪdʒ/ vt (staff) contratar; (mech) engrenar □ vi ~ in envolver-se em, lançar-se em. ~d a (to marry) noivo; (busy) ocupado. ~ment n noivado m; (undertaking, appointment) compromisso m; (mil) combate m

engender /ɪn'dʒendə(r)/ vt engendrar, produzir, causar

engine /'endʒɪn/ n motor m; (of train) locomotiva f

engineer /endʒɪ'nɪə(r)/ n engenheiro m □ vt engenhar. ~ing n engenharia f

England /'ɪŋglənd/ n Inglaterra f

English /'ɪŋglɪʃ/ a inglês □ n (lang) inglês m. the ~ os ingleses mpl. ~man n inglês m. ~-speaking a de língua inglesa f. **~woman** n inglesa f

engrav|e /ɪnˈgreɪv/ vt gravar. **~ing** n gravura f

engrossed /ɪnˈgrəʊst/ a absorto (**in** em)

engulf /ɪnˈgʌlf/ vt engolfar, tragar

enhance /ɪnˈhɑːns/ vt aumentar; (*heighten*) realçar

enigma /ɪˈnɪgmə/ n enigma m. **~tic** /enɪgˈmætɪk/ a enigmático

enjoy /ɪnˈdʒɔɪ/ vt gostar de; (*benefit from*) gozar de. **~ o.s.** divertir-se. **~able** a agradável. **~ment** n prazer m

enlarge /ɪnˈlɑːdʒ/ vt/i aumentar. **~ upon** alargar-se sobre. **~ment** n ampliação f

enlighten /ɪnˈlaɪtn/ vt esclarecer. **~ment** n esclarecimento m, elucidação f

enlist /ɪnˈlɪst/ vt recrutar; (*fig*) aliciar, granjear □ vi alistar-se

enliven /ɪnˈlaɪvn/ vt animar

enmity /ˈenmətɪ/ n inimizade f

enormous /ɪˈnɔːməs/ a enorme

enough /ɪˈnʌf/ a, adv & n bastante m, suficiente m; n basta!, chega! **have ~ of** estar farto de

enquir|e /ɪnˈkwaɪə(r)/ vt/i perguntar, indagar. **~e about** informar-se de, pedir informações sobre. **~y** n pedido m de informações

enrage /ɪnˈreɪdʒ/ vt enfurecer, enraivecer

enrich /ɪnˈrɪtʃ/ vt enriquecer

enrol /ɪnˈrəʊl/ vt/i (*pt* **enrolled**) inscrever(-se); (*schol*)

matricular(-se). **~ment** n inscrição f; (*schol*) matrícula f

ensemble /ɒnˈsɒmbl/ n conjunto m

ensign /ˈensən/ n pavilhão m; (*officer*) guarda-marinha m

ensu|e /ɪnˈsjuː/ vi seguir-se. **~ing** a decorrente

ensure /ɪnˈʃʊə(r)/ vt assegurar. **~ that** assegurar-se de que

entail /ɪnˈteɪl/ vt acarretar

entangle /ɪnˈtæŋgl/ vt emaranhar, enredar

enter /ˈentə(r)/ vt (*room, club etc*) entrar em; (*register*) registar; (*data*) entrar com □ vi entrar (**into** em). **~ for** inscrever-se em

enterprise /ˈentəpraɪz/ n empresa f, empreendimento m; (*fig*) iniciativa f

enterprising /ˈentəpraɪzɪŋ/ a empreendedor

entertain /entəˈteɪn/ vt entreter; (*guests*) receber; (*ideas*) alimentar, nutrir. **~er** n artista mf. **~ment** n entretenimento m; (*performance*) espectáculo m

enthral /ɪnˈθrɔːl/ vt (*pt* **enthralled**) fascinar

enthuse /ɪnˈθjuːz/ vi **~ over** entusiasmar-se por

enthusias|m /ɪnˈθjuːzɪæzm/ n entusiasmo m. **~t** n entusiasta mf. **~tic** /ˈæstɪk/ a entusiástico. **~tically** /ˈæstɪkəlɪ/ adv entusiasticamente

entice /ɪnˈtaɪs/ vt atrair. **~ to do** induzir a fazer. **~ment** n tentação f, engodo m

entire /ɪnˈtaɪə(r)/ a inteiro. **~ly** adv inteiramente

entirety /ɪn'taɪərətɪ/ n **in its ~** por inteiro, na (sua) totalidade

entitle /ɪn'taɪtl/ vt dar direito. **~d** a (book) intitulado. **be ~d to sth** ter direito a alg coisa. **~ment** n direito m

entity /'entətɪ/ n entidade f

entrance /'entrəns/ n entrada f (**to** para); (right to enter) admissão f

entrant /'entrənt/ n (sport) concorrente mf; (in exam) candidato m

entreat /ɪn'tri:t/ vt rogar, suplicar. **~y** n rogo m, súplica f

entrench /ɪn'trentʃ/ vt (mil) entrincheirar; (fig) fincar

entrust /ɪn'trʌst/ vt confiar

entry /'entrɪ/ n entrada f; (on list) item m; (in dictionary) verbete m. **~ form** boletim m de inscrição. **no ~** entrada proibida

enumerate /ɪ'nju:məreɪt/ vt enumerar

envelop /ɪn'veləp/ vt (pt enveloped) envolver

envelope /'envələʊp/ n envelope m, sobrescrito m

enviable /'envɪəbl/ a invejável

envious /'envɪəs/ a invejoso. **be ~ of** ter inveja de. **~ly** adv invejosamente, com inveja

environment /ɪn'vaɪərənmənt/ n meio m; (ecological) meio-ambiente m. **~al** /'mentl/ a do meio; (ecological) do ambiente

envisage /ɪn'vɪzɪdʒ/ vt encarar; (foresee) prever

envoy /'envɔɪ/ n enviado m

envy /'envɪ/ n inveja f □ vt invejar, ter inveja de

enzyme /'enzaɪm/ n enzima f

epic /'epɪk/ n epopéia f □ a épico

epidemic /epɪ'demɪk/ n epidemia f

epilep|sy /'epɪlepsɪ/ n epilepsia f. **~tic** /'leptɪk/ a & n epiléptico m

episode /'epɪsəʊd/ n episódio m

epitaph /'epɪta:f/ n epitáfio m

epithet /'epɪθet/ n epiteto m

epitom|e /ɪ'pɪtəmɪ/ n (summary) epítome m; (embodiment) modelo m. **~ize** vt (fig) representar, encarnar; (summarize) resumir

epoch /'i:pɒk/ n época f. **~-making** a que marca uma época

equal /'i:kwəl/ a & n igual m □ vt (pt equalled) igualar, ser igual a. **~ to** (task) à altura de. **~ity** /i:'kwɒlətɪ/ n igualdade f. **~ly** adv igualmente; (similarly) de igual modo

equalize /'i:kwəlaɪz/ vt/i igualar; (sport) empatar

equanimity /ekwə'nɪmətɪ/ n equanimidade f, serenidade f

equate /ɪ'kweɪt/ vt equacionar (**with** com); (treat as equal) equiparar (**with** a)

equation /ɪ'kweɪʒn/ n equação f

equator /ɪ'kweɪtə(r)/ n equador m. **~ial** /ekwə'tɔ:rɪəl/ a equatorial

equilibrium /i:kwɪ'lɪbrɪəm/ n equilíbrio m

equip /ɪ'kwɪp/ vt (pt equipped) equipar (**with** com), munir (**with** de). **~ment** n equipamento m

equitable /ˈekwɪtəbl/ a equitativo

equity /ˈekwətɪ/ n equidade f

equivalent /ɪˈkwɪvələnt/ a & n equivalente m

equivocal /ɪˈkwɪvəkl/ a equívoco

era /ˈɪərə/ n era f, época f

eradicate /ɪˈrædɪkeɪt/ vt erradicar, suprimir

erase /ɪˈreɪz/ vt apagar. **~r** /-ə(r)/ n borracha f (de apagar)

erect /ɪˈrekt/ a erecto □ vt erigir. **~ion** /-ʃn/ n erecção f; (building) construção f, edifício m

ero|de /ɪˈrəʊd/ vt corroer. **~sion** /ɪˈrəʊʒn/ n erosão f

erotic /ɪˈrɒtɪk/ a erótico

err /ɜː(r)/ vi (pt erred) errar

errand /ˈerənd/ n recado m

erratic /ɪˈrætɪk/ a errático, irregular; (person) variável, imprevisível

erroneous /ɪˈrəʊnɪəs/ a erróneo, errado

error /ˈerə(r)/ n erro m

erudit|e /ˈeruːdaɪt/ a erudito. **~ion** /dɪʃn/ n erudição f

erupt /ɪˈrʌpt/ vi (war, fire) irromper; (volcano) entrar em erupção. **~ion** /-ʃn/ n erupção f

escalat|e /ˈeskəleɪt/ vt/i intensificar(-se); (of prices) subir em espiral. **~ion** /leɪʃn/ n escalada f

escalator /ˈeskəleɪtə(r)/ n escada f rolante

escapade /eskəˈpeɪd/ n peripécia f

escape /ɪˈskeɪp/ vi escapar-se □ vt escapar a □ n fuga f; (of prisoner) evasão f, fuga

f. **~ from sb** escapar de alguém. **~ to** fugir para. **have a lucky** or **narrow ~** escapar por um triz

escapism /ɪˈskeɪpɪzəm/ n escapismo m

escort[1] /ˈeskɔːt/ n escolta f; (of woman) cavalheiro m, acompanhante m

escort[2] /ɪˈskɔːt/ vt escoltar; (accompany) acompanhar

escudo /esˈkjuːdəʊ/ n (pl -os) escudo m

Eskimo /ˈeskɪməʊ/ n (pl -os) esquimó mf

especial /ɪˈspeʃl/ a especial. **~ly** adv especialmente

espionage /ˈespɪənɑːʒ/ n espionagem f

espouse /ɪˈspaʊz/ vt (a cause etc) abraçar

espresso /eˈspresəʊ/ n (pl -os) (coffee) expresso m

essay /ˈeseɪ/ n ensaio m; (schol) redacção f

essence /ˈesns/ n essência f

essential /ɪˈsenʃl/ a essencial □ n **the ~s** o essencial m. **~ly** adv essencialmente

establish /ɪˈstæblɪʃ/ vt estabelecer; (business, state) fundar; (prove) provar, apurar. **~ment** n estabelecimento m; (institution) instituição f. **the E~ment** o Establishment m, a classe f dirigente

estate /ɪˈsteɪt/ n propriedade f; (possessions) bens mpl; (inheritance) herança f. **~ agent** agente m imobiliário. **(housing) ~** conjunto m habitacional.

esteem /ɪˈstiːm/ vt estimar □ n estima f

estimate[1] /'estimət/ n cálculo m, avaliação f; (comm) orçamento m, estimativa f

estimat|e[2] /'estimeit/ vt calcular, estimar. **~ion** /'mei∫n/ n opinião f

estuary /'est∫ʊərɪ/ n estuário m

etc abbr = **et cetera** /It'setərə/ etc

etching /'et∫ɪŋ/ n água-forte f

eternal /I'tɜːnl/ a eterno

eternity /I'tɜːnətɪ/ n eternidade f

ethic /'eθɪk/ n ética f. **~s** ética f. **~al** a ético

ethnic /'eθnɪk/ a étnico

etiquette /'etɪket/ n etiqueta f

etymology /etɪ'mɒlədʒɪ/ n etimologia f

eulogy /'juːlədʒɪ/ n elogio m

euphemism /'juːfəmɪzəm/ n eufemismo m

euphoria /juː'fɔːrɪə/ n euforia f

Europe /'jʊərəp/ n Europa f. **~an** /'pɪən/ a & n europeu m

euthanasia /juːθə'neɪzɪə/ n eutanásia f

evacuat|e /I'vækjʊeɪt/ vt evacuar. **~ion** /'eɪ∫n/ n evacuação f

evade /I'veɪd/ vt evadir, esquivar- se a

evaluate /I'væljʊeɪt/ vt avaliar

evangelical /iːvæn'dʒelɪkl/ a evangélico

evaporat|e /I'væpəreɪt/ vt/i evaporar(-se). **~ed milk** leite m evaporado. **~ion** /'reɪ∫n/ n evaporação f

evasion /I'veɪʒn/ n evasão f

evasive /I'veɪsɪv/ a evasivo

eve /iːv/ n véspera f

even /'iːvn/ a regular; (surfa-ce) liso, plano; (amounts) igual; (number) par □ a ~ **up** igualar(-se), acertar □ adv mesmo. ~ **better** ainda melhor. **get ~ with** ajustar contas com. **~ly** adv uniformemente; (amounts) em partes iguais

evening /'iːvnɪŋ/ n entardecer m, anoitecer m; (whole evening) serão m. ~ **class** aula f à noite (para adultos). ~ **dress** trajo m de cerimónia or de rigor; (woman's) vestido m de noite

event /I'vent/ n acontecimento m. **in the ~ of** no caso de. **~ful** a movimentado, memorável

eventual /I'vent∫ʊəl/ a final. **~ity** /'ælətɪ/ n eventualidade f. **~ly** adv por fim; (in future) eventualmente

ever /'evə(r)/ adv jamais; (at all times) sempre. **do you ~ go?** vais alguma vez? **the best I ~ saw** o melhor que já vi. **~ since** adv desde então □ prep desde □ conj desde que. **~ so** (colloq) muitíssimo, tão. **hardly ~** quase nunca

evergreen /'evəgriːn/ n planta f de folhas persistentes □ a persistente

everlasting /'evəlɑːstɪŋ/ a eterno

every /'evrɪ/ a cada. ~ **now and then** de vez em quando, volta e meia. ~ **one** cada um. ~ **other day** dia sim dia não, de dois em dois dias. ~ **three days** de três em três dias

everybody /'evrɪbɒdɪ/ pron todo mundo, todos

everyday /'evrɪdeɪ/ a quotidiano, diário; (common) do dia a dia, vulgar

everyone /'evrɪwʌn/ pron toda a gente, todos

everything /'evrɪθɪŋ/ pron tudo

everywhere /'evrɪweə(r)/ adv (position) em todo o lado, em toda a parte; (direction) a todo o lado, a toda a parte

evict /ɪ'vɪkt/ vt expulsar, despejar. ~ion /-ʃn/ n despejo m

evidence /'evɪdəns/ n evidência f; (proof) prova f; (testimony) testemunho m, depoimento m. ~ of sinal de. give ~ testemunhar. in ~ em evidência

evident /'evɪdənt/ a evidente. ~ly adv evidentemente

evil /'i:vl/ a mau □ n mal m

evo|ke /ɪ'vəʊk/ vt evocar. ~cative /ɪ'vɒkətɪv/ a evocativo

evolution /i:və'lu:ʃn/ n evolução f

evolve /ɪ'vɒlv/ vi evolucionar, evoluir □ vt desenvolver, produzir

ex- /eks/ pref

exacerbate /ɪg'zæsəbeɪt/ vt exacerbar

exact /ɪg'zækt/ a exacto □ vt exigir (**from** de). ~ing a exigente; (task) difícil. ~ly adv exactamente

exaggerat|e /ɪg'zædʒəreɪt/ vt/i exagerar. ~ion /reɪʃn/ n exagero m

exam /ɪg'zæm/ n (colloq) exame m

examination /ɪgzæmɪ'neɪʃn/ n

exame m; (jur) interrogatório m

examine /ɪg'zæmɪn/ vt examinar; (witness etc) interrogar. ~r /-ə(r)/ n examinador m

example /ɪg'za:mpl/ n exemplo m. **for** ~ por exemplo. **make an** ~ **of** castigar para servir de exemplo

exasperat|e /ɪg'zæspəreɪt/ vt exasperar. ~ion /'reɪʃn/ n exaspero m

excavat|e /'ekskəveɪt/ vt escavar; (uncover) desenterrar. ~ion /'veɪʃn/ n escava ̧ão f

exceed /ɪk'si:d/ vt exceder; (speed limit) ultrapassar, exceder

excel /ɪk'sel/ vi (pt excelled) distinguir-se □ vt superar, ultrapassar

excellen|t /'eksələnt/ a excelente. ~ce n excelência f. ~tly adv excelentemente

except /ɪk'sept/ prep excepto, fora □ vt exceptuar ~ **for** a não ser, menos, salvo. ~ing prep à excepção de. ~ion /-ʃn/ n excepção f. take ~ion to (object to) achar inaceitável; (be offended by) achar ofensivo

exceptional /ɪk'sepʃənl/ a excepcional. ~ly adv excepcionalmente

excerpt /'eksɜ:pt/ n trecho m, excerto m

excess[1] /ɪk'ses/ n excesso m

excess[2] /'ekses/ a excedente, em excesso. ~ **fare** excesso m, suplemento m. ~ **luggage** excesso m de peso

excessive /ɪk'sesɪv/ a excessivo. ~ly adv excessivamente

exchange /ɪks'tʃeɪndʒ/ vt trocar □ n troca f; (of currency) câmbio m. **(telephone)** ~ central f telefónica. ~ **rate** taxa f de câmbio

excise /'eksaɪz/ n imposto m (indirecto)

excit|e /ɪk'saɪt/ vt excitar; (rouse) despertar; (enthuse) entusiasmar. ~**able** a excitável. ~**ed** a excitado. **get** ~**ed** excitar-se, entusiasmar-se. ~**ement** n excitação f. ~**ing** a excitante, emocionante

exclaim /ɪk'skleɪm/ vi exclamar

exclamation /ekskləˈmeɪʃn/ n exclamação f. ~ **mark** ponto m de exclamação

exclu|de /ɪk'sklu:d/ vt excluir. ~**ding** prep excluído. ~**sion** /ɪk'sklu:ʒn/ n exclusão f

exclusive /ɪk'sklu:sɪv/ a (rights etc) exclusivo; (club etc) selecto; (news item) (em) exclusivo. ~ **of** sem incluir. ~**ly** adv exclusivamente

excruciating /ɪk'skru:ʃIeItIŋ/ a excruciante, atroz

excursion /ɪk'skɜ:ʃn/ n excursão f

excus|e[1] /ɪk'skju:z/ vt desculpar. ~**e me!** desculpe!, com licença! ~**e from** (exempt) dispensar de. ~**able** a desculpável

excuse[2] /ɪk'skju:s/ n desculpa f

ex-directory /eksdɪ'rektərɪ/ a que não vem na lista

execute /'eksɪkju:t/ vt executar

execution /eksɪ'kju:ʃn/ n execução f

executive /ɪg'zekjʊtɪv/ a & n executivo m

exemplary /ɪg'zemplərɪ/ a exemplar

exemplify /ɪg'zemplɪfaɪ/ vt exemplificar, ilustrar

exempt /ɪg'zempt/ a isento (**from** de) □ vt dispensar, eximir. ~**ion** /-ʃn/ n isenção f

exercise /'eksəsaɪz/ n exercício m □ vt (powers, restraint etc) exercer; (dog) levar para passear □ vi fazer exercício. ~ **book** caderno m

exert /ɪg'zɜ:t/ vt empregar, exercer. ~ **o.s.** esforçar-se, fazer um esforço. ~**ion** /-ʃn/ n esforço m

exhaust /ɪg'zɔ:st/ vt esgotar □ n (auto) (tubo de) escape m. ~**ed** a esgotado, exausto. ~**ion** /-stʃən/ n esgotamento m, exaustão f

exhaustive /ɪg'zɔ:stɪv/ a exaustivo, completo

exhibit /ɪg'zɪbɪt/ vt exibir, mostrar; (thing, collection) expor □ n objecto m exposto

exhibition /eksɪ'bɪʃn/ n exposição f; (act of showing) demonstração f

exhilarat|e /ɪg'zɪləreɪt/ vt regozijar; (invigorate) animar, estimular. ~**ion** /'reɪʃn/ n animação f, alegria f

exhort /ɪg'zɔ:t/ vt exortar

exile /'eksaɪl/ n exílio m; (person) exilado m □ vt exilar, desterrar

exist /ɪg'zɪst/ vi existir. ~**ence** n existência f. **be in** ~**ence** existir

exit /'eksɪt/ n saída f

exonerate /ɪg'zɒnəreɪt/ vt exonerar

exorbitant /ɪg'zɔ:bɪtənt/ a exorbitante

exorcize /'eksɔ:saɪz/ vt esconjurar, exorcisar

exotic /ɪg'zɒtɪk/ a exótico

expan|d /ɪk'spænd/ vt/i expandir (-se); (extend) estender(-se), alargar(-se); (gas, liquid, metal) dilatar(-se). ~sion □/ɪk'spæn/n/ n expansão f; (extension) alargamento m; (of gas etc) dilatação f

expanse /ɪk'spæns/ n extensão f

expatriate /eks'pætrɪət/ a & n expatriado m

expect /ɪk'spekt/ vt esperar; (sup-pose) crer, supor; (require) contar com, esperar; (baby) esperar. ~ to do contar fazer. ~ation /ekspek'teɪʃn/ n expectativa f

expectan|t /ɪk'spektənt/ a ~t mother gestante f. ~cy n expectativa f

expedient □ /ɪk'spi:dɪənt/ a oportuno □ n expediente m

expedition /ekspɪ'dɪʃn/ n expedição f

expel /ɪk'spel/ vt (pt expelled) expulsar; (gas, poison etc) expelir

expend /ɪk'spend/ vt despender. ~able a descartável

expenditure /ɪk'spendɪtʃə(r)/ n despesa f, gasto m

expense /ɪk'spens/ n despesa f; (cost) custo m. at sb's ~ à custa de alg. at the ~ of (fig) à custa de

expensive /ɪk'spensɪv/ a caro, dispendioso; (tastes, habits) de luxo

experience /ɪk'spɪərɪəns/ n ex-periência f □ vt experimentar; (feel) sentir. ~d a experiente

experiment /ɪk'sperɪmənt/ n experiência f □ vi /ɪk'sperɪment/ fazer uma experiência. ~al /mentl/ a experimental

expert /'ekspɜ:t/ a & n perito (m). ~ly adv com perícia, habilmente

expertise /ekspɜ:'ti:z/ n perícia f, competência f

expir|e /ɪk'spaɪə(r)/ vi expirar. ~y n fim m de prazo, expiração f

expl|ain /ɪk'spleɪn/ vt explicar. ~anation /eksplə'neɪʃn/ n explicação f. ~anatory /ɪk'splæ-nətrɪ/ a explicativo

expletive /ɪk'spli:tɪv/ n imprecação f, praga f

explicit /ɪk'splɪsɪt/ a explícito

explo|de /ɪk'spləʊd/ vt/i (fazer) explodir. ~sion /ɪk'spləʊʒn/ n explosão f. ~sive a & n explosivo m

exploit¹ /'eksplɔɪt/ n façanha f

exploit² /ɪk'splɔɪt/ vt explorar. ~ation /eksplɔɪ'teɪʃn/ n explora̧ão f

exploratory /ɪk'splɒrətrɪ/ a exploratório; (talks) preliminar

explor|e /ɪk'splɔ:(r)/ vt explorar; (fig) examinar. ~ation /eksplə'reɪʃn/ n exploração f. ~er n explorador m

exponent /ɪk'spəʊnənt/ n (person) expoente mf; (math) expoente m

export¹ /ɪk'spɔ:t/ vt exportar. ~er n exportador m

export² /'ekspɔ:t/ n exportação f. ~s npl exportações fpl

expose /ɪk'spəʊz/ vt expor; (*disclose*) revelar; (*unmask*) desmascarar. **~ure** /-ʒə(r)/ n exposição f; (*cold*) frio m

expound /ɪk'spaʊnd/ vt explanar, expor

express¹ /ɪk'spres/ a expresso, categórico ☐ adv (por) expresso ☐ n (*train*) rápido m, expresso m. **~ly** adv expressamente

express² /ɪk'spres/ vt exprimir. **~ion** /-ʃn/ n expressão f. **~ive** a expressivo

expulsion /ɪk'spʌlʃn/ n expulsão f

exquisite /'ekskwɪzɪt/ a requintado

extempore /ek'stempərɪ/ a improvisado ☐ adv de improviso, sem preparação prévia

exten|d /ɪk'stend/ vt (*stretch*) estender; (*enlarge*) aumentar, ampliar; (*prolong*) prolongar; (*grant*) oferecer ☐ vi (*stretch*) estender-se; (*in time*) prolongar-se. **~sion** /ɪk'stenʃn/ n (*incl phone*) extensão f; (*of deadline*) prorrogação f; (*building*) anexo m

extensive /ɪk'stensɪv/ a extenso; (*damage, study*) vasto. **~ly** adv muito

extent /ɪk'stent/ n extensão f; (*degree*) medida f. **to some ~** até certo ponto, em certa medida. **to such an ~ that** a tal ponto que

exterior /ɪk'stɪərɪə(r)/ a & n exterior (m)

exterminat|e /ɪk'stɜːmɪneɪt/ vt exterminar. **~ion** /'neɪʃn/ n exterminação f, extermínio m

external /ɪk'stɜːnl/ a externo. **~ly** adv exteriormente

extinct /ɪk'stɪŋkt/ a extinto. **~ion** /-ʃn/ n extinção f

extinguish /ɪk'stɪŋgwɪʃ/ vt extinguir, apagar. **~er** n extintor m

extol /ɪk'stəʊl/ vt (pt extolled) exaltar, elogiar, louvar

extort /ɪk'stɔːt/ vt extorquir (**from** a). **~ion** /-ʃn/ n extorsão f

extortionate /ɪk'stɔːʃənət/ a exorbitante

extra /'ekstrə/ a extra, adicional ☐ adv extra, excepcionalmente. **~ strong** extra-forte ☐ n extra m; (*cine, theat*) extra mf, figurante mf. **~ time** (*football*) prolongamento m

extract¹ /ɪk'strækt/ vt extrair; (*promise, tooth*) arrancar; (*fig*) obter. **~ion** /-ʃn/ n extracção f; (*descent*) origem f

extract² /'ekstrækt/ n extracto m

extradit|e /'ekstrədaɪt/ vt extraditar. **~ion** /'dɪʃn/ n extradição f

extramarital /ekstrə'mærɪtl/ a extraconjugal, extramatrimonial

extraordinary /ɪk'strɔːdnrɪ/ a extraordinário

extravagan|t /ɪk'strævəgənt/ a extravagante; (*wasteful*) esbanjador. **~ce** n extravagância f; (*wastefulness*) esbanjamento m

extreme /ɪk'striːm/ a & n extremo m. **~ely** adv extremamente. **~ist** n extremista mf

extremity /ɪk'stremətɪ/ n extremidade f

extricate /'ekstrɪkeɪt/ vt desembaraçar, livrar

extrovert /'ekstrəvɜːt/ n extrovertido m

exuberan|t /ɪg'zjuːbərənt/ a exuberante. **~ce** n exuberância f

exude /ɪg'zjuːd/ vt (charm etc) destilar, ressumar, transpirar

exult /ɪg'zʌlt/ vi exultar

eye /aɪ/ n olho m □ vt (pt **eyed**, pres p **eyeing**) olhar. **keep an ~ on** vigiar. **see ~ to ~** concordar inteiramente.

~-opener n revelação f.
~-shadow n sombra f

eyeball /'aɪbɔːl/ n globo m ocular

eyebrow /'aɪbraʊ/ n sobrancelha f

eyelash /'aɪlæʃ/ n pestana f

eyelid /'aɪlɪd/ n pálpebra f

eyesight /'aɪsaɪt/ n vista f

eyesore /'aɪsɔː(r)/ n monstruosidade f, horror m

eyewitness /'aɪwɪtnɪs/ n testemunha f ocular

F

fable /'feɪbl/ *n* fábula *f*

fabric /'fæbrɪk/ *n* tecido *m*; (*structure*) edifício *m*

fabricat|e /'fæbrɪkeɪt/ *vt* fabricar; (*invent*) urdir, inventar. **~ion** /'keɪʃn/ *n* fabrico *m*; (*invention*) invenção *f*

fabulous /'fæbjʊləs/ *a* fabuloso

façade /fə'saːd/ *n* fachada *f*

face /feɪs/ *n* face *f*, cara *f*, rosto *m*; (*expression*) face *f*; (*grimace*) careta *f*; (*of clock*) mostrador *m* □ *vt* (*look towards*) encarar; (*confront*) enfrentar □ *vi* (*be opposite*) estar de frente para. **~ up to** *f* enfrentar. **~ to face** cara a cara, frente a frente. **in the ~ of** em vista de. **on the ~ of it** a julgar pelas aparências. **pull ~s** fazer caretas. **~-cloth** *n* toalha *f* de rosto, toalhete *m* de rosto. **~-lift** *n* cirurgia *f* plástica ao rosto. **~-pack** *n* máscara de beleza *f*

faceless /'feɪslɪs/ *a* (*fig*) anónimo

facet /'fæsɪt/ *n* faceta *f*

facetious /fə'siːʃəs/ *a* faceto; (*pej*) engraçadinho (*colloq pej*)

facial /'feɪʃl/ *a* facial

facile /'fæsaɪl/ *a* fácil; (*superficial*) superficial

facilitate /fə'sɪlɪteɪt/ *vt* facilitar

facilit|y /fə'sɪlətɪ/ *n* facilidade *f*. **~ies** (*means*) facilidades *fpl*; (*installations*) instalações *fpl*

facing /'feɪsɪŋ/ *n* revestimento *m*

facsimile /fæk'sɪməlɪ/ *n* fac-símile *m*

fact /fækt/ *n* facto *m*. **in ~, as a matter of ~** na realidade

faction /'fækʃn/ *n* facção *f*

factor /'fæktə(r)/ *n* factor *m*

factory /'fæktərɪ/ *n* fábrica *f*

factual /'fæktʃʊəl/ *a* concreto, real

faculty /'fækltɪ/ *n* faculdade *f*

fad /fæd/ *n* capricho *m*, mania *f*; (*craze*) moda *f*

fade /feɪd/ *vt/i* (*colour*) desbotar; (*sound*) diminuir; (*disappear*) apagar(-se)

fag /fæg/ *n* (*colloq: chore*) estafa *f*; (*sl: cigarette*) cigarro *m*. **~ged** *a* estafado

fail /feɪl/ *vt/i* falhar; (*in an examination*) reprovar; (*omit, neglect*) deixar de;

(*comm*) falir □ *n* **without** ~ sem falta

failing /ˈfeɪlɪŋ/ *n* deficiência *f* □ *prep* à falta de

failure /ˈfeɪljə(r)/ *n* fracasso *m*, falhanço *m*; (*of engine*) falha *f*; (*of electricity*) falta *f*; (*person*) fracassado *m*.

faint /feɪnt/ *a* (-**er**, -**est**) (*indistinct*) apagado; (*weak*) fraco; (*giddy*) tonto □ *vi* desmaiar □ *n* desmaio *m*. ~**-hearted** *a* tímido. ~**ly** *adv* vagamente. ~**ness** *n* debilidade *f*; (*indistinctness*) apagado *m*

fair¹ /feə(r)/ *n* feira *f*. ~**-ground** *n* parque *m* de diversões, largo *m* de feira

fair² /feə(r)/ *a* (-**er**, -**est**) (*hair*) louro; (*weather*) bom; (*of moderate quality*) razoável; (*just*) justo. ~ **play** jogo *m* limpo, fair-play *m*. ~**ly** *adv* razoavelmente. ~**ness** *n* justiça *f*

fairy /ˈfeərɪ/ *n* fada *f*. ~ **story**, ~ **tale** conto *m* de fadas

faith /feɪθ/ *n* fé *f*; (*religion*) religião *f*; (*loyalty*) lealdade *f*. **in good** ~ de boa fé, ~**-healer** *n* curandeiro *m*

faithful /ˈfeɪθfl/ *a* fiel. ~**ly** *adv* fielmente. **yours** ~**ly** atenciosamente. ~**ness** *n* fidelidade *f*

fake /feɪk/ *n* (*thing*) imitação *f*; (*person*) impostor *m* □ *a* falsificado □ *vt* falsificar; (*pretend*) simular, fingir

falcon /ˈfɔlkən/ *n* falcão *m*

fall /fɔːl/ *vi* (*pt* **fell**, *pp* **fallen**) cair □ *n* queda *f*; (*Amer: autumn*) Outono *m*. ~**s** *npl*

(*waterfall*) queda-d'água *f*. ~ **back** bater em retirada. ~ **back on** recorrer a. ~ **behind** atrasar-se (**with**) ~. ~ **down** or **off** cair. ~ **flat** falhar, não resultar. ~ **flat on one's face** estatelar-se. ~ **for** (*a trick*) cair em, deixar-se levar por; (*colloq: a person*) apaixonar-se por, ficar caído por (*colloq*). ~ **in** (*roof*) ruir; (*mil*) alinhar-se, pôr-se em forma. ~ **out** brigar, zangar-se (**with** com). ~**out** *n* poeira *f* radioactiva. ~ **through** (*of plans*) falhar

fallacy /ˈfæləsɪ/ *n* falácia *f*, engano *m*. ~**ious** /fəˈleɪʃəs/ *a* errôneo

fallen /ˈfɔːlən/ *see* **fall**

fallible /ˈfæləbl/ *a* falível

fallow /ˈfæləʊ/ *a* (*of ground*) de pousio; (*uncultivated*) inculto

false /fɔːls/ *a* falso. ~ **teeth** dentadura *f*. ~**ly** *adv* falsamente. ~**ness** *n* falsidade *f*

falsehood /ˈfɔːlshʊd/ *n* falsidade *f*, mentira *f*

falsify /ˈfɔːlsɪfaɪ/ *vt* (*pt* -**fied**) falsificar; (*a story*) deturpar

falter /ˈfɔːltə(r)/ *vi* vacilar; (*of the voice*) hesitar

fame /feɪm/ *n* fama *f*. ~**d** *a* afamado

familiar /fəˈmɪlɪə(r)/ *a* familiar; (*intimate*) íntimo. **be** ~ **with** estar familiarizado com

familiarity /fəmɪlɪˈærɪtɪ/ *n* familiaridade *f*

familiarize /fəˈmɪlɪəraɪz/ *vt* familiarizar (**with/to** com); (*make well known*) tornar conhecido

family /'fæməlɪ/ *n* família *f*. ~ **doctor** médico *m* da família. ~ **tree** árvore *f* genealógica

famine /'fæmɪn/ *n* fome *f*

famished /'fæmɪʃt/ *a* esfomeado, faminto. **be ~** (*colloq*) estar a morrer de fome

famous /'feɪməs/ *a* famoso

fan[1] /fæn/ *n* (*in the hand*) leque *m*; (*mechanical*) ventoinha *f* □ *vt* (*pt* **fanned**) abanar; (*a fire; fig*) atiçar □ *vi* ~ **out** abrir-se em leque. ~ **belt** correia *f* da ventoinha

fan[2] /fæn/ *n* (*colloq*) fã *mf*. ~**mail** correio *m* de fãs

fanatic /fə'nætɪk/ *n* fanático *m*. ~**al** *a* fanático. ~**ism** /-sɪzəm/ *n* fanatismo *m*

fanciful /'fænsɪfl/ *a* fantasioso, fantasista

fancy /'fænsɪ/ *n* fantasia *f*; (*liking*) gosto *m* □ *a* extravagante, fantástico; (*of buttons etc*) de fantasia; (*of prices*) exorbitante □ *vt* imaginar; (*colloq: like*) gostar de; (*colloq: want*) apetecer. **it took my ~** — deu-me no goto. **a passing ~** um entusiasmo passageiro. ~ **dress** trajo *m* de fantasia

fanfare /'fænfeə(r)/ *n* fanfarra *f*

fang /fæŋ/ *n* presa *f*, dente *m* canino

fantastic /fæn'tæstɪk/ *a* fantástico

fantas|**y** /'fæntəsɪ/ *n* fantasia *f*. ~**ize** *vt* fantasiar, imaginar

far /fɑː(r)/ *adv* longe; (*much, very*) muito □ *a* distante, longínquo; (*end, side*) outro. ~ **away**, ~ **off** ao longe. **as ~ as** (*up to*) até. **as ~ as I know** tanto quanto saiba. **the F~ East** o Extremo-Oriente *m*. ~**away** *a* distante, longínquo. ~**fetched** *a* forçado; (*unconvincing*) pouco plausível. ~**reaching** *a* de grande alcance

farc|**e** /fɑːs/ *n* farsa *f*. ~**ical** *a* de farsa; ridículo

fare /feə(r)/ *n* preço *m* da passagem; (*in taxi*) tarifa *f*, preço *m* da corrida; (*passenger*) passageiro *m*; (*food*) comida *f* □ *vi* (*get on*) dar-se

farewell /feə'wel/ *int* & *n* adeus *m*

farm /fɑːm/ *n* quinta *f*, fazenda *f* □ *vt* cultivar □ *vi* ser lavrador. ~ **out** (*of work*) delegar em tarefeiros. ~**hand** *n* trabalhador *m* rural. ~**er** *n* lavrador *m*. ~**ing** *n* agricultura *f*, lavoura *f*

farmhouse /'fɑːmhaʊs/ *n* casa *f* da quinta

farmyard /'fɑːmjɑːd/ *n* pátio *m* de quinta

farth|**er** /'fɑːðə(r)/ *adv* mais longe □ *a* mais distante. ~**est** *adv* mais longe □ *a* o mais distante

fascinat|**e** /'fæsɪneɪt/ *vt* fascinar. ~**ion** /-'neɪʃn/ *n* fascínio *m*, fascinação *f*

fascis|**t** /'fæʃɪst/ *n* fascista *mf*. ~**m** /-zəm/ *n* fascismo *m*

fashion /'fæʃn/ *n* moda *f*; (*manner*) maneira *f* □ *vt* moldar. ~**able** *a* à moda. ~**ably** *adv* à moda

fast[1] /fɑːst/ *a* (*-er, -est*) rápido; (*colour*) fixo, que não desbota □ *adv* depressa;

(*firmly*) firmemente. **be ~** (*of clock*) adiantar-se, estar adiantado. **~ asleep** profundamente adormecido, ferrado no sono. **~ food** n fast-food *f*

fast² /fɑːst/ *vi* jejuar □ *n* jejum *m*

fasten /'fɑːsn/ *vt/i* prender; (*door, window*) fechar(-se); (*seat-belt*) apertar. **~er, ~ing** *ns* fecho *m*

fastidious /fə'stɪdɪəs/ *a* exigente

fat /fæt/ *n* gordura *f* □ *a* (**fatter, fattest**) gordo. **~ness** *n* gordura *f*

fatal /'feɪtl/ *a* fatal. **~ injuries** ferimentos *mpl* mortais. **~ity** /fə'tæləti/ *n* fatalidade *f*. **~ly** *adv* fatalmente, mortalmente

fate /feɪt/ *n* (*destiny*) destino *m*; (*one's lot*) destino *m*, sorte *f*. **~ful** *a* fatídico

fated /'feɪtɪd/ *a* predestinado; (*doomed*) condenado (**to**, a)

father /'fɑːðə(r)/ *n* pai *m* □ *vt* gerar. **~-in-law** *n* (*pl* **~s-in-law**) sogro *m*. **~ly** *a* paternal

fathom /'fæðəm/ *n* braça *f* □ *vt* **~ (out)** (*comprehend*) compreender

fatigue /fə'tiːg/ *n* fadiga *f* □ *vt* fatigar

fatten /'fætn/ *vt/i* engordar. **~ing** *a* que engorda

fatty /'fætɪ/ *a* (**-ier, -iest**) gorduroso; (*tissue*) adiposo

fault /fɔːlt/ *n* defeito *m*, falha *f*; (*blame*) culpa *f*, culpa *f*; (*geol*) falha *f*. **at ~** culpado. **it's your ~** a culpa é sua. **~less** *a* impecável. **~y** *a* defeituoso

favour /'feɪvə(r)/ *n* favor *m* □ *vt* favorecer; (*prefer*) preferir. **do sb a ~** fazer um favor a alg. **~able** *a* favorável. **~ably** *adv* favoravelmente

favourit|e /'feɪvərɪt/ *a & n* favorito *m*. **~ism** /-ɪzəm/ *n* favoritismo *m*

fawn¹ /fɔːn/ *n* cervo *m* novo □ *a* (*colour*) castanho claro

fawn² /fɔːn/ *vi* **~ on** adular, bajular

fax /fæks/ *n* fax *m*, fac-símile *m* □ *vt* mandar um fax. **~ machine** fax *m*

fear /fɪə(r)/ *n* medo *m*, receio *m*, temor *m*; (*likelihood*) perigo *m* □ *vt* recear, ter medo de. **for ~ of/that** com medo de/que. **~ful** *a* (*terrible*) medonho; (*timid*) medroso, receoso. **~less** *a* destemido, intrépido

feasib|le /'fiːzəbl/ *a* factível, praticável; (*likely*) plausível. **~ility** /-'bɪlətɪ/ *n* possibilidade *f*; (*plausibility*) plausibilidade *f*

feast /fiːst/ *n* festim *m*; (*relig; fig*) festa *f* □ *vt/i* festejar; (*eat and drink*) banquetear-se. **~ on** regalar-se com

feat /fiːt/ *n* feito *m*, façanha *f*

feather /'feðə(r)/ *n* pena *f*, pluma *f*

feature /'fiːtʃə(r)/ *n* feição *f*, traço *m*; (*quality*) característica *f*; (*film*) longa metragem *f*; (*article*) artigo *m* em destaque *f* □ *vt* representar; (*film*) ter como protagonista □ *vi* figurar

February /'februərɪ/ *n* Fevereiro *m*

fed /fed/ *see* feed □ **a be ~ up** estar farto (*colloq*) (**with** de)

federa|l /'fedərəl/ *a* federal. **~tion** /'reɪʃn/ *n* federação *f*

fee /fiː/ *n* preço *m*. **~(s)** (*of doctor, lawyer etc*) honorários *mpl*; (*member's subscription*) quota *f*; (*univ*) propinas *fpl*. (errolment/registration) matrícula *f* **school ~s** mensalidades *fpl*

feeble /'fiːbl/ *a* (**-er, -est**) débil, fraco. **~-minded** *a* deficiente mental

feed /fiːd/ *vt* (*pt* fed) alimentar, dar de comer a; (*suckle*) alimentar; (*supply*) alimentar, abastecer □ *vi* alimentar-se □ *n* comida *f*; (*breast-feeding*) mamada *f*; (*mech*) alimentação *f*

feedback /'fiːdbæk/ *n* reacção *f*; (*electr*) regeneração *f*

feel /fiːl/ *vt* (*pt* felt) sentir; (*touch*) apalpar, tactear □ *vi* (*tired, lonely etc*) sentir-se. **~ hot/thirsty** ter calor/sede. **~ as if** ter a impressão (de) que. **~ like** ter vontade de

feeler /'fiːlə(r)/ *n* antena *f*

feeling /'fiːlɪŋ/ *n* sentimento *m*; (*physical*) sensação *f*

feet /fiːt/ *see* foot

feign /feɪn/ *vt* fingir

feline /'fiːlaɪn/ *a* felino

fell[1] /fel/ *vt* abater, derrubar

fell[2] /fel/ *see* fall

fellow /'feləʊ/ *n* companheiro *m*, camarada *m*; (*of society, college*) membro *m*; (*colloq*) tipo *m* (*colloq*). **~-traveller** *n* companheiro *m* de viagem. **~- ship** *n* companheirismo

m, camaradagem *f*; (*group*) associação *f*

felt[1] /felt/ *n* feltro *m*

felt[2] /felt/ *see* feel

female /'fiːmeɪl/ *a* (*animal etc*) fêmea *f*; (*voice, sex etc*) feminino □ *n* mulher *f*; (*animal*) fêmea *f*

feminin|e /'femənɪn/ *a* & *n* feminino *m*. **~ity** /'nɪnətɪ/ *n* feminilidade *f*

feminist /'femɪnɪst/ *n* feminista *mf*

fenc|e /fens/ *n* tapume *m*, cerca *f* □ *vt* cercar □ *vi* esgrimir. **~er** *n* esgrimista *mf*. **~ing** *n* esgrima *f*; (*fences*) tapume *m*

fend /fend/ *vi* **~ for o.s.** defender-se, virar-se (*colloq*), governar-se □ *vt* **~ off** defender-se

fender /'fendə(r)/ *n* guarda-fogo *m*; (*Amer: mudguard*) pára-lamas *m*, pára-choques *m*

fennel /'fenl/ *n* (*herb*) funcho *m*, erva-doce *f*

ferment[1] /'fɜːment/ *vt/i* fermentar; (*excite*) excitar. **~ation** /fɜːmen'teɪʃn/ *n* fermentação *f*

ferment[2] /'fɜːment/ *n* fermento *m*; (*fig*) efervescência *f*

fern /fɜːn/ *n* feto *m*

feroc|ious /fə'rəʊʃəs/ *a* feroz. **~ity** /'rɒsətɪ/ *n* ferocidade *f*

ferret /'ferɪt/ *n* furão *m* □ *vi* (*pt* ferreted) caçar com furões □ *vt* **~ out** desenterrar

ferry /'ferɪ/ *n* barco *m* de travessia, ferry(-boat) *m* □ *vt* transportar

fertil|e /'fɜːtaɪl/ *a* fértil, fecundo. ~**ity** /fə'tɪlətɪ/ n fertilidade f, fecundidade f. ~**ize** /-əlaɪz/ vt fertilizar, fecundar

fertilizer /'fɜ:təlaɪzə(r)/ n adubo m, fertilizante m

fervent /'fɜ:vənt/ a fervoroso

fervour /'fɜ:və(r)/ n fervor m, ardor m

fester /'festə(r)/ vt/i infectar; (fig) envenenar

festival /'festɪvl/ n festival m; (relig) festa f

festive /'festɪv/ a festivo. ~**e season** período m das festas. ~**ity** /fes'tɪvətɪ/ n festividade f, regozijo m. ~**ities** festas fpl, festividades fpl

festoon /fe'stu:n/ vt engrinaldar

fetch /fetʃ/ vt (go for) ir buscar; (bring) trazer; (be sold for) vender-se por, render

fetching /'fetʃɪŋ/ a atraente

fête /feɪt/ n festa f or feira f de caridade ao ar livre □ vt festejar

fetish /'fetɪʃ/ n fetiche m, ídolo m; (obsession) mania f

fetter /'fetə(r)/ vt agrilhoar. ~**s** npl ferros mpl, grilhões mpl, grilhetas fpl

feud /fju:d/ n discórdia f, inimizade f. ~**al** a feudal

fever /'fi:və(r)/ n febre f. ~**ish** a febril

few /fju:/ a & n poucos mpl. ~ **books** poucos livros. **they are** ~ são poucos. **a** ~ a & n alguns mpl. **a good** ~, **quite a** ~ bastantes. ~**er** a & n menos (de). **they were** ~**er** eram menos numerosos. ~**est** a & n o menor número (de)

fiancé /fɪ'ɒnseɪ/ n noivo m. ~**e** n noiva f

fiasco /fɪ'æskəʊ/ n (pl -**os**) fiasco m

fib /fɪb/ n peta f, mentira f □ vi (pt **fibbed**) mentir

fibre /'faɪbə(r)/ n fibra f

fibreglass /'faɪbəglɑ:s/ n fibra f de vidro

fickle /'fɪkl/ a leviano, inconstante

fiction /'fɪkʃn/ n ficção f. (**works of**) ~ romances mpl, obras fpl de ficção. ~**al** a de ficção, fictício

fictitious /fɪk'tɪʃəs/ a fictício

fiddle /'fɪdl/ n (colloq) violino m; (sl: swindle) trapaça f □ vi (sl) fazer trafulhices (sl) □ vt (sl: falsify) falsificar, cozinhar (sl). ~ **with** (colloq) brincar com, remexer em, estar a brincar com, estar a (re)mexer em. ~**r** /-ə(r)/ n (colloq) violinista m/f; (colloq) aldrabão m

fidelity /fɪ'delətɪ/ n fidelidade f

fidget /'fɪdʒɪt/ vi (pt **fidgeted**) estar irrequieto, remexer-se. ~ **with** remexer em. ~**y** a irrequieto; (impatient) impaciente

field /fi:ld/ n campo m □ vt/i (cricket) (estar pronto para) apanhar ou interceptar a bola. ~**-day** n grande dia m. ~**-glasses** npl binóculo m. F~ **Marshal** marechal-de-campo m

fieldwork /'fi:ldwɜ:k/ n trabalho m de campo; (mil) fortificação f de campanha

fiend /fi:nd/ n diabo m, demónio m. ~**ish** a diabólico

fierce /fɪəs/ a (-**er**, -**est**) feroz;

(*storm, attack*) violento;
(*heat*) intenso, abrasador.
~**ness** *n* ferocidade *f*; (*of
storm, attack*) violência *f*;
(*of heat*) intensidade *f*

fiery /ˈfaɪərɪ/ *a* (**-ier, -iest**) ardente; (*temper, speech*) inflamado

fifteen /fɪfˈtiːn/ *a & n* quinze
m. ~**th** *a & n* décimo quinto
m

fifth /fɪfθ/ *a & n* quinto *m*

fift|y /ˈfɪftɪ/ *a & n* cinquenta
m. ~**y~y** *a* a meias. ~**ieth** *a
& n* quinquagésimo *m*

fig /fɪg/ *n* figo *m*. ~~**tree** *n* figueira *f*

fight /faɪt/ *vi* (*pt* **fought**) lutar,
combater □ *vt* lutar contra,
combater □ *n* luta *f*; (*quarrel, brawl*) briga *f*. ~ **over
sth** lutar por alg coisa. ~ **shy
of** esquivar-se de, fugir de.
~**er** *n* lutador *m*; (*mil*) combatente *mf*; (*plane*) caça *m*.
~**ing** *n* combate *m*

figment /ˈfɪgmənt/ *n* ~ **of the
imagination** fruto *m* or produto *m* da imaginação

figurative /ˈfɪgjərətɪv/ *a* figurado. ~**ly** *adv* em sentido figurado

figure /ˈfɪgə(r)/ *n* (*number*) algarismo *m*; (*diagram, body*)
figura *f*. ~**s** *npl* (*arithmetic*)
contas *fpl*, aritmética *f* □ *vt*
imaginar, supor □ *vi* (*appear*) figurar (**in** em). ~ **of
speech** figura *f* de retórica. ~
out compreender. ~~**head** *n*
figura *f* de proa; (*pej: person*)
testa-de-ferro *m*

filament /ˈfɪləmənt/ *n* filamento *m*

fil|e¹ /faɪl/ *n* (*tool*) lima *f* □ *vt*
limar. ~**ings** *npl* limalha *f*

fil|e² /faɪl/ *n* dossier *m*; (*box,
drawer*) ficheiro *m*; (*comput*) arquivo *m* (*line*) fila *f* □
vt arquivar □ *vi* ~**e** (**past**)
desfilar, marchar em fila. ~**e
in/out** entrar/sair em fila.
(**in**) **single** ~ (em) fila indiana. ~**ing cabinet** ficheiro
m

fill /fɪl/ *vt/i* encher(-se); (*vacancy*) preencher □ *n* **eat
one's** ~ comer o que quiser.
have one's ~ estar farto. ~
in (*form*) preencher. ~ **out**
(*get fat*) engordar. ~ **up**
(*auto*) encher o depósito, atestar

fillet /ˈfɪlɪt/ *n* (*meat, fish*) filete *m* □ *vt* (*pt* **filleted**) (*meat,
fish*) cortar em filetes

filling /ˈfɪlɪŋ/ *n* recheio *m*; (*of
tooth*) chumbo *m*. ~ **station**
posto *m* de gasolina

film /fɪlm/ *n* filme *m* □ *vt/i*
filmar. ~ **star** estrela *f* or vedeta *f* de cinema, astro *m*

filter /ˈfɪltə(r)/ *n* filtro *m* □
vt/i filtrar(-se). ~ **coffee** café
m filtro. ~~**tip** *n* cigarro *m*
com filtro

filth /fɪlθ/ *n* imundície *f*; (*fig*)
obscenidade *f*. ~**y** *a* imundo;
(*fig*) obsceno

fin /fɪn/ *n* barbatana *f*

final /ˈfaɪnl/ *a* final; (*conclusive*) decisivo □ *n* (*sport*) final *f*. ~**s** *npl* (*exams*) finais
fpl. ~**ist** *n* finalista *mf*. ~**ly**
adv finalmente, por fim;
(*once and for all*) definitivamente

finale /fɪˈnɑːlɪ/ *n* final *m*

finalize /ˈfaɪnəlaɪz/ vt finalizar

financ|e /ˈfaɪnæns/ n finança (s) f (pl) □ a financeiro □ vt financiar. **~ier** /ˈnænsɪə(r)/ n financeiro m

financial /faɪˈnænʃl/ a financeiro. **~ly** adv financeiramente

find /faɪnd/ vt (pt **found**) (sth lost) achar, encontrar; (think) achar; (discover) descobrir; (jur) declarar □ n achado m. **~ out** vt apurar, descobrir □ vi informar-se (**about** sobre)

fine[1] /faɪn/ n multa f □ vt multar

fine[2] /faɪn/ a (**-er, -est**) fino; (splendid) belo, lindo □ adv (muito) bem; (small) fino, fininho. **~ arts** belas artes fpl. **~ weather** bom tempo. **~ly** adv lindamente; (cut) fininho, aos bocadinhos

finesse /fɪˈnes/ n finura f, subtileza f

finger /ˈfɪŋɡə(r)/ n dedo m □ vt apalpar. **~-mark** n dedada f. **~-nail** n unha f

fingerprint /ˈfɪŋɡəprɪnt/ n impressão f digital

fingertip /ˈfɪŋɡətɪp/ n ponta f do dedo

finicky /ˈfɪnɪkɪ/ a meticuloso, miudinho

finish /ˈfɪnɪʃ/ vt/i acabar, terminar □ n fim m; (of race) chegada f; (on wood, clothes) acabamento m. **~ doing** acabar de fazer. **~ up doing** acabar por fazer. **~ up in** ir parar a, acabar em

finite /ˈfaɪnaɪt/ a finito

Fin|land /ˈfɪnlənd/ n Finlândia f. **~n** n finlandês m. **~nish** a & n (lang) finlandês (m)

fir /fɜː(r)/ n abeto m

fire /ˈfaɪə(r)/ n fogo m; (conflagration) incêndio m; (heater) aquecedor m □ vt (bullet, gun, etc) disparar; (dismiss) despedir; (fig: stimulate) inflamar □ vi atirar, fazer fogo (**at** sobre). **on ~** em chamas. **set ~ to** deitar fogo a. **~-alarm** n alarme m de incêndio. **~ brigade** bombeiros mpl. **~-engine** n carro m de bombeiros, **~ escape** saída f de incêndio. **~ extinguisher** n extintor m de incêndio. **~ station** quartel m dos bombeiros

firearm /ˈfaɪərɑːm/ n arma f de fogo

fireman /ˈfaɪəmən/ n (pl **-men**) bombeiro m

fireplace /ˈfaɪəpleɪs/ n chaminé f, lareira f

firewood /ˈfaɪəwʊd/ n lenha f

firework /ˈfaɪəwɜːk/ n fogo m de artifício

firing-squad /ˈfaɪərɪŋskwɒd/ n pelotão m de execução

firm[1] /fɜːm/ n firma f comercial

firm[2] /fɜːm/ a (**-er, -est**) firme; (belief) firme, inabalável. **~ly** adv firmemente. **~ness** n firmeza f

first /fɜːst/ a & n primeiro m; (auto) primeira f □ adv primeiro, em primeiro lugar. **at ~** a princípio, no início. **~ of all** antes de mais nada. **for the ~ time** pela primeira vez. **~ aid** primeiros socorros mpl. **~-class** a de primeira classe. **~ name** nome de baptismo m. **~-rate** a excelente. ~**ly** adv primeiramente, em primeiro lugar

fiscal /ˈfɪskl/ a fiscal

fish /fɪʃ/ n (pl usually invar) peixe m □ vt/i pescar. ~ **out** (colloq) tirar. ~**ing** n pesca f. **go** ~**ing** ir à pesca. ~**ing-rod** n cana f de pesca. ~**y** a de peixe; (fig: dubious) suspeito

fisherman /ˈfɪʃəmən/ n (pl -**men**) pescador m

fishmonger /ˈfɪʃmʌŋgə(r)/ n dono m/empregado m de peixaria. ~**'s (shop)** peixaria f

fission /ˈfɪʃn/ n fissão f, cisão f

fist /fɪst/ n punho m

fit[1] /fɪt/ n acesso m, ataque m; (of generosity) rasgo m

fit[2] /fɪt/ a (**fitter, fittest**) de boa saúde, em forma; (proper) próprio; (good enough) em condições; (able) capaz □ vt/i (pt **fitted**) (clothes) assentar, ficar bem a (a); (into space) caber (a); (match) ajustar(-se) (a); (install) instalar □ n **be a good** ~ assentar bem. **be a tight** ~ estar justo. ~ **out** equipar. ~**ted carpet** alcatifa f. ~**ness** n saúde f, condição f física

fitful /ˈfɪtfl/ a intermitente

fitment /ˈfɪtmənt/ n móvel m de parede

fitting /ˈfɪtɪŋ/ a apropriado □ n (clothes) prova f. ~**s** (fixtures) instalações fpl; (fitments) mobiliário m. ~**room** cabine f

five /faɪv/ a & n cinco m

fix /fɪks/ vt fixar; (mend, prepare) arranjar □ n **in a** ~ em apuros, numa alhada. ~ **sb up with sth** conseguir alg coisa para alguém. ~**ed a** a fixo

fixation /fɪkˈseɪʃn/ n fixação f; (obsession) obsessão f

fixture /ˈfɪkstʃə(r)/ n equipamento m, instalação f; (sport) (data f marcada para) competição f

fizz /fɪz/ vi efervescer, borbulhar □ n efervescência f. ~**y** a gasoso, gaseificado

fizzle /ˈfɪzl/ vi ~ **out** (plan etc) acabar em nada or em águas de bacalhau (colloq)

flab /flæb/ n (colloq) gordura f, banha f (colloq). ~**by** a flácido

flabbergasted /ˈflæbəgɑːstɪd/ a (colloq) espantado, pasmado (colloq)

flag[1] /flæg/ n bandeira f □ vt (pt **flagged**) fazer sinal. ~ **down** fazer sinal para parar. ~**-pole** n mastro m (de bandeira)

flag[2] /flæg/ vi (pt **flagged**) (droop) cair, pender, tombar; (of person) esmorecer

flagrant /ˈfleɪgrənt/ a flagrante

flagstone /ˈflægstəʊn/ n laje f

flair /fleə(r)/ n jeito m, habilidade f

flak|e /fleɪk/ n floco m; (paint) lasca f □ vi descamar-se, lascar-se. ~**y** a (paint) descamado, lascado

flamboyant /flæmˈbɔɪənt/ a flamejante; (showy) flamante, vistoso; (of manner) extravagante

flame /fleɪm/ n chama f, labareda f □ vi flamejar. burst into ~s incendiar-se

flamingo /fləˈmɪŋɡəʊ/ n (pl -os) flamingo m

flammable /ˈflæməbl/ a inflamável

flan /flæn/ n tarte f

flank /flæŋk/ n flanco m □ vt flanquear

flannel /ˈflænl/ n flanela f; (for face) toalha f, toalhete m de rosto

flap /flæp/ vi (pt flapped) bater □ vt ~ its wings bater as asas □ n (of table, pocket) aba f; (sl: panic) pânico m

flare /fleə(r)/ vi ~ up irromper em chamas; (of war) rebentar; (fig: of person) enfurecer-se □ n chamejar m; (dazzling light) clarão m; (signal) foguete m de sinalização. ~d a (skirt) évasé

flash /flæʃ/ vi brilhar subitamente; (on and off) piscar; (auto) fazer sinal com o pisca-pisca □ vt fazer brilhar; (send) lançar, dardejar; (flaunt) fazer alarde de, ostentar □ n clarão m, lampejo m; (photo) flash m. ~ past passar como um tiro

flashback /ˈflæʃbæk/ n cena f retrospectiva, flashback m

flashlight /ˈflæʃlaɪt/ n lanterna f eléctrica

flashy /ˈflæʃɪ/ a espalhafatoso, que dá nas vistas

flask /flɑːsk/ n frasco m; (vacuum flask) garrafa f termos

flat /flæt/ a (flatter, flattest) plano, chato; (tyre) em baixo, furado, vazio; (battery)

em baixo, fraco; (refusal) categórico; (fare, rate) fixo; (monotonous) monótono; (mus) bemol; (out of tune) desafinado □ n apartamento m; (colloq: tyre) furo m no pneu; (mus) bemol m. ~ out (drive) em alta velocidade; (work) a dar tudo por tudo. ~ly adv categoricamente

flatter /ˈflætə(r)/ vt lisonjear, adular. ~er n lisonjeador m, adulador m. ~ing a lisonjeiro, adulador. ~y n lisonja f

flatulence /ˈflætjʊləns/ n flatulência f

flaunt /flɔːnt/ vt/i pavonear(-se), ostentar

flavour /ˈfleɪvə(r)/ n sabor m (of a) □ vt dar sabor a, temperar. ~ing n aroma m sintético; (seasoning) tempero m

flaw /flɔː/ n falha f, imperfeição f. ~ed a imperfeito. ~less a perfeito

flea /fliː/ n pulga f

fled /fled/ see flee

fledged /fledʒd/ a fully-~ (fig) treinado, experiente

flee /fliː/ vi (pt fled) fugir □ vt fugir de

fleece /fliːs/ n lã f de carneiro, velo m □ vt (fig) esfolar, roubar

fleet /fliːt/ n (of warships) esquadra f; (of merchant ships, vehicles) frota f

fleeting /ˈfliːtɪŋ/ a curto, fugaz

Flemish /ˈflemɪʃ/ a & n (lang) flamengo m

flesh /fleʃ/ n carne f; (of fruit) polpa f. ~y a consanguíneo

flew /fluː/ see fly[2]

flex[1] /fleks/ vt flexionar

flex[2] /fleks/ n (*electr*) fio *f* flexível

flexib|le /'fleksəbl/ a flexível. **~ility** /'bɪlətɪ/ n flexibilidade *f*

flexitime /'fleksɪtaɪm/ n horário *m* flexível

flick /flɪk/ n (*light blow*) safanão *m*; (*with fingertip*) piparote *m* □ *vt* dar um safanão em; (*with fingertip*) dar um piparote a. **~-knife** *n* navalha *f* de ponta e mola. **~ through** folhear

flicker /'flɪkə(r)/ *vi* vacilar, oscilar, tremular □ n oscilação *f*, tremular *m*; (*light*) luz *f* oscilante

flier /'flaɪə(r)/ n = flyer

flies /flaɪz/ npl (*of trousers*) braguilha *f*

flight[1] /flaɪt/ n (*flying*) voo *m*. **~ of stairs** lanço *m* de escada. **~-deck** *n* cabina *f*

flight[2] /flaɪt/ n (*fleeing*) fuga *f*. put to **~** pôr em fuga. take **~** pôr-se em fuga

flimsy /'flɪmzɪ/ a (-ier, -iest) (*material*) fino; (*object*) frágil; (*excuse etc*) fraco, esfarrapado

flinch /flɪntʃ/ *vi* (*wince*) retrair-se; (*draw back*) recuar; (*hesitate*) hesitar

fling /flɪŋ/ *vt/i* (*pt* **flung**) atirar (-se), arremessar(-se); (*rush*) precipitar-se

flint /flɪnt/ n sílex *m*; (*for lighter*) pedra *f*

flip /flɪp/ *vt* (*pt* **flipped**) fazer girar com o dedo e o polegar □ n pancadinha *f*. **~ through** folhear

flippant /'flɪpənt/ a irreverente, petulante

flipper /'flɪpə(r)/ n (*of seal*) barbatana *f*; (*of swimmer*) barbatana *f*

flirt /flɜːt/ *vt* namoriscar □ n namorador *m*, namoradeira *f*. **~ation** /'teɪʃn/ n namorico *m*, flirt *m*. **~atious** a namorador *m*, namoradeira *f*

flit /flɪt/ *vi* (*pt* **flitted**) esvoaçar

float /fləʊt/ *vt/i* (fazer) flutuar; (*company*) lançar □ n bóia *f*; (*low cart*) carro *m* alegórico

flock /flɒk/ n (*of sheep; congregation*) rebanho *m*; (*of birds*) bando *m*; (*crowd*) multidão *f* □ *vi* afluir, juntar-se

flog /flɒg/ *vt* (*pt* **flogged**) açoitar; (*sl: sell*) vender

flood /flʌd/ n inundação *f*, cheia *f*; (*of tears*) dilúvio *m* □ *vt* inundar, alagar □ *vi* estar inundado; (*river*) transbordar; (*fig: people*) afluir

floodlight /'flʌdlaɪt/ n projector *m*, holofote *m* □ *vt* (*pt* **floodlit**) iluminar

floor /flɔː(r)/ n chão *m*, soalho *m*; (*for dancing*) pista *f*; (*storey*) andar *m* □ *vt* assoalhar; (*baffle*) desconcertar, embatucar

flop /flɒp/ *vi* (*pt* **flopped**) (*drop*) (deixar-se) cair; (*move helplessly*) debater-se; (*sl: fail*) ser um fiasco □ n (*sl*) fiasco *m*. **~py** a mole, tombado. **~py** (**py disk**) disquete *m*

floral /'flɔːrəl/ a floral

florid /'flɒrɪd/ a florido

florist /'flɒrɪst/ n florista *mf*

flounce /flaʊns/ n folho *m*

flounder /ˈflaʊndə(r)/ vi esbracejar, debater-se; (fig) meter os pés pelas mãos

flour /ˈflaʊə(r)/ n farinha f. ~y a farinhento

flourish /ˈflʌrɪʃ/ vi florescer, prosperar □ vt brandir □ n floreado m; (movement) gesto m elegante. ~ing a próspero

flout /flaʊt/ vt escarnecer (de)

flow /fləʊ/ vi correr, fluir; (traffic) mover-se; (hang loosely) flutuar; (gush) jorrar □ n corrente f; (of tide; fig) enchente f. ~ into (of river) desaguar em. ~ chart organigrama m

flower /ˈflaʊə(r)/ n flor f □ vi florir, florescer. ~-bed n canteiro m. ~ed a florido, às flores. ~y a florido

flown /fləʊn/ see fly²

flu /fluː/ n (colloq) gripe f

fluctuat|e /ˈflʌktʃʊeɪt/ vi flutuar, oscilar. ~ion /-ˈeɪʃn/ n flutuação f, oscilação f

flue /fluː/ n cano m de chaminé

fluen|t /ˈfluːənt/ a fluente. be ~t (in a language) falar correntemente (uma língua). ~cy n fluência f. ~tly adv fluentemente

fluff /flʌf/ n cotão m; (down) penugem f □ vt (colloq: bungle) estender-se em (sl), executar mal. ~y a penugento, fofo

fluid /ˈfluːɪd/ a & n fluido m

fluke /fluːk/ n bambúrrio (colloq) m, golpe m de sorte

flung /flʌŋ/ see fling

flunk /flʌŋk/ vt/i (Amer colloq) chumbar (colloq)

fluorescent /flʊəˈresnt/ a fluorescente

fluoride /ˈflʊəraɪd/ n flúor m

flurry /ˈflʌrɪ/ n rajada f, rabanada f, lufada f; (fig) atrapalhação f, agitação f

flush¹ /flʌʃ/ vi corar, ruborizar-se □ vt lavar a jorros de água □ n rubor m, vermelhidão f; (fig) excitação f; (of water) jorro m □ a ~ with ao nível de, rente a. ~ the toilet puxar o autoclismo

flush² /flʌʃ/ vt ~ out desalojar

flute /fluːt/ n flauta f

flutter /ˈflʌtə(r)/ vi esvoaçar; (wings) bater; (heart) palpitar □ vt bater. ~ one's eyelashes pestanejar □ n (of wings) batimento m; (fig) agitação f

flux /flʌks/ n in a state of ~ em mudança f contínua

fly¹ /flaɪ/ n mosca f

fly² /flaɪ/ vi (pt flew, pp flown) voar; (passengers) ir de/viajar de avião; (rush) correr □ vt pilotar; (passengers, goods) transportar por avião; (flag) hastear, arvorar □ n (of trousers) braguilha f

flyer /ˈflaɪə(r)/ n aviador m; (Amer: circular) prospecto m

flying /ˈflaɪɪŋ/ a voador. with ~ colours com grande êxito, esplendidamente. ~ saucer disco m voador. ~ start bom arranque m. ~ visit visita f de médico

flyleaf /ˈflaɪliːf/ n (pl -leaves) guarda f, folha f em branco m

flyover /'flaɪəʊvə(r)/ *n* viaduto *m*

foal /fəʊl/ *n* potro *m*

foam /fəʊm/ *n* espuma *f* □ *vi* espumar. ~ (**rubber**) *n* espuma *f* de borracha

fob /fob/ *vt* (*pt* **fobbed**) ~ **off** iludir, entreter com artifícios. ~ **off on** impingir a

focus /'fəʊkəs/ *n* (*pl* **-cuses** or **-ci** /-saɪ/) foco *m* □ *vt/i* (*pt* **focused**) focar; (*fig*) concentrar(-se). **in** ~ focado, em foco. **out of** ~ desfocado

fodder /'fodə(r)/ *n* forragem *f*

foetus /'fi:təs/ *n* (*pl* **-tuses**) feto *m*

fog /fog/ *n* nevoeiro *m* □ *vt/i* (*pt* **fogged**) enevoar(-se). ~**-horn** *n* sereia *f* de nevoeiro. ~**gy** *a* enevoado, brumoso. **it is** ~**gy** está *or* faz nevoeiro

foible /'fɔɪbl/ *n* fraqueza *f*, ponto *m* fraco

foil[1] /fɔɪl/ *n* papel *m* de alumínio; (*fig*) contraste *m*

foil[2] /fɔɪl/ *vt* frustrar

foist /fɔɪst/ *vt* impingir (**on** a)

fold /fəʊld/ *n* dobrar(-se); (*arms*) cruzar; (*colloq: fail*) falir □ *n* dobra *f*. ~**er** *n* pasta *f*; (*leaflet*) prospecto *m* (desdobrável). ~**ing** *a* dobrável, dobradiço

foliage /'fəʊlɪɪdʒ/ *n* folhagem *f*

folk /fəʊk/ *n* povo *m*. ~**s** (*family, people*) gente *f* (*colloq*) □ *a* folclórico, popular. ~**-lore** *n* folclore *m*

follow /'fɒləʊ/ *vt/i* seguir. **it** ~**s that** quer dizer que. ~ **suit** (*cards*) servir o naipe jogado; (*fig*) seguir o exemplo, fazer o mesmo. ~ **up** (*letter etc*) dar seguimento a. ~**er** *n* partidário *m*, seguidor *m*. ~**ing** *n* partidários *mpl* □ *a* seguinte □ *prep* em seguimento a

folly /'fɒlɪ/ *n* loucura *f*

fond /fond/ *a* (**-er -est**) carinhoso; (*hope*) caro. **be** ~ **of** gostar de, ser amigo de. ~**ness** *n* (*for people*) afeição *f*; (*for thing*) gosto *m*

fondle /'fondl/ *vt* acariciar

font /font/ *n* pia *f* baptismal

food /fu:d/ *n* alimentação *f*, comida *f*; (*nutrient*) alimento *m* □ *a* alimentar. ~ **poisoning** intoxicação *f* alimentar

fool /fu:l/ *n* idiota *mf*, parvo *m* □ *vt* enganar □ *vi* ~ **around** fazer asneiras; fazer nada

foolhardy /'fu:lha:dɪ/ *a* imprudente, atrevido

foolish /'fu:lɪʃ/ *a* idiota, parvo. ~**ly** *adv* parvamente. ~**ness** *n* idiotice *f*, parvoíce *f*

foolproof /'fu:lpru:f/ *a* infalível

foot /fʊt/ *n* (*pl* **feet**) (*of person, bed, stairs*) pé *m*; (*of animal*) pata *f*; (*measure*) pé *m* (= 30,48 cm) □ *vt* ~ **the bill** pagar a conta. **on** ~ a pé. **on** *or* **to one's feet** de pé. **put one's** ~ **in it** fazer uma gafe. **to be under sb's feet** atrapalhar alg. ~**-bridge** *n* passarela *f*

football /'fʊtbɔ:l/ *n* bola *f* de futebol; (*game*) futebol *m*. ~ **pools** totobola *m*. ~**er** *n* futebolista *mf*, jogador *m* de futebol

foothills /'fʊθɪlz/ npl contrafortes mpl

foothold /'fʊthəʊld/ n ponto m de apoio

footing /'fʊtɪŋ/ n: firm ~ apoio seguro **on an equal ~** em pé de igualdade

footlights /'fʊtlaɪts/ npl ribalta f

footnote /'fʊtnəʊt/ n nota f de rodapé

footpath /'fʊtpa:θ/ n (pavement) calçada f, passeio m; (in open country) atalho m, caminho m

footprint /'fʊtprɪnt/ n pegada f

footstep /'fʊtstep/ n passo m

footwear /'fʊtweə(r)/ n calçado m

for /fə(r)/; emphatic /fɔ:(r)/ prep para; (in favour of; in place of) por; (during) durante □ conj porque, visto que. **a liking ~** gosto por. **he has been away ~ two years** há dois anos que ele está fora. **~ ever** para sempre

forage /'fɒrɪdʒ/ vi forragear; (rummage) remexer à procura (de) □ n forragem f

forbade /fə'bæd/ see **forbid**

forbear /fɔ:'beə(r)/ vt/i (pt **forbore**, pp **forborne**) abster-se (from de). **~ance** n paciência f, tolerância f

forbid /fə'bɪd/ vt (pt **forbade**, pp **forbidden**) proibir. **you are ~den to smoke** estás proibido de fumar. **~ding** a severo, intimidante

force /fɔ:s/ n força f □ vt forçar. **~ into** fazer entrar à força. **~ on** impor a. **come into**

~ entrar em vigor. **the ~s** as Forças Armadas. **~d** a forçado. **~ful** a enérgico

force-feed /'fɔ:sfi:d/ vt (pt -fed) alimentar à força

forceps /'fɔ:seps/ n (pl invar) fórceps m

forcible /'fɔ:səbl/ a convincente; (done by force) à força. **~y** adv à força

ford /fɔ:d/ n vau m □ vt passar a vau, vadear

fore /fɔ:(r)/ a dianteiro □ n **to the ~** em evidência

forearm /'fɔ:ra:m/ n antebraço m

foreboding /fɔ:'bəʊdɪŋ/ n pressentimento m

forecast /'fɔ:ka:st/ vt (pt **forecast**) prever □ n previsão f. **weather ~** boletim m meteorológico, previsão f do tempo

forecourt /'fɔ:kɔ:t/ n pátio m de entrada; (of garage) área f das bombas de gasolina

forefinger /'fɔ:fɪŋgə(r)/ n (dedo) indicador m

forefront /'fɔ:frʌnt/ n vanguarda f

foregone /'fɔ:gɒn/ a ~ **conclusion** resultado m previsto

foreground /'fɔ:graʊnd/ n primeiro plano m

forehead /'fɒrɪd/ n testa f

foreign /'fɒrən/ a estrangeiro; (trade) externo; (travel) ao/ no estrangeiro. **F~ Office** Ministério m dos Negócios Estrangeiros. **~er** n estrangeiro m.

foreman /'fɔ:mən/ n (pl **foremen**) contramestre m; (of jury) primeiro jurado m

foremost /'fɔːməʊst/ *a* principal, primeiro □ *adv* **first and ~** antes de mais nada, em primeiro lugar

forename /'fɔːneɪm/ *n* nome *m* próprio

forensic /fə'rensɪk/ *a* forense. **~ medicine** medicina *f* legal

forerunner /'fɔːrʌnə(r)/ *n* precursor *m*

foresee /fɔː'siː/ *vt* (*pt* **-saw**, *pp* **-seen**) prever. **~able** *a* previsível

foreshadow /fɔː'ʃædəʊ/ *vt* prefigurar, pressagiar

foresight /'fɔːsaɪt/ *n* previsão *f*, previdência *f*

forest /'fɒrɪst/ *n* floresta *f*

forestall /fɔː'stɔːl/ *vt* (*do first*) antecipar-se a; (*prevent*) prevenir; (*anticipate*) antecipar

forestry /'fɒrɪstrɪ/ *n* silvicultura *f*

foretell /fɔː'tel/ *vt* (*pt* **foretold**) predizer, profetizar

forever /fə'revə(r)/ *adv* (*endlessly*) constantemente

foreword /'fɔːwɜːd/ *n* prefácio *m*

forfeit /'fɔːfɪt/ *n* penalidade *f*, preço *m*; (*in game*) prenda *f* □ *vt* perder

forgave /fə'geɪv/ *see* **forgive**

forge[1] /fɔːdʒ/ *vi* **~ ahead** tomar a dianteira, avançar

forge[2] /fɔːdʒ/ *n* forja *f* □ *vt* (*metal, friendship*) forjar; (*counterfeit*) falsificar, forjar. **~r** /-ə(r)/ *n* falsificador *m*, forjador *m*, falsário *m* **~ry** /-ərɪ/ *n* falsificação *f*

forget /fə'get/ *vt/i* (*pt* **forgot**, *pp* **forgotten**) esquecer. **~ o.s.** portar-se com menos

dignidade, esquecer-se de quem é. **~-me-not** *n* miosótis *m*. **~ful** *a* esquecido. **~fulness** *n* esquecimento *m*

forgive /fə'gɪv/ *vt* (*pt* **forgave**, *pp* **forgiven**) perdoar (**sb for sth** alg coisa a alg). **~ness** *n* perdão *m*

forgo /fɔː'gəʊ/ *vt* (*pt* **forwent**, *pp* **forgone**) renunciar a

fork /fɔːk/ *n* garfo *m*; (*for digging etc*) forquilha *f*; (*in road*) bifurcação *f* □ *vi* bifurcar. **~ out** (*sl*) desembolsar. **~-lift truck** empilhadeira *f*. **~ed** *a* bifurcado; (*lightning*) em zigzag

forlorn /fə'lɔːn/ *a* abandonado, desolado

form /fɔːm/ *n* forma *f*; (*document*) impresso *m*, formulário *m*; (*schol*) classe *f* □ *vt/i* formar(-se)

formal /'fɔːml/ *a* formal; (*dress*) de cerimónia. **~ity** /'mælətɪ/ *n* formalidade *f*. **~ly** *adv* formalmente

format /'fɔːmæt/ *n* formato *m* □ *vt* (*pl* **formatted**) (*disk*) formatar

formation /fɔː'meɪʃn/ *n* formação *f*

former /'fɔːmə(r)/ *a* antigo; (*first of two*) primeiro. **the ~** aquele. **~ly** *adv* antigamente

formidable /'fɔːmɪdəbl/ *a* formidável, tremendo

formula /'fɔːmjʊlə/ *n* (*pl* **-ae** /-iː/or **-as**) fórmula *f*

formulate /'fɔːmjʊleɪt/ *vt* formular

forsake /fə'seɪk/ *vt* (*pt* **forsook**, *pp* **forsaken**) abandonar

fort /fɔːt/ n (mil) forte m

forth /fɔːθ/ adv adiante, para a frente. **and so ~** e assim por diante, etcetera. **go back and ~** andar de trás para diante.

forthcoming /fɔːˈθkʌmɪŋ/ a que está para vir, próximo; (communicative) comunicativo, receptivo; (book) no prelo

forthright /ˈfɔːθraɪt/ a franco, directo

fortif|y /ˈfɔːtɪfaɪ/ vt fortificar. **~ication** /-ɪˈkeɪ∫n/ n fortificação f

fortitude /ˈfɔːtɪtjuːd/ n fortitude f, fortaleza f

fortnight /ˈfɔːtnaɪt/ n quinze dias mpl, quinzena f. **~ly** a quinzenal □ adv de quinze em quinze dias

fortress /ˈfɔːtrɪs/ n fortaleza f

fortuitous /fɔːˈtjuːɪtəs/ a fortuito, acidental

fortunate /ˈfɔːt∫ənət/ a feliz, afortunado. **be ~** ter sorte. **~ly** adv felizmente

fortune /ˈfɔːt∫ən/ n sorte f; (wealth) fortuna f. **have the good ~ to** ter a sorte de. **~-teller** n cartomante mf

fort|y /ˈfɔːtɪ/ a & n quarenta m. **~ieth** a &n quadragésimo m

forum /ˈfɔːrəm/ n fórum m, foro m

forward /ˈfɔːwəd/ a (in front) dianteiro; (towards the front) para a frente; (advanced) adiantado; (pert) atrevido □ n (sport) avançado m □ adv **~(s)** para a frente, para diante □ vt (letter) remeter;

(goods) expedir; (fig: help) favorecer. **come ~** apresentar-se. **go ~** avançar. **~ness** n adiantamento m; (pertness) atrevimento m

fossil /ˈfɒsl/ a & n fóssil m

foster /ˈfɒstə(r)/ vt fomentar; (child) criar. **~-child** n filho adoptivo. **~-mother** n mãe f adoptiva

fought /fɔːt/ see **fight**

foul /faʊl/ a (-er, -est) infecto; (language) obsceno; (weather) mau □ n (football) falta f □ vt sujar, emporcalhar. **~-mouthed** a de linguagem obscena. **~ play** jogo m desleal; (crime) crime m

found¹ /faʊnd/ see **find**

found² /faʊnd/ vt fundar. **~ation** /deɪ∫n/ n fundação f; (basis) fundamento m. **~ations** npl (of building) alicerces mpl

founder¹ /ˈfaʊndə(r)/ n fundador m

founder² /ˈfaʊndə(r)/ vi afundar-se

foundry /ˈfaʊndrɪ/ n fundição f

fountain /ˈfaʊntɪn/ n fonte f. **~-pen** n caneta f de tinta permanente

four /fɔː(r)/ a & n quatro m. **~fold** a quádruplo □ adv quadruplamente. **~th** a & n quarto m

foursome /ˈfɔːsəm/ n grupo m de quatro pessoas

fourteen /fɔːˈtiːn/ a & n catorze m. **~th** a & n décimo quarto m

fowl /faʊl/ n ave f de capoeira

fox /fɒks/ n raposa f □ vt (col-

loq) mistificar, enganar. **be ~ed** ficar perplexo

foyer /ˈfɔɪeɪ/ *n* foyer *m*

fraction /ˈfrækʃn/ *n* fracção *f*; (*small bit*) bocadinho *m*, partícula *f*

fracture /ˈfræktʃə(r)/ *n* fractura *f* □ *vt/i* fracturar (-se)

fragile /ˈfrædʒaɪl/ *a* frágil

fragment /ˈfrægmənt/ *n* fragmento *m*. ~**ary** /ˈfrægməntrɪ/ *a* fragmentário

fragran|t /ˈfreɪɡrənt/ *a* fragrante, perfumado. ~**ce** *n* fragrância *f*, perfume *m*

frail /freɪl/ *a* (**-er, -est**) frágil

frame /freɪm/ *n* (*techn; of spectacles*) armação *f*; (*of picture*) moldura *f*; (*of window*) caixilho *m*; (*body*) corpo *m*, estrutura *f* □ *vt* colocar a armação em; (*picture*) emoldurar; (*fig*) formular; (*sl*) incriminar falsamente, tramar. ~ **of mind** estado *m* de espírito

framework /ˈfreɪmwɜːk/ *n* estrutura *f*; (*context*) quadro *m*, esquema *m*

France /frɑːns/ *n* França *f*

franchise /ˈfræntʃaɪz/ *n* (*pol*) direito *m* de voto; (*comm*) concessão *f*, franchise *f*

frank[1] /fræŋk/ *a* franco. ~**ly** *adv* francamente. ~**ness** *n* franqueza *f*

frank[2] /fræŋk/ *vt* franquear

frantic /ˈfræntɪk/ *a* frenético

fraternal /frəˈtɜːnl/ *a* fraternal

fraternize /ˈfrætənaɪz/ *vi* confraternizar

fraud /frɔːd/ *n* fraude *f*; (*person*) impostor *m*. ~**ulent** /ˈfrɔːdjʊlənt/ *a* fraudulento

fraught /frɔːt/ *a* ~ **with** cheio de

fray[1] /freɪ/ *n* rixa *f*

fray[2] /freɪ/ *vt/i* desfiar(-se), puir, esgaçar(-se)

freak /friːk/ *n* aberração *f*, anomalia *f* □ *a* anormal. ~ **of nature** aborto *m* da natureza. ~**ish** *a* anormal

freckle /ˈfrekl/ *n* sarda *f*. ~**d** *a* sardento

free /friː/ *a* (**freer, freest**) livre; (*gratis*) grátis; (*lavish*) liberal □ *vt* (*pt* **freed**) libertar (**from** de); (*rid*) livrar (**of** de). ~ **of charge** grátis, de graça. **a ~ hand** carta *f* branca. ~**lance** *a* independente, free-lance. ~**range** *a* (*egg*) caseiro, (*hens*) do campo ~**ly** *adv* livremente

freedom /ˈfriːdəm/ *n* liberdade *f*

freez|e /friːz/ *vt/i* (*pt* **froze**, *pp* **frozen**) gelar; (*culin; finance*) congelar(-se) □ *n* gelo *m*; (*culin; finance*) congelamento *m*. ~**er** *n* congelador *m*. ~**ing** *a* gélido, glacial. **below ~ing** abaixo de zero

freight /freɪt/ *n* frete *m*

French /frentʃ/ *a* francês □ *n* (*lang*) francês *m*. **the ~** os franceses. ~**man** *n* francês *m*. ~**speaking** *a* francófono. ~ **window** porta *f* envidraçada. ~**woman** *n* francesa *f*

frenz|y /ˈfrenzɪ/ *n* frenesim *m*. ~**ied** *a* frenético

frequen|t[1] /ˈfriːkwənt/ *a* frequente. ~**cy** *n* frequência *f*. ~**tly** *adv* frequentemente

frequent[2] /frɪˈkwent/ *vt* frequentar

fresh /freʃ/ a (**-er, -est**) fresco; (*different, additional*) novo; (*colloq: cheeky*) descarado, atrevido. ~**ly** adv recentemente. ~**ness** n frescura f

freshen /'freʃn/ vt/i refrescar. ~ **up** refrescar-se

fret /fret/ vt/i (pt **fretted**) ralar (-se). ~**ful** a rabugento

friar /'fraɪə(r)/ n frade m; (*before name*) frei m

friction /'frɪkʃn/ n fricção f

Friday /'fraɪdɪ/ n Sexta-Feira f. **Good** ~ Sexta-Feira f Santa

fridge /frɪdʒ/ n (colloq) frigorífico m

fried /fraɪd/ see **fry** □ a frito m

friend /frend/ n amigo m. ~**ship** n amizade f

friend|ly /'frendlɪ/ a (**-ier, -iest**) amigável, amigo, simpático. ~**iness** n simpatia f, gentileza f

frieze /friːz/ n friso m

frigate /'frɪɡət/ n fragata f

fright /fraɪt/ n medo m, susto m. **give sb a** ~ pregar um susto a alguém. ~**ful** a medonho, assustador

frighten /'fraɪtn/ vt assustar. ~ **off** afugentar. ~**ed** a assustado. **be** ~**ed (of)** ter medo de (de)

frigid /'frɪdʒɪd/ a frígido. ~**ity** /dʒɪdətɪ/ n frigidez f, frieza f; (*psych*) frigidez f

frill /frɪl/ n folho m

fringe /frɪndʒ/ n franja f; (*of area*) borda f; (*of society*) margem f. ~ **benefits** (*work*) regalias fpl extras. ~ **theatre** teatro m independente, teatro m de vanguarda

frisk /frɪsk/ vi pular, brincar □ vt revistar

fritter¹ /'frɪtə(r)/ n frito m

fritter² /'frɪtə(r)/ vt ~ **away** desperdiçar

frivol|ous /'frɪvələs/ a frívolo. ~**ity** /'vɒlətɪ/ n frivolidade f

fro /frəʊ/ see **to and fro**

frock /frɒk/ n vestido m

frog /frɒɡ/ n rã f

frogman /'frɒɡmən/ n (pl **-men**) homem-rã m

frolic /'frɒlɪk/ vi (pt **frolicked**) brincar, fazer travessuras □ n brincadeira f, travessura f

from /frɒm/; *emphatic* /frɒm/ prep de; (*with time, prices etc*) de, a partir de; (*according to*) por, a julgar por

front /frʌnt/ n (meteo, mil, pol; of car, train) frente f; (*of shirt*) peitilho m; (*of building; fig*) fachada f; (*promenade*) calçada f à beira-mar □ a da frente; (*first*) primeiro. **in** ~ **(of)** em frente (de). ~ **door** porta f da rua. ~**wheel drive** tracção f dianteira. ~**age** n frontaria f. ~**al** a frontal

frontier /'frʌntɪə(r)/ n fronteira f

frost /frɒst/ n gelo m, temperatura f abaixo de zero; (*on ground, plants etc*) geada f □ vt/i cobrir (-se) de geada. ~**bite** n queimadura f de frio. ~**bitten** a queimado pelo frio. ~**ed** a (*glass*) fosco. ~**y** a glacial

froth /frɒθ/ n espuma f □ vi espumar, fazer espuma. ~**y** a espumoso

frown /fraʊn/ vi franzir as sobrancelhas □ n franzir m de sobrancelhas. ~ **on** desaprovar

froze, frozen /frəʊz, 'frəʊzn/ see freeze

frugal /'fru:gl/ a poupado; (meal) frugal. ~**ly** adv frugalmente

fruit /fru:t/ n fruto m; (collectively) fruta f. ~ **machine** slot-machine f. ~ **salad** salada f de frutas. ~**y** a que sabe or cheira a fruta

fruit|ful /'fru:tfl/ a frutífero, produtivo. ~**less** a infrutífero

fruition /fru:'ɪʃn/ n **come to** ~ realizar-se

frustrat|e /frʌ'streɪt/ vt frustrar. ~**ion** /-ʃn/ n frustração f

fry /fraɪ/ vt/i (pt fried) fritar. ~**ing-pan** f frigideira f

fudge /fʌdʒ/ n (culin) doce m acaramelado □ vt/i ~ **(the issue)** lançar a confusão

fuel /'fju:əl/ n combustível m; (for car) carburante m □ vt (pt fuelled) abastecer de combustível; (fig) atear

fugitive /'fju:dʒətɪv/ a & n fugitivo m

fulfil /fʊl'fɪl/ vt (pt fulfilled) cumprir, realizar; (condition) satisfazer. ~ **o.s.** realizar-se. ~**ling** a satisfatório. ~**ment** n realização f; (of condition) satisfação f

full /fʊl/ a (-er, -est) cheio; (meal) completo; (price) total, por inteiro; (skirt) rodado □ adv **in** ~ integralmente. **at** ~ **speed** a toda velocidade. **to the** ~ ao máximo. **be** ~ **up** (colloq: after eating)

estar cheio (colloq). ~ **moon** lua f cheia. ~~**scale** a em grande. ~~**size** a em tamanho natural. ~ **stop** ponto m final. ~~**time** a & adv a tempo integral, full-time. ~**y** adv completamente

fulsome /'fʊlsəm/ a excessivo

fumble /'fʌmbl/ vi tactear; (in the dark) andar tacteando. ~ **with** estar atrapalhado com, andar às voltas com

fume /fju:m/ vi deitar fumo, fumegar; (with anger) ferver. ~**s** npl gases mpl

fumigate /'fju:mɪɡeɪt/ vt fumigar

fun /fʌn/ n divertimento m. **for** ~ de brincadeira. **make** ~ **of** zombar de, fazer troça de. ~~**fair** n parque m de diversões, feira f popular

function /'fʌŋkʃn/ n função f □ vi funcionar. ~**al** a funcional

fund /fʌnd/ n fundos mpl □ vt financiar

fundamental /fʌndə'mentl/ a fundamental

funeral /'fju:nərəl/ n enterro m, funeral m □ a fúnebre

fungus /'fʌŋɡəs/ n (pl -gi /-ɡaɪ/) fungo m

funnel /'fʌnl/ n funil m; (of ship) chaminé f

funn|y /'fʌnɪ/ a (-ier, -iest) engraçado, divertido; (odd) esquisito. ~**ily** adv comicamente; (oddly) estranhamente. ~**ily enough** por incrível que pareça

fur /fɜ:(r)/ n pêlo m; (for clothing) pele f; (in kettle) depósito m, crosta f. ~ **coat** casaco m de peles

furious /ˈfjʊərɪəs/ a furioso.
~**ly** adv furiosamente
furnace /ˈfɜːnɪs/ n fornalha f
furnish /ˈfɜːnɪʃ/ vt mobilar;
(supply) prover (**with** de).
~**ings** npl mobiliário m e
equipamento m
furniture /ˈfɜːnɪtʃə(r)/ n mobília f
furrow /ˈfʌrəʊ/ n sulco m;
(wrinkle) ruga f □ vt sulcar;
(wrinkle) enrugar
furry /ˈfɜːrɪ/ a (-**ier**, -**iest**) peludo; (toy) de pelúcia or de
peluche
further /ˈfɜːðə(r)/ a mais distante; (additional) adicional,
suplementar □ adv mais longe; (more) mais □ vt promover. ~**er education** educação
f superior. ~**est** a o mais distante □ adv mais longe
furthermore /fɜːðəˈmɔː(r)/
adv além disso
furtive /ˈfɜːtɪv/ a furtivo
fury /ˈfjʊərɪ/ n fúria f, furor m
fuse[1] /fjuːz/ vt/i fundir(-se);

(fig) amalgamar □ n fusível
m. **the lights** ~**d** os fusíveis
queimaram
fuse[2] /fjuːz/ n (of bomb) espoleta f
fuselage /ˈfjuːzəlaːʒ/ n fuselagem f
fusion /ˈfjuːʒn/ n fusão f
fuss /fʌs/ n história(s) f(pl),
agitação f, escarcéu m □ vi
preocupar-se com ninharias.
make a ~ **of** ligar demasiado a, fazer um espalhafato
com. ~**y** a exigente, complicado
futile /ˈfjuːtaɪl/ a fútil
future /ˈfjuːtʃə(r)/ a & n futuro m. **in** ~ no futuro, de agora em diante
futuristic /fjuːtʃəˈrɪstɪk/ a fu-
turista, futurístico
fuzz /fʌz/ n penugem f; (hair)
cabelo m frisado
fuzzy /ˈfʌzɪ/ a (hair) frisado;
(photo) pouco nítido, desfocado

G

gab /gæb/ n (colloq) **have the gift of the ~** ter o dom da palavra

gabble /'gæbl/ vt/i tagarelar, falar, ler muito depressa □ n tagarelice f, algaravia f

gable /'geɪbl/ n empena f, oitão m

gad /gæd/ vi (pt **gadded**) **~ about** (colloq) badalar

gadget /'gædʒɪt/ n pequeno utensílio m; (fitting) dispositivo m; (device) engenhoca f (colloq)

Gaelic /'geɪlɪk/ n galês m

gaffe /gæf/ n gafe f

gag /gæg/ n mordaça f; (joke) gag m, piada f □ vt (pt **gagged**) amordaçar

gaiety /'geɪətɪ/ n alegria f

gaily /'geɪlɪ/ adv alegremente

gain /geɪn/ vt ganhar □ vi (of clock) adiantar-se. **~ weight** aumentar de peso. **~ on** (get closer to) aproximar-se de □ n ganho m; (increase) aumento m. **~ful** a lucrativo, proveitoso

gait /geɪt/ n (modo de) andar m

gala /'gɑːlə/ n gala m; (sport) festival m

galaxy /'gæləksɪ/ n galáxia f

gale /geɪl/ n vento m forte

gall /gɔːl/ n bílis f; (fig) fel m; (sl: impudence) descaramento m, desplante m, lata f (sl). **~-bladder** n vesícula f biliar. **~-stone** n cálculo m biliar

gallant /'gælənt/ a galhardo, valente; (chivalrous) galante, cortês. **~ry** n galhardia f, valentia f; (chivalry) galanteria f, cortesia f

gallery /'gælərɪ/ n galeria f

galley /'gælɪ/ n (pl **-eys**) galera f; (ship's kitchen) cozinha f

gallivant /gælɪ'vænt/ vi (colloq) vadiar, andar na paródia

gallon /'gælən/ n galão m (= 4,546 litros; Amer = 3.785 litros)

gallop /'gæləp/ n galope m □ vi (pt **galloped**) galopar

gallows /'gæləʊz/ npl forca f

galore /gə'lɔː(r)/ adv em barda, em abundância

galvanize /'gælvənaɪz/ vt galvanizar

gambit /'gæmbɪt/ n gambito m

gamble /'gæmbl/ vt/i jogar □ n jogo (de azar) m; (fig) risco m. **~e on** apostar em. **~er**

n jogador *m*. ~**ing** *n* jogo *m* (de azar)

game /geɪm/ *n* jogo *m*; (*football*) desafio *m*; (*animals*) caça *f* □ *a* bravo. ~ **for** pronto para

gamekeeper /'geɪmkiːpə(r)/ *n* guarda-florestal *m*

gammon /'gæmən/ *n* presunto *m* defumado

gamut /'gæmət/ *n* gama *f*

gang /gæŋ/ *n* bando *m*, gang *m*; (*of workmen*) grupo *m* □ *vi* ~ **up** ligar-se (**on** contra)

gangling /'gæŋglɪŋ/ *a* desengonçado

gangrene /'gæŋgriːn/ *n* gangrena *f*

gangster /'gæŋstə(r)/ *n* gangster *m*, bandido *m*

gangway /'gæŋweɪ/ *n* passagem *f*; (*aisle*) coxia *f*; (*on ship*) portaló *m*; (*from ship to shore*) passadiço *m*

gaol /dʒeɪl/ *n* & *vt* = **jail**

gap /gæp/ *n* abertura *f*, brecha *f*; (*in time*) intervalo *m*; (*deficiency*) lacuna *f*

gap|e /geɪp/ *vi* ficar boquiaberto *or* embasbacado. ~**ing** *a* escancarado

garage /'gæraːʒ/ *n* garagem *f*; (*service station*) estação *f* de serviço □ *vt* pôr na garagem

garbage /'gaːbɪdʒ/ *n* lixo *m*. ~ **can** (*Amer*) caixote *m* do lixo

garble /'gaːbl/ *vt* deturpar

garden /'gaːdn/ *n* jardim *m* □ *vi* jardinar. ~**er** *n* jardineiro *m*. ~**ing** *n* jardinagem *f*

gargle /'gaːgl/ *vi* gargarejar □ *n* gargarejo *m*

gargoyle /'gaːgɔɪl/ *n* gárgula *f*

garish /'geərɪʃ/ *a* berrante, espalhafatoso

garland /'gaːlənd/ *n* grinalda *f*

garlic /'gaːlɪk/ *n* alho *m*

garment /'gaːmənt/ *n* peça *f* de vestuário, roupa *f*

garnish /'gaːnɪʃ/ *vt* enfeitar, guarnecer □ *n* guarnição *f*

garrison /'gærɪsn/ *n* guarnição *f* □ *vt* guarnecer

garrulous /'gærələs/ *a* tagarela

garter /'gaːtə(r)/ *n* liga *f*. ~~-**belt** *n* (*Amer*) cinta *f* de ligas

gas /gæs/ *n* (*pl* gases) gás *m*; (*med*) anestésico *m*; (*Amer colloq*: *petrol*) gasolina *f* □ *vt* (*pt* gassed) asfixiar; (*mil*) gasear □ *vi* (*colloq*) fazer conversa fiada. ~ **fire** aquecedor *m* a gás. ~ **mask** máscara *f* anti-gás. ~ **meter** contador *m* do gás

gash /gæʃ/ *n* corte *m*, lanho *m* □ *vt* cortar

gasket /'gæskɪt/ *n* junta *f*

gasoline /'gæsəliːn/ *n* (*Amer*) gasolina *f*

gasp /gaːsp/ *vi* arfar, arquejar; (*fig*: *with rage, surprise*) ficar sem ar □ *n* arquejo *m*

gassy /'gæsɪ/ *a* gasoso; (*full of gas*) cheio de gás

gastric /'gæstrɪk/ *a* gástrico

gastronomy /gæ'strɒnəmɪ/ *n* gastronomia *f*

gate /geɪt/ *n* portão *m*; (*of wood*) cancela *f*; (*barrier*) barreira *f*; (*airport*) porta *f*

gateau /'gætəʊ/ *n* (*pl* ~**x** /-təʊz/) bolo *m* grande com creme

gatecrash /'geɪtkræʃ/ *vt/i* entrar (numa festa) sem convite

gateway /ˈgeɪtweɪ/ n (porta de) entrada f

gather /ˈgæðə(r)/ vt reunir, juntar; (pick up, collect) apanhar; (amass, pile up) acumular, juntar; (conclude) deduzir; (cloth) franzir □ vi reunir-se; (pile up) acumular-se. ~ speed ganhar velocidade. ~ing n reunião f

gaudy /ˈgɔːdɪ/ a (-ier, -iest) (bright) berrante; (showy) espalhafatoso

gauge /geɪdʒ/ n medida f padrão; (device) indicador m; (railway) bitola f □ vt medir, avaliar

gaunt /gɔːnt/ a emagrecido, macilento; (grim) lúgubre, desolado

gauntlet /ˈgɔːntlɪt/ n run the ~ of (fig) expor-se a. throw down the ~ lançar um desafio

gauze /gɔːz/ n gaze f

gave /geɪv/ see give

gawky /ˈgɔːkɪ/ a (-ier, -iest) desajeitado

gay /geɪ/ a (-er, -est) alegre; (colloq: homosexual) homossexual, gay

gaze /geɪz/ vi ~ (at) olhar fixamente (para) □ n contemplação f

gazelle /gəˈzel/ n gazela f

GB abbr of Great Britain

gear /gɪə(r)/ n equipamento m; (techn) engrenagem f; (auto) velocidade f □ vt equipar; (adapt) adaptar. in ~ engrenado. out of ~ em ponto morto. ~-lever n alavanca f de mudanças

gearbox /ˈgɪəbɒks/ n caixa f de velocidades

geese /giːs/ see goose

gel /dʒel/ n geleia f

gelatine /ˈdʒelətiːn/ n gelatina f

gelignite /ˈdʒelɪgnaɪt/ n gelignite f

gem /dʒem/ n gema f, pedra f preciosa

Gemini /ˈdʒemɪnaɪ/ n (astr) Gémeos mpl

gender /ˈdʒendə(r)/ n género m

gene /dʒiːn/ n gene m

genealogy /dʒiːnɪˈælədʒɪ/ n genealogia f

general /ˈdʒenrəl/ a geral □ n general m. ~ election eleições fpl legislativas. ~ practitioner n médico m de família. in ~ em geral. ~ly adv geralmente

generaliz|e /ˈdʒenrəlaɪz/ vt/i generalizar. ~ation /ˈzeɪʃn/ n generalização f

generate /ˈdʒenəreɪt/ vt gerar, produzir

generation /dʒenəˈreɪʃn/ n geração f

generator /ˈdʒenəreɪtə(r)/ n gerador m

gener|ous /ˈdʒenərəs/ a generoso; (plentiful) abundante. ~osity /ˈrɒsətɪ/ n generosidade f

genetic /dʒɪˈnetɪk/ a genético. ~s n genética f

genial /ˈdʒiːnɪəl/ a agradável

genital /ˈdʒenɪtl/ a genital. ~s npl órgãos mpl genitais

genius /ˈdʒiːnɪəs/ n (pl -uses) génio m

genocide /ˈdʒenəsaɪd/ n genocídio m

gent /dʒent/ n the G~s (col-

loq) lavabos *mpl* para homens

genteel /dʒen'tiːl/ *a* elegante, fino, refinado

gentl|e /ˈdʒentl/ *a* (**~er, ~est**) brando, suave. **~eness** *n* brandura *f*, suavidade *f*. **~y** *adv* brandamente, suavemente

gentleman /ˈdʒentlmən/ *n* (*pl* **-men**) senhor *m*; (*well-bred*) cavalheiro *m*

genuine /ˈdʒenjʊɪn/ *a* genuíno, verdadeiro; (*belief*) sincero

geograph|y /dʒɪ'ɒɡrəfɪ/ *n* geografia *f*. **~er** *n* geógrafo *m*. **~ical** /dʒɪə'ɡræfɪkl/ *a* geográfico

geolog|y /dʒɪ'ɒlədʒɪ/ *n* geologia *f*. **~ical** /dʒɪə'lɒdʒɪkl/ *a* geológico. **~ist** *n* geólogo *m*

geometr|y /dʒɪ'ɒmətrɪ/ *n* geometria *f*. **~ic(al)** /dʒɪə'metrɪk (l)/ *a* geométrico

geranium /dʒə'reɪnɪəm/ *n* gerânio *m*

geriatric /dʒerɪ'ætrɪk/ *a* geriátrico

germ /dʒɜːm/ *n* germe *m*, micróbio *m*

German /ˈdʒɜːmən/ *a & n* alemão *m*, alemã *f*; (*lang*) alemão *m*; **~ic** /dʒə'mænɪk/ *a* germânico. **~ measles** rubéola *f*. **~y** *n* Alemanha *f*

germinate /ˈdʒɜːmɪneɪt/ *vi* germinar

gestation /dʒe'steɪʃn/ *n* gestação *f*

gesticulate /dʒe'stɪkjʊleɪt/ *vi* gesticular

gesture /ˈdʒestʃə(r)/ *n* gesto *m*

get /ɡet/ *vt* (*pt* **got**, *pres p* **get-**

ting) (*have*) ter; (*receive*) receber; (*catch*) apanhar; (*earn, win*) ganhar; (*fetch*) ir buscar; (*find*) achar; (*colloq: understand*) entender. **~ sb to do sth** fazer com que alguém faça alg coisa □ *vi* ir, chegar; (*become*) ficar. **~ married/ready** casar-se/-aprontar-se. **~ about** andar dum lado para o outro. **~ across** atravessar. **~ along** *or* **by** (*manage*) ir indo. **~ along** *or* **on with** entender-se com. **~ at** (*reach*) chegar a; (*attack*) atacar; (*imply*) insinuar. **~ away** ir-se embora; (*escape*) fugir. **~ back** *vi* voltar □ *vt* recuperar. **~ by** (*pass*) passar, escapar; (*manage*) aguentar-se. **~ down** descer. **~ in** entrar. **~ off** *vi* descer; (*leave*) partir; (*jur*) ser absolvido □ *vt* (*remove*) tirar. **~ on** (*succeed*) fazer progressos, ir; (*be on good terms*) dar-se bem. **~ out** sair. **~ out of** (*fig*) fugir de. **~ over** (*illness*) restabelecer-se de. **~ round** (*person*) convencer; (*rule*) contornar. **~ up** *vi* levantar-se □ *vt* (*mount*) montar. **~up** *n* (*colloq*) apresentação *f*

getaway /ˈɡetəweɪ/ *n* fuga *f*

geyser /ˈɡiːzə(r)/ *n* aquecedor *m*; (*geol*) gêiser *m*

Ghana /ˈɡɑːnə/ *n* Gana *m*

ghastly /ˈɡɑːstlɪ/ *a* (**-ier, -iest**) horrível; (*pale*) lívido

gherkin /ˈɡɜːkɪn/ *n* pepino *m* pequeno para conservas, cornichão *m*

ghetto /ˈɡetəʊ/ *n* (*pl* **-os**) gueto *m*, ghetto *m*

ghost /gəʊst/ n fantasma m, espectro m. **~ly** a fantasmagórico, espectral

giant /ˈdʒaɪənt/ a & n gigante m

gibberish /ˈdʒɪbərɪʃ/ n algaravia f, linguagem f incompreensível

gibe /dʒaɪb/ n zombaria f □ vi ~ **(at)** zombar (de)

giblets /ˈdʒɪblɪts/ npl miúdos mpl, miudezas fpl

giddy /ˈgɪdɪ/ a (**-ier**, **-iest**) estonteante, vertiginoso. **be** or **feel** ~ ter tonturas or vertigens

gift /gɪft/ n presente m, dádiva f; (ability) dom m, dote m. **~-wrap** vt (pt **-wrapped**) fazer um embrulho de presente

gifted /ˈgɪftɪd/ a dotado

gig /gɪg/ n (colloq) show m, sessão f de jazz etc

gigantic /dʒaɪˈgæntɪk/ a gigantesco

giggle /ˈgɪgl/ vi dar risadinhas nervosas □ n risinho m nervoso

gild /gɪld/ vt dourar

gills /gɪlz/ npl guelras fpl

gilt /gɪlt/ a & n dourado m. **~-edged** a de toda a confiança

gimmick /ˈgɪmɪk/ n truque m, artifício m

gin /dʒɪn/ n gin m, genebra f

ginger /ˈdʒɪndʒə(r)/ n gengibre m □ a louro-avermelhado, ruivo. **~ ale**, **~ beer** cerveja f de gengibre, ginger ale m

gingerbread /ˈdʒɪndʒəbred/ n pão m de gengibre

gingerly /ˈdʒɪndʒəlɪ/ adv cautelosamente

gipsy /ˈdʒɪpsɪ/ n = **gypsy**

giraffe /dʒɪˈrɑːf/ n girafa f

girder /ˈgɜːdə(r)/ n trave f, viga f

girdle /ˈgɜːdl/ n cinto m; (corset) cinta f □ vt rodear

girl /gɜːl/ n (child) menina f; (young woman) moça f, rapariga f. **~-friend** n amiga f; (of boy) namorada f. **~hood** n (of child) meninice f; (youth) juventude f

giro /ˈdʒaɪrəʊ/ n sistema m de transferência de crédito entre bancos; (cheque) cheque m pago pelo governo a desempregados ou doentes

girth /gɜːθ/ n circumferência f, perímetro m

gist /dʒɪst/ n essencial m

give /gɪv/ vt/i (pt **gave**, pp **given**) dar; (bend, yield) ceder. ~ **away** dar; (secret) revelar, trair. ~ **back** devolver. ~ **in** dar-se por vencido, render-se. ~ **off** emitir. ~ **out** vt anunciar □ vi esgotar-se. ~ **up** vt/i desistir (de), renunciar (a). ~ **o.s. up** entregar-se. ~ **way** ceder; (traffic) dar prioridade; (collapse) dar de si

given /ˈgɪvn/ see **give** □ a dado. ~ **name** nome m baptismo

glacier /ˈglæsɪə(r)/ n glaciar m, geleira f

glad /glæd/ a contente. **~ly** adv com (todo o) prazer

gladden /ˈglædn/ vt alegrar

glam|our /ˈglæmə(r)/ n fascinação f, encanto m. **~orize** vt tornar fascinante. **~orous** a fascinante, sedutor

glance /glɑ:ns/ n relance m, olhar m □ vi ~ **at** dar uma olhada a. **at first** ~ à primeira vista

gland /glænd/ n glândula f

glar|e /gleə(r)/ vi brilhar intensamente, faiscar □ n luz f crua; (fig) olhar m feroz. ~**e at** olhar ferozmente para. ~**ing** a brilhante; (obvious) flagrante

glass /glɑ:s/ n vidro m; (vessel, its contents) copo m; (mirror) espelho m. ~**es** óculos mpl. ~**y** a vítreo

glaze /gleɪz/ vt (door etc) envidraçar; (pottery) vidrar □ n vidrado m

gleam /gli:m/ n raio m de luz frouxa; (fig) vislumbre m □ vi luzir, brilhar

glean /gli:n/ vt catar

glee /gli:/ n alegria f. ~**ful** a cheio de alegria

glib /glɪb/ a que tem a palavra fácil, verboso. ~**ly** adv fluentemente, sem hesitação. ~**ness** n verbosidade f

glide /glaɪd/ vi deslizar; (bird, plane) planar. ~**r** /-ə(r)/ n planador m

glimmer /glɪmə(r)/ n luz f trémula □ vi tremular

glimpse /glɪmps/ n vislumbre m. **catch a ~ of** entrever, ver de relance

glint /glɪnt/ n brilho m, reflexo m □ vi brilhar, cintilar

glisten /glɪsn/ vi reluzir

glitter /glɪtə(r)/ vi luzir, resplandecer □ n esplendor m, cintilação f

gloat /gləʊt/ vi ~ **over** ter um prazer maligno em, exultar com

global /gləʊbl/ a global

globe /gləʊb/ n globo m

gloom /glu:m/ n obscuridade f; (fig) tristeza f. ~**y** a sombrio; (sad) triste; (pessimistic) pessimista

glorif|y /glɔ:rɪfaɪ/ vt glorificar. **a ~ied waitress/etc** pouco mais que uma empregada de mesa/etc

glorious /glɔ:rɪəs/ a glorioso

glory /glɔ:rɪ/ n glória f; (beauty) esplendor m □ vi ~ **in** orgulhar-se de

gloss /glɒs/ n brilho m □ a brilhante □ vt ~ **over** minimizar, encobrir. ~**y** a brilhante

glossary /glɒsərɪ/ n (pl -ries) glossário m

glove /glʌv/ n luva f. ~ **compartment** porta-luvas m. ~**d** a enluvado

glow /gləʊ/ vi arder; (person) resplandecer; (eyes) brilhar □ n brasa f. ~**ing** a (fig) entusiástico

glucose /glu:kəʊs/ n glucose f

glue /glu:/ n cola f □ vt (pres p gluing) colar

glum /glʌm/ a (glummer, glummest) sorumbático; (dejected) abatido

glut /glʌt/ n superabundância f

glutton /glʌtn/ n glutão m. ~**ous** a glutão. ~**y** n gula f

gnarled /nɑ:ld/ a nodoso

gnash /næʃ/ vt ~ **one's teeth** ranger os dentes

gnat /næt/ n mosquito m, melga f

gnaw /nɔ:/ vt/i roer

gnome /nəʊm/ n gnomo m

go /gəʊ/ vi (pt went, pp gone)

ir; (*leave*) ir, ir-se; (*mech*) andar, funcionar; (*become*) ficar; (*be sold*) vender-se; (*vanish*) ir-se, desaparecer □ *n* (*pl* **goes**) (*energy*) dinamismo *m*; (*try*) tentativa *f*; (*success*) sucesso *m*; (*turn*) vez *f*. ~ **riding** ir andar or montar a cavalo. ~ **shopping** ir às compras. **be ~ing to do** ir fazer. ~ **ahead** ir para diante. ~ **away** ir-se embora. ~ **back** voltar atrás (**on** com). ~ **bad** estragar-se. ~ **by** (*pass*) passar. ~ **down** descer; (*sun*) pôr-se; (*ship*) afundar-se. ~ **for** ir buscar; (*like*) gostar de; (*sl: attack*) atirar-se a, ir-se a (*colloq*). ~ **in** entrar. ~ **in for** (*exam*) apresentar-se a. ~ **off** ir-se; (*explode*) rebentar; (*sound*) soar; (*decay*) estragar-se. ~ **on** continuar; (*happen*) acontecer. ~ **out** sair; (*light*) apagar-se. ~ **over** or **through** verificar, examinar. ~ **round** (*be enough*) chegar. ~ **under** ir abaixo. ~ **up** subir. ~ **without** passar sem. **on the ~** em grande actividade. **~-ahead** *n* luz *f* verde □ *a* dinâmico, empreendedor. **~-between** *n* intermediário *m*. **~-kart** *n* kart *m*. **~-slow** *n* greve *f* de zelo

goad /gəʊd/ *vt* aguilhoar, espicaçar

goal /gəʊl/ *n* meta *f*; (*area*) baliza *f*; (*score*) golo *m*. **~-post** *n* trave *f*

goalkeeper /ˈgəʊlkiːpə(r)/ *n* guarda-redes *m*

goat /gəʊt/ *n* cabra *f*

gobble /ˈgɒbl/ *vt* comer com sofreguidão, devorar

goblet /ˈgɒblɪt/ *n* taça *f*, cálice *m*

goblin /ˈgɒblɪn/ *n* duende *m*

God /gɒd/ *n* Deus *m*. **~-forsaken** *a* miserável, abandonado

god /gɒd/ *n* deus *m*. **~-daughter** *n* afilhada *f*. **~dess** *n* deusa *f*. **~-father** *n* padrinho *m*. **~ly** *a* devoto. **~mother** *n* madrinha *f*. **~son** *n* afilhado *m*

godsend /ˈgɒdsend/ *n* achado *m*, dádiva *f* do céu

goggles /ˈgɒglz/ *npl* óculos *mpl* de protecção

going /ˈgəʊɪŋ/ *n* **it is slow/hard ~** é demorado/difícil □ *a* (*price, rate*) corrente, actual. **~s-on** *npl* acontecimentos *mpl* estranhos

gold /gəʊld/ *n* ouro *m* □ *a* de/em ouro. **~-mine** *n* mina *f* de ouro

golden /ˈgəʊldən/ *a* de ouro; (*like gold*) dourado; (*opportunity*) único. ~ **wedding** bodas *fpl* de ouro

goldfish /ˈgəʊldfɪʃ/ *n* peixe *m* dourado/vermelho

goldsmith /ˈgəʊldsmɪθ/ *n* ourives *m inv*

golf /gɒlf/ *n* golfe *m*. ~ **club** clube *m* de golfe, associação *f* de golfe; (*stick*) taco *m*. **~-course** *n* campo *m* de golfe. **~er** *n* jogador *m* de golfe

gone /gɒn/ *see* **go** □ *a* ido, passado. ~ **six o'clock** depois das seis

gong /gɒŋ/ *n* gongo *m*

good /gʊd/ *a* (**better**, **best**)

bom □ *n* bem *m*. **as ~ as** praticamente. **for ~** para sempre. **it is no ~** não adianta. **it is no ~ shouting/etc** não adianta gritar/etc. **~ afternoon** *int* boa(s) tarde(s). **~ evening/night** *int* boa(s) noite(s). **G~ Friday** Sexta-feira *f* Santa. **~-looking** *a* bonito. **~ morning** *int* bom dia. **~ name** bom nome *m*

goodbye /gʊd'baɪ/ *int & n* adeus *m*

goodness /'gʊdnɪs/ *n* bondade *f*. **my ~ness!** meu Deus!

goods /gʊdz/ *npl* (*comm*) mercadorias *fpl*. **~ train** comboio *m* de mercadorias

goodwill /gʊd'wɪl/ *n* boa vontade *f*

goose /gu:s/ *n* (*pl* **geese**) ganso *m*. **~-flesh, ~-pimples** *ns* pele *f* de galinha

gooseberry /'gʊzbərɪ/ *n* (*fruit*) groselha *f*; (*bush*) groselheira *f*

gore[1] /gɔ:(r)/ *n* sangue *m* coagulado

gore[2] /gɔ:(r)/ *vt* perfurar

gorge /gɔ:dʒ/ *n* desfiladeiro *m*, garganta *f* □ *vt* ~ **o.s.** empanturrar-se

gorgeous /'gɔ:dʒəs/ *a* magnífico, maravilhoso

gorilla /gə'rɪlə/ *n* gorila *m*

gormless /'gɔ:mlɪs/ *a* (*sl*) estúpido

gorse /gɔ:s/ *n* giesta *f*, tojo *m*, urze *f*

gory /'gɔ:rɪ/ *a* (**-ier, -iest**) sangrento

gosh /gɒʃ/ *int* caramba!

gospel /'gɒspl/ *n* evangelho *m*

gossip /'gɒsɪp/ *n* bisbilhotice *f*,

(*Br*) fofoca *f*; (*person*) bisbilhoteiro *m*, (*Br*) fofoqueiro *m* □ *vi* (*pt* **gossiped**) bisbilhotar. **~y** *a* bisbilhoteiro, (*Br*) fofoqueiro

got /gɒt/ *see* **get**. **have ~** ter. **have ~ to do** ter de *or* que fazer

Gothic /'gɒθɪk/ *a* gótico

gouge /gaʊdʒ/ *vt* ~ **out** arrancar

gourmet /'gʊəmeɪ/ *n* gastrónomo *m*, gourmet *m*

gout /gaʊt/ *n* gota *f*

govern /'gʌvn/ *vt/i* governar. **~ess** *n* preceptora *f*. **~or** *n* governador *m*; (*of school, hospital etc*) director *m*

government /'gʌvənmənt/ *n* governo *m*, **~al** /-'mentl/ *a* governamental

gown /gaʊn/ *n* vestido *m*; (*of judge, teacher*) toga *f*

GP *abbr see* **general practitioner**

grab /græb/ *vt* (*pt* **grabbed**) agarrar, apanhar

grace /greɪs/ *n* graça *f* □ *vt* honrar; (*adorn*) ornar. **say ~** dar graças. **~ful** *a* gracioso

gracious /'greɪʃəs/ *a* gracioso; (*kind*) amável, afável

grade /greɪd/ *n* categoria *f*; (*of goods*) classe *f*, qualidade *f*; (*on scale*) grau *m*; (*school mark*) nota *f* □ *vt* classificar

gradient /'greɪdɪənt/ *n* gradiente *m*, declive *m*

gradual /'grædʒʊəl/ *a* gradual, progressivo. **~ly** *adv* gradualmente

graduate[1] /'grædʒʊət/ *n* diplomado *m*, graduado *m*, licenciado *m*

graduat|e² /ˈgrædʒʊeɪt/ vt/i formar(-se). **~ion** /ˈeɪʃn/ n formatura f

graffiti /grəˈfiːtiː/ npl graffiti mpl

graft /grɑːft/ n (med, bot) enxerto m; (work) batalha f □ vt enxertar; (work) batalhar

grain /greɪn/ n grão m; (collectively) cereais mpl; (in wood) veio m. **against the ~** (fig) contra a maneira de ser

gram /græm/ n grama m

gramm|ar /ˈgræmə(r)/ n gramática f. **~atical** /grəˈmætɪkl/ a gramatical

grand /grænd/ a (-er, -est) grandioso, magnífico; (duke, master) grão. **~ piano** piano m de cauda.

grand|child /ˈgrændtʃaɪld/ n (pl -children) neto m. **~daughter** n neta f. **~father** n avô m. **~~ mother** n avó f. **~parents** npl avós mpl. **~son** n neto m

grandeur /ˈgrændʒə(r)/ n grandeza f

grandiose /ˈgrændɪəʊs/ a grandioso

grandstand /ˈgrændstænd/ n tribuna f principal

granite /ˈgrænɪt/ n granito m

grant /grɑːnt/ vt conceder; (a request) ceder a; (admit) admitir (**that** que) □ n subsídio m; (univ) bolsa f. **take for ~ed** ter como coisa garantida, contar com

grape /greɪp/ n uva f

grapefruit /ˈgreɪpfruːt/ n inv toranja f

graph /grɑːf/ n gráfico m

graphic /ˈgræfɪk/ a gráfico;

(fig) vívido. **~s** npl (comput) gráficos mpl

grapple /ˈgræpl/ vi **~ with** estar engalfinhado com; (fig) estar às voltas com

grasp /grɑːsp/ vt agarrar; (understand) compreender □ n domínio m; (reach) alcance m; (fig: understanding) compreensão f

grasping /ˈgrɑːspɪŋ/ a ganancioso

grass /grɑːs/ n erva f; (lawn) relva f, (Br) grama f; (pasture) pastagem f; (sl: informer) delator m □ vt cobrir com relva; (sl: betray) delatar. **~ roots** (pol) bases fpl. **~y** a coberto de erva

grasshopper /ˈgrɑːshopə(r)/ n gafanhoto m

grate¹ /greɪt/ n (fireplace) lareira f; (frame) grelha f

grate² /greɪt/ vt ralar □ vi ranger. **~ one's teeth** ranger os dentes. **~r** /-ə(r)/ n ralador m

grateful /ˈgreɪtfl/ a grato, agradecido. **~ly** adv com reconhecimento, com gratidão

gratify /ˈgrætɪfaɪ/ vt (pt -fied) contentar, satisfazer. **~ing** a gratificante

grating /ˈgreɪtɪŋ/ n grade f

gratis /ˈgreɪtɪs/ a & adv grátis (in-var), de graça

gratitude /ˈgrætɪtjuːd/ n gratidão f, reconhecimento m

gratuitous /grəˈtjuːɪtəs/ a gratuito; (uncalled-for) sem motivo

gratuity /grəˈtjuːətɪ/ n gratificação f, gorjeta f

grave¹ /greɪv/ n cova f, sepultura f, túmulo m

grave² /greɪv/ a (**-er, -est**) grave, sério. **~ly** adv gravemente

grave³ /gra:v/ a ~ **accent** acento m grave

gravel /ˈgrævl/ n cascalho m miúdo, saibro m

gravestone /ˈgreɪvstəʊn/ n lápide f, campa f

graveyard /ˈgreɪvja:d/ n cemitério m

gravity /ˈgrævətɪ/ n gravidade f

gravy /ˈgreɪvɪ/ n molho m (de carne)

graze¹ /greɪz/ vt/i pastar

graze² /greɪz/ vt roçar; (scrape) esfolar □ n esfoladela f

greas|e /gri:s/ n gordura f □ vt engordurar; (culin) untar; (mech) lubrificar. **~e-proof paper** papel m vegetal. **~y** a gorduroso

great /greɪt/ a (**-er, -est**) grande; (colloq: splendid) esplêndido. **G~ Britain** Grã-Bretanha f. **~-grandfather** n bisavô m. **~-grandmother** f bisavó f. **~ly** adv grandemente, muito. **~ ness** n grandeza f

Great Britain /greɪtˈbrɪtən/ n Grã-Bretanha f

Greece /gri:s/ n Grécia f

greed /gri:d/ n cobiça f, ganância f; (for food) gula f. **~y** a cobiçoso, ganancioso; (for food) guloso

Greek /gri:k/ a & n grego m

green /gri:n/ a (**-er, -est**) verde □ n verde m; (grass) relvado m. **~s** hortaliças fpl. **~belt** zona f verde, paisagem f protegida. **~ light** luz f verde. **~ery** n verdura f

greengrocer /ˈgri:ngrəʊsə(r)/ n vendedor m de hortaliças

greenhouse /ˈgri:nhaʊs/ n estufa f. **~ effect** efeito estufa

Greenland /ˈgri:nlənd/ n Gronelândia f

greet /gri:t/ vt acolher. **~ing** n saudação f; (welcome) acolhimento m. **~ings** npl cumprimentos mpl; (Christmas etc) votos mpl, desejos mpl

gregarious /grɪˈgeərɪəs/ a gregário; (person) sociável

grenade /grɪˈneɪd/ n granada f

grew /gru:/ see **grow**

grey /greɪ/ a (**-er, -est**) cinzento; (of hair) grisalho □ n cinzento m

greyhound /ˈgreɪhaʊnd/ n galgo m

grid /grɪd/ n (grating) gradeamento m, grade f; (electr) rede f

grief /gri:f/ n dor f. **come to ~** acabar mal

grievance /ˈgri:vns/ n razão f de queixa

grieve /gri:v/ vt sofrer, afligir □ vi sofrer. **~ for** chorar por

grill /grɪl/ n grelha f; (food) grelhado m; (place) grill m □ vt grelhar; (question) submeter a interrogatório cerrado, apertar com perguntas □ vi grelhar

grille /grɪl/ n grade f; (of car) grelha f

grim /grɪm/ a (**grimmer, grimmest**) sinistro; (without mercy) implacável

grimace /grɪˈmeɪs/ n careta f □ vi fazer careta(s)

grim|e /graɪm/ n sujeira f. **~y** a encardido, sujo

grin /grɪn/ vi (pt **grinned**)
sorrir abertamente, fazer um
sorriso largo □ n sorriso m
aberto

grind /graɪnd/ vt (pt **ground**)
triturar; (coffee) moer; (sharpen) amolar, afiar. ~ **one's
teeth** ranger os dentes. ~ **to
a halt** parar travando lentamente

grip /grɪp/ vt (pt **gripped**)
agarrar; (interest) prender □
n (of hands) aperto m; (control) controle m, domínio m.
come to ~s with arcar com.
~**ping** a apaixonante

grisly /ˈgrɪzlɪ/ a (-**ier**, -**iest**)
macabro, horrível

gristle /ˈgrɪsl/ n cartilagem f

grit /grɪt/ n areia f, grão m de
areia; (fig: pluck) coragem f,
fortaleza f □ vt (pt **gritted**)
(road) deitar areia em;
(teeth) cerrar

groan /grəʊn/ vi gemer □ n
gemido m

grocer /ˈgrəʊsə(r)/ n dono/a
m/f de mercearia. ~**ies** npl
artigos mpl de mercearia. ~**y**
n (shop) mercearia f

groggy /ˈgrɒgɪ/ a (-**ier**, -**iest**)
grogue, fraco das pernas,
azamboado

groin /grɔɪn/ n virilha f

groom /gruːm/ n noivo m; (for
horses) moço m de estrebaria □ vt (horse) tratar de;
(fig) preparar

groove /gruːv/ n ranhura f;
(for door, window) calha f;
(in record) estria f; (fig) rotina f

grope /grəʊp/ vi tactear. ~ **for**
procurar às cegas

gross /grəʊs/ a (-**er**, -**est**) (vulgar) grosseiro; (flagrant)
flagrante; (of error) crasso;
(of weight, figure etc) bruto
□ n (pl invar) grosa f. ~**ly**
adv grosseiramente; (very)
extremamente

grotesque /grəʊˈtesk/ a grotesco

grotty /ˈgrɒtɪ/ a (sl) sórdido

grouch /graʊtʃ/ vi (colloq) ralhar. ~**y** a (colloq) rabugento

ground¹ /graʊnd/ n chão m,
solo m; (area) terreno m;
(reason) razão f, motivo m.
~**s** jardins mpl; (of coffee)
borra(s) f (pl) □ vt/i (naut)
encalhar; (plane) reter em
terra. ~ **floor** rés-do-chão m.
~**less** a infundado, sem fundamento

ground² /graʊnd/ see **grind**

grounding /ˈgraʊndɪŋ/ n bases
fpl, conhecimentos mpl básicos

groundsheet /ˈgraʊndʃiːt/ n
impermeável m para o chão

groundwork /ˈgraʊndwɜːk/ n
trabalhos mpl de base or
preliminares

group /gruːp/ n grupo m □
vt/i agrupar(-se)

grouse¹ /graʊs/ n (pl invar)
galo m silvestre

grouse² /graʊs/ vi (colloq:
grumble) resmungar; (colloq: complain) queixar-se

grovel /ˈgrɒvl/ vi (pt **grovelled**) humilhar-se; (fig) rebaixar-se

grow /grəʊ/ vi (pt **grew**, pp
grown) crescer; (become)
tornar-se □ vt cultivar. ~ **old**
envelhecer. ~ **up** crescer,

tornar-se adulto. **~er** *n* culti-
vador *m*, produtor *m*. **~ing** *a*
crescente

growl /graʊl/ *vi* rosnar □ *n*
rosnadela *f*

grown /grəʊn/ *see* **grow** □ *a*
~ man homem feito. **~-up** *a*
adulto □ *n* pessoa *f* adulta

growth /grəʊθ/ *n* crescimento
m; (*increase*) aumento *m*;
(*med*) tumor *m*

grub /grʌb/ *n* larva *f*; (*sl:
food*) comida *f*, alimento *m*

grubby /ˈgrʌbɪ/ *a* (**-ier, -iest**)
sujo, porco

grudge /grʌdʒ/ *vt* dar/reco-
nhecer de má vontade □ *n*
má vontade *f*. **~ doing** fazer
de má vontade. **~ sb sth** dar
alg a alguém de má vontade.
have a ~ against ter ressentimento contra. **grudgingly**
adv relutantemente

gruelling /ˈgruːəlɪŋ/ *a* estafan-
te, extenuante

gruesome /ˈgruːsəm/ *a* macabro

gruff /grʌf/ *a* (**-er, -est**) carrancudo, rude

grumble /ˈgrʌmbl/ *vi* resmungar (**at** contra, por)

grumpy /ˈgrʌmpɪ/ *a* (**-ier,
-iest**) mal-humorado, rabugento

grunt /grʌnt/ *vi* grunhir □ *n*
grunhido *m*

guarantee /ˌgærənˈtiː/ *n* garantia *f* □ *vt* garantir

guard /gɑːd/ *vt* guardar, proteger □ *vi* **~ against** precaver-
-se contra □ *n* guarda *f*;
(*person*) guarda *m*; (*on
train*) condutor *m*. **~ian** *n*
guardião *m*, defensor *m*; (*of
orphan*) tutor *m*

guarded /ˈgɑːdɪd/ *a* cauteloso,
circunspecto

guerrilla /gəˈrɪlə/ *n* guerrilheiro *m*, guerrilha *m*. **~ warfare** guerrilha *f*, guerra *f* de
guerrilhas

guess /ges/ *vt/i* adivinhar;
(*suppose*) supor □ *n* suposição *f*, conjetura *f*

guesswork /ˈgeswɜːk/ *n* suposição *f*, conjetura(s) *f(pl)*

guest /gest/ *n* convidado *m*;
(*in hotel*) hóspede *mf*.
~-house *n* pensão *f*

guffaw /gəˈfɔː/ *n* gargalhada *f*
□ *vi* rir à(s) gargalhada(s)

guidance /ˈgaɪdns/ *n* orientação *f*, direcção *f*

guide /gaɪd/ *n* guia *mf* □ *vt*
guiar. **~d missile** míssil *m*
guiado; (*remote control*)
míssil *m* teleguiado. **~-dog** *n*
cão *m* de cego, cão-guia *m*.
~-lines *npl* directrizes *fpl*

Guide /gaɪd/ *n* Guia *f*

guidebook /ˈgaɪdbʊk/ *n* guia
m (turístico)

guild /gɪld/ *n* corporação *f*

guile /gaɪl/ *n* astúcia *f*, manha
f

guilt /gɪlt/ *n* culpa *f*. **~y** *a* culpado

guinea-pig /ˈgɪnɪpɪg/ *n* cobaia
f, porquinho-da-Índia *m*

guitar /gɪˈtɑː(r)/ *n* guitarra *f*,
viola *f*. **~ist** *n* guitarrista *mf*,
tocador *m* de viola

gulf /gʌlf/ *n* golfo *m*; (*hollow*)
abismo *m*

gull /gʌl/ *n* gaivota *f*

gullible /ˈgʌləbl/ *a* crédulo

gully /ˈgʌlɪ/ *n* barranco *m*;
(*drain*) sarjeta *f*

gulp /gʌlp/ *vt* engolir, devorar

□ *vi* engolir em seco □ *n* trago *m*

gum¹ /gʌm/ *n* (*anat*) gengiva *f*

gum² /gʌm/ *n* goma *f*; (*chewing-gum*) pastilha *f* elástica □ *vt* (*pt* **gummed**) colar

gumboot /'gʌmbu:t/ *n* bota *f* de borracha

gumption /'gʌmpʃn/ *n* (*colloq*) iniciativa *f* e bom senso *m*, cabeça *f*, juízo *m*

gun /gʌn/ *n* (*pistol*) pistola *f*; (*rifle*) espingarda *f*; (*cannon*) canhão *m* □ *vt* (*pt* **gunned**) ~ **down** abater a tiro

gunfire /'gʌnfaɪə(r)/ *n* tiroteio *m*

gunman /'gʌnmən/ *n* (*pl* **-men**) bandido *m* armado

gunpowder /'gʌnpaʊdə(r)/ *n* pólvora *f*

gunshot /'gʌnʃɒt/ *n* tiro *m*

gurgle /gɜ:gl/ *n* gorgolejo *m* □ *vi* gorgolejar

gush /gʌʃ/ *vi* jorrar □ *n* jorro *m*. ~**ing** *a* efusivo, derretido

gust /gʌst/ *n* (*of wind*) rajada *f*; (*of smoke*) nuvem *f*. ~**y** *a* ventoso

gusto /'gʌstəʊ/ *n* gosto *m*, entusiasmo *m*

gut /gʌt/ *n* tripa *f*. ~**s** (*belly*) barriga *f*; (*colloq: courage*) coragem *f* □ *vt* (*pt* **gutted**) estripar; (*fish*) limpar; (*fire*) destruir o interior de, esventrar

gutter /'gʌtə(r)/ *n* calha *f*, algeroz *m*; (*in street*) sarjeta *f*, valeta *f*

guy /gaɪ/ *n* (*sl: man*) tipo *m* (*colloq*)

guzzle /'gʌzl/ *vt/i* comer/beber com sofreguidão, encher-se (de)

gym /dʒɪm/ *n* (*colloq: gymnasium*) ginásio *m*; (*colloq: gymnastics*) ginástica *f*. ~**-slip** *n* fato *m* de ginástica (*colloq*)

gym|nasium /dʒɪm'neɪzɪəm/ *n* ginásio *m*. ~**nast** /'dʒɪmnæst/ *n* ginasta *mf*. ~**nastics** /'næstɪks/ *npl* ginástica *f*

gynaecolog|y /gaɪnɪ'kɒlədʒɪ/ *n* ginecologia *f*. ~**ist** *n* ginecologista *mf*

gypsy /'dʒɪpsɪ/ *n* cigano *m*

gyrate /dʒaɪ'reɪt/ *vi* girar

H

haberdashery /ˈhæbədæʃərɪ/ n retrosaria f

habit /ˈhæbɪt/ n hábito m, costume m; (costume) hábito m. **be in/get into the ~ of** ter/apanhar o hábito de

habit|able /ˈhæbɪtəbl/ a habitável. **~ation** /ˈteɪʃn/ n habitação f

habitat /ˈhæbɪtæt/ n habitat m

habitual /həˈbɪtʃʊəl/ a habitual, costumeiro; (smoker, liar) inveterado. **~ly** adv habitualmente

hack¹ /hæk/ n (horse) cavalo m de aluguer; (writer) escrevinhador (pej) m

hack² /hæk/ vt cortar, despedaçar. **~ to pieces** cortar em pedaços

hackneyed /ˈhæknɪd/ a banal, batido

had /hæd/ see have

haddock /ˈhædək/ n invar hadoque m, eglefim m bm. **smoked ~** hadoque m fumado

haemorrhage /ˈhemərɪdʒ/ n hemorragia f

haemorrhoids /ˈhemərɔɪdz/ npl hemorróidas fpl

haggard /ˈhægəd/ a desfigurado, com o rosto desfeito, magro e macilento

haggle /ˈhægl/ vi ~ **(over)** regatear

hail¹ /heɪl/ vt saudar; (taxi) fazer sinal para, chamar ▢ vi ~ **from** vir de

hail² /heɪl/ n granizo m, saraiva f, chuva de pedra f ▢ vi cair granizo

hailstone /ˈheɪlstəʊn/ n pedra f de granizo

hair /heə(r)/ n (on head) cabelo(s) m(pl); (on body) pêlos mpl; (single strand) cabelo m; (of animal) pêlo m. **~-do** n (colloq) penteado m. **~-raising** a horripilante, de pôr os cabelos em pé. **~-style** n estilo m de penteado

hairbrush /ˈheəbrʌʃ/ n escova f para o cabelo

haircut /ˈheəkʌt/ n corte m de cabelo

hairdresser /ˈheədresə(r)/ n cabeleireiro m, cabeleireira f

hairpin /ˈheəpɪn/ n gancho m para o cabelo. **~ bend** curva f muito fechada

hairy /ˈheərɪ/ a (-ier, -iest) peludo, cabeludo; (sl: terrifying) de pôr os cabelos em pé, horripilante

hake /heɪk/ n (pl invar) abrótea f

half /ha:f/ n (pl **halves** /ha:vz/) metade f, meio m □ a meio □ adv ao meio. ~ **a dozen** meia dúzia. ~ **an hour** meia hora. ~~**caste** n mestiço m. ~~**hearted** a sem grande entusiasmo. ~~**term** n férias fpl no meio do trimestre. ~~**time** n meio-tempo m. ~~**way** a & adv a meio caminho. ~~**wit** n idiota mf. **go halves** dividir as despesas

halibut /ˈhælɪbət/ n (pl invar) halibute m

hall /hɔ:l/ n sala f; (entrance) vestíbulo m, entrada f; (mansion) solar m. ~ **of residence** residência f de estudantes

hallmark /ˈhɔ:lma:k/ n (on gold etc) marca f do contraste; (fig) cunho m, selo m

hallo /həˈləʊ/ int & n (greeting, surprise) olá; (on phone) está

hallow /ˈhæləʊ/ vt consagrar, santificar

Halloween /hæləʊˈi:n/ n véspera f do Dia de Todos os Santos

hallucination /həlu:sɪˈneɪʃn/ n alucinação f

halo /ˈheɪləʊ/ n (pl -oes) halo m, auréola f

halt /hɔ:lt/ n paragem f □ vt deter, fazer parar □ vi fazer alto, parar

halve /ha:v/ vt dividir ao meio; (time etc) reduzir a metade

ham /hæm/ n presunto m

hamburger /ˈhæmbɜ:gə(r)/ n hambúrguer m

hamlet /ˈhæmlɪt/ n aldeola f, lugarejo m

hammer /ˈhæmə(r)/ n martelo m □ vt/i martelar; (fig) bater com força

hammock /ˈhæmək/ n rede f (de dormir)

hamper[1] /ˈhæmpə(r)/ n cesto m, cabaz m

hamper[2] /ˈhæmpə(r)/ vt dificultar, atrapalhar

hamster /ˈhæmstə(r)/ n hamster m

hand /hænd/ n mão f; (of clock) ponteiro m; (writing) letra f; (worker) trabalhador m; (cards) mão f; (measure) palmo m. **(helping)** ~ ajuda f, mão f □ vt dar, entregar. **at** ~ à mão. ~~**baggage** n bagagem f de mão. ~ **in** or **over** entregar. ~ **out** distribuir. ~~**out** n impresso m, folheto m; (money) esmola f, donativo m. **on the one** ~... **on the other** ~ por um lado ... por outro. **out of** ~ incontrolável. **to** ~ à mão

handbag /ˈhændbæg/ n carteira f, mala de mão f

handbook /ˈhændbʊk/ n manual m

handbrake /ˈhændbreɪk/ n travão m de mão

handcuffs /ˈhændkʌfs/ npl algemas fpl

handful /ˈhændfʊl/ n mão--cheia f, punhado m; (a few) punhado m; (difficult task) bico-de-obra m. **she's a** ~ (colloq) ela é danada

handicap /ˈhændɪkæp/ n (in competition) handicap m; (disadvantage) desvantagem

$f \square vt$ (pt **handicapped**) prejudicar. **~ped** a deficiente. **mentally ~ped** deficiente mental

handicraft /ˈhændɪkrɑːft/ n artesanato m, trabalho m manual

handiwork /ˈhændɪwɜːk/ n obra f, trabalho m

handkerchief /ˈhæŋkətʃɪf/ n lenço m

handle /ˈhændl/ n (of door etc) maçaneta f, puxador m; (of cup etc) asa f; (of implement) cabo m; (of pan etc) pega f □ vt (touch) manusear, tocar; (operate with hands) manejar; (deal in) negociar em; (deal with) tratar de; (person) lidar com. **fly off the ~** (colloq) perder as estribeiras

handlebar /ˈhændlbɑː(r)/ n guiador m

handmade /ˈhændmeɪd/ a feito à mão

handshake /ˈhændʃeɪk/ n aperto m de mão

handsome /ˈhænsəm/ a bonito; (fig) generoso

handwriting /ˈhændraɪtɪŋ/ n letra f, caligrafia f

handy /ˈhændɪ/ a (-ier, -iest) a (convenient, useful) útil, prático; (person) jeitoso; (near) à mão

handyman /ˈhændɪmæn/ n (pl -men) faz-tudo m

hang /hæŋ/ vt (pt hung) pendurar, suspender; (head) baixar; (pt hanged) (criminal) enforcar □ vi estar dependurado, pender; (criminal) ser enforcado. **get the ~ of** (col-

loq) apanhar o jeito de. **~ about** andar por aí. **~ back** hesitar. **~-gliding** n asa f delta. **~ on** (wait) aguardar. **~ on to** (hold tightly) agarrar-se a. **~ out** (sl: live) morar. **~ up** (phone) desligar. **~-up** n (sl) complexo m

hangar /ˈhæŋə(r)/ n hangar m

hanger /ˈhæŋə(r)/ n (for clothes) cabide m. **~-on** n parasita mf

hangover /ˈhæŋəʊvə(r)/ n (from drinking) ressaca f

hanker /ˈhæŋkə(r)/ vi ~ **after** ansiar por, suspirar por

haphazardly /hæpˈhæzəd/ adv ao acaso, à sorte, fortuito, casual

happen /ˈhæpən/ vi acontecer, suceder. **he ~s to be out** por acaso ele não está. **~ing** n acontecimento m

happ|y /ˈhæpɪ/ a (-ier, -iest) feliz. **be ~y with** estar contente com. **~y-go-lucky** a despreocupado. **~ily** adv com satisfação; (fortunately) felizmente. **she smiled ~ily** ela sorriu feliz. **~iness** n felicidade f

harass /ˈhærəs/ vt amofinar, atormentar, perseguir. **~ment** n amofinação f, perseguição f. **sexual ~ment** assédio m sexual

harbour /ˈhɑːbə(r)/ n porto m; (shelter) abrigo m □ vt abrigar, dar asilo a; (fig: in the mind) ocultar, obrigar

hard /hɑːd/ a (-er, -est) duro; (difficult) difícil □ adv muito, intensamente; (look) fixamente; (pull) com força;

(*think*) a fundo, a sério.
~**back** *n* livro *m* encaderna-
do ~-**boiled egg** ovo *m* cozi-
do. ~ **by** muito perto. ~ **disk**
disco *m* rígido. ~-**headed** *a*
realista, prático. ~ **of hearing** meio surdo. ~ **shoulder**
berma *f* alcatroada. ~ **up**
(*colloq*) sem dinheiro, teso
(*sl*), liso (*sl*). ~ **water** água *f*
dura

hardboard /'ha:dbɔ:d/ *n* madeira *f* prensada, tabopan *m*

harden /'ha:dn/ *vt/i* endurecer.
~**ed** (*callous*) calejado;
(*robust*) enrijado

hardly /'ha:dlɪ/ *adv* mal, dificilmente, a custo. ~ **ever**
quase nunca

hardship /'ha:dʃɪp/ *n* provação *f*, adversidade *f*; (*suffering*) sofrimento *m*; (*financial*) privação *f*

hardware /'ha:dweə(r)/ *n* ferragens *fpl*; (*comput*) hardware *m*

hardy /'ha:dɪ/ *a* (-**ier**, -**iest**)
resistente

hare /heə(r)/ *n* lebre *f*

hark /ha:k/ *vi* ~ **back to** voltar a, recordar

harm /ha:m/ *n* mal *m* □ *vt*
prejudicar, fazer mal a. ~**ful**
a prejudicial, nocivo. ~**less** *a*
inofensivo. **out of** ~'s **way** a
salvo. **there's no** ~ **in** não
há mal em

harmonica /ha:'mɒnɪkə/ *n*
gaita *f* de beiços

harmon|y /'ha:mənɪ/ *n* harmo-
nia *f*. ~**ious** /-'məʊnɪəs/ *a*
harmonioso. ~**ize** *vt/i* harmo-
nizar(-se)

harness /'ha:nɪs/ *n* arreios *mpl*

□ *vt* arrear; (*fig: use*) aproveitar, utilizar

harp /ha:p/ *n* harpa *f* □ *vi* ~
on (**about**) repisar. ~ **ist** *n*
harpista *mf*

harpoon /ha:'pu:n/ *n* arpão *m*

harpsichord /'ha:psɪkɔ:d/ *n*
cravo *m*

harrowing /'hærəʊɪŋ/ *a* dilacerante, lancinante

harsh /ha:ʃ/ *a* (-**er**, -**est**) duro,
severo; (*texture, voice*) áspe-
ro; (*light*) cru; (*colour*) gri-
tante; (*climate*) rigoroso. ~**ly**
adv duramente. ~**ness** *n* dureza *f*

harvest /'ha:vɪst/ *n* colheita *f*,
ceifa *f* □ *vt* colher, ceifar

has /hæz/ *see* **have**

hash /hæʃ/ *n* picadinho *m*,
carne *f* cozida; (*fig: jumble*)
salgalhada *f*. **make a** ~ **of**
fazer uma salgalhada, estragar

hashish /'hæʃɪʃ/ *n* haxixe *m*

hassle /'hæsl/ *n* (*colloq: quarrel*) discussão *f*; (*colloq:
struggle*) dificuldade *f* □ *vt*
(*colloq*) aborrecer

haste /heɪst/ *n* pressa *f*. **make**
~ apressar-se

hasten /'heɪsn/ *vt/i* apressar-
(-se)

hast|y /'heɪstɪ/ *a* (-**ier**, -**iest**)
apressado; (*too quick*) preci-
pitado. ~**ily** *adv* às pressas,
precipitadamente

hat /hæt/ *n* chapéu *m*

hatch¹ /hætʃ/ *n* (*for food*)
postigo *m*; (*naut*) escotilha *f*

hatch² /hætʃ/ *vt/i* chocar; (*a
plot etc*) tramar, urdir

hatchback /'hætʃbæk/ *n* carro
m de três ou cinco portas

hatchet /ˈhætʃɪt/ n machadinha f

hate /heɪt/ n ódio m □ vt odiar, detestar. ~ful a odioso, detestável

hatred /ˈheɪtrɪd/ n ódio m

haughty /ˈhɔːtɪ/ a (-ier, -iest) altivo, soberbo, arrogante

haul /hɔːl/ vt arrastar, puxar; (goods) transportar em camião □ n (booty) presa f; (fish caught) apanha f; (distance) percurso m. ~age n transporte m de cargas. ~ier n (firm) transportadora f rodoviária; (person) fretador m

haunt /hɔːnt/ vt visitar, frequentar; (ghost) assombrar; (thought) obcecar □ n lugar m favorito. ~ed house casa f mal-assombrada

have /hæv/ vt (3 sing pres **has**, pt **had**) ter; (bath etc) tomar; (meal) fazer; (walk) dar □ v aux ter. ~ done it feito. ~ it out (with) pôr a coisa em termos limpos, pedir uma explicação (para). ~ sth done mandar fazer alg coisa

haven /ˈheɪvn/ n porto m; (refuge) refúgio m

haversack /ˈhævəsæk/ n mochila f

havoc /ˈhævək/ n estragos mpl. **play** ~ **with** causar estragos em

hawk[1] /hɔːk/ n falcão m

hawk[2] /hɔːk/ vt vender de porta em porta. ~er n vendedor m ambulante

hawthorn /ˈhɔːθɔːn/ n pilriteiro m, estrepeiro m

hay /heɪ/ n feno m. ~ **fever** febre f do feno

haystack /ˈheɪstæk/ n meda f de feno

haywire /ˈheɪwaɪə(r)/ a **go** ~ (colloq) ficar transtornado

hazard /ˈhæzəd/ n risco m □ vt arriscar. ~ **warning lights** luzes mpl de emergência ~ous a arriscado

haze /heɪz/ n bruma f, neblina f, cerração f

hazel /ˈheɪzl/ n aveleira f. ~-nut n avelã f

hazy /ˈheɪzɪ/ a (-ier, -iest) brumoso, encoberto; (fig: vague) vago

he /hiː/ pron ele □ n macho m

head /hed/ n cabeça f; (chief) chefe m; (of beer) espuma f □ a principal □ vt encabeçar, estar à frente de □ vi ~ **for** dirigir-se para. ~-**dress** n toucador m. ~ **first** de cabeça. ~-**on** a frontal □ adv de frente. ~s **or tails**? cara ou coroa? ~ **waiter** chefe dos criados. ~er n (football) cabeçada f

headache /ˈhedeɪk/ n dor f de cabeça

heading /ˈhedɪŋ/ n cabeçalho m, título m; (subject category) rubrica f

headlamp /ˈhedlæmp/ n farol m

headland /ˈhedlənd/ n promontório m

headlight /ˈhedlaɪt/ n farol m

headline /ˈhedlaɪn/ n título m, cabeçalho m

headlong /ˈhedlɒŋ/ a de cabeça; (rash) precipitado □ adv de cabeça; (rashly) precipitadamente

head|master /hedˈmɑːstə(r)/ n

director *m*. ~~ **mistress** *n* directora *f*

headphone /'hedfəʊn/ *n* auscultador *m*

headquarters /hed'kwɔːtəz/ *npl* sede *f*; (*mil*) quartel *m* general

headrest /'hedrest/ *n* apoio *m* para a cabeça

headroom /'hedruːm/ *n* (*auto*) espaço *m* para a cabeça; (*bridge*) limite *m* de altura, altura *f* máxima

headstrong /'hedstrɒŋ/ *a* teimoso

headway /'hedweɪ/ *n* progresso *m*. **make** ~ fazer progressos

heady /'hedɪ/ *a* (-**ier**, -**iest**) empolgante

heal /hiːl/ *vt/i* curar(-se), sarar; (*wound*) cicatrizar

health /helθ/ *n* saúde *f*. ~ **centre** centro *m* de saúde. ~ **foods** alimentos *mpl* naturais. ~**y** *a* saudável, são

heap /hiːp/ *n* monte *m*, pilha *f* ☐ *vt* amontoar, empilhar. ~**s of money** (*colloq*) montes de dinheiro (*colloq*)

hear /hɪə(r)/ *vt/i* (*pt* **heard** /hɜːd/) ouvir. ~, **hear!** apoiado! ~ **from** ter notícias de. ~ **of** or **about** ouvir falar de. **I won't** ~ **of** it nem quero ouvir falar nisso. ~**ing** *n* ouvido *m*, audição *f*; (*jur*) audiência *f*. ~**ing-aid** *n* aparelho *m* de audição

hearsay /'hɪəseɪ/ *n* boato *m*. **it's only** ~ é só por ouvir dizer

hearse /hɜːs/ *n* carro *m* funerário

heart /hɑːt/ *n* coração *m*. ~**s** (*cards*) copas *fpl*. **at** ~ no fundo. **by** ~ de cor. ~ **attack** ataque *m* de coração. ~-**beat** *n* pulsação *f*, batida *f*. ~-**breaking** *a* de cortar o coração. ~-**broken** *a* com o coração partido, desfeito. ~-**to-heart** *a* com o coração nas mãos. **lose** ~ perder a coragem, desanimar

heartburn /'hɑːtbɜːn/ *n* azia *f*

hearten /'hɑːtn/ *vt* animar, encorajar

heartfelt /'hɑːtfelt/ *a* sincero, sentido

hearth /hɑːθ/ *n* lareira *f*

heartless /'hɑːtlɪs/ *a* insensível, desalmado, cruel

heart|y /'hɑːtɪ/ *a* (-**ier**, -**iest**) caloroso; (*meal*) abundante. ~**ily** *adv* calorosamente; (*eat, laugh*) com vontade

heat /hiːt/ *n* calor *m*; (*fig*) ardor *m*; (*contest*) eliminatória *f* ☐ *vt/i* aquecer. ~-**stroke** *n* insolação *f*. ~-**wave** *n* onda *f* de calor. ~**er** *n* aquecedor *m*. ~**ing** *n* aquecimento *m*

heated /'hiːtɪd/ *a* (*fig*) acalorado, aceso

heathen /'hiːðn/ *n* pagão *m*, pagã *f*

heather /'heðə(r)/ *n* urze *f*

heave /hiːv/ *vt/i* (*lift*) içar; (*a sigh*) soltar; (*retch*) ter náuseas; (*colloq: throw*) atirar

heaven /'hevn/ *n* céu *m*. ~**ly** *a* celestial; (*colloq*) divino

heav|y /'hevɪ/ *a* (-**ier**, -**iest**) pesado; (*blow, rain*) forte; (*cold, drinker*) grande; (*traffic*) intenso. ~**ily** *adv* pesadamente; (*drink, smoke etc*) inveterado

heavyweight /ˈhevɪweɪt/ n (boxing) peso-pesado m

Hebrew /ˈhiːbruː/ a hebreu, hebraico □ n (lang) hebreu m

heckle /ˈhekl/ vt interromper, interpelar

hectic /ˈhektɪk/ a muito agitado, febril

hedge /hedʒ/ n sebe f □ vt cercar □ vi (in answering) usar de evasivas. ~ **one's bets** (fig) resguardar-se

hedgehog /ˈhedʒhɒg/ n ouriço--cacheiro m

heed /hiːd/ vt prestar atenção a, escutar □ n **pay** ~ **to** prestar atenção a, dar ouvidos a. ~**less** a ~**less of** indiferente a, sem prestar atenção a

heel /hiːl/ n calcanhar m; (of shoe) salto m; (sl) canalha m

hefty /ˈheftɪ/ a (-ier, -iest) robusto e corpulento

height /haɪt/ n altura f; (of mountain, plane) altitude f; (fig) auge m, cúmulo m

heighten /ˈhaɪtn/ vt/i aumentar, elevar(-se)

heir /eə(r)/ n herdeiro m. ~**ess** n herdeira f

heirloom /ˈeəluːm/ n peça f de família, relíquia f de família

held /held/ see **hold**¹

helicopter /ˈhelɪkɒptə(r)/ n helicóptero m

hell /hel/ n inferno m. **for the** ~ **of it** só por gozo. ~**-bent** a decidido a todo o custo (**on** a). ~**ish** a infernal

hello /həˈləʊ/ int & n = **hallo**

helm /helm/ n leme m

helmet /ˈhelmɪt/ n capacete m

help /help/ vt/i ajudar □ n aju-

da f. **home** ~ empregada f, mulher f a dias. ~ **o.s. to** servir-se de. **he cannot** ~ **laughing** não pode deixar de se rir; **it can't be** ~**ed** não há remédio. ~**er** n ajudante mf. ~**ful** a útil; (serviceable) de grande ajuda. ~**less** a impotente

helping /ˈhelpɪŋ/ n porção f, dose f

hem /hem/ n bainha f □ vt (pt **hemmed**) fazer a bainha. ~ **in** cercar, encurralar

hemisphere /ˈhemɪsfɪə(r)/ n hemisfério m

hemp /hemp/ n cânhamo m

hen /hen/ n galinha f

hence /hens/ adv (from now) a partir desta altura; (for this reason) daí, por isso. **a week** ~ daqui a uma semana. ~**forth** adv de agora em diante, doravante

henpecked /ˈhenpekt/ a dominado pela mulher

her /hɜː(r)/ pron a (a ela); (after prep) ela. (**to**) ~ lhe. **I know** ~ conheço-a □ a seu (s), sua(s); dela

herald /ˈherəld/ vt anunciar

heraldry /ˈherəldrɪ/ n heráldica f

herb /hɜːb/ n erva f culinária or medicinal

herd /hɜːd/ n manada f; (of pigs) vara f □ vi ~ **together** juntar-se em rebanho

here /hɪə(r)/ adv aqui □ int tome; aqui está. **to/from** ~ para aqui/daqui

hereafter /hɪərˈɑːftə(r)/ adv de/para o futuro, daqui em diante □ n the ~ a vida além, a vida futura

hereby /hɪəˈbaɪ/ adv (jur) pelo presente acto ou decreto, etc

hereditary /hɪˈredɪtrɪ/ a hereditário

heredity /hɪˈredətɪ/ n hereditariedade f

here|sy /ˈherəsɪ/ n heresia f. ~**tic** n herege mf. ~**tical** /hɪˈretɪkl/ a herético

heritage /ˈherɪtɪdʒ/ n herança f, património m

hermit /ˈhɜːmɪt/ n eremita m

hernia /ˈhɜːnɪə/ n hérnia f

hero /ˈhɪərəʊ/ n (pl -oes) herói m

heroic /hɪˈrəʊɪk/ a heróico

heroin /ˈherəʊɪn/ n heroína f

heroine /ˈherəʊɪn/ n heroína f

heroism /ˈherəʊɪzəm/ n heroísmo m

heron /ˈherən/ n garça f

herring /ˈherɪŋ/ n arenque f

hers /hɜːz/ poss pron o(s) seu (s), a(s) sua(s), o(s) dela, a(s) dela. **it is** ~ é (o) dela or o seu

herself /hɜːˈself/ pron ela mesma; (reflexive) se. **by** ~ sozinha. **for** ~ para si mesma. **to** ~ a/para si mesma. **Mary** ~ **said so** foi a própria Maria que o disse

hesitant /ˈhezɪtənt/ a hesitante

hesitat|e /ˈhezɪteɪt/ vi hesitar. ~**ion** /teɪʃn/ n hesitação f

heterosexual /hetərəʊˈseksjʊəl/ a & n heterossexual mf

hexagon /ˈheksəgən/ n hexágono m. ~**al** /ˈægənl/ a hexagonal

hey /heɪ/ int eh, olá

heyday /ˈheɪdeɪ/ n auge m, apogeu m

hi /haɪ/ int olá, viva

hibernat|e /ˈhaɪbəneɪt/ vi hibernar. ~**ion** /ˈneɪʃn/ n hibernação f

hiccup /ˈhɪkʌp/ n soluço m □ vi soluçar, estar com soluços

hide[1] /haɪd/ vt/i (pt **hid**, pp **hidden**) esconder(-se) (**from** de). ~**-and-seek** n (game) escondidas f pl. ~**-out** n (colloq) esconderijo m

hide[2] /haɪd/ n pele f, couro m

hideous /ˈhɪdɪəs/ a horrendo, medonho

hiding /ˈhaɪdɪŋ/ n (colloq: thrashing) sova f, surra f. **go into** ~ esconder-se. ~**-place** n esconderijo m

hierarchy /ˈhaɪərɑːkɪ/ n hierarquia f

hi-fi /haɪˈfaɪ/ a & n (de) alta fidelidade f

high /haɪ/ a (-**er**, -**est**) alto; (price, number) elevado; (voice, pitch) agudo □ n alta f □ adv alto. **two metres** ~ com dois metros de altura. ~**chair** cadeira f alta para crianças. ~**-handed** a autoritário, prepotente. ~ **jump** salto m em altura. ~**-rise building** edifício m alto, torre f. ~ **school** escola f secundária. **in the** ~ **season** em plena estação. ~**-speed** a ultra-rápido. ~**-spirited** a animado, vivo. ~ **spot** (sl) ponto m culminante. ~ **street** rua f principal. ~ **tide** maré f alta. ~**er education** ensino m superior

highbrow /ˈhaɪbraʊ/ a & n (colloq) intelectual mf

highlight /ˈhaɪlaɪt/ n (fig) ponto m alto □ vt salientar, pôr em relevo, realçar

highly /ˈhaɪlɪ/ adv altamente, extremamente. **~-strung** a muito sensível, nervoso, tenso. **speak ~ of** falar bem de

Highness /ˈhaɪnɪs/ n Alteza f

highway /ˈhaɪweɪ/ n estrada f, rodovia f. **H~ Code** Código m da Estrada

hijack /ˈhaɪdʒæk/ vt sequestrar □ n sequestro m. **~er** n (of plane) pirata m (do ar)

hike /haɪk/ n caminhada no campo f □ vi fazer uma caminhada. **~r** /-ə(r)/ n excursionista mf, caminhante mf

hilarious /hɪˈleərɪəs/ a divertido, despelante

hill /hɪl/ n colina f, monte m; (slope) ladeira f, subida f. **~y** a acidentado

hillside /ˈhɪlsaɪd/ n encosta f, vertente f

hilt /hɪlt/ n punho m. **to the ~** completamente, inteiramente

him /hɪm/ pron o (a ele); (after prep) ele. **(to) ~** lhe. **I know ~** conheço-o

himself /hɪmˈself/ pron ele mesmo; (reflexive) se. **by ~** sozinho. **for ~** para si mesmo. **to ~** a/para si mesmo. **Peter ~ saw it** foi o próprio Pedro que viu isso

hind /haɪnd/ a traseiro, posterior

hind|er /ˈhɪndə(r)/ vt empatar, estorvar; (prevent) impedir. **~rance** n estorvo m

hindsight /ˈhaɪndsaɪt/ n **with ~** retrospectivamente

Hindu /hɪnˈduː/ n & a hindu mf. **~ism** /-ɪzəm/ n hinduísmo m

hinge /hɪndʒ/ n dobradiça f □ vi **~ on** depender de

hint /hɪnt/ n insinuação f, indirecta f; (advice) sugestão f, (Br) dica f (colloq) □ vt dar a entender, insinuar □ vi **~ at** fazer alusão a

hip /hɪp/ n anca f

hippie /ˈhɪpɪ/ n hippie mf

hippopotamus /hɪpəˈpɒtəməs/ n (pl **-muses**) hipopótamo m

hire /ˈhaɪə(r)/ vt alugar; (person) contratar □ n aluguer m, aluguel m. **~-purchase** n compra f a prestações

hirsute /ˈhɜːsjuːt/ a hirsuto

his /hɪz/ a seu(s), sua(s), dele □ poss pron o(s) seu(s), a(s) sua(s), o(s) dele, a(s) dele. **it is ~** é (o) dele or o seu

Hispanic /hɪsˈpænɪk/ a hispânico

hiss /hɪs/ n silvo m; (for disapproval) assobio m, vaia f □ vt/i sibilar; (for disapproval) assobiar, vaiar

historian /hɪˈstɔːrɪən/ n historiador m

histor|y /ˈhɪstərɪ/ n história f. **~ic(al)** /hɪˈstɒrɪk(l)/ a histórico

hit /hɪt/ vt (pt hit, pres p hitting) (knock against, collide with) chocar com, ir de encontro a; (strike a target) acertar em; (find) descobrir; (affect) atingir □ vi **~ on** dar com □ n pancada f; (fig: success) sucesso m. **~ it off** dar-se bem (with com). **~-and-run** a (driver) que foge depois do desastre. **~-or-miss** a ao acaso

hitch /hɪtʃ/ vt atar, prender; (to a hook) enganchar □ n sacão *m*; (*snag*) problema *m*. **~ a lift, ~~hike** viajar à boleia. **~~hiker** *n* o que viaja de carona, boleia. **~ up** puxar para cima

hive /haɪv/ *n* colméia *f* □ *vt* **~ off** separar e tornar independente

hoard /hɔːd/ *vt* juntar, açambarcar □ *n* provisão *f*; (*of valuables*) tesouro *m*

hoarding /ˈhɔːdɪŋ/ *n* tapume *m*, outdoor *m*

hoarse /hɔːs/ *a* (**-er, -est**) rouco. **~ness** *n* rouquidão *f*

hoax /həʊks/ *n* (*malicious*) logro *m*, embuste *m*; (*humorous*) partida *f* □ *vt* (*malicious*) lograr, (*humorous*) pregar uma partida a

hob /hɒb/ *n* placa *f* de aquecimento (do fogão)

hobble /ˈhɒbl/ *vi* coxear □ *n* pear

hobby /ˈhɒbɪ/ *n* passatempo *m* favorito. **~~horse** *n* (*fig*) tópico *m* favorito

hock /hɒk/ *n* vinho *m* branco do Reno

hockey /ˈhɒkɪ/ *n* hóquei *m*

hoe /həʊ/ *n* enxada *f* □ *vt* trabalhar com enxada

hog /hɒg/ *n* porco *m*; (*greedy person*) glutão *m* □ *vt* (*pt* **hogged**) (*colloq*) açambarcar

hoist /hɔɪst/ *vt* içar □ *n* guindaste *m*, monta-cargas *m*

hold[1] /həʊld/ *vt* (*pt* **held**) segurar; (*contain*) levar; (*possess*) ter, possuir; (*occupy*) ocupar; (*keep, maintain*) conservar, manter; (*restrain*) manter □ *vi* (*of rope etc*) aguentar(-se) □ *n* (*influence*)

domínio *m*. **get ~ of** deitar a mão a, (*fig*) apanhar. **~ back** reter. **~ on** (*colloq*) esperar. **~ on to** guardar; (*cling to*) agarrar-se a. **~ one's breath** suster a respiração. **~ one's tongue** calar-se. **~ the line** não desligar. **~ out** resistir. **~ up** (*support*) sustentar; (*delay*) demorar; (*rob*) assaltar. **~~up** *n* atraso *m*; (*auto*) engarrafamento *m*; (*robbery*) assalto *m*. **~ with** aguentar. **~er** *n* detentor *m*; (*of post, title etc*) titular *mf*; (*for object*) suporte *m*

hold[2] /həʊld/ *n* (*of ship, plane*) porão *m*

holdall /ˈhəʊldɔːl/ *n* saco *m* de viagem

holding /ˈhəʊldɪŋ/ *n* (*land*) propriedade *f*; (*comm*) acções *fpl*, valores *mpl*, holding *m*

hole /həʊl/ *n* buraco *m* □ *vt* abrir buraco(s) em, esburacar

holiday /ˈhɒlədeɪ/ *n* férias *fpl*; (*day off; public*) feriado *m* □ *vi* passar férias. **~~maker** *n* pessoa *f* em férias; (*in summer*) veraneante *mf*

holiness /ˈhəʊlɪnɪs/ *n* santidade *f*

Holland /ˈhɒlənd/ *n* Holanda *f*

hollow /ˈhɒləʊ/ *a* oco, vazio; (*fig*) falso; (*cheeks*) fundo; (*sound*) surdo □ *n* (*in the ground*) cavidade *f*; (*in the hand*) cova *f*

holly /ˈhɒlɪ/ *n* azevinho *m*

holster /ˈhəʊlstə(r)/ *n* coldre *m*

holy /ˈhəʊlɪ/ *a* (**-ier, -iest**) santo, sagrado; (*water*) benta. H~ Ghost, H~ Spirit Espírito m Santo

homage /'hɒmɪdʒ/ n homenagem f. **pay ~ to** prestar homenagem a

home /həʊm/ n casa f, lar m; (institution) lar m, asilo m; (country) país m natal □ a caseiro, doméstico; (of family) de família; (pol) nacional, interno; (football match) em casa □ adv (at) ~ em casa. **come/go** ~ vir/ir para casa. **make oneself at ~** não fazer cerimónia. ~made a caseiro. H~ Office Ministério m do Interior. ~ **town** cidade f or terra f natal. ~ **truth** dura verdade f, verdade(s) f(pl) amarga(s). ~**less** a sem casa, sem abrigo

homeland /'həʊmlænd/ n pátria f

homely /'həʊmlɪ/ a (-ier, -iest) (simple) simples; (Amer: ugly) sem graça

homesick /'həʊmsɪk/ a **be ~** ter saudades

homeward /'həʊmwəd/ a (journey) de regresso

homework /'həʊmwɜːk/ n trabalho m de casa, dever m de casa

homicide /'hɒmɪsaɪd/ n homicídio m; (person) homicida mf

homeopath|y /həʊmɪ'ɒpəθɪ/ n homeopatia f. ~**ic** a homeopático

homosexual /hɒməʊ'sekʃʊəl/ a & n homossexual mf

honest /'ɒnɪst/ a honesto; (frank) franco. ~**ly** adv honestamente; (frankly) francamente. ~**y** n honestidade f

honey /'hʌnɪ/ n mel m; (colloq: darling) querido m, querida f

honeycomb /'hʌnɪkəʊm/ n favo m de mel

honeymoon /'hʌnɪmuːn/ n lua de mel f

honorary /'ɒnərərɪ/ a honorário

honour /'ɒnə(r)/ n honra f □ vt honrar. ~**able** a honrado, honroso

hood /hʊd/ n capuz m; (car roof) capota f, tejadilho m; (Amer: bonnet) capot m

hoodwink /'hʊdwɪŋk/ vt enganar

hoof /huːf/ n (pl **-fs**) casco m

hook /hʊk/ n gancho m; (on garment) colchete m; (for fishing) anzol m □ vt enganchar; (fish) apanhar, pescar. **off the ~** livre de dificuldades; (phone) desligado

hooked /hʊkt/ a **be ~ on** (sl) ter o vício de, estar viciado em

hookey /'hʊkɪ/ n **play ~** (Amer sl) fazer gazeta

hooligan /'huːlɪgən/ n desordeiro m

hoop /huːp/ n arco m; (of cask) cinta f

hooray /huː'reɪ/ int & n = hurrah

hoot /huːt/ n (of owl) pio m de mocho; (of horn) buzinadela f; (jeer) apupo m □ vi (of owl) piar; (of horn) buzinar; (jeer) apupar. ~**er** n buzina f; (of factory) sereia f

Hoover /'huːvə(r)/ n aspirador m □ vt aspirar

hop[1] /hɒp/ vi (pt **hopped**) ao

pé coxinho □ n salto m. ~ **in** (colloq) subir, saltar (colloq). ~ **it** (sl) pôr-se a andar (colloq). ~ **out** (colloq) descer, saltar (colloq)

hop² /hɒp/ n (plant) lúpulo m. ~**s** espigas fpl de lúpulo

hope /həʊp/ n esperança f □ vt/i esperar. ~ **for** esperar (ter). ~~ **ful** a esperançoso; (promising) promissor. be ~**ful (that)** ter esperança (que), confiar (em que). ~**fully** adv esperançosamente; (it is hoped that) é de esperar que. ~**less** a desesperado, sem esperança; (incompetent) incapaz

horde /hɔːd/ n horda f

horizon /həˈraɪzn/ n horizonte m

horizontal /hɒrɪˈzɒntl/ a horizontal

hormone /ˈhɔːməʊn/ n hormona f

horn /hɔːn/ n chifre m, corno m; (of car) buzina f; (mus) trompa f. ~**y** a caloso, calejado

hornet /ˈhɔːnɪt/ n vespão m

horoscope /ˈhɒrəskəʊp/ n horóscopo m

horrible /ˈhɒrəbl/ a horrível, horroroso

horrid /ˈhɒrɪd/ a horrível, horripilante

horrific /həˈrɪfɪk/ a horrífico

horr|or /ˈhɒrə(r)/ n horror m □ a (film etc) de terror. ~**ify** vt horrorizar, horripilar

horse /hɔːs/ n cavalo m. ~~**chest-nut** n castanha f da India. ~ **racing** n corrida f de cavalos, hipismo m. ~~**radish** n rábano m

horseback /ˈhɔːsbæk/ n on ~ a cavalo

horseplay /ˈhɔːspleɪ/ n brincadeira f grosseira, abrutalhada f

horsepower /ˈhɔːspaʊə(r)/ n cavalo-vapor m

horseshoe /ˈhɔːsʃuː/ n ferradura f

horticultur|e /ˈhɔːtɪkʌltʃə(r)/ n horticultura f. ~**al** /kʌltʃərəl/ a horticola

hose /həʊz/ n ~(-pipe) mangueira f □ vt regar com a mangueira

hospice /ˈhɒspɪs/ n hospício m; (for travellers) hospedaria f

hospit|able /həˈspɪtəbl/ a hospitaleiro. ~**ality** /ˈtælətɪ/ n hospitalidade f

hospital /ˈhɒspɪtl/ n hospital m

host¹ /həʊst/ n anfitrião m, dono m da casa. ~**ess** n anfitriã f, dona f da casa

host² /həʊst/ n a ~ **of** uma multidão de, um grande número de

host³ /həʊst/ n (relig) hóstia f

hostage /ˈhɒstɪdʒ/ n refém m

hostel /ˈhɒstl/ n residência f de estudantes etc

hostil|e /ˈhɒstaɪl/ a hostil. ~**ity** /hɒˈstɪlətɪ/ n hostilidade f

hot /hɒt/ a (hotter, hottest) quente; (culin) picante. be or **feel** ~ estar com or ter calor. **it is** ~ está or faz calor □ vt/i (pt hotted) ~ **up** (colloq) aquecer. ~~ **dog** n cachorro-quente m. ~ **line** linha directa sep entre chefes de estado. ~~**water bottle** saco m de água quente

hotbed /ˈhɒtbed/ n (fig) foco m

hotchpotch /ˈhɒtʃpɒtʃ/ n misturada f, salgalhada f

hotel /həʊˈtel/ n hotel m. **~ier** /-ɪə(r)/ n hoteleiro m

hound /haʊnd/ n cão m de caça e de corrida, sabujo m □ vt acossar, perseguir

hour /ˈaʊə(r)/ n hora f. **~ly** adv de hora a hora □ a de hora a hora. **~ly pay** retribuição f horária. **paid ~ly** pago à hora

house[1] /haʊs/ n (pl **~s** /ˈhaʊzɪz/) n casa f; (pol) câmara f. **on the ~** por conta da casa. **~-warming** n inauguração f da casa

house[2] /haʊz/ vt alojar; (store) arrecadar, guardar

houseboat /ˈhaʊsbəʊt/ n casa f flutuante

household /ˈhaʊshəʊld/ n família f, agregado m familiar. **~er** n ocupante mf; (owner) proprietário m

housekeep|er /ˈhaʊskiːpə(r)/ n governanta f. **~ing** n (work) tarefas fpl domésticas

housewife /ˈhaʊswaɪf/ n (pl **-wives**) dona f de casa

housework /ˈhaʊswɜːk/ n tarefas fpl domésticas

housing /ˈhaʊzɪŋ/ n alojamento m. **~ estate** zona f residencial

hovel /ˈhɒvl/ n casebre m, tugúrio m

hover /ˈhɒvə(r)/ vi pairar; (linger) deixar-se ficar, demorar-se

hovercraft /ˈhɒvəkrɑːft/ n invar hovercraft m

how /haʊ/ adv como. **~ long old is...?** que comprimento/idade tem...? **~ far?** a que distância? **~ many?** quantos? **~ much?** quanto? **~ often?** com que frequência? **~ pretty it is** como é lindo. **~ about a walk?** e se fôssemos dar uma volta? **~ are you?** como vai? **~ do you do?** muito prazer! **and ~!** oh se é!

however /haʊˈevə(r)/ adv de qualquer maneira; (though) contudo, no entanto, todavia. **~ small it may be** por menor que seja

howl /haʊl/ n uivo m □ vi uivar

HP abbr see **hire-purchase**

hp abbr see **horsepower**

hub /hʌb/ n cubo m da roda; (fig) centro m. **~-cap** n tampão m da roda

hubbub /ˈhʌbʌb/ n chinfrim m

huddle /ˈhʌdl/ vt/i apinhar(-se). **~ together** aconchegar-se

hue[1] /hjuː/ n matiz f, tom m

hue[2] /hjuː/ n **~ and cry** clamor m, alarido m

huff /hʌf/ n **in a ~** com raiva, zangado

hug /hʌg/ vt (pt **hugged**) abraçar, apertar nos braços; (keep close to) chegar-se a □ n abraço m

huge /hjuːdʒ/ a enorme

hulk /hʌlk/ n casco (esp de navio desmantelado) m. **~ing** a (colloq) desajeitadão (colloq)

hull /hʌl/ n (of ship) casco m

hullo /həˈləʊ/ int & n = **hallo**

hum /hʌm/ *vt/i* (*pt* **hummed**) cantar com a boca fechada; (*of insect, engine*) zumbir □ *n* zumbido *m*

human /'hju:mən/ *a* humano □ *n* ~ (**being**) ser *m* humano

humane /hju:'meɪn/ *a* humano, compassivo

humanitarian /hju:mænɪ'teərɪən/ *a* humanitário

humanity /hju:'mænətɪ/ *n* humanidade *f*

humbl|e /'hʌmbl/ *a* (**-er, -est**) humilde □ *vt* humilhar. **~y** *adv* humildemente

humdrum /'hʌmdrʌm/ *a* monótono, rotineiro

humid /'hju:mɪd/ *a* húmido. **~ity** /-'mɪdətɪ/ *n* humidade *f*

humiliat|e /hju:'mɪlɪeɪt/ *vt* humilhar. **~ion** /-'eɪʃn/ *n* humilhação *f*

humility /hju:'mɪlətɪ/ *n* humildade *f*

humorist /'hju:mərɪst/ *n* humorista *mf*

hum|our /'hju:mə(r)/ *n* humor *m* □ *vt* fazer a vontade de. **~orous** *a* humorístico; (*person*) divertido, espirituoso

hump /hʌmp/ *n* corcova *f*; (*of the back*) corcunda *f* □ *vt* corcovar, arquear. **the ~** (*sl*) a neura (*colloq*)

hunch[1] /hʌntʃ/ *vt* curvar. **~ed up** curvado

hunch[2] /hʌntʃ/ *n* (*colloq*) palpite *m*

hunchback /'hʌntʃbæk/ *n* corcunda *mf*

hundred /'hʌndrəd/ *a* cem □ *n* centena *f*, cento *m*. **~s of** centenas de. **~fold** *a* cêntuplo □ *adv* cem vezes mais. **~th** *a & n* centésimo *m*

hundredweight /'hʌndrədweɪt/ *n* quintal *m* (= *50,8 kg*; *Amer 45,36 kg*)

hung /hʌŋ/ *see* **hang**

Hungar|y /'hʌŋgərɪ/ *n* Hungria *f*. **~ian** /-'geərɪən/ *a & n* húngaro *m*

hunger /'hʌŋgə(r)/ *n* fome *f* □ *vi* ~ **for** ter fome de; (*fig*) desejar vivamente, ansiar por

hungr|y /'hʌŋgrɪ/ *a* (**ier, -iest**) esfomeado, faminto. **be ~y** ter fome, estar com fome. **~ily** *adv* avidamente

hunk /hʌŋk/ *n* grande naco *m*

hunt /hʌnt/ *vt/i* caçar □ *n* caça *f*. ~ **for** andar à caça de, andar à procura de. **~er** *n* caçador *m*. **~ing** *n* caça *f*, caçada *f*

hurdle /'hɜ:dl/ *n* obstáculo *m*

hurl /hɜ:l/ *vt* arremessar, lançar com força

hurrah, hurray /hʊ'rɑ:, hʊ'reɪ/ *int & n* hurra *m*, viva *m*

hurricane /'hʌrɪkən/ *n* furacão *m*

hurried /'hʌrɪd/ *a* apressado. **~ly** *adv* apressadamente

hurry /'hʌrɪ/ *vt/i* apressar(-se), despachar(-se) □ *n* pressa *f*. **be in a** ~ ter pressa. **do sth in a** ~ fazer alg coisa às pressas. **~up!** despacha-te!

hurt /hɜ:t/ *vt* (*pt* **hurt**) fazer mal a; (*injure, offend*) magoar, ferir □ *vi* doer □ *a* magoado, ferido □ *n* mal *m*; (*feelings*) mágoa *f*. **~ful** *a* prejudicial; (*remark etc*) que magoa

hurtle /'hɜːtl/ vi despenhar-se; (*move rapidly*) precipitar-se □ vt arremessar

husband /'hʌzbənd/ n marido m, esposo m

hush /hʌʃ/ vt (fazer) calar. ~! silêncio! □ vi calar-se □ n silêncio m. ~~**hush** a (*colloq*) muito em segredo. ~ **up** abafar, encobrir

husk /hʌsk/ n casca f

husky /'hʌskɪ/ a (-**ier**, -**iest**) (*hoarse*) rouco, enrouquecido; (*burly*) corpulento □ n cão m esquimó

hustle /'hʌsl/ vt empurrar, dar encontrões a □ n empurrão m. ~ **and bustle** grande movimento, m lufa-lufa f

hut /hʌt/ n cabana f, barraca f de madeira

hutch /hʌtʃ/ n coelheira f

hyacinth /'haɪəsɪnθ/ n jacinto m

hybrid /'haɪbrɪd/ a & n híbrido m

hydrant /'haɪdrənt/ n hidrante m

hydraulic /haɪ'drɔːlɪk/ a hidráulico

hydroelectric /haɪdrəʊɪ'lektrɪk/ a hidroeléctrico

hydrofoil /'haɪdrəʊfɔɪl/ n hydrofoil m

hydrogen /'haɪdrədʒən/ n hidrogênio m

hyena /haɪ'iːnə/ n hiena f

hygiene /'haɪdʒiːn/ n higiene f

hygienic /haɪ'dʒiːnɪk/ a higiénico

hymn /hɪm/ n hino m, cântico m

hyper- /'haɪpə(r)/ pref hiper-

hypermarket /'haɪpəmaːkɪt/ n hipermercado m

hyphen /'haɪfn/ n hífen m, traço-de-união m. ~**ate** vt unir com hífen

hypno|sis /hɪp'nəʊsɪs/ n hipnose f. ~**tic** /'nɒtɪk/ a hipnótico

hypnot|ize /'hɪpnətaɪz/ vt hipnotizar. ~**ism** /-ɪzəm/ n hipnotismo m

hypochondriac /haɪpə'kɒndrɪæk/ n hipocondríaco m

hypocrisy /hɪ'pɒkrəsɪ/ n hipocrisia f

hypocrit|e /'hɪpəkrɪt/ n hipócrita mf. ~**ical** /'krɪtɪkl/ a hipócrita

hypodermic /haɪpə'dɜːmɪk/ a hipodérmico □ n seringa f

hypothe|sis /haɪ'pɒθəsɪs/ n (pl -**theses** /-siːz/) hipótese f. ~**tical** /-ə'θetɪkl/ a hipotético

hyster|ia /hɪ'stɪərɪə/ n histeria f. ~**ical** /hɪ'sterɪkl/ a histérico

I

I /aɪ/ *pron* eu

Iberian /aɪˈbiːrɪən/ *a* ibérico □ *n* íbero *m*

ice /aɪs/ *n* gelo *m* □ *vt/i* gelar; (*cake*) cobrir com glacê □ *vi* ~ **up** gelar. **~-box** *n* (*Amer*) frigorífico *m*. **~-(cream)** *n* sorvete *m*, gelado *m*. **~-cube** *n* cubo *m* or pedra *f* de gelo. ~ **hockey** hóquei *m* sobre o gelo. ~ **lolly** gelado (de pau) *m*. **~-pack** *n* saco *m* de gelo. **~-rink** *n* rinque *m* de patinagem *f* no gelo. ~ **skating** *n* patinagem *f* no gelo

iceberg /ˈaɪsbɜːg/ *n* iceberg *m*; (*fig*) pedaço *m* de gelo

Iceland /ˈaɪslənd/ *n* Islândia *f*. **~er** *n* islandês *m*. **~ic** /ˈlændɪk/ *a* & *n* islandês *m*

icicle /ˈaɪsɪkl/ *n* pingente *m* de gelo

icing /ˈaɪsɪŋ/ *n* (*culin*) cobertura *f* de açúcar, glacê *m*

icy /ˈaɪsɪ/ *a* (**-ier, -iest**) gelado, gélido, glacial; (*road*) com gelo

idea /aɪˈdɪə/ *n* ideia *f*

ideal /aɪˈdɪəl/ *a* & *n* ideal *m*. **~ize** *vt* idealizar. **~ly** *adv* idealmente

idealis|t /aɪˈdɪəlɪst/ *n* idealista *mf*. **~m** /-zəm/ *n* idealismo *m*. **~tic** /ˈlɪstɪk/ *a* idealista

identical /aɪˈdentɪkl/ *a* idêntico

identif|y /aɪˈdentɪfaɪ/ *vt* identificar □ *vi* **~y with** identificar-se com. **~ication** /-ɪˈkeɪʃn/ *n* identificação *f*; (*papers*) documentos *mpl* de identificação

identity /aɪˈdentətɪ/ *n* identidade *f*. ~ **card** bilhete *m* de identidade

ideolog|y /aɪdɪˈɒlədʒɪ/ *n* ideologia *f*. **~ical** /-ɪəˈlɒdʒɪkl/ *a* ideológico

idiom /ˈɪdɪəm/ *n* idioma *m*; (*phrase*) expressão *f* idiomática. **~atic** /ˈmætɪk/ *a* idiomático

idiosyncrasy /ɪdɪəˈsɪŋkrəsɪ/ *n* idiossincrasia *f*, peculiaridade *f*

idiot /ˈɪdɪət/ *n* idiota *mf*. **~ic** /ˈɒtɪk/ *a* idiota

idl|e /ˈaɪdl/ *a* (**-er, -est**) (*not active; lazy*) ocioso; (*unemployed*) sem trabalho; (*of machines*) parado; (*fig: useless*) inútil □ *vt/i* (*of engine*) estar em ponto morto, estar no ralenti. **~eness** *n* ociosidade *f*. **~y** *adv* ociosamente

idol /'aɪdl/ n ídolo m. ~**ize** vt idolatrar

idyllic /ɪ'dɪlɪk/ a idílico

i.e. abbr isto é, quer dizer

if /ɪf/ conj se

igloo /'ɪgluː/ n iglu m

ignite /ɪg'naɪt/ vt/i inflamar-(-se), acender; (catch fire) pegar fogo; (set fire to) atear fogo a, deitar fogo a

ignition /ɪg'nɪʃn/ n (auto) ignição f. ~ **(key)** chave f de ignição

ignoran|t /'ɪgnərənt/ a ignorante. ~**ce** n ignorância f. **be ~t of** ignorar

ignore /ɪg'nɔː(r)/ vt não fazer caso de, passar por cima de; (person in the street etc) fingir não ver

ill /ɪl/ a (sick) doente; (bad) mau □ adv mal □ n mal m. ~**-advised** a pouco aconselhável. ~ **at ease** pouco à vontade. ~**-bred** a mal educado. ~**-fated** a malfadado. ~**-treat** vt maltratar. ~ **will** má vontade f, animosidade f

illegal /ɪ'liːgl/ a ilegal

illegible /ɪ'ledʒəbl/ a ilegível

illegitima|te /ɪlɪ'dʒɪtɪmət/ a ilegítimo. ~**cy** n ilegitimidade f

illitera|te /ɪ'lɪtərət/ a analfabeto; (uneducated) iletrado. ~**cy** n analfabetismo m

illness /'ɪlnɪs/ n doença f

illogical /ɪ'lɒdʒɪkl/ a ilógico

illuminat|e /ɪ'luːmɪneɪt/ vt iluminar; (explain) esclarecer. ~**ion** /'neɪʃn/ n iluminação f. ~**ions** npl luminárias fpl

illusion /ɪ'luːʒn/ n ilusão f

illusory /ɪ'luːsərɪ/ a ilusório

illustrat|e /'ɪləstreɪt/ vt ilustrar. ~**ion** /'streɪʃn/ n ilustração f. ~**ive** /-ətɪv/ a ilustrativo

illustrious /ɪ'lʌstrɪəs/ a ilustre

image /'ɪmɪdʒ/ n imagem f. **(public)** ~ imagem f pública

imaginary /ɪ'mædʒɪnərɪ/ a imaginário

imaginat|ion /ɪmædʒɪ'neɪʃn/ n imaginação f. ~**ive** /ɪ'mædʒɪnətɪv/ a imaginativo

imagin|e /ɪ'mædʒɪn/ vt imaginar. ~**able** a imaginável

imbalance /ɪm'bæləns/ n desequilíbrio m

imbecile /'ɪmbəsiːl/ a & n imbecil mf

imbue /ɪm'bjuː/ vt imbuir, impregnar

imitat|e /'ɪmɪteɪt/ vt imitar. ~**ion** /-'teɪʃn/ n imitação f

immaculate /ɪ'mækjʊlət/ a imaculado; (impeccable) impecável

immaterial /ɪmə'tɪərɪəl/ a (of no importance) irrelevante. **that's ~ to me** para mim tanto faz, isso é-me indiferente

immature /ɪmə'tjʊə(r)/ a imaturo

immediate /ɪ'miːdɪət/ a imediato. ~**ly** adv imediatamente □ conj logo que, assim que

immens|e /ɪ'mens/ a imenso. ~**ely** /-slɪ/ adv imensamente. ~**ity** n imensidade f

immers|e /ɪ'mɜːs/ vt mergulhar, imergir. **be ~ed in** (fig) estar imerso em. ~**ion** /-ʃn/ n imersão f. ~**ion heater** aparelho m eléctrico para aquecimento de água

immigr|ate /'ImIgreIt/ *vi* imigrar. **~ant** *n & a* imigrante *mf*, imigrado *m*. **~ation** /'greI/ *n* imigração *f*

imminen|t /'ImInənt/ *a* iminente. **~ce** *n* iminência *f*

immobil|e /I'məʊbaIl/ *a* imóvel. **~ize** /-əlaIz/ *vt* imobilizar

immoderate /I'mɒdərət/ *a* imoderado, descomedido

immoral /I'mɒrəl/ *a* imoral. **~ity** /Imə'rælətɪ/ *n* imoralidade *f*

immortal /I'mɔːtl/ *a* imortal. **~ity** /'tælətɪ/ *n* imortalidade *f*. **~ize** *vt* imortalizar

immun|e /I'mjuːn/ *a* imune, imunizado (**from, to** contra). **~ity** *n* imunidade *f*

imp /Imp/ *n* diabrete *m*

impact /'Impækt/ *n* impacto *m*

impair /Im'peə(r)/ *vt* deteriorar; (*damage*) prejudicar

impale /Im'peIl/ *vt* empalar

impart /Im'paːt/ *vt* comunicar, transmitir (**to** a)

impartial /Im'paːʃl/ *a* imparcial. **~ity** /-fɪ'ælətɪ/ *n* imparcialidade *f*

impassable /Im'paːsəbl/ *a* (*road, river*) impraticável, intransitável; (*barrier etc*) intransponível

impasse /'æmpaːs/ *n* impasse *m*

impatien|t /Im'peIʃənt/ *a* impaciente. **~ce** *n* impaciência *f*. **~tly** *adv* impacientemente

impeach /Im'piːtʃ/ *vt* incriminar, acusar

impeccable /Im'pekəbl/ *a* impecável

impede /Im'piːd/ *vt* impedir, estorvar

impediment /Im'pedImənt/ *n* impedimento *m*, obstáculo *m*. **(speech)** ~ defeito *m* (na fala)

impel /Im'pel/ *vt* (*pt* impelled) impelir, forçar (**to do** a fazer)

impending /Im'pendIŋ/ *a* iminente

impenetrable /Im'penItrəbl/ *a* impenetrável

imperative /Im'perətIv/ *a* imperativo; (*need etc*) imperioso □ *n* imperativo *m*

imperceptible /Impə'septəbl/ *a* imperceptível

imperfect /Im'pɜːfIkt/ *a* imperfeito. **~ion** /-ə'fekʃn/ *n* imperfeição *f*

imperial /Im'pIərIəl/ *a* imperial; (*of measures*) legal (*na GB*). **~ism** /-lIzəm/ *n* imperialismo *m*

imperious /Im'pIərIəs/ *a* imperioso

impersonal /Im'pɜːsənl/ *a* impessoal

impersonat|e /Im'pɜːsəneIt/ *vt* fazer-se passar por; (*theat*) fazer *or* representar (o papel) de. **~ion** /neIʃn/ *n* imitação *f*

impertinen|t /Im'pɜːtInənt/ *a* impertinente. **~ce** *n* impertinência *f*. **~tly** *adv* com impertinência

impervious /Im'pɜːvIəs/ *a* ~ **to** (*water*) impermeável a; (*fig*) insensível a

impetuous /Im'petʃʊəs/ *a* impetuoso

impetus /'ImpItəs/ *n* ímpeto *m*

impinge /Im'pIndʒ/ *vi* ~ **on** afectar; (*encroach*) infringir

impish /'ɪmpɪʃ/ a travesso, malicioso

implacable /ɪm'plækəbl/ a implacável

implant /ɪm'plɑ:nt/ vt implantar

implement[1] /'ɪmplɪmənt/ n instrumento m, utensílio m

implement[2] /'ɪmplɪment/ vt implementar, executar

implicat|e /'ɪmplɪkeɪt/ vt implicar. ~ion /-'keɪʃn/ n implicação f

implicit /ɪm'plɪsɪt/ a implícito; (unquestioning) absoluto, incondicional

implore /ɪm'plɔ:(r)/ vt implorar, suplicar, rogar

imply /ɪm'plaɪ/ vt implicar; (hint) sugerir, dar a entender, insinuar

impolite /ɪmpə'laɪt/ a indelicado, incorreto

import[1] /ɪm'pɔ:t/ vt importar. ~ation /'teɪʃn/ n importação f. ~er n importador m

import[2] /'ɪmpɔ:t/ n importação f; (meaning) significado m; (importance) importância f

importan|t /ɪm'pɔ:tnt/ a importante. ~ce n importância f

impos|e /ɪm'pəʊz/ vt impor; (inflict) infligir □ vi ~e on abusar de. ~ition /-ə'zɪʃn/ n imposição f; (unfair burden) abuso m

imposing /ɪm'pəʊzɪŋ/ a imponente

impossib|le /ɪm'pɒsəbl/ a impossível. ~ility /'bɪlətɪ/ n impossibilidade f

impostor /ɪm'pɒstə(r)/ n impostor m

impoten|t /'ɪmpətənt/ a impotente. ~ce n impotência f

impound /ɪm'paʊnd/ vt apreender, confiscar

impoverish /ɪm'pɒvərɪʃ/ vt empobrecer

impracticable /ɪm'præktɪkəbl/ a impraticável

impractical /ɪm'præktɪkl/ a pouco prático

imprecise /ɪmprɪ'saɪs/ a impreciso

impregnable /ɪm'pregnəbl/ a inexpugnável; (fig) inabalável, irrefutável

impregnate /'ɪmpregneɪt/ vt impregnar (with de)

impresario /ɪmprɪ'sɑ:rɪəʊ/ n (pl -os) empresário m

impress /ɪm'pres/ vt impressionar, causar impressão a; (imprint) imprimir. ~ sth on s.o. inculcar algo em alguém

impression /ɪm'preʃn/ n impressão f. ~able a impressionável. ~ist n impressionista mf

impressive /ɪm'presɪv/ a impressionante, imponente

imprint[1] /'ɪmprɪnt/ n impressão f, marca f

imprint[2] /ɪm'prɪnt/ vt imprimir

imprison /ɪm'prɪzn/ vt prender, aprisionar. ~ment n aprisionamento m, prisão f

improbab|le /ɪm'prɒbəbl/ a improvável. ~ility /'bɪlətɪ/ n improbabilidade f

impromptu /ɪm'prɒmptju:/ a & adv de improviso □ n impromptu m

improper /ɪm'prɒpə(r)/ a impróprio; (indecent) indecente, pouco decente; (*wrong*) incorrecto

improve /ɪmˈpruːv/ *vt/i* melhorar. ~ **on** aperfeiçoar. ~**ment** *n* melhoria *f*; (*in house etc*) melhoramento *m*; (*in health*) melhoras *fpl*

improvis|e /ˈɪmprəvaɪz/ *vt/i* improvisar. ~**ation** /ˈzeɪʃn/ *n* improvisação *f*

imprudent /ɪmˈpruːdnt/ *a* imprudente

impuden|t /ˈɪmpjʊdənt/ *a* descarado, insolente. ~**ce** *n* descaramento *m*, insolência *f*

impulse /ˈɪmpʌls/ *n* impulso *m*

impulsive /ɪmˈpʌlsɪv/ *a* impulsivo

impur|e /ɪmˈpjʊə(r)/ *a* impuro. ~**ity** *n* impureza *f*

in /ɪn/ *prep* em, dentro de □ *adv* dentro; (*at home*) em casa; (*in fashion*) à moda. ~ **Lisbon/English** em Lisboa/ inglês. ~ **winter** no Inverno. ~ **an hour** (*at end of, within*) numa hora. ~ **the rain** na chuva. ~ **doing** ao fazer. ~ **the evening** à tardinha. **the best** ~ o melhor em. **we are** ~ **for** vamos ter. ~~**laws** *npl* (*colloq*) sogros *mpl*. ~~**patient** *n* doente *m* internado. **the** ~**s and outs** meandros *mpl*

inability /ɪnəˈbɪlətɪ/ *n* incapacidade *f* (**to do** para fazer)

inaccessible /ɪnækˈsesəbl/ *a* inacessível

inaccura|te /ɪnˈækjərət/ *a* inexacto. ~**cy** *n* inexactidão *f*, falta *f* de rigor

inaction /ɪnˈækʃn/ *n* inacção *f*

inactiv|e /ɪnˈæktɪv/ *a* inactivo.

~**ity** /ˈtɪvətɪ/ *n* inacção *f*, inactividade *f*

inadequa|te /ɪnˈædɪkwət/ *a* inadequado, impróprio; (*insufficient*) insuficiente. ~**cy** *n* inadequação *f*; (*insufficiency*) insuficiência *f*

inadmissible /ɪnədˈmɪsəbl/ *a* inadmissível

inadvertently /ɪnədˈvɜːtntlɪ/ *adv* inadvertidamente; (*unintentionally*) sem querer, sem ser por mal

inadvisable /ɪnədˈvaɪzəbl/ *a* desaconselhável, não aconselhável

inane /ɪˈneɪn/ *a* tolo, oco

inanimate /ɪnˈænɪmət/ *a* inanimado

inappropriate /ɪnəˈprəʊprɪət/ *a* impróprio, inadequado

inarticulate /ɪnɑːˈtɪkjʊlət/ *a* inarticulado; (*of person*) incapaz de se exprimir claramente

inattentive /ɪnəˈtentɪv/ *a* desatento

inaugural /ɪˈnɔːgjʊrəl/ *a* inaugural

inaugurat|e /ɪˈnɔːgjʊreɪt/ *vt* inaugurar. ~**ion** /ˈreɪʃn/ *n* inauguração *f*

inauspicious /ɪnɔːˈspɪʃəs/ *a* pouco auspicioso

inborn /ɪnˈbɔːn/ *a* inato

inbred /ɪnˈbred/ *a* inato, congénito

incalculable /ɪnˈkælkjʊləbl/ *a* incalculável

incapable /ɪnˈkeɪpəbl/ *a* incapaz

incapacit|y /ɪnkəˈpæsətɪ/ *n* incapacidade *f*. ~**ate** *vt* incapacitar

incarnat|e /ɪnˈkɑːneɪt/ a encarnado. **the devil ~e** o diabo em pessoa. **~ion** /ˈneɪʃn/ n encarnação f

incendiary /ɪnˈsendɪərɪ/ a incendiário □ n bomba f incendiária

incense[1] /ˈɪnsens/ n incenso m

incense[2] /ɪnˈsens/ vt exasperar, enfurecer

incentive /ɪnˈsentɪv/ n incentivo, estímulo

incessant /ɪnˈsesənt/ a incessante. **~ly** adv incessantemente, sem cessar

incest /ˈɪnsest/ n incesto m. **~uous** /ɪnˈsestjʊəs/ a incestuoso

inch /ɪntʃ/ n polegada f (= 2.54 cm) □ vt/i avançar palmo a palmo or pouco a pouco. **within an ~ of** a um passo de

incidence /ˈɪnsɪdəns/ n incidência f; (rate) percentagem f

incident /ˈɪnsɪdənt/ n incidente m

incidental /ɪnsɪˈdentl/ a incidental, acessório; (casual) acidental; (expenses) eventuais; (music) de cena, incidental. **~ly** adv incidentalmente; (by the way) a propósito

incinerat|e /ɪnˈsɪnəreɪt/ vt incinerar. **~or** n incinerador m

incision /ɪnˈsɪʒn/ n incisão f

incisive /ɪnˈsaɪsɪv/ a incisivo

incite /ɪnˈsaɪt/ vt incitar, instigar. **~ment** n incitamento m

inclination /ɪnklɪˈneɪʃn/ n inclinação f, tendência f

incline[1] /ɪnˈklaɪn/ vt/i inclinar

incarnat|e (-se). **be ~d to** inclinar-se para; (have tendency) ter tendência para

incline[2] /ˈɪnklaɪn/ n inclinação f, declive m

inclu|de /ɪnˈkluːd/ vt incluir; (in letter) enviar junto or em anexo. **~ding** prep inclusive. **~sion** /ɪnˈkluːʒn/ n inclusão f

inclusive /ɪnˈkluːsɪv/ a & adv inclusive. **be ~ of** incluir

incognito /ɪnkɒgˈniːtəʊ/ a & adv incógnito

incoherent /ɪnkəˈhɪərənt/ a incoerente

income /ˈɪŋkʌm/ n rendimento m. **~ tax** imposto sobre o rendimento

incoming /ˈɪnkʌmɪŋ/ a (tide) enchente; (tenant etc) novo

incomparable /ɪnˈkɒmpərəbl/ a incomparável

incompatible /ɪnkəmˈpætəbl/ a incompatível

incompeten|t /ɪnˈkɒmpɪtənt/ a incompetente. **~ce** n incompetência f

incomplete /ɪnkəmˈpliːt/ a incompleto

incomprehensible /ɪnkɒmprɪˈhensəbl/ a incompreensível

inconceivable /ɪnkənˈsiːvəbl/ a inconcebível

inconclusive /ɪnkənˈkluːsɪv/ a inconcludente

incongruous /ɪnˈkɒŋgrʊəs/ a incongruente; (absurd) absurdo

inconsequential /ɪnkɒnsɪˈkwenʃl/ a sem importância

inconsiderate /ɪnkənˈsɪdərət/ a impensado, inconsiderado;

(*lacking in regard*) pouco atencioso, sem consideração (pelos sentimentos *etc* de outrem)

inconsisten|t /ɪnkən'sɪstənt/ *a* incoerente; (*at variance*) contraditório. **~t with** *a* incompatível com. **~cy** *n* incoerência *f*. **~cies** *npl* contradições *fpl*

inconspicuous /ɪnkən'spɪkjʊəs/ *a* que não dá nas vistas, que não chama a atenção

incontinen|t /ɪn'kɒntɪnənt/ *a* incontinente. **~ce** *n* incontinência *f*

inconvenien|t /ɪnkən'viːnɪənt/ *a* inconveniente, incómodo. **~ce** *n* inconveniência *f*; (*drawback*) inconveniente *m* □ *vt* incomodar

incorporate /ɪn'kɔːpəreɪt/ *vt* incorporar; (*include*) incluir

incorrect /ɪnkə'rekt/ *a* incorrecto

incorrigible /ɪn'kɒrɪdʒəbl/ *a* incorrigível

increas|e¹ /ɪn'kriːs/ *vt/i* aumentar. **~ing** *a* crescente. **~ingly** *adv* cada vez mais

increase² /'ɪnkriːs/ *n* aumento *m*. **on the ~** a aumentar, a crescer

incredible /ɪn'kredəbl/ *a* incrível

incredulous /ɪn'kredjʊləs/ *a* incrédulo

increment /'ɪŋkrəmənt/ *n* incremento *m*, aumento *m*

incriminat|e /ɪn'krɪmɪneɪt/ *vt* incriminar. **~ing** *a* comprometedor

incubat|e /'ɪŋkjʊbeɪt/ *vt* incubar. **~ion** /'beɪ/n/ *n* incubação *f*. **~or** *n* incubadora *f*

inculcate /'ɪnkʌlkeɪt/ *vt* inculcar

incumbent /ɪn'kʌmbənt/ *n* (*pol, relig*) titular *mf* □ *a* **be ~ on** incumbir a, caber a

incur /ɪn'kɜːr/ *vt* (*pt* **incurred**) (*displeasure, expense etc*) incorrer em; (*debts*) contrair

incurable /ɪn'kjʊərəbl/ *a* incurável, que não tem cura

indebted /ɪn'detɪd/ *a* **~ to s.o.** em dívida (para) com alg (**for** por)

indecen|t /ɪn'diːsnt/ *a* indecente. **~t assault** atentado *m* contra o pudor. **~cy** *n* indecência *f*

indecision /ɪndɪ'sɪʒn/ *n* indecisão *f*

indecisive /ɪndɪ'saɪsɪv/ *a* inconcludente, não decisivo; (*hesitating*) indeciso

indeed /ɪn'diːd/ *adv* realmente, deveras, mesmo; (*in fact*) de facto. **very much ~** muitíssimo

indefinite /ɪn'defɪnət/ *a* indefinido; (*time*) indeterminado. **~ly** *adv* indefinidamente

indelible /ɪn'deləbl/ *a* indelével

indemnify /ɪn'demnɪfaɪ/ *vt* indemnizar (**for** de); (*safeguard*) garantir (**against** contra)

indemnity /ɪn'demnətɪ/ *n* (*legal exemption*) isenção *f*; (*compensation*) indemnização *f*; (*safeguard*) garantia *f*

indent /ɪn'dent/ *vt* (*notch*) recortar; (*typ*) entrar. **~ation** /'teɪ/n/ *n* recorte *m*; (*typ*) entrada *f*

independen|t /ɪndɪ'pendənt/ *a*

independente. **~ce** n independência f. **~tly** adv independentemente

indescribable /ɪndɪˈskraɪbəbl/ a indescritível

indestructible /ɪndɪˈstrʌktəbl/ a indestrutível

indeterminate /ɪndɪˈtɜːmɪnət/ a indeterminado

index /ˈɪndeks/ n (pl **indexes**) n (in book) índice m; (in library) catálogo m □ vt indexar. **~ card** ficha f (de ficheiro). **~ finger** index m, (dedo) indicador m. **~-linked** a ligado ao índice de inflação

India /ˈɪndɪə/ n Índia f. **~n** a & n (of India) indiano m; (American) índio m

indicat|e /ˈɪndɪkeɪt/ vt indicar. **~ion** /ˈkeɪʃn/ n indicação f. **~or** n indicador m; (auto) pisca-pisca m; (board) quadro m

indicative /ɪnˈdɪkətɪv/ a & n indicativo m

indict /ɪnˈdaɪt/ vt acusar. **~ment** n acusação f

indifferen|t /ɪnˈdɪfrənt/ a indiferente; (not good) mediocre. **~ce** n indiferença f

indigenous /ɪnˈdɪdʒɪnəs/ a indigena, natural, nativo (**to** de)

indigest|ion /ɪndɪˈdʒestʃən/ n indigestão f. **~ible** /-təbl/ a indigesto

indign|ant /ɪnˈdɪɡnənt/ a indignado. **~ation** /ˈneɪʃn/ n indignação f

indirect /ɪndɪˈrekt/ a indirecto. **~ly** adv indirectamente

indiscreet /ɪndɪˈskriːt/ a in-

discreto; (not wary) imprudente. **~etion** /ˈeʃn/ n indiscrição f; (action, remark etc) deslize m

indiscriminate /ɪndɪˈskrɪmɪnət/ a que tem falta de discernimento; (random) indiscriminado. **~ly** adv sem discernimento; (at random) indiscriminadamente, ao acaso

indispensable /ɪndɪˈspensəbl/ a indispensável

indispos|ed /ɪndɪˈspəʊzd/ a indisposto. **~ition** /-əˈzɪʃn/ n indisposição f

indisputable /ɪndɪˈspjuːtəbl/ a indisputável, incontestável

indistinct /ɪndɪˈstɪŋkt/ a indistinto

indistinguishable /ɪndɪˈstɪŋgwɪʃəbl/ a indistinguível, imperceptível; (identical) indiferenciável

individual /ɪndɪˈvɪdʒʊəl/ a individual □ n indivíduo m. **~ity** /ˈælɪtɪ/ n individualidade f. **~ly** adv individualmente

indivisible /ɪndɪˈvɪzəbl/ a indivisível

indoctrinat|e /ɪnˈdɒktrɪneɪt/ vt (en)doutrinar. **~ion** /ˈneɪʃn/ n (en)doutrinação f

indolen|t /ˈɪndələnt/ a indolente. **~ce** n indolência f

indoor /ˈɪndɔː(r)/ a (de) interior, interno; (under cover) coberto; (games) de salão. **~s** /ɪnˈdɔːz/ adv dentro de casa, no interior

induce /ɪnˈdjuːs/ vt induzir, levar; (cause) causar, provocar. **~ment** n incentivo m, encorajamento m

indulge /ɪnˈdʌldʒ/ vt satisfazer; (spoil) fazer a(s) vontade(s) de □ vi ~ **in** entregar-se a

indulgen|t /ɪnˈdʌldʒənt/ a indulgente. ~**ce** n (leniency) indulgência f; (desire) satisfação f

industrial /ɪnˈdʌstrɪəl/ a industrial; (unrest etc) laboral; (action) reivindicativo. ~ **estate** zona f industrial. ~**ist** n industrial m. ~**ized** a industrializado

industrious /ɪnˈdʌstrɪəs/ a trabalhador, aplicado

industry /ˈɪndəstrɪ/ n indústria f; (zeal) aplicação f, diligência f, zelo m

inebriated /ɪˈniːbrɪeɪtɪd/ a embriagado, ébrio

inedible /ɪnˈedɪbl/ a não comestível

ineffective /ɪnɪˈfektɪv/ a ineficaz; (person) ineficiente, incapaz

ineffectual /ɪnɪˈfektʃʊəl/ a ineficaz, improfícuo

inefficien|t /ɪnɪˈfɪʃnt/ a ineficiente. ~**cy** n ineficiência f

ineligible /ɪnˈelɪdʒəbl/ a inelegível; (undesirable) indesejável. **be** ~ **for** não ter direito a

inept /ɪˈnept/ a inepto

inequality /ɪnɪˈkwɒlətɪ/ n desigualdade f

inert /ɪˈnɜːt/ a inerte. ~**ia** /-ʃə/ n inércia f

inevitable /ɪnˈevɪtəbl/ a inevitável, fatal

inexcusable /ɪnɪkˈskjuːzəbl/ a indesculpável, imperdoável

inexhaustible /ɪnɪgˈzɔːstəbl/ a inesgotável, inexaurível

inexorable /ɪnˈeksərəbl/ a inexorável

inexpensive /ɪnɪkˈspensɪv/ a barato, em conta

inexperience /ɪnɪkˈspɪərɪəns/ n inexperiência f, falta de experiência f. ~**d** a inexperiente

inexplicable /ɪnɪkˈsplɪkəbl/ a inexplicável

inextricable /ɪnˈekstrɪkəbl/ a inextricável

infallib|le /ɪnˈfæləbl/ a infalível. ~**ility** /ˈbɪlətɪ/ n infalibilidade f

infam|ous /ˈɪnfəməs/ a infame. ~**y** n infâmia f

infant /ˈɪnfənt/ n bébé m; (child) criança f. ~**cy** n infância f; (babyhood) primeira infância f

infantile /ˈɪnfəntaɪl/ a infantil

infantry /ˈɪnfəntrɪ/ n infantaria f

infatuat|ed /ɪnˈfætʃʊeɪtɪd/ ~**ed with** cego or perdido por. ~**ion** /ˈeɪʃn/ n cegueira f, paixão f

infect /ɪnˈfekt/ vt infectar. ~ **s.o. with** contagiar or contaminar alg com. ~**ion** /-ʃn/ n infecção f, contágio m. ~**ious** /-ʃəs/ a infeccioso, contagioso

infer /ɪnˈfɜː(r)/ vt (pt **inferred**) inferir, deduzir. ~**ence** /ˈɪnfərəns/ n inferência f

inferior /ɪnˈfɪərɪə(r)/ a inferior; (work etc) de qualidade inferior □ n inferior mf; (in rank) subalterno m. ~**ity** /ˈɒrətɪ/ n inferioridade f

infernal /ɪnˈfɜːnl/ a infernal

infertil|e /ɪnˈfɜːtaɪl/ a infértil,

estéril. ~ity /-ɔ'tɪlətɪ/ n infertilidade f, esterilidade f

infest /ɪn'fest/ vt infestar (with de). ~ation n infestação f

infidelity /ɪnfɪ'delətɪ/ n infidelidade f

infiltrat|e /ɪnfɪltreɪt/ vt/i infiltrar (-se). ~ion /'treɪ∫n/ n infiltração f

infinite /'ɪnfɪnət/ a & n infinito m. ~ly adv infinitamente

infinitesimal /ɪnfɪnɪ'tesɪml/ a infinitesimal, infinitésimo

infinitive /ɪn'fɪnətɪv/ n infinitivo m

infinity /ɪn'fɪnətɪ/ n infinidade f, infinito m

infirm /ɪn'fɜ:m/ a débil, fraco. ~ity n (illness) enfermidade f; (weakness) fraqueza f

inflam|e /ɪn'fleɪm/ vt inflamar. ~mable /-æməbl/ a inflamável. ~mation /-ɔ'meɪ∫n/ n inflamação f

inflate /ɪn'fleɪt/ vt (balloon etc) encher de ar; (prices) causar inflação de

inflation /ɪn'fleɪ∫n/ n inflação f. ~ary a inflacionário

inflection /ɪn'flek∫n/ n inflexão f; (gram) flexão f, desinência f

inflexible /ɪn'fleksəbl/ a inflexível

inflict /ɪn'flɪkt/ vt infligir, impor (on a)

influence /'ɪnflʊəns/ n influência f □ vt influenciar, influir sobre

influential /ɪnflʊ'en∫l/ a influente

influenza /ɪnflʊ'enzə/ n gripe f

influx /'ɪnflʌks/ n afluência f, influxo m

inform /ɪn'fɔ:m/ vt informar. ~ against or on denunciar. keep ~ed manter ao corrente or a par. ~ant n informante mf. ~er n delator m, denunciante mf

informal /ɪn'fɔ:ml/ a informal; (simple) simples, sem cerimónia; (unofficial) oficioso; (colloquial) familiar; (dress) de passeio, à vontade; (dinner, gathering) íntimo. ~ity /-'mælətɪ/ n informalidade f; (simplicity) simplicidade f; (intimacy) intimidade f. ~ly adv informalmente, sem cerimónia, à vontade

information /ɪnfə'meɪ∫n/ n informação f; (facts, data) informações fpl. ~ technology tec-nologia f da informação

informative /ɪn'fɔ:mətɪv/ a informativo

infra-red /ɪnfrə'red/ a infravermelho

infrequent /ɪn'fri:kwənt/ a pouco frequente. ~ly adv raramente

infringe /ɪn'frɪndʒ/ vt infringir. ~ on transgredir; (rights) violar. ~ment n infracção f; (rights) violação f

infuriat|e /ɪn'fjʊərɪeɪt/ vt enfurecer, enraivecer. ~ing a enfurecedor, de enfurecer, de dar raiva

infus|e /ɪn'fju:z/ vt infundir, incutir; (herbs, tea) pôr de infusão f. ~ion /-ʒn/ n infusão f

ingen|ious /ɪn'dʒiːnɪəs/ *a* engenhoso, bem pensado. **~uity** /-ɪ'njuːətɪ/ *n* engenho *m*, habilidade *f*, imaginação *f*

ingenuous /ɪn'dʒenjʊəs/ *a* cândido, ingénuo

ingot /ˈɪŋɡət/ *n* barra *f*, lingote *m*

ingrained /ɪn'greɪnd/ *a* arraigado, enraizado; (*dirt*) entranhado

ingratiate /ɪn'greɪʃɪeɪt/ *vt* ~ **o.s. with** insinuar-se junto de, cair nas *or* ganhar as boas graças de

ingratitude /ɪn'grætɪtjuːd/ *n* ingratidão *f*

ingredient /ɪn'griːdɪənt/ *n* ingrediente *m*

inhabit /ɪn'hæbɪt/ *vt* habitar. **~ able** *a* habitável. **~ant** *n* habitante *mf*

inhale /ɪn'heɪl/ *vt* inalar, aspirar. **~r** /-ə(r)/ *n* inalador *m*

inherent /ɪn'hɪərənt/ *a* inerente. **~ly** *adv* inerentemente, em si

inherit /ɪn'herɪt/ *vt* herdar (**from** de). **~ance** *n* herança *f*

inhibit /ɪn'hɪbɪt/ *vt* inibir; (*prevent*) impedir. **be ~ed** ser (um) inibido. **~ion** /ˈbɪ/n/ *n* inibição *f*

inhospitable /ɪn'hospɪtəbl/ *a* inóspito; (*of person*) inospitaleiro, pouco/nada hospitaleiro

inhuman /ɪn'hjuːmən/ *a* desumano. **~ity** /ˈmænətɪ/ *n* desumanidade *f*

inhumane /ɪnhjuːˈmeɪn/ *a* inumano, cruel

inimitable /ɪ'nɪmɪtəbl/ *a* inimitável

iniquitous /ɪ'nɪkwɪtəs/ *a* iníquo

initial /ɪ'nɪʃl/ *a & n* inicial *f* □ *vt* (*pt* **initialled**) assinar com as iniciais, rubricar. **~ly** *adv* inicialmente

initiat|e /ɪ'nɪʃɪeɪt/ *vt* iniciar (**into** em); (*scheme*) lançar. **~ion** /ˈeɪʃn/ *n* iniciação *f*; (*start*) início *m*

initiative /ɪ'nɪʃətɪv/ *n* iniciativa *f*

inject /ɪn'dʒekt/ *vt* injectar; (*fig*) insuflar. **~ion** /-ʃn/ *n* injecção *f*

injure /ˈɪndʒə(r)/ *vt* (*harm*) fazer mal a, prejudicar, lesar; (*hurt*) ferir

injury /ˈɪndʒərɪ/ *n* ferimento *m*, lesão *f*; (*wrong*) mal *m*

injustice /ɪn'dʒʌstɪs/ *n* injustiça *f*

ink /ɪŋk/ *n* tinta *f*. **~-well** *n* tinteiro *m*. **~y** *a* sujo de tinta

inkling /ˈɪŋklɪŋ/ *n* ideia *f*, suspeita *f*

inlaid /ɪn'leɪd/ *see* **inlay**[1]

inland /ˈɪnlənd/ *a* interior □ *adv* /ɪn'lænd/ no interior, para o interior. **the I~ Revenue** o Fisco

inlay[1] /ɪn'leɪ/ *vt* (*pt* **inlaid**) embutir, incrustar

inlay[2] /ˈɪnleɪ/ *n* incrustação *f*, embutido *m*

inlet /ˈɪnlet/ *n* braço *m* de mar, enseada *f*; (*techn*) admissão *f*

inmate /ˈɪnmeɪt/ *n* residente *mf*; (*in hospital*) internado *m*; (*in prison*) presidiário *m*

inn /ɪn/ *n* estalagem *f*

innards /ˈɪnədz/ *npl* (*colloq*) tripas (*colloq*) *fpl*

innate /ɪ'neɪt/ *a* inato

inner /'ɪnə(r)/ a interior, interno; (fig) íntimo. ~ **city** centro m da cidade. ~**most** a mais profundo, mais íntimo. ~ **tube** n câmara f de ar

innings /'ɪnɪŋz/ n (cricket) vez f de bater; (pol) período m no poder

innocen|t /'ɪnəsnt/ a & n inocente mf. ~**ce** n inocência f

innocuous /ɪ'nɒkjʊəs/ a inócuo, inofensivo

innovat|e /'ɪnəveɪt/ vi inovar. ~**ion** /-'veɪʃn/ n inovação f. ~**or** n inovador m

innuendo /ɪnjuːˈendəʊ/ n (pl -**oes**) insinuação f, indirecta f

innumerable /ɪ'njuːmərəbl/ a inumerável

inoculat|e /ɪ'nɒkjʊleɪt/ vt inocular. ~**ion** /-'leɪʃn/ n inoculação f, vacina f

inoffensive /ɪnə'fensɪv/ a inofensivo

inoperative /ɪn'ɒpərətɪv/ a inoperante, ineficaz

inopportune /ɪn'ɒpətjuːn/ a inoportuno

inordinate /ɪ'nɔːdɪnət/ a excessivo, desmedido. ~**ly** adv excessivamente, desmedidamente

input /'ɪnpʊt/ n (data) dados mpl; (electr: power) energia f; (computer process) entrada f, dados mpl

inquest /'ɪnkwest/ n inquérito m

inquir|e /ɪn'kwaɪə(r)/ vi informar-se □ vt perguntar, indagar, inquirir. ~**e about** procurar informações sobre, indagar. ~**e into** inquirir, indagar. ~**ing** a (look) interro-

gativo; (mind) inquisitivo. ~**y** n (question) pergunta f; (jur) inquérito m; (investigation) investigação f

inquisition /ɪnkwɪ'zɪʃn/ n inquisição f

inquisitive /ɪn'kwɪzətɪv/ a curioso, inquisitivo; (prying) intrometido, bisbilhoteiro

insan|e /ɪn'seɪn/ a louco, doido. ~**ity** /ɪn'sænətɪ/ n loucura f, demência f

insanitary /ɪn'sænɪtrɪ/ a insalubre, anti-higiénico

insatiable /ɪn'seɪʃəbl/ a insaciável

inscri|be /ɪn'skraɪb/ vt inscrever; (book) dedicar. ~**ption** /-ɪpʃn/ n inscrição f; (in book) dedicatória f

inscrutable /ɪn'skruːtəbl/ a impenetrável, misterioso

insect /'ɪnsekt/ n insecto m

insecur|e /ɪnsɪ'kjʊə(r)/ a (not firm) inseguro, mal seguro; (unsafe; psych) inseguro. ~**ity** n insegurança f, falta f de segurança

insensible /ɪn'sensəbl/ a insensível; (unconscious) inconsciente

insensitive /ɪn'sensətɪv/ a insensível

inseparable /ɪn'seprəbl/ a inseparável

insert¹ /ɪn'sɜːt/ vt inserir; (key) meter, colocar; (add) pôr, inserir. ~**ion** /-ʃn/ n inserção f

insert² /'ɪnsɜːt/ n coisa f inserida

inside /ɪn'saɪd/ n interior m. ~**s** (colloq) tripas fpl (colloq) □ a interior, interno □ adv no interior, dentro, por dentro □ *prep* dentro de; (*of time*) em menos de. ~ **out** de dentro para fora, do avesso; (*thoroughly*) por dentro e por fora, a fundo

insidious /ɪnˈsɪdɪəs/ *a* insidioso

insight /ˈɪnsaɪt/ *n* penetração *f*, perspicácia *f*; (*glimpse*) vislumbre *m*

insignificant /ɪnsɪgˈnɪfɪkənt/ *a* insignificante

insincer|e /ɪnsɪnˈsɪə(r)/ *a* insincero. ~**ity** /ˈsɛrətɪ/ *n* insinceridade *f*, falta *f* de sinceridade

insinuat|e /ɪnˈsɪnjʊeɪt/ *vt* insinuar. ~**ion** /ˈeɪʃn/ *n* (*act*) insinuação *f*; (*hint*) indirecta *f*, insinuação *f*

insipid /ɪnˈsɪpɪd/ *a* insípido, sem sabor

insist /ɪnˈsɪst/ *vt/i* ~ (**on/that**) insistir (em/em que)

insisten|t /ɪnˈsɪstənt/ *a* insistente. ~**ce** *n* insistência *f*. ~**tly** *adv* insistentemente

insolen|t /ˈɪnsələnt/ *a* insolente. ~**ce** *n* insolência *f*

insoluble /ɪnˈsɒljʊbl/ *a* insolúvel

insolvent /ɪnˈsɒlvənt/ *a* insolvente

insomnia /ɪnˈsɒmnɪə/ *n* insónia *f*

inspect /ɪnˈspekt/ *vt* inspeccionar, examinar; (*tickets*) fiscalizar; (*passport*) controlar; (*troops*) passar revista a. ~**ion** /-ʃn/ *n* inspecção *f*, exame *m*; (*ticket*) revisão *f*; (*troops*) revista *f*. ~**or** *n* inspector *m*; (*on train*) revisor *m*

inspir|e /ɪnˈspaɪə(r)/ *vt* inspirar. ~**ation** /-əˈreɪʃn/ *n* inspiração *f*

instability /ɪnstəˈbɪlətɪ/ *n* instabilidade *f*

install /ɪnˈstɔːl/ *vt* instalar; (*heater etc*) montar, instalar. ~**ation** /-əˈleɪʃn/ *n* instalação *f*

instalment /ɪnˈstɔːlmənt/ *n* prestação *f*; (*of serial*) episódio *m*

instance /ˈɪnstəns/ *n* exemplo *m*, caso *m*. **for** ~ por exemplo. **in the first** ~ em primeiro lugar

instant /ˈɪnstənt/ *a* imediato; (*food*) instantâneo □ *n* instante *m*. ~**ly** *adv* imediatamente, logo

instantaneous /ɪnstənˈteɪnɪəs/ *a* instantâneo

instead /ɪnˈsted/ *adv* em vez disso, em lugar disso. ~ **of** em vez de, em lugar de

instigat|e /ˈɪnstɪgeɪt/ *vt* instigar, incitar. ~**ion** /ˈgeɪʃn/ *n* instigação *f*. ~**or** *n* instigador *m*

instil /ɪnˈstɪl/ *vt* (*pt* **instilled**) instilar, insuflar

instinct /ˈɪnstɪŋkt/ *n* instinto *m*. ~**ive** /ɪnˈstɪŋktɪv/ *a* instintivo

institut|e /ˈɪnstɪtjuːt/ *n* instituto *m* □ *vt* instituir; (*legal proceedings*) intentar; (*inquiry*) ordenar. ~**ion** /ˈtjuːʃn/ *n* instituição *f*; (*school*) estabelecimento *m* de ensino; (*hospital*) estabelecimento *m* hospitalar

instruct /ɪnˈstrʌkt/ *vt* instruir; (*order*) mandar, ordenar; (*a* solicitor *etc*) dar instruções a. ~ **s.o. in sth** ensinar alg coisa a alguém. ~**ion** /-∫n/ *n* instrução *f*. ~**ions** /-∫nz/ *npl* instruções *fpl*, modo *m* de emprego; (*orders*) ordens *fpl*. ~**ive** *a* instrutivo. ~**or** *n* instrutor *m*

instrument /ˈInstrʊmənt/ *n* instrumento *m*. ~ **panel** painel *m* de instrumentos

instrumental /Instrʊˈmentl/ *a* instrumental. **be ~ in** ter um papel decisivo em. ~**ist** *n* instrumentalista *mf*

insubordinat|e /Insəˈbɔːdɪnət/ *a* insubordinado. ~**ion** /ˈneI∫n/ *n* insubordinação *f*

insufferable /Inˈsʌfrəbl/ *a* intolerável, insuportável

insufficient /InsəˈfI∫nt/ *a* insuficiente

insular /ˈInsjʊlə(r)/ *a* insular; (*fig: narrow-minded*) limitado, tacanho

insulat|e /ˈInsjʊleIt/ *vt* isolar. ~**ing tape** fita *f* isoladora. ~**ion** /leI∫n/ *n* isolamento *m*

insulin /ˈInsjʊlIn/ *n* insulina *f*

insult[1] /InˈsʌLt/ *vt* insultar, injuriar. ~**ing** *a* insultante, injurioso

insult[2] /ˈInsʌLt/ *n* insulto *m*, injúria *f*

insur|e /Inˈʃʊə(r)/ *vt* segurar, pôr no seguro; (*Amer*) = **ensure**. ~**ance policy** apólice *f* de seguro

insurmountable /Insəˈmaʊntəbl/ *a* insuperável

intact /Inˈtækt/ *a* intacto

intake /ˈInteIk/ *n* admissão *f*; (*techn*) admissão *f*, entrada *f*; (*of food*) ingestão *f*

intangible /Inˈtændʒəbl/ *a* intangível

integral /ˈIntIgrəl/ *a* integral. **be an ~ part of** ser parte integrante de

integrat|e /ˈIntIgreIt/ *vt/i* integrar (-se). ~**ed circuit** circuito *m* integrado. ~**ion** /ˈgreI∫n/ *n* integração *f*

integrity /InˈtegrətI/ *n* integridade *f*

intellect /ˈIntəlekt/ *n* intelecto *m*, inteligência *f*. ~**ual** /ˈlekt∫ʊəl/ *a & n* intelectual *mf*

intelligen|t /InˈtelIdʒənt/ *a* inteligente. ~**ce** *n* inteligência *f*; (*mil*) informações *fpl*. ~**tly** *adv* inteligentemente

intelligible /InˈtelIdʒəbl/ *a* inteligível

intend /Inˈtend/ *vt* tencionar; (*destine*) reservar, destinar. ~**ed** *a* intencional, proposital do

intens|e /Inˈtens/ *a* intenso; (*person*) emotivo. ~**ely** *adv* intensamente; (*very*) extremamente. ~**ity** *n* intensidade *f*

intensif|y /InˈtensIfaI/ *vt* intensificar. ~**ication** /-IˈkeI∫n/ *n* intensificação *f*

intensive /InˈtensIv/ *a* intensivo. ~ **care** cuidados *m* intensivos

intent /Inˈtent/ *n* intento *m*, desígnio *m*, propósito *m* □ *a* atento, concentrado. ~ **on** absorto em; (*intending to*) decidido a. ~**ly** *adv* atentamente

intention /Inˈten∫n/ *n* intenção *f*. ~**al** *a* intencional. ~**ally** *adv* de propósito

inter /ɪn'tɜ:(r)/ vt (pt interred) enterrar

inter- /'ɪntə(r)/ pref inter-

interact /ɪntə'rækt/ vi agir uns sobre os outros. ~ion /-ʃn/ n interacção f

intercede /ɪntə'si:d/ vi interceder

intercept /ɪntə'sept/ vt interceptar

interchange¹ /ɪntə'tʃeɪndʒ/ vt permutar, trocar. ~able a permutável

interchange² /'ɪntətʃeɪndʒ/ n permuta f, intercâmbio m; (road junction) nó m

intercom /'ɪntəkɒm/ n intercomunicador m

interconnected /ɪntəkə'nektɪd/ a (facts, events etc) ligado, relacionado

intercourse /'ɪntəkɔ:s/ n (sexual) relações fpl sexuais

interest /'ɪntrəst/ n interesse m; (legal share) título m; (in finance) juro(s) m(pl). rate of ~ taxa f de juros □ vt interessar. ~ed a interessado. be ~ed in interessar-se por. ~ing a interessante

interface /'ɪntəfeɪs/ n interface f

interfer|e /ɪntə'fɪə(r)/ vi interferir, intrometer-se (in em); (meddle, hinder) interferir (with com); (tamper) mexer indevidamente (with em). ~ence n interferência f

interim /'ɪntərɪm/ n in the ~ nesse/neste interim m □ a interino, provisório

interior /ɪn'tɪərɪə(r)/ a & n interior m

interjection /ɪntə'dʒekʃn/ n interjeição f

interlock /ɪntə'lɒk/ vt/i entrelaçar; (pieces of puzzle etc) encaixar(-se); (mech.: wheels) engrenar, engatar

interloper /'ɪntələʊpə(r)/ n intruso m

intermarr|iage /ɪntə'mærɪdʒ/ n casamento m entre membros de diferentes famílias, raças etc; (between near relations) casamento m consanguíneo. ~y vi ligar-se por casamento

intermediary /ɪntə'mi:dɪərɪ/ a & n intermediário m

intermediate /ɪntə'mi:dɪət/ a intermédio, intermediário

interminable /ɪn'tɜ:mɪnəbl/ a interminável, infindável

intermission /ɪntə'mɪʃn/ n intervalo m

intermittent /ɪntə'mɪtnt/ a termitente. ~ly adv intermitentemente

intern /ɪn'tɜ:n/ vt internar. ~ee /'ni:/ n internado m. ~ment n internamento m

internal /ɪn'tɜ:nl/ a interno, interior. ~ly adv internamente, interiormente

international /ɪntə'næʃnəl/ a & n internacional m

interpolate /ɪn'tɜ:pəleɪt/ vt terpolar

interpret /ɪn'tɜ:prɪt/ vt/i interpretar. ~ation /'teɪʃn/ n interpretação f. ~er n intérprete mf

interrelated /ɪntərɪ'leɪtɪd/ a inter-relacionado, correlacionado

interrogat|e /ɪn'terəgeɪt/ vt interrogar. ~ion /geɪʃn/ n interrogação f; (of police etc) interrogatório m

interrogative /Intə'rɒgətɪv/ *a*
interrogativo □ *a* (*pronoun*)
pronome *m* interrogativo

interrupt /Intə'rʌpt/ *vt* interromper. **~ion** /-ʃn/ *n* interrupção *f*

intersect /Intə'sekt/ *vt/i* intersectar(-se); (*roads*) cruzar-se. **~ion** /-ʃn/ *n* intersecção *f*; (*crossroads*) cruzamento *m*

intersperse /Intə'spɜːs/ *vt* entremear, intercalar; (*scatter*) espalhar

interval /'Intəvl/ *n* intervalo *m*. **at ~s** a intervalos

interven|e /Intə'viːn/ *vi* (*interfere*) intervir; (*of time*) passar-se, decorrer; (*occur*) sobrevir, intervir. **~tion** /'ven ʃn/ *n* intervenção *f*

interview /'Intəvjuː/ *n* entrevista *f* □ *vt* entrevistar. **~ee** *n* entrevistado *m*. **~er** *n* entrevistador *m*

intestin|e /In'testɪn/ *n* intestino *m*. **~al** *a* intestinal

intima|te¹ /'Intɪmət/ *a* íntimo; (*detailed*) profundo. **~cy** *n* intimidade *f*. **~tely** *adv* intimamente

intimate² /'IntɪmeIt/ *vt* (*announce*) dar a conhecer, fazer saber; (*imply*) dar a entender

intimidat|e /In'tɪmɪdeIt/ *vt* intimidar. **~ion** /-'deI ʃn/ *n* intimidação *f*

into /'Intə/; *emphatic* /'Intʊ/ *prep* para dentro de. **divide ~ three** dividir em três. **~ pieces** aos bocados. **translate ~** traduzir para

intolerable /In'tɒlərəbl/ *a* intolerável, insuportável

intoleran|t /In'tɒlərənt/ *a* intolerante. **~ce** *n* intolerância *f*

intonation /Intə'neI ʃn/ *n* entoação *f*, inflexão *f*

intoxicat|ed /In'tɒksIkeItId/ *a* embriagado, etilizado. **~ion** /'keI ʃn/ *n* embriaguez *f*

intra- /Intrə/ *pref* intra-

intractable /In'træktəbl/ *a* intratável, difícil

intransigent /In'trænsIdʒənt/ *a* intransigente

intransitive /In'trænsətIv/ *a* (*verb*) intransitivo

intravenous /Intrə'viːnəs/ *a* intravenoso

intrepid /In'trepId/ *a* intrépido, arrojado

intrica|te /'IntrIkət/ *a* intrincado, complexo. **~cy** *n* complexidade *f*

intrigu|e /In'triːg/ *vt/i* intrigar □ *n* intriga *f*. **~ing** *a* intrigante, curioso

intrinsic /In'trInsIk/ *a* intrínseco. **~ally** /-klI/ *adv* intrinsecamente

introduce /Intrə'djuːs/ *vt* (*programme, question*) apresentar; (*bring in, insert*) introduzir; (*initiate*) iniciar. **~ sb to sb** (*person*) apresentar alg a alguém

introduct|ion /Intrə'dʌk ʃn/ *n* introdução *f*; (*of/to person*) apresentação *f*. **~ory** /-tərI/ *a* introdutório, de introdução; (*letter, words*) de apresentação

introspective /Intrə'spektIv/ *a* introspectivo

introvert /'Intrəvɜːt/ *n* & *a* introvertido *m*

intru|de /In'truːd/ *vi* intrometer-se, ser a mais. **~der** *n* intruso *m*. **~sion** *n* intrusão *f*. **~sive** *a* intruso

intuit|ion /Intju:'ɪʃn/ *n* intuição *f*. **~ive** /ɪn'tju:ɪtɪv/ *a* intuitivo

inundate /'ɪnʌndeɪt/ *vt* inundar (**with** de)

invade /ɪn'veɪd/ *vt* invadir. **~r** /-ə(r)/ *n* invasor *m*

invalid¹ /'ɪnvəlɪd/ *n* inválido *m*

invalid² /ɪn'vælɪd/ *a* inválido. **~ate** *vt* invalidar

invaluable /ɪn'væljʊəbl/ *a* inestimável

invariabl|e /ɪn'veərɪəbl/ *a* variável. **~y** *adv* invariavelmente

invasion /ɪn'veɪʒn/ *n* invasão *f*

invective /ɪn'vektɪv/ *n* invectiva *f*

invent /ɪn'vent/ *vt* inventar. **~ion** *n* invenção *f*. **~ive** *a* inventivo. **~or** *n* inventor *m*

inventory /'ɪnvəntrɪ/ *n* inventário *m*

inverse /ɪn'vɜ:s/ *a* & *n* inverso *m*. **~ly** *adv* inversamente

inver|t /ɪn'vɜ:t/ *vt* inverter. **~ted commas** aspas *fpl*. **~sion** *n* inversão *f*

invest /ɪn'vest/ *vt* investir; (*time*, *effort*) dedicar □ *vi* fazer um investimento. **~ in** (*colloq: buy*) gastar dinheiro em. **~ment** *n* investimento *m*. **~or** *n* investidor *m*, financiador *m*

investigat|e /ɪn'vestɪgeɪt/ *vt* investigar. **~ion** /-'geɪʃn/ *n* investigação *f*. **under ~ion** em estudo. **~or** *n* investigador *m*

inveterate /ɪn'vetərət/ *a* inveterado

invidious /ɪn'vɪdɪəs/ *a* antipático, odioso

invigorate /ɪn'vɪɡəreɪt/ *vt* revigorar; (*encourage*) estimular

invincible /ɪn'vɪnsəbl/ *a* invencível

invisible /ɪn'vɪzəbl/ *a* invisível

invit|e /ɪn'vaɪt/ *vt* convidar; (*bring on*) pedir, provocar. **~ation** /ɪnvɪ'teɪʃn/ *n* convite *m*. **~ing** *a* (*tempting*) tentador; (*pleasant*) acolhedor, convidativo

invoice /'ɪnvɔɪs/ *n* factura *f* □ *vt* facturar

invoke /ɪn'vəʊk/ *vt* invocar

involuntary /ɪn'vɒləntrɪ/ *a* involuntário

involve /ɪn'vɒlv/ *vt* implicar, envolver. **~d** *a* (*complex*) complicado; (*at stake*) em jogo; (*emotionally*) envolvido. **~d in** implicado em. **~ment** *n* envolvimento *m*, participação *f*

invulnerable /ɪn'vʌlnərəbl/ *a* invulnerável

inward /'ɪnwəd/ *a* interior; (*thought etc*) íntimo. **~(s)** *adv* para dentro, para o interior. **~ly** *adv* interiormente, intimamente

iodine /'aɪədi:n/ *n* iodo *m*; (*antiseptic*) tintura *f* de iodo

IOU /aɪəʊ'ju:/ *n abbr* vale *m*

IQ /aɪ'kju:/ *abbr* (*intelligence quotient*) Q I *m*

Iran /ɪ'rɑ:n/ *n* Irã *m*. **~ian** /ɪ'reɪnɪən/ *a* & *n* iraniano *m*

Iraq /ɪ'rɑ:k/ *n* Iraque *m*. **~i** *a* & *n* iraquiano *m*

irascible /ɪˈræsəbl/ a irascível

irate /aɪˈreɪt/ a irado, enraivecido

Ireland /ˈaɪələnd/ n Irlanda f

iris /ˈaɪərɪs/ n (anat, bot) íris f

Irish /ˈaɪərɪʃ/ a & n (language) irlandês m. **~man** n irlandês m. **~woman** n irlandesa f

irk /ɜːk/ vt aborrecer, incomodar. **~some** a aborrecido

iron /ˈaɪən/ n ferro m; (appliance) ferro m de engomar ☐ a de ferro ☐ vt passar a ferro. **~ out** fazer desaparecer; (fig) aplanar, resolver. **~ing** n do the **~ing** passar a roupa. **~ing-board** n tábua f de engomar

ironic(al) /aɪˈrɒnɪk(l)/ a irónico

ironmonger /ˈaɪənmʌŋgə(r)/ n ferreiro m **~'s** n (shop) loja f de ferragens

irony /ˈaɪərənɪ/ n ironia f

irrational /ɪˈræʃənl/ a irracional; (person) ilógico, que não raciocina

irreconcilable /ɪrekənˈsaɪləbl/ a irreconciliável

irrefutable /ɪrɪˈfjuːtəbl/ a irrefutável

irregular /ɪˈregjʊlə(r)/ a irregular. **~ity** /ˈlærətɪ/ n irregularidade f

irrelevant /ɪˈreləvənt/ a irrelevante, que não é pertinente

irreparable /ɪˈrepərəbl/ a irreparável, irremediável

irreplaceable /ɪrɪˈpleɪsəbl/ a insubstituível

irresistible /ɪrɪˈzɪstəbl/ a irresistível

irresolute /ɪˈrezəluːt/ a irresoluto

irrespective /ɪrɪˈspektɪv/ a **~ of** sem levar em conta, independente de

irresponsible /ɪrɪˈspɒnsəbl/ a irresponsável

irretrievable /ɪrɪˈtriːvəbl/ a irreparável

irreverent /ɪˈrevərənt/ a irreverente

irreversible /ɪrɪˈvɜːsəbl/ a irreversível; (decision) irrevogável

irrigat|e /ˈɪrɪgeɪt/ vt irrigar. **~ion** /ˈgeɪʃn/ n irrigação f

irritable /ˈɪrɪtəbl/ a irritável, irascível

irritat|e /ˈɪrɪteɪt/ vt irritar. **~ion** /ˈteɪʃn/ n irritação f

is /ɪz/ see **be**

Islam /ˈɪzlɑːm/ n Islão m. **~ic** /ɪzˈlæmɪk/ a islâmico

island /ˈaɪlənd/ n ilha f. **traffic ~** abrigo m de peões, placa f de refúgio

isolat|e /ˈaɪsəleɪt/ vt isolar. **~ion** /ˈleɪʃn/ n isolamento m

Israel /ˈɪzreɪl/ n Israel m. **~i** /ɪzˈreɪlɪ/ a & n israelita mf

issue /ˈɪʃuː/ n questão f; (outcome) resultado m; (of magazine etc) número m; (of stamps, money etc) emissão f ☐ vt distribuir, dar; (stamps, money etc) emitir; (orders) dar ☐ vi **~ from** sair de. **at ~** em questão. **take ~ with** entrar em discussão com, discutir com

it /ɪt/ pron (subject) ele, ela; (object) o, a; (non-specific) isto, isso, aquilo. **~ is cold** está or faz frio. **~ is the 6th of May** são seis de Maio. **that's ~** é isso. **take ~** leva isso. **who is ~?** quem é?

italic /ɪ'tælɪk/ *a* itálico. ~s *npl* itálico *m*

Ital|y /'ɪtəlɪ/ *n* Itália *f*. ~ian /ɪ'tælɪən/ *a* & *n* (*person, lang*) italiano *m*

itch /ɪtʃ/ *n* comichão *f*; (*fig: desire*) desejo *m* ardente □ *vi* coçar, sentir comichão, comichar. **my arm ~es** estou com comichão no braço. **I am ~ing to** estou morto por (*colloq*). ~**y** *a* que faz comichão

item /'aɪtəm/ *n* item *m*, artigo *m*; (*on programme*) número *m*; (*on agenda*) ponto *m*.

news ~ notícia *f*. ~**ize** /-aɪz/ *vt* discriminar, especificar

itinerant /aɪ'tɪnərənt/ *a* itinerante; (*musician, actor*) ambulante

itinerary /aɪ'tɪnərərɪ/ *n* itinerário *m*

its /ɪts/ *a* seu, sua, seus, suas

it's /ɪts/ = **it is**, **it has**

itself /ɪt'self/ *pron* ele mesmo, ele próprio, ela mesma, ela própria; (*reflexive*) se; (*after prep*) si mesmo, si próprio, si mesma, si própria. **by ~** sozinho, por si

ivory /'aɪvərɪ/ *n* marfim *m*

ivy /'aɪvɪ/ *n* hera *f*

J

jab /dʒæb/ vt (pt jabbed) espetar □ n espetada f; (colloq: injection) picada f

jabber /ˈdʒæbə(r)/ vi tagarelar; (indistinctly) falar confusamente □ n tagarelice f; (indistinct speech) algaravia f; (indistinct voices) algaraviada f

jack /dʒæk/ n (techn) macaco m; (cards) valete m □ vt ~ up levantar com macaco. the Union J~ a bandeira f inglesa

jackal /ˈdʒækl/ n chacal m

jackdaw /ˈdʒækdɔ:/ n gralha f

jacket /ˈdʒækɪt/ n casaco (curto) m; (of book) sobrecapa f; (of potato) casca f

jack-knife /ˈdʒæknaɪf/ vi (lorry) perder o controle

jackpot /ˈdʒækpɒt/ n sorte f grande. hit the ~ ganhar a sorte grande

Jacuzzi /dʒəˈku:zi:/ n jacuzzi m, banheira f de hidromassagem

jade /dʒeɪd/ n (stone) jade m

jaded /ˈdʒeɪdɪd/ a (tired) estafado; (bored) enfastiado

jagged /ˈdʒægɪd/ a recortado, denteado; (sharp) pontiagudo

jail /dʒeɪl/ n prisão f □ vt prender, colocar na cadeia. ~er n carcereiro m

jam¹ /dʒæm/ n doce f, compota f

jam² /dʒæm/ vt/i (pt jammed) (wedge) entalar; (become wedged) entalar-se; (crowd) apinhar(-se); (mech) bloquear; (radio) provocar interferências em □ n (crush) aperto m; (traffic) engarrafamento m; (colloq: difficulty) apuros m pl, aperto m. ~ one's brakes on (colloq) pôr o pé no travão subitamente, ~-packed a (colloq) abarrotado (with de)

Jamaica /dʒəˈmeɪkə/ n Jamaica f

jangle /ˈdʒæŋgl/ n som m estridente □ vi retinir

janitor /ˈdʒænɪtə(r)/ n porteiro m; (caretaker) zelador m

January /ˈdʒænjʊərɪ/ n Janeiro m

Japan /dʒəˈpæn/ n Japão m. ~ese /dʒæpəˈni:z/ a & n japonês m

jar¹ /dʒɑ:(r)/ n pote m. jam-~ n frasco m de geléia

jar² /dʒɑ:(r)/ vt/i (pt jarred)

ressoar, bater ruidosamente (**against** contra); (*of colours*) destoar; (*disagree*) discordar (**with** de) □ *n* (*shock*) choque *m*. **~ring** *a* dissonante

jargon /'dʒɑːgən/ *n* jargão *m*, gíria *f* profissional

jaundice /'dʒɔːndɪs/ *n* icterícia *f*. **~d** *a* (*fig*) invejoso, despeitado

jaunt /dʒɔːnt/ *n* (*trip*) passeata *f*

jaunty /'dʒɔːntɪ/ *a* (**-ier, -iest**) (*cheerful*) alegre, jovial; (*sprightly*) desenvolto

javelin /'dʒævlɪn/ *n* dardo *m*

jaw /dʒɔː/ *n* maxilar *m*, mandíbula *f*

jay /dʒeɪ/ *n* gaio *m*. **~-walker** *n* peão *m* indisciplinado

jazz /dʒæz/ *n* jazz *m* □ *vt* **~ up** animar. **~y** *a* (*colloq*) espalhafatoso

jealous /'dʒeləs/ *a* ciumento; (*envious*) invejoso. **~y** *n* ciúme *m*; (*envy*) inveja *f*

jeans /dʒiːnz/ *npl* (blue-)jeans *mpl*, calças *fpl* de ganga

jeep /dʒiːp/ *n* jipe *m*

jeer /dʒɪə(r)/ *vt/i* **~ at** (*laugh*) fazer troça de; (*scorn*) escarnecer de; (*boo*) vaiar □ *n* (*mockery*) troça *f*; (*booing*) vaia *f*

jell /dʒel/ *vi* tomar consistência, gelatinizar-se

jelly /'dʒelɪ/ *n* gelatina *f*.

jellyfish /'dʒelɪfɪʃ/ *n* medusa *f*, alforreca *f*

jeopard|**y** /'dʒepədɪ/ *n* perigo *m*. **~ize** *vt* comprometer, pôr em perigo

jerk /dʒɜːk/ *n* solavanco *m*;

sacão *m*; (*sl*: *fool*) idiota *mf* □ *vt/i* sacudir; (*move jerkily*) mover-se aos solavancos, mover(-se) aos sacões. **~y** *a* sacudido

jersey /'dʒɜːzɪ/ *n* (*pl* **-eys**) camisola *f*; (*fabric*) jérsei *m*

jest /dʒest/ *n* gracejo *m*, graça *f* □ *vi* gracejar, brincar

Jesus /'dʒiːzəs/ *n* Jesus *m*

jet¹ /dʒet/ *n* azeviche *m*. **~-black** *a* negro de azeviche

jet² /dʒet/ *n* jacto *m*; (*plane*) (avião a) jacto *m*. **~ lag** cansaço *m* provocado pela diferença de fuso horário. **~-propelled** *a* de propulsão a jacto

jettison /'dʒetɪsn/ *vt* alijar; (*discard*) desfazer-se de; (*fig*) abandonar

jetty /'dʒetɪ/ *n* (*breakwater*) quebra-mar *m*; (*landing-stage*) desembarcadouro *m*, cais *m*

Jew /dʒuː/ *n* judeu *m*

jewel /'dʒuːəl/ *n* jóia *f*. **~ler** *n* joalheiro *m*. **~ler's** (**shop**) joalheria *f*. **~lery** *n* jóias *fpl*

Jewish /'dʒuːɪʃ/ *a* judeu

jib /dʒɪb/ *vi* (*pt* **jibbed**) recusar-se a avançar; (*of a horse*) negar-se, recusar-se ~ **at** (*fig*) opor-se a, ter relutância em □ *n* (*sail*) bujarrona *f*

jig /dʒɪg/ *n* jiga *f*

jiggle /'dʒɪgl/ *vt* (*rock*) balançar; (*jerk*) sacolejar

jigsaw /'dʒɪgsɔː/ *n* **~(-puzzle)** puzzle *m*, quebra-cabeças *m*

jilt /dʒɪlt/ *vt* deixar, abandonar, (*colloq*) mandar passear (*colloq*)

jingle /'dʒɪŋgl/ *vt/i* tilintar, tinir □ *n* tilintar *m*, tinido *m*; (*advertising etc*) música *f* de anúncio, jingle *m*

jinx /dʒɪŋks/ *n* (*colloq*) pessoa *f* or coisa *f* azarenta; (*fig: spell*) azar *m*

jitter|s /ˈdʒɪtəz/ *npl* the ~s (*colloq*) nervos *mpl*. ~**y** /-əri/ *a* **be** ~**y** (*colloq*) estar nervoso, ter os nervos à flor da pele (*colloq*)

job /dʒɒb/ *n* trabalho *m*; (*post*) emprego *m*. **have a** ~ **doing** ter dificuldade em fazer. **it is a good** ~ **that** felizmente que. ~**less** *a* desempregado

jobcentre /ˈdʒɒbsentə(r)/ *n* posto *m* de desemprego

jockey /ˈdʒɒkɪ/ *n* (*pl* -**eys**) jóquei *m*

jocular /ˈdʒɒkjʊlə(r)/ *a* jocoso, galhofeiro, brincalhão

jog /dʒɒg/ *vt* (*pt* **jogged**) dar um leve empurrão em, tocar em; (*memory*) refrescar □ *vi* (*sport*) fazer jogging. ~**ging** *n* jogging *m*

join /dʒɔɪn/ *vt* juntar, unir; (*become member*) fazer-se sócio de, entrar para. ~ **sb** juntar-se a alg □ *vi* (*of roads*) juntar-se, entroncar-se; (*of rivers*) confluir □ *n* junção *f*, junta *f*. ~ **in** *vt/i* participar (em). ~ **up** alistar-se

joiner /ˈdʒɔɪnə(r)/ *n* marceneiro *m*

joint /dʒɔɪnt/ *a* comum, conjunto; (*effort*) conjunto □ *n* junta *f*, junção *f*; (*anat*) articulação *f*; (*culin*) quarto *m*; (*roast meat*) carne *f* assada;

(*sl: place*) espelunca *f*. ~ **author** co-autor *m*. ~**ly** *adv* conjuntamente

joist /dʒɔɪst/ *n* trave *f*, barrote *m*

joke /dʒəʊk/ *n* piada *f*, gracejo *m* □ *vi* gracejar. ~**er** *n* brincalhão *m*; (*cards*) diabo *m*. ~**ingly** *adv* brincadeira

jolly /ˈdʒɒlɪ/ *a* (-**ier**, -**iest**) alegre, bem disposto □ *adv* (*colloq*) muito. ~**ity** *n* festança *f*, pândega *f*

jolt /dʒəʊlt/ *vt* sacudir, sacolejar □ *vi* ir aos solavancos □ *n* solavanco *m*; (*shock*) choque *m*, sobressalto *m*

jostle /ˈdʒɒsl/ *vt* dar um encontrão *or* encontrões em, empurrar □ *vi* empurrar, acotovelar-se

jot /dʒɒt/ *n* (**not a**) ~ nada □ *vt* (*pt* **jotted**) ~ (**down**) apontar, tomar nota de. ~**ter** *n* (*pad*) bloco *m* de notas

journal /ˈdʒɜːnl/ *n* diário *m*; (*newspaper*) jornal *m*; (*periodical*) periódico *m*, revista *f*. ~**ism** *n* jornalismo *m*. ~**ist** *n* jornalista *mf*

journey /ˈdʒɜːnɪ/ *n* (*pl* -**eys**) viagem *f*; (*distance*) trajecto *m* □ *vi* viajar

jovial /ˈdʒəʊvɪəl/ *a* jovial

joy /dʒɔɪ/ *n* alegria *f*. ~-**ride** *n* passeio *m* em carro roubado. ~**ful**, ~**ous** *adjs* alegre

jubil|ant /ˈdʒuːbɪlənt/ *a* cheio de alegria, jubiloso. ~**ation** /leɪʃn/ *n* júbilo *m*, regozijo *m*

jubilee /ˈdʒuːbɪliː/ *n* jubileu *m*

Judaism /ˈdʒuːdeɪɪzəm/ *n* judaísmo *m*

judder /ˈdʒʌdə(r)/ *vi* trepidar, vibrar □ *n* trepidação *f*, vibração *f*

judge /dʒʌdʒ/ *n* juiz *m* □ *vt* julgar. **~ment** *n* (*judging*) julgamento *m*, juízo *m*; (*opinion*) juízo *m*; (*decision*) julgamento *m*

judic|iary /dʒuːˈdɪʃərɪ/ *n* magistratura *f*, (*system*) judiciário *m*. **~ial** *a* judiciário

judicious /dʒuːˈdɪʃəs/ *a* judicioso

judo /ˈdʒuːdəʊ/ *n* judo *m*

jug /dʒʌg/ *n* (*tall*) jarro *m*; (*round*) botija *f*, **milk~** *n* leiteira *f*

juggernaut /ˈdʒʌgənɔːt/ *n* (*lorry*) camião *m* TIR

juggle /ˈdʒʌgl/ *vt/i* fazer malabarismos (**with** com). **~r** /-ə(r)/ *n* malabarista *mf*

juic|e /dʒuːs/ *n* suco *m*, sumo *m*. **~y** *a* suculento; (*colloq: story etc*) picante

juke-box /ˈdʒuːkbɒks/ *n* juke-box *f*, máquina *f* de música

July /dʒuːˈlaɪ/ *n* Julho *m*

jumble /ˈdʒʌmbl/ *vt* misturar □ *n* mistura *f*. **~ sale** venda *f* de caridade (de objetos usados)

jumbo /ˈdʒʌmbəʊ/ *a* **~ jet** (avião) jumbo *m*

jump /dʒʌmp/ *vt/i* saltar; (*start*) sobressaltar(-se); (*of prices etc*) subir repentinamente □ *n* salto *m*; (*start*) sobressalto *m*; (*of prices*) alta *f*. **~ at** aceitar imediatamente. **~ the gun** agir prematuramente. **~ the queue** não respeitar a vez, meter-se à frente **~ to conclusions** tirar conclusões precipitadas

jumper /ˈdʒʌmpə(r)/ *n* camisola *f* de lã

jumpy /ˈdʒʌmpɪ/ *a* nervoso

junction /ˈdʒʌŋkʃn/ *n* junção *f*; (*of roads etc*) entroncamento *m*

June /dʒuːn/ *n* Junho *m*

jungle /ˈdʒʌŋgl/ *n* selva *f*, floresta *f*

junior /ˈdʒuːnɪə(r)/ *a* júnior; (*in age*) mais novo (**to** que); (*in rank*) subalterno; (*school*) primária □ *n* o mais novo *m*; (*sport*) júnior *mf*. **~ to** (*in rank*) abaixo de

junk /dʒʌŋk/ *n* ferro-velho *m*, velharias *fpl*; (*rubbish*) lixo *m*. **~ food** comida *f* sem valor nutritivo. **~ mail** material *m* impresso, enviado por correio, sem ter sido solicitado. **~ shop** loja *f* de ferro-velho, bricabraque *m*

junkie /ˈdʒʌŋkɪ/ *n* (*sl*) drogado *m*

jurisdiction /dʒʊərɪsˈdɪkʃn/ *n* jurisdição *f*

juror /ˈdʒʊərə(r)/ *n* jurado *m*

jury /ˈdʒʊərɪ/ *n* júri *m*

just /dʒʌst/ *a* justo □ *adv* justamente, exactamente; (*only*) só. **he has ~ left** ele acabou de sair. **~ listen!** escuta só! **~ as** assim como; (*with time*) assim que. **~ as tall as** exactamente tão alto quanto. **~ as well that** ainda bem que. **~ before** um momento antes (de). **~ly** *adv* com justiça, justamente

justice /ˈdʒʌstɪs/ *n* justiça *f*. **J~ of the Peace** juiz *m* de paz

justifiabl|e /ˈdʒʌstɪfaɪəbl/ *a*

justificável. ~**y** *adv* com razão, justificadamente

justif|y /ˈdʒʌstɪfaɪ/ *vt* justificar. ~**ication** /-ɪˈkeɪʃn/ *n* justificação *f*

jut /dʒʌt/ *vi* (*pt* **jutted**) ~ **out** fazer saliência, sobressair

juvenile /ˈdʒuːvənaɪl/   *a* (*youthful*) juvenil; (*childish*) pueril; (*delinquent*) jovem; (*court*) de menores □ *n* jovem *mf*

juxtapose /dʒʌkstəˈpəʊz/ *vt* justapor

K

kaleidoscope /kə'laɪdəskəʊp/ n caleidoscópio m

kangaroo /kæŋgə'ruː/ n canguru m

karate /kə'rɑːtɪ/ n karaté m

kebab /kə'bæb/ n espetada f

keel /kiːl/ n quilha f □ vi ~ **over** virar-se

keen /kiːn/ a (**-er**, **-est**) (*sharp*) agudo; (*eager*) entusiástico; (*of appetite*) devorador; (*of intelligence*) vivo; (*of wind*) cortante. **~ly** adv vivamente; (*eagerly*) com entusiasmo. **~ness** n vivacidade f; (*enthusiasm*) entusiasmo m

keep /kiːp/ (*pt* **kept**) vt guardar; (*family*) sustentar; (*animals*) ter, criar; (*celebrate*) festejar; (*conceal*) esconder; (*delay*) demorar; (*prevent*) impedir (**from** de); (*promise*) cumprir; (*shop*) ter □ vi manter-se, conservar-se; (*remain*) ficar. ~ (**on**) continuar (**doing** a fazer) □ n sustento m; (*of castle*) torre f de menagem. ~ **back** vt (*withhold*) reter □ vi manter-se afastado. ~ **in/out** impedir de entrar/de sair. ~ **up** conservar.

~ **up** (**with**) acompanhar. **~er** n guarda mf

keeping /'kiːpɪŋ/ n guarda f, cuidado m. **in** ~ **with** de harmonia com

keepsake /'kiːpseɪk/ n (*thing*) lembrança f, recordação f

keg /keg/ n barril m pequeno

kennel /'kenl/ n casota f (de cão). **~s** npl canil m

kept /kept/ see **keep**

kerb /kɜːb/ n borda f do passeio

kernel /'kɜːnl/ n (*of nut*) miolo m

kerosene /'kerəsiːn/ n (*paraffin*) petróleo m; (*aviation fuel*) gasolina f

ketchup /'ketʃəp/ n molho m de tomate, ketchup m

kettle /'ketl/ n chaleira f

key /kiː/ n chave f; (*of piano etc*) tecla f; (*mus*) clave f □ a chave. **~-ring** n chaveiro m, porta-chaves m invar □ vt ~ **in** digitar, bater. **~ed up** tenso

keyboard /'kiːbɔːd/ n teclado m

keyhole /'kiːhəʊl/ n buraco m da fechadura

khaki /'kɑːkɪ/ a & n caqui (*invar m*)

kick /kɪk/ vt/i dar um pontapé or pontapés (a, em); (ball) chutar (em); (of horse) dar um coice or coices, escoicear □ n pontapé m; (of gun, horse) coice m; (colloq: thrill) excitação f, prazer m. ~-off n pontapé m de saída ~ out (colloq) pôr na rua. ~ up (colloq: fuss, racket) fazer

kid /kɪd/ n (goat) cabrito m; (sl: child) garoto m; (leather) pelica f □ vt/i (pt kidded) (colloq) brincar (com)

kidnap /'kɪdnæp/ vt (pt kidnapped) raptar. ~ping n rapto m

kidney /'kɪdnɪ/ n rim m

kill /kɪl/ vt matar; (fig: put an end to) acabar com □ n matança f. ~er n assassino m. ~ing n matança f, massacre m; (of game) caçada f □ a (colloq: funny) de morrer a rir; (colloq: exhausting) de morte

killjoy /'kɪldʒɔɪ/ n desmancha-prazeres mf

kiln /kɪln/ n forno m

kilo /'kiːləʊ/ n (pl -os) quilo m

kilogram /'kɪləgræm/ n quilograma m

kilometre /'kɪləmiːtə(r)/ n quilómetro m

kilowatt /'kɪləwɒt/ n quilovate m

kilt /kɪlt/ n kilt m, saiote m escocês

kin /kɪn/ n família f, parentes mpl. next ~ os parentes mais próximos

kind¹ /kaɪnd/ n espécie f, género m, natureza f. in ~ em géneros; (fig: in the same

form) na mesma moeda. ~ of (colloq: somewhat) de certo modo, um pouco

kind² /kaɪnd/ a (-er, -est) (good) bom; (friendly) gentil, amável. ~-hearted a bom, bondoso. ~ness n bondade f

kindergarten /'kɪndəgɑːtn/ n jardim de infância m, jardim infantil m

kindle /'kɪndl/ vt/i acender(-se), atear(-se)

kindly /'kaɪndlɪ/ a (-ier, -iest) benévolo, bondoso □ adv bondosamente, gentilmente, com sim-patia. ~ wait tenha a bondade de esperar

kindred /'kɪndrɪd/ a aparentado; (fig: connected) afim. ~ spirit alma f gémea

kinetic /kɪ'netɪk/ a cinético

king /kɪŋ/ n rei m. ~-size(d) a de tamanho grande

kingdom /'kɪŋdəm/ n reino m

kingfisher /'kɪŋfɪʃə(r)/ n pica-peixe m, martim-pescador m

kink /kɪŋk/ n (in rope) volta f, nó m; (fig) perversão f. ~y a (colloq) excêntrico, pervertido; (of hair) encarapinhado

kiosk /'kiːɒsk/ n quiosque m. **telephone** ~ cabine telefónica

kip /kɪp/ n (sl) sono m □ vi (pt kipped) (sl) dormir

kipper /'kɪpə(r)/ n arenque m fumado

kiss /kɪs/ n beijo m □ vt/i beijar (-se)

kit /kɪt/ n equipamento m; (set of tools) ferramenta f; (for assembly) kit m □ vt (pt kitted) ~ out equipar

kitbag /'kɪtbæg/ n mochila f (de soldado etc); saco m de viagem

kitchen /'kɪtʃɪn/ n cozinha f. ~ **garden** horta f. ~ **sink** lavalouças m

kite /kaɪt/ n (toy) papagaio m de papel

kith /kɪθ/ n ~ **and kin** parentes e amigos mpl

kitten /'kɪtn/ n gatinho m

kitty /'kɪtɪ/ n (fund) fundo m comum, vaquinha f; (cards) bolo m

knack /næk/ n jeito m

knapsack /'næpsæk/ n mochila f

knead /niːd/ vt amassar

knee /niː/ n joelho m

kneecap /'niːkæp/ n rótula f

kneel /niːl/ vi (pt knelt) ~ (**down**) ajoelhar(-se)

knelt /nelt/ see **kneel**

knew /njuː/ see **know**

knickers /'nɪkəz/ npl cuecas (de senhora) fpl

knife /naɪf/ n (pl knives) faca f □ vt esfaquear, apunhalar

knight /naɪt/ n cavaleiro m; (chess) cavalo m. ~**hood** n grau m de cavaleiro

knit /nɪt/ vt (pt knitted or knit) tricotar □ vi tricotar; (fig: unite) unir-se; (of bones) soldar-se. ~ **one's brow** franzir as sobrancelhas. ~**ting** n malha f, tricô m

knitwear /'nɪtweə(r)/ n roupa f de malha, malhas fpl

knob /nɒb/ n (of door) maçaneta f; (of drawer) puxador m; (of radio, TV etc) botão m; (of butter) noz f. ~**bly** a nodoso

knock /nɒk/ vt/i bater (em); (sl: criticize) desancar (em). ~ **about** vt tratar mal □ vi (wander) andar a esmo. ~ **down** (chair, pedestrian) deitar ao chão, derrubar; (demolish) deitar abaixo; (colloq: reduce) baixar, reduzir; (at auction) adjudicar (**to** a). ~**-down** a (price) muito baixo. ~**-kneed** a de pernas cambadas. ~ **off** vt (colloq: complete quickly) despachar; (sl: steal) roubar □ vi (colloq) parar de trabalhar, fechar a loja (colloq). ~ **out** pôr fora de combate, eliminar; (stun) assombrar. ~**-out** n (boxing) KO m. ~ **over** entornar. ~ **up** (meal etc) arranjar à pressa. ~**er** n aldraba f

knot /nɒt/ n nó m □ vt (pt knotted) atar com nó, dar nó or nós em

knotty /'nɒtɪ/ a (-ier, -iest) nodoso, cheio de nós; (difficult) complicado, espinhoso

know /nəʊ/ vt/i (pt knew, pp known) saber (that que); (person, place) conhecer □ n **in the** ~ (colloq) por dentro. ~ **about** (cars etc) saber de. ~**all** n sabe-tudo m (colloq). ~**-how** n know-how m, conhecimentos mpl técnicos, culturais etc. ~ **of** ter conhecimento de, ter ouvido falar de. ~**ingly** adv com ar conhecedor; (consciously) conscientemente

knowledge /'nɒlɪdʒ/ n conhecimento m; (learning) saber m. ~**able** a conhecedor, entendido, versado

known /nəʊn/ *see* **know** □ *a* conhecido

knuckle /'nʌkl/ *n* nó *m* dos dedos □ *vi* ~ **under** ceder, submeter-se

Koran /kə'raːn/ *n* Alcorão *m*, Corão *m*

Korea /kə'rɪə/ *n* Coréia *f*

kosher /'kəʊʃə(r)/ *a* aprovado pela lei judaica; (*colloq*) como deve ser

kowtow /kaʊ'taʊ/ *vi* prosternar-se (**to** diante de); (*act obsequiously*) bajular

L

lab /læb/ *n* (*colloq*) laboratório *m*

label /ˈleɪbl/ *n* (*on bottle etc*) rótulo *m*; (*on clothes, luggage*) etiqueta *f* □ *vt* (*pt* **labelled**) rotular; etiquetar, pôr etiqueta em

laboratory /ləˈbɒrətrɪ/ *n* laboratório *m*

laborious /ləˈbɔːrɪəs/ *a* laborioso, trabalhoso

labour /ˈleɪbə(r)/ *n* trabalho *m*, labuta *f*; (*workers*) mão-de-obra *f* □ *vi* trabalhar; (*try hard*) esforçar-se □ *vt* alongar-se sobre, insistir em. **in ~** em trabalho de parto. **~ed** *a* (*writing*) laborioso, sem espontaneidade; (*breathing, movement*) difícil. **~-saving** *a* que poupa trabalho

Labour /ˈleɪbə(r)/ *n* (*party*) Partido *m* Trabalhista, os trabalhistas □ *a* trabalhista

labourer /ˈleɪbərə(r)/ *n* trabalhador *m*; (*on farm*) trabalhador *m* rural

labyrinth /ˈlæbərɪnθ/ *n* labirinto *m*

lace /leɪs/ *n* renda *f*; (*of shoe*) atacador *m* □ *vt* atar; (*drink*) juntar um pouco (de aguardente, rum etc)

lacerate /ˈlæsəreɪt/ *vt* lacerar, rasgar

lack /læk/ *n* falta *f* □ *vt* faltar (a), não ter. **be ~ing** faltar. **be ~ing in** carecer de

lackadaisical /lækəˈdeɪzɪkl/ *a* lânguido, apático, desinteressado

laconic /ləˈkɒnɪk/ *a* lacónico

lacquer /ˈlækə(r)/ *n* laca *f*

lad /læd/ *n* rapaz *m*, moço *m*

ladder /ˈlædə(r)/ *n* escada de mão, escadote *m*; (*in stocking*) malha *f* caída □ *vi* cair uma malha □ *vt* fazer malhas em

laden /ˈleɪdn/ *a* carregado (**with** de)

ladle /ˈleɪdl/ *n* concha (de sopa) *f*

lady /ˈleɪdɪ/ *n* senhora *f*; (*title*) Lady *f*. **~-in-waiting** *n* dama *f* de companhia, dama *f* de honor. **young ~** jovem *f*. **~-like** *a* senhoril, elegante. **Ladies** *n* (*toilets*) casa de banho *f* das Senhoras

ladybird /ˈleɪdɪbɜːd/ *n* joaninha *f*

lag[1] /læg/ *vi* (*pt* **lagged**) atrasar-se, ficar para trás □ *n* atraso *m*

lag² /læg/ *vt* (*pt* **lagged**) (*pipes etc*) revestir com isolante térmico

lager /'lɑ:gə(r)/ *n* cerveja *f* leve e clara, 'loura' *f* (*sl*)

lagoon /lə'gu:n/ *n* lagoa *f*

laid /leɪd/ *see* **lay²**

lain /leɪn/ *see* **lie²**

lair /leə(r)/ *n* toca *f*, covil *m*

laity /'leɪətɪ/ *n* leigos *mpl*

lake /leɪk/ *n* lago *m*

lamb /læm/ *n* cordeiro *m*, carneiro *m*; (*meat*) carneiro *m*

lambswool /'læmzwʊl/ *n* lã *f*

lame /leɪm/ *a* (**-er, -est**) coxo; (*fig: unconvincing*) fraco. **~ness** *n* claudicação *f*

lament /lə'ment/ *n* lamento *m*, lamentação *f* □ *vt/i* lamentar(-se) (de). **~able** *a* lamentável

laminated /'læmɪneɪtɪd/ *a* laminado

lamp /læmp/ *n* lâmpada *f*, (*appliance*) candeeiro *m*

lamppost /'læmppəʊst/ *n* poste *m* (do candeeiro de iluminação pública)

lampshade /'læmpʃeɪd/ *n* abajur *m*, quebra-luz *m*

lance /lɑ:ns/ *n* lança *f* □ *vt* lancetar

lancet /'lɑ:nsɪt/ *n* lanceta *f*

land /lænd/ *n* terra *f*; (*country*) país *m*; (*plot*) terreno *m*; (*property*) terras *fpl* □ *a* de terra, terrestre; (*policy etc*) agrário □ *vt/i* desembarcar; (*aviat*) aterrar; (*fall*) ir parar (**on** a); (*colloq: obtain*) arranjar; (*a blow*) aplicar, mandar. **~-locked** *a* rodeado de terra

landing /'lændɪŋ/ *n* desembarque *m*; (*aviat*) aterragem *f*; (*top of stairs*) patamar *m*. **~-stage** *n* cais *m* flutuante

land|**lady** /'lændleɪdɪ/ *n* (*of rented house*) senhoria *f*, proprietária *f*; (*who lets rooms*) dona *f* da casa; (*of boarding-house*) dona *f* da pensão; (*of inn etc*) proprietária *f*, estalajadeira *f*. **~lord** *n* (*of rented house*) senhorio *m*, proprietário *m*; (*of inn etc*) proprietário *m*, estalajadeiro *m*

landmark /'lændmɑ:k/ *n* (*conspicuous feature*) ponto *m* de referência; (*fig*) marco *m* de referência

landscape /'lændskeɪp/ *n* paisagem *f* □ *vt* projectar paisagisticamente

landslide /'lændslaɪd/ *n* desabamento *m or* desmoronamento *m* de terras; (*fig: pol*) vitória *f* esmagadora

lane /leɪn/ *n* senda *f*, caminho *m*; (*in country*) azinhaga *f*; (*in town*) viela *f*, ruela *f*; (*of road*) faixa *f*, pista *f*; (*of traffic*) fila *f*; (*aviat*) corredor *m*; (*naut*) rota *f*

language /'læŋgwɪdʒ/ *n* língua *f*; (*speech, style*) linguagem *f*. **bad ~** linguagem *f* grosseira. **~ lab** laboratório *m* de línguas

languid /'læŋgwɪd/ *a* lânguido

languish /'læŋgwɪʃ/ *vi* enlanguescer

lank /læŋk/ *a* (*of hair*) escorrido, liso

lanky /'læŋkɪ/ *a* (**-ier, -iest**) desengonçado, escanifrado

lantern /'læntən/ *n* lanterna *f*

lap¹ /læp/ n colo m; (sport) volta f completa. **~-dog** n cãozinho m de estimação

lap² /læp/ vt ~ **up** beber lambendo □ vi marulhar

lapel /lə'pel/ n lapela f

lapse /læps/ vi decair, degenerar-se; (expire) caducar □ n lapso m; (jur) prescrição f. ~ **into** (thought) mergulhar em; (bad habit) adquirir

larceny /'lɑːsənɪ/ n furto m

lard /lɑːd/ n banha de porco f

larder /'lɑːdə(r)/ n despensa f

large /lɑːdʒ/ a (-er, -est) grande. **at ~** à solta, em liberdade. **by and ~** em geral. **~ly** adv largamente, em grande parte. **~ness** n grandeza f

lark¹ /lɑːk/ n (bird) cotovia f

lark² /lɑːk/ n (colloq) pândega f, brincadeira f □ vi ~ **about** (colloq) fazer travessuras, brincar

larva /'lɑːvə/ n (pl **-vae** /-viː/) larva f

laryngitis /lærɪn'dʒaɪtɪs/ n laringite f

larynx /'lærɪŋks/ n laringe f

lascivious /lə'sɪvɪəs/ a lascivo, sensual

laser /'leɪzə(r)/ n laser m. ~ **printer** impressora f a laser

lash /læʃ/ vt chicotear, açoitar; (rain) fustigar □ n chicote m; (stroke) chicotada f; (eyelash) pestana f, cílio m. ~ **out** atacar, atirar-se a; (colloq: spend) esbanjar dinheiro em algo

lashings /'læʃɪŋz/ npl ~ **of** (sl) montes de (colloq)

lasso /læ'suː/ n (pl **-os**) laço m □ vt laçar

last¹ /lɑːst/ a último □ adv no fim, em último lugar; (most recently) a última vez □ n último m. **at (long) ~** por fim, finalmente. **~-minute** a de última hora. ~ **night** ontem à noite, a noite passada. **the ~ straw** a gota de água que fez transbordar o copo. **to the ~** até o fim. **~ly** adv finalmente, em último lugar

last² /lɑːst/ vt/i durar, continuar. **~ing** a duradouro, durável

latch /lætʃ/ n trinco m

late /leɪt/ a (-er, -est) atrasado; (recent) recente; (former) antigo, ex-, anterior; (hour, fruit etc) tardio; (deceased) falecido □ adv tarde. **in ~ July** no fim de Julho. **of ~** ultimamente. **at the ~st** o mais tardar. **~ness** n atraso m

lately /'leɪtlɪ/ adv nos últimos tempos, ultimamente

latent /'leɪtnt/ a latente

lateral /'lætərəl/ a lateral

lathe /leɪð/ n torno m

lather /'lɑːðə(r)/ n espuma f de sabão □ vt ensaboar □ vi fazer espuma

Latin /'lætɪn/ n (lang) latim m □ a latino. ~ **America** n América f Latina. ~ **American** a & n latino-americano m

latitude /'lætɪtjuːd/ n latitude f

latter /'lætə(r)/ a último, mais recente □ n the ~ este, esta. **~ly** adv recentemente

lattice /'lætɪs/ n treliça f, gradeamento m de ripas

laudable /'lɔːdəbl/ a louvável

laugh /lɑːf/ *vi* rir (**at** de). **~ off** disfarçar com uma piada □ *n* riso *m*. **~able** *a* irrisório, ridículo. **~ing-stock** *n* alvo *m* de troça

laughter /ˈlɑːftə(r)/ *n* riso *m*, risada *f*

launch[1] /lɔːntʃ/ *vt* lançar □ *n* lançamento *m*. **~ into** lançar-se *or* meter-se em. **~ing pad** plataforma *f* de lançamento

launch[2] /lɔːntʃ/ *n* (*boat*) lancha *f*

launder /ˈlɔːndə(r)/ *vt* lavar e passar

launderette /lɔːnˈdret/ *n* lavandaria *f* automática

laundry /ˈlɔːndrɪ/ *n* lavandaria *f*; (*clothes*) roupa *f*. **do the ~** lavar a roupa

laurel /ˈlɒrəl/ *n* loureiro *m*, louro *m*

lava /ˈlɑːvə/ *n* lava *f*

lavatory /ˈlɒvətrɪ/ *n* retrete *f*; (*room*) toilette *f*, lavabo *m*

lavender /ˈlævəndə(r)/ *n* alfazema *f*, lavanda *f*

lavish /ˈlævɪʃ/ *a* pródigo, (*plentiful*) copioso, generoso; (*lush*) sumptuoso □ *vt* ser pródigo em, encher de. **~ly** *adv* prodigamente; copiosamente; sumptuosamente

law /lɔː/ *n* lei *f*, (*profession, study*) direito *m*. **~-abiding** *a* cumpridor da lei, respeitador da lei. **~ and order** ordem *f* pública. **~-breaker** *n* transgressor *m* da lei. **~ful** *a* legal, legítimo. **~fully** *adv* legalmente. **~less** *a* sem lei; (*act*) ilegal; (*person*) rebelde

lawcourt /ˈlɔːkɔːt/ *n* tribunal *m*

lawn /lɔːn/ *n* relvado *m*. **~-mower** *n* máquina *f* de cortar a relva

lawsuit /ˈlɔːsuːt/ *n* processo *m*, acção *f* judicial

lawyer /ˈlɔːjə(r)/ *n* advogado *m*

lax /læks/ *a* negligente; (*discipline*) frouxo; (*morals*) relaxado. **~ity** *n* negligência *f*; (*of discipline*) frouxidão *f*; (*of morals*) relaxamento *m*

laxative /ˈlæksətɪv/ *n* laxante *m*, laxativo *m*

lay[1] /leɪ/ *a* leigo. **~ opinion** opinião *f* de um leigo

lay[2] /leɪ/ *vt* (*pt* **laid**) pôr, colocar; (*trap*) preparar, pôr; (*eggs, table, siege*) pôr; (*plan*) fazer □ *vi* pôr (ovos). **~ aside** pôr de lado. **~ down** pousar; (*condition, law, rule*) impor; (*arms*) depor; (*one's life*) oferecer; (*policy*) ditar. **~ hold of** agarrar(-se a). **~ off** *vt* (*worker*) suspender o trabalho □ *vi* (*colloq*) parar, desistir. **~-off** *n* suspensão *f* temporária. **~ on** (*gas, water etc*) instalar, ligar; (*entertainment etc*) organizar, providenciar; (*food*) servir. **~ out** (*design*) traçar, planear; (*spread out*) estender, espalhar; (*money*) gastar. **~ up** (*store*) juntar; (*ship, car*) pôr fora de serviço

lay[3] /leɪ/ *see* **lie**

layabout /ˈleɪəbaʊt/ *n* (*sl*) vadio *m*

lay-by /ˈleɪbaɪ/ *n* berma *f*

layer /ˈleɪə(r)/ *n* camada *f*

layman /ˈleɪmən/ n (pl **-men**) leigo m

layout /ˈleɪaʊt/ n disposição f; (typ) composição f

laze /leɪz/ vi descansar, vadiar

laz|y /ˈleɪzɪ/ a (-**ier, -iest**) preguiçoso. ~**iness** n preguiça f. ~**y-bones** n (colloq) vadio m, vagabundo m

lead¹ /liːd/ vt/i (pt **led**) conduzir, guiar, levar; (team etc) chefiar, liderar; (life) levar; (choir, band etc) dirigir □ n (distance) avanço m; (first place) dianteira f; (clue) indício m, pista f; (leash) coleira f; (electr) cabo m; (theatr) papel m principal; (example) exemplo m. **in the** ~ na frente. ~ **away** levar. ~ **on** (fig) encorajar. ~ **the way** ir na frente. ~ **up to** conduzir a

lead² /led/ n chumbo m; (of pencil) grafite f. ~**en** a de chumbo; (of colour) plúmbeo

leader /ˈliːdə(r)/ n chefe m, líder m; (of country, club, union etc) dirigente mf; (pol) líder m; (of orchestra) regente mf, maestro m; (in newspaper) editorial m. ~**ship** n direcção f, liderança f

leading /ˈliːdɪŋ/ a principal. ~ **article** artigo m de fundo, editorial m

leaf /liːf/ n (pl **leaves**) folha f; (flap of table) aba f □ vi ~ **through** folhear. ~**y** a frondoso

leaflet /ˈliːflɪt/ n prospecto m, folheto m informativo

league /liːg/ n liga f; (sport) campeonato m da Liga. **in** ~ **with** de coligação com, em conluio com

leak /liːk/ n (escape) fuga f; (hole) buraco m □ vt/i (roof, container) pingar; (electr gas) ter uma fuga; (naut) fazer água. ~ (**out**) (fig: divulge) divulgar; (fig: become known) transpirar, divulgar-se. ~**age** n vazamento m. ~**y** a que tem um vazamento

lean¹ /liːn/ a (-**er, -est**) magro. ~**ness** n magreza f

lean² /liːn/ vt/i (pt **leaned** or **leant** /lent/) encostar(-se), apoiar-se (**on** em); (be slanting) inclinar(-se). ~ **back/ forward** or **over** inclinar-se para trás/para a frente. ~ **on** (colloq) pressionar. ~**-to** n alpendre m

leaning /ˈliːnɪŋ/ a inclinado □ n inclinação f

leap /liːp/ vt (pt **leaped** or **leapt** /lept/) galgar, saltar por cima de □ vi saltar □ n salto m, pulo m. ~**-frog** n jogo m do eixo. ~ **year** ano m bissexto

learn /lɜːn/ vt/i (pt **learned** or **learnt**) aprender; (be told) vir a saber, ouvir dizer. ~**er** n principiante mf, aprendiz m

learn|ed /ˈlɜːnɪd/ a erudito. ~**ing** n saber m, erudição f

lease /liːs/ n arrendamento m, aluguer m □ vt arrendar, alugar

leash /liːʃ/ n coleira f

least /liːst/ a o **menor** □ n o mínimo m, o menos m □ adv o menos. **at** ~ pelo menos. **not in the** ~ de maneira alguma

leather /ˈleðə(r)/ n couro m, cabedal m

leave /liːv/ vt/i (pt **left**) deixar; (depart from) sair/partir (de), ir-se (de) □ n licença f, permissão f. **be left (over)** restar, sobrar. ~ **alone** deixar em paz, não tocar. ~ **out** omitir. ~ **of absence** licença f. **on** ~ (mil) de licença. **take one's** ~ despedir-se (of de)

leavings /ˈliːvɪŋz/ npl restos mpl

Leban|on /ˈlebənən/ n Líbano m. ~**ese** /ˈniːz/ a & n libanês m

lecherous /ˈletʃərəs/ a lascivo

lectern /ˈlektən/ n estante f (de coro de igreja)

lecture /ˈlektʃə(r)/ n conferência f; (univ) aula f teórica; (fig) sermão m □ vi dar uma conferência; (univ) dar aula (s) □ vt pregar um sermão a alg (colloq). ~**r** /-ə(r)/ n conferente mf, conferencista mf; (univ) professor m

led /led/ see **lead**¹

ledge /ledʒ/ n rebordo m, saliência f; (of window) peitoril m

ledger /ˈledʒə(r)/ n livro-mestre m, razão m

leech /liːtʃ/ n sanguessuga f

leek /liːk/ n alho-porro m

leer /lɪə(r)/ vi ~ **(at)** olhar de modo malicioso or manhoso (para) □ n olhar m malicioso or manhoso

leeway /ˈliːweɪ/ n (naut) deriva f; (fig) liberdade f de acção, margem f (colloq)

left¹ /left/ see **leave**. ~ **luggage (office)** depósito m de bagagens. ~~**overs** npl restos mpl, sobras fpl

left² /left/ a esquerdo; (pol) de esquerda □ n esquerda f □ adv à/para a esquerda. ~~**hand** a da esquerda; (position) à esquerda. ~~**handed** a canhoto. ~~**wing** a (pol) de esquerda

leg /leg/ n perna f; (of table) pé m, perna f; (of journey) etapa f. **pull sb's** ~ brincar or entrar com alg. **stretch one's** ~**s** esticar as pernas. ~~**room** n espaço m para as pernas

legacy /ˈlegəsɪ/ n legado m

legal /ˈliːgl/ a legal; (affairs etc) jurídico. ~ **adviser** advogado m. ~**ity** /liːˈgælətɪ/ n legalidade f. ~**ly** adv legalmente

legalize /ˈliːgəlaɪz/ vt legalizar

legend /ˈledʒənd/ n lenda f. ~**ary** /ˈledʒəndrɪ/ a lendário

leggings /ˈlegɪŋz/ npl perneiras fpl

legib|le /ˈledʒəbl/ a legível. ~**ility** /-ˈbɪlətɪ/ n legibilidade f

legion /ˈliːdʒən/ n legião f

legislat|e /ˈledʒɪsleɪt/ vi legislar. ~**ion** /-ˈleɪʃn/ n legislação f

legislat|ive /ˈledʒɪslətɪv/ a legislativo. ~**ure** /-eɪtʃə(r)/ n corpo m legislativo

legitima|te /lɪˈdʒɪtɪmət/ a legítimo. ~**cy** n legitimidade f

leisure /ˈleʒə(r)/ n lazer m, tempo livre m. **at one's** ~ a seu belo prazer. ~ **centre**

centro *m* de lazer. **~ly** *a* pausado, compassado □ *adv* sem pressa, devagar

lemon /'lemən/ *n* limão *m*

lemonade /leməˈneɪd/ *n* limonada *f*

lend /lend/ *vt* (*pt* lent) emprestar; (*contribute*) dar. **~ a hand** to (*help*) ajudar. **~ itself to** prestar-se a. **~er** *n* pessoa *f* que empresta. **~ing** *n* empréstimo *m*

length /leŋθ/ *n* comprimento *m*; (*in time*) período *m*; (*of cloth*) corte *m*. **at ~** extensamente; (*at last*) por fim, finalmente. **~y** *a* longo, demorado

lengthen /'leŋθən/ *vt/i* alongar (-se)

lengthways /'leŋθweɪz/ *adv* ao comprido, em comprimento, longitudinalmente

lenien|t /'liːnɪənt/ *a* indulgente, clemente. **~cy** *n* indulgência *f*, clemência *f*

lens /lenz/ *n* (*of spectacles*) lente *f*; (*photo*) objectiva *f*

lent /lent/ *see* lend

Lent /lent/ *n* Quaresma *f*

lentil /'lentl/ *n* lentilha *f*

Leo /'liːəʊ/ *n* (*astr*) Leão *m*

leopard /'lepəd/ *n* leopardo *m*

leotard /'liːəʊtaːd/ *n* maillot *m* de ginástica ou dança

leper /'lepə(r)/ *n* leproso *m*

leprosy /'leprəsɪ/ *n* lepra *f*

lesbian /'lezbɪən/ *a* lésbico □ *n* lésbica *f*

less /les/ *a* (*in number*) menor (**than** que); (*in quantity*) menos (**than** que) □ *n*, *adv* & *prep* menos. **~ and ~** cada vez menos

lessen /'lesn/ *vt/i* diminuir

lesser /'lesə(r)/ *a* menor. **to a ~ degree** em menor grau

lesson /'lesn/ *n* lição *f*

let /let/ *vt* (*pt* let, *pres p* letting) deixar, permitir; (*lease*) alugar, arrendar □ *v aux* **~'s go** vamos. **~ him do it** que o faça ele. **~ me know** diga-me, avise-me □ *n* aluguer *m*. **~ alone** deixar em paz; (*not to mention*) sem falar em, para não falar em. **~ down** baixar; (*deflate*) esvaziar; (*disappoint*) desapontar; (*fail to help*) deixar na mão. **~-down** *n* desapontamento *m*. **~ go** *vt/i* soltar. **~ in** deixar entrar. **~ o.s. in for** (*task, trouble*) meter-se em. **~ off** (*gun*) disparar; (*firework*) soltar, deitar; (*excuse*) desculpar. **~ on** (*colloq*) *vt* revelar (**that** que) □ *vi* descoser-se (*colloq*), descair-se (*colloq*). **~ out** deixar sair. **~ through** deixar passar. **~ up** (*colloq*) abrandar, diminuir. **~-up** *n* (*colloq*) pausa *f*, trégua *f*

lethal /'liːθl/ *a* fatal, mortal

letharg|y /'leθədʒɪ/ *n* letargia *f*, apatia *f*. **~ic** /lɪˈθaːdʒɪk/ *a* letárgico, apático

letter /'letə(r)/ *n* (*symbol*) letra *f*; (*message*) carta *f*. **~-bomb** *n* carta *f* armadilhada. **~-box** *n* caixa *f* do correio. **~ing** *n* letras *fpl*

lettuce /'letɪs/ *n* alface *f*

leukaemia /luːˈkiːmɪə/ *n* leucemia *f*

level /'levl/ *a* plano; (*on surface*) horizontal; (*in height*) no mesmo nível (**with** que); (*spoonful etc*) raso □ *n* nível *m* □ *vt* (*pt* **levelled**) nivelar; (*gun, missile*) apontar; (*accusation*) dirigir. **on the ~** (*colloq*) franco, sincero. **~ crossing** passagem *f* de nível. **~-headed** *a* equilibrado, sensato

lever /'li:və(r)/ *n* alavanca *f* □ *vt* **~ up** levantar com alavanca

leverage /'li:vərɪdʒ/ *n* influência *f*

levity /'levətɪ/ *n* frivolidade *f*, leviandade *f*

levy /'levɪ/ *vt* (*tax*) cobrar □ *n* imposto *m*

lewd /lu:d/ *a* (**-er**, **-est**) libidinoso, obsceno

liabilit|y /laɪə'bɪlətɪ/ *n* responsabilidade *f*; (*colloq: handicap*) desvantagem *f*. **~ies** dívidas *fpl*

liable /'laɪəbl/ *a* **~ to do** susceptível de fazer; **~ to** (*illness etc*) susceptível a; (*fine*) sujeito a. **~ for** responsável por

liaise /lɪ'eɪz/ *vi* (*colloq*) servir de intermediário (**between** entre), fazer a ligação (**with** com)

liaison /lɪ'eɪzn/ *n* ligação *f*

liar /'laɪə(r)/ *n* mentiroso *m*

libel /'laɪbl/ *n* difamação *f* □ *vt* (*pt* **libelled**) difamar

liberal /'lɪbərəl/ *a* liberal. **~ly** *adv* liberalmente

Liberal /'lɪbərəl/ *a* & *n* liberal *mf*

liberat|e /'lɪbəreɪt/ *vt* libertar. **~ion** /-'reɪʃn/ *n* libertação *f*; (*of women*) emancipação *f*

libert|y /'lɪbətɪ/ *n* liberdade *f*. **at ~ to** livre de. **take ~ies** tomar liberdades

libido /lɪ'bi:dəʊ/ *n* (*pl* **-os**) libido *m*

Libra /'li:brə/ *n* (*astr*) Balança *f*, Libra *f*

librar|y /'laɪbrərɪ/ *n* biblioteca *f*. **~ian** /-'breərɪən/ *n* bibliotecário *m*

Libya /'lɪbɪə/ *n* Líbia *f*. **~n** *a* & *n* líbio *m*

lice /laɪs/ *n see* **louse**

licence /'laɪsns/ *n* licença *f*; (*for TV*) taxa *f*; (*for driving*) carta *f*; (*behaviour*) libertinagem *f*

license /'laɪsns/ *vt* dar licença para, autorizar □ *n* (*Amer*) = **licence**. **~ plate** placa *f* de matrícula

licentious /laɪ'senʃəs/ *a* licencioso

lichen /'laɪkən/ *n* líquen *m*

lick /lɪk/ *vt* lamber; (*sl: defeat*) bater (*colloq*), dar uma sova em (*colloq*) □ *n* lambidela *f*. **a ~ of paint** uma mão de pintura

lid /lɪd/ *n* tampa *f*

lido /'li:dəʊ/ *n* (*pl* **-os**) piscina *f* pública ao ar livre

lie[1] /laɪ/ *n* mentira *f* □ *vi* (*pt* **lied**, *pres p* **lying**) mentir. **give the ~ to** desmentir

lie[2] /laɪ/ *vi* (*pt* **lay**, *pp* **lain**, *pres p* **lying**) estar deitado; (*remain*) ficar; (*be situated*) estar, encontrar-se; (*in grave, on ground*) jazer. **~ down** descansar. **~ in**, **have a ~-in** dormir até tarde. **~ low** (*colloq: hide*) andar escondido

lieu /luː/ *n* **in ~ of** em vez de

lieutenant /lefˈtenənt/ *n* (*army*) tenente *m*; (*navy*) 1.º tenente *m*

life /laɪf/ *n* (*pl* **lives**) vida *f.* ~ **cycle** ciclo *m* vital. ~ **expectancy** esperança *f* de vida. ~-**guard** *n* salva-vidas *m.* ~ **insurance** seguro *m* de vida. ~-**jacket** *n* colete *m* salva--vidas. ~-**size(d)** *a* (de) tamanho natural *invar*

lifebelt /ˈlaɪfbelt/ *n* cinto *m* de salvação

lifeboat /ˈlaɪfbəʊt/ *n* barco *m* salva-vidas

lifebuoy /ˈlaɪfbɔɪ/ *n* bóia *f* de salvação

lifeless /ˈlaɪflɪs/ *a* sem vida

lifelike /ˈlaɪflaɪk/ *a* natural, real; (*of portrait*) muito parecido

lifelong /ˈlaɪflɒŋ/ *a* de/por toda a vida, perpétuo

lifestyle /ˈlaɪfstaɪl/ *n* estilo *m* de vida

lifetime /ˈlaɪftaɪm/ *n* vida *f.* **the chance of a ~** uma oportunidade única

lift /lɪft/ *vt/i* levantar(-se), erguer (-se); (*colloq: steal*) roubar, surripiar (*colloq*); (*of fog*) levantar, dispersar-se □ *n* ascensor *m*, elevador *m.* **give a ~ to** dar boleia, (*Br*) carona a (*colloq*). ~-**off** *n* descolagem *f*

ligament /ˈlɪgəmənt/ *n* ligamento *m*

light¹ /laɪt/ *n* luz *f*; (*lamp*) lâmpada *f*; (*on vehicle*) farol *m*; (*spark*) lume *m* □ *a* claro □ *vt* (*pt* **lit** *or* **lighted**) (*ignite*) acender; (*illuminate*) iluminar. **bring to ~** trazer à luz, revelar. **come to ~** vir à luz. ~ **up** iluminar(-se), acender(-se). ~-**year** *n* ano--luz *m*

light² /laɪt/ *a & adv* (**-er, -est**) leve. ~-**headed** *a* (*dizzy*) estonteado, tonto; (*frivolous*) leviano. ~-**hearted** *a* alegre, despreocupado. ~**ly** *adv* de leve, levemente, ligeiramente. ~**ness** *n* leveza *f*

lighten¹ /ˈlaɪtn/ *vt/i* iluminar(-se); (*make brighter*) clarear

lighten² /ˈlaɪtn/ *vt/i* (*load etc*) aligeirar(-se), tornar mais leve

lighter /ˈlaɪtə(r)/ *n* isqueiro *m*

lighthouse /ˈlaɪthaʊs/ *n* farol *m*

lighting /ˈlaɪtɪŋ/ *n* iluminação *f*

lightning /ˈlaɪtnɪŋ/ *n* relâmpago *m*; (*thunderbolt*) raio *m* □ *a* muito rápido. **like ~** como um relâmpago

lightweight /ˈlaɪtweɪt/ *a* leve

like¹ /laɪk/ *a* semelhante (a), parecido (com) □ *prep* como □ *conj* (*colloq*) como □ *n* igual *m*, coisa *f* parecida. ~-**minded** *a* da mesma opinião. **the ~s of you** gente como você(s).

like² /laɪk/ *vt* gostar (de). ~**s** *npl* gostos *mpl.* **I would ~** gostaria (de), queria. **if you ~** se quiser. **would you ~?** gostaria?, queria? ~**able** *a* simpático

like|ly /ˈlaɪklɪ/ *a* (**-ier, -iest**) provável □ *adv* provavelmente. **he is ~ly to come** é provável que ele venha. **not**

~ly! (*colloq*) nem morto, nem por sonhos. **~lihood** n probabilidade f

liken /'laɪkn/ vt comparar (**to** com)

likeness /'laɪknɪs/ n semelhança f

likewise /'laɪkwaɪz/ adv também; (*in the same way*) da mesma maneira

liking /'laɪkɪŋ/ n gosto m, inclinação f; (*for person*) afeição f. take a **~ to** (*thing*) tomar gosto por; (*person*) simpatizar com

lilac /'laɪlək/ n lilás m ☐ a lilás *invar*

lily /'lɪlɪ/ n lírio m, lis m. **~ of the valley** lírio m do vale

limb /lɪm/ n membro m

limber /'lɪmbə(r)/ vi **~ up** fazer exercícios para desenferrujar (*colloq*)

lime[1] /laɪm/ n cal f

lime[2] /laɪm/ n (*fruit*) lima f

lime[3] /laɪm/ n **~(-tree)** tília f

limelight /'laɪmlaɪt/ n **be in the ~** estar em evidência

limerick /'lɪmərɪk/ n poema m humorístico (*de cinco versos*)

limit /'lɪmɪt/ n limite m ☐ vt limitar. **~ation** /'teɪʃn/ n limitação f. **~ed company** sociedade f anónima de responsabilidade limitada

limousine /'lɪməzi:n/ n limusine f

limp[1] /lɪmp/ vi mancar, coxear ☐ n have a **~** coxear

limp[2] /lɪmp/ a (**-er**, **-est**) mole, frouxo

line[1] /laɪn/ n linha f; (*string*) fio m; (*rope*) corda f; (*row*)

fila f; (*of poem*) verso m; (*wrinkle*) ruga f; (*of business*) ramo m; (*of goods*) linha f; (*Amer: queue*) fila f, bicha f ☐ vt marcar com linhas; (*streets etc*) ladear, enfileirar-se ao longo de. **~d paper** papel m pautado. **in ~ with** de acordo com. **~ up** alinhar(-se), enfileirar(-se); (*in queue*) pôr(-se) em fila / bicha. **~-up** n (*players*) formação f

line[2] /laɪn/ vt (*garment*) forrar (**with** de)

lineage /'lɪnɪɪdʒ/ n linhagem f

linear /'lɪnɪə(r)/ a linear

linen /'lɪnɪn/ n (*sheets etc*) roupa f (branca) de cama; (*material*) linho m

liner /'laɪnə(r)/ n navio m de linha regular, paquete m

linesman /'laɪnzmən/ n (*football, tennis*) juiz m de linha

linger /'lɪŋgə(r)/ vi demorar-se, deixar-se ficar; (*of smells etc*) persistir

lingerie /'længʒərɪ/ n roupa f de baixo (de senhora), lingerie f

linguist /'lɪŋgwɪst/ n linguista mf

linguistic /lɪŋ'gwɪstɪk/ a linguístico. **~s** n linguística f

lining /'laɪnɪŋ/ n forro m

link /lɪŋk/ n laço m; (*of chain; fig*) elo m ☐ vt unir, ligar; (*relate*) ligar; (*arm*) enfiar. **~ up** (*of roads*) juntar-se (**with** a). **~age** n ligação f

lino, linoleum /'laɪnəʊ, lɪ'nəʊlɪəm/ n linóleo m

lint /lɪnt/ n (*med*) penso m de algodão; (*fluff*) cotão m

lion /'laɪən/ n leão m. **~ess** n leoa f

lip /lɪp/ *n* lábio *m*; beiço *m*; (*edge*) borda *f*; (*of jug etc*) bico *m*. **~-read** *vt/i* entender pelos movimentos dos lábios. **pay ~- service to** fingir pena, admiração etc

lipstick /'lɪpstɪk/ *n* baton *m*

liquefy /'lɪkwɪfaɪ/ *vt/i* liquefazer (-se)

liqueur /lɪ'kjʊə(r)/ *n* licor *m*

liquid /'lɪkwɪd/ *n* & *a* líquido *m*. **~ize** *vt* liquidificar. **~izer** *n* liquidificador *m*

liquidat|e /'lɪkwɪdeɪt/ *vt* liquidar. **~ion** /-'deɪʃn/ *n* liquidação *f*

liquor /'lɪkə(r)/ *n* bebida *f* alcoólica

liquorice /'lɪkərɪs/ *n* alcaçuz *m*

Lisbon /'lɪzbən/ *n* Lisboa *f*

lisp /lɪsp/ *n* ceceio *m* □ *vi* cecear

list[1] /lɪst/ *n* lista *f* □ *vt* fazer uma lista de; (*enter*) pôr na lista

list[2] /lɪst/ *vi* (*of ship*) adernar □ *n* adernamento *m*

listen /'lɪsn/ *vi* escutar, prestar atenção. **~ to**, **~ in (to)** escutar, pôr-se à escuta. **~er** *n* ouvinte *mf*

listless /'lɪstlɪs/ *a* sem energia, apático

lit /lɪt/ *see* **light**[1]

literal /'lɪtərəl/ *a* literal. **~ly** *adv* literalmente

litera|te /'lɪtərət/ *a* alfabetizado. **~cy** *n* alfabetização *f*, instrução *f*

literature /'lɪtrətʃə(r)/ *n* literatura *f*; (*colloq: leaflets etc*) folhetos *mpl*

lithe /laɪð/ *a* ágil, flexível

litigation /lɪtɪ'geɪʃn/ *n* litígio *m*

litre /'liːtə(r)/ *n* litro *m*

litter /'lɪtə(r)/ *n* lixo *m*; (*animals*) ninhada *f* □ *vt* cobrir de lixo. **~ed with** coberto de. **~bin** *n* caixote *m* do lixo

little /'lɪtl/ *a* pequeno; (*not much*) pouco □ *n* pouco *m* □ *adv* pouco, mal, nem. **a ~** um pouco (de). **he ~ knows** ele mal/nem sabe. **~ by ~** pouco a pouco

liturgy /'lɪtədʒɪ/ *n* liturgia *f*

live[1] /laɪv/ *a* vivo; (*wire*) electrizado; (*broadcast*) em directo, ao vivo

live[2] /lɪv/ *vt/i* viver; (*reside*) habitar, morar, viver. **~ down** fazer esquecer. **~ it up** cair na farra. **~ on** viver de; (*continue*) continuar a viver. **~ up to** mostrar-se à altura de; (*fulfil*) cumprir

livelihood /'laɪvlɪhʊd/ *n* modo *m* de vida

live|ly /'laɪvlɪ/ *a* (-ier, -iest) vivo, animado. **~iness** *n* vivacidade *f*, animação *f*

liven /'laɪvn/ *vt/i* **~ up** animar (-se)

liver /'lɪvə(r)/ *n* fígado *m*

livery /'lɪvərɪ/ *n* libré *f*

livestock /'laɪvstɒk/ *n* gado *m*

livid /'lɪvɪd/ *a* lívido; (*colloq: furious*) furioso

living /'lɪvɪŋ/ *a* vivo □ *n* vida *f*; (*livelihood*) modo de vida *m*, sustento *m*. **earn** *or* **make a ~** ganhar a vida. **standard of ~** nível *m* de vida. **~-room** *n* sala *f* de estar

lizard /'lɪzəd/ *n* lagarto *m*

llama /'la:mə/ n lama m

load /ləʊd/ n carga f; (of lorry, ship) carga f, carregamento m; (weight, strain) peso m. ~s of (colloq) montes de (colloq) □ vt carregar. ~ed a (dice) viciado; (sl: rich) cheio de massa

loaf[^1] /ləʊf/ n (pl loaves) pão m

loaf[^2] /ləʊf/ vi vadiar. ~er n preguiçoso m, vagabundo m

loan /ləʊn/ n empréstimo m □ vt emprestar. on ~ emprestado

loath /ləʊθ/ a sem vontade de, pouco disposto a, relutante em

loath|**e** /ləʊð/ vt detestar. ~ing n repugnância f, aversão f. ~some a repugnante

lobby /'lɒbɪ/ n entrada f, vestíbulo m; (pol) lobby m, grupo m de pressão □ vt fazer pressão sobre

lobe /ləʊb/ n lóbulo m

lobster /'lɒbstə(r)/ n lagosta f

local /'ləʊkl/ a local; (shops etc) do bairro □ n pessoa f do lugar; (colloq: pub) taberna f/pub m do bairro. ~ **government** administração f municipal. ~ly adv localmente; (nearby) na vizinhança

locale /ləʊ'ka:l/ n local m

locality /ləʊ'kælətɪ/ n localidade f; (position) lugar m

localized /'ləʊkəlaɪzd/ a localizado

locat|**e** /ləʊ'keɪt/ vt localizar; (situate) situar. ~ion /-/n/ n localização f. on ~ion (cinema) no exterior

lock[^1] /lɒk/ n (hair) mecha f de cabelo

lock[^2] /lɒk/ n (on door etc) fecho m, fechadura f; (on canal) comporta f □ vt/i fechar à chave; (auto: wheels) imobilizar(-se). ~ **in** fechar à chave, encerrar. ~ **out** fechar a porta para, deixar na rua. ~~**out** n lockout m. ~ **up** fechar a casa. **under** ~ **and key** a sete chaves

locker /'lɒkə(r)/ n cacifo m

locket /'lɒkɪt/ n medalhão m

locksmith /'lɒksmɪθ/ n serralheiro m

locomotion /ləʊkə'məʊʃn/ n locomoção f

locomotive /'ləʊkəməʊtɪv/ n locomotiva f

locum /'ləʊkəm/ n (med) substituto m

locust /'ləʊkəst/ n gafanhoto m

lodge /lɒdʒ/ n casa f do guarda numa propriedade; (of porter) portaria f □ vt alojar; (money) depositar. ~ **a complaint** apresentar uma queixa □ vi estar alojado (with em casa de); (become fixed) alojar-se. ~**r** /-ə(r)/ n hóspede mf

lodgings /'lɒdʒɪŋz/ n quarto m mobilado; (flat) apartamento m

loft /lɒft/ n sótão m

lofty /'lɒftɪ/ a (-ier, -iest) elevado; (haughty) altivo

log /lɒg/ n tronco m, toro m. ~ (-book) n (naut) diário m de bordo; (aviat) diário m de voo. **sleep like a** ~ dormir como uma pedra □ vt (pt

[^1]: loaf
[^2]: loaf

logged (*naut/aviat*) lançar no diário de bordo. ~ **off** acabar de usar. ~ **on** começar a usar

loggerheads /ˈlɒgǝhedz/ *npl* at ~ às turras (**with** com)

logic /ˈlɒdʒɪk/ *a* lógico. ~**al** *a* lógico. ~**ally** *adv* logicamente

logistics /lǝˈdʒɪstɪks/ *n* logística *f*

logo /ˈlǝʊgǝʊ/ *n* (*pl* -**os**) (*colloq*) emblema *m*, logotipo *m*

loin /lɔɪn/ *n* (*culin*) lombo *m*, alcatra *f*

loiter /ˈlɔɪtǝ(r)/ *vi* andar vagarosamente; (*stand about*) rondar

loll /lɒl/ *vi* refastelar-se

lollipop /ˈlɒlɪpɒp/ *n* chupa-chupa *m*. ~**y** *n* (*colloq*) chupa-chupa *m*; (*sl: money*) massa *f*

London /ˈlʌndǝn/ *n* Londres

lone /lǝʊn/ *a* solitário. ~**r** /-ǝ-(r)/ *n* solitário *m*. ~**some** *a* solitário

lonely /ˈlǝʊnlɪ/ *a* (-**ier**, -**iest**) solitário; (*person*) só, solitário

long[1] /lɒŋ/ *a* (-**er**, -**est**) longo, comprido □ *adv* muito tempo, longamente. **how ~ is...?** (*in size*) qual é o comprimento de...? **how ~?** (*in time*) quanto tempo? **he will not be ~** ele não vai demorar. **a ~ time** muito tempo. **as ~ or so ~ as** contanto que, desde que. **~ ago** há muito tempo. **before ~** (*future*) daqui a pouco, dentro em pouco; (*past*) pouco (tempo) depois. **in**

the ~ **run** no fim de contas. ~ **before** muito (tempo) antes. ~**distance** *a* (*flight*) de longa distância; (*phone call*) interurbano. ~ **face** cara *f* de caso. ~ **jump** salto *m* em comprimento. ~**playing record** LP *m*. ~**range** *a* de longo alcance; (*forecast*) a longo prazo. ~**sighted** *a* que tem a vista cansada ~**standing** *a* de longa data. ~**suffering** *a* com paciência exemplar/de santo. ~**term** *a* a longo prazo. ~ **wave** ondas *fpl* longas. ~**winded** *a* prolixo. **so ~!** (*colloq*) até logo!

long[2] /lɒŋ/ *vi* ~ **for** ansiar por, ter grande desejo de. ~ **to** desejar. ~**ing** *n* desejo *m* ardente

longevity /lɒnˈdʒevǝtɪ/ *n* longevidade *f*, vida *f* longa

longhand /ˈlɒŋhænd/ *n* escrita *f* à mão

longitude /ˈlɒndʒɪtjuːd/ *n* longitude *f*

loo /luː/ *n* (*colloq*) casa *f* de banho

look /lʊk/ *vt/i* olhar; (*seem*) parecer □ *n* olhar *m*; (*appearance*) ar *m*, aspecto *m*. (**good**) ~**s** beleza *f*. ~ **after** tomar conta de, olhar por. ~ **at** olhar para. ~ **down on** desprezar. ~ **for** procurar. ~ **forward to** aguardar com impaciência. ~ **in on** visitar. ~ **into** examinar, investigar. ~ **like** parecer-se com, ter ar de. ~ **on** (*as spectator*) ver, assistir; (*regard as*) considerar. ~ **out** ter cautela. ~ **out**

for procurar; (*watch*) estar à espreita de. **~-out** *n* (*mil*) posto *m* de observação; (*watcher*) vigia *m*. **~ round** olhar em redor. **~ up** (*word*) procurar; (*visit*) ir ver. **~ up to** respeitar

loom[1] /luːm/ *n* tear *m*

loom[2] /luːm/ *vi* surgir indistintamente; (*fig*) ameaçar

loony /ˈluːnɪ/ *n* & *a* (*sl*) maluco *m*, doido *m*

loop /luːp/ *n* laçada *f*; (*curve*) volta *f*, arco *m*; (*circle*) loop *m* □ *vt* dar uma laçada

loophole /ˈluːphəʊl/ *n* (*in rule*) saída *f*, furo *m*

loose /luːs/ *a* (**-er**, **-est**) (*knot etc*) desapertado; (*page etc*) solto; (*clothes*) folgado; (*not packed*) a granel; (*inexact*) vago; (*morals*) dissoluto, imoral. **at a ~ end** sem saber o que fazer, sem ocupação definida. **break ~** soltar-se. **~ly** *adv* sem apertar; (*roughly*) vagamente

loosen /ˈluːsn/ *vt* (*slacken*) soltar, desapertar; (*untie*) desfazer, desatar

loot /luːt/ *n* saque *m* □ *vt* pilhar, saquear. **~er** *n* assaltante *mf*. **~ing** *n* pilhagem *f*, saque *m*

lop /lɒp/ *vt* (*pt* **lopped**) **~ off** cortar, podar

lop-sided /lɒpˈsaɪdɪd/ *a* torto, inclinado para um lado

lord /lɔːd/ *n* senhor *m*; (*title*) lord *m*. **the L~** o Senhor. **the L~'s Prayer** o Pai-Nosso. **(good) L~!** meu Deus! **~ly** *a* magnífico, nobre; (*haughty*) altivo, arrogante

lorry /ˈlɒrɪ/ *n* camião *m*

lose /luːz/ *vt*/*i* (*pt* **lost**) perder. **get lost** perder-se. **get lost** (*sl*) vai passear! (*colloq*). **~r** /-ə(r)/ *n* perdedor *m*

loss /lɒs/ *n* perda *f*. **be at a ~** estar perplexo. **at a ~ for words** sem saber o que dizer

lost /lɒst/ *see* **lose** □ *a* perdido. **~ property** objectos *mpl* perdidos (e achados)

lot[1] /lɒt/ *n* sorte *f*; (*at auction, land*) lote *m*. **draw ~s** tirar à sorte

lot[2] /lɒt/ *n* **the ~** tudo; (*people*) todos *mpl*. **a ~ (of)**, **~s (of)** (*colloq*) uma porção (de) (*colloq*). **quite a ~ (of)** (*colloq*) uma boa porção (de) (*colloq*)

lotion /ˈləʊʃn/ *n* loção *f*

lottery /ˈlɒtərɪ/ *n* lotaria *f*

loud /laʊd/ *a* (**-er**, **-est**) alto, barulhento, ruidoso; (*of colours*) berrante □ *adv* alto. **~ hailer** *n* megafone *m*. **out ~** em voz alta. **~ly** *adv* alto

loudspeaker /laʊdˈspiːkə(r)/ *n* alto-falante *m*

lounge /laʊndʒ/ *vi* recostar-se preguiçosamente □ *n* sala *f*, salão *m*

louse /laʊs/ *n* (*pl* **lice**) piolho *m*

lousy /ˈlaʊzɪ/ *a* (**-ier**, **-iest**) piolhento; (*sl: very bad*) péssimo

lout /laʊt/ *n* pessoa *f* grosseira, arruaceiro *m*

lovable /ˈlʌvəbl/ *a* amoroso, adorável

love /lʌv/ *n* amor *m*; (*tennis*) zero *m*, nada *m* □ *vt* amar, estar apaixonado por; (*like* *greatly*) gostar muito de. **in ~ apaixonado (with** por). ~ **affair** aventura *f* amorosa. **she sends you her ~** ela manda-lhe lembranças

lovely /'lʌvlɪ/ *a* (**-ier, -iest**) lindo; (*colloq: delightful*) encantador, delicioso

lover /'lʌvə(r)/ *n* namorado *m*, apaixonado *m*; (*illicit*) amante *m*; (*devotee*) admirador *m*, apreciador *m*

lovesick /'lʌvsɪk/ *a* perdido de amor

loving /'lʌvɪŋ/ *a* amoroso, terno, extremoso

low /ləʊ/ *a* (**-er, -est**) baixo ☐ *adv* baixo ☐ *n* baixa *f*; (*low pressure*) área de baixa pressão *f*. **~-cut** *a* decotado. **~-down** *a* baixo, reles ☐ *n* (*colloq*) a verdade autêntica, a verdade nua e crua. **~-fat** *a* de baixo teor de gordura. **~-key** *a* (*fig*) moderado, discreto

lower /'ləʊə(r)/ *a & adv see* **low** ☐ *vt* baixar. **~ o.s.** (re)-baixar-se (**to** a)

lowlands /'ləʊləndz/ *npl* planície(s) *f* (*pl*)

lowly /'ləʊlɪ/ *a* (**-ier, -iest**) humilde, modesto

loyal /'lɔɪəl/ *a* leal. **~ly** *adv* lealmente. **~ty** *n* lealdade *f*

lozenge /'lɒzɪndʒ/ *n* (*shape*) losango *m*; (*tablet*) pastilha *f*

LP *abbr see* **long-playing record**

lubric|**ate** /'lu:brɪkeɪt/ *vt* lubrificar. **~ant** *n* lubrificante *m*. **~ation** /'keɪʃn/ *n* lubrificação *f*

lucid /'lu:sɪd/ *a* lúcido. **~ity** /lu:'sɪdətɪ/ *n* lucidez *f*

luck /lʌk/ *n* sorte *f*. **bad ~** pouca sorte *f*. **for ~** para dar sorte. **good ~!** boa sorte

luck|**y** /'lʌkɪ/ *a* (**-ier, -iest**) sortudo, com sorte; (*event etc*) feliz; (*number etc*) que dá sorte. **~ily** *adv* felizmente

lucrative /'lu:krətɪv/ *a* lucrativo, rentável

ludicrous /'lu:dɪkrəs/ *a* ridículo, absurdo

lug /lʌg/ *vt* (*pt* **lugged**) arrastar

luggage /'lʌgɪdʒ/ *n* bagagem *f*. **~-rack** *n* porta-bagagem *m*. **~-van** *n* furgão *m*

lukewarm /lu:'kwɔ:m/ *a* morno; (*fig*) sem entusiasmo, indiferente

lull /lʌl/ *vt* (*send to sleep*) embalar; (*suspicions*) acalmar ☐ *n* calmaria *f*, acalmia *f*

lullaby /'lʌləbaɪ/ *n* canção *f* de embalar

lumbago /lʌm'beɪgəʊ/ *n* lumbago *m*

lumber /'lʌmbə(r)/ *n* trastes *mpl* velhos; (*wood*) madeira *f* cortada ☐ *vt* **~ sb with** sobre- carregar alguém com

luminous /'lu:mɪnəs/ *a* luminoso

lump /lʌmp/ *n* bocado *m*; (*swelling*) caroço *m*; (*in the throat*) nó *m*; (*in liquid*) grumo *m*; (*of sugar*) torrão *m* ☐ *vt* **~ together** amontoar, juntar indiscriminadamente. **~ sum** quantia *f* total; (*payment*) pagamento *m* de uma assentada. **~y** *a* grumoso, encaroçado

lunacy /'lu:nəsɪ/ *n* loucura *f*

lunar /'lu:nə(r)/ *a* lunar

lunatic /'lu:nətɪk/ n lunático m. ~ **asylum** manicómio m

lunch /lʌntʃ/ n almoço m □ vi almoçar. ~**-time** n hora f do almoço

luncheon /'lʌntʃən/ n (formal) almoço m. ~ **meat** carne f enlatada, 'merenda' f. ~ **voucher** senha f de almoço

lung /lʌŋ/ n pulmão m

lunge /lʌndʒ/ n mergulho m, movimento m súbito para a frente; (thrust) arremetida f □ vi mergulhar, arremessar-se (**at** para cima de, contra)

lurch[1] /lɜ:tʃ/ n **leave sb in the** ~ deixar alg em apuros

lurch[2] /lɜ:tʃ/ vi ir aos ziguezagues, dar guinadas; (stagger) cambalear

lure /lʊə(r)/ vt atrair, tentar □ n chamariz m, engodo m. **the** ~ **of the sea** a atracção do mar

lurid /'lʊərɪd/ a berrante; (fig: sensational) sensacional; (fig: shocking) chocante

lurk /lɜ:k/ vi esconder-se à espreita; (prowl) rondar; (be latent) estar latente

luscious /'lʌʃəs/ a apetitoso; (voluptuous) desejável

lush /lʌʃ/ a viçoso, luxuriante

Lusitanian /lusɪ'teɪnɪən/ a & n lusitano m

lust /lʌst/ n luxúria f, sensualidade f; (fig) cobiça f, desejo m ardente □ vi ~ **after** cobiçar, desejar ardentemente. ~**ful** a sensual

lustre /'lʌstə(r)/ n lustre m; (fig) prestígio m

lusty /'lʌstɪ/ a (-ier, -iest) robusto, vigoroso

lute /lu:t/ n alaúde m

Luxemburg /'lʌksəmbɜ:g/ n Luxemburgo m

luxuriant /lʌg'ʒʊərɪənt/ a luxuriante

luxurious /lʌg'ʒʊərɪəs/ a luxuoso

luxury /'lʌkʃərɪ/ n luxo m □ a de luxo

lying /'laɪɪŋ/ see **lie**[1], **lie** [2]

lynch /lɪntʃ/ vt linchar

lynx /lɪŋks/ n lince m

lyre /'laɪə(r)/ n lira f

lyric /'lɪrɪk/ a lírico. ~**s** npl (mus) letra f. ~**al** a lírico

M

MA *abbr see* **Master of Arts**

mac /mæk/ *n* (*colloq*) impermeável *m*, gabardine *f*

macabre /mə'kɑ:brə/ *a* macabro

macaroni /mækə'rəʊnɪ/ *n* macarrão *m*

macaroon /mækə'ru:n/ *n* bolinho *m* seco de amêndoa ralada

mace[1] /meɪs/ *n* (*staff*) maça *f*

mace[2] /meɪs/ *n* (*spice*) macis *m*

machination /mækɪ'neɪʃn/ *n* maquinação *f*

machine /mə'ʃi:n/ *n* máquina *f* □ *vt* fazer à máquina; (*sewing*) coser à máquina. **~-gun** *n* metralhadora *f*. **~-readable** *a* em linguagem de máquina. **~ tool** máquina-ferramenta *f*

machinery /mə'ʃi:nərɪ/ *n* maquinaria *f*; (*working parts*; *fig*) mecanismo *m*

machinist /mə'ʃi:nɪst/ *n* maquinista *m*

macho /'mætʃəʊ/ *a* machista

mackerel /'mækrəl/ *n* (*pl invar*) cavala *f*

mackintosh /'mækɪntɒʃ/ *n* impermeável *m*, gabardine *f*

mad /mæd/ *a* (**madder, maddest**) doido, louco; (*dog*) raivoso; (*colloq: angry*) furioso (*colloq*). **be ~ about** ser doido por. **like ~** como (um) doido. **~ly** *adv* loucamente; (*frantically*) enlouquecidamente. **~ness** *n* loucura *f*

Madagascar /mædə'gæskə(r)/ *n* Madagáscar *m*

madam /'mædəm/ *n* senhora *f*. **no, ~** não, senhora

madden /'mædn/ *vt* endoidecer, enlouquecer. **it's ~ing** é de dar em doido

made /meɪd/ *see* **make**. **~ to measure** feito sob medida

Madeira /mə'dɪərə/ *n* Madeira *f*; (*wine*) Madeira *m*

madman /'mædmən/ *n* (*pl* **-men**) doido *m*

madrigal /'mædrɪgl/ *n* madrigal *m*

Mafia /'mæfɪə/ *n* Máfia *f*

magazine /mægə'zi:n/ *n* revista *f*, magazine *m*; (*of gun*) carregador *m*

magenta /mə'dʒentə/ *a & n* magenta *m*, carmim *m*

maggot /'mægət/ *n* larva *f*. **~y** *a* bichento

Magi /'meɪdʒaɪ/ *npl* **the ~** os Reis *mpl* Magos

magic /'mædʒɪk/ *n* magia *f* □ *a* mágico. **~al** *a* mágico

magician /mə'dʒɪʃn/ *n* (*conjuror*) prestidigitador *m*; (*wizard*) feiticeiro *m*

magistrate /'mædʒɪstreɪt/ *n* magistrado *m*

magnanim|ous /mæg'nænɪməs/ *a* magnânimo. **~ity** /-ə'nɪmətɪ/ *n* magnanimidade *f*

magnate /'mægneɪt/ *n* magnata *m*

magnet /'mægnɪt/ *n* íman *m*. **~ic** /-'netɪk/ *a* magnético. **~ism** /-ɪzəm/ *n* magnetismo *m*. **~ize** *vt* magnetizar

magnificen|t /mæg'nɪfɪsnt/ *a* magnífico. **~ce** *n* magnificência *f*

magnif|y /'mægnɪfaɪ/ *vt* aumentar; (*sound*) ampliar, amplificar. **~ication** /-ɪ'keɪʃn/ *n* aumento *m*, ampliação *f*. **~ying glass** lupa *f*

magnitude /'mægnɪtjuːd/ *n* magnitude *f*

magpie /'mægpaɪ/ *n* pega *f*

mahogany /mə'hɒgənɪ/ *n* mogno *m*

maid /meɪd/ *n* criada *f*, empregada *f*. **old ~** solteirona *f*

maiden /'meɪdn/ *n* (*old use*) donzela *f* □ *a* (*aunt*) solteira; (*speech, voyage*) inaugural. **~ name** nome *m* de solteira

mail¹ /meɪl/ *n* correio *m*; (*letters*) correio *m*, correspondência *f* □ *a* postal □ *vt* postar, pôr no correio; (*send by mail*) mandar pelo correio. **~-bag** *n* mala *f* postal. **~-box**

n (*Amer*) caixa *f* do correio. **~ing-list** *n* lista *f* de endereços. **~ order** *n* encomenda *f* por correio

mail² /meɪl/ *n* (*armour*) cota *f* de malha

mailman /'meɪlmæn/ *n* (*pl* **-men**) (*Amer*) carteiro *m*

maim /meɪm/ *vt* mutilar, aleijar

main¹ /meɪn/ *a* principal □ *n* **in the ~** em geral, essencialmente. **~ road** estrada *f* principal. **~ly** *adv* principalmente, sobretudo

main² /meɪn/ *n* (*water/gas*) **~ conduta** *f* **de água/gás. the ~s** (*electr*) a rede *f* eléctrica

mainland /'meɪnlənd/ *n* continente *m*

mainstay /'meɪnsteɪ/ *n* (*fig*) esteio *m*

mainstream /'meɪnstriːm/ *n* tendência *f* dominante, linha *f* principal

maintain /meɪn'teɪn/ *vt* manter, sustentar; (*rights*) defender, manter

maintenance /'meɪntənəns/ *n* (*care, continuation*) manutenção *f*; (*allowance*) pensão *f*

maisonette /meɪzə'net/ *n* duplex *m*

maize /meɪz/ *n* milho *m*

majestic /mə'dʒestɪk/ *a* majestoso. **~ally** *adv* majestosamente

majesty /'mædʒəstɪ/ *n* majestade *f*

major /'meɪdʒə(r)/ *a* maior; (*very important*) de vulto □ *n* major *m* □ *vi* **~ in** (*Amer: univ*) especializar-se em. **~ road** estrada *f* principal

Majorca /mə'dʒɔːkə/ n Maiorca f

majority /mə'dʒɒrətɪ/ n maioria f; (age) maioridade f □ a maioritário **the ~ of people** a maioria or a maior parte das pessoas

make /meɪk/ vt/i (pt made) fazer; (decision) tomar; (destination) chegar a; (cause to) fazer (+ inf) or (com) que (+ subj). **you ~ me angry** fazes-me zangar □ n (brand) marca f. **on the ~** (sl) oportunista. **be made of** ser feito de. **~ o.s. at home** estar à vontade/como em sua casa. **~ it** chegar; (succeed) triunfar. **I ~ it two o'clock** são duas pelo meu relógio. **~ as if to** fazer ou fingir que. **~ believe** fingir. **~-believe** a fingido □ n fantasia f. **~ do** **with** arranjar-se com, contentar-se com. **~ for** dirigir-se para; (contribute to) ajudar a. **~ good** vi triunfar □ vt compensar; (repair) reparar. **~ off** fugir (with com). **~ out** avistar, distinguir; (understand) entender; (claim) pretender; (a cheque) passar, emitir. **~ over** ceder, transferir. **~ up** vt fazer, compor; (story) inventar; (deficit) suprir □ vi fazer as pazes. **~ up (one's face)** maquilhar-se. **~-up** n maquilhagem f; (of object) composição f; (psych) maneira f de ser, natureza f. **~ up for** compensar. **~ up one's mind** decidir-se

maker /'meɪkə(r)/ n fabricante mf

makeshift /'meɪkʃɪft/ n solução f temporária □ a provisório

making /'meɪkɪŋ/ n **be the ~ of** fazer, ser a causa do sucesso de. **in the ~** em formação. **he has the ~s** of ele tem as qualidades essenciais de

maladjusted /mælə'dʒʌstɪd/ a inadaptado, desadaptado

maladministration /mælədmɪnɪ'streɪʃn/ n mau governo m, má gestão f

malaise /mæ'leɪz/ n mal-estar m

malaria /mə'leərɪə/ n malária f

Malay /mə'leɪ/ a & n malaio m. **~sia** /-ʒə/ n Malásia f

male /meɪl/ a (voice, sex) masculino; (biol, techn) macho □ n (human) homem m, indivíduo m do sexo masculino; (arrival) macho m

malevolen|t /mə'levələnt/ a malévolo. **~ce** n malevolência f, má vontade f

malform|ation /mælfɔː'meɪʃn/ n deformidade f. **~ed** a deformado

malfunction /mæl'fʌŋkʃn/ n mau funcionamento m □ vi funcionar mal

malice /'mælɪs/ n maldade f, malícia f. **bear sb ~** guardar rancor a alg

malicious /mə'lɪʃəs/ a maldoso, malicioso. **~ly** adv maldosamente, maliciosamente

malign /mə'laɪn/ vt caluniar, difamar

malignan|t /mə'lɪgnənt/ a (tumour) maligno; (malevolent) malévolo. **~cy** n malignidade f; malevolência f

malinger /mə'lɪŋgə(r)/ *vi* fingir-se doente. **~er** *n* pessoa *f* que se finge doente

mallet /'mælɪt/ *n* maço *m*

malnutrition /mælnju:'trɪʃn/ *n* desnutrição *f*, subalimentação *f*

malpractice /mæl'præktɪs/ *n* abuso *m*; (*incompetence*) incompetência *f* profissional, negligência *f*

malt /mɔːlt/ *n* malte *m*

Malt|a /'mɔːltə/ *n* Malta *f*. **~ese** /'tiːz/ *a* & *n* maltês *m*

maltreat /mæl'triːt/ *vt* maltratar. **~ment** *n* mau(s) trato(s) *m(pl)*

mammal /'mæml/ *n* mamífero *m*

mammoth /'mæməθ/ *n* mamute *m* □ *a* gigantesco, colossal

man /mæn/ *n* (*pl* **men**) homem *m*; (*in sports team*) jogador *m*; (*chess*) peça *f* □ *vt* (*pt* **manned**) prover de pessoal; (*mil*) guarnecer; (*naut*) guarnecer, equipar, tripular; (*be on duty at*) estar de serviço em. **~ in the street** o homem da rua. **~-hour** *n* hora *f* de trabalho per capita, homem-hora *f*. **~-hunt** *n* caça *f* ao homem. **~-made** *a* artificial. **~ to ~** de homem para homem

manage /'mænɪdʒ/ *vt* (*household*) governar; (*tool*) manejar; (*boat, affair, crowd*) manobrar; (*shop*) dirigir, gerir. **I could ~ another drink** (*colloq*) até que tomaria mais uma bebida (*colloq*) □ *vi* arranjar-se. **to do** conse-

guir fazer. **~able** *a* manejável; (*easily controlled*) controlável. **~ment** *n* gerência *f*, direcção *f*. **managing director** director *m* geral

manager /'mænɪdʒə(r)/ *n* director *m*; (*of bank, shop*) gerente *m*; (*of actor*) empresário *m*; (*sport*) treinador *m*. **~ess** /'res/ *n* directora *f*; gerente *f*. **~ial** /'dʒɪərɪəl/ *a* directivo, administrativo. **~ial staff** gestores *mpl*

mandarin /'mændərɪn/ *n* mandarim *m*. **~ (orange)** mandarina *f*, tangerina *f*

mandate /'mændeɪt/ *n* mandato *m*

mandatory /'mændətrɪ/ *a* obrigatório

mane /meɪn/ *n* crina *f*; (*of lion*) juba *f*

mangle[1] /'mæŋgl/ *n* calandra *f* □ *vt* espremer (com a calandra)

mangle[2] /'mæŋgl/ *vt* (*mutilate*) mutilar, estropiar

mango /'mæŋgəʊ/ *n* (*pl* **-oes**) manga *f*

manhandle /'mænhændl/ *vt* mover à força de braço; (*treat roughly*) tratar com brutalidade

manhole /'mænhəʊl/ *n* poço *m* de inspecção

manhood /'mænhʊd/ *n* idade adulta *f*; (*quality*) virilidade *f*

mania /'meɪnɪə/ *n* mania *f*. **~c** /-ɪæk/ *n* maníaco *m*

manicur|e /'mænɪkjʊə(r)/ *n* manicure *f* □ *vt* fazer. **~ist** *n* manicure *m*

manifest /'mænɪfest/ *a* manifesto □ *vt* manifestar. **~ation** /'steɪʃn/ *n* manifestação *f*

manifesto /mænɪˈfestəʊ/ n (pl -os) manifesto m

manipulat|e /məˈnɪpjʊleɪt/ vt manipular. ~ion /ˈleɪʃn/ n manipulação f

mankind /mænˈkaɪnd/ n humanidade f, género m humano

manly /ˈmænlɪ/ a viril, másculo

manner /ˈmænə(r)/ n maneira f, modo m; (attitude) modo (s) m (pl); (kind) espécie f. ~s maneiras fpl. **bad ~s** má-criação f, falta f de educação. **good ~s** (boa) educação f. **~ed** a afectado

mannerism /ˈmænərɪzəm/ n maneirismo m

manoeuvre /məˈnuːvə(r)/ n manobra f □ vt/i manobrar

manor /ˈmænə(r)/ n solar m

manpower /ˈmænpaʊə(r)/ n mão-de-obra f

mansion /ˈmænʃn/ n mansão f

manslaughter /ˈmænslɔːtə(r)/ n homicídio m involuntário

mantelpiece /ˈmæntlpiːs/ n (shelf) prateleira f da chaminé

manual /ˈmænjʊəl/ a manual □ n manual m

manufacture /mænjʊˈfæktʃə(r)/ vt fabricar □ n fabrico m, fabricação f. ~r /-ə(r)/ n fabricante mf

manure /məˈnjʊə(r)/ n estrume m

manuscript /ˈmænjʊskrɪpt/ n manuscrito m

many /ˈmenɪ/ a (more, most) muitos □ n muitos; (many people) muita gente f. **a great ~** muitíssimos. **~ a**

man/tear/etc muitos homens/muitas lágrimas/etc. **you may take as ~ as you want** você pode levar quantos quiser. **~ of us/them/you** muitos de nós/deles/de vocês. **how ~?** quantos? **one too ~** um a mais

map /mæp/ n mapa m □ vt (pt mapped) fazer o mapa de. **~ out** planear em pormenor; (route) traçar

maple /ˈmeɪpl/ n bordo m

mar /mɑː(r)/ vt (pt marred) estragar; (beauty) desfigurar

marathon /ˈmærəθən/ n maratona f

marble /ˈmɑːbl/ n mármore m; (for game) berlinde m

March /mɑːtʃ/ n Março m

march /mɑːtʃ/ vi marchar □ vt **~ off** fazer marchar, conduzir à força. **he was ~ed off to prison** fizeram-no marchar para a prisão □ n marcha f. **~-past** n desfile m em revista militar

mare /meə(r)/ n égua f

margarine /mɑːdʒəˈriːn/ n margarina f

margin /ˈmɑːdʒɪn/ n margem f. **~al** a marginal. **~al seat** (pol) lugar m ganho com pequena maioria. **~ally** adv por uma pequena margem, muito pouco

marigold /ˈmærɪɡəʊld/ n malmequer m, cravo-de-defunto m

marijuana /mærɪˈwɑːnə/ n maconha f

marina /məˈriːnə/ n marina f

marinade /mærɪˈneɪd/ n vinha d'alho, escabeche m □ vt pôr em vinha d'alho

marine /məˈriːn/ a marinho; (of ship, trade etc) marítimo □ n (shipping) marinha f; (sailor) fuzileiro m naval

marionette /mærɪəˈnet/ n fantoche m, marionete f

marital /ˈmærɪtl/ a marital, conjugal, matrimonial. ~ **status** estado m civil

maritime /ˈmærɪtaɪm/ a marítimo

mark[1] /maːk/ n (currency) marco m

mark[2] /maːk/ n marca f; (trace) marca f, sinal m; (stain) mancha f; (schol) nota f; (target) alvo m □ vt marcar; (exam etc) marcar, classificar. ~ **out** marcar. ~ **out for** escolher para, designar para. ~ **time** marcar passo. **make one's** ~ ganhar nome. ~**er** n marcador m. ~**ing** n marcas fpl, marcação f

marked /maːkt/ a marcado. ~**ly** /-ɪdlɪ/ adv manifestamente, visivelmente

market /ˈmaːkɪt/ n mercado m □ vt vender; (launch) comercializar, lançar. ~ **garden** horta f de legumes para venda. ~~**place** n mercado m. ~ **research** pesquisa f de mercado. **on the** ~ à venda. ~**ing** n marketing m

marksman /ˈmaːksmən/ n (pl -men) atirador m especial

marmalade /ˈmaːməleɪd/ n compota f de laranja

maroon /məˈruːn/ n & a bordeaux m

marooned /məˈruːnd/ a abandonado em ilha, costa deserta etc; (fig: stranded) encalhado (fig)

marquee /maːˈkiː/ n barraca f ou tenda f grande; (Amer: awning) toldo m

marriage /ˈmærɪdʒ/ n casamento m, matrimónio m. ~ **certificate** certidão f de casamento. ~**able** a casadouro

marrow /ˈmærəʊ/ n (of bone) tutano m, medula f; (vegetable) abóbora f. **chilled to the** ~ gelado até os ossos

marr|**y** /ˈmærɪ/ vt casar(-se) com; (give or unite in marriage) casar □ vi casar-se. ~**ied** a casado; (life) de casado, conjugal. **get** ~**ied** casar-se

Mars /maːz/ n Marte m

marsh /maːʃ/ n pântano m. ~**y** a pantanoso

marshal /ˈmaːʃl/ n (mil) marechal m; (steward) mestre m de cerimónias □ vt (pt **marshalled**) dispor em ordem, ordenar; (usher) conduzir, escoltar

marshmallow /maːʃˈmæləʊ/ n marshmallow m

martial /ˈmaːʃl/ a marcial. ~ **law** lei f marcial

martyr /ˈmaːtə(r)/ n mártir mf □ vt martirizar. ~**dom** n martírio m

marvel /ˈmaːvl/ n maravilha f, prodígio m □ vi (pt **marvelled**) (feel wonder) maravilhar-se (**at** com); (be astonished) pasmar (**at** com)

marvellous /ˈmaːvələs/ a maravilhoso

Marxis|**t** /ˈmaːksɪst/ a & n marxista mf. ~**m** /-zəm/ n marxismo m

marzipan /ˈmaːzɪpæn/ n maçapão m

mascara /mæ'ska:rə/ n rímel m

mascot /'mæskət/ n mascote f

masculin|e /'mæskjŭlɪn/ a masculino □ n masculino m. **~ity** /-'lɪnɪtɪ/ n masculinidade f

mash /mæʃ/ n (pulp) papa f □ vt esmagar. **~ed potatoes** puré m de batata(s)

mask /ma:sk/ n máscara f □ vt mascarar

masochis|t /'mæsəkɪst/ n masoquista mf. **~m** /-zəm/ n masoquismo m

mason /'meɪsn/ n maçom m; (building) pedreiro m. **~ry** n maçonaria f; (building) alvenaria f

Mason /'meɪsn/ n maçom m, pedreiro-livre m. **~ic** /mə'sɒnɪk/ a maçónico

masquerade /mæ:skə'reɪd/ n mascarada f □ vi ~ **as** mascarar-se de, disfarçar-se de

mass¹ /mæs/ n (relig) missa f

mass² /mæs/ n massa f; (heap) montão m □ vt/i aglomerar(-se), reunir(-se) em massa. **~ produce** vt produzir em série. **the ~es** as massas, a grande massa

massacre /'mæsəkə(r)/ n massacre m □ vt massacrar

massage /'mæsa:ʒ/ n massagem f □ vt massajar, dar massagens a

masseu|r /mæ'sɜ:(r)/ n massagista m. **~se** /mæ'sɜ:z/ n massagista f

massive /'mæsɪv/ a (heavy) maciço; (huge) enorme

mast /ma:st/ n mastro m; (for radio etc) antena f

master /'ma:stə(r)/ n (in school) professor m, mestre m; (expert) mestre m; (boss) patrão m; (owner) dono m. **M~** (boy) menino m □ vt dominar. **~-key** n chave-mestra f. **~-mind** n (of scheme etc) cérebro m □ vt planear, dirigir. **M~ of Arts/** etc Licenciado m em Letras/ etc. **~-stroke** n golpe m de mestre. **~y** n domínio m (over sobre); (knowledge) conhecimento m; (skill) perícia f

masterly /'ma:stəlɪ/ a magistral

masterpiece /'ma:stəpi:s/ n obra-prima f

masturbat|e /'mæstəbeɪt/ vi masturbar-se. **~ion** /'beɪʃn/ n masturbação f

mat /mæt/ n tapete m pequeno; (at door) capacho m. **(table-)~** n (of cloth) naperon m à americana, individual m; (for hot dishes) base f para pratos

match¹ /mætʃ/ n fósforo m

match² /mætʃ/ n (contest) competição f, torneio m; (game) partida f, desafio m; (equal) par m, parceiro m, igual mf; (fig: marriage) casamento m; (marriage partner) partido m □ vt/i (set against) contrapor (against a); (equal) igualar; (go with) condizer; (be alike) ir com, emparceirar com. **her shoes ~ed her bag** os sapatos dela condiziam com a carteira. **~ing** a condizente, a condizer

matchbox /'mætʃbɒks/ n caixa f de fósforos

mat|e¹ /meɪt/ n companheiro m, camarada mf; (of birds, animals) macho m, fêmea f; (assistant) ajudante mf □ vt/i acasalar(-se) (**with** com). **~ing season** época f de cio

mate² /meɪt/ n (chess) mate m, xeque-mate m

material /mə'tɪərɪəl/ n material m; (fabric) tecido m; (equipment) apetrechos mpl □ a material; (significant) importante

materialis|m /mə'tɪərɪəlɪzəm/ n materialismo m. **~tic** /-'lɪstɪk/ a materialista

materialize /mə'tɪərɪəlaɪz/ vi realizar-se, concretizar-se; (appear) aparecer

maternal /mə'tɜːnəl/ a maternal

maternity /mə'tɜːnətɪ/ n maternidade f □ a (clothes) de grávida, pré-mamã. **~ hospital** maternidade f. **~ leave** licença f de maternidade

mathematic|s /mæθə'mætɪks/ n matemática f. **~al** a matemático. **~ian** /-ə'tɪʃn/ n matemático m.

maths /mæθs/ n (colloq) matemática f

matinée /'mætɪneɪ/ n matinée f

matrimon|y /'mætrɪmənɪ/ n matrimónio m. **~ial** /-'məʊnɪəl/ a matrimonial, conjugal

matrix /'meɪtrɪks/ n (pl **matrices** /-siːz/) matriz f

matron /'meɪtrən/ n matrona f; (in school) inspectora f; (former use: senior nursing officer) enfermeira-chefe f. **~ly** a respeitável, muito digno

matt /mæt/ a mate, baço, fosco, sem brilho

matted /'mætɪd/ a emaranhado

matter /'mætə(r)/ n (substance) matéria f; (affair) assunto m, caso m, questão f; (pus) pus m □ vi importar. **as a ~ of fact** na verdade. **it does not ~** não importa. **~-of-fact** a prosaico, terra-a-terra. **no ~ what happens** aconteça o que acontecer. **what is the ~?** o que é que há? **what is the ~ with you?** o que é que tens?

mattress /'mætrɪs/ n colchão m

matur|e /mə'tjʊə(r)/ a maduro, amadurecido □ vt/i amadurecer; (comm) vencer-se. **~ity** n madureza f, maturidade f; (comm) vencimento m

maul /mɔːl/ vt maltratar, atacar

Mauritius /mə'rɪʃəs/ n Ilha f Maurícia

mausoleum /mɔːsə'lɪəm/ n mausoléu m

mauve /məʊv/ a & n lilás m

maxim /'mæksɪm/ n máxima f

maxim|um /'mæksɪməm/ a & n (pl **-ima**) máximo m. **~ize** vt aumentar ao máximo, maximizar

may /meɪ/ v aux (pt **might**) poder. **he ~/might come** talvez venha/viesse. **you might have** podia ter. **you ~ leave** pode ir. **~ I smoke?** posso fumar?, dá licença que eu fume? ~ **he be happy** que ele seja feliz. **I** ~ *or* **might as well go** talvez seja *or* fosse melhor eu ir

May /meɪ/ n Maio n. ~ **Day** o 1.º de Maio

maybe /ˈmeɪbiː/ *adv* talvez

mayhem /ˈmeɪhem/ n (*disorder*) distúrbios *mpl* violentos; (*havoc*) estragos *mpl*

mayonnaise /meɪəˈneɪz/ n maionese *f*

mayor /meə(r)/ n prefeito *m*. ~**ess** n prefeita *f*; (*mayor's wife*) mulher *f* do prefeito

maze /meɪz/ n labirinto *m*

me /miː/ *pron me*; (*after prep*) mim. **with** ~ comigo. **he knows** ~ ele conhece-me. **it's** ~ sou eu

meadow /ˈmedəʊ/ n prado *m*, campina *f*

meagre /ˈmiːgə(r)/ a (*thin*) magro; (*scanty*) escasso

meal[1] /miːl/ n refeição *f*

meal[2] /miːl/ n (*grain*) farinha *f* grossa

mean[1] /miːn/ a (**-er, -est**) mesquinho; (*unkind*) mau. ~**ness** n mesquinhez *f*

mean[2] /miːn/ a médio □ n média *f*. **Greenwich ~ time** tempo *m* médio de Greenwich

mean[3] /miːn/ *vt* (*pt* **meant**) (*intend*) tencionar *or* ter (a) intenção (**to** de); (*signify*) querer dizer, significar; (*entail*) dar em resultado, resultar provavelmente em; (*refer to*) referir-se a. **be meant for** destinar-se a. **I didn't** ~ **it** desculpe, foi sem querer. **he ~s what he says** ele está a falar a sério

meander /mɪˈændə(r)/ *vi* serpentear; (*wander*) perambular

meaning /ˈmiːnɪŋ/ n sentido *m*, significado *m*. ~**ful** a significativo. ~**less** a sem sentido

means /miːnz/ n meio(s) *m(pl)* □ *npl* meios *mpl* pecuniários, recursos *mpl*. **by all** ~ com certeza. **by** ~ **of** por meio de, através de. **by no** ~ de modo nenhum

meant /ment/ *see* **mean**[3]

mean|time /ˈmiːntaɪm/ *adv* (**in the**) ~**time** entretanto. ~**while** /-waɪl/ *adv* entretanto

measles /ˈmiːzlz/ n sarampo *m*. **German** ~ rubéola *f*

measly /ˈmiːzlɪ/ a (*sl*) miserável, ínfimo

measurable /ˈmeʒərəbl/ a mensurável

measure /ˈmeʒə(r)/ n medida *f* □ *vt/i* medir. **made to** ~ feito por medida. ~ **up to** mostrar-se à altura de. ~**d** a medido, calculado. ~**ment** n medida *f*

meat /miːt/ n carne *f*. ~**y** a carnudo; (*fig: substantial*) substancial

mechanic /mɪˈkænɪk/ n mecânico *m*

mechanic|al /mɪˈkænɪkl/ a mecânico. ~**s** n mecânica *f*; *npl* mecanismo *m*

mechan|ism /ˈmekənɪzəm/ n mecanismo *m*. ~**ize** *vt* mecanizar

medal /ˈmedl/ n medalha *f*. ~**list** n condecorado *m*. **be a gold** ~**list** ser medalha de ouro

medallion /mɪˈdælɪən/ n medalhão m

meddle /ˈmedl/ vi (interfere) imiscuir-se, intrometer-se (in em); (tinker) mexer (with em). ~some a intrometido, abelhudo

media /ˈmiːdɪə/ see medium □ npl the ~ os meios de comunicação social or de massa

mediat|e /ˈmiːdɪeɪt/ vi servir de intermediário, mediar. ~ion /ˈeɪʃn/ n mediação f. ~or n mediador m, intermediário m

medical /ˈmedɪkl/ a médico □ n (colloq: examination) exame m médico

medicat|ed /ˈmedɪkeɪtɪd/ a medicinal. ~ion /ˈkeɪʃn/ n medicamentação f

medicinal /mɪˈdɪsɪnl/ a medicinal

medicine /ˈmedsn/ n medicina f; (substance) remédio m, medicamento m

medieval /medɪˈiːvl/ a medieval

mediocr|e /miːdɪˈəʊkə(r)/ a medíocre. ~ity /ˈɒkrətɪ/ n mediocridade f

meditat|e /ˈmedɪteɪt/ vt/i meditar. ~ion /ˈteɪʃn/ n meditação f

Mediterranean /medɪtəˈreɪnɪən/ a mediterrânico □ n the ~ o Mediterrâneo

medium /ˈmiːdɪəm/ n (pl media) meio m; (pl mediums) (person) médium mf □ a médio. ~ wave (radio) onda f média. the happy ~ o meio-termo

medley /ˈmedlɪ/ n (pl -eys) miscelânea f

meek /miːk/ a (-er, -est) manso, submisso, sofrido

meet /miːt/ vt (pt met) encontrar; (intentionally) encontrar-se com, ir ter com; (at station etc) ir esperar, ir buscar; (make the acquaintance of) conhecer; (conform with) ir ao encontro de, satisfazer; (opponent, obligation etc) fazer face a; (bill, expenses) pagar □ vi encontrar-se; (get acquainted) familiarizar-se; (in session) reunir-se. ~ with encontrar; (accident, misfortune) sofrer, ter

meeting /ˈmiːtɪŋ/ n reunião f, encontro m; (between two people) encontro m. ~-place n ponto m de encontro

megalomania /megaləʊˈmeɪnɪə/ n megalomania f, mania f de grandezas

megaphone /ˈmegəfəʊn/ n megafone m, porta-voz m

melancholy /ˈmelənkɒlɪ/ n melancolia f □ a melancólico

mellow /ˈmeləʊ/ a (-er, -est) (fruit, person) amadurecido, maduro; (sound, colour) quente, suave □ vt/i amadurecer; (soften) suavizar

melodious /mɪˈləʊdɪəs/ a melodioso

melodrama /ˈmelədrɑːmə/ n melodrama m. ~tic /-əˈmætɪk/ a melodramático

melod|y /ˈmelədɪ/ n melodia f. ~ic /mɪˈlɒdɪk/ a melódico

melon /ˈmelən/ n melão m

melt /melt/ vt/i (metals) fundir

(-se); (*butter, snow etc*) derreter (-se); (*fade away*) desvanecer (-se). ~**ing-pot** *n* cadinho *m*

member /'membə(r)/ *n* membro *m*; (*of club etc*) sócio *m*. **M~ of Parliament** deputado *m*. ~**ship** *n* qualidade *f* de sócio; (*members*) número *m* de sócios; (*fee*) cota *f*. ~**ship card** cartão *m* de sócio

membrane /'membreɪn/ *n* membrana *f*

memento /mɪ'mentəʊ/ *n* (*pl* -oes) lembrança *f*, recordação *f*

memo /'meməʊ/ *n* (*pl* -os) (*colloq*) nota *f*, apontamento *m*, lembrete *m*

memoir /'memwa:(r)/ *n* (*record, essay*) memória *f*, memorial *m*; ~**s** *npl* (*autobiography*) memórias *fpl*

memorable /'memərəbl/ *a* memorável

memorandum /memə'rændəm/ *n* (*pl* -**da** *or* -**dums**) nota *f*, lembrete *m*; (*diplomatic*) memorando *m*

memorial /mɪ'mɔ:rɪəl/ *n* monumento *m* comemorativo □ *a* comemorativo

memorize /'meməraɪz/ *vt* decorar, memorizar, aprender de cor

memory /'memərɪ/ *n* memória *f*. **from** ~ de memória, de cor. **in** ~ **of** em memória de

men /men/ *see* **man**

menac|e /'menəs/ *n* ameaça *f*; (*nuisance*) praga *f*, chaga *f* □ *vt* ameaçar. ~**ingly** *adv* ameaçadoramente, de modo ameaçador

menagerie /mɪ'nædʒərɪ/ *n* colecção *f* de animais ferozes em jaulas

mend /mend/ *vt* consertar, reparar; (*darn*) remendar □ *n* conserto *m*; (*darn*) remendo *m*. ~ **one's ways** corrigir-se, emendar-se. **on the** ~ melhor, a melhorar

menial /'mi:nɪəl/ *a* humilde

meningitis /menɪn'dʒaɪtɪs/ *n* meningite *f*

menopause /'menəpɔ:z/ *n* menopausa *f*

menstruation /menstrʊ'eɪʃn/ *n* menstruação *f*

mental /'mentl/ *a* mental; (*hospital*) de doentes mentais, psiquiátrico

mentality /men'tælətɪ/ *n* mentalidade *f*

mention /'menʃn/ *vt* mencionar □ *n* menção *f*. **don't** ~ **it!** não tem de quê, de nada

menu /'menju:/ *n* (*pl* -**us**) ementa *f*, menu *m*

mercenary /'mɜ:snərɪ/ *a* & *n* mercenário *m*

merchandise /'mɜ:tʃəndaɪz/ *n* mercadorias *fpl* □ *vt/i* negociar

merchant /'mɜ:tʃənt/ *n* mercador *m* □ *a* (*ship, navy*) mercante. ~ **bank** banco *m* comercial

merciful /'mɜ:sɪfl/ *a* misericordioso

merciless /'mɜ:sɪlɪs/ *a* impiedoso, sem dó

mercury /'mɜ:kjʊrɪ/ *n* mercúrio *m*

mercy /'mɜ:sɪ/ *n* piedade *f*, misericórdia *f*. **at the** ~ **of** à mercê de

mere /mɪə(r)/ a mero, simples. ~**ly** adv meramente, simplesmente, apenas

merge /mɜːdʒ/ vt/i fundir(-se), amalgamar(-se); (comm: companies) fundir(-se). ~**r** /-ə(r)/ n fusão f

meringue /məˈræŋ/ n merengue m, suspiro m

merit /ˈmerɪt/ n mérito m □ vt (pt **merited**) merecer

mermaid /ˈmɜːmeɪd/ n sereia f

merriment /ˈmerɪmənt/ n divertimento m, alegria f, folguedo m

merry /ˈmerɪ/ a (-ier, -iest) alegre, divertido. ~ **Christmas** Feliz Natal. ~**go-round** n carrossel m. ~**making** n festa f, divertimento m. **merrily** adv alegremente

mesh /meʃ/ n malha f. ~**es** npl (network; fig) malhas fpl.

mesmerize /ˈmezməraɪz/ vt hipnotizar

mess /mes/ n (disorder) desordem f, trapalhada f; (trouble) embrulhada f, trapalhada f; (dirt) porcaria f; (mil: place) messe f; (mil: food) rancho m □ vt ~ **up** (make untidy) desarrumar; (make dirty) sujar; (confuse) atrapalhar, estragar □ vi ~ **about** perder tempo; (behave foolishly) fazer asneiras. ~ **about with** (tinker with) entreter-se com, andar às voltas com. **make a ~ of** estragar

message /ˈmesɪdʒ/ n mensagem f; (informal) recado m

messenger /ˈmesɪndʒə(r)/ n mensageiro m

Messiah /mɪˈsaɪə/ n Messias m

messy /ˈmesɪ/ a (-ier, -iest) desarrumado, numa confusão; (dirty) sujo, porco

met /met/ see **meet**

metabolism /mɪˈtæbəlɪzm/ n metabolismo m

metal /ˈmetl/ n metal m □ a de metal. ~**lic** /mɪˈtælɪk/ a metálico; (paint, colour) metalizado

metamorphosis /metəˈmɔːfəsɪs/ n (pl **-phoses** /-siːz/) metamorfose f

metaphor /ˈmetəfə(r)/ n metáfora f. ~**ical** /ˈforɪkl/ a metafórico

meteor /ˈmiːtɪə(r)/ n meteoro m

meteorolog|y /miːtɪəˈrɒlədʒɪ/ n meteorologia f. ~**ical** /-əˈlɒdʒɪkl/ a meteorológico

meter[1] /ˈmiːtə(r)/ n contador m

meter[2] /ˈmiːtə(r)/ n (Amer) = **metre**

method /ˈmeθəd/ n método m

methodical /mɪˈθɒdɪkl/ a metódico

Methodist /ˈmeθədɪst/ n metodista mf

methylated /ˈmeθɪleɪtɪd/ a ~ **spirit** álcool m metílico

meticulous /mɪˈtɪkjʊləs/ a meticuloso

metre /ˈmiːtə(r)/ n metro m

metric /ˈmetrɪk/ a métrico. ~**ation** /ˈkeɪ∫n/ n conversão f ao sistema métrico

metropol|is /məˈtrɒpəlɪs/ n metrópole f. ~**itan** /metrəˈpolɪtən/ a metropolitano

mettle /ˈmetl/ n têmpera f, carácter m; (spirit) brio m

mew /mjuː/ n miado m □ vi miar

Mexic|o /'meksɪkəʊ/ n México m. **~an** a & n mexicano m

miaow /mi:'aʊ/ n & vi = **mew**

mice /maɪs/ see **mouse**

mickey /'mɪkɪ/ n take the ~ out of (sl) fazer troça de, gozar (colloq)

micro- /'maɪkrəʊ/ pref micro-

microbe /'maɪkrəʊb/ n micróbio m

microchip /'maɪkrəʊtʃɪp/ n microchip m

microcomputer /'maɪkrəʊkəmpju:tə(r)/ n microcomputador m

microfilm /'maɪkrəʊfɪlm/ n microfilme m

microlight /'maɪkrəʊlaɪt/ n (aviat) ultraleve m

microphone /'maɪkrəfəʊn/ n microfone m

microprocessor /'maɪkrəʊ'prəʊsesə(r)/ n microprocessador m

microscop|e /'maɪkrəskəʊp/ n microscópio m. **~ic** /'skɒpɪk/ a microscópico

microwave /'maɪkrəʊweɪv/ n microonda f. **~ oven** forno m de microondas

mid /mɪd/ a meio. **in ~-air** no ar, em pleno voo. **in ~-March** em meados de Março

midday /mɪd'deɪ/ n meio-dia m

middle /'mɪdl/ a médio, meio; (quality) médio, mediano □ n meio m. **in the ~ of** no meio de. **~-aged** a de meia idade. **M~ Ages** Idade f Média. **~ class** classe f média. **~-class** a burguês. **M~ East** Médio Oriente m. **~ name** segundo nome m

middleman /'mɪdlmæn/ n (pl -men) intermediário m

midge /mɪdʒ/ n mosquito m

midget /'mɪdʒɪt/ n anão m □ a minúsculo

Midlands /'mɪdləndz/ npl região f do centro da Inglaterra

midnight /'mɪdnaɪt/ n meia--noite f

midriff /'mɪdrɪf/ n diafragma m; (abdomen) ventre m

midst /mɪdst/ n **in the ~ of** no meio de

midsummer /mɪd'sʌmə(r)/ n pleno verão m; (solstice) solstício m do verão

midway /mɪd'weɪ/ adv a meio caminho

midwife /'mɪdwaɪf/ n (pl -wives) parteira f

might¹ /maɪt/ n potência f; (strength) força f. **~y** a poderoso; (fig: great) imenso □ adv (colloq) muito

might² /maɪt/ see **may**

migraine /'mi:greɪn/ n enxaqueca f

migrant /'maɪgrənt/ a migratório □ n (person) migrante mf, emigrante mf

migrat|e /maɪ'greɪt/ vi migrar. **~ion** /-ʃn/ n migração f

mike /maɪk/ n (colloq) microfone m

mild /maɪld/ a (-er, -est) brando, manso; (illness, taste) leve; (climate) temperado; (weather) ameno. **~ly** adv brandamente, mansamente. **to put it ~ly** para não dizer coisa pior. **~ness** n brandura f

mildew /'mɪldju:/ n bolor m,

mofo *m*; (*in plants*) míldio *m*

mile /maɪl/ *n* milha *f* (= *1.6 km*). ~**s too big**/*etc* (*colloq*) grande demais. ~**age** *n* (*loosely*) quilometragem *f*

milestone /ˈmaɪlstəʊn/ *n* marco *m* miliário; (*fig*) data *f or* acontecimento *m* importante

militant /ˈmɪlɪtənt/ *a* & *n* militante *mf*

military /ˈmɪlɪtrɪ/ *a* militar

militate /ˈmɪlɪteɪt/ *vi* militar. ~ **against** militar contra

milk /mɪlk/ *n* leite *m* □ *a* (*product*) lácteo □ *vt* ordenhar; (*fig: exploit*) explorar. ~**-shake** *n* milk-shake *m*, batido *m* de leite. ~**y** *a* (*like milk*) leitoso; (*tea etc*) com muito leite. **M~ Way** Via *f* Láctea

milkman /ˈmɪlkmən/ *n* (*pl* -**men**) leiteiro *m*

mill /mɪl/ *n* moinho *m*; (*factory*) fábrica *f* □ *vt* moer □ *vi* ~ **around** aglomerar-se; (*crowd*) apinhar-se, agitar-se, mover-se com impaciência. ~**er** *n* moleiro *m*. **pepper-~** *n* moedor *m* de pimenta

millennium /mɪˈlenɪəm/ *n* (*pl* -**iums** *or* -**ia**) milénio *m*

millet /ˈmɪlɪt/ *n* painço *m*, milhete *m*

milli- /ˈmɪlɪ/ *pref* mili-

milligram /ˈmɪlɪɡræm/ *n* miligrama *f*

millilitre /ˈmɪlɪliːtə(r)/ *n* mililitro *m*

millimetre /ˈmɪlɪmiːtə(r)/ *n* milímetro *m*

million /ˈmɪlɪən/ *n* milhão *m*. **a ~ pounds** um milhão de libras. ~**aire** /ˈneə(r)/ *n* milionário *m*

millstone /ˈmɪlstəʊn/ *n* mó *f*. **a ~ round one's neck** um peso nos ombros

mime /maɪm/ *n* mímica *f*; (*actor*) mímico *m* □ *vt/i* exprimir por mímica, mimar

mimic /ˈmɪmɪk/ *vt* (*pt* **mimicked**) imitar □ *n* imitador *m*, parodiante *mf*. ~**ry** *n* imitação *f*.

mince /mɪns/ *vt* picar □ *n* carne *f* picada. ~**pie** *n* pastel *m* recheado com massa de passas, amêndoas, especiarias etc. ~**r** *n* máquina *f* de picar

mincemeat /ˈmɪnsmiːt/ *n* massa *f* de passas, amêndoas, especiarias etc usada para recheio. **make ~ of** (*colloq*) arrasar, aniquilar

mind /maɪnd/ *n* espírito *m*, mente *f*; (*intellect*) intelecto *m*; (*sanity*) razão *f* □ *vt* (*look after*) tomar conta de, tratar de; (*heed*) prestar atenção a; (*object to*) importar-se com, incomodar-se com. **do you ~ if I smoke?** incomoda-o que eu fume? **do you ~ helping me?** quer fazer o favor de me ajudar? **never** ~ não tem importância, deixe lá **to be out of one's ~** estar fora de si. **have a good ~ to** estar disposto a, ter toda a intenção de. **make up one's ~** decidir-se. **presence of ~** presença *f* de espírito. **to my ~** na meu ver. ~**ful of** atento a, consciente de. ~**less** *a* insensato

minder /ˈmaɪndə(r)/ n pessoa f que toma conta mf; (body-guard) guarda-costas mf

mine¹ /maɪn/ poss pron o(s) meu(s), a(s) minha(s). **it is ~** é (o) meu or (a) minha

min|e² /maɪn/ n mina f □ vt escavar, explorar; (extract) extrair; (mil) minar. **~er** n mineiro m. **~ing** n exploração f mineira □ a mineiro

minefield /ˈmaɪnfiːld/ n campo m minado

mineral /ˈmɪnərəl/ n mineral m; (soft drink) bebida f gasosa. **~ water** água f mineral

minesweeper /ˈmaɪnswiːpə(r)/ n caça-minas m

mingle /ˈmɪŋgl/ vt/i misturar(-se) (with com)

mingy /ˈmɪndʒɪ/ a (-ier, -iest) (colloq) sovina, unha(s)-de-fome (colloq)

mini- /ˈmɪnɪ/ pref mini-

miniature /ˈmɪnɪtʃə(r)/ n miniatura f □ a miniatural

minibus /ˈmɪnɪbʌs/ n (public) autocarro m pequeno

minim /ˈmɪnɪm/ n (mus) mínima f

minim|um /ˈmɪnɪməm/ a & n (pl -ma) mínimo m. **~al** a mínimo. **~ize** vt minimizar, dar pouca importância a

miniskirt /ˈmɪnɪskɜːt/ n minissaia f

minist|er /ˈmɪnɪstə(r)/ n ministro m; (relig) pastor m. **~erial** /ˈstɪərɪəl/ a ministerial. **~ry** n ministério m

mink /mɪŋk/ n (fur) marta f, vison m

minor /ˈmaɪnə(r)/ a & n menor mf

minority /maɪˈnɒrətɪ/ n minoria f □ a minoritário

mint¹ /mɪnt/ n **the M~** a Casa da Moeda. **a ~** uma fortuna □ vt cunhar. **in ~ condition** em perfeito estado, como novo, impecável

mint² /mɪnt/ n (plant) hortelã f; (sweet) pastilha f de hortelã

minus /ˈmaɪnəs/ prep menos; (colloq: without) sem □ n menos m

minute¹ /ˈmɪnɪt/ n minuto m. **~s** (of meeting) acta f

minute² /maɪˈnjuːt/ a diminuto, minúsculo; (detailed) minucioso

mirac|le /ˈmɪrəkl/ n milagre m. **~ulous** /mɪˈrækjʊləs/ a milagroso, miraculoso

mirage /ˈmɪrɑːʒ/ n miragem f

mire /maɪə(r)/ n lodo m, lama f

mirror /ˈmɪrə(r)/ n espelho m; (in car) retrovisor m □ vt reflectir, espelhar

mirth /mɜːθ/ n alegria f, hilaridade f

misadventure /mɪsədˈventʃə(r)/ n desgraça f. **death by ~** morte f acidental

misanthropist /mɪsˈænθrəpɪst/ n misantropo m

misapprehension /mɪsæprɪˈhenʃn/ n mal-entendido m

misbehav|e /mɪsbɪˈheɪv/ vi portar-se mal, proceder mal. **~iour** /ˈheɪvɪə(r)/ n mau comportamento m, má conduta f

miscalculat|e /mɪsˈkælkjʊleɪt/ vi calcular mal, enganar-se.

~ion /'leɪʃn/ n erro m de cálculo

miscarr|y /mɪs'kærɪ/ vi abortar, ter um aborto; (fail) falhar, malograr-se. **~iage** /-ɪdʒ/ n aborto m. **~iage of justice** erro m judiciário

miscellaneous /mɪsə'leɪnɪəs/ a variado, diverso

mischief /'mɪstʃɪf/ n (of children) diabrura f, travessura f; (harm) mal m, dano m. **get into ~** fazer disparates. **make ~** criar or semear discórdias

mischievous /'mɪstʃɪvəs/ a endiabrado, travesso

misconception /mɪskən'sepʃn/ n idéia f errada, falso conceito m

misconduct /mɪs'kɒndʌkt/ n conduta f imprópria

misconstrue /mɪskən'struː/ vt interpretar mal

misdeed /mɪs'diːd/ n má acção f; (crime) crime m

misdemeanour /mɪsdɪ'miːnə(r)/ n delito m

miser /'maɪzə(r)/ n avarento m, sovina mf. **~ly** a avarento, sovina

miserable /'mɪzrəbl/ a infeliz; (wretched, mean) desgraçado, miserável

misery /'mɪzərɪ/ n infelicidade f

misfire /mɪs'faɪə(r)/ vi (plan, gun, engine) falhar

misfit /'mɪsfɪt/ n inadaptado m

misfortune /mɪs'fɔːtʃən/ n desgraça f, infelicidade f, pouca sorte f

misgiving(s) /mɪs'gɪvɪŋ(z)/ n(pl) dúvida(s) f(pl), receio(s) m(pl)

misguided /mɪs'gaɪdɪd/ a (mistaken) desencaminhado; (misled) mal aconselhado, enganado

mishap /'mɪshæp/ n contratempo m, desastre m

misinform /mɪsɪn'fɔːm/ vt informar mal

misinterpret /mɪsɪn'tɜːprɪt/ vt interpretar mal

misjudge /mɪs'dʒʌdʒ/ vt julgar mal

mislay /mɪs'leɪ/ vt (pt mislaid) perder, extraviar

mislead /mɪs'liːd/ vt (pt misled) induzir em erro, enganar. **~ing** a enganador

mismanage /mɪs'mænɪdʒ/ vt dirigir mal. **~ment** n má gestão f, desgoverno m

misnomer /mɪs'nəʊmə(r)/ n termo m impróprio

misogynist /mɪ'sɒdʒɪnɪst/ n misógino m

misprint /'mɪsprɪnt/ n erro m tipográfico

mispronounce /mɪsprə'naʊns/ vt pronunciar mal

misquote /mɪs'kwəʊt/ vt citar incorrectamente

misread /mɪs'riːd/ vt (pt misread /'red/) ler or interpretar mal

misrepresent /mɪsreprɪ'zent/ vt deturpar, desvirtuar

miss /mɪs/ vt/i (chance, bus etc) perder; (target) errar, falhar; (notice the loss of) dar pela falta de; (regret the absence of) sentir a falta de, ter saudades de. **he ~es her/Portugal/**etc ele sente a falta or tem saudades dela/de Portugal/etc □ n falha f. **it was**

a near ~ foi or escapou por um triz. **~ out** omitir. **~ the point** não compreender

Miss /mɪs/ n (pl **Misses**) Senhora f

misshapen /mɪsˈʃeɪpn/ a disforme

missile /ˈmɪsaɪl/ n míssil m; (object thrown) projéctil m

missing /ˈmɪsɪŋ/ a que falta; (lost) perdido; (person) desaparecido. **a book with a page ~** um livro com uma página a menos

mission /ˈmɪʃn/ n missão f

missionary /ˈmɪʃənrɪ/ n missionário m

misspell /mɪsˈspel/ vt (pt **misspelt** or **misspelled**) escrever mal

mist /mɪst/ n neblina f, névoa f, bruma f; (fig) névoa f □ vt/i enevoar(-se); (window) embaciar(-se)

mistake /mɪˈsteɪk/ n engano m, erro m □ vt (pt **mistook**, pp **mistaken**) compreender mal; (choose wrongly) enganar-se em. **~ for** confundir com, tomar por. **~n** /-ən/ a errado. **be ~n** enganar-se. **~nly** /-ənlɪ/ adv por engano

mistletoe /ˈmɪsltəʊ/ n visco m

mistreat /mɪsˈtriːt/ vt maltratar. **~ment** n mau trato m

mistress /ˈmɪstrɪs/ n senhora f, dona f; (teacher) professora f; (lover) amante f

mistrust /mɪsˈtrʌst/ vt desconfiar de, duvidar de □ n desconfiança f

misty /ˈmɪstɪ/ a (**-ier, -iest**) enevoado, brumoso; (window) embaciado; (indistinct) indistinto

misunderstand /mɪsʌndəˈstænd/ vt (pt **-stood**) compreender mal. **~ing** n mal-entendido m

misuse¹ /mɪsˈjuːz/ vt empregar mal; (power etc) abusar de

misuse² /mɪsˈjuːs/ n mau uso m; (abuse) abuso m; (of funds) desvio m

mitigat|e /ˈmɪtɪgeɪt/ vt atenuar, mitigar. **~ing circumstances** circunstâncias fpl atenuantes

mitten /ˈmɪtn/ n luva f com uma única divisão entre o polegar e os dedos

mix /mɪks/ vt/i misturar(-se) □ n mistura f. **~ up** misturar bem; (fig: confuse) confundir. **~-up** n trapalhada f, confusão f. **~ with** associar-se com. **~er** n (culin) batedeira f

mixed /mɪkst/ a (school etc) misto; (assorted) sortido. **be ~ up** (colloq) estar confuso

mixture /ˈmɪkstʃə(r)/ n mistura f. **cough ~** xarope m para a tosse

moan /məʊn/ n gemido m □ vi gemer; (complain) queixar-se, lastimar-se (about de). **~er** n pessoa f lamurienta

moat /məʊt/ n fosso m

mob /mɒb/ n multidão f; (tumultuous) turba f; (sl: gang) bando m □ vt (pt **mobbed**) cercar, assediar

mobil|e /ˈməʊbaɪl/ a móvel. **~e home** caravana f, trailer m. **~ity** /ˈbɪlətɪ/ n mobilidade f

mobiliz|e /ˈməʊbɪlaɪz/ vt/i mobilizar. **~ation** /'zeɪʃn/ n mobilização f

moccasin /'mɒkəsɪn/ n mocassim m

mock /mɒk/ vt/i zombar de, gozar □ a falso. **~-up** n modelo m, maqueta f

mockery /'mɒkərɪ/ n troça f **a ~ of** um simulacro de

mode /məʊd/ n modo m; (fashion) moda f

model /'mɒdl/ n modelo m □ a modelo; (exemplary) exemplar; (toy) em miniatura □ vt (pt **modelled**) modelar; (clothes) apresentar □ vi ser or trabalhar como modelo

modem /'məʊdem/ n modem m

moderate¹ /'mɒdərət/ a & n moderado m. **~ly** adv moderadamente. **~ly good** sofrível

moderate² /'mɒdəreɪt/ vt/i moderar(-se). **~ion** /'reɪʃn/ n moderação f. **in ~ion** com moderação

modern /'mɒdn/ a moderno. **~ languages** línguas fpl vivas. **~ize** vt modernizar

modest /'mɒdɪst/ a modesto. **~y** n modéstia f. **~ly** adv modestamente

modicum /'mɒdɪkəm/ n **a ~ of** um pouco de

modify /'mɒdɪfaɪ/ vt modificar. **~ication** /-ɪ'keɪʃn/ n modificação f

modulate /'mɒdjʊleɪt/ vt/i modular. **~ion** /'leɪʃn/ n modulação f

module /'mɒdjuːl/ n módulo m

mohair /'məʊheə(r)/ n mohair m

moist /mɔɪst/ a (-er, -est) húmido. **~ure** /'mɔɪstʃə(r)/ n humidade f. **~urizer** /-tʃəraɪzə(r)/ n creme m hidratante

moisten /'mɔɪsn/ vt/i humedecer

molasses /mə'læsɪz/ n melaço m

mole¹ /məʊl/ n (on skin) sinal na pele m

mole² /məʊl/ n (animal) toupeira f

molecule /'mɒlɪkjuːl/ n molécula f

molest /mə'lest/ vt meter-se com, molestar

mollusc /'mɒləsk/ n molusco m

mollycoddle /'mɒlɪkɒdl/ vt mimar

molten /'məʊltən/ a fundido

moment /'məʊmənt/ n momento m

momentary /'məʊməntrɪ/ a momentâneo. **~ily** /'məʊməntrəlɪ/ adv momentaneamente

momentous /mə'mentəs/ a grave, importante

momentum /mə'mentəm/ n ímpeto m, velocidade f adquirida

Monaco /'mɒnəkəʊ/ n Mónaco m

monarch /'mɒnək/ n monarca mf. **~y** n monarquia f

monastery /'mɒnəstrɪ/ n mosteiro m, convento m. **~ic** /mə'næstɪk/ a monástico

Monday /'mʌndɪ/ n Segunda-feira f

monetary /'mʌnɪtrɪ/ a monetário

money /'mʌnɪ/ n dinheiro m.

~-box n cofre m. **~-lender** n agiota mf. **~ order** vale m postal

mongrel /ˈmʌŋɡrəl/ n (cão) rafeiro m, (Br) vira-lata m

monitor /ˈmɒnɪtə(r)/ n chefe m de turma; (techn) monitor m □ vt controlar; (a broadcast) monitorar (a transmissão)

monk /mʌŋk/ n monge m, frade m

monkey /ˈmʌŋkɪ/ n (pl **-eys**) macaco m. **~-nut** n amendoim m, (Br) **~-wrench** n chave f inglesa

mono /ˈmɒnəʊ/ n (pl **-os**) gravação f mono □ a mono invar

monocle /ˈmɒnəkl/ n monóculo m

monogram /ˈmɒnəɡræm/ n monograma m

monologue /ˈmɒnəlɒɡ/ n monólogo m

monopol|y /məˈnɒpəlɪ/ n monopólio m. **~ize** vt monopolizar

monosyllab|le /ˈmɒnəsɪləbl/ n monossílabo m. **~ic** /ˈlæbɪk/ a monossilábico

monotone /ˈmɒnətəʊn/ n tom m uniforme

monoton|ous /məˈnɒtənəs/ a monótono. **~y** n monotonia f

monsoon /mɒnˈsuːn/ n monção f

monst|er /ˈmɒnstə(r)/ n monstro m. **~rous** a monstruoso

monstrosity /mɒnˈstrɒsətɪ/ n monstruosidade f

month /mʌnθ/ n mês m

monthly /ˈmʌnθlɪ/ a mensal □ adv mensalmente □ n (periodical) revista f mensal

monument /ˈmɒnjʊmənt/ n monumento m. **~al** /ˈmentl/ a monumental

moo /muː/ n mugido m □ vi mugir

mood /muːd/ n humor m, disposição f. **in a good/bad ~** de bom/mau humor. **~y** a de humor instável; (sullen) carrancudo

moon /muːn/ n lua f

moon|light /ˈmuːnlaɪt/ n luar m. **~lit** a iluminado pela lua, enluarado

moonlighting /ˈmuːnlaɪtɪŋ/ n (colloq) segundo emprego m, esp à noite

moor[1] /mʊə(r)/ n charneca f

moor[2] /mʊə(r)/ vt amarrar, atracar. **~ings** npl amarras fpl; (place) amarradouro m, fundeadouro m

moose /muːs/ n (pl invar) alce m

moot /muːt/ a discutível □ vt levantar

mop /mɒp/ n esfregona m □ vt (pt **mopped**) **~ (up)** limpar. **~ of hair** trunfa f

mope /məʊp/ vi estar or andar abatido e triste

moped /ˈməʊped/ n (bicicleta) motorizada f

moral /ˈmɒrəl/ a moral □ n moral f. **~s** costumes mpl. **~ize** vi moralizar. **~ly** adv moralmente

morale /məˈrɑːl/ n moral m

morality /məˈrælətɪ/ n moralidade f

morass /məˈræs/ n pântano m

morbid /ˈmɔːbɪd/ a mórbido

more /mɔː(r)/ a & adv mais (**than** (do) que) □ n mais m.

(some) ~ **tea/pens/**etc mais chá/canetas/etc. **there is no** ~ **bread** não há mais pão. ~ **or less** mais ou menos

moreover /mɔːˈrəʊvə(r)/ adv além disso, de mais a mais

morgue /mɔːg/ n morgue f, necrotério m

moribund /ˈmɒrɪbʌnd/ a moribundo, agonizante

morning /ˈmɔːnɪŋ/ n manhã f. **in the** ~ de manhã

Morocc\|o /məˈrɒkəʊ/ n Marrocos m. ~**an** a & n marroquino m

moron /ˈmɔːrɒn/ n idiota mf

morose /məˈrəʊs/ a taciturno e insociável, carrancudo

morphine /ˈmɔːfiːn/ n morfina f

Morse /mɔːs/ n ~ **(code)** (alfabeto) Morse m

morsel /ˈmɔːsl/ n bocado m (esp de comida)

mortal /ˈmɔːtl/ a & n mortal mf. ~**ity** /mɔːˈtælətɪ/ n mortalidade f

mortar /ˈmɔːtə(r)/ n argamassa f; (bowl) almofariz m; (mil) morteiro m

mortgage /ˈmɔːgɪdʒ/ n hipoteca f ☐ vt hipotecar

mortify /ˈmɔːtɪfaɪ/ vt mortificar

mortuary /ˈmɔːtʃərɪ/ n casa f mortuária

mosaic /məʊˈzeɪɪk/ n mosaico m

Moscow /ˈmɒskəʊ/ n Moscovo m

mosque /mɒsk/ n mesquita f

mosquito /məˈskiːtəʊ/ n (pl -oes) mosquito m

moss /mɒs/ n musgo m. ~**y** a musgoso

most /məʊst/ a o mais, o maior; (majority) a maioria de, a maior parte de ☐ n mais m; (majority) a maioria, a maior parte, o máximo ☐ adv o mais; (very) muito. **at** ~ no máximo. **for the** ~ **part** na maior parte, na grande maioria. **make the** ~ **of** aproveitar ao máximo, tirar o melhor partido de. ~**ly** adv sobretudo

motel /məʊˈtel/ n motel m

moth /mɒθ/ n mariposa f, borboleta f nocturna. **(clothes-)**~ n traça f. ~**-ball** n bola f de naftalina. ~**-eaten** a roído por traças

mother /ˈmʌðə(r)/ n mãe f ☐ vt tratar como a um filho. ~**hood** n maternidade f. ~**-in-law** n (pl ~**s-in-law**) sogra f. ~**-of-pearl** n madrepérola f. **M**~**'s Day** o Dia da Mãe. ~**-to-be** n futura mãe f. ~**ly** a maternal

motif /məʊˈtiːf/ n tema m

motion /ˈməʊʃn/ n movimento m; (proposal) moção f ☐ vt/i ~ **(to) sb** fazer sinal a alg para. ~**less** a imóvel

motivat\|e /ˈməʊtɪveɪt/ vt motivar. ~**ion** /ˈveɪʃn/ n motivação f

motive /ˈməʊtɪv/ n motivo m

motor /ˈməʊtə(r)/ n motor m; (car) automóvel m ☐ a (anat) motor; (boat) a motor ☐ vi ir de automóvel. ~ **bike** (colloq) moto f (colloq). ~ **car** carro m. ~ **cycle** motocicleta f. ~ **cyclist** motociclista mf. ~ **vehicle** veículo m automóvel. ~**ing** n automobilismo m. ~**ized** a motorizado

motorist /'məʊtərɪst/ n motorista *mf*, automobilista *mf*

motorway /'məʊtəweɪ/ n auto-estrada *f*

mottled /'mɒtld/ a sarapintado, pintalgado

motto /'mɒtəʊ/ n (pl **-oes**) divisa *f*, lema *m*

mould[1] /məʊld/ n (container) forma *f*, molde *m*; (culin) forma *f* □ vt moldar. ~**ing** n (archit) moldura *f*

mould[2] /məʊld/ n (fungi) bolor *m*, mofo *m*. ~**y** a bolorento

moult /məʊlt/ vi estar na muda

mound /maʊnd/ n monte *m* de terra *or* de pedras; (small hill) montículo *m*

mount /maʊnt/ vt/i montar □ n (support) suporte *m*; (for gem etc) engaste *m*. ~ **up** aumentar, subir

mountain /'maʊntɪn/ n montanha *f*. ~ **bike** bicicleta *f* de montanha ~**ous** a montanhoso

mountaineer /maʊntɪ'nɪə(r)/ n alpinista *mf*. ~**ing** n alpinismo *m*

mourn /mɔːn/ vt/i □ ~ **(for)** chorar (a morte de). ~ **(over)** sofrer (por). ~**er** n pessoa *f* que acompanha o enterro. ~**ing** n luto *m*. **in** ~**ing** de luto

mournful /'mɔːnfl/ a triste; (sorrowful) pesaroso

mouse /maʊs/ n (pl **mice**) rato *m*

mousetrap /'maʊstræp/ n ratoeira *f*

mousse /muːs/ n mousse *f*

moustache /mə'staːʃ/ n bigode *m*

mouth[1] /maʊθ/ n boca *f*. ~**organ** n gaita *f* de beiços

mouth[2] /maʊð/ vt/i declamar; (silently) articular sem som

mouthful /'maʊθfʊl/ n bocado *m*

mouthpiece /'maʊθpiːs/ n (mus) bocal *m*, boquilha *f*; (fig: person) porta-voz *mf*

mouthwash /'maʊθwɒʃ/ n líquido *m* para bochecho

movable /'muːvəbl/ a móvel

move /muːv/ vt/i mover(-se), mexer(-se), deslocar(-se); (emotionally) comover; (incite) convencer, levar a; (act) agir; (propose) propor; (depart) ir, partir; (go forward) avançar. ~ **(out)** mudar-se, sair □ n movimento *m*; (in game) jogada *f*; (player's turn) vez *f*; (house change) mudança *f*. ~ **back** recuar. ~ **forward** avançar. ~ **in** mudar-se para. ~ **on!** circulem! ~ **over, please** chegue-se para lá, por favor. **on the** ~ em marcha

movement /'muːvmənt/ n movimento *m*

movie /'muːvɪ/ n (Amer) filme *m*. **the** ~**s** o cinema

moving /'muːvɪŋ/ a (touching) comovente; (movable) móvel; (in motion) em movimento

mow /məʊ/ vt (pp **mowed** or **mown**) ceifar; (lawn) cortar a relva. ~ **down** ceifar. ~**er** n (for lawn) máquina *f* de cortar a relva

MP abbr see **Member of Parliament**

Mr /ˈmɪstə(r)/ *n* (*pl* **Messrs**) Senhor *m*. ~ **Smith** o Sr Smith

Mrs /ˈmɪsɪz/ *n* Senhora *f*. ~ **Smith** a Sra Smith. **Mr and ~ Smith** o Sr Smith e a mulher

Ms /mɪz/ *n* Senhora D. *f*

much /mʌtʃ/ (**more**, **most**) *a*, *adv* & *n* muito *m*. **very ~** muito, muitíssimo. **you may have as ~ as you need** podes levar o que precisares. **~ of it** muito *or* grande parte dele. **so ~ the better/worse** tanto melhor/pior. **how ~?** quanto? **not ~** não muito. **too ~** demasiado, demais. **he's not ~ of a gardener** não é lá grande jardineiro

muck /mʌk/ *n* estrume *m*; (*colloq: dirt*) porcaria *f* □ *vi* **~ about** (*sl*) entreter-se, perder tempo. **~ in** (*sl*) ajudar, dar uma mão □ *vt* **~ up** (*sl*) estragar. **~y** *a* sujo

mucus /ˈmjuːkəs/ *n* muco *m*

mud /mʌd/ *n* lama *f*. **~dy** *a* lamacento, enlameado

muddle /ˈmʌdl/ *vt* baralhar, atrapalhar, confundir □ *vi* **~ through** sair-se bem, desenrascar-se (*sl*) □ *n* desordem *f*; (*mix-up*) confusão *f*, trapalhada *f*

mudguard /ˈmʌdgɑːd/ *n* guarda-lamas *m*

muff /mʌf/ *n* (*for hands*) regalo *m*

muffle /ˈmʌfl/ *vt* abafar. **~ (up)** agasalhar(-se). **~d sounds** sons *mpl* abafados. **~r** /-ə(r)/ *n* cachecol *m*

mug /mʌg/ *n* caneca *f*; (*sl: fa-*ce) cara *f*; (*sl: fool*) trouxa *mf* (*colloq*) □ *vt* (*pt* **mugged**) assaltar, agredir. **~ger** *n* assaltante *mf*. **~ging** *n* assalto *m*

muggy /ˈmʌgɪ/ *a* abafado

mule /mjuːl/ *n* mulo *m*; (*female*) mula *f*

mull /mʌl/ *vt* **~ over** ruminar; (*fig*) matutar em

multi- /ˈmʌltɪ/ *pref* mult(i)-

multicoloured /ˈmʌltɪkʌləd/ *a* multicolor

multinational /mʌltɪˈnæʃnəl/ *a* & *n* multinacional *f*

multiple /ˈmʌltɪpl/ *a* & *n* múltiplo *m*

multiply /ˈmʌltɪplaɪ/ *vt/i* multiplicar(-se). **~ication** -ɪˈkeɪʃn/ *n* multiplicação *f*

multi-storey /mʌltɪˈstɔːrɪ/ *a* (*car park*) em vários níveis

multitude /ˈmʌltɪtjuːd/ *n* multidão *f*

mum¹ /mʌm/ *a* **keep ~** (*colloq*) ficar calado

mum² /mʌm/ *n* (*colloq*) mamã *f*

mumble /ˈmʌmbl/ *vt/i* resmungar, resmonear

mummy¹ /ˈmʌmɪ/ *n* (*body*) múmia *f*

mummy² /ˈmʌmɪ/ *n* (*esp child's lang*) mamã *f* (*colloq*) mãezinha *f* (*colloq*)

mumps /mʌmps/ *n* parotidite *f*, papeira *f*

munch /mʌntʃ/ *vt* mastigar

mundane /mʌnˈdeɪn/ *a* banal; (*worldly*) mundano

municipal /mjuːˈnɪsɪpl/ *a* municipal. **~ity** /ˈpælətɪ/ *n* municipalidade *f*

munitions /mjuːˈnɪʃnz/ *npl* munições *fpl*

mural /'mjʊərəl/ a & n mural m

murder /'mɜːdə(r)/ n assassínio m, assassinato m □ vt assassinar. ~er n assassino m, assassina f. ~ous a assassino, sanguinário; (of weapon) mortífero

murky /'mɜːkɪ/ a (-ier, -iest) escuro, sombrio

murmur /'mɜːmə(r)/ n murmúrio m □ vt/i murmurar

muscle /'mʌsl/ n músculo m □ vi ~ in (colloq) impor-se, intrometer-se

muscular /'mʌskjʊlə(r)/ a muscular; (brawny) musculoso

muse /mjuːz/ vi meditar, cismar

museum /mjuː'zɪəm/ n museu m

mush /mʌʃ/ n papa f de farinha de milho. ~y a mole; (sentimental) piegas inv

mushroom /'mʌʃrʊm/ n cogumelo m □ vi pulular, multiplicar-se com rapidez

music /'mjuːzɪk/ n música f. ~al a musical □ n (show) comédia f musical, musical m. ~al box n caixa f de música. ~-stand n estante f de música

musician /mjuː'zɪʃn/ n músico m

musk /mʌsk/ n almíscar m

Muslim /'mʊzlɪm/ a & n muçulmano m

muslin /'mʌzlɪn/ n musselina f

mussel /'mʌsl/ n mexilhão m

must /mʌst/ v aux dever. **you ~ go** é necessário que partas. **he ~ be old** ele deve ser ve-

lho. **I ~ have done it** eu devo tê-lo feito □ n **be a ~** (colloq) ser imprescindível

mustard /'mʌstəd/ n mostarda f

muster /'mʌstə(r)/ vt/i juntar(-se), reunir(-se). **pass ~** ser aceitável

musty /'mʌstɪ/ a (-ier, -iest) bafiento, bolorento

mutation /mjuː'teɪʃn/ n mutação f

mute /mjuːt/ a & n mudo m

muted /'mjuːtɪd/ a (sound) em surdina; (colour) suave

mutilat|e /'mjuːtɪleɪt/ vt mutilar. ~ion /-leɪʃn/ n mutilação f

mutin|y /'mjuːtɪnɪ/ n motim f □ vi amotinar-se. ~ous a amotinado

mutter /'mʌtə(r)/ vt/i resmungar

mutton /'mʌtn/ n (carne de) carneiro m

mutual /'mjuːtʃʊəl/ a mútuo; (colloq: common) comum. ~ly adv mutuamente

muzzle /'mʌzl/ n focinho m; (device) focinheira f; (of gun) boca f □ vt amordaçar; (dog) pôr focinheira em

my /maɪ/ a meu(s), minha(s)

myself /maɪ'self/ pron eu mesmo, eu próprio; (reflexive) me; (after prep) mim (próprio, mesmo). **by ~** sozinho

mysterious /mɪ'stɪərɪəs/ a misterioso

mystery /'mɪstərɪ/ n mistério m

mystic /'mɪstɪk/ a & n místico

m. ~**al** *a* místico. ~**ism** /-sɪ-zəm/ *n* misticismo *m*

mystify /'mɪstɪfaɪ/ *vt* deixar perplexo

mystique /mɪ'stiːk/ *n* mística *f*

myth /mɪθ/ *n* mito *m*. ~**ical** *a* mítico

mytholog|y /mɪ'θɒlədʒɪ/ *n* mitologia *f*. ~**ical** /mɪ-θə'lɒdʒɪkl/ *a* mitológico

N

nab /næb/ *vt* (*pt* **nabbed**) (*sl*) apanhar em flagrante, apanhar com a boca na botija (*colloq*), pilhar

nag /næg/ *vt/i* (*pt* **nagged**) implicar (com), criticar constantemente; (*pester*) apoquentar

nagging /'nægɪŋ/ *a* implicante; (*pain*) constante, contínuo

nail /neɪl/ *n* prego *m*; (*of finger, toe*) unha *f* □ *vt* pregar. **~-brush** *n* escova *f* de unhas. **~-file** *n* lixa *f* de unhas. **~ polish** verniz *m* para as unhas. **hit the ~ on the head** acertar em cheio. **on the ~** sem demora

naive /naɪ'iːv/ *a* ingénuo

naked /'neɪkɪd/ *a* nu. **to the ~ eye** a olho nu, à vista desarmada **~ness** *f* nudez *f*

name /neɪm/ *n* nome *m*; (*fig*) reputação *f*, fama *f* □ *vt* (*mention; appoint*) nomear; (*give a name to*) chamar, dar o nome de; (*a date*) marcar. **be ~d after** ter o nome de. **~less** *a* sem nome, anónimo

namely /'neɪmlɪ/ *adv* a saber, nomeadamente

namesake /'neɪmseɪk/ *n* homónimo *m*

nanny /'nænɪ/ *n* ama *f*

nap¹ /næp/ *n* soneca *f* □ *vi* (*pt* **napped**) dormitar, passar pelas brasas **catch ~ping** apanhar desprevenido

nap² /næp/ *n* (*of material*) felpa *f*

nape /neɪp/ *n* nuca *f*

napkin /'næpkɪn/ *n* guardanapo *m*; (*for baby*) fralda *f*

nappy /'næpɪ/ *n* fralda *f*. **~-rash** *n* assadura *f*

narcotic /na:'kɒtɪk/ *a* & *n* narcótico *m*

narrat|e /nə'reɪt/ *vt* narrar. **~ion** /-ʃn/ *n* narrativa *f*. **~or** *n* narrador *m*

narrative /'nærətɪv/ *n* narrativa *f* □ *a* narrativo

narrow /'nærəʊ/ *a* (**-er, -est**) estreito; (*fig*) restrito □ *vt/i* estreitar(-se); (*limit*) limitar(-se). **~ly** *adv* (*only just*) por pouco; (*closely, carefully*) de perto, com cuidado. **~-minded** curto de vistas, tacanho. **~ness** *n* estreiteza *f*

nasal /'neɪzl/ *a* nasal

nast|y /'na:stɪ/ *a* (**-ier, -iest**) (*malicious, of weather*) mau;

(*unpleasant*) desagradável, intra-gável; (*rude*) grosseiro. ~**ily** *adv* maldosamente; (*unpleasantly*) desagradavelmente. ~**iness** *f* (*malice*) maldade *f*; (*rudeness*) grosseria *f*

nation /ˈneɪʃn/ *n* nação *f*. ~**-wide** *a* em todo o país, à escala *or* a nível nacional

national /ˈnæʃnəl/ *a* nacional □ *n* natural *mf.* ~ **anthem** hino *m* nacional. ~**ism** *n* nacionalismo *m.* ~**ize** *vt* nacionalizar. ~**ly** *adv* à escala nacional

nationality /næʃəˈnælətɪ/ *n* nacionalidade *f*

native /ˈneɪtɪv/ *n* natural *mf*, nativo *m* □ *a* nativo; (*country*) natal; (*inborn*) inato. **be a ~ of** ser natural de. ~ **language** língua *f* materna. ~ **speaker of Portuguese** pessoa *f* de língua portuguesa, falante *m* nativo de Português

Nativity /nəˈtɪvətɪ/ *n* **the** ~ a Natividade *f*

natter /ˈnætə(r)/ *vi* fazer conversa fiada, tagarelar

natural /ˈnætʃrəl/ *a* natural. ~ **history** história *f* natural. ~**ist** *n* naturalista *mf.* ~**ly** *adv* naturalmente; (*by nature*) por natureza

naturaliz|e /ˈnætʃrəlaɪz/ *vt/i* naturalizar(-se); (*animal, plant*) aclimatar(-se). ~**ation** /ˈzeɪʃn/ *n* naturalização *f*

nature /ˈneɪtʃə(r)/ *n* natureza *f*; (*kind*) género *m*; (*of person*) índole *f*

naughty /ˈnɔːtɪ/ *a* (**-ier, -iest**)

(*child*) levado; (*indecent*) picante

nause|a /ˈnɔːsɪə/ *n* náusea *f*. ~**ate** /ˈnɔːsɪeɪt/ *vt* nausear. ~**ating, -ous** *a* nauseabundo, repugnante

nautical /ˈnɔːtɪkl/ *a* náutico. ~ **mile** milha *f* marítima

naval /ˈneɪvl/ *a* naval; (*officer*) da marinha

nave /neɪv/ *n* nave *f*

navel /ˈneɪvl/ *n* umbigo *m*

navigable /ˈnævɪgəbl/ *a* navegável

navigat|e /ˈnævɪgeɪt/ *vt* (*sea etc*) navegar; (*ship*) pilotar □ *vi* navegar. ~**ion** /ˈgeɪʃn/ *n* navegação *f*. ~**or** *n* navegador *m*

navy /ˈneɪvɪ/ *n* marinha *f* de guerra. ~ **(blue)** azul-marinho *m invar*

near /nɪə(r)/ *adv* perto, quase □ *prep* perto de □ *a* próximo □ *vt* aproximar-se de, chegar-se a. **draw ~** aproximar(-se) (**to** de). ~ **by** *adv* perto, próximo. **N~ East** Próximo Oriente *m.* ~ **to** perto de. ~**ness** *n* proximidade *f*

nearby /ˈnɪəbaɪ/ *a & adv* próximo, perto

nearly /ˈnɪəlɪ/ *adv* quase, por pouco. **not ~ as pretty/etc as** longe de ser tão bonita/ *etc* como

neat /niːt/ *a* (**-er, -est**) (*bem*) cuidado; (*room*) bem arrumado; (*spirits*) puro, sem gelo. ~**ly** *adv* (*with care*) com cuidado; (*cleverly*) habilmente. ~**ness** *n* aspecto *m* cuidado

nebulous /'nebjʊləs/ a nebuloso; (*vague*) vago, confuso

necessar|y /'nesəsərɪ/ a necessário. ~**ily** adv necessariamente

necessitate /nɪ'sesɪteɪt/ vt exigir, obrigar a, tornar necessário

necessity /nɪ'sesətɪ/ n necessidade f; (*thing*) coisa f indispensável, artigo m de primeira neces-sidade

neck /nek/ n pescoço m; (*of dress*) gola f. ~ **and neck** lado a lado

necklace /'neklɪs/ n colar m

neckline /'neklaɪn/ n decote m

nectarine /'nektərɪn/ n pêssego m

née /neɪ/ a em solteira. **Ann Jones ~ Drewe** Ann Jones cujo nome de solteira era Drewe

need /ni:d/ n necessidade f □ vt precisar de, necessitar de. **you ~ not come** não tem de or não precisa vir. ~**less** a inútil, desnecessário. ~**lessly** adv inutilmente, sem necessidade

needle /'ni:dl/ n agulha f □ vt (*colloq: provoke*) provocar

needlework /'ni:dlwɜ:k/ n costura f; (*embroidery*) bordado m

needy /'ni:dɪ/ a (-**ier**, -**iest**) necessitado, carenciado

negation /nɪ'geɪʃn/ n negação f

negative /'negətɪv/ a negativo □ n negativa f, negação f; (*photo*) negativo m. **in the ~** (*answer*) na negativa; (*gram*) na forma negativa. ~**ly** adv negativamente

neglect /nɪ'glekt/ vt descuidar; (*opportunity*) desprezar; (*family*) não cuidar de, abandonar; (*duty*) não cumprir □ n falta f de cuidado(s), descuido m. **(state of) ~** abandono m. ~ **to** (*omit to*) esquecer-se de. ~**ful** a negligente

negligen|t /'neglɪdʒənt/ a negligente. ~**ce** n negligência f, desleixo m

negligible /'neglɪdʒəbl/ a insignificante, ínfimo

negotiable /nɪ'gəʊʃəbl/ a negociável

negotiat|e /nɪ'gəʊʃɪeɪt/ vt/i negociar; (*obstacle*) vencer. ~**ion** /-sɪ'eɪʃn/ n negociação f. ~**or** n negociador m

Negro /'ni:grəʊ/ a & n (*pl* ~**oes**) negro m, preto m

neigh /neɪ/ n relincho m □ vi relinchar

neighbour /'neɪbə(r)/ n vizinho m. ~**hood** n vizinhança f. ~**ing** a vizinho. ~**ly** a de boa vizinhança

neither /'naɪðə(r)/ a & pron nenhum(a) (de dois ou duas), nem um nem outro, nem uma nem outra □ adv tão pouco, também não □ conj nem. ~ **big nor small** nem grande nem pequeno. ~ **am I** nem eu

neon /'ni:ɒn/ n néon m □ a (*lamp etc*) de néon

nephew /'nevju:/ n sobrinho m

nerve /nɜ:v/ n nervo m; (*fig: courage*) coragem f; (*colloq: impudence*) descaramento m, lata f (*colloq*). **get on sb's nerves** irritar, complicar com os nervos de alg. **~rac-king** a de arrasar os nervos, enervante

nervous /ˈnɜːvəs/ a nervoso. **be** or **feel ~** (afraid) ter receio/um certo medo. **~ breakdown** esgotamento m nervoso. **~ly** adv nervosamente. **~ness** n nervosismo m; (fear) receio m

nest /nest/ n ninho m □ vi aninhar-se, fazer or ter ninho. **~-egg** n pé-de-meia m

nestle /ˈnesl/ vi aninhar-se

net¹ /net/ n rede f □ vt (pt netted) apanhar na rede. **~ting** n rede f. **wire ~ting** rede f de arame

net² /net/ a (weight etc) líquido

Netherlands /ˈneðələndz/ npl **the ~** os Países Baixos

nettle /ˈnetl/ n urtiga f

network /ˈnetwɜːk/ n rede f, cadeia f

neuro|sis /njʊəˈrəʊsɪs/ n (pl **-oses** /-siːz/) neurose f. **~tic** /ˈrɒtɪk/ a & n neurótico m

neuter /ˈnjuːtə(r)/ a & n neutro m □ vt castrar, capar

neutral /ˈnjuːtrəl/ a neutro. **~ (gear)** ponto m morto. **~ity** /ˈtrælətɪ/ n neutralidade f

never /ˈnevə(r)/ adv nunca; (colloq: not) não. **he ~ refuses** ele nunca recusa. **I ~ saw him** (colloq) nunca o vi. **~ mind** não faz mal, deixa lá. **~-ending** a interminável

nevertheless /nevəðəˈles/ adv & conj contudo, no entanto

new /njuː/ a (-er, -est) novo. **~-born** a recém-nascido. **~**

moon lua f nova. **~ year** ano m novo. **N~ Year's Day** dia m de Ano Novo. **N~ Year's Eve** véspera f de Ano Novo. **N~ Zealand** Nova Zelândia f. **N~ Zealander** neo-zelandês m. **~ness** n novidade f

newcomer /ˈnjuːkʌmə(r)/ n recém-chegado m

newfangled /njuːˈfæŋgld/ a (pej) moderno

newly /ˈnjuːlɪ/ adv há pouco, recentemente. **~-weds** npl recém-casados mpl

news /njuːz/ n notícia(s) f(pl); (radio) noticiário m, notícias fpl; (TV) telejornal m. **~-caster**, **~-reader** n locutor m. **~-flash** n notícia f de última hora

newsagent /ˈnjuːzeɪdʒənt/ n lojista mf que vende jornais, vendedor m de jornais m

newsletter /ˈnjuːzletə(r)/ n boletim m informativo

newspaper /ˈnjuːzpeɪpə(r)/ n jornal m

newsreel /ˈnjuːzriːl/ n actualidades fpl

newt /njuːt/ n tritão m

next /nekst/ a próximo; (adjoining) pegado, ao lado, contíguo; (following) seguinte □ adv a seguir □ n seguinte mf. **~-door** a do lado. **~ of kin** parente m mais próximo. **~ to** ao lado de. **~ to nothing** quase nada

nib /nɪb/ n bico m, aparo m

nibble /ˈnɪbl/ vt mordiscar, dar dentadinhas em

nice /naɪs/ a (-er, -est) agradável, bom; (kind) simpático, gentil; (*pretty*) bonito; (*respectable*) bem educado, correcto; (*subtle*) fino, subtil. **~ly** *adv* agradavelmente; (*well*) bem

nicety /'naIsətI/ *n* subtileza *f*

niche /nItʃ/ *n* nicho *m*; (*fig*) bom lugar *m*

nick /nIk/ *n* corte *m*, chanfradura *f*; (*sl: prison*) cadeia *f* □ *vt* dar um corte em; (*sl: steal*) roubar, limpar (*colloq*); (*sl: arrest*) apanhar, pôr a mão em (*colloq*). **in good ~** (*colloq*) em boa forma, em bom estado. **in the ~ of time** mesmo a tempo

nickel /'nIkl/ *n* níquel *m*; (*Amer*) moeda *f* de cinco cêntimos

nickname /'nIkneIm/ *n* alcunha *f*; (*short form*) diminutivo *m* □ *vt* alcunhar

nicotine /'nIkəti:n/ *n* nicotina *f*

niece /ni:s/ *n* sobrinha *f*

Nigeria /naI'dʒIərIə/ *n* Nigéria *f*. **~n** *a & n* nigeriano *m*

niggardly /'nIgədlI/ *a* miserável

night /naIt/ *n* noite *f* □ *a* de noite, nocturno. **at ~** à/ de noite. **by ~** de noite. **~cap** *n* (*drink*) bebida *f* à hora de deitar. **~club** *n* boite *f*. **~dress**, **~gown** *ns* camisa *f* de noite. **~life** *n* vida *f* nocturna. **~school** *n* escola *f* nocturna. **~time** *n* noite *f*. **~watchman** *n* guarda-nocturno *m*

nightfall /'naItfɔ:l/ *n* anoitecer *m*

nightingale /'naItIŋgeIl/ *n* rouxinol *m*

nightly /'naItlI/ *a* nocturno □ *adv* de noite, à noite, todas as noites

nightmare /'naItmeə(r)/ *n* pesadelo *m*

nil /nIl/ *n* nada *m*; (*sport*) zero *m* □ *a* nulo

nimble /'nImbl/ *a* (**-er, -est**) ágil, ligeiro

nin|e /naIn/ *a & n* nove *m*. **~th** *a & n* nono *m*

nineteen /naIn'ti:n/ *a & n* dezanove *m*. **~th** *a & n* décimo nono *m*

ninet|y /'naIntI/ *a & n* noventa *m*. **~ieth** *a & n* nonagésimo *m*

nip /nIp/ *vt/i* (*pt* **nipped**) apertar, beliscar; (*colloq: rush*) ir a correr, ir num pulo (*colloq*) □ *n* aperto *m*, beliscão *m*; (*drink*) gole *m*, trago *m*. **a ~ in the air** um frio cortante. **~ in the bud** cortar pela raiz

nipple /'nIpl/ *n* mamilo *m*

nippy /'nIpI/ *a* (**-ier, -iest**) (*colloq: quick*) rápido; (*colloq: chilly*) cortante

nitrogen /'naItrədʒən/ *n* azoto *m*, nitrogénio *m*

nitwit /'nItwIt/ *n* (*colloq*) imbecil *m*

no /nəʊ/ *a* nenhum □ *adv* não □ *n* (*pl* **noes**) não *m*. **~ entry** entrada *f* proibida. **~ money/time/** *etc* nenhum dinheiro/tempo/*etc*. **~ man's land** terra *f* de ninguém. **~ one = nobody**. **~ smoking** é proibido fumar. **~ way!** (*colloq*) de modo nenhum!

nob|le /'nəʊbl/ *a* (**-er, -est**) nobre. **~ility** /'bIlətI/ *n* nobreza *f*

nobleman /'nəʊblmən/ n (pl -men) nobre m, fidalgo m

nobody /'nəʊbədɪ/ pron ninguém □ n nulidade f. **he knows** ~ ele não conhece ninguém. ~ **is there** não está lá ninguém

nocturnal /nɒk'tɜːnl/ a nocturno

nod /nɒd/ vt/i (pt **nodded**) ~ (**one's head**) acenar (com) a cabeça; ~ (**off**) cabecear □ n aceno m com a cabeça (para dizer que sim ou para cumprimentar)

noise /nɔɪz/ n ruído m, barulho m. ~**less** a silencioso

nois|y /'nɔɪzɪ/ a (-ier, -iest) ruidoso, barulhento. ~**ily** adv ruidosamente

nomad /'nəʊmæd/ n nómada mf. ~**ic** /'mædɪk/ a nómada

nominal /'nɒmɪnl/ a nominal; *(fee, sum)* simbólico

nominat|e /'nɒmɪneɪt/ vt *(appoint)* nomear; *(put forward)* propor. ~**ion** /'neɪʃn/ n nomeação f

non- /nɒn/ pref não, sem, in-, a-, anti-, des-. ~**skid** a antiderrapante. ~**stick** a não--aderente

nonchalant /'nɒnʃələnt/ a indiferente, desinteressado

non-commissioned /nɒnkə'mɪʃnd/ a ~ **officer** sargento m, cabo m

non-committal /nɒnkə'mɪtl/ a evasivo

nondescript /'nɒndɪskrɪpt/ a insignificante, medíocre, indefinível

none /nʌn/ pron *(person)* nenhum, ninguém; *(thing)* ne-

nhum, nada. ~ **of us** nenhum de nós. **I have** ~ não tenho nenhum. ~ **of that!** nada disso! □ adv ~ **too** não muito. **he is** ~ **the happier** ele não é dos mais felizes, nem por isso ele é mais feliz. ~ **the less** contudo, no entanto, apesar disso

nonentity /nɒ'nentətɪ/ n nulidade f, zero m à esquerda, João Ninguém m

non-existent /nɒnɪg'zɪstənt/ a inexistente

nonplussed /nɒn'plʌst/ a perplexo, pasmado

nonsens|e /'nɒnsns/ n absurdo m, disparate m. ~**ical** /'sensɪkl/ a absurdo, disparatado

non-smoker /nɒn'sməʊkə(r)/ n não-fumador m

non-stop /nɒn'stɒp/ a ininterrupto, contínuo; *(train)* directo; *(flight)* sem escala □ adv sem parar

noodles /'nuːdlz/ npl talharim m, macarronete m

nook /nʊk/ n (re)canto m

noon /nuːn/ n meio-dia m

noose /nuːs/ n laço m corrediço

nor /nɔː(r)/ conj & adv nem, também não. ~ **do I** nem eu

norm /nɔːm/ n norma f

normal /'nɔːml/ a & n normal m. **above/below** ~ acima/ abaixo do normal. ~**ity** /nɔː'mælətɪ/ n normalidade f. ~**ly** adv normalmente

north /nɔːθ/ n norte m □ a norte, do norte; *(of country, people etc)* setentrional □ adv a, ao/para (o) norte. **N~ America** América f do Norte. N~ **American** a & n norte-americano m. **~-east** n nordeste m. **~-erly** /ˈnɔːðəlɪ/ a do norte. **~ward** n ao norte. **~ward(s)** adv para (o) norte. **~-west** n noroeste m

northern /ˈnɔːðən/ a do norte

Norw|ay /ˈnɔːweɪ/ n Noruega f. **~egian** /nɔːˈwiːdʒən/ a & n norueguês m

nose /nəʊz/ n nariz m; (of animal) focinho m □ vi **~ about** farejar. **pay through the ~** pagar um preço exorbitante

nosebleed /ˈnəʊzbliːd/ n hemorragia f nasal or pelo nariz

nosedive /ˈnəʊzdaɪv/ n voo m picado

nostalg|ia /nɒˈstældʒə/ n nostalgia f. **~ic** a nostálgico

nostril /ˈnɒstrəl/ n narina f; (of horse) venta f (usually pl)

nosy /ˈnəʊzɪ/ a (-ier, -iest) (colloq) bisbilhoteiro

not /nɒt/ adv não. **~ at all** nada, de modo nenhum; (reply to thanks) de nada. **he is ~ at all bored** ele não está nada or de modo nenhum maçado. **~ yet** ainda não. **I suppose ~** creio que não

notable /ˈnəʊtəbl/ a notável □ n notabilidade f

notably /ˈnəʊtəblɪ/ adv notavelmente; (particularly) especialmente

notch /nɒtʃ/ n corte m em V □ vt marcar com cortes. **~ up** (score etc) marcar

note /nəʊt/ n nota f; (banknote) nota (de banco) f; (short letter) bilhete m □ vt notar

notebook /ˈnəʊtbʊk/ n bloco-notas m, agenda f

noted /ˈnəʊtɪd/ a conhecido, famoso

notepaper /ˈnəʊtpeɪpə(r)/ n papel m de carta

noteworthy /ˈnəʊtwɜːðɪ/ a notável

nothing /ˈnʌθɪŋ/ n nada m; (person) nulidade f, zero m □ adv nada, de modo algum or nenhum, de maneira alguma or nenhuma. **he eats ~** ele não come nada. **~ big/etc** nada (de) grande/etc. **~ else** nada mais. **~ much** pouca coisa. **for ~** (free) de graça; (in vain) em vão

notice /ˈnəʊtɪs/ n anúncio m, notícia f; (in street, on wall) letreiro m; (warning) aviso m; (attention) atenção f. **(advance) ~** pré-aviso m □ vt notar, reparar. **at short ~** num prazo curto. **a week's ~** no prazo de uma semana. **~-board** n quadro m para afixar anúncios etc. **hand in one's ~** pedir demissão. **take no ~** não fazer caso (**of** de)

noticeabl|e /ˈnəʊtɪsəbl/ a visível. **~y** adv visivelmente

notif|y /ˈnəʊtɪfaɪ/ vt participar, notificar. **~ication** /-ɪˈkeɪʃn/ n participação f, notificação f

notion /ˈnəʊʃn/ n noção f

notor|ious /nəʊˈtɔːrɪəs/ a notório. **~iety** /-əˈraɪətɪ/ n fama f

notwithstanding /nɒtwɪθˈstændɪŋ/ prep apesar de, não obstante □ adv mesmo assim, ainda assim □ *conj* embora, conquanto, apesar de que

nougat /ˈnuːgaː/ *n* nogado *m*

nought /nɔːt/ *n* zero *m*

noun /naʊn/ *n* substantivo *m*, nome *m*

nourish /ˈnʌrɪʃ/ *vt* alimentar, nutrir. **~ing** *a* alimentício, nutritivo. **~ment** *n* alimento *m*, sustento *m*

novel /ˈnɒvl/ *n* romance *m* □ *a* novo, original. **~ist** *n* romancista *mf*. **~ty** *n* novidade *f*

November /nəʊˈvembə(r)/ *n* Novembro *m*

novice /ˈnɒvɪs/ *n* (*beginner*) noviço *m*, novato *m*; (*relig*) noviço *m*

now /naʊ/ *adv* agora □ *conj* **~ (that)** agora que. **by ~** a estas horas, por esta altura. **from ~ on** de agora em diante. **~ and again, ~ and then** de vez em quando. **right ~** já

nowadays /ˈnaʊədeɪz/ *adv* hoje em dia, presentemente, actualmente

nowhere /ˈnəʊweə(r)/ *adv* (*position*) em lugar nenhum, em lado nenhum; (*direction*) a lado nenhum, a parte alguma *or* nenhuma

nozzle /ˈnɒzl/ *n* bico *m*, bocal *m*; (*of hose*) agulheta *f*

nuance /ˈnjuːɑːns/ *n* nuance *f*, matiz *m*, cambiante *f*

nuclear /ˈnjuːklɪə(r)/ *a* nuclear

nucleus /ˈnjuːklɪəs/ *n* (*pl* **-lei** /-lɪaɪ/) núcleo *m*

nud|e /njuːd/ *a* & *n* nu *m*. **in the ~e** nu. **~ity** *n* nudez *f*

nudge /nʌdʒ/ *vt* tocar com o cotovelo□ *n* ligeira cotovelada *f*

nudis|t /ˈnjuːdɪst/ *n* nudista *mf*. **~m** /-zəm/ *n* nudismo *m*

nuisance /ˈnjuːsns/ *n* aborrecimento *m*, chatice *f* (*sl*); (*person*) chato *m* (*sl*)

null /nʌl/ *a* nulo. **~ and void** (*jur*) nulo. **~ify** *vt* anular, invalidar

numb /nʌm/ *a* entorpecido, dormente □ *vt* entorpecer, adormecer

number /ˈnʌmbə(r)/ *n* número *m*; (*numeral*) algarismo *m* □ *vt* numerar; (*amount to*) ser em número de; (*count*) contar, incluir. **~-plate** *n* chapa de matrícula *f*

numeral /ˈnjuːmərəl/ *n* número *m*, algarismo *m*

numerate /ˈnjuːmərət/ *a* que tem conhecimentos básicos de matemática

numerical /njuːˈmerɪkl/ *a* numérico

numerous /ˈnjuːmərəs/ *a* numeroso

nun /nʌn/ *n* freira *f*, religiosa *f*

nurs|e /nɜːs/ *n* enfermeira *f*, enfermeiro *m*; (*nanny*) ama (-seca) *f* □ *vt* cuidar de, tratar de; (*hopes etc*) alimentar, acalentar. **~ing** *n* enfermagem *f*. **~ing home** clínica *f* de repouso

nursery /ˈnɜːsərɪ/ *n* quarto *m* de crianças; (*for plants*) viveiro *m*. **(day) ~** creche *f*. **~ rhyme** poema *m* *or* canção *f* infantil. **~ school** jardim *m* de infância

nurture /ˈnɜːtʃə(r)/ *vt* educar

nut /nʌt/ *n* (*bot*) noz *f*; (*techn*) porca *f* de parafuso

nutcrackers /ˈnʌtkrækəz/ *npl* quebra-nozes *m invar*

nutmeg /ˈnʌtmeg/ *n* noz-moscada *f*

nutrient /ˈnjuːtrɪənt/ *n* nutriente *m*

nutrit|ion /njuːˈtrɪʃn/ *n* nutrição *f*. ~**ious** *a* nutritivo

nutshell /ˈnʌtʃel/ *n* casca *f* de noz. **in a** ~ em poucas palavras

nuzzle /ˈnʌzl/ *vt* esfregar com o focinho

nylon /ˈnaɪlɒn/ *n* nylon *m*. ~**s** meias *fpl* de nylon

O

oaf /əʊf/ n (pl **oafs**) imbecil m, idiota m

oak /əʊk/ n carvalho m

OAP abbr see **old-age pensioner**

oar /ɔ:(r)/ n remo m

oasis /əʊˈeɪsɪs/ n (pl **oases** /-siːz/) oásis m

oath /əʊθ/ n juramento m; (swear-word) praga f

oatmeal /ˈəʊtmiːl/ n farinha f de aveia; (porridge) papa f de aveia

oats /əʊts/ npl aveia f

obedien|t /əˈbiːdɪənt/ a obediente. ~**ce** n obediência f. ~**tly** adv obedientemente

obes|e /əʊˈbiːs/ a obeso. ~**ity** n obesidade f

obey /əˈbeɪ/ vt/i obedecer (a)

obituary /əˈbɪtʃʊərɪ/ n necrologia f

object¹ /ˈɒbdʒɪkt/ n objecto m; (aim) objectivo m; (gram) complemento m

object² /əbˈdʒekt/ vt/i objectar (que). ~ **to** opor-se a, discordar de. ~**ion** /-ʃn/ n objecção f

objectionable /əbˈdʒekʃnəbl/ a censurável; (unpleasant) desagradável

objectiv|e /əbˈdʒektɪv/ a objectivo. ~**ity** /ˈtɪvətɪ/ n objectividade f

obligation /ɒblɪˈgeɪʃn/ n obrigação f. **be under an ~ to sb** dever favores a alg

obligatory /əˈblɪgətrɪ/ a obrigatório

oblig|e /əˈblaɪdʒ/ vt obrigar; (do a favour) fazer um favor a, obsequiar. ~**ed** a obrigado (**to a**). ~**ed to sb** em dívida (para) com alg. ~**ing** a prestável, amável. ~**ingly** adv amavelmente

oblique /əˈbliːk/ a oblíquo

obliterat|e /əˈblɪtəreɪt/ vt obliterar. ~**ion** /ˈreɪʃn/ n obliteração f

oblivion /əˈblɪvɪən/ n esquecimento m

oblivious /əˈblɪvɪəs/ a esquecido, sem consciência (**of/to** de)

oblong /ˈɒblɒŋ/ a oblongo ☐ n rectângulo m

obnoxious /əbˈnɒkʃəs/ a ofensivo, detestável

oboe /ˈəʊbəʊ/ n oboé m

obscen|e /əˈsiːn/ a obsceno. ~**ity** /ˈenətɪ/ n obscenidade f

obscur|e /əbˈskjʊə(r)/ a obscuro □ *vt* obscurecer; (*conceal*) encobrir. ~**ity** *n* obscuridade *f*

obsequious /əb'si:kwɪəs/ *a* demasiado obsequioso, subserviente

observan|t /əb'zɜ:vənt/ *a* observador. ~**ce** *n* observância *f*, cumprimento *m*

observatory /əb'zɜ:vətrɪ/ *n* observatório *m*

observ|e /əb'zɜ:v/ *vt* observar. ~**ation** /ɒbzə'veɪʃn/ *n* observação *f*. **keep under ~ation** vigiar. ~**er** *n* observador *m*

obsess /əb'ses/ *vt* obcecar. ~**ion** /-ʃn/ *n* obsessão *f*. ~**ive** *a* obsessivo

obsolete /'ɒbsəli:t/ *a* obsoleto, antiquado

obstacle /'ɒbstəkl/ *n* obstáculo *m*

obstetric|s /əb'stetrɪks/ *n* obstetrícia *f*. ~**ian** /ɒbstɪ'trɪʃn/ *n* obstetra *mf*

obstina|te /'ɒbstɪnət/ *a* obstinado. ~**cy** *n* obstinação *f*

obstruct /əb'strʌkt/ *vt* obstruir, bloquear; (*hinder*) estorvar, obstruir. ~**ion** /-ʃn/ *n* obstrução *f*; (*thing*) obstáculo *m*

obtain /əb'teɪn/ *vt* obter □ *vi* prevalecer, estar em vigor. ~**able** *a* que se pode obter

obtrusive /əb'tru:sɪv/ *a* importuno; (*thing*) demasiadamente em evidência, que dá muito na vista (*colloq*)

obvious /'ɒbvɪəs/ *a* óbvio, evidente. ~**ly** *adv* obviamente

occasion /ə'keɪʒn/ *n* ocasião *f*; (*event*) acontecimento *m* □ *vt* ocasionar. **on** ~ de vez em quando, ocasionalmente

occasional /ə'keɪʒənl/ *a* ocasional. ~**ly** *adv* de vez em quando, ocasionalmente

occult /ɒ'kʌlt/ *a* oculto

occupation /ɒkjʊ'peɪʃn/ *n* ocupação *f*. ~**al** *a* profissional; (*therapy*) ocupacional

occup|y /'ɒkjʊpaɪ/ *vt* ocupar. ~**ant**, ~**ier** *ns* ocupante *m*

occur /ə'kɜ:(r)/ *vi* (*pt* **occurred**) ocorrer, acontecer, dar-se; (*arise*) apresentar-se, aparecer. ~ **to sb** ocorrer a alg

occurrence /ə'kʌrəns/ *n* acontecimento *m*, ocorrência *f*

ocean /'əʊʃn/ *n* oceano *m*

o'clock /ə'klɒk/ *adv* **it is one** ~ é uma hora. **it is six** ~ são seis horas

octagon /'ɒktəgən/ *n* octógono *m*. ~**al** /'tægənl/ *a* octogonal

octave /'ɒktɪv/ *n* oitava *f*

October /ɒk'təʊbə(r)/ *n* outubro *m*

octopus /'ɒktəpəs/ *n* (*pl* -**puses**) polvo *m*

odd /ɒd/ *a* (-**er**, -**est**) estranho, singular; (*number*) ímpar; (*left over*) de sobra; (*not of set*) desemparelhado; (*occasional*) ocasional. ~ **jobs** (*paid*) biscates *mpl*; (*in garden etc*) trabalhos *mpl* diversos. **twenty** ~ vinte e tantos. ~**ity** *n* singularidade *f*; (*thing*) curiosidade *f*. ~**ly** *adv* de modo estranho

oddment /'ɒdmənt/ *n* resto *m*, artigo *m* avulso

odds /ɒdz/ *npl* probabilidades *fpl*; (*in betting*) ganhos *mpl* líquidos. **at** ~ em desacordo; (*quarrelling*) de mal, brigado. **it makes no** ~ não faz diferença. ~ **and ends** artigos *mpl* avulsos, coisas *fpl* pequenas

odious /'əʊdɪəs/ *a* odioso

odour /'əʊdə(r)/ *n* odor *m*. ~**less** *a* inodoro

of /əv/; *emphatic* /ɒv/ *prep* de. **a friend ~ mine** um amigo meu. **the fifth ~ June** (no dia) cinco de Junho. **take six** ~ **them** leva seis deles

off /ɒf/ *adv* embora, fora; *(switched off)* apagado, desligado; *(taken off)* tirado, desligado; *(cancelled)* cancelado; *(food)* estragado □ *prep* (fora) de; *(distant from)* a alguma distância de. **be** ~ *(depart)* ir-se embora, partir. **be well** ~ ser abastado, estar bem de vida. **be better/worse** ~ estar em melhor/pior situação. **a day** ~ um dia de folga. **20%** ~ redução de 20%. **on the** ~ **chance that** no caso de. ~ **colour** indisposto, adoentado. ~~**licence** *n* loja *f* de bebidas alcoólicas. ~~**load** *vt* descarregar. ~~**putting** *a* desconcertante. ~~**stage** *adv* fora de cena. ~~**white** *a* branco-sujo

offal /'ɒfl/ *n* miudezas *fpl*, fressura *f*

offence /ə'fens/ *n* (*feeling*) ofensa *f*; (*crime*) delito *m*, transgressão *f*. **give ~ to** ofender. **take ~** ofender-se **(at com)**

offend /ə'fend/ *vt* ofender. **be** ~**ed** ofender-se **(at com)**. ~**er** *n* delinquente *mf*

offensive /ə'fensɪv/ *a* ofensi-

vo; *(disgusting)* repugnante □ *n* ofensiva *f*

offer /'ɒfə(r)/ *vt* (*pt* **offered**) oferecer □ *n* oferta *f*. **on** ~ em promoção. ~**ing** *n* oferenda *f*

offhand /ɒf'hænd/ *a* espontâneo; *(curt)* seco □ *adv* de improviso, sem pensar

office /'ɒfɪs/ *n* escritório *m*; *(post)* cargo *m*; *(branch)* filial *f*. ~ **hours** horas *fpl* de expediente. **in** ~ no poder. **take** ~ assumir o cargo

officer /'ɒfɪsə(r)/ *n* oficial *m*; *(policeman)* agente *m*

official /ə'fɪʃl/ *a* oficial □ *n* funcionário *m*. ~**ly** *adv* oficialmente

officiate /ə'fɪʃɪeɪt/ *vi* (*relig*) oficiar. ~ **as** presidir, exercer as funções de

officious /ə'fɪʃəs/ *a* intrometido

offing /'ɒfɪŋ/ *n* **in the** ~ *(fig)* em perspectiva

offset /'ɒfset/ *vt* (*pt* -**set**, *pres p* -**setting**) compensar, contrabalançar

offshoot /'ɒfʃuːt/ *n* rebento *m*; *(fig)* efeito *m* secundário

offshore /ɒf'ʃɔː(r)/ *a* ao largo da costa

offside /ɒf'saɪd/ *a* & *adv* offside, fora de jogo

offspring /'ɒfsprɪŋ/ *n* (*pl invar*) descendência *f*, prole *f*

often /'ɒfn/ *adv* muitas vezes, frequentemente. **every so** ~ de vez em quando. **how** ~? quantas vezes?

oh /əʊ/ *int* oh, ah

oil /ɔɪl/ *n* óleo *m*; *(petroleum)* petróleo *m* □ *vt* lubrificar.

~-painting n pintura f a óleo. ~ **rig** plataforma f de poço de petróleo. ~ **well** poço m de petróleo. **~y** a oleoso; (food) gorduroso

oilfield /'ɔɪlfi:ld/ n campo m petrolífero

oilskins /'ɔɪlskɪnz/ npl roupa f de oleado

ointment /'ɔɪntmənt/ n pomada f

OK /əʊ'keɪ/ a & adv (colloq) (está) bem, (está) certo, (está) legal

old /əʊld/ a (-er, -est) velho; (person) velho, idoso; (former) antigo. **how ~ is he?** que idade tem ele? **he is eight years** ~ ele tem oito anos (de idade). **of** ~ (d)antes, antigamente. ~ **age** velhice f. **~-age pensioner** reformado m, aposentado m, pessoa f de terceira idade. ~ **boy** antigo aluno m. **~-fashioned** à fora de moda. ~ **girl** antiga aluna f. ~ **maid** solteirona f. ~ **man** homem m idoso, velho m. **~-time** a antigo. ~ **woman** mulher f idosa, velha f

olive /'ɒlɪv/ n azeitona f □ a de azeitona. ~ **oil** azeite m

Olympic /ə'lɪmpɪk/ a olímpico. ~**s** npl Olimpíadas fpl. ~ **Games** Jogos mpl Olímpicos

omelette /'ɒmlɪt/ n omelete f

omen /'əʊmən/ n agouro m, presságio m

ominous /'ɒmɪnəs/ a agourento; (fig: threatening) ameaçador

omi|t /ə'mɪt/ vt (pt omitted) omitir. **~ssion** /-ʃn/ n omissão f

on /ɒn/ prep sobre, em cima de, de, em □ adv para diante, para a frente; (switched on) aceso, ligado; (tap) aberto; (machine) em funcionamento; (put on) posto; (happening) em curso. ~ **arrival** à chegada, ao chegar. ~ **foot** etc a pé etc. ~ **doing** fazer. ~ **time** na hora, dentro do horário. ~ **Tuesday** à terça- feira. ~ **Tuesdays** às terças-feiras. **walk ~/etc** ~ continuar a andar/etc. **be** ~ at (film, TV) estar levando or passando. ~ **and off** de vez em quando. ~ **and** ~ sem parar

once /wʌns/ adv uma vez; (formerly) noutro(s) tempo (s) □ conj uma vez que, desde que. **at all** ~ de repente; (simultaneously) todos ao mesmo tempo. **just this** ~ esta vez. ~ **(and) for all** duma vez para sempre. ~ **upon a time** era uma vez. **~-over** n (colloq) vista f de olhos

oncoming /'ɒnkʌmɪŋ/ a que se aproxima, próximo. **the** ~ **traffic** o trânsito que vem em sentido contrário

one /wʌn/ a um(a); (sole) único □ n um(a) mf □ pron um (a) mf; (impersonal) se. ~ **by** ~ um a um. **a big/red/etc** ~ um grande/vermelho/etc. **this/that** ~ este/esse. ~ **another** um ao outro, uns aos outros. **~-sided** a parcial. **~-way** a (street) sentido único; (ticket) simples

oneself /wʌn'self/ pron si, si mesmo/próprio; (reflexive) se. **by** ~ sozinho

onion /ˈʌnɪən/ n cebola f

onlooker /ˈɒnlʊkə(r)/ n espectador m, circunstante mf

only /ˈəʊnlɪ/ a único □ adv apenas, só, somente □ conj só que. **an ~ child** um filho único. **he ~ has six** ele só tem seis. **not ~ ... but also** não só ... mas também. **~ too** muito, mais que

onset /ˈɒnset/ n começo m; (attack) ataque m

onslaught /ˈɒnslɔːt/ n ataque m violento, assalto m

onward(s) /ˈɒnwəd(z)/ adv para a frente/diante

ooze /uːz/ vt/i escorrer, verter

opal /ˈəʊpl/ n opala f

opaque /əʊˈpeɪk/ a opaco, tosco

open /ˈəʊpən/ a aberto; (view) aberto, amplo; (free to all) aberto ao público; (attempt) franco □ vt/i abrir(-se); (of shop, play) abrir. **in the ~ air** ao ar livre. **keep ~ house** receber muito, abrir a porta para todos. **~ on to** dar para. **~ out** or **up** abrir(-se). **~-heart** (of surgery) de coração aberto. **~-minded** a imparcial. **~-plan** a sem divisórias. **~ secret** segredo m de polichinelo. **~ sea** mar m alto. **~ness** n abertura f; (frankness) franqueza f

opener /ˈəʊpənə(r)/ n (tins) abre-latas m; (bottles) saca-rolhas m invar

opening /ˈəʊpənɪŋ/ n abertura f; (beginning) começo m; (opportunity) oportunidade f; (job) vaga f

openly /ˈəʊpənlɪ/ adv abertamente

opera /ˈɒprə/ n ópera f. **~-glasses** npl binóculos mpl. **~tic** /ɒpəˈrætɪk/ a de ópera

operat|e /ˈɒpəreɪt/ vt/i operar; (techn) (pôr a) funcionar. **~e on** (med) operar. **~ing-theatre** n (med) anfiteatro m, sala f de operações. **~ion** /ˈreɪʃn/ n operação f. **in ~ion** em vigor; (techn) em funcionamento. **~ional** /ˈreɪʃənl/ a operacional. **~or** n operador m; (telephonist) telefonista mf

operative /ˈɒpərətɪv/ a (surgical) operatório; (law etc) em vigor

opinion /əˈpɪnɪən/ n opinião f, parecer m. **in my ~** a meu ver. **~ poll** n sondagem (de opinião) f. **~ated** /-eɪtɪd/ a dogmático

opium /ˈəʊpɪəm/ n ópio m

Oporto /əˈpɔːtəʊ/ n Porto m

opponent /əˈpəʊnənt/ n adversário m, antagonista mf, oponente mf

opportune /ˈɒpətjuːn/ a oportuno

opportunity /ɒpəˈtjuːnətɪ/ n oportunidade f

oppos|e /əˈpəʊz/ vt opor-se a. **~ed** to oposto a. **~ing** a oposto

opposite /ˈɒpəzɪt/ a & n oposto m, contrário m □ adv em frente □ prep **~ (to)** em frente de

opposition /ɒpəˈzɪʃn/ n oposição f

oppress /əˈpres/ vt oprimir. **~ion** /-ʃn/ n opressão f. **~ive** a opressivo. **~or** n opressor m

opt /ɒpt/ vi ~ **for** optar por. ~ **out** recusar-se a participar (**of** de). ~ **to do** escolher fazer

optical /ˈɒptɪkl/ a óptico. ~ **illusion** ilusão f óptica

optician /ɒpˈtɪʃn/ n oculista mf

optimis|t /ˈɒptɪmɪst/ n optimista mf. ~**m** /-zəm/ n optimismo m. ~**tic** /ˈmɪstɪk/ a optimista. ~**tically** /ˈmɪstɪklɪ/ adv com optimismo

optimum /ˈɒptɪməm/ a & n (pl **-ima**) óptimo m

option /ˈɒpʃn/ n escolha f, opção f. **have no** ~ (**but**) não ter outro remédio (senão)

optional /ˈɒpʃənl/ a opcional, facultativo

opulen|t /ˈɒpjʊlənt/ a opulento. ~**ce** n opulência f

or /ɔ:(r)/ conj ou; (with negative) nem. ~ **else** senão

oracle /ˈɒrəkl/ n oráculo m

oral /ˈɔ:rəl/ a oral

orange /ˈɒrɪndʒ/ n laranja f; (colour) laranja m, cor f de laranja □ a de laranja; (colour) alaranjado, cor de laranja

orator /ˈɒrətə(r)/ n orador m. ~**y** n oratória f

orbit /ˈɔ:bɪt/ n órbita f □ vt (pt **orbited**) gravitar em torno de

orchard /ˈɔ:tʃəd/ n pomar m

orchestra /ˈɔ:kɪstrə/ n orquestra f. ~**l** /ˈkestrəl/ a orquestral

orchestrate /ˈɔ:kɪstreɪt/ vt orquestrar

orchid /ˈɔ:kɪd/ n orquídea f

ordain /ɔ:ˈdeɪn/ vt decretar; (relig) ordenar

ordeal /ɔ:ˈdi:l/ n prova f, provação f

order /ˈɔ:də(r)/ n ordem f, (comm) encomenda f, pedido m □ vt ordenar; (goods etc) encomendar. **in** ~ **that** para que. **in** ~ **to** para

orderly /ˈɔ:dəlɪ/ a ordenado, em ordem; (not unruly) ordeiro □ n (mil) ordenança f; (med) servente m de hospital

ordinary /ˈɔ:dɪnrɪ/ a normal, ordinário, vulgar. **out of the** ~ fora do comum, fora do vulgar

ordination /ɔ:dɪˈneɪʃn/ n (relig) ordenação f

ore /ɔ:(r)/ n minério m

organ /ˈɔ:gən/ n órgão m. ~**ist** n organista mf

organic /ɔ:ˈgænɪk/ a orgânico

organism /ˈɔ:gənɪzəm/ n organismo m

organiz|e /ˈɔ:gənaɪz/ vt organizar. ~**ation** /ˈzeɪʃn/ n organização f. ~**er** n organizador m

orgasm /ˈɔ:gæzəm/ n orgasmo m

orgy /ˈɔ:dʒɪ/ n orgia f

Orient /ˈɔ:rɪənt/ n **the** ~ o Oriente m. ~**al** /ˈentl/ a & n oriental mf

orientat|e /ˈɔ:rɪənteɪt/ vt orientar. ~**ion** /ˈteɪʃn/ n orientação f

orifice /ˈɒrɪfɪs/ n orifício m

origin /ˈɒrɪdʒɪn/ n origem f

original /əˈrɪdʒənl/ a original; (not copied) original. ~**ity** /ˈnælətɪ/ n originalidade f. ~**ly** adv originalmente; (in the beginning) originariamente

originat|e /əˈrɪdʒəneɪt/ vt/i ori-

ginar(-se). **~e from** provir
de. **~or** n iniciador m, criador m, autor m

ornament /'ɔːnəmənt/ n orna-
mento m; (*object*) peça f de-
corativa. **~al** /ˈmentl/ a ornamental. **~ation** /-enˈteɪʃn/ n
ornamentação f

ornate /ɔːˈneɪt/ a florido, floreado

ornitholog|y /ɔːnɪˈθɒlədʒɪ/ n
ornitologia f. **~ist** n ornitólo-
go m

orphan /'ɔːfn/ n órfã(o) f(m)
☐ vt deixar órfão. **~age** n orfanato m

orthodox /'ɔːθədɒks/ a ortodoxo

orthopaedic /ɔːθəˈpiːdɪk/ a or-
topédico

oscillate /'ɒsɪleɪt/ vi oscilar,
vacilar

ostensibl|e /ɒsˈtensəbl/ a apa-
rente, pretenso. **~y** adv aparentemente, pretensamente

ostentati|on /ɒstenˈteɪʃn/ n os-
tentação f. **~ous** /ˈteɪʃəs/ a
ostentoso, ostensivo

osteopath /'ɒstɪəpæθ/ n osteopata mf

ostracize /'ɒstrəsaɪz/ vt pôr de
lado, marginalizar

ostrich /'ɒstrɪtʃ/ n avestruz mf

other /'ʌðə(r)/ a, n & pron outro m ☐ adv ~ than diferente de, senão. **(some) ~s** outros. **the ~ day** no outro dia.
the ~ one o outro

otherwise /'ʌðəwaɪz/ adv de
outro modo ☐ conj senão,
caso contrário

otter /'ɒtə(r)/ n lontra f

ouch /aʊtʃ/ int ai!, ui!

ought /ɔːt/ v aux (pt ought)

dever. **you ~ to stay** você
devia ficar. **he ~ to succeed**
ele deve vencer. **I ~ to have
done it** eu devia tê-lo feito

ounce /aʊns/ n onça f (=
28,35g)

our /ˈaʊə(r)/ a nosso(s), nossa
(s)

ours /'aʊəz/ poss pron o(s)
nosso(s), a(s) nossa(s)

ourselves /aʊəˈselvz/ pron nós
mesmos/próprios; (*reflexive*)
nos. **by ~** sozinhos

oust /aʊst/ vt expulsar, obrigar
a sair

out /aʊt/ adv fora; (*of light, fire*) apagado; (*in blossom*)
aberto, desabrochado; (*of tide*) baixo. **be ~** não estar em
casa, estar fora (de casa);
(*wrong*) enganar-se. **be ~ to**
estar resolvido a. **run**/etc ~
sair correndo/etc. **~-and-~** a
completo, rematado. ~ **of** fora de; (*without*) sem. ~ **of
pity**/etc por pena/etc. **made
~ of** feito de or em. **take ~
of** tirar de. **5 ~ of 6** 5 (de)
entre 6. ~ **of date** fora de
moda; (*not valid*) fora do
prazo. ~ **of doors** ao ar livre. ~ **of one's mind** doido.
~ **of order** avariado. ~ **of
place** deslocado. ~ **of the
way** afastado. **~-patient** n
doente mf de consulta externa

outboard /'aʊtbɔːd/ a ~ **motor** motor m fora de borda

outbreak /'aʊtbreɪk/ n (*of flu
etc*) surto m, epidemia f; (*of
war*) deflagração f

outburst /'aʊtbɜːst/ n explosão f

outcast /'aʊtkɑːst/ n pária m

outcome /'aʊtkʌm/ n resultado m

outcry /'aʊtkraɪ/ n clamor m; (protest) protesto m

outdated /aʊt'deɪtɪd/ a fora da moda, ultrapassado

outdo /aʊt'duː/ vt (pt -did, pp -done) ultrapassar, superar

outdoor /'aʊtdɔː(r)/ a ao ar livre. ~s /'dɔːz/ adv fora de casa, ao ar livre

outer /'aʊtə(r)/ a exterior. ~ space espaço (cósmico) m

outfit /'aʊtfɪt/ n equipamento m; (clothes) roupa f

outgoing /'aʊtgəʊɪŋ/ a que vai sair; (of minister etc) demissionário; (fig) sociável. ~s npl despesas fpl

outgrow /aʊt'grəʊ/ vt (pt -grew, pp -grown) crescer mais do que; (clothes) já não caber em

outhouse /'aʊthaʊs/ n anexo m, dependência f

outing /'aʊtɪŋ/ n saída f, passeio m

outlandish /aʊt'lændɪʃ/ a exótico, estranho

outlaw /'aʊtlɔː/ n fora-da-lei mf, bandido m □ vt banir, proscrever

outlay /'aʊtleɪ/ n despesa(s) f(pl)

outlet /'aʊtlet/ n saída f, escoadouro m; (for goods) mercado m, saída f; (for feelings) escape m, vazão m; (electr) tomada f

outline /'aʊtlaɪn/ n contorno m; (summary) plano m geral, esquema m, esboço m □ vt contornar; (summarize) descrever em linhas gerais

outlive /aʊt'lɪv/ vt sobreviver a

outlook /'aʊtlʊk/ n (view) vista f; (mental attitude) visão f; (future prospects) perspectiva(s) f(pl)

outlying /'aʊtlaɪɪŋ/ a afastado, remoto

outnumber /aʊt'nʌmbə(r)/ vt ultrapassar em número

outpost /'aʊtpəʊst/ n posto m avançado

output /'aʊtpʊt/ n rendimento m; (of computer) saída f, output m

outrage /'aʊtreɪdʒ/ n atrocidade f, crime m; (scandal) escândalo m □ vt ultrajar

outrageous /aʊt'reɪdʒəs/ a (shocking) escandaloso; (very cruel) atroz

outright /'aʊtraɪt/ adv completamente; (at once) imediatamente; (frankly) abertamente □ a completo; (refusal) claro

outset /'aʊtset/ n início m, começo m, princípio m

outside[1] /aʊt'saɪd/ n exterior m □ adv (lá) (por) fora □ prep (para) fora de, além de; (in front of) diante de. at the ~ no máximo

outside[2] /'aʊtsaɪd/ a exterior

outsider /aʊt'saɪdə(r)/ n estranho m; (in race) cavalo m com poucas probabilidades m

outsize /'aʊtsaɪz/ a tamanho extra invar

outskirts /'aʊtskɜːts/ npl arredores mpl, subúrbios mpl

outspoken /aʊt'spəʊkn/ a franco

outstanding /aʊt'stændɪŋ/ a

saliente, proeminente; (*debt*) por saldar; (*very good*) notável, destacado

outstretched /aʊt'stretʃt/ *a* (*arm*) estendido, esticado

outstrip /aʊt'strɪp/ *vt* (*pt* **-stripped**) ultrapassar, passar à frente de

outward /'aʊtwəd/ *a* para o exterior; (*sign etc*) exterior; (*journey*) de ida. ~**ly** *adv* exteriormente. ~**s** *adv* para o exterior

outwit /aʊt'wɪt/ *vt* (*pt* **-witted**) ser mais esperto que, enganar

oval /'əʊvl/ *n* & *a* oval *m*

ovary /'əʊvərɪ/ *n* ovário *m*

ovation /əʊ'veɪʃn/ *n* ovação *f*

oven /'ʌvn/ *n* forno *m*

over /'əʊvə(r)/ *prep* sobre, acima de, por cima de; (*across*) de para o/do outro lado de; (*during*) durante, em; (*more than*) mais de □ *adv* por cima; (*too*) demais, demasiadamente; (*ended*) acabado. **the film is** ~ o filme já acabou. **jump**/*etc* ~ saltar/*etc* por cima. **he has some** ~ ele tem uns de sobra. **all** ~ **the country** em/ por todo o país. **all** ~ **the table** por toda a mesa. ~ **and above** (*besides, in addition to*) (para) além de. ~ **and** ~ repetidas vezes. ~ **there** ali, lá, acolá

over- /əʊvə(r)/ *pref* sobre-, super-; (*excessively*) demais, demasiado

overall[1] /'əʊvərɔːl/ *n* bata *f*. ~**s** fato-macaco *m*

overall[2] /'əʊvərɔːl/ *a* global;

(*length etc*) total □ *adv* globalmente

overawe /əʊvər'ɔː/ *vt* intimidar

overbalance /əʊvə'bæləns/ *vt/i* (fazer) perder o equilíbrio

overbearing /əʊvə'beərɪŋ/ *a* autoritário, despótico; (*arrogant*) arrogante

overboard /'əʊvəbɔːd/ *adv* (pela) borda fora

overcast /əʊvə'kɑːst/ *a* encoberto, nublado

overcharge /əʊvə'tʃɑːdʒ/ *vt* ~ **sb (for)** cobrar demais a alg (por)

overcoat /'əʊvəkəʊt/ *n* casacão *m*; (*for men*) sobretudo *m*

overcome /əʊvə'kʌm/ *vt* (*pt* **-came**, *pp* **-come**) superar, vencer. ~ **by** sucumbindo a, dominado *or* vencido por

overcrowded /əʊvə'kraʊdɪd/ *a* apinhado, superlotado; (*country*) superpovoado

overdo /əʊvə'duː/ *vt* (*pt* **-did**, *pp* **-done**) exagerar, levar longe demais. ~**ne** (*culin*) cozinhado demais

overdose /'əʊvədəʊs/ *n* dose *f* excessiva

overdraft /'əʊvədrɑːft/ *n* saldo *m* negativo

overdraw /əʊvə'drɔː/ *vt* (*pt* **-drew**, *pp* **-drawn**) sacar a descoberto

overdue /əʊvə'djuː/ *a* em atraso, atrasado; (*belated*) tardio

overestimate /əʊvər'estɪmeɪt/ *vt* sobreestimar, atribuir valor excessivo a

overexpose /əʊvərɪk'spəʊz/ *vt* expor demais

overflow[1] /əʊvə'fləʊ/ vt/i extravasar, transbordar (**with** de)

overflow[2] /'əʊvəfləʊ/ n (outlet) descarga f; (excess) excesso m

overgrown /əʊvə'grəʊn/ a que cresceu demais; (garden etc) invadido pela vegetação

overhang /əʊvə'hæŋ/ vt (pt **-hung**) estar sobranceiro a, pairar sobre □ vi projectar-se para fora □ n saliência f

overhaul[1] /əʊvə'hɔ:l/ vt fazer uma revisão em

overhaul[2] /'əʊvəhɔ:l/ n revisão f

overhead[1] /əʊvə'hed/ adv em or por cima, ao or no alto

overhead[2] /'əʊvəhed/ a aéreo. ~s npl despesas fpl gerais

overhear /əʊvə'hɪə(r)/ vt (pt **-heard**) (eavesdrop) ouvir sem conhecimento do falante; (hear by chance) ouvir por acaso

overjoyed /əʊvə'dʒɔɪd/ a radiante, felicíssimo

overlap /əʊvə'læp/ vt/i (pt **-lapped**) sobrepor(-se) parcialmente; (fig) coincidir

overleaf /əʊvə'li:f/ adv no verso

overload /əʊvə'ləʊd/ vt sobrecarregar

overlook /əʊvə'lʊk/ vt deixar passar; (of window) dar para; (of building) dominar

overnight /əʊvə'naɪt/ adv durante a noite; (fig) dum dia para o outro □ a (train) da noite; (stay, journey, etc) noite, nocturno; (fig) súbito

overpass /əʊvə'pɑ:s/ n passagem f superior

overpay /əʊvə'peɪ/ vt (pt **-paid**) pagar em excesso

overpower /əʊvə'paʊə(r)/ vt dominar, subjugar; (fig) esmagar. ~ing a esmagador; (heat) sufocante, insuportável

overpriced /əʊvə'praɪst/ a muito caro

overrate /əʊvə'reɪt/ vt sobrestimar, exagerar o valor de

overrid|e /əʊvə'raɪd/ vt (pt **-rode**, pp **-ridden**) prevalecer sobre, passar por cima de. ~ing a primordial, preponderante; (importance) maior

overripe /'əʊvəraɪp/ a demasiado maduro

overrule /əʊvə'ru:l/ vt anular, rejeitar; (claim) indeferir

overrun /əʊvə'rʌn/ vt (pt **-ran**, pp **-run**, pres p **-running**) invadir; (a limit) exceder, ultrapassar

overseas /əʊvə'si:z/ a ultramarino; (abroad) estrangeiro □ adv no ultramar, no estrangeiro

oversee /əʊvə'si:/ vt (pt **-saw** pp **-seen**) supervisionar. ~r /'əʊvəsiə(r)/ n capataz m

overshadow /əʊvə'ʃædəʊ/ vt (fig) eclipsar, ofuscar

oversight /'əʊvəsaɪt/ n lapso m

oversleep /əʊvə'sli:p/ vi (pt **-slept**) acordar tarde, dormir demais

overt /'əʊvɜ:t/ a manifesto, claro, patente

overtake /əʊvə'teɪk/ vt/i (pt **-took**, pp **-taken**) ultrapassar

overthrow /əʊvə'θrəʊ/ vt (pt

-threw, *pp* -thrown) derrubar □ *n* /'əʊvəθrəʊ/ (*pol*)
derrubada *f*
overtime /'əʊvətaɪm/ *n* horas
fpl extras
overtones /'əʊvətəʊnz/ *npl*
(*fig*) tom *m*, implicação *f*
overture /'əʊvətjʊə(r)/ *n*
(*mus*) abertura *f*; (*fig*) proposta *f*, abordagem *f*
overturn /əʊvə'tɜːn/ *vt/i* virar
(-se); (*car, plane*) capotar,
virar-se
overweight /əʊvə'weɪt/ *a* be ~
ter excesso de peso
overwhelm /əʊvə'welm/ *vt*
oprimir; (*defeat*) esmagar;
(*amaze*) assoberbar. ~ing *a*
esmagador; (*urge*) irresistível
overwork /əʊvə'wɜːk/ *vt/i* sobrecarregar(-se) com trabalho □ *n* excesso *m* de trabalho

overwrought /əʊvə'rɔːt/ *a*
muito agitado, superexcitado
owe /əʊ/ *vt* dever. ~ing *a* devido. ~ing to devido a
owl /aʊl/ *n* coruja *f*
own¹ /əʊn/ *a* próprio. **a house**/*etc* **of one's** ~ uma casa/
etc própria. **get one's** ~
back (*colloq*) desforrar-se.
hold one's ~ aguentar-se. **on
one's** ~ sozinho
own² /əʊn/ *vt* possuir. ~ **up**
(to) (*colloq*) confessar. ~**er** *n*
proprietário *m*, dono *m*.
~**ership** *n* posse *f*, propriedade *f*
ox /ɒks/ *n* (*pl* **oxen**) boi *m*
oxygen /'ɒksɪdʒən/ *n* oxigénio
m
oyster /'ɔɪstə(r)/ *n* ostra *f*
ozone /'əʊzəʊn/ *n* ozono *m*. ~
layer camada *f* de ozono *m*

P

pace /peɪs/ *n* passo *m*; (*fig*) ritmo *m* □ *vt* percorrer passo a passo □ *vi* ~ **up and down** andar de um lado para o outro. **keep** ~ **with** acompanhar, manter-se a par de

pacemaker /ˈpeɪsmeɪkə(r)/ *n* (*med*) pacemaker *m*

Pacific /pəˈsɪfɪk/ *a* pacífico □ *n* ~ **(Ocean)** (Oceano) Pacífico *m*

pacifist /ˈpæsɪfɪst/ *n* pacifista *mf*

pacify /ˈpæsɪfaɪ/ *vt* pacificar, apaziguar

pack /pæk/ *n* pacote *m*; (*mil*) mochila *f*; (*of hounds*) matilha *f*; (*of lies*) porção *f*; (*of cards*) baralho *m* □ *vt* empacotar; (*suitcase*) fazer; (*box, room*) encher; (*press down*) atulhar, encher até não caber mais □ *vi* fazer as malas. ~ **into** (*cram*) apinhar em, comprimir em. **send** ~**ing** pôr a andar, mandar passear. ~**ed** *a* apinhado. ~**ed lunch** merenda *f*

package /ˈpækɪdʒ/ *n* pacote *m*, embrulho *m* □ *vt* embalar. ~ **deal** pacote *m* de propostas. ~ **holiday** pacote *m* turístico, viagem *f* organizada

packet /ˈpækɪt/ *n* pacote *m*; (*of cigarettes*) maço *m*

pact /pækt/ *n* pacto *m*

pad /pæd/ *n* (*in clothing*) chumaço *m*; (*for writing*) bloco *m* de papel/de notas; (*for ink*) almofada (de carimbo) *f*. **(launching)** ~ rampa *f* de lançamento □ *vt* (*pt* **padded**) enchumaçar, acolchoar; (*fig: essay etc*) encher de palha. ~**ding** *n* chumaço *m*; (*fig*) palha *f*

paddle[1] /ˈpædl/ *n* remo *m* de canoa. ~**-steamer** *n* vapor *m* movido a rodas

paddl|e[2] /ˈpædl/ *vi* chapinhar, molhar os pés. ~**ing pool** piscina *f* de plástico para crianças

paddock /ˈpædək/ *n* cercado *m*; (*at racecourse*) paddock *m*

padlock /ˈpædlɒk/ *n* cadeado *m* □ *vt* fechar com cadeado

paediatrician /piːdɪəˈtrɪʃn/ *n* pediatra *mf*

pagan /ˈpeɪɡən/ *a* & *n* pagão *m*, pagã *f*

page[1] /peɪdʒ/ *n* (*of book etc*) página *f*

page[2] /peɪdʒ/ *vt* mandar chamar

pageant /'pædʒənt/ n espetáculo m (histórico); (procession) cortejo m. ~ry n pompa f

pagoda /pə'gəʊdə/ n pagode m

paid /peɪd/ see pay □ a put - to (colloq: end) pôr fim a

pail /peɪl/ n balde m

pain /peɪn/ n dor f. ~s esforços mpl □ vt magoar. be in ~ sofrer, ter dores. ~-killer n analgésico m. take ~s to esforçar-se por. ~ful a doloroso; (grievous, laborious) penoso. ~less a sem dor, indolor

painstaking /'peɪnzteɪkɪŋ/ a cuidadoso, esmerado, meticuloso

paint /peɪnt/ n tinta f. ~s (in box) tintas fpl □ vt/i pintar. ~er n pintor m. ~ing n pintura f

paintbrush /'peɪntbrʌʃ/ n pincel m

pair /peə(r)/ n par m. a ~ of scissors uma tesoura. a ~ of trousers um par de calças. in ~s aos pares □ vi ~ off formar pares

Pakistan /paːkɪ'staːn/ n Paquistão m. ~i a & n paquistanês m

pal /pæl/ n (colloq) colega mf, amigo m

palace /'pælɪs/ n palácio m

palat|e /'pælət/ n palato m. ~able a saboroso, gostoso; (fig) agradável

palatial /pə'leɪʃl/ a sumptuoso

pale /peɪl/ a (-er, -est) pálido; (colour) claro □ vi empalidecer. ~ness n palidez f

Palestin|e /'pælɪstaɪn/ n Palestina f. ~ian /'stɪnɪən/ a & n palestiniano m

palette /'pælɪt/ n paleta f. ~-knife n espátula f

pallid /'pælɪd/ a pálido

palm /paːm/ n (of hand) palma f; (tree) palmeira f □ vt ~ off impingir (on a). P~ Sunday Domingo m de Ramos

palpable /'pælpəbl/ a palpável

palpitat|e /'pælpɪteɪt/ vi palpitar. ~ion /teɪ/ n n palpitação f

paltry /'pɔːltrɪ/ a (-ier, -iest) irrisório

pamper /'pæmpə(r)/ vt amimar, apaparicar

pamphlet /'pæmflɪt/ n panfleto m, folheto m

pan /pæn/ n panela f; (for frying) frigideira f □ vt (pt panned) (colloq) criticar severamente

panacea /pænə'sɪə/ n panaceia f

panache /pæ'næʃ/ n brio m, estilo m, panache m

pancake /'pænkeɪk/ n crepe m, panqueca f

pancreas /'pæŋkrɪəs/ n pâncreas m

panda /'pændə/ n panda m

pandemonium /pændɪ'məʊnɪəm/ n pandemónio m, caos mos

pander /'pændə(r)/ vi ~ to prestar-se a servir, ir ao encontro de, fazer concessões a

pane /peɪn/ n vidraça f
panel /'pænl/ n painel m; (jury) júri m; (speakers) convidados mpl. **(instrument)** ~ painel m de instrumentos (or) de bordo, tablier. **~led** a apainelado. **~ling** n apainelamento m. **~list** n convidado m

pang /pæŋ/ n pontada f, dor f aguda e súbita. **~s** (of hunger) ataques mpl de fome. **~s of conscience** remorsos mpl

panic /'pænɪk/ n pânico m □ vt/i (pt **panicked**) desorientar(-se), (fazer) entrar em pânico. **~-stricken** a tomado de pânico

panoram|a /pænə'rɑːmə/ n panorama m. **~ic** /'ræmɪk/ a panorâmico

pansy /'pænzɪ/ n amor-perfeito m

pant /pænt/ vi ofegar, arquejar

panther /'pænθə(r)/ n pantera f

panties /'pæntɪz/ npl (colloq) calcinhas fpl, cuecas fpl

pantomime /'pæntəmaɪm/ n pantomima f

pantry /'pæntrɪ/ n despensa f

pants /pænts/ npl (colloq: underwear) cuecas fpl; (colloq: trousers) calças fpl

papal /'peɪpl/ a papal

paper /'peɪpə(r)/ n papel m; (newspaper) jornal m; (exam) prova f escrita; (essay) comunicação f. **~s** npl (for identification) documentos mpl □ vt forrar com papel. **on** ~ por escrito. **~-clip** n clipe m

paperback /'peɪpəbæk/ a & n ~ **(book)** livro m brochado

paperweight /'peɪpəweɪt/ n pesa-papéis m invar, pisa-papéis m invar

paperwork /'peɪpəwɜːk/ n trabalho m de secretária; (pej) papelada f

paprika /'pæprɪkə/ n páprica f, pimentão m doce

par /pɑː(r)/ n **be below** ~ estar abaixo do padrão desejado. **on a** ~ **with** em igualdade com

parable /'pærəbl/ n parábola f

parachut|e /'pærəʃuːt/ n pára-quedas m invar □ vi descer de pára-quedas. **~ist** n pára-quedista mf

parade /pə'reɪd/ n (mil) parada f militar; (procession) procissão f □ vi desfilar □ vt alardear, exibir

paradise /'pærədaɪs/ n paraíso m

paradox /'pærədɒks/ n paradoxo m. **~ical** /'dɒksɪkl/ a paradoxal

paraffin /'pærəfɪn/ n petróleo m

paragon /'pærəgən/ n modelo m de perfeição

paragraph /'pærəgrɑːf/ n parágrafo m

parallel /'pærəlel/ a & n paralelo m □ vt (pt **paralleled**) comparar(-se) a

paralyse /'pærəlaɪz/ vt paralisar

paraly|sis /pə'ræləsɪs/ n paralisia f. **~tic** /'lɪtɪk/ a & n paralítico m

parameter /pə'ræmɪtə(r)/ n parâmetro m

paramount /'pærəmaʊnt/ a supremo, primordial

parapet /'pærəpɪt/ n parapeito m

paraphernalia /pærəfə'neɪlɪə/ n equipamento m, tralha f (colloq)

paraphrase /'pærəfreɪz/ n paráfrase f □ vt parafrasear

paraplegic /pærə'pli:dʒɪk/ n paraplégico m

parasite /'pærəsaɪt/ n parasita mf

parasol /'pærəsɒl/ n sombrinha f; (on table) pára-sol m, guarda-sol m

parcel /'pɑ:sl/ n embrulho m; (for post) encomenda f

parch /pɑ:tʃ/ vt ressequir. be ~ed estar cheio de sede

parchment /'pɑ:tʃmənt/ n pergaminho m

pardon /'pɑ:dn/ n perdão m; (jur) perdão m, indulto m □ vt (pt pardoned) perdoar. I beg your ~ perdão, desculpe. (I beg your) ~? como?

pare /peə(r)/ vt aparar, cortar; (peel) descascar

parent /'peərənt/ n pai m, mãe f. ~s npl pais mpl. ~al /pə'rentl/ a dos pais, paterno, materno

parenthesis /pə'renθəsɪs/ n (pl -theses) /-si:z/ parêntese m, parêntesis m

Paris /'pærɪs/ n Paris m

parish /'pærɪʃ/ n paróquia f; (municipal) freguesia f. ~ioner /pə'rɪʃənə(r)/ n paroquiano m

parity /'pærətɪ/ n paridade f

park /pɑ:k/ n parque m □ vt estacionar. ~ing n estaciona-

mento m. no ~ing estacionamento proibido. ~ing-meter n parquímetro m

parliament /'pɑ:ləmənt/ n parlamento m, assembleia f. ~ary /'mentrɪ/ a parlamentar

parochial /pə'rəʊkɪəl/ a paroquial; (fig) provinciano, tacanho

parody /'pærədɪ/ n paródia f □ vt parodiar

parole /pə'rəʊl/ n on ~ em liberdade condicional □ vt pôr em liberdade condicional

parquet /'pɑ:keɪ/ n parquê m

parrot /'pærət/ n papagaio m

parry /'pærɪ/ vt (a)parar □ n parada f

parsimonious /pɑ:sɪ'məʊnɪəs/ a parco, poupado; (mean) avarento

parsley /'pɑ:slɪ/ n salsa f

parsnip /'pɑ:snɪp/ n cherovia f, pastinaga f

parson /'pɑ:sn/ n pároco m, pastor m

part /pɑ:t/ n parte f; (of serial) episódio m; (of machine) peça f; (theatre) papel m; (side in dispute) partido m □ a parcial □ adv em parte □ vt/i separar (-se) (from de). in ~ em parte. on the ~ of da parte de. ~-exchange n troca f parcial. ~ of speech categoria f gramatical. ~-time a & adv a tempo parcial, part-time. take ~ in tomar parte em. these ~s estas partes

partial /'pɑ:ʃl/ a (incomplete, biased) parcial. be ~ to gostar de. ~ity /-ɪ'ælətɪ/ n parcialidade f; (liking) predilec-

participate 272 pasta

ção f (for por). ~ly adv
parcialmente
particip|ate /pa:'tIsIpeIt/ vi
participar (in em). ~ant n
/-ənt/ participante mf.
~ation /peI∫n/ n participação f
participle /'pa:tIsIpl/ n participio m
particle /'pa:tIkl/ n partícula f;
(of dust) grão m; (fig) mínimo m
particular /pə'tIkjʊlə(r)/ a especial, particular; (fussy)
exigente; (careful) escrupuloso. ~s npl pormenores mpl.
in ~ adv em especial, particularmente. ~ly adv particularmente
parting /'pa:tIŋ/ n separação f;
(in hair) risca f □ a de despedida
partisan /pa:tI'zæn/ n partidário m; (mil) guerrilheiro m
partition /pa:'tI∫n/ n (of
room) tabique m, divisória f;
(pol: division) partilha f, divisão f □ vt dividir, repartir.
~ off dividir por meio de tabique
partly /'pa:tlI/ adv em parte
partner /'pa:tnə(r)/ n sócio m;
(cards, sport) parceiro m;
(dancing) par m. ~ship n associação f; (comm) sociedade f
partridge /'pa:trIdʒ/ n perdiz f
party /'pa:tI/ n festa f, reunião
f; (group) grupo m; (pol)
partido m; (jur) parte f. ~ line (telephone) linha f colec-
tiva
pass /pa:s/ vt/i (pt passed)
passar; (overtake) ultrapassar; (exam) passar; (appro-

ve) passar; (law) aprovar.
~ (by) passar por □ n (permit,
sport) passe m; (geog) desfiladeiro m, garganta f; (in
exam) aprovação f. make a
~ at (colloq) atirar-se a, fazer-se a (colloq). ~ away fa-
lecer. ~ out or round distribuir. ~ out (colloq: faint)
perder os sentidos, desmaiar.
~ over (disregard, overlook)
passar por cima de. ~ up
(colloq: forgo) deixar perder
passable /'pa:səbl/ a passável;
(road) transitável
passage /'pæsIdʒ/ n passagem
f; (voyage) travessia f; (corridor) corredor m, passagem f
passenger /'pæsIndʒə(r)/ n
passageiro m
passer-by /pa:sə'baI/ n (pl
passers-by) transeunte mf
passion /'pæ∫n/ n paixão f.
~ate /-ət/ a apaixonado, exaltado
passive /'pæsIv/ a passivo.
~ness n passividade f
Passover /'pa:səʊvə(r)/ n Páscoa f dos judeus
passport /'pa:spɔ:t/ n passaporte m
password /'pa:swɜ:d/ n senha f
past /pa:st/ a passado; (former) antigo □ n passado □
prep para além de; (in time)
mais de; (in front of) diante
de □ adv em frente. be ~ it
já não ser capaz. it's five ~
eleven são onze e cinco.
these ~ months estes últimos meses
pasta /'pæstə/ n prato m de
massa(s)

paste /peɪst/ n cola f; (culin) massa(s) f(pl); (dough) massa f; (jewellery) strass m □ vt colar

pastel /ˈpæstl/ n pastel m □ a pastel invar

pasteurize /ˈpæstʃəraɪz/ vt pasteurizar

pastille /ˈpæstɪl/ n pastilha f

pastime /ˈpɑːstaɪm/ n passatempo m

pastoral /ˈpɑːstərəl/ a & n pastoral f

pastry /ˈpeɪstrɪ/ n massa f (de pastelaria); (tart) pastel m

pasture /ˈpɑːstʃə(r)/ n pastagem f

pasty[1] /ˈpæstɪ/ n empadinha f

pasty[2] /ˈpeɪstɪ/ a pastoso

pat /pæt/ vt (pt patted) (hit gently) dar pancadinhas em; (caress) fazer festinhas a □ n pancadinha f; (caress) festinha f □ adv a propósito; (readily) prontamente □ a preparado, pronto

patch /pætʃ/ n remendo m; (over eye) pala f; (spot) mancha f; (small area) pedaço m; (of vegetables) canteiro m, leira f □ vt ~ up remendar. ~ up a quarrel fazer as pazes. **bad** ~ mau bocado m. **not be a** ~ **on** não chegar aos pés de. ~-work n obra f de retalhos. ~y a desigual

pâté /ˈpæteɪ/ n patê m

patent /ˈpeɪtnt/ a & n patente f □ vt patentear. ~ **leather** verniz m, polimento m. ~ly adv claramente

paternal /pəˈtɜːnl/ a paternal; (relative) paterno

paternity /pəˈtɜːnətɪ/ n paternidade f

path /pɑːθ/ n (pl -s /pɑːðz/) caminho m, trilho f; (in park) álea f; (of rocket) trajectória f

pathetic /pəˈθetɪk/ a patético; (colloq: contemptible) desgraçado (colloq)

patholog|y /pəˈθɒlədʒɪ/ n patologia f. ~ist n patologista mf

pathos /ˈpeɪθɒs/ n patos m, patético m

patience /ˈpeɪʃns/ n paciência f

patient /ˈpeɪʃnt/ a paciente □ n doente mf, paciente mf. ~ly adv pacientemente

patio /ˈpætɪəʊ/ n (pl -os) pátio m

patriot /ˈpætrɪət/ n patriota mf. ~ic /-ˈɒtɪk/ a patriótico. ~ism /-ɪzəm/ n patriotismo m

patrol /pəˈtrəʊl/ n patrulha f □ vt/i patrulhar. ~ **car** carro m de patrulha

patron /ˈpeɪtrən/ n (of the arts etc) patrocinador m, protector m; (of charity) benfeitor m; (customer) freguês m, cliente mf. ~ **saint** padroeiro m, patrono m

patron|age /ˈpætrənɪdʒ/ n freguesia f, clientela f; (support) patrocínio m. ~**ize** vt ser cliente de; (support) patrocinar; (condescend) tratar com ares de superioridade

patter[1] /ˈpætə(r)/ n (of rain) tamborilar m, rufo m. ~ **of steps** som m leve de passos miúdos, corridinha f leve

patter[2] /ˈpætə(r)/ n (of class,

profession) gíria f, jargão m; (*chatter*) conversa f fiada

pattern /ˈpætn/ n padrão m; (*for sewing*) molde m; (*example*) modelo m

paunch /pɔːntʃ/ n pança f

pause /pɔːz/ n pausa f □ vi pausar, fazer (uma) pausa

pav|e /peɪv/ vt pavimentar. ~**e the way** preparar o caminho (**for** para). ~**ing-stone** n paralelepípedo m, laje f

pavement /ˈpeɪvmənt/ n passeio m

pavilion /pəˈvɪlɪən/ n pavilhão m

paw /pɔː/ n pata f □ vt dar patadas em; (*horse*) escarvar; (*colloq: person*) pôr as patas em cima de

pawn[1] /pɔːn/ n (*chess*) peão m; (*fig*) joguete m

pawn[2] /pɔːn/ vt empenhar. ~**-shop** casa f de penhores, prego m (*colloq*)

pawnbroker /ˈpɔːnbrəʊkə(r)/ n penhorista mf, dono m de casa de penhores, agiota mf

pay /peɪ/ vt/i (*pt* **paid**) pagar; (*interest*) render; (*visit, compliment*) fazer □ n pagamento m; (*wages*) vencimento m, ordenado m, salário m. **in the ~ of** em pagamento de. ~ **attention** prestar atenção. ~ **back** restituir. ~ **for** pagar. ~ **homage** prestar homenagem. ~ **in** depositar. ~**-slip** f folha f de pagamento

payable /ˈpeɪəbl/ a pagável

payment /ˈpeɪmənt/ n pagamento m; (*fig: reward*) recompensa f

payroll /ˈpeɪrəʊl/ n folha f de

pagamentos. **be on the ~** fazer parte da folha de pagamentos de uma firma

pea /piː/ n ervilha f

peace /piːs/ n paz f. **disturb the ~** perturbar a ordem pública. ~**able** a pacífico

peaceful /ˈpiːsfl/ a pacífico; (*calm*) calmo, sereno

peacemaker /ˈpiːsmeɪkə(r)/ n mediador m, medianeiro m, pacificador m

peach /piːtʃ/ n pêssego m

peacock /ˈpiːkɒk/ n pavão m

peak /piːk/ n pico m, cume m, cimo m; (*of cap*) pala f; (*maximum*) máximo m. ~ **hours** horas fpl de ponta; (*electr*) horas fpl de carga máxima. ~**ed cap** boné m de pala

peaky /ˈpiːki/ a com ar doentio

peal /piːl/ n (*of bells*) repique m; (*of laughter*) gargalhada f, risada f

peanut /ˈpiːnʌt/ n amendoim m. ~**s** (*sl: small sum*) uma bagatela f

pear /peə(r)/ n pera f

pearl /pɜːl/ n pérola f. ~**y** a nacarado

peasant /ˈpeznt/ n camponês m, aldeão m

peat /piːt/ n turfa f

pebble /ˈpebl/ n seixo m, calhau m

peck /pek/ vt/i bicar; (*attack*) dar bicadas (em) □ n bicada f; (*colloq: kiss*) beijo m seco. ~**ing order** hierarquia f, ordem f de importância

peckish /ˈpekɪʃ/ a **be a ~** (*colloq*) ter vontade de comer, estar com fraqueza

peculiar /pɪˈkjuːlɪə(r)/ a bizarro, singular; (*special*) peculiar (**to** a), característico (**to** de). **~ity** /ˈæratɪ/ n singularidade f; (*feature*) peculiaridade f

pedal /ˈpedl/ n pedal m □ vi (*pt* **pedalled**) pedalar

pedantic /pɪˈdæntɪk/ a pedante

peddle /ˈpedl/ vt vender de porta em porta; (*drugs*) fazer tráfico de

pedestal /ˈpedɪstl/ n pedestal m

pedestrian /pɪˈdestrɪən/ n peão m □ a pedestre; (*fig*) prosaico. **~ crossing** passadeira f

pedigree /ˈpedɪgriː/ n estirpe f, linhagem f; (*of animal*) raça f □ a de raça

pedlar /ˈpedlə(r)/ n vendedor m ambulante

peek /piːk/ vi espreitar □ n espreitadela f

peel /piːl/ n casca f □ vt descascar □ vi (*skin*) pelar; (*paint*) escamar-se, descascar; (*wallpaper*) descolar-se. **~ings** npl cascas fpl

peep /piːp/ vi espreitar □ n espreitadela f. **~-hole** n vigia f; (*in door*) olho m mágico

peer[1] /pɪə(r)/ vi ~ at/into (*searchingly*) perscrutar; (*with difficulty*) esforçar-se por ver

peer[2] /pɪə(r)/ n (*equal, noble*) par m. **~age** n pariato m

peeved /piːvd/ a (sl) irritado, chateado (sl)

peevish /ˈpiːvɪʃ/ a irritável

peg /peg/ n cavilha f; (*for washing*) mola f; (*for coats*

etc) cabide m; (*for tent*) estaca f □ vt (*pt* **pegged**) prender com estacas. **off the ~** pronto-a-vestir

pejorative /pɪˈdʒɒrətɪv/ a pejorativo

pelican /ˈpelɪkən/ n pelicano m. **~ crossing** passagem f com sinais manobrados pelos peões

pellet /ˈpelɪt/ n bolinha f; (*for gun*) grão m de chumbo

pelt[1] /pelt/ n pele f

pelt[2] /pelt/ vt bombardear (**with** com) □ vi chover a cântaros; (*run fast*) correr em disparada

pelvis /ˈpelvɪs/ n (*anat*) pélvis m, bacia f

pen[1] /pen/ n (*enclosure*) cercado m. **play~** n parque m □ vt (*pt* **penned**) encurralar

pen[2] /pen/ n caneta f □ vt (*pt* **penned**) escrever. **~-friend** n correspondente mf. **~-name** n pseudónimo m

penal /ˈpiːnl/ a penal. **~ize** vt impor uma penalidade a; (*sport*) penalizar

penalty /ˈpenltɪ/ n pena f; (*fine*) multa f; (*sport*) penalidade f. **~ kick** penálti m, grande penalidade f

penance /ˈpenəns/ n penitência f

pence /pens/ see **penny**

pencil /ˈpensl/ n lápis m □ vt (*pt* **pencilled**) escrever *or* desenhar a lápis. **~-sharpener** n apara-lápis, m invar (*or*) afia-lápis m

pendant /ˈpendənt/ n berloque m

pending /ˈpendɪŋ/ a pendente

pendulum   276   **perfect**

□ *prep* (*during*) durante;
(*until*) até
pendulum /'pendjʊləm/ *n*
pêndulo *m*
penetrat|e /'penɪtreɪt/ *vt/i* pe-
netrar (em). **~ing** *a* penetrante. **~ion** /'treɪʃn/ *n* penetração *f*
penguin /'peŋgwɪn/ *n* pinguim
m
penicillin /penɪ'sɪlɪn/ *n* penicilina *f*
peninsula /pə'nɪnsjʊlə/ *n* península *f*
penis /'piːnɪs/ *n* pénis *m*
peniten|t /'penɪtənt/ *a* & *n* pe-
nitente *mf*. **~ce** /-/-əns/ contrição *f*, penitência *f*
penitentiary /penɪ'tenʃərɪ/ *n*
(*Amer*) penitenciária *f*, cadeia *f*
penknife /'pennaɪf/ *n* (*pl* **-kni-
ves**) canivete *m*
penniless /'penɪlɪs/ *a* sem vintém, sem um tostão
penny /'penɪ/ *n* (*pl* **pennies** *or*
pence) péni *m*; (*fig*) centavo
m, vintém *m*
pension /'penʃn/ *n* pensão *f*;
(*in retirement*) reforma *f* □
vt ~ **off** reformar, aposentar.
~er *n* (*old-age*) **~er** reformado *m*
pensive /'pensɪv/ *a* pensativo
Pentecost /'pentɪkɒst/ *n* Pentecostes *m*
penthouse /'penthaʊs/ *n* apartamento *m* de luxo (no último andar)
pent-up /'pentʌp/ *a* reprimido
penultimate /pen'ʌltɪmət/ *a*
penúltimo
people /'piːpl/ *npl* pessoas *fpl*
□ *n* gente *f*, povo *m* □ *vt* po-

voar. **the Portuguese** ~ os
portugueses *mpl*. ~ **say** dizem, diz-se
pep /pep/ *n* vigor *m* □ *vt* ~ **up**
animar. ~ **talk** discurso *m* de
encorajamento
pepper /'pepə(r)/ *n* pimenta *f*;
(*vegetable*) pimento *m* □ *vt*
apimentar. **~y** *a* apimentado,
picante
peppermint /'pepəmɪnt/ *n*
hortelã-pimenta *f*; (*sweet*)
pastilha *f* de hortelã-pimenta
per /pɜː(r)/ *prep* por. ~ **an-
num** por ano. ~ **cent** por
cento. ~ **kilo**/*etc* por quilo/
etc
perceive /pə'siːv/ *vt* perceber;
(*notice*) aperceber-se de
percentage /pə'sentɪdʒ/ *n* percentagem *f*
perceptible /pə'septəbl/ *a* perceptível
percept|ion /pə'sepʃn/ *n* per-
cepção *f*. **~ive** /-tɪv/ *a* per-
ceptivo, penetrante, perspicaz
perch[1] /pɜːtʃ/ *n* poleiro *m* □
vi empoleirar-se, pousar
perch[2] /pɜːtʃ/ *n* (*fish*) perca *f*
percolat|e /'pɜːkəleɪt/ *vt/i* fil-
trar (-se), passar. **~or** *n* máquina *f* de café com filtro,
cafeteira *f*
percussion /pə'kʌʃn/ *n* per-
cussão *f*
peremptory /pə'remptərɪ/ *a*
peremptório, decisivo
perennial /pə'renɪəl/ *a* perene;
(*plant*) perene, vivaz
perfect[1] /'pɜːfɪkt/ *a* perfeito.
~ly *adv* perfeitamente
perfect[2] /pə'fekt/ *vt* aperfeiçoar. **~ion** /-ʃn/ *n* perfeição
f. **~ionist** *n* perfeccionista *mf*

perforat|e /ˈpɜːfəreɪt/ vt perfurar. **~ion** /ˈreɪʃn/ n perfuração f; (line of holes) pontilhado m, picotado m

perform /pəˈfɔːm/ vt (a task; mus) executar; (a function; theat) desempenhar □ vi representar; (function) funcionar. **~ance** n (of task; mus) execução f; (of function; theat) desempenho m; (of car) performance f, comportamento m, rendimento m; (colloq: fuss) drama m, cena f. **~er** n artista mf

perfume /ˈpɜːfjuːm/ n perfume m

perfunctory /pəˈfʌŋktərɪ/ a superficial, negligente

perhaps /pəˈhæps/ adv talvez

peril /ˈperəl/ n perigo m. **~ous** a perigoso

perimeter /pəˈrɪmɪtə(r)/ n perímetro m

period /ˈpɪərɪəd/ n período m, época f; (era) época f; (lesson) hora f de aula, período m lectivo; (med) período m; (full stop) ponto (final) m □ a (of novel) de costumes; (of furniture) de estilo. **~ic** /ˈɒdɪk/ a periódico. **~ical** /ˈɒdɪkl/ n periódico m. **~ically** /ˈɒdɪklɪ/ adv periodicamente

peripher|y /pəˈrɪfərɪ/ n periferia f. **~al** a periférico, (fig) marginal, à margem

perish /ˈperɪʃ/ vi morrer, perecer; (rot) estragar-se, deteriorar-se. **~able** a (of goods) deteriorável

perjur|e /ˈpɜːdʒə(r)/ vpr **~e o.s.** jurar falso, perjurar. **~y** n perjúrio m

perk[1] /pɜːk/ vt/i **~ up** (colloq) arrebitar(-se). **~y** a (colloq) vivo, animado

perk[2] /pɜːk/ n (colloq) regalia f, extra m

perm /pɜːm/ n permanente f □ vt **have one's hair ~ed** fazer uma permanente

permanen|t /ˈpɜːmənənt/ a permanente. **~ce** n permanência f. **~tly** adv permanentemente, a título permanente

permeable /ˈpɜːmɪəbl/ a permeável

permeate /ˈpɜːmɪeɪt/ vt/i permear, penetrar

permissible /pəˈmɪsəbl/ a permissível, admissível

permission /pəˈmɪʃn/ n permissão f, licença f

permissive /pəˈmɪsɪv/ a permissivo. **~ society** sociedade f permissiva. **~ness** n permissividade f

permit[1] /pəˈmɪt/ vt (pt permitted) permitir, consentir (**sb to** a alguém que)

permit[2] /ˈpɜːmɪt/ n licença f; (pass) passe m

permutation /pɜːmjuːˈteɪʃn/ n permutação f

pernicious /pəˈnɪʃəs/ a pernicioso, prejudicial

perpendicular /pɜːpənˈdɪkjʊlə(r)/ a & n perpendicular f

perpetrat|e /ˈpɜːpɪtreɪt/ vt perpetrar. **~or** n autor m

perpetual /pəˈpetʃʊəl/ a perpétuo

perpetuate /pəˈpetʃʊeɪt/ vt perpetuar

perplex /pəˈpleks/ vt deixar perplexo. **~ed** a perplexo. **~ing** a confuso. **~ity** n perplexidade f

persecut|e /'pɜ:sɪkju:t/ vt perseguir. **~ion** /-'kju:ʃn/ n perseguição f

persever|e /pɜ:sɪ'vɪə(r)/ vi perseverar. **~ance** n perseverança f

Persian /'pɜ:ʃn/ a & n (lang) persa m

persist /pə'sɪst/ vi persistir (**in doing** em fazer). **~ence** n persistência f. **~ent** a persistente; (obstinate) teimoso; (continual) contínuo, constante. **~ently** adv persistentemente

person /'pɜ:sn/ n pessoa f. **in ~** em pessoa

personal /'pɜ:sənl/ a pessoal; (secretary) particular. **~ stereo** estereo m pessoal. **~ly** adv pessoalmente

personality /pɜ:sə'næləti/ n personalidade f; (on TV) vedeta f

personify /pə'sɒnɪfaɪ/ vt personificar

personnel /pɜ:sə'nel/ n pessoal m

perspective /pə'spektɪv/ n perspectiva f

perspir|e /pə'spaɪə(r)/ vi transpirar. **~ation** /-ə'reɪʃn/ n transpiração f

persua|de /pə'sweɪd/ vt persuadir (**to** a). **~sion** /'sweɪʒn/ n persuasão f; (belief) crença f, convicção f. **~sive** /'sweɪsɪv/ a persuasivo

pert /pɜ:t/ a (saucy) atrevido, descarado; (lively) vivo

pertain /pə'teɪn/ vi **~ to** pertencer a; (be relevant) ser pertinente a, ser próprio de

pertinent /'pɜ:tɪnənt/ a pertinente

perturb /pə'tɜ:b/ vt perturbar, transtornar

Peru /pə'ru:/ n Peru m. **~vian** a & n peruano m

peruse /pə'ru:z/ vt ler com atenção

perva|de /pə'veɪd/ vt espalhar-se por, invadir. **~sive** a penetrante

pervers|e /pə'vɜ:s/ a que insiste no erro; (wicked) perverso; (wayward) caprichoso. **~ity** n obstinação f; (wickedness) perversidade f; (waywardness) capricho m, birra f

pervert¹ /pə'vɜ:t/ vt perverter. **~sion** n perversão f

pervert² /'pɜ:vɜ:t/ n pervertido m

peseta /pə'seɪtə/ n peseta f

pessimis|t /'pesɪmɪst/ n pessimista mf. **~m** /-zəm/ n pessimismo m. **~tic** /'mɪstɪk/ a pessimista

pest /pest/ n insecto m nocivo; (animal) animal m daninho; (person) peste f

pester /'pestə(r)/ vt incomodar (colloq)

pesticide /'pestɪsaɪd/ n pesticida m

pet /pet/ n animal m de estimação; (favourite) preferido m, querido m ▢ a (rabbit etc) de estimação ▢ vt (pt **petted**) acariciar. **~ name** nome m usado em família

petal /'petl/ n pétala f

peter /'pi:tə(r)/ vi **~ out** extinguir-se, acabar pouco a pouco, morrer (fig)

petition /pɪ'tɪʃn/ n petição f ▢ vt requerer

petrify /'petrɪfaɪ/ vt petrificar

petrol /'petrəl/ n gasolina f. ~ **pump** bomba f de gasolina. ~ **station** posto m de gasolina. ~ **tank** tanque m de gasolina

petroleum /pɪ'trəʊlɪəm/ n petróleo m

petticoat /'petɪkəʊt/ n combinação f, saia f de baixo

petty /'petɪ/ a (-ier, -iest) pequeno, insignificante; (mean) mesquinho. ~ **cash** fundo m para pequenas despesas, caixa f pequena

petulan|t /'petjʊlənt/ a irritável. ~ce n irritabilidade f

pew /pju:/ n banco (de igreja) m

pewter /'pju:tə(r)/ n estanho m

phallic /'fælɪk/ a fálico

phantom /'fæntəm/ n fantasma m

pharmaceutical /fɑ:mə'sju:tɪkl/ a farmacêutico

pharmac|y /'fɑ:məsɪ/ n farmácia f. ~ist n farmacêutico m

phase /feɪz/ n fase f □ vt ~ **in**/**out** introduzir/retirar progressivamente

PhD abbr of Doctor of Philosophy n doutorado m

pheasant /'feznt/ n faisão m

phenomen|on /fɪ'nɒmɪnən/ n (pl -ena) fenómeno m. ~al a fenomenal

philanthrop|ist /fɪ'lænθrəpɪst/ n filantropo m. ~ic /-ən'θrɒpɪk/ a filantrópico

Philippines /'fɪlɪpi:nz/ npl the ~ as Filipinas fpl

philistine /'fɪlɪstaɪn/ n filisteu m

philosoph|y /fɪ'lɒsəfɪ/ n filosofia f. ~er n filósofo m. ~ical /-ə'sɒfɪkl/ a filosófico

phlegm /flem/ n (med) catarro m, fleuma f

phobia /'fəʊbɪə/ n fobia f

phone /fəʊn/ n (colloq) telefone m □ vt/i (colloq) telefonar (para). **on the** ~ no telefone. ~ **back** voltar a telefonar, ligar de volta. ~ **book** lista f telefónica. ~ **box** cabine f telefónica. ~ **call** chamada f, telefonema m. ~**in** n programa m de rádio ou tv com participação dos ouvintes

phonecard /'fəʊnkɑ:d/ n credifone m

phonetic /fə'netɪk/ a fonético. ~s n fonética f

phoney /'fəʊnɪ/ a (-ier, -iest) (sl) falso, fingido □ n (sl: person) fingido m; (sl: thing) falso m, falsificação f, imitação f

phosphate /'fɒsfeɪt/ n fosfato m

phosphorus /'fɒsfərəs/ n fósforo m

photo /'fəʊtəʊ/ n (pl -os) (colloq) retrato m, foto f

photocop|y /'fəʊtəʊkɒpɪ/ n fotocópia f □ vt fotocopiar. ~ier n fotocopiadora f

photogenic /fəʊtəʊ'dʒenɪk/ a fotogénico

photograph /'fəʊtəgrɑ:f/ n fotografia f □ vt fotografar. ~er /fə'tɒgrəfə(r)/ n fotógrafo m. ~ic /'græfɪk/ a fotográfico. ~y /fə'tɒgrəfɪ/ n fotografia f

phrase /freɪz/ n expressão f,

frase f; (gram) locução f, frase f elíptica □ vt exprimir. **~book** n livro m de expressões idiomáticas

physical /ˈfɪzɪkl/ a físico

physician /fɪˈzɪʃn/ n médico m

physicist /ˈfɪzɪsɪst/ n físico m

physics /ˈfɪzɪks/ n física f

physiology /fɪzɪˈɒlədʒɪ/ n fisiologia f

physiotherap|y /fɪzɪəʊˈθerəpɪ/ n fisioterapia f. **~ist** n fisioterapeuta mf

physique /fɪˈziːk/ n físico m

pian|o /pɪˈænəʊ/ n (pl -os) piano m. **~ist** /ˈpɪənɪst/ n pianista mf

pick¹ /pɪk/ n (tool) picareta f

pick² /pɪk/ vt escolher; (flowers, fruit etc) colher; (lock) forçar; (teeth) palitar □ n escolha f; (best) o/a melhor. **~ a quarrel with** provocar uma questão com. **~ holes in an argument** descobrir os pontos fracos dum argumento. **~ sb's pocket** roubar a carteira de alg. **~ off** tirar, arrancar. **~ on** implicar com. **~ out** escolher; (identify) identificar, reconhecer. **~ up** vt apanhar; (speed) ganhar. **take one's ~** escolher livremente

pickaxe /ˈpɪkæks/ n picareta f

picket /ˈpɪkɪt/ n piquete m; (single striker) grevista mf de piquete □ vt (pt picketed) colocar um piquete em □ vi fazer piquete

pickings /ˈpɪkɪŋz/ npl restos mpl

pickle /ˈpɪkl/ n vinagre m. **~s** pickles mpl □ vt conservar

em vinagre. **in a ~** (colloq) numa encrenca (colloq)

pickpocket /ˈpɪkpɒkɪt/ n carteirista m

picnic /ˈpɪknɪk/ n piquenique m □ vi (pt picnicked) fazer um piquenique

pictorial /pɪkˈtɔːrɪəl/ a ilustrado

picture /ˈpɪktʃə(r)/ n imagem f; (illustration) estampa f, ilustração f; (painting) quadro m, pintura f; (photo) fotografia f, retrato m; (drawing) desenho m; (fig) descrição f, quadro m □ vt imaginar; (describe) pintar, descrever. **the ~s** o cinema

picturesque /pɪktʃəˈresk/ a pitoresco

pidgin /ˈpɪdʒɪn/ a ~ **English** inglês m estropiado

pie /paɪ/ n tarte f; (of meat) empada f

piece /piːs/ n pedaço m, bocado m; (of machine, in game) peça f; (of currency) moeda f □ vt ~ **together** juntar, montar. **a ~ of advice/furniture/etc** um conselho/um móvel/etc. **~work** n trabalho m à peça or por, à tarefa. **take to ~s** desmontar

piecemeal /ˈpiːsmiːl/ a aos poucos, pouco a pouco

pier /pɪə(r)/ n molhe m

pierc|e /pɪəs/ vt furar, penetrar. **~ing** a penetrante; (of scream, pain) lancinante

piety /ˈpaɪətɪ/ n piedade f, devoção f

pig /pɪg/ n porco m. **~-headed** a cabeçudo, teimoso

pigeon /ˈpɪdʒɪn/ n pombo m. **~-hole** n cacifo m

piggy /'pɪgɪ/ *a* como um porco. ~**-back** *adv* às cavalitas.
~ **bank** cofre *m* de criança

pigment /'pɪgmənt/ *n* pigmento *m*. ~**ation** /'teɪʃn/ *n* pigmentação *f*

pigsty /'pɪgstaɪ/ *n* pocilga *f*, chiqueiro *m*

pigtail /'pɪgteɪl/ *n* trança *f*

pike /paɪk/ *n* (*pl invar*) (*fish*) lúcio *m*

pilchard /'pɪltʃəd/ *n* peixe *m* pequeno da família do arenque, sardinha *f* europeia

pile /paɪl/ *n* pilha *f*; (*of carpet*) pêlo *m* □ *vt/i* amontoar(-se), empilhar(-se) (into em). **a ~ of** (*colloq*) um monte de (*colloq*). ~ **up** acumular(-se). ~**-up** *n* choque *m* em cadeia

piles /paɪlz/ *npl* hemorróidas *fpl*

pilfer /'pɪlfə(r)/ *vt* furtar. ~**age** *n* furto *m* (de coisas pequenas *or* em pequenas quantidades)

pilgrim /'pɪlgrɪm/ *n* peregrino *m*, romeiro *m*. ~**age** *n* peregrinação *f*, romaria *f*

pill /pɪl/ *n* pílula *f*, comprimido *m*

pillage /'pɪlɪdʒ/ *n* pilhagem *f*, saque *m* □ *vt* pilhar, saquear

pillar /'pɪlə(r)/ *n* pilar *m*. ~**-box** *n* marco *m* do correio

pillion /'pɪlɪən/ *n* assento *m* traseiro de motorizada. **ride ~** ir no assento de trás

pillow /'pɪləʊ/ *n* almofada *f*

pillowcase /'pɪləʊkeɪs/ *n* fronha *f*

pilot /'paɪlət/ *n* piloto *m* □ *vt* (*pt* **piloted**) pilotar. ~**-light** *n* piloto *m*; (*electr*) lâmpada *f* testemunho; (*gas*) piloto *m*

pimento /pɪ'mentəʊ/ *n* (*pl* **-os**) pimentão *m* vermelho

pimple /'pɪmpl/ *n* borbulha *f*, espinha *f*

pin /pɪn/ *n* alfinete *m*; (*techn*) cavilha *f* □ *vt* (*pt* **pinned**) pregar *or* prender com alfinete(s); (*hold down*) prender, segurar. **have ~s and needles** estar com cãibras. ~ **sb down** (*fig*) obrigar alg a definir-se, apertar alg (*fig*). ~**-point** *vt* localizar com precisão. ~**-stripe** *a* às riscas finas. ~ **up** pregar. ~**-up** *n* (*colloq*) pin-up *f*

pinafore /'pɪnəfɔː(r)/ *n* avental *m*. ~ **dress** bata *f*

pincers /'pɪnsəz/ *npl* (*tool*) alicate *m*; (*med*) pinça *f*; (*zool*) pinça(s) *f(pl)*, tenaz(es) *f(pl)*

pinch /pɪntʃ/ *vt* apertar; (*sl: steal*) surripiar (*colloq*) □ *n* aperto *m*; (*tweak*) beliscão *m*; (*small amount*) pitada *f*. **at a ~** em caso de necessidade

pine[1] /paɪn/ *n* (*tree*) pinheiro *m*; (*wood*) pinho *m*

pine[2] /paɪn/ *vi* ~ **away** definhar, consumir-se. ~ **for** suspirar por

pineapple /'paɪnæpl/ *n* ananás *m*

ping-pong /'pɪŋpɒŋ/ *n* pingue-pongue *m*

pink /pɪŋk/ *a & n* rosa *m*

pinnacle /'pɪnəkl/ *n* pináculo *m*

pint /paɪnt/ *n* quartilho *m* (= 0,57l; *Amer* = 0,47l)

pioneer /paɪə'nɪə(r)/ *n* pioneiro *m* □ *vt* ser o pioneiro em, preparar o caminho para

pious /'paɪəs/ a piedoso, devoto

pip /pɪp/ n (seed) pevide f

pipe /paɪp/ n cano m, tubo m; (of smoker) cachimbo m □ vt encanar, canalizar ~ **down** calar a boca

pipeline /'paɪplaɪn/ n (for oil) oleoduto m; (for gas) gasoduto m. **in the** ~ (fig) encaminhado

piping /'paɪpɪŋ/ n tubagem f. ~ **hot** a escaldar

piquant /'pi:kənt/ a picante

pira|te /'paɪərət/ a pirata m. ~**cy** n pirataria f

Pisces /'paɪsi:z/ n (astr) Peixes m

pistol /'pɪstl/ n pistola f

piston /'pɪstən/ n êmbolo m, pistão m

pit /pɪt/ n (hole) cova f, fosso m; (mine) poço m; (quarry) pedreira f □ vt (pt **pitted**) picar, esburacar; (fig) opor. ~ **o.s. against** (struggle) medir-se com

pitch[1] /pɪtʃ/ n breu m. ~-**black** a escuro como breu

pitch[2] /pɪtʃ/ vt (throw) lançar; (tent) armar □ vi cair □ n (slope) declive m; (of sound) som m; (of voice) altura f; (sport) campo m

pitchfork /'pɪtʃfɔ:k/ n forcado m

pitfall /'pɪtfɔ:l/ n (fig) cilada f, perigo m inesperado

pith /pɪθ/ n (of orange) parte f branca da casca, mesocarpo m; (fig: essential part) cerne m, âmago m

pithy /'pɪθɪ/ a (-**ier**, -**iest**) preciso, conciso

piti|ful /'pɪtɪfl / a lastimoso; (contemptible) miserável. ~**less** a impiedoso

pittance /'pɪtns/ n salário m miserável, miséria f

pity /'pɪtɪ/ n dó m, pena f, piedade f □ vt compadecer-se de. **it's a** ~ é uma pena. **take** ~ **on** ter pena de. **what a** ~! que pena!

pivot /'pɪvət/ n eixo m □ vt (pt **pivoted**) girar em torno de

placard /'plæka:d/ n (poster) cartaz m

placate /plə'keɪt/ vt apaziguar, aplacar

place /pleɪs/ n lugar m, sítio m; (house) casa f; (seat, rank etc) lugar m □ vt colocar, pôr. ~ **an order** fazer uma encomenda. **at/to** ~ em, a or na minha casa. ~-**mat** n pano m de mesa individual, napperon m à americana

placid /'plæsɪd/ a plácido

plagiar|ize /'pleɪdʒəraɪz/ vt plagiar. ~**ism** n plágio m

plague /pleɪg/ n peste f; (of insects) praga f □ vt atormentar, atazanar

plaice /pleɪs/ n (pl invar) solha f

plain /pleɪn/ a (-**er**, -**est**) claro; (candid) franco; (simple) simples; (not pretty) sem beleza; (not patterned) liso □ adv com franqueza □ n planície f. **in** ~ **clothes** à paisana. ~**ly** adv claramente; (candidly) francamente

plaintiff /'pleɪntɪf/ n queixoso m

plaintive /'pleɪntɪv/ a queixoso

plait /plæt/ *vt* entrançar □ *n* trança *f*

plan /plæn/ *n* plano *m*, projecto *m*; (*of a house, city etc*) plano *m*, planta *f* □ *vt* (*pt* **planned**) planear, planejar □ *vi* fazer planos. **~ to do** ter a intenção de fazer

plane¹ /pleɪn/ *n* (*level*) plano *m*; (*aeroplane*) avião *m* □ *a* plano

plane² /pleɪn/ *n* (*tool*) plaina *f* □ *vt* aplainar

planet /plænɪt/ *n* planeta *m*

plank /plæŋk/ *n* prancha *f*

planning /plænɪŋ/ *n* planeamento *m*, planejamento *m*. **~ permission** autorização *f* para construir

plant /plɑːnt/ *n* planta *f*; (*techn*) aparelhagem *f*; (*factory*) fábrica *f* □ *vt* plantar. **~ a bomb** colocar uma bomba. **~ation** /teɪʃn/ *n* plantação *f*

plaque /plɑːk/ *n* placa *f*; (*on teeth*) tártaro *m*, pedra *f*

plaster /plɑːstə(r)/ *n* reboco *m*; (*adhesive*) penso *m*, emplastro *m* □ *vt* rebocar; (*cover*) cobrir (**with** com, de). **in ~** engessado. **~ of Paris** gesso *m*. **~er** *n* rebocador *m*, caiador *m*

plastic /plæstɪk/ *a* plástico □ *n* plástica *f*. **~ surgery** cirurgia *f* plástica

plate /pleɪt/ *n* prato *m*; (*in book*) gravura *f* □ *vt* revestir de metal

plateau /plætəʊ/ *n* (*pl* **-eaux** /-əʊz/) planalto *m*

platform /plætfɔːm/ *n* estrado *m*; (*for speaking*) tribuna *f*; (*rail*) plataforma *f*, cais *m*;

(*fig*) programa *m* de partido político. **~ ticket** bilhete *m* de gare

platinum /plætɪnəm/ *n* platina *f*

platitude /plætɪtjuːd/ *n* banalidade *f*, lugar-comum *m*

platonic /plətɒnɪk/ *a* platónico

plausible /plɔːzəbl/ *a* plausível; (*person*) convincente

play /pleɪ/ *vt/i* (*for amusement*) brincar; (*instrument*) tocar; (*cards, game*) jogar; (*opponent*) jogar contra; (*match*) disputar □ *n* jogo *m*; (*theatre*) peça *f*; (*movement*) folga *f*, margem *f*. **~ down** minimizar. **~ on** (*take advantage of*) aproveitar-se de. **~ safe** jogar pelo seguro. **~ up** (*colloq*) dar problemas (a). **~-group** *n* jardim *m* de infância, jardim *m* infantil. **~-pen** *n* parque *m* para crianças

playboy /pleɪbɔɪ/ *n* play-boy *m*

player /pleɪə(r)/ *n* jogador *m*; (*theat*) artista *mf*; (*mus*) artista *mf*, executante *mf*, instrumentista *mf*

playful /pleɪfl/ *a* brincalhão *m*

playground /pleɪɡraʊnd/ *n* pátio *m* de recreio

playing /pleɪɪŋ/ *n* actuação *f*. **~-card** *n* carta *f* de jogar. **~-field** *n* campo *m* de jogos

playwright /pleɪraɪt/ *n* dramaturgo *m*

plc *abbr* (*of public limited company*) SARL

plea /pliː/ *n* súplica *f*; (*reason*)

pretexto *m*, desculpa *f*; (*jur*) alegação *f* da defesa

plead /pli:d/ *vt/i* pleitear; (*as excuse*) alegar. ~ **guilty** confessar-se culpado. ~ **with** implorar a

pleasant /'pleznt/ *a* agradável

pleas|e /pli:z/ *vt/i* agradar (a), dar prazer (a) □ *adv* por favor, se faz favor. **they ~e themselves, they do as they ~e** eles fazem como bem entendem. **~ed** *a* contente, satisfeito (**with** com). **~ing** *a* agradável

pleasur|e /'pleʒə(r)/ *n* prazer *m*. **~able** *a* agradável

pleat /pli:t/ *n* prega *f* □ *vt* preguear

pledge /pledʒ/ *n* penhor *m*, garantia *f*; (*fig*) promessa *f* □ *vt* prometer; (*pawn*) empenhar

plentiful /'plentɪfl/ *a* abundante

plenty /'plentɪ/ *n* abundância *f*, fartura *f*. ~ **of** muito (de); (*enough*) bastante (de)

pliable /'plaɪəbl/ *a* flexível

pliers /'plaɪəz/ *npl* alicate *m*

plight /plaɪt/ *n* triste situação *f*

plimsoll /'plɪmsəl/ *n* alpergata *f*, ténis *m*

plinth /plɪnθ/ *n* plinto *m*

plod /plɒd/ *vi* (*pt* **plodded**) caminhar lentamente, trabalhar, marrar (*sl*). ~ (*work*) trabalhar *m* lento mas perseverante. **~ding** *a* lento

plonk /plɒŋk/ *n* (*sl*) vinho *m* ordinário, carrascão *m*

plot /plɒt/ *n* complot *m*, conspiração *f*; (*of novel etc*) trama *f*; (*of land*) lote *m* □ *vt/i*

(*pt* **plotted**) conspirar; (*mark out*) traçar

plough /plaʊ/ *n* arado *m* □ *vt/i* arar. ~ **back** reinvestir. ~ **into** colidir. ~ **through** abrir caminho por

ploy /plɔɪ/ *n* (*colloq*) estratagema *f*

pluck /plʌk/ *vt* apanhar; (*bird*) depenar; (*eyebrows*) depilar; (*mus*) tanger □ *n* coragem *f*. ~ **up courage** ganhar coragem. **~y** *a* corajoso

plug /plʌg/ *n* tampão *m*; (*electr*) tomada *f*, ficha *f* □ *vt* (*pt* **plugged**) tapar com tampão; (*colloq: publicize*) fazer grande propaganda de □ *vi* ~ **away** (*colloq*) trabalhar com afinco. ~ **in** (*electr*) ligar. **~-hole** *n* buraco *m* do cano

plum /plʌm/ *n* ameixa *f*

plumb /plʌm/ *adv* exactamente, mesmo □ *vt* sondar. **~-line** *n* fio *m* de prumo

plumb|er /'plʌmə(r)/ *n* canalizador *m*. **~ing** *n* canalização *f*

plummet /'plʌmɪt/ *vi* (*pt* **plummeted**) despencar, cair a pique

plump /plʌmp/ *a* (**-er, -est**) rechonchudo, roliço □ *vi* ~ **for** optar por. **~ness** *n* gordura *f*

plunder /'plʌndə(r)/ *vt* pilhar, saquear □ *n* pilhagem *f*, saque *m*; (*goods*) despojo *m*

plunge /plʌndʒ/ *vt/i* mergulhar, atirar(-se), afundar(-se) □ *n* mergulho *m*. **take the ~** (*fig*) decidir-se, dar o salto (*fig*)

plunger /ˈplʌndʒə(r)/ n (of pump) êmbolo m, pistão m; (for sink etc) desentupidor m

pluperfect /pluːˈpɜːfɪkt/ n mais-que-perfeito m

plural /ˈplʊərəl/ a plural; (noun) no plural □ n plural m

plus /plʌs/ prep mais □ a positivo □ n sinal +; (fig) qualidade f positiva

plush /plʌʃ/ n pelúcia f □ a de pelúcia; (colloq) de luxo

ply /plaɪ/ vt (tool) manejar; (trade) exercer □ vi (ship, bus) fazer carreira entre dois lugares. ~ sb with drink encher alguém de bebidas

plywood /ˈplaɪwʊd/ n contraplacado m

p.m. /piːˈem/ adv da tarde, da noite

pneumatic /njuːˈmætɪk/ a pneumático. ~ drill broca f pneumática

pneumonia /njuːˈməʊnɪə/ n pneumonia f

PO abbr see **Post Office**

poach /pəʊtʃ/ vt/i (steal) caçar/pescar em propriedade alheia; (culin) escalfar. ~ed eggs ovos mpl escalfados

pocket /ˈpɒkɪt/ n bolso m, algibeira f □ a de algibeira □ vt meter no bolso. ~-book (notebook) livro m de apontamentos; (Amer: handbag) carteira f. ~-money (monthly) mesada f; (weekly) semanada f, dinheiro m para pequenas despesas

pod /pɒd/ n vagem f

poem /ˈpəʊɪm/ n poema m

poet /ˈpəʊɪt/ n poeta m, poetisa f. ~-ic /etɪk/ a poético

poetry /ˈpəʊɪtrɪ/ n poesia f

poignant /ˈpɔɪnjənt/ a pungente, doloroso

point /pɔɪnt/ n ponto m; (tip) ponta f; (decimal point) vírgula f; (meaning) sentido m, razão m; (electr) tomada f. ~s (rail) agulhas fpl □ vt/i (aim) apontar (at para); (show) apontar, indicar (at/to para). on the ~ of prestes a, quase a. ~-blank a & adv à queima-roupa; (fig) categórico. ~ of view ponto m de vista. ~ out apontar, fazer ver. that is a good ~ (remark) é uma boa observação. to the ~ a propósito. what is the ~? de que adianta?

pointed /ˈpɔɪntɪd/ a ponteagudo; (of remark) intencional, contundente

pointer /ˈpɔɪntə(r)/ n ponteiro m; (colloq: hint) sugestão f

pointless /ˈpɔɪntlɪs/ a inútil, sem sentido

poise /pɔɪz/ n equilíbrio m; (carriage) porte m; (fig: self-possession) presença f, segurança f. ~d a equilibrado; (person) seguro de si

poison /ˈpɔɪzn/ n veneno m, peçonha f □ vt envenenar. **blood-~ing** n envenenamento m do sangue. **food-~ing** n intoxicação f alimentar. ~ous a venenoso

poke /pəʊk/ vt/i espetar; (with elbow) acotovelar; (fire) atiçar □ n espetadela f; (with elbow) cotovelada f. ~ about esgaravatar, remexer, procurar. ~ fun at fazer troça/pouco de. ~ out (head) enfiar

poker¹ /'pəʊkə(r)/ *n* atiçador *m*

poker² /'pəʊkə(r)/ *n* (*cards*) póquer *m*

poky /'pəʊkɪ/ *a* (**-ier, -iest**) acanhado, apertado

Poland /'pəʊlənd/ *n* Polónia *f*

polar /'pəʊlə(r)/ *a* polar. **~ bear** urso *m* branco

polarize /'pəʊləraɪz/ *vt* polarizar

pole¹ /pəʊl/ *n* vara *f*; (*for flag*) mastro *m*; (*post*) poste *m*

pole² /pəʊl/ *n* (*geog*) pólo *m*

Pole /pəʊl/ *n* polaco *m*

polemic /pə'lemɪk/ *n* polémica *f*

police /pə'li:s/ *n* polícia *f* □ *vt* policiar. **~ state** estado *m* policial. **~ station** esquadra *f* de polícia

police|man /pə'li:smən/ *n* (*pl* **-men**) polícia *m*, guarda *m*, agente *m* de polícia. **~woman** (*pl* **-women**) *n* mulher-polícia *f*

policy¹ /'polɪsɪ/ *n* (*plan of action*) política *f*

policy² /'polɪsɪ/ *n* (*insurance*) apólice *f* de seguro

polio /'pəʊlɪəʊ/ *n* polio *f*

polish /'polɪʃ/ *vt* polir, dar lustro em; (*shoes*) engraxar; (*floor*) encerar □ *n* (*for shoes*) graxa *f*; (*for floor*) cera *f*; (*for nails*) verniz *m*; (*shine*) polimento *m*; (*fig*) requinte *m*. **~ off** acabar (rapidamente). **~ up** (*language*) aperfeiçoar. **~ed** a requintado, elegante

Polish /'pəʊlɪʃ/ *a* & *n* polaco *m*

polite /pə'laɪt/ *a* polido, educado, delicado. **~ly** *adv* delicadamente. **~ness** *n* delicadeza *f*, cortesia *f*

political /pə'lɪtɪkl/ *a* político

politician /polɪ'tɪʃn/ *n* político *m*

politics /'polətɪks/ *n* política *f*

polka /'polkə/ *n* polca *f*. **~ dots** pintas *fpl*

poll /pəʊl/ *n* votação *f*; (*survey*) sondagem *f*, pesquisa *f* □ *vt* (*votes*) obter. **go to the ~s** votar, ir às urnas. **~ing-booth** *n* cabine *f* de voto

pollen /'polən/ *n* pólen *m*

pollut|e /pə'lu:t/ *vt* poluir. **~ion** /-∫n/ *n* poluição *f*

polo /'pəʊləʊ/ *n* pólo *m*. **~ neck** gola *f* alta;

polyester /polɪ'estə/ *n* poliéster *m*

polytechnic /polɪ'teknɪk/ *n* politécnica *f*

polythene /'polɪθi:n/ *n* politeno *m*. **~ bag** *n* saco *m* de plástico

pomegranate /'pomɪgrænɪt/ *n* romã *f*

pomp /pomp/ *n* pompa *f*

pompon /'pompon/ *n* pompom *m*

pomp|ous /'pompəs/ *a* pomposo. **~osity** /'posətɪ/ *n* imponência *f*

pond /pond/ *n* lagoa *f*, lago *m*; (*artificial*) tanque *m*, lago *m*

ponder /'pondə(r)/ *vt/i* ponderar, meditar (**over** sobre)

pong /pon/ *n* (*sl*) pivete *m* □ *vi* (*sl*) cheirar mal, tresandar

pony /'pəʊnɪ/ *n* pónei *m*. **~-tail** *n* rabo *m* de cavalo. **~-trekking** *n* passeio *m* de pónei

poodle /ˈpuːdl/ n cão m de água, caniche m

pool¹ /puːl/ n (puddle) charco m, poça f; (for swimming) piscina f

pool² /puːl/ n (fund) fundo m comum; (econ, comm) pool m; (game) forma f de bilhar. **~s** totobola m □ vt pôr num fundo comum

poor /pʊə(r)/ a (-er, -est) pobre; (not good) medíocre. **~ly** adv mal □ a doente

pop¹ /pɒp/ n estalido m, ruído m seco □ vt/i (pt **popped**) dar um estalido, estalar; (of cork) saltar. **~ in/out/off** entrar/sair/ir-se embora. **~ up** aparecer de repente, saltar

pop² /pɒp/ n música f pop □ a pop invar

popcorn /ˈpɒpkɔːn/ n pipoca f

pope /pəʊp/ n papa m

poplar /ˈpɒplə(r)/ n choupo m, álamo m

poppy /ˈpɒpɪ/ n papoula f

popular /ˈpɒpjʊlə(r)/ a popular; (in fashion) em voga, na moda. **be ~ with** ser popular entre. **~ity** /-ˈlærətɪ/ n popularidade f. **~ize** vt popularizar, vulgarizar

populat|e /ˈpɒpjʊleɪt/ vt povoar. **~ion** /-ˈleɪʃn/ n população f

populous /ˈpɒpjʊləs/ a populoso

porcelain /ˈpɔːslɪn/ n porcelana f

porch /pɔːtʃ/ n alpendre m; (Amer) varanda f

porcupine /ˈpɔːkjʊpaɪn/ n porco-espinho m

pore¹ /pɔː(r)/ n poro m

pore² /pɔː(r)/ vi ~ **over** examinar, estudar

pork /pɔːk/ n carne f de porco

pornograph|y /pɔːˈnɒɡrəfɪ/ n pornografia f. **~ic** /-əˈɡræfɪk/ a pornográfico

porous /ˈpɔːrəs/ a poroso

porpoise /ˈpɔːpəs/ n toninha f, golfinho m

porridge /ˈpɒrɪdʒ/ n (papa f de) flocos mpl de aveia

port¹ /pɔːt/ n (harbour) porto m

port² /pɔːt/ n (wine) (vinho do) Porto m

portable /ˈpɔːtəbl/ a portátil

porter¹ /ˈpɔːtə(r)/ n (carrier) carregador m

porter² /ˈpɔːtə(r)/ n (doorkeeper) porteiro m

portfolio /pɔːtˈfəʊlɪəʊ/ n (pl -os) (case, post) pasta f; (securities) carteira f de investimentos

porthole /ˈpɔːthəʊl/ n vigia f

portion /ˈpɔːʃn/ n (share, helping) porção f; (part) parte f

portly /ˈpɔːtlɪ/ a (-ier, -iest) corpulento e digno

portrait /ˈpɔːtrɪt/ n retrato m

portray /pɔːˈtreɪ/ vt retratar, pintar; (fig) descrever. **~al** n retrato m

Portug|al /ˈpɔːtjʊɡl/ n Portugal m. **~uese** /-ˈɡiːz/ a & n invar português m

pose /pəʊz/ vt/i (fazer) posar; (question) fazer □ n pose f, postura f. **~ as** fazer-se passar por

poser /ˈpəʊzə(r)/ n quebra-cabeças m

posh /pɒʃ/ a (sl) chique invar

position /pəˈzɪʃn/ n posição f;

(*job*) lugar *m*, colocação *f*;
(*state*) situação *f* □ *vt* colocar

positive /'pɒzətɪv/ *a* positivo;
(*definite*) categórico, definitivo; (*colloq: downright*) autêntico. **she's ~ that** ela tem
a certeza que. **~ly** *adv* positivamente; (*absolutely*) completamente

possess /pə'zes/ *vt* possuir.
~ion /-ʃn/ *n* posse *f*; (*thing
possessed*) possessão *f*. **~or**
n possuidor *m*

possessive /pə'zesɪv/ *a* possessivo

possib|le /'pɒsəbl/ *a* possível.
~ility /-'bɪlətɪ/ *n* possibilidade *f*

possibly /'pɒsəblɪ/ *adv* possivelmente, talvez. **if I ~ can**
se me fôr possível. **I cannot
~ leave** estou impossibilitado de partir

post¹ /pəʊst/ *n* (*pole*) poste *m*
□ *vt* (*notice*) afixar, pregar

post² /pəʊst/ *n* (*station, job*)
posto *m* □ *vt* colocar; (*appoint*) colocar

post³ /pəʊst/ *n* (*mail*) correio
m □ *a* postal □ *vt* mandar
pelo correio. **keep ~ed** manter informado. **~-code** *n* código *m* postal. **P~ Office** estação *f* dos correios;
(*corporation*) Correios, Telégrafos e Telefones *mpl*
(CTT)

post- /pəʊst/ *pref* pós-

postage /'pəʊstɪdʒ/ *n* porte *m*

postal /'pəʊstl/ *a* postal. **~ order** *n* vale *m* postal

postcard /'pəʊstkaːd/ *n* (bilhete) postal *m*

poster /'pəʊstə(r)/ *n* cartaz *m*

posterity /pɒ'sterətɪ/ *n* posteridade *f*

postgraduate
/pəʊst'grædʒʊet/ *n* pós-graduado *m*

posthumous /'pɒstjʊməs/ *a*
póstumo. **~ly** *adv* a título
póstumo

postman /'pəʊstmən/ *n* (*pl
-men*) carteiro *m*

postmark /'pəʊstmaːk/ *n* carimbo *m* do correio

post-mortem /pəʊst'mɔːtəm/
n autópsia *f*

postpone /pə'spəʊn/ *vt* adiar.
~ment *n* adiamento *m*

postscript /'pəʊsskrɪpt/ *n* post
scriptum *m*

postulate /'pɒstjʊleɪt/ *vt* postular

posture /'pɒstʃə(r)/ *n* postura
f, posição *f* □ *vi* posar

post-war /pəʊst'wɔː(r)/ *a* do
pós-guerra

posy /'pəʊzɪ/ *n* raminho *m* de
flores

pot /pɒt/ *n* pote *m*; (*for cooking*) panela *f*; (*for plants*)
vaso *m*; (*sl: marijuana*) maconha *f* □ *vt* (*pt* **potted**) **~
(up)** plantar em vaso. **go to
~** (*sl: business*) arruinar
(*colloq*); (*sl: person*) estar
arrumado or liquidado.
~-belly *n* pança *f*, barriga *f*.
take ~ luck receitar os que
houver. **take a ~-shot** dar
um tiro de perto (**at** em); (*at
random*) dar um tiro a esmo
(**at** em)

potato /pə'teɪtəʊ/ *n* (*pl -oes*)
batata *f*

poten|t /'pəʊtnt/ *a* potente, po-

deroso; (drink) forte. ~cy n
potência f
potential /pə'tenʃl/ a & n po-
tencial m. ~ly adv potencial-
mente
pothol|e /'pɒthəʊl/ n caverna f,
caldeirão m; (in road) buraco m. ~ing n espeleologia f
potion /'pəʊʃn/ n poção f
potted /'pɒtɪd/ a (of plant) en-
vasado; (preserved) de conserva
potter¹ /'pɒtə(r)/ n oleiro m,
ceramista mf. ~y n olaria f,
cerâmica f
potter² /'pɒtə(r)/ vi entreter-se
com isto ou aquilo
potty¹ /'pɒtɪ/ a (-ier, -iest) (sl)
doido, pirado (sl), chanfrado
(colloq)
potty² /'pɒtɪ/ n (-ties) (colloq)
bacio m de criança
pouch /paʊtʃ/ n bolsa f; (for
tobacco) tabaqueira f
poultice /'pəʊltɪs/ n cataplas-
ma f
poultry /'pəʊltrɪ/ n aves fpl
domésticas
pounce /paʊns/ vi atirar-se
(on sobre, para cima de) □ n
salto m
pound¹ /paʊnd/ n (weight) libra f (= 453 g); (money) libra f
pound² /paʊnd/ n (for dogs)
canil municipal m; (for cars)
parque de viaturas rebocadas
m
pound³ /paʊnd/ vt/i (crush)
esmagar, pisar; (of heart) bater com força; (bombard)
bombardear; (on piano etc)
martelar
pour /pɔ:(r)/ vt deitar □ vi

correr; (rain) chover torrencialmente. ~ in/out (of people) afluir/sair em massa. ~
off or out esvaziar, vazar.
~ing rain chuva f torrencial
pout /paʊt/ vt/i ~ (one's lips)
(sulk) fazer beicinho; (in annoyance) ficar de trombas □
n beicinho m
poverty /'pɒvətɪ/ n pobreza f,
miséria f. ~-stricken a pobre
powder /'paʊdə(r)/ n pó m;
(for face) pó-de-arroz m □
vt polvilhar; (face) empoar.
~ed a em pó. ~-room n toilette m, toucador m. ~y a
cheio de pó
power /'paʊə(r)/ n poder m;
(maths, mech) potência f;
(energy) energia f; (electr)
corrente f. ~ cut corte m de
energia ~ station central f
eléctrica. ~ed by movido a;
(jet etc) de propulsão. ~ful a
poderoso; (mech) potente.
~less a impotente
practicable /'præktɪkəbl/ a
viável
practical /'præktɪkl/ a prático.
~ joke brincadeira f de mau
gosto
practically /'præktɪklɪ/ adv
praticamente
practice /'præktɪs/ n prática f;
(of law etc) exercício m;
(sport) treino m; (clients)
clientela f. in ~ (in fact) na
prática; (well-trained) em
forma. out of ~ destreinado,
sem prática. put into ~ pôr
em prática
practis|e /'præktɪs/ vt/i (skill,
sport) praticar, exercitar-se
em; (profession) exercer;

(*put into practice*) pôr em prática. **~ed** *a* experimentado, experiente. **~ing** *a* (*Catholic etc*) praticante

practitioner /præk'tɪʃənə(r)/ *n* praticante *mf*. **general ~** médico *m* de clínica geral *or* de família

pragmatic /præg'mætɪk/ *a* pragmático

prairie /'preərɪ/ *n* pradaria *f*

praise /preɪz/ *vt* louvar, elogiar □ *n* elogio(s) *m*(*pl*), louvor(es) *m*(*pl*)

praiseworthy /'preɪzwɜːðɪ/ *a* louvável, digno de louvor

pram /præm/ *n* carrinho *m* de bebé

prance /prɑːns/ *vi* (*of horse*) curvetear, empinar-se; (*of person*) pavonear-se

prank /præŋk/ *n* brincadeira *f* de mau gosto

prattle /'prætl/ *vi* palrar, tagarelar

prawn /prɔːn/ *n* camarão *m* grande, gamba *f*

pray /preɪ/ *vi* rezar, orar

prayer /preə(r)/ *n* oração *f*. **the Lord's P~** o Padre-Nosso. **~-book** *n* missal *m*

pre- /priː/ *pref* pré-

preach /priːtʃ/ *vt/i* pregar (**at, to** a). **~er** *n* pregador *m*

preamble /priː'æmbl/ *n* preâmbulo *m*

prearrange /priːə'reɪndʒ/ *vt* combinar *or* arranjar de antemão

precarious /prɪ'keərɪəs/ *a* precário; (*of position*) instável, inseguro

precaution /prɪ'kɔːʃn/ *n* precaução *f*. **~ary** *a* de precaução

precede /prɪ'siːd/ *vt* preceder. **~ing** *a* precedente

precedent /'presɪdənt/ *n* precedente *m*

precinct /'priːsɪŋkt/ *n* recinto, precinto *m*; (*Amer: district*) circunscrição *f*. (**pedestrian**) **~** zona *f* para peões

precious /'preʃəs/ *a* precioso

precipice /'presɪpɪs/ *n* precipício *m*

precipitat|e /prɪ'sɪpɪteɪt/ *vt* precipitar □ *a* /-ɪtət/ precipitado. **~ion** /-'teɪʃn/ *n* precipitação *f*

precis|e /prɪ'saɪs/ *a* preciso; (*careful*) meticuloso. **~ely** *adv* precisamente. **~ion** /-'sɪʒn/ *n* precisão *f*

preclude /prɪ'kluːd/ *vt* evitar, excluir, impedir

precocious /prɪ'kəʊʃəs/ *a* precoce

preconc|eived /priːkən'siːvd/ *a* preconcebido. **~eption** /priːkən-'sepʃn/ *n* ideia *f* preconcebida

precursor /priː'kɜːsə(r)/ *n* precursor *m*

predator /'predətə(r)/ *n* animal *m* de rapina, predador *m*. **~y** *a* predatório

predecessor /'priːdɪsesə(r)/ *n* predecessor *m*

predicament /prɪ'dɪkəmənt/ *n* situação *f* difícil

predict /prɪ'dɪkt/ *vt* predizer, prognosticar. **~able** *a* previsível. **~ion** /-ʃn/ *n* predição *f*, prognóstico *m*

predominant /prɪ'dɒmɪnənt/ *a* predominante, preponderante. **~ly** *adv* predominantemente, preponderantemente

predominate /prɪ'domɪneɪt/ *vi* predominar

pre-eminent /pri:'emɪnənt/ *a* preeminente, superior

pre-empt /pri:'empt/ *vt* adquirir por preempção. ~**ive** *a* antecipado; (*mil*) preventivo

preen /pri:n/ *vt* alisar. ~ **o.s.** enfeitar-se

prefab /'pri:fæb/ *n* (*colloq*) casa *f* pré-fabricada. ~**ricated** /'fæbrɪkeɪtɪd/ *a* pré-fabricado

preface /'prefɪs/ *n* prefácio *m*

prefect /'pri:fekt/ *n* aluno *m* autorizado a disciplinar outros; (*official*) prefeito *m*

prefer /prɪ'fɜ:(r)/ *vt* (*pt* pre-ferred) preferir. ~**able** /'prefrəbl/ *a* preferível

preferen|ce /'prefrəns/ *n* preferência *f*. ~**tial** /-ə'renʃl/ *a* preferencial, privilegiado

prefix /'pri:fɪks/ *n* (*pl* -ixes) prefixo *m*

pregnan|t /'pregnənt/ *a* (*woman*) grávida; (*animal*) prenhe. ~**cy** *n* gravidez *f*

prehistoric /pri:hɪ'storɪk/ *a* pré-histórico

prejudice /'predʒʊdɪs/ *n* preconceito *m*, idéia *f* preconcebida, prejuízo *m*; (*harm*) prejuízo *m* ▢ *vt* influenciar. ~**d** *a* com preconceitos

preliminar|y /prɪ'lɪmɪnərɪ/ *a* preliminar. ~**ies** *npl* preliminares *mpl*, preâmbulos *mpl*

prelude /'prelju:d/ *n* prelúdio *m*

premarital /pri:'mærɪtl/ *a* antes do casamento, pré-marital

premature /'premətjʊə(r)/ *a* prematuro

premeditated /pri:'medɪteɪtɪd/ *a* premeditado

premier /'premɪə(r)/ *a* primeiro ▢ *n* (*pol*) primeiro--ministro *m*

premises /'premɪsɪz/ *npl* local *m*, edifício *m*. **on the** ~ neste estabelecimento, no local

premium /'pri:mɪəm/ *n* prémio *m*. **at a** ~ a peso de ouro

premonition /pri:mə'nɪʃn/ *n* pressentimento *m*

preoccup|ation /prɪ:ɒkjʊ'peɪʃn/ *n* preocupação *f*. ~**ied** /'ɒkjʊpaɪd/ *a* preocupado

preparation /prepə'reɪʃn/ *n* preparação *f*. ~**s** preparativos *mpl*

preparatory /prɪ'pærətrɪ/ *a* preparatório. ~ **school** escola *f* primária particular

prepare /prɪ'peə(r)/ *vt/i* preparar(-se) (**for** para). ~**d to** pronto a, preparado para

preposition /prepə'zɪʃn/ *n* preposição *f*

preposterous /prɪ'postərəs/ *a* absurdo, disparatado, ridículo

prerequisite /pri:'rekwɪzɪt/ *n* condição *f* prévia

prerogative /prɪ'rɒgətɪv/ *n* prerrogativa *f*

Presbyterian /prezbɪ'tɪərɪən/ *a & n* presbiteriano *m*

prescri|be /prɪ'skraɪb/ *vt* prescrever; (*med*) receitar, prescrever. ~**ption** /-ɪp/ *n* prescrição *f*; (*med*) receita *f*

presence /'prezns/ *n* presença *f*. ~ **of mind** presença *f* de espírito

present[1] /'preznt/ a & n presente mf. **at ~** neste momento, presentemente

present[2] /'preznt/ n (gift) presente m

present[3] /prɪ'zent/ vt apresentar; (film etc) dar. **~ sb with** oferecer a alg. **~able** a apresentável. **~ation** /prezn'teɪʃn/ n apresentação f. **~er** n apresentador m

presently /'prezntlɪ/ adv dentro em pouco, daqui a pouco; (Amer: now) neste momento

preservative /prɪ'zɜ:vətɪv/ n preservativo m

preserv|e /prɪ'zɜ:v/ vt preservar; (maintain; culin) conservar □ n reserva f; (fig) área f, terreno m; (jam) compota f. **~ation** /prezə'veɪʃn/ n conservação f

preside /prɪ'zaɪd/ vi presidir (**over** a)

presiden|t /'prezɪdənt/ n presidente mf. **~cy** n presidência f. **~tial** /'denʃl/ a presidencial

press /pres/ vt/i carregar (**on** em); (squeeze) espremer; (urge) pressionar; (iron) passar a ferro □ n imprensa f; (mech) prensa f; (for wine) lagar m. **be ~ed for** estar apertado com falta de. **~ on** (**with**) continuar (com), prosseguir (com). **~ conference** conferência f de imprensa. **~~stud** n mola f

pressing /'presɪŋ/ a premente, urgente

pressure /'preʃə(r)/ n pressão f □ vt fazer pressão sobre.

~~cooker n panela f de pressão. **~ group** grupo m de pressão

pressurize /'preʃəraɪz/ vt pressionar, fazer pressão sobre

prestige /pre'sti:ʒ/ n prestígio m

prestigious /pre'stɪdʒəs/ a prestigioso

presumably /prɪ'zju:məblɪ/ adv provavelmente

presum|e /prɪ'zju:m/ vt presumir. **~e to** tomar a liberdade de, atrever-se a. **~ption** /'zʌmpʃn/ n presunção f

presumptuous /prɪ'zʌmptʃʊəs/ a presunçoso

pretence /prɪ'tens/ n fingimento m; (claim) pretensão f; (pretext) desculpa f, pretexto m

pretend /prɪ'tend/ vt/i fingir (**to do** fazer). **~ to** (lay claim to) ter pretensões a, ser pretendente a; (profess to have) pretender ter

pretentious /prɪ'tenʃəs/ a pretencioso

pretext /'pri:tekst/ n pretexto m

pretty /'prɪtɪ/ a (-ier, -iest) bonito, lindo □ adv bastante

prevail /prɪ'veɪl/ vi prevalecer. **~ on sb** to convencer alguém a. **~ing** a dominante

prevalen|t /'prevələnt/ a geral, dominante. **~ce** n frequência f

prevent /prɪ'vent/ vt impedir (**from doing** de fazer). **~able** a que se pode evitar, evitável. **~ion** /-ʃn/ n prevenção f. **~ive** a preventivo

preview /'pri:vju:/ *n* ante-
-estreia *f*

previous /'pri:vɪəs/ *a* precedente, anterior. ~ **to** antes
de. ~**ly** *adv* antes, anterior-
mente

pre-war /pri:'wɔ:(r)/ *a* de antes da guerra

prey /preɪ/ *n* presa *f* □ *vi* ~ **on**
dar caça a; (*worry*) preocu-
par, atormentar. **bird of** ~
ave *f* de rapina, predador *m*

price /praɪs/ *n* preço *m* □ *vt*
marcar o preço de. ~**less** *a*
inestimável; (*colloq: amu-
sing*) impagável

prick /prɪk/ *vt* picar, furar □ *n*
picada *f*. ~ **up one's ears** arrebitar a(s) orelha(s)

prickl|e /'prɪkl/ *n* pico *m*, es-
pinho *m*; (*sensation*) picada
f. ~**y** *a* espinhoso, que pica;
(*person*) irritável

pride /praɪd/ *n* orgulho *m* □
vpr ~ **o.s. on** orgulhar-se de

priest /pri:st/ *n* padre *m*, sacerdote *m*. ~**hood** *n* sacerdó-
cio *m*; (*clergy*) clero *m*

prim /prɪm/ *a* (**primmer,
primmest**) formal, cheio de
nove-horas; (*prudish*) púdico

primary /'praɪmərɪ/ *a* primário; (*chief, first*) primeiro. ~
school escola *f* primária

prime[1] /praɪm/ *a* primeiro,
principal; (*first-rate*) de primeira qualidade. **P~ Minister** Primeiro-Ministro *m*. ~
number número *m* primo

prime[2] /praɪm/ *vt* aprontar,
aprestar; (*with facts*) preparar, industriar; (*surface*) preparar, aparelhar. ~**r** /-ə(r)/ *n*
(*paint*) aparelho *m*

primeval /praɪ'mi:vl/ *a* primitivo

primitive /'prɪmɪtɪv/ *a* primitivo

primrose /'prɪmrəʊz/ *n* primavera *f*, primula *f*

prince /prɪns/ *n* príncipe *m*

princess /prɪn'ses/ *n* princesa *f*

principal /'prɪnsəpl/ *a* principal □ *n* (*school*) director *m*.
~**ly** *adv* principalmente

principle /'prɪnsəpl/ *n* princípio *m*. **in/on** ~ em/por princípio

print /prɪnt/ *vt* imprimir; (*write*) escrever em letra de imprensa □ *n* marca *f*, impressão *f*; (*letters*) letra *f* de
imprensa; (*photo*) prova (fotográfica) *f*; (*engraving*) gravura *f*. **out of** ~ esgotado.
~**out** *n* cópia *f* impressa.
~**ed matter** impressos *mpl*

print|er /'prɪntə(r)/ *n* tipógrafo
m; (*comput*) impressora *f*.
~**ing** *n* impressão *f*, tipogra-
fia *f*

prior /'praɪə(r)/ *a* anterior,
precedente. ~ **to** antes de

priority /praɪ'ɒrətɪ/ *n* prioridade *f*

prise /praɪz/ *vt* forçar (com
alavanca). ~ **open** arrombar

prison /'prɪzn/ *n* prisão *f*. ~**er**
n prisioneiro *m*

pristine /'prɪsti:n/ *a* primitivo;
(*condition*) perfeito, como
novo

privacy /'prɪvəsɪ/ *n* privacidade *f*, intimidade *f*; (*solitude*)
isolamento *m*

private /'praɪvət/ *a* privado;
(*confidential*) confidencial;
(*lesson, life, house etc*) parti-

cular; (*ceremony*) íntimo □
n soldado *m* raso. **in ~** em
particular; (*of ceremony*) na
intimidade. **~ly** *adv* particularmente; (*inwardly*) no fundo, interiormente

privet /'prɪvɪt/ *n* (*bot*) alfena *f*,
ligustro *m*

privilege /'prɪvəlɪdʒ/ *n* privilégio *m*. **~d** *a* privilegiado.
be ~d to ter o privilégio de

prize /praɪz/ *n* prémio *m* □ *a*
premiado; (*fool etc*) perfeito
□ *vt* ter em grande apreço,
apreciar muito. **~-giving** *n*
distribuição *f* de prémios.
~-winner *n* premiado *m*,
vencedor *m*

pro¹ /prəʊ/ *n* **the ~s and cons**
os prós e os contras

pro- /prəʊ/ *pref* (*acting for*)
pro-; (*favouring*) pró-

probab|le /'prɒbəbl/ *a* provável. **~ility** /'bɪlətɪ/ *n* probabilidade *f*. **~ly** *adv* provavelmente

probation /prə'beɪʃn/ *n* (*testing*) estágio *m*, tirocínio *m*;
(*jur*) liberdade *f* condicional.
~ary *a* probatório

probe /prəʊb/ *n* (*med*) sonda
f; (*fig: investigation*) inquérito *m* □ *vt/i* **~ (into**) sondar,
investigar

problem /'prɒbləm/ *n* problema *m* □ *a* difícil. **~atic**
/'mætɪk/ *a* problemático

procedure /prə'si:dʒə(r)/ *n*
procedimento *m*, processo
m, norma *f*

proceed /prə'si:d/ *vi* prosseguir, ir para diante, avançar.
~ to do passar a fazer. **~
with sth** continuar *or* avan-

çar com alguma coisa. **~ing**
n procedimento *m*

proceedings /prə'si:dɪŋz/ *npl*
(*jur*) processo *m*; (*report*)
acta *f*

proceeds /'prəʊsi:dz/ *npl* produto *m*, luco *m*, proventos
mpl

process /'prəʊses/ *n* processo
m □ *vt* tratar; (*photo*) revelar. **in ~** em curso. **in the ~
of doing** a fazer

procession /prə'seʃn/ *n* procissão *f*, cortejo *m*

proclaim /prə'kleɪm/ *vt* proclamar. **~amation**
/prɒklə'meɪʃn/ *n* proclamação *f*

procure /prə'kjʊə(r)/ *vt* obter

prod /prɒd/ *vt/i* (*pt* **prodded**)
(*push*) empurrar; (*poke*) espetar; (*fig: urge*) incitar □ *n*
espetadela *f*; (*fig*) incitamento *m*

prodigal /'prɒdɪgl/ *a* pródigo

prodigious /prə'dɪdʒəs/ *a* prodigioso

prodigy /'prɒdɪdʒɪ/ *n* prodígio
m

produc|e¹ /prə'dju:s/ *vt/i* produzir; (*bring out*) tirar, extrair; (*show*) apresentar,
mostrar; (*cause*) causar, provocar; (*theat*) pôr em cena.
~er *n* (*theat*) encenador *m*;
(*cinema*) produtor *m*. **~tion**
/'dʌkʃn/ *n* produção *f*;
(*theat*) encenação *f*

produce² /'prɒdju:s/ *n* produtos (agrícolas) *mpl*

product /'prɒdʌkt/ *n* produto
m

productiv|e /prə'dʌktɪv/ *a* produtivo. **~ity** /prɒdʌk'tɪvətɪ/ *n*
produtividade *f*

profan|e /prə'feɪn/ a profano; (blasphemous) blasfemo. ~**ity** /'fænətɪ/ n profanidade f

profess /prə'fes/ vt professar. ~ **to do** alegar fazer

profession /prə'feʃn/ n profissão f. ~**al** a profissional; (well done) de profissional; (person) que exerce uma profissão liberal □ n profissional mf

professor /prə'fesə(r)/ n professor (universitário) m

proficien|t /prə'fɪʃnt/ a proficiente, competente. ~**cy** n proficiência f, competência f

profile /'prəʊfaɪl/ n perfil m

profit /'prɒfɪt/ n proveito m; (money) lucro m □ vi (pt **profited**) ~ **by** aproveitar-se de; ~ **from** tirar proveito de. ~**able** a proveitoso; (of business) lucrativo, rentável

profound /prə'faʊnd/ a profundo. ~**ly** adv profundamente

profus|e /prə'fjuːs/ a profuso. ~**ely** adv profusamente, em abundância. ~**ion** /-ʒn/ n profusão f

program /'prəʊɡræm/ n (computer) ~ programa m □ vt (pt **programmed**) programar. ~**mer** n programador m

programme /'prəʊɡræm/ n programa m

progress[1] /'prəʊɡres/ n progresso m. **in** ~ em curso, em andamento

progress[2] /prə'ɡres/ vi progredir. ~**ion** /-ʃn/ n progressão f

progressive /prə'ɡresɪv/ a progressivo; (reforming) progressista. ~**ly** adv progressivamente

prohibit /prə'hɪbɪt/ vt proibir (**sb from doing** alg de fazer)

project[1] /prə'dʒekt/ vt projectar □ vi ressaltar, sobressair. ~**ion** /-ʃn/ n projecção f; (protruding) saliência f, ressalto m

project[2] /'prɒdʒekt/ n projecto m

projectile /prə'dʒektaɪl/ n projéctil m

projector /prə'dʒektə(r)/ n projector m

proletari|at /prəʊlɪ'teərɪət/ n proletariado m. ~**an** a & n proletário m

proliferat|e /prə'lɪfəreɪt/ vi proliferar. ~**ion** /'reɪʃn/ n proliferação f

prolific /prə'lɪfɪk/ a prolífico

prologue /'prəʊlɒɡ/ n prólogo m

prolong /prə'lɒŋ/ vt prolongar

promenade /prɒmə'nɑːd/ n passeio m □ vt/i passear

prominen|t /'prɒmɪnənt/ a (projecting; important) proeminente; (conspicuous) bem à vista, conspícuo. ~**ce** n proeminência f. ~**tly** adv bem à vista

promiscu|ous /prə'mɪskjʊəs/ a promíscuo, de costumes livres. ~**ity** /prɒmɪs'kjuːətɪ/ n promiscuidade f, liberdade f de costumes

promis|e /'prɒmɪs/ n promessa f □ vt/i prometer. ~**ing** a prometedor, promissor

promot|e /prə'məʊt/ vt promover. ~**ion** /'məʊʃn/ n promoção f

prompt /prɒmpt/ a pronto, rápido, imediato; (punctual)

pontual □ *adv* em ponto *f*;
vt levar; (*theat*) soprar, servir de ponto para. ~**er** *n*
ponto *m*. ~**ly** *adv* prontamente; pontualmente. ~**ness**
n prontidão *f*

prone /prəʊn/ *a* deitado (de
bruços). ~ **to** propenso a

prong /prɒŋ/ *n* (*of fork*) dente
m

pronoun /ˈprəʊnaʊn/ *n* pronome *m*

pron|ounce /prəˈnaʊns/ *vt* pro-
nunciar; (*declare*) declarar.
~**ounced** *a* pronunciado.
~**ouncement** *n* declaração *f*.
~**unciation** /-ʌnsɪˈeɪʃn/ *n*
pronúncia *f*

proof /pruːf/ *n* prova *f*; (*of liquor*) teor *m* alcoólico, gra-
duação *f* □ *a* ~ **against** à
prova de

prop[1] /prɒp/ *n* suporte *m*; (*lit
& fig*) apoio *m*, esteio *m* □
vt (*pt* **propped**) sustentar,
suportar, apoiar. ~ **against**
apoiar contra

prop[2] /prɒp/ *n* (*colloq: theat*)
adereço *m*

propaganda /prɒpəˈgændə/ *n*
propaganda *f*

propagat|e /ˈprɒpəgeɪt/ *vt/i*
propagar(-se). ~**ion** /-ˈgeɪʃn/
n propagação *f*

propel /prəˈpel/ *vt* (*pt* **propel-
led**) propulsionar, impelir

propeller /prəˈpelə(r)/ *n* hélice
f

proper /ˈprɒpə(r)/ *a* correcto;
(*seemly*) conveniente; (*real*)
propriamente dito; (*colloq:
thorough*) belo. ~ **noun**
substantivo *m* próprio. ~**ly**
adv correctamente; (*rightly*)

com razão, acertadamente;
(*accurately*) propriamente

property /ˈprɒpətɪ/ *n* (*house*)
imóvel *m*; (*land, quality*)
propriedade *f*; (*possessions*)
bens *mpl*

prophecy /ˈprɒfəsɪ/ *n* profecia
f

prophesy /ˈprɒfɪsaɪ/ *vt/i* profetizar. ~ **that** predizer que

prophet /ˈprɒfɪt/ *n* profeta *m*.
~**ic** /prəˈfetɪk/ *a* profético

proportion /prəˈpɔːʃn/ *n* proporção *f*. ~**al**, ~**ate** *adjs* pro-
porcional

proposal /prəˈpəʊzl/ *n* proposta *f*; (*of marriage*) pedido *m*
de casamento

propos|e /prəˈpəʊz/ *vt* propor
□ *vi* pedir em casamento. ~**e
to do** propor-se fazer. ~**ition**
/prɒpəˈzɪʃn/ *n* proposição *f*;
(*colloq: matter*) caso *m*,
questão *f*

propound /prəˈpaʊnd/ *vt* propor

proprietor /prəˈpraɪətə(r)/ *n*
proprietário *m*

propriety /prəˈpraɪətɪ/ *n* propriedade *f*, correcção *f*

propulsion /prəˈpʌlʃn/ *n* propulsão *f*

prosaic /prəˈzeɪɪk/ *a* prosaico

prose /prəʊz/ *n* prosa *f*

prosecut|e /ˈprɒsɪkjuːt/ *vt* (*jur*)
processar. ~**ion** /-ˈkjuːʃn/ *n*
(*jur*) acusação *f*

prospect[1] /ˈprɒspekt/ *n* perspectiva *f*

prospect[2] /prəˈspekt/ *vt/i* pesquisar, prospectar

prospective /prəˈspektɪv/ *a* futuro; (*possible*) provável

prosper /ˈprɒspə(r)/ *vi* prosperar

prosper|ous /'prɒspərəs/ a próspero. **~ity** /'sperətɪ/ n prosperidade f

prostitut|e /'prɒstɪtjuːt/ n prostituta f. **~ion** /'tjuːʃn/ n prostituição f

prostrate /'prɒstreɪt/ a prostrado

protect /prə'tekt/ vt proteger. **~ion** /-ʃn/ n protecção f. **~ive** a protector. **~or** n protector m

protégé /'prɒtɪʒeɪ/ n protegido m. **~e** n protegida f

protein /'prəʊtiːn/ n proteína f

protest[1] /'prəʊtest/ n protesto m

protest[2] /prə'test/ vt/i protestar. **~er** n (pol) manifestante mf

Protestant /'prɒtɪstənt/ a & n protestante mf. **~ism** /-ɪzəm/ n protestantismo m

protocol /'prəʊtəkɒl/ n protocolo m

prototype /'prəʊtətaɪp/ n protótipo m

protract /prə'trækt/ vt prolongar, arrastar

protrud|e /prə'truːd/ vi sobressair, sair do alinhamento. **~ing** a saliente

proud /praʊd/ a (er, -est) orgulhoso. **~ly** adv orgulhosamente

prove /pruːv/ vt provar, demonstrar □ vi **~ (to be)** easy/etc verificar-se ser fácil/etc. **~ o.s.** dar provas de si. **~n** /-n/ a provado

proverb /'prɒvɜːb/ n provérbio m. **~ial** /prə'vɜːbɪəl/ a proverbial

provid|e /prə'vaɪd/ vt prover, munir **(sb with sth** alg de alguma coisa) □ vi **~ for** providenciar para; (person) prover de, cuidar de; (allow for) levar em conta. **~ed, ~ing (that)** conj desde que, contanto que

providence /'prɒvɪdəns/ n providência f

province /'prɒvɪns/ n província f; (fig) competência f

provincial /prə'vɪnʃl/ a provincial; (rustic) provinciano

provision /prə'vɪʒn/ n provisão f; (stipulation) disposição f. **~s** (pl (food) provisões fpl

provisional /prə'vɪʒənl/ a provisório. **~ly** adv provisoriamente

proviso /prə'vaɪzəʊ/ n (pl -os) condição f

provo|ke /prə'vəʊk/ vt provocar. **~cation** /prɒvə'keɪʃn/ n provocação f. **~cative** /'vɒkətɪv/ a provocante

prowess /'praʊɪs/ n proeza f, façanha f

prowl /praʊl/ vi rondar □ n **be on the ~** andar à espreita. **~er** n pessoa f que anda à espreita

proximity /prɒk'sɪmətɪ/ n proximidade f

proxy /'prɒksɪ/ n **by ~** por procuração

prude /pruːd/ n puritano m, púdico m

pruden|t /'pruːdnt/ a prudente. **~ce** n prudência f

prune[1] /pruːn/ n ameixa f seca

prune[2] /pruːn/ vt podar

pry /praɪ/ vi bisbilhotar. **~ into** meter o nariz em, intrometer-se em

psalm /sɑːm/ n salmo m

pseudo- /ˈsjuːdəʊ/ pref pseudo-

pseudonym /ˈsjuːdənɪm/ n pseudónimo m

psychiatr|y /saɪˈkaɪətrɪ/ n psiquiatria f. **~ic** /-ɪˈætrɪk/ a psiquiátrico. **~ist** n psiquiatra mf

psychic /ˈsaɪkɪk/ a psíquico; (person) com capacidade de telepatia

psychoanalys|e /saɪkəʊˈænəlaɪz/ vt psicanalisar. **~t** /-ɪst/ n psicanalista mf

psychoanalysis /saɪkəʊˈnæləsɪs/ n psicanálise f

psycholog|y /saɪˈkɒlədʒɪ/ n psicologia f. **~ical** /-əˈlɒdʒɪkl/ a psicológico. **~ist** n psicólogo m

psychopath /ˈsaɪkəʊpæθ/ n psicopata mf

pub /pʌb/ n pub m

puberty /ˈpjuːbətɪ/ n puberdade f

public /ˈpʌblɪk/ a público; (holiday) feriado. **in ~** em público. **~ house** pub m. **~ relations** relações fpl públicas. **~ school** escola f particular; (Amer) escola f oficial. **~-spirited** a de espírito cívico, patriótico. **~ly** adv publicamente

publication /pʌblɪˈkeɪʃn/ n publicação f

publicity /pʌˈblɪsətɪ/ n publicidade f

publicize /ˈpʌblɪsaɪz/ vt fazer publicidade de

publish /ˈpʌblɪʃ/ vt publicar. **~er** n editor m. **~ing** n publicação f. **~ing house** editora f

pucker /ˈpʌkə(r)/ vt/i franzir

pudding /ˈpʊdɪŋ/ n pudim m; (dessert) doce m

puddle /ˈpʌdl/ n poça f de água, charco m

puerile /ˈpjʊəraɪl/ a pueril

puff /pʌf/ n baforada f □ vt/i lançar baforadas; (breathe hard) arquejar, ofegar. **~ at** (cigar etc) dar baforadas em. **~ out** (swell) inchar(-se). **~-pastry** n massa f folhada

puffy /ˈpʌfɪ/ a inchado; (culin) folhado

pugnacious /pʌgˈneɪʃəs/ a belicoso, combativo

pull /pʊl/ vt/i puxar; (muscle) distender □ n puxão m; (fig: influence) influência f, empenho m. **give a ~** dar um puxão. **~ a face** fazer uma careta. **~ one's weight** (fig) fazer a sua quota-parte. **~ sb's leg** brincar com alguém, meter-se com alguém. **~ away** or **out** (auto) arrancar. **~ down** puxar para baixo; (building) demolir. **~ in** (auto) encostar-se. **~ off** tirar; (fig) sair-se bem em, conseguir alcançar. **~ out** partir; (extract) arrancar, tirar. **~ through** sair-se bem. **~ o.s. together** recompor-se, refazer-se. **~ up** puxar para cima; (uproot) arrancar; (auto) parar

pulley /ˈpʊlɪ/ n roldana f

pullover /ˈpʊləʊvə(r)/ n pulôver m

pulp /pʌlp/ n polpa f; (for paper) pasta f de papel

pulpit /ˈpʊlpɪt/ n púlpito m

pulsat|e /pʌlˈseɪt/ vi pulsar,

bater, palpitar. **~ion** /'seɪn/ n pulsação f

pulse /pʌls/ n pulso m. **feel sb's ~** tirar o pulso de alguém

pulverize /'pʌlvəraɪz/ vt (grind, defeat) pulverizar

pummel /'pʌml/ vt (pt **pummelled**) esmurrar

pump[1] /pʌmp/ n bomba f □ vt/i bombear; (person) arrancar or extrair informações de. **~ up** encher com bomba

pump[2] /pʌmp/ n (shoe) sapato m

pumpkin /'pʌmpkɪn/ n abóbora f

pun /pʌn/ n trocadilho m, jogo m de palavras

punch[1] /pʌntʃ/ vt esmurrar, dar um murro or soco; (perforate) furar, perfurar; (a hole) fazer □ n murro m, soco m; (device) furador m. **~-line** n remate m. **~-up** n (colloq) pancadaria f

punch[2] /pʌntʃ/ n (drink) ponche m

punctual /'pʌnktʃʊəl/ a pontual. **~ity** /'ælɪtɪ/ n pontualidade f

punctuat|**e** /'pʌnktʃʊeɪt/ vt pontuar. **~ion** /'eɪʃn/ n pontuação f

puncture /'pʌnktʃə(r)/ n (in tyre) furo m □ vt/i furar

pundit /'pʌndɪt/ n autoridade f, sumidade f

pungent /'pʌndʒənt/ a acre, pungente

punish /'pʌnɪʃ/ vt punir, castigar. **~able** a punível. **~ment** n punição f, castigo m

punitive /'pjuːnɪtɪv/ a (expedi-

tion, measure etc) punitivo; (taxation etc) penalizador

punt /pʌnt/ n (boat) barco à vara, de fundo chato f

punter /'pʌntə(r)/ n (gambler) jogador m; (colloq: customer) freguês m

puny /'pjuːnɪ/ a (-ier, -iest) fraco, débil

pup(py) /'pʌp(ɪ)/ n cachorro m, cachorrinho m

pupil /'pjuːpl/ n aluno m; (of eye) pupila f

puppet /'pʌpɪt/ n (lit & fig) fantoche m, marionete f

purchase /'pɜːtʃəs/ vt comprar (**from sb** de alg) □ n compra f. **~r** /-ə(r)/ n comprador m

pur|**e** /'pjʊə(r)/ a (-er, -est) puro. **~ely** adv puramente. **~ity** n pureza f

purgatory /'pɜːgətrɪ/ n purgatório m

purge /pɜːdʒ/ vt purgar; (pol) sanear □ n (med) purgante m; (pol) saneamento m

purif|**y** /'pjʊərɪfaɪ/ vt purificar. **~ication** /-ɪ'keɪʃn/ n purificação f

puritan /'pjʊərɪtən/ n puritano m. **~ical** /'tænɪkl/ a puritano

purple /'pɜːpl/ a roxo, purpúreo □ n roxo m, púrpura f

purport /pə'pɔːt/ vt dar a entender. **~ to be** pretender ser

purpose /'pɜːpəs/ n propósito m; (determination) firmeza f. **on ~** de propósito. **to no ~** em vão. **~-built** a construído especialmente.

purposely /'pɜːpəslɪ/ adv de propósito, propositadamente

purr /pɜːr/ n ronrom m □ vi ronronar

purse /pɜːs/ n carteira f;
(Amer) bolsa f □ vt franzir
pursue /pəˈsjuː/ vt perseguir;
(go on with) prosseguir; (engage in) entregar-se a, dedicar-se a. ~r /-ə(r)/ n perse-
guidor m
pursuit /pəˈsjuːt/ n perseguição f; (fig) actividade f
pus /pʌs/ n pus m
push /pʊʃ/ vt/i empurrar;
(button) apertar; (thrust) enfiar; (colloq: recommend)
insistir □ n empurrão m; (effort) esforço m; (drive) energia f. **be ~ed for** (time etc)
estar com pouco. **be ~ing
thirty/etc** (colloq) estar à
beira dos trinta/etc. **give the
~ to** (sl) pôr alguém na rua.
~ **s.o. around** troçar de alguém. ~ **back** repelir.
~-chair n carrinho m (de
criança). **~er** n fornecedor m
(de droga). ~ **off** (sl) ir-se
embora. ~ **on** continuar.
~-over n canja f, coisa f fácil. ~ **up** (lift) levantar; (prices) forçar o aumento de.
~-up n (Amer) flexão f. **~-y** a
(colloq) agressivo, furão
put /pʊt/ vt/i (pt put, pres p
putting) colocar, pôr; (question) fazer. ~ **the damage at
a million** estimar os danos
em um milhão. **I'd** ~ **it at
a thousand** eu diria mil. ~ **sth
tactfully** dizer alg coisa com
tacto. ~ **across** comunicar. ~
away guardar. ~ **back** repor;
(delay) retardar, atrasar. ~ **by**
pôr de lado. ~ **down** pousar;
(write) anotar; (pay) pagar;
(suppress) sufocar, reprimir.

~ **forward** (plan) submeter.
~ **in** (insert) introduzir; (fix)
instalar; (submit) submeter.
~ **in for** fazer um pedido,
candidatar-se. ~ **off** (postpone) adiar; (disconcert) desanimar; (displease) desagra-
dar. ~ **s.o. off sth** tirar o
gosto de alguém por alg coisa. ~ **on** (clothes) vestir; (radio) ligar; (light) acender;
(speed, weight) ganhar; (accent) adoptar. ~ **out** pôr para
fora; (stretch) esticar; (extinguish) extinguir, apagar;
(disconcert) desconcertar;
(inconvenience) incomodar.
~ **up** levantar; (building) erguer, construir; (notice) colocar; (price) aumentar;
(guest) hospedar; (offer) oferecer. ~-**up job** embuste m.
~ **up with** suportar
putrefy /ˈpjuːtrɪfaɪ/ vi putrefa-
zer-se, apodrecer
putty /ˈpʌtɪ/ n massa de vidra-
ceiro f, betume m
puzzl|e /ˈpʌzl/ n puzzle m,
quebra-cabeças m □ vt deixar perplexo, intrigar □ vi
quebrar a cabeça. ~**ing** a in-
trigante
pygmy /ˈpɪgmɪ/ n pigmeu m
pyjamas /pəˈdʒɑːməz/ npl pijama m
pylon /ˈpaɪlɒn/ n poste m
pyramid /ˈpɪrəmɪd/ n pirâmide f
python /ˈpaɪθn/ n píton m

Q

quack¹ /kwæk/ n (of duck) grasnido m □ vi grasnar

quack² /kwæk/ n charlatão m

quadrangle /ˈkwɒdræŋgl/ n quadrângulo m; (of college) pátio m quadrangular

quadruped /ˈkwɒdrʊped/ n quadrúpede m

quadruple /ˈkwɒdrʊpl/ a & n quádruplo m □ vt/i /kwɒˈdrʊpl/ quadruplicar. **~ts** /-plɪts/ npl quadrigémeos mpl

quagmire /ˈkwægmaɪə(r)/ n pântano m, lamaçal m

quail /kweɪl/ n codorniz f

quaint /kweɪnt/ a (**-er, -est**) pitoresco; (whimsical) estranho, bizarro

quake /kweɪk/ vi tremer □ n (colloq) tremor m de terra

Quaker /ˈkweɪkə(r)/ n quaker mf

qualification /ˌkwɒlɪfɪˈkeɪʃn/ n qualificação f; (accomplishment) habilitação f; (diploma) diploma m, título m; (condition) requisito m, condição f; (fig) restrição f, reserva f

qualif|**y** /ˈkwɒlɪfaɪ/ vt qualificar; (fig: moderate) atenuar, moderar; (fig: limit) pôr ressalvas or restrições a □ vi (fig: be entitled to) ter os requisitos (**for** para); (sport) classificar-se. **he ~ied as a vet** ele formou-se em veterinária. **~ied** a formado; (able) qualificado, habilitado; (moderated) atenuado; (limited) limitado

quality /ˈkwɒlətɪ/ n qualidade f

qualm /kwɑːm/ n escrúpulo m

quandary /ˈkwɒndərɪ/ n dilema m

quantity /ˈkwɒntətɪ/ n quantidade f

quarantine /ˈkwɒrəntiːn/ n quarentena f

quarrel /ˈkwɒrəl/ n zanga f, questão f, discussão f □ vi (pt **quarrelled**) zangar-se, questionar, discutir. **~some** a conflituoso, brigão

quarry¹ /ˈkwɒrɪ/ n (prey) presa f, caça f

quarry² /ˈkwɒrɪ/ n (excavation) pedreira f

quarter /ˈkwɔːtə(r)/ n quarto m; (of year) trimestre m; (Amer: coin) quarto m de dólar, 25 cêntimos mpl; (dis-

trict) bairro *m*, quarteirão *m*.
~s (*lodgings*) alojamento *m*,
residência *f*; (*mil*) quartel *m*
□ *vt* dividir em quarto; (*mil*)
aquartelar. **from all** ~s de
todos os lados. ~ **of an hour**
quarto *m* de hora. **(a)** ~ **past
six** seis e quinze/um quarto.
(a) ~ **to seven** quinze/um
quarto para as sete. ~-**final** *n*
(*sport*) quarto *m* de final.
~**ly** *a* trimestral □ *adv* tri-
mestralmente

quartet /kwɔː'tet/ *n* quarteto
m

quartz /kwɔːts/ *n* quartzo *m* □
a (*watch etc*) de quartzo

quash /kwɒʃ/ *vt* reprimir;
(*jur*) revogar

quaver /'kweɪvə(r)/ *vi* tremer,
tremular □ *n* (*mus*) colcheia
f

quay /kiː/ *n* cais *m*

queasy /'kwiːzɪ/ *a* delicado.
feel ~ estar enjoado

queen /kwiːn/ *n* rainha *f*;
(*cards*) dama *f*

queer /kwɪə(r)/ *a* (**-er, -est**)
estranho; (*slightly ill*) indisposto; (*sl: homosexual*) maricas (*sl*); (*dubious*) suspeito
□ *n* (*sl*) maricas *m* (*sl*)

quell /kwel/ *vt* reprimir, abafar, sufocar

quench /kwentʃ/ *vt* (*fire, flame*) apagar; (*thirst*) matar,
saciar

query /'kwɪərɪ/ *n* questão *f* □
vt pôr em dúvida

quest /kwest/ *n* busca *f*, procura *f*. **in** ~ **of** em demanda
de

question /'kwestʃən/ *n* pergunta *f*, interrogação *f*; (*pro-*

blem, affair) questão *f* □ *vt*
perguntar, interrogar;
(*doubt*) pôr em dúvida *or*
em causa. **in** ~ em questão
or em causa. **out of the** ~
fora de questão. **there's no**
~ **of** nem pensar em. **without** ~ sem dúvida. ~ **mark**
ponto *m* de interrogação.
~**able** *a* discutível

questionnaire /kwestʃə'neə(r)/
n questionário *m*

queue /kjuː/ *n* bicha *f* □ *vi*
(*pres p* **queuing**) fazer bicha

quibble /'kwɪbl/ *vi* tergiversar,
usar de evasivas; (*raise petty
objections*) discutir por coisas insignificantes

quick /kwɪk/ *a* (**-er, -est**) rápido □ *adv* depressa. **be** ~
despachar-se. **have a** ~ **temper** exaltar-se facilmente.
~**ly** *adv* rapidamente, depressa. ~**ness** *n* rapidez *f*

quicken /'kwɪkən/ *vt/i* apres-
sar (-se)

quicksand /'kwɪksænd/ *n*
areia *f* movediça

quid /kwɪd/ *n invar* (*sl*) libra *f*

quiet /'kwaɪət/ *a* (**-er, -est**)
quieto, sossegado, tranquilo
□ *n* quietude *f*, sossego *m*,
tranquilidade *f*. **keep** ~ calar-se. **on the** ~ às escondidas, pela calada. ~**ly** *adv*
sossegadamente, silenciosamente. ~**ness** *n* sossego *m*,
tranquilidade *f*, calma *f*

quieten /'kwaɪətn/ *vt/i* sosse-
gar, acalmar(-se)

quilt /kwɪlt/ *n* coberta *f* acol-
choada. (**continental**) ~
edredão *m* de penas □ *vt*
acolchoar

quince /kwɪns/ *n* marmelo *m*

quintet /kwɪn'tet/ *n* quinteto *m*

quintuplets /kwɪn'tjuːplɪts/ *npl* quíntuplos *mpl*

quip /kwɪp/ *n* piada *f* □ *vt* contar piadas

quirk /kwɜːk/ *n* mania *f*, singularidade *f*

quit /kwɪt/ *vt* (*pt* **quitted**) deixar □ *vi* ir-se embora; (*resign*) demitir-se. ~ **doing** (*Amer*) parar de fazer

quite /kwaɪt/ *adv* completamente, absolutamente; (*rather*) bastante. ~ **(so)!** isso mesmo!, exactamente! ~ **a few** bastante, alguns/algumas. ~ **a lot** bastante

quiver /'kwɪvə(r)/ *vi* tremer, estremecer □ *n* tremor *m*, estremecimento *m*

quiz /kwɪz/ *n* (*pl* **quizzes**) teste *m*; (*game*) concurso *m* □ *vt* (*pt* **quizzed**) interrogar

quizzical /'kwɪzɪkl/ *a* zombeteiro

quorum /'kwɔːrəm/ *n* quorum *m*

quota /'kwəʊtə/ *n* cota *f*, quota *f*

quotation /kwəʊ'teɪʃn/ *n* citação *f*; (*estimate*) orçamento *m*. ~ **marks** aspas *fpl*

quote /kwəʊt/ *vt* citar; (*estimate*) fazer um orçamento □ *n* (*colloq: passage*) citação *f*; (*colloq: estimate*) orçamento *m*

R

rabbi /ˈræbaɪ/ n rabino m

rabbit /ˈræbɪt/ n coelho m

rabble /ˈræbl/ n turba f. **the ~** a ralé, a gentalha, o povinho

rabid /ˈræbɪd/ a (fig) fanático, ferrenho; (dog) raivoso

rabies /ˈreɪbiːz/ n raiva f

race¹ /reɪs/ n corrida f □ vt (horse) fazer correr □ vi correr, dar uma corrida; (rush) ir em grande or a toda (a) velocidade. **~-track** n pista f

race² /reɪs/ n (group) raça f □ a racial

racecourse /ˈreɪskɔːs/ n hipódromo m

racehorse /ˈreɪshɔːs/ n cavalo m de corrida

racial /ˈreɪʃl/ a racial

racing /ˈreɪsɪŋ/ n corridas fpl. **~ car** carro m de corridas

racis|t /ˈreɪsɪst/ a & n racista mf. **~m** /-zəm/ n racismo m

rack¹ /ræk/ n (for luggage) porta-bagagem m, bagageira m; (for plates) escorredouro m □ vt ~ **one's brains** dar tratos à imaginação

rack² /ræk/ n **go to ~ and ruin** arruinar-se; (of buildings etc) cair em ruínas

racket¹ /ˈrækɪt/ n (sport) raquete f

racket² /ˈrækɪt/ n (din) barulheira f; (swindle) roubalheira f; (sl: business) negociata f (colloq)

racy /ˈreɪsɪ/ a (-ier, -iest) vivo, vigoroso

radar /ˈreɪdɑː(r)/ n radar m □ a de radar

radian|t /ˈreɪdɪənt/ a radiante. **~ce** n brilho m

radiator /ˈreɪdɪeɪtə(r)/ n radiador m

radical /ˈrædɪkl/ a & n radical m

radio /ˈreɪdɪəʊ/ n (pl -os) rádio f; (set) (aparelho de) rádio m □ vt transmitir pela rádio. **~ station** estação f de rádio, emissora f

radioactiv|e /reɪdɪəʊˈæktɪv/ a radioactivo. **~ity** /ˈtɪvətɪ/ n radioactividade f

radiograph|er /reɪdɪˈɒɡrəfə(r)/ n radiologista mf. **~y** n radiografia f

radish /ˈrædɪʃ/ n rabanete m

radius /ˈreɪdɪəs/ n (pl -dii /-dɪaɪ/) raio m

raffle /ˈræfl/ n rifa f □ vt rifar

raft /rɑːft/ n jangada f

rafter /ˈrɑːftə(r)/ n trave f, viga f

rag¹ /ræg/ n farrapo m; (for wiping) trapo m; (pej: newspaper) jornaleco m. ~s npl farrapos mpl, andrajos mpl. **in ~s** maltrapilho. ~ **doll** boneca f de trapos

rag² /ræg/ vt (pt ragged) fazer troça de

rage /reɪdʒ/ n raiva f, fúria f □ vi estar furioso; (of storm) rugir; (of battle) estar acesa. **be all the ~** (colloq) fazer furor, estar na moda (colloq)

ragged /ˈrægɪd/ a (clothes, person) esfarrapado, roto; (edge) esfiapado, esgaçado

raid /reɪd/ n (mil) ataque m; (by police) rusga f; (by criminals) assalto m □ vt fazer um ataque or uma rusga or um assalto. ~**er** n atacante m, assaltante m

rail /reɪl/ n (of stairs) corrimão m; (of ship) amurada f; (on balcony) parapeito m; (for train) trilho m; (for curtain) varão m. **by ~** por caminho de ferro

railings /ˈreɪlɪŋz/ npl grade f

railroad /ˈreɪlrəʊd/ n (Amer) = **railway**

railway /ˈreɪlweɪ/ n caminho m de ferro. ~ **line** linha f do comboio. ~ **station** estação f ferroviária, estação f de comboios

rain /reɪn/ n chuva f □ vi chover. ~ **forest** floresta f tropical. ~-**storm** n tempestade f com chuva. ~-**water** n água f da chuva

rainbow /ˈreɪnbəʊ/ n arco-íris m

raincoat /ˈreɪnkəʊt/ n impermeável m

raindrop /ˈreɪndrɒp/ n pingo m de chuva

rainfall /ˈreɪnfɔːl/ n precipitação f, pluviosidade f

rainy /ˈreɪnɪ/ a (-ier, -iest) chuvoso

raise /reɪz/ vt levantar, erguer; (breed) criar; (voice) levantar; (question) fazer; (price etc) aumentar, subir; (funds) angariar; (loan) obter □ n (Amer) aumento m

raisin /ˈreɪzn/ n passa f

rake /reɪk/ n ancinho m □ vt juntar, alisar com ancinho; (search) revolver, remexer. ~ **in** (money) ganhar a rodos. ~-**off** n (colloq) percentagem f (colloq). ~ **up** desenterrar, ressuscitar

rally /ˈrælɪ/ vt/i reunir(-se); (reassemble) reagrupar(-se), reorganizar(-se); (health) restabelecer (-se); (strength) recuperar as forças □ n (recovery) recuperação f; (meeting) comício m, assembleia f; (auto) rally m, rali m

ram /ræm/ n (sheep) carneiro m □ vt (pt rammed) (beat down) calcar; (push) meter à força; (crash into) bater contra

rambl|e /ˈræmbl/ n caminhada f, perambulação f □ vi perambular, vaguear. ~**e on** divagar. ~**er** n caminhante m; (plant) trepadeira f. ~**ing** a (speech) desconexo

ramp /ræmp/ n rampa f

rampage /ræmˈpeɪdʒ/ vi causar distúrbios violentos

rampant /'ræmpənt/ a be ~ viçejar, florescer; (diseases etc) grassar

rampart /'ræmpɑːt/ n baluarte m; (fig) defesa f

ramshackle /'ræmʃækl/ a (car) desconjuntado; (house) desmoronar-se, em ruínas

ran /ræn/ see **run**

ranch /rɑːntʃ/ n rancho m, estância f. ~**er** n rancheiro m

rancid /'rænsɪd/ a rançoso

rancour /'ræŋkə(r)/ n rancor m

random /'rændəm/ a feito, tirado etc ao acaso □ n at ~ ao acaso, a esmo, aleatoriamente

randy /'rændɪ/ a (-ier, -iest) lascivo, sensual

rang /ræŋ/ see **ring**

range /reɪndʒ/ n (distance) alcance m; (scope) âmbito m; (variety) gama f, variedade f; (stove) fogão m; (of voice) registo m; (of temperature) variação f □ vt dispor, ordenar □ vi estender-se; (vary) variar. ~ **of mountains** cordilheira f, serra f. ~**r** n guarda m florestal

rank[1] /ræŋk/ n fila f, fileira f; (mil) posto m; (social position) classe f, categoria f □ vt/i ~ **among** contar(-se) entre. **the ~ and file** a massa

rank[2] /ræŋk/ a (-er, -est) (plants) luxuriante; (smell) fétido; (out-and-out) total

ransack /'rænsæk/ vt (search) espionar, revistar, remexer; (pillage) pilhar, saquear

ransom /'rænsəm/ n resgate m □ vt resgatar. **hold to ~** prender como refém

rant /rænt/ vi usar linguagem bombástica

rap /ræp/ n pancadinha f seca □ vt/i (pt **rapped**) bater, dar uma pancada seca em

rape /reɪp/ vt violar, estuprar □ n violação f, estupro m

rapid /'ræpɪd/ a rápido. ~**ity** /rə'pɪdətɪ/ n rapidez f

rapids /'ræpɪdz/ npl rápidos mpl

rapist /'reɪpɪst/ n violador m, estuprador m

rapport /ræ'pɔː(r)/ n bom relacionamento m

rapt /ræpt/ a absorto. ~ **in** mergulhado em

rapture /'ræptʃə(r)/ n êxtase m. ~**ous** a extático; (welcome etc) entusiástico

rare[1] /reə(r)/ a (-er, -est) raro. ~**ly** adv raramente, raras vezes. ~**ity** n raridade f

rare[2] /reə(r)/ a (-er, -est) (culin) mal passado

rarefied /'reərɪfaɪd/ a rarefeito; (refined) requintado

raring /'reərɪŋ/ a ~ **to** (colloq) impaciente por, morto por (colloq)

rascal /'rɑːskl/ n (dishonest) patife m; (mischievous) maroto m

rash[1] /ræʃ/ n erupção f cutânea, irritação f na pele (colloq)

rash[2] /ræʃ/ a (-er, -est) imprudente, precipitado. ~**ly** adv imprudentemente, precipitadamente

rasher /'ræʃə(r)/ n fatia f (de presunto or de bacon)

rasp /rɑːsp/ n lima f grossa

raspberry /'rɑːzbrɪ/ n framboesa f

rasping /ˈraːspɪŋ/ a áspero
rat /ræt/ n rato m, ratazana f.
~ **race** (fig) luta renhida para vencer na vida, arrivismo m
rate /reɪt/ n (ratio) razão f; (speed) velocidade f; (price) tarifa f; (of exchange) (taxa m de) câmbio m; (of interest) taxa f. ~**s** (taxes) impostos mpl municipais, taxas fpl □ vt avaliar; (fig: consider) considerar. **at any** ~ de qualquer modo, pelo menos. **at the** ~ **of** à razão de. **at this** ~ por este andar, deste modo
ratepayer /ˈreɪtpeɪə(r)/ n contribuinte mf
rather /ˈraːðə(r)/ adv (by preference) antes; (fairly) muito, bastante; (a little) um pouco. **I would** ~ **go** preferia ir
ratif|**y** /ˈrætɪfaɪ/ vt ratificar. ~**ication** /-ɪˈkeɪʃn/ n ratificação f
rating /ˈreɪtɪŋ/ n (comm) valor m; (sailor) marinheiro m; (radio, TV) índice m de audiência
ratio /ˈreɪʃɪəʊ/ n (pl -os) proporção f
ration /ˈræʃn/ n ração f □ vt racionar
rational /ˈræʃnəl/ a racional; (person) sensato, razoável. ~ **ize** vt racionalizar
rattle /ˈrætl/ vt matraquear; (of door, window) bater; (of bottles) chocalhar; (colloq) agitar, mexer com os nervos de □ n (baby's toy) guizo m, chocalho m; (of football fan)

rattlesnake /ˈrætlsneɪk/ n cobra f cascavel
raucous /ˈrɔːkəs/ a áspero, rouco
ravage /ˈrævɪdʒ/ vt devastar, causar estragos a. ~**s** npl devastação f, estragos mpl
rave /reɪv/ vi delirar; (in anger) urrar. ~ **about** delirar (de entusiasmo) com
raven /ˈreɪvn/ n corvo m
ravenous /ˈrævənəs/ a esfomeado; (greedy) voraz
ravine /rəˈviːn/ n ravina f, barranco m
raving /ˈreɪvɪŋ/ a ~ **lunatic** doido m varrido □ adv ~ **mad** loucamente
ravish /ˈrævɪʃ/ vt (rape) violar; (enrapture) arrebatar, encantar. ~**ing** a arrebatador, encantador
raw /rɔː/ a (-er, -est) cru; (not processed) bruto; (wound) em carne viva; (weather) frio e húmido; (immature) inexperiente, verde. ~ **deal** tratamento m injusto. ~ **material** matéria-prima f
ray /reɪ/ n raio m
raze /reɪz/ vt arrasar
razor /ˈreɪzə(r)/ n navalha f de barba. ~**-blade** n lâmina f de barbear
re /riː/ prep a respeito de, em referência a, relativo a
re- /riː/ pref re-
reach /riːtʃ/ vt chegar a atingir; (contact) contactar; (pass) passar □ vi estender-se, chegar □ n alcance m.

out of ~ fora de alcance. ~ **for** estender a mão para agarrar. **within** ~ **of** ao alcance de; (*close to*) próximo de

react /rɪˈækt/ vi reagir

reaction /rɪˈækʃn/ n reacção f. ~**ary** a & n reaccionário m

reactor /rɪˈæktə(r)/ n reactor m

read /riːd/ vt/i (pt read /red/) ler; (*fig: interpret*) interpretar; (*study*) estudar; (*of instrument*) marcar, indicar □ n (*colloq*) leitura f. ~ **about** ler um artigo sobre. ~ **out** ler em voz alta. ~**able** a agradável or fácil de ler; (*legible*) legível. ~**er** n leitor m; (*book*) livro m de leitura. ~**ing** n leitura f; (*of instrument*) registo m

readily /ˈredɪlɪ/ adv de boa vontade, prontamente; (*easily*) facilmente

readiness /ˈredɪnɪs/ n prontidão f. **in** ~ pronto (**for** para)

readjust /riːəˈdʒʌst/ vt reajustar □ vi readaptar-se

ready /ˈredɪ/ a (-ier, -iest) pronto □ n **at the** ~ pronto a disparar. ~-**made** a pronto, (*clothes*) pronto a vestir, (*ideas*) feito, sem originalidade. ~ **money** dinheiro m vivo, dinheiro m contado, pagamento m à vista. ~-**to**-**wear** a pronto-a-vestir

real /rɪəl/ a real, verdadeiro; (*genuine*) autêntico □ adv (*Amer: colloq*) muito verdade. ~ **estate** bens mpl imobiliários

realis|t /ˈrɪəlɪst/ n realista mf. ~**m** /-zəm/ n realismo m.

~**tic** /ˈlɪstɪk/ a realista. ~**tically** /ˈlɪstɪkəlɪ/ adv realisticamente

reality /rɪˈælətɪ/ n realidade f

realiz|e /ˈrɪəlaɪz/ vt dar-se conta de, aperceber-se de, perceber; (*fulfil; turn into cash*) realizar. ~**ation** /ˈzeɪʃn/ n consciência f, noção f; (*fulfilment*) realização f

really /ˈrɪəlɪ/ adv realmente, na verdade

realm /relm/ n reino m; (*fig*) domínio m, esfera f

reap /riːp/ vt (*cut*) ceifar; (*gather; fig*) colher

reappear /riːəˈpɪə(r)/ vi reaparecer. ~**ance** n reaparição f

rear[1] /rɪə(r)/ n traseira f, retaguarda f □ a traseiro, de trás, posterior. **bring up the** ~ ir na retaguarda, fechar a marcha. ~-**view mirror** espelho m retrovisor

rear[2] /rɪə(r)/ vt levantar, erguer; (*children, cattle*) criar □ vi (*of horse etc*) empinar-se. ~ **one's head** levantar a cabeça

rearrange /riːəˈreɪndʒ/ vt arranjar doutro modo, reorganizar

reason /ˈriːzn/ n razão f □ vt/i raciocinar, argumentar. ~ **with sb** procurar convencer alguém. **within** ~ razoável. ~**ing** n raciocínio m

reasonable /ˈriːznəbl/ a razoável

reassur|e /riːəˈʃʊə(r)/ vt tranquilizar, sossegar. ~**ance** n garantia f. ~**ing** a animador, reconfortante

rebate /'ri:beɪt/ n (refund) reimbolso m; (discount) desconto m, abatimento m

rebel¹ /'rebl/ n rebelde mf

rebel² /rɪ'bel/ vi (pt rebelled) rebelar-se, revoltar-se, subelevar-se. ~**lion** n rebelião f, revolta f. ~**lious** a rebelde

rebound¹ /rɪ'baʊnd/ vi repercutir, ressoar (fig: backfire) recair (on sobre)

rebound² /'ri:baʊnd/ n ricochete m

rebuff /rɪ'bʌf/ vt receber mal, repelir (colloq) □ n rejeição f

rebuild /ri:'bɪld/ vt (pt rebuilt) reconstruir

rebuke /rɪ'bju:k/ vt repreender □ n reprimenda f

recall /rɪ'kɔ:l/ vt chamar, mandar regressar; (remember) lembrar-se de □ n (summons) ordem f de regresso

recant /rɪ'kænt/ vi retractar-se

recap /'ri:kæp/ vt/i (pt recapped) (colloq) recapitular □ n recapitulação f

recapitulat|e /ri:kə'pɪtʃʊleɪt/ vt/i recapitular. ~**ion** /'leɪʃn/ n recapitulação f

reced|e /rɪ'si:d/ vi recuar, retroceder. **his hair is ~ing** ele está a ficar com entradas. ~**ing** a (forehead, chin) recuado, metido para dentro

receipt /rɪ'si:t/ n recibo m; (receiving) recepção f. ~**s** (comm) receitas fpl

receive /rɪ'si:v/ vt receber. ~**r** /-ə(r)/ n (of stolen goods) receptador m; (phone) auscultador m; (radio/TV) receptor m. (**official**) ~**r** síndico m de massa falida

recent /'ri:snt/ a recente. ~**ly** adv recentemente

receptacle /rɪ'septəkl/ n recipiente m, receptáculo m

reception /rɪ'sepʃn/ n recepção f; (welcome) acolhimento m. ~**ist** n recepcionista mf

receptive /rɪ'septɪv/ a receptivo

recess /rɪ'ses/ n recesso m; (of legislature) recesso m; (Amer: schol) recreio m

recession /rɪ'seʃn/ n recessão f, depressão f

recharge /ri:'tʃɑːdʒ/ vt tornar a carregar, recarregar

recipe /'resəpɪ/ n (culin) receita f

recipient /rɪ'sɪpɪənt/ n recipiente mf; (of letter) destinatário m

reciprocal /rɪ'sɪprəkl/ a recíproco

reciprocate /rɪ'sɪprəkeɪt/ vt/i reciprocar(-se), retribuir, fazer o mesmo

recital /rɪ'saɪtl/ n (music etc) recital m

recite /rɪ'saɪt/ vt recitar; (list) enumerar

reckless /'reklɪs/ a inconsciente, imprudente, estouvado

reckon /'rekən/ vt/i calcular; (judge) considerar; (think) supor, pensar. ~ **on** contar com, depender de. ~ **with** contar com, levar em conta. ~**ing** n conta(s) f(pl)

reclaim /rɪ'kleɪm/ vt (demand) reclamar; (land) recuperar

reclin|e /rɪ'klaɪn/ vt/i reclinar(-se). ~**ing** a (person) reclinado; (chair) reclinável

recluse /rɪ'klu:s/ n solitário m, recluso m

recognition /rekəg'nɪʃn/ n reconhecimento m. **beyond** ~ irreconhecível. **gain** ~ ganhar nome, ser reconhecido

recogniz|e /'rekəgnaɪz/ vt reconhecer. ~**able** /'rekəgnaɪzəbl/ a reconhecível

recoil /rɪ'kɔɪl/ vi recuar; (gun) dar coice □ n recuo m; (gun) coice m. ~ **from doing** recusar-se a fazer

recollect /rekə'lekt/ vt recordar-se de. ~**ion** /-ʃn/ n recordação f

recommend /rekə'mend/ vt recomendar. ~**ation** /'deɪʃn/ n recomendação f

recompense /'rekəmpens/ vt recompensar □ n recompensa f

reconcil|e /'rekənsaɪl/ vt (people) reconciliar; (facts) conciliar. ~**e o.s. to** resignar-se a, conformar-se com. ~**iation** /-sɪlɪ'eɪʃn/ n reconciliação f

reconnaissance /rɪ'kɒnɪsns/ n reconhecimento m

reconnoitre /rekə'nɔɪtə(r)/ vt/i (pres p -**tring**) (mil) reconhecer, fazer um reconhecimento (de)

reconsider /ri:kən'sɪdə(r)/ vt reconsiderar

reconstruct /ri:kən'strʌkt/ vt reconstruir. ~**ion** /-ʃn/ n reconstrução f

record[1] /rɪ'kɔ:d/ vt registar; (disc, tape etc) gravar. ~ **that** referir/relatar que. ~**ing** n (disc, tape etc) gravação f

record[2] /'rekɔ:d/ n (register) registo m; (mention) menção f, nota f; (file) arquivo m;

(mus) disco m; (sport) record(e) m □ a record(e) in var. **have a (criminal)** ~ ter cadastro. **off the** ~ (unofficial) oficioso; (secret) confidencial. ~**-player** n gira-discos m invar

recorder /rɪ'kɔ:də(r)/ n (mus) flauta f de ponta; (techn) instrumento m registador

recount /rɪ'kaʊnt/ vt narrar em pormenor, relatar

re-count /'ri:kaʊnt/ n (pol) nova contagem f

recoup /rɪ'ku:p/ vt compensar; (recover) recuperar

recourse /rɪ'kɔ:s/ n recurso m. **have** ~ **to** recorrer a

recover /rɪ'kʌvə(r)/ vt recuperar □ vi restabelecer-se. ~**y** n recuperação f; (health) recuperação f, restabelecimento m

recreation /rekrɪ'eɪʃn/ n recreação f, recreio m; (pastime) passatempo m. ~**al** a recreativo

recrimination /rɪkrɪmɪ'neɪʃn/ n recriminação f

recruit /rɪ'kru:t/ n recruta m □ vt recrutar. ~**ment** n recrutamento m

rectang|le /'rektæŋgl/ n rectângulo m. ~**ular** /'tæŋgjʊlə(r)/ a rectangular

rectify /'rektɪfaɪ/ vt rectificar

recuperate /rɪ'kju:pəreɪt/ vt/i recuperar(-se)

recur /rɪ'kɜ:(r)/ vi (pt recurred) repetir-se; (come back) voltar (to a)

recurren|t /rɪ'kʌrənt/ a frequente, repetido, periódico. ~**ce** n repetição f

recycle /ri:'saɪkl/ vt reciclar
red /red/ a (**redder, reddest**)
encarnado, vermelho; (hair)
ruivo □ n encarnado m, vermelho m. **in the ~** em déficit. **~ carpet** (fig) recepção f
solene, tratamento m especial. **R~ Cross** Cruz f Vermelha. **~-handed** a em flagrante (delito), com a boca
na botija (colloq). **~ herring**
(fig) pista f falsa. **~-hot** a incandescente. **~ light** luz f
vermelha. **~ tape** (fig) papelada f, burocracia f. **~ wine**
vinho m tinto
redden /'redn/ vt/i avermelhar
(-se); (blush) corar, ruborizar-se
redecorate /ri:'dekəreɪt/ vt decorar/pintar de novo
red|eem /rɪ'di:m/ vt (sins etc)
redimir; (sth pawned) tirar
do prego (colloq); (voucher
etc) resgatar. **~emption**
/rɪ'dempʃn/ n resgate m; (of
honour) salvação f
redirect /ri:daɪ'rekt/ vt (letter)
reendereçar
redness /'rednɪs/ n vermelhidão f, cor f vermelha
redo /ri:'du:/ vt (pt **-did**, pp
-done) refazer
redress /rɪ'dres/ vt reparar;
(set right) remediar, emendar. **~ the balance** restabelecer o equilíbrio □ n reparação f
reduc|e /rɪ'dju:s/ vt reduzir;
(temperature etc) baixar.
~tion /rɪ'dʌkʃn/ n redução f
redundan|t /rɪ'dʌndənt/ a redundante, supérfluo; (worker) desempregado. **be ma-**

de ~t ficar desempregado.
~cy n despedimento f por
excesso de pessoal
reed /ri:d/ n cana f, junco m;
(mus) palheta f
reef /ri:f/ n recife m
reek /ri:k/ n mau cheiro m □
vi cheirar mal, tresandar. **he
~s of wine** ele cheira a vinho
reel /ri:l/ n carretel m; (spool)
bobina f □ vi cambalear, vacilar □ vt **~ off** recitar (colloq)
refectory /rɪ'fektərɪ/ n refeitório m
refer /rɪ'fɜ:(r)/ vt/i (pt **referred**) **~ to** referir-se a; (concern) aplicar-se a, dizer respeito a; (consult) consultar;
(direct) remeter a
referee /refə'ri:/ n árbitro m;
(for job) pessoa f que dá referências □ vt (pt **refereed**)
arbitrar
reference /'refrəns/ n referência f; (testimonial) referências fpl. **in ~** or **with ~ to**
com referência a. **~ book** livro m de consulta
referendum /refə'rendəm/ n
(pl **-dums** or **-da**) referendo
m, plebiscito m
refill[1] /ri:'fɪl/ vt encher de novo; (pen etc) pôr recarga em
refill[2] /'ri:fɪl/ n (pen etc) recarga f
refine /rɪ'faɪn/ vt refinar. **~d** a
refinado; (taste, manners
etc) requintado. **~ment** n
(taste, manners etc) refinamento m, requinte m; (tech)
refinação f. **~ry** /-ərɪ/ n refinaria f

reflect /rɪ'flekt/ *vt/i* reflectir (**on/upon** em). **~ion** /-ʃn/ *n* reflexão *f*; (*image*) reflexo *m*. **~or** *n* reflector *m*

reflective /rɪ'flektɪv/ *a* reflector; (*thoughtful*) reflectido, ponderado

reflex /'ri:fleks/ *a* & *n* reflexo *m*

reflexive /rɪ'fleksɪv/ *a* (*gram*) reflexo

reform /rɪ'fɔ:m/ *vt/i* reformar(-se) □ *n* reforma *f*. **~er** *n* reformador *m*

refract /rɪ'frækt/ *vt* refractar

refrain[1] /rɪ'freɪn/ *n* refrão *m*, estribilho *m*

refrain[2] /rɪ'freɪn/ *vi* abster-se (**from** de)

refresh /rɪ'freʃ/ *vt* refrescar; (*of rest etc*) restaurar. ~ **one's memory** avivar *or* refrescar a memória. **~ing** *a* refrescante; (*of rest etc*) reparador. **~ments** *npl* refeição *f* leve; (*drinks*) refrescos *mpl*

refresher /rɪ'freʃə(r)/ *n* ~ **course** curso *m* de reciclagem

refrigerat|e /rɪ'frɪdʒəreɪt/ *vt* refrigerar. **~or** *n* frigorífico *m*

refuel /ri:'fju:əl/ *vt/i* (*pt* **refuelled**) reabastecer(-se) (de combustível)

refuge /'refju:dʒ/ *n* refúgio *m*, asilo *m*. **take** ~ refugiar-se

refugee /refjʊ'dʒi:/ *n* refugiado *m*

refund[1] /rɪ'fʌnd/ *vt* reembolsar

refund[2] /'ri:fʌnd/ *n* reembolso *m*

refus|e[1] /rɪ'fju:z/ *vt/i* recusar-

(-se). **~al** *n* recusa *f*. **first ~al** preferência *f*, primeira opção *f*

refuse[2] /'refju:s/ *n* refugo *m*, lixo *m*. **~-collector** *n* homem *m* do lixo

refute /rɪ'fju:t/ *vt* refutar

regain /rɪ'geɪn/ *vt* recobrar, recuperar

regal /'ri:gl/ *a* real, régio

regalia /rɪ'geɪlɪə/ *npl* insígnias *fpl*

regard /rɪ'ga:d/ *vt* considerar; (*gaze*) olhar □ *n* consideração *f*, estima *f*; (*gaze*) olhar *m*. **~s** cumprimentos *mpl*; (*less formally*) lembranças *fpl*, saudades *fpl*. **as ~s, ~ing** *prep* no que diz respeito a, quanto a. **~less** *adv* apesar de tudo. **~less of** apesar de

regatta /rɪ'gætə/ *n* regata *f*

regenerate /rɪ'dʒenəreɪt/ *vt* regenerar

regen|t /'ri:dʒənt/ *n* regente *mf*. **~cy** *n* regência *f*

regime /reɪ'ʒi:m/ *n* regime *m*

regiment /'redʒɪmənt/ *n* regimento *m*. **~al** /-'mentl/ *a* de regimento, regimental. **~ation** /-en'teɪʃn/ *n* arregimentação *f*, disciplina *f* excessiva

region /'ri:dʒən/ *n* região *f*. **in the ~ of** por volta de. **~al** *a* regional

regist|er /'redʒɪstə(r)/ *n* registo *m* □ *vt* (*record*) anotar; (*notice*) fixar, registar, prestar atenção a; (*birth, letter*) registar; (*vehicle*) matricular; (*emotions etc*) exprimir □ *vi* inscrever-se. **~er office** registo *m*. **~ration** /-'streɪʃn/ *n* registo *m*; (*for course*) inscrição *f*, matrícula *f*. ~ration (number) número *m* de matrícula

registrar /redʒɪ'straː(r)/ *n* oficial *m* do registo civil; (*univ*) secretário *m*

regret /rɪ'gret/ *n* pena *f*, pesar *m*; (*repentance*) remorso *m*. I have no ~s não estou arrependido □ *vt* (*pt* regretted) lamentar, sentir (to do fazer); (*feel repentance*) arrepender-se de, lamentar. ~fully *adv* com pena, pesarosamente. ~table *a* lamentável. ~tably *adv* infelizmente

regular /'regjʊlə(r)/ *a* regular; (*usual*) normal; (*colloq: thorough*) perfeito, verdadeiro, autêntico □ *n* (*colloq: client*) cliente *mf* habitual. ~ity /'lærətɪ/ *n* regularidade *f*. ~ly *adv* regularmente

regulat|e /'regjʊleɪt/ *vt* regular. ~ion /'leɪʃn/ *n* regulação *f*; (*rule*) regulamento *m*, regra *f*

rehabilitat|e /riːə'bɪlɪteɪt/ *vt* reabilitar. ~ion /'teɪʃn/ *n* reabilitação *f*

rehash[1] /riː'hæʃ/ *vt* apresentar sob nova forma, cozinhar (*colloq*)

rehash[2] /'riːhæʃ/ *n* (*fig*) cozinhado *m* (*colloq*)

rehears|e /rɪ'hɜːs/ *vt* ensaiar. ~al *n* ensaio *m*. dress ~al ensaio *m* geral

reign /reɪn/ *n* reinado *m* □ *vi* reinar (over em)

reimburse /riːɪm'bɜːs/ *vt* reembolsar. ~ment *n* reembolso *m*

rein /reɪn/ *n* rédea *f*

reincarnation /riːɪnkɑː'neɪʃn/ *n* reencarnação *f*

reindeer /'reɪndɪə(r)/ *n invar* rena *f*

reinforce /riːɪn'fɔːs/ *vt* reforçar. ~ment *n* reforço *m*. ~ments reforços *mpl*. ~d concrete cimento *m* armado, or betão *m* armado

reinstate /riːɪn'steɪt/ *vt* reintegrar

reiterate /riː'ɪtəreɪt/ *vt* reiterar

reject[1] /rɪ'dʒekt/ *vt* rejeitar. ~ion /-ʃn/ *n* rejeição *f*

reject[2] /'riːdʒekt/ *n* (artigo de) refugo *m*

rejoic|e /rɪ'dʒɔɪs/ *vi* regozijar-se (at/over com). ~ing *n* regozijo *m*

rejuvenate /riː'dʒuːvəneɪt/ *vt* rejuvenescer

relapse /rɪ'læps/ *n* recaída *f* □ *vi* recair

relate /rɪ'leɪt/ *vt* relatar; (*associate*) relacionar □ *vi* ~ to ter relação com, dizer respeito a; (*get on with*) entender-se com. ~d *a* aparentado; (*ideas etc*) afim, relacionado

relation /rɪ'leɪʃn/ *n* relação *f*; (*person*) parente *mf*. ~ship *n* parentesco *m*; (*link*) relação *f*; (*affair*) ligação *f*

relative /'relətɪv/ *n* parente *mf* □ *a* relativo. ~ly *adv* relativamente

relax /rɪ'læks/ *vt/i* relaxar(-se); (*fig*) descontrair(-se). ~ation /riːlæk'seɪʃn/ *n* relaxamento *m*; (*fig*) descontracção *f*; (*recreation*) distracção *f* ~ing *a* relaxante

relay¹ /ˈriːleɪ/ n turno m. **~ race** corrida f de estafetas

relay² /ˈriːleɪ/ vt (message) retransmitir

release /rɪˈliːs/ vt libertar, soltar; (mech) desengatar, soltar; (bomb, film, record) lançar; (news) dar, publicar; (gas, smoke) soltar □ n libertação f; (mech) desengate m; (bomb, film, record) lançamento m; (news) publicação f; (gas, smoke) emissão f. **new ~** estreia f

relegate /ˈrelɪgeɪt/ vt relegar

relent /rɪˈlent/ vi ceder. **~less** a implacável, inexorável, inflexível

relevan|t /ˈreləvənt/ a relevante, pertinente, a propósito. **be ~ to** ter a ver com. **~ce** n pertinência f, relevância f

reliab|le /rɪˈlaɪəbl/ a de confiança, com que se pode contar; (source etc) fidedigno; (machine etc) seguro, confiável. **~ility** /ˈbɪlɪtɪ/ n confiabilidade f

reliance /rɪˈlaɪəns/ n (dependence) segurança f; (trust) confiança f, fé f (on em)

relic /ˈrelɪk/ n reliquia f. **~s** vestígios mpl, ruínas fpl

relief /rɪˈliːf/ n alívio m; (assistance) auxílio m, assistência f; (outline, design) relevo m. **~ road** estrada f alternativa

relieve /rɪˈliːv/ vt aliviar; (help) socorrer; (take over from) revezar, substituir; (mil) render

religion /rɪˈlɪdʒən/ n religião f

religious /rɪˈlɪdʒəs/ a religioso

relinquish /rɪˈlɪŋkwɪʃ/ vt abandonar, renunciar a

relish /ˈrelɪʃ/ n prazer m, gosto m; (culin) molho m condimentado □ vt saborear, apreciar, gostar de

relocate /riːləʊˈkeɪt/ vt/i transferir(-se), mudar(-se)

reluctan|t /rɪˈlʌktənt/ a relutante (to em), pouco inclinado (to a). **~ce** n relutância f. **~tly** adv a contragosto, relutantemente

rely /rɪˈlaɪ/ vi **~ on** contar com; (depend) depender de

remain /rɪˈmeɪn/ vi ficar, permanecer. **~s** npl restos mpl; (ruins) ruínas fpl. **~ing** a restante

remainder /rɪˈmeɪndə(r)/ n restante m, remanescente m

remand /rɪˈmaːnd/ vt reconduzir à prisão para detenção provisória □ n **on ~** sob prisão preventiva

remark /rɪˈmaːk/ n observação f, comentário m □ vt observar, comentar □ vi **~ on** fazer observações or comentários sobre. **~able** a notável

remarr|y /riːˈmærɪ/ vt/i tornar a casar(-se) (com). **~iage** n novo casamento m

remed|y /ˈremədɪ/ n remédio m □ vt remediar. **~ial** /rɪˈmiːdɪəl/ a (med) correctivo

rememb|er /rɪˈmembə(r)/ vt lembrar-se de, recordar-se de. **~rance** n lembrança f, recordação f

remind /rɪˈmaɪnd/ vt (fazer) lembrar (sb of sth alg coisa a alguém). **~ sb to do** lemvo

brar a alguém que faça. ~er
n o que serve para fazer
lembrar; (*note*) lembrete *m*

reminisce /remɪˈnɪs/ *vi* (re)
lembrar (coisas passadas).
~nces *npl* reminiscências *fpl*

reminiscent /remɪˈnɪsnt/ *a* ~
of que faz lembrar, evocati-
vo de

remiss /rɪˈmɪs/ *a* negligente,
descuidado

remission /rɪˈmɪʃn/ *n* remissão *f*; (*jur*) comutação *f* (de
pena)

remit /rɪˈmɪt/ *vt* (*pt* **remitted**)
(*money*) remeter. ~**tance** *n*
remessa *f* (de dinheiro)

remnant /ˈremnənt/ *n* resto *m*;
(*trace*) vestígio *m*; (*of cloth*)
retalho *m*

remorse /rɪˈmɔːs/ *n* remorso
m. ~**ful** *a* arrependido, com
remorsos. ~**less** *a* implacável

remote /rɪˈməʊt/ *a* remoto,
distante; (*person*) distante;
(*slight*) vago, leve. ~ **control**
comando *m* à distância, tele-
comando *m*. ~**ly** *adv* de longe; vagamente

remov|e /rɪˈmuːv/ *vt* tirar, re-
mover; (*lead away*) levar;
(*dismiss*) demitir; (*get rid of*)
eliminar. ~**al** *n* remoção *f*;
(*dismissal*) demissão *f*; (*from
house*) mudança *f*

remunerat|e /rɪˈmjuːnəreɪt/ *vt*
remunerar. ~**ion** /ˈreɪʃn/ *n*
remuneração *f*

rename /riːˈneɪm/ *vt* rebaptizar

render /ˈrendə(r)/ *vt* retribuir;
(*services*) prestar; (*mus*) interpretar; (*translate*) traduzir.
~**ing** *n* (*mus*) interpretação *f*;
(*plaster*) reboco *m*

renegade /ˈrenɪɡeɪd/ *n* renega-
do *m*

renew /rɪˈnjuː/ *vt* renovar; (*re-
sume*) retomar. ~**able** *a* re-
novável. ~**al** *n* renovação *f*;
(*resumption*) reatamento *m*

renounce /rɪˈnaʊns/ *vt* renunciar a; (*disown*) renegar, repudiar

renovat|e /ˈrenəveɪt/ *vt* reno-
var. ~**ion** /ˈveɪʃn/ *n* renovação *f*

renown /rɪˈnaʊn/ *n* renome *m*.
~**ed** *a* conceituado, célebre,
de renome

rent /rent/ *n* aluguer *m*, renda
f □ *vt* alugar, arrendar. ~**al** *n*
(*charge*) aluguer *m*, renda *f*;
(*act of renting*) aluguer *m*

renunciation /rɪnʌnsɪˈeɪʃn/ *n*
renúncia *f*

reopen /riːˈəʊpən/ *vt/i* reabrir
(-se). ~**ing** *n* reabertura *f*

reorganize /riːˈɔːɡənaɪz/ *vt/i*
reorganizar(-se)

rep /rep/ *n* (*colloq*) vendedor
m, caixeiro-viajante *m*

repair /rɪˈpeə(r)/ *vt* reparar,
consertar □ *n* reparo *m*, conserto *m*. **in good** ~ em bom
estado (de conservação)

repartee /repaːˈtiː/ *n* resposta *f*
pronta e espirituosa

repatriat|e /riːˈpætrieɪt/ *vt* re-
patriar. ~**ion** /ˈeɪʃn/ *n* repa-
triamento *m*

repay /riːˈpeɪ/ *vt* (*pt* **repaid**)
pagar, devolver, reembolsar;
(*reward*)   recompensar.
~**ment** *n* pagamento *m*,
reembolso *m*

repeal /rɪˈpiːl/ *vt* revogar □ *n*
revogação *f*

repeat /rɪˈpiːt/ *vt/i* repetir(-se)

☐ n repetição f; (*broadcast*) retransmissão f. **~edly** adv repetidas vezes, repetidamente

repel /rɪ'pel/ vt (*pt* repelled) repelir. **~lent** a & n repelente m

repent /rɪ'pent/ vi arrepender-se (**of** de). **~ance** n arrependimento m. **~ant** a arrependido

repercussion /ri:pə'kʌʃn/ n repercussão f

repertoire /'repətwɑ:(r)/ n repertório m

repertory /'repətrɪ/ n repertório m

repetit|ion /repɪ'tɪʃn/ n repetição f. **~ious** /'tɪʃəs/, **~ive** /rɪ'petətɪv/ a repetitivo

replace /rɪ'pleɪs/ vt tornar a pôr no seu lugar, repor; (*take the place of*) substituir. **~ment** n reposição f; (*substitution*) substituição f; (*person*) substituto m

replenish /rɪ'plenɪʃ/ vt voltar a encher, reabastecer; (*renew*) renovar

replica /'replɪkə/ n réplica f, cópia f, reprodução f

reply /rɪ'plaɪ/ vt/i responder, replicar ☐ n resposta f, réplica f

report /rɪ'pɔ:t/ vt relatar; (*notify*) informar; (*denounce*) denunciar, apresentar queixa de ☐ vi fazer um relatório. **~ (on)** (*news item*) fazer uma reportagem (sobre). **~** (*go*) apresentar-se a ☐ n (*in newspapers*) reportagem f; (*of company, doctor*) relatório m; (*schol*) boletim m es-

colar; (*sound*) detonação f; (*rumour*) rumores mpl. **~edly** adv segundo consta. **~er** n repórter m

repose /rɪ'pəʊz/ n repouso m

repossess /ri:pə'zes/ vt reapossar-se de, retomar a posse de

represent /reprɪ'zent/ vt representar. **~ation** /'teɪʃn/ n representação f

representative /reprɪ'zentətɪv/ a representativo ☐ n representante mf

repress /rɪ'pres/ vt reprimir. **~ion** /-ʃn/ n repressão f. **~ive** a repressor, repressivo

reprieve /rɪ'pri:v/ n suspensão f temporária; (*temporary relief*) tréguas fpl ☐ vt suspender temporariamente; (*fig*) dar tréguas a

reprimand /'reprɪmɑ:nd/ vt repreender ☐ n repreensão f, reprimenda f

reprint /ri:prɪnt/ n reimpressão f, reedição f ☐ vt /ri:'prɪnt/ reimprimir

reprisals /rɪ'praɪzlz/ npl represálias fpl

reproach /rɪ'prəʊtʃ/ vt censurar, repreender (**sb for sth** alguém por alg coisa, alg coisa a alguém) ☐ n censura f. **above ~** irrepreensível. **~ful** a repreensivo, reprovador. **~fully** adv reprovadoramente

reproduc|e /ri:prə'dju:s/ vt/i reproduzir(-se). **~tion** /'dʌkʃn/ n reprodução f. **~tive** /'dʌktɪv/ a reprodutivo, reprodutor

reptile /'reptaɪl/ n réptil m

republic /rɪ'pʌblɪk/ n república

ca *f.* ~**an** *a* & *n* republicano *m*

repudiate /rɪ'pjuːdɪeɪt/ *vt* repudiar, rejeitar

repugnan|t /rɪ'pʌɡnənt/ *a* repugnante. ~**ce** *n* repugnância *f*

repuls|e /rɪ'pʌls/ *vt* repelir, repulsar. ~**ion** /-ʃn/ *n* repulsa *f.* ~**ive** *a* repulsivo, repelente, repugnante

reputable /'repjʊtəbl/ *a* respeitado, honrado; *(firm, make etc)* de renome, conceituado

reputation /repjʊ'teɪʃn/ *n* reputação *f*

repute /rɪ'pjuːt/ *n* reputação *f.* ~**d** /-ɪd/ *a* suposto, putativo. ~**d to be** tido como, tido na conta de. ~**dly** /-ɪdlɪ/ *adv* segundo consta, com fama de

request /rɪ'kwest/ *n* pedido *m* □ *vt* pedir, solicitar (**of**, **from** a)

requiem /'rekwɪəm/ *n* réquiem *m*; *(mass)* missa *f* de réquiem

require /rɪ'kwaɪə(r)/ *vt* requerer. ~**d** *a* requerido; *(needed)* necessário, preciso. ~**ment** *n (fig)* requisito *m*; *(need)* necessidade *f*; *(demand)* exigência *f*

requisite /'rekwɪzɪt/ *a* necessário □ *n* coisa necessária *f*, requisito *m.* ~**s** *(for travel etc)* artigos *mpl*

requisition /rekwɪ'zɪʃn/ *n* requisição *f* □ *vt* requisitar

resale /'riːseɪl/ *n* revenda *f*

rescue /'reskjuː/ *vt* salvar, socorrer (**from** de) □ *n* salvamento *m*; *(help)* socorro *m*,

ajuda *f.* ~**r** /-ə(r)/ *n* salvador *m*

research /rɪ'sɜːtʃ/ *n* pesquisa *f*, investigação *f* □ *vt/i* pesquisar, fazer investigação (**into** sobre). ~**er** *n* investigador *m*

resembl|e /rɪ'zembl/ *vt* assemelhar-se a, parecer-se com. ~**ance** *n* semelhança *f*, similaridade *f* (**to** com)

resent /rɪ'zent/ *vt* ressentir(-se de), ficar ressentido com. ~**ful** *a* ressentido. ~**ment** *n* ressentimento *m*

reservation /rezə'veɪʃn/ *n (booking)* reserva *f*; *(Amer)* reserva *f* (de índios)

reserve /rɪ'zɜːv/ *vt* reservar □ *n* reserva *f*; *(sport)* suplente *mf.* **in** ~ de reserva. ~**d** *a* reservado

reservoir /'rezəvwɑː(r)/ *n (lake, supply etc)* reservatório *m*; *(container)* depósito *m*

reshape /riː'ʃeɪp/ *vt* remodelar

reshuffle /riː'ʃʌfl/ *vt (pol)* remodelar □ *n (pol)* remodelação *f* (do Ministério)

reside /rɪ'zaɪd/ *vi* residir

residen|t /'rezɪdənt/ *a* residente □ *n* morador *m*, habitante *mf*; *(foreigner)* residente *mf*; *(in hotel)* hóspede *mf.* ~**ce** *n* residência *f*; *(of students)* residência *f*, lar *m.* ~**ce permit** autorização *m* de residência

residential /rezɪ'denʃl/ *a* residencial

residue /'rezɪdjuː/ *n* resíduo *m*

resign /rɪ'zaɪn/ *vt (post)* demitir-se. ~ **o.s. to** resignar-se a □ *vi* demitir-se de. ~**ation** /rezɪɡ'neɪʃn/ *n* resignação *f*;

(*from job*) demissão f. ~**ed** a resignado

resilien|t /rɪ'zɪlɪənt/ a (*springy*) elástico; (*person*) resistente. ~**ce** n elasticidade f; (*of person*) resistência f

resin /'rezɪn/ n resina f

resist /rɪ'zɪst/ vt/i resistir (a). ~**ance** n resistência f. ~**ant** a resistente

resolut|e /'rezəlu:t/ a resoluto. ~**ion** /-'lu:ʃn/ n resolução f

resolve /rɪ'zɒlv/ vt resolver. ~ **to do** resolver fazer □ n resolução f. ~**d** a (*resolute*) resoluto; (*decided*) resolvido (**to** a)

resonan|t /'rezənənt/ a resonante. ~**ce** n ressonância f

resort /rɪ'zɔːt/ vi ~ **to** recorrer a, valer-se de □ n recurso m; (*place*) estância f, local m turístico. **as a last** ~ em último recurso. **seaside** ~ praia f, estância f balnear

resound /rɪ'zaʊnd/ vi reboar, ressoar (**with** com). ~**ing** a ressoante; (*fig*) retumbante

resource /rɪ'sɔːs/ n recurso m. ~**s** recursos mpl, riquezas fpl. ~**ful** a expedito, engenhoso, desembaraçado. ~**fulness** n expediente m, engenho m

respect /rɪ'spekt/ n respeito m □ vt respeitar. **with** ~ **to** a respeito de, com respeito a, relativamente a. ~**ful** a respeitoso

respectab|le /rɪ'spektəbl/ a respeitável; (*passable*) passável, aceitável. ~**ility** /-'bɪlətɪ/ n res-peitabilidade f

respective /rɪ'spektɪv/ a res-

pectivo. ~**ly** adv respectivamente

respiration /respə'reɪʃn/ n respiração f

respite /'respaɪt/ n pausa f, trégua f, folga f

respond /rɪ'spɒnd/ vi responder (**to** a); (*react*) reagir (**to** a)

response /rɪ'spɒns/ n resposta f; (*reaction*) reacção f

responsib|le /rɪ'spɒnsəbl/ a responsável; (*job*) de responsabilidade. ~**ility** /-'bɪlətɪ/ n res-ponsabilidade f

responsive /rɪ'spɒnsɪv/ a receptivo, que reage bem. ~ **to** sensível a

rest[1] /rest/ vt/i descansar, repousar; (*lean*) apoiar(-se) □ n descanso m, repouso m; (*support*) suporte m. ~**-room** n (*Amer*) casa f de banho

rest[2] /rest/ vi (*remain*) ficar □ n (*remainder*) resto m (**of** de). **the** ~ (**of the**) (*others*) os outros. **it** ~**s with him** cabe-lhe a ele

restaurant /'restrɒnt/ n restaurante m

restful /'restfl/ a sossegado, repousante, tranquilo

restitution /restɪ'tjuːʃn/ n restituição f; (*for injury*) indemnização f

restless /'restlɪs/ a agitado, desassossegado

restor|e /rɪ'stɔː(r)/ vt restaurar; (*give back*) restituir, devolver. ~**ation** /restə'reɪʃn/ n restauração f

restrain /rɪ'streɪn/ vt conter, reprimir. ~ **o.s.** controlar-se. ~ **sb from** impedir alguém de. ~**ed** *a* comedido, reservado. ~**t** *n* controle *m*; (*moderation*) moderação *f*, comedimento *m*

restrict /rɪ'strɪkt/ *vt* restringir, limitar. ~**ion** /-ʃn/ *n* restrição *f*. ~**ive** *a* restritivo

result /rɪ'zʌlt/ *n* resultado *m* □ *vi* resultar (**from** de). ~ **in** resultar em

resum|e /rɪ'zju:m/ *vt/i* reatar, retomar; (*work, travel*) recomeçar. ~**ption** /rɪ'zʌmpʃn/ *n* reatamento *m*, retomada *f*; (*of work*) recomeço *m*

résumé /'rezju:meɪ/ *n* resumo *m*

resurgence /rɪ'sɜ:dʒəns/ *n* reaparecimento *m*, ressurgimento *m*

resurrect /rezə'rekt/ *vt* ressuscitar. ~**ion** /-ʃn/ *n* ressureição *f*

resuscitat|e /rɪ'sʌsɪteɪt/ *vt* ressuscitar, reanimar. ~**ion** /-'teɪʃn/ *n* reanimação *f*

retail /'ri:teɪl/ *n* retalho *m* □ *a* & *adv* a retalho □ *vt/i* vender(-se) a retalho. ~**er** *n* retalhista *mf*

retain /rɪ'teɪn/ *vt* reter; (*keep*) conservar, guardar

retaliat|e /rɪ'tælieɪt/ *vi* retaliar, exercer represálias, desforrar-se. ~**ion** /-'eɪʃn/ *n* retaliação *f*, represália *f*, desforra *f*

retarded /rɪ'tɑ:dɪd/ *a* retardado, atrasado

retch /retʃ/ *vi* fazer esforço para vomitar, estar com ânsias de vómito

retention /rɪ'tenʃn/ *n* retenção *f*

retentive /rɪ'tentɪv/ *a* retenti-

vo. ~ **memory** boa memória *f*

reticen|t /'retɪsnt/ *a* reticente. ~**ce** *n* reticência *f*

retina /'retɪnə/ *n* retina *f*

retinue /'retɪnju:/ *n* séquito *m*, comitiva *f*

retire /rɪ'taɪə(r)/ *vi* reformar-se, aposentar-se; (*withdraw*) retirar-se; (*go to bed*) ir deitar-se □ *vt* reformar, aposentar. ~**d** *a* reformado, aposentado. ~**ment** *n* reforma *f*, aposentação *f*

retiring /rɪ'taɪərɪŋ/ *a* reservado, retraído

retort /rɪ'tɔ:t/ *vt/i* retrucar, retorquir □ *n* réplica *f*

retrace /ri:'treɪs/ *vt* ~ **one's steps** refazer o mesmo caminho; (*fig*) recordar, recapitular

retract /rɪ'trækt/ *vt/i* retractar (-se); (*wheels*) recolher; (*claws*) encolher, recolher

retreat /rɪ'tri:t/ *vi* retirar-se; (*mil*) retirar, bater em retirada □ *n* retirada *f*; (*seclusion*) retiro *m*

retrial /rɪ'traɪəl/ *n* novo julgamento *m*

retribution /retrɪ'bju:ʃn/ *n* castigo (merecido) *m*; (*vengeance*) vingança *f*

retriev|e /rɪ'tri:v/ *vt* ir buscar; (*rescue*) salvar; (*recover*) recuperar; (*put right*) reparar. ~**al** *n* recuperação *f*. **information ~al** (*comput*) acesso *m* à informação. ~**er** *n* (*dog*) perdigueiro *m*

retrograde /'retrəgreɪd/ *a* retrógrado □ *vt* retroceder, recuar, retrogredir

retrospect /ˈretrəspekt/ n in ~ retrospectivamente. ~ive /ˈspektɪv/ a retrospectivo; (of law, payment) retroactivo

return /rɪˈtɜːn/ vi voltar, regressar, retornar (**to**, a) □ vt devolver; (compliment, visit) retribuir; (put back) pôr de volta □ n volta f, regresso m, retorno m; (profit) lucro m, rendimento m; (restitution) devolução f. **in** ~ **for** em troca de. ~ **journey** viagem f de volta. ~ **match** (sport) desafio m de desforra. ~ **ticket** bilhete m de ida e volta. **many happy** ~**s** (**of the day**) muitos parabéns

reunion /riːˈjuːnɪən/ n reunião f

reunite /riːjuːˈnaɪt/ vt reunir

rev /rev/ n (colloq: auto) rotação f □ vt/i (pt **revved**) ~ (**up**) (colloq: auto) acelerar (o motor)

reveal /rɪˈviːl/ vt revelar; (display) expor. ~**ing** a revelador

revel /ˈrevl/ vi (pt **revelled**) divertir-se. ~ **in** deleitar-se com. ~**ry** n festas fpl, festejos mpl

revelation /revəˈleɪʃn/ n revelação f

revenge /rɪˈvendʒ/ n vingança f; (sport) desforra f □ vt vingar

revenue /ˈrevənjuː/ n receita f, rendimento m. **Inland R**~ Fisco m

reverberate /rɪˈvɜːbəreɪt/ vi ecoar, repercutir

revere /rɪˈvɪə(r)/ vt reverenciar, venerar

reverend /ˈrevərənd/ a reverendo. **R**~ Reverendo

reveren|t /ˈrevərənt/ a reverente. ~**ce** n reverência f, veneração f

revers|e /rɪˈvɜːs/ a contrário, inverso □ n contrário m; (back) reverso m; (gear) marcha f atrás □ vt virar ao contrário; (order) inverter; (turn inside out) virar do avesso; (decision) anular □ vi (auto) fazer marcha atrás. ~**al** n inversão f, mudança f em sentido contrário; (of view etc) mudança f

revert /rɪˈvɜːt/ vi ~ **to** reverter a

review /rɪˈvjuː/ n (inspection; magazine) revista f; (of a situation) revisão f; (critique) crítica f □ vt revistar, passar revista em; (situation) rever; (book, film etc) fazer a crítica de. ~**er** n crítico m

revis|e /rɪˈvaɪz/ vt rever; (amend) corrigir. ~**ion** /-ɪʒn/ n revisão f; (amendment) correção f

reviv|e /rɪˈvaɪv/ vt/i ressuscitar, reavivar; (play) reapresentar; (person) reanimar(-se). ~**al** n reflorescimento m, renascimento m

revoke /rɪˈvəʊk/ vt revogar, anular, invalidar

revolt /rɪˈvəʊlt/ vt/i revoltar(-se) □ n revolta f

revolting /rɪˈvəʊltɪŋ/ a (disgusting) repugnante

revolution /revəˈluːʃn/ n revolução f. ~**ary** a & n revolucionário m. ~**ize** vt revolucionar

revolv|e /rɪ'vɒlv/ *vi* girar. **~ing
door** porta *f* giratória

revolver /rɪ'vɒlvǝ(r)/ *n* revólver *m*

revulsion /rɪ'vʌlʃn/ *n* repugnância *f*, repulsa *f*

reward /rɪ'wɔːd/ *n* prémio *m*;
(for criminal, for lost/stolen property) recompensa *f* □ *vt* recompensar. **~ing** *a* compensador; *(task etc)* gratificante

rewind /riː'waɪnd/ *vt* *(pt* **rewound)** rebobinar

rewrite /riː'raɪt/ *vt* *(pt* **rewrote,** *pp* **rewritten)** reescrever

rhetoric /'retǝrɪk/ *n* retórica *f*.
~al /rɪ'tɒrɪkl/ *a* retórico;
(question) pro forma

rheumati|c /ruː'mætɪk/ *a* reumático. **~sm** /'ruːmǝtɪzm/ *n* reumatismo *m*

rhinoceros /raɪ'nɒsǝrǝs/ *n* *(pl* **-oses)** rinoceronte *m*

rhubarb /'ruːbaːb/ *n* ruibarbo *m*

rhyme /raɪm/ *n* rima *f*; *(poem)* versos *mpl* □ *vt/i* (fazer) rimar

rhythm /'rɪðǝm/ *n* ritmo *m*.
~ic(al) /'rɪðmɪk(l)/ *a* rítmico, compassado

rib /rɪb/ *n* costela *f*

ribbon /'rɪbǝn/ *n* fita *f*. **in ~s**
às tiras

rice /raɪs/ *n* arroz *m*

rich /rɪtʃ/ *a* (**-er, -est**) rico;
(food) rico em açúcar e gordura. **~es** *npl* riquezas *fpl*.
~ly *adv* ricamente. **~ness** *n* riqueza *f*

rickety /'rɪkǝtɪ/ *a* *(shaky)* desconjuntado

ricochet /'rɪkǝʃeɪ/ *n* ricochete

m □ *vi* *(pt* **ricocheted**
/-ʃeɪd/) fazer ricochete, ricochetear

rid /rɪd/ *vt* *(pt* **rid,** *pres p* **ridding)** desembaraçar (**of** de).
get ~ of desembaraçar-se de, livrar-se de

riddance /'rɪdns/ *n* **good ~!**
que alívio!, vai com Deus!

ridden /'rɪdn/ *see* **ride**

riddle[1] /'rɪdl/ *n* enigma *m*;
(puzzle) charada *f*

riddle[2] /'rɪdl/ *vt* **~ with** crivar de

ride /raɪd/ *vi* *(pt* **rode,** *pp* **ridden)** andar (de bicicleta, a cavalo, de carro) □ *vt* *(horse)* montar; *(bicycle)* andar de; *(distance)* percorrer □ *n* passeio *m* or volta *f* (de carro, a cavalo etc); *(distance)* percurso *m*. **~r** /-ǝ(r)/ *n* cavaleiro *m*, amazona *f*; *(cyclist)* ciclista *mf*; *(in document)* aditamento *m*

ridge /rɪdʒ/ *n* aresta *f*; *(of hill)* cume *m*

ridicule /'rɪdɪkjuːl/ *n* ridículo *m* □ *vt* ridicularizar

ridiculous /rɪ'dɪkjʊlǝs/ *a* ridículo

riding /'raɪdɪŋ/ *n* equitação *f*

rife /raɪf/ *a* **be ~** estar espalhado; *(of illness)* grassar. **~ with** cheio de

riff-raff /'rɪfræf/ *n* gentinha *f*, povinho *m*, ralé *f*

rifle /'raɪfl/ *n* espingarda *f* □ *vt* revistar e roubar, saquear

rift /rɪft/ *n* fenda *f*, brecha *f*;
(fig: dissension) desacordo *m*, desavença *f*, desentendimento *m*

rig[1] /rɪg/ *vt* *(pt* **rigged)** equipar □ *n* (*for oil*) plataforma *f* de poço de petróleo. ~ **out** enfarpelar (*colloq*). ~~**out** *n* (*colloq*) roupa *f*, farpela *f* (*colloq*). ~ **up** arranjar

rig² /rɪg/ *vt* (*pt* **rigged**) (*pej*) manipular. ~**ged** *a* (*election*) fraudulento

right /raɪt/ *a* (*correct, moral*) certo, correcto; (*fair*) justo; (*not left*) direito; (*suitable*) certo, próprio □ *n* (*entitlement*) direito *m*; (*not left*) direita *f*; (*not evil*) o bem □ *vt* (*a wrong*) reparar; (*sth fallen*) endireitar □ *adv* (*not left*) à direita; (*directly*) direito; (*exactly*) mesmo, bem; (*completely*) completamente. **be** ~ (*person*) ter razão (**to** em). **be in the** ~ ter razão. **on the** ~ à direita. **put** ~ acertar, corrigir. ~ **of way** (*auto*) prioridade *f*. ~ **angle** *n* ângulo *m* recto. ~ **away** logo, imediatamente. ~~**hand** *a* à *or* de direita. ~~**handed** *a* (*person*) destro. ~~**wing** *a* (*pol*) de direita

righteous /ˈraɪtʃəs/ *a* justo, virtuoso

rightful /ˈraɪtfl/ *a* legítimo. ~**ly** *adv* legitimamente, legalmente

rightly /ˈraɪtlɪ/ *adv* devidamente, correctamente; (*with reason*) justificadamente

rigid /ˈrɪdʒɪd/ *a* rígido. ~**ity** /rɪˈdʒɪdətɪ/ *n* rigidez *f*

rigmarole /ˈrɪgmərəʊl/ *n* (*speech: procedure*) embrulhada *f*

rig|our /ˈrɪgə(r)/ *n* rigor *m*. ~**orous** *a* rigoroso

rile /raɪl/ *vt* (*colloq*) irritar, exasperar

rim /rɪm/ *n* borda *f*; (*of wheel*) aro *m*

rind /raɪnd/ *n* (*on cheese, fruit*) casca *f*; (*on bacon*) pele *f*

ring¹ /rɪŋ/ *n* (*on finger*) anel *m*; (*for napkin, key etc*) argola *f*; (*circle*) roda *f*, círculo *m*; (*boxing*) ringue *m*; (*arena*) arena *f*; (*of people*) quadrilha *f* □ *vt* rodear, cercar. ~ **road** *n* estrada *f* periférica, via *f* de cintura

ring² /rɪŋ/ *vt/i* (*pt* **rang**, *pp* **rung**) tocar; (*of words etc*) soar □ *n* toque *m*; (*colloq: phone call*) telefonadela *f* (*colloq*). ~ **the bell** tocar a campainha. ~ **back** telefonar de volta. ~ **off** desligar. ~ **up** telefonar (a)

ringleader /ˈrɪŋliːdə(r)/ *n* cabeça *m*, cérebro *m*

rink /rɪŋk/ *n* rinque *m* de patinagem

rinse /rɪns/ *vt* enxaguar □ *n* enxaguadela *f*; (*hair tint*) rinsagem *f*

riot /ˈraɪət/ *n* distúrbio *m*, motim *m*; (*of colours*) festival *m* □ *vi* fazer distúrbios *or* motins. **run** ~ desenfrear-se, descontrolar-se; (*of plants*) crescer em matagal. ~**er** *n* desordeiro *m*

riotous /ˈraɪətəs/ *a* desenfreado, turbulento, desordeiro

rip /rɪp/ *vt/i* (*pt* **ripped**) rasgar (-se). □ *n* rasgão *m*. ~ **off** (*sl: defraud*) defraudar, enrolar (*sl*). ~~**off** *n* (*sl*) roubalheira *f* (*colloq*)

ripe /raɪp/ a (**-er, -est**) maduro. **~ness** n amadurecimento m

ripen /ˈraɪpən/ vt/i amadurecer

ripple /ˈrɪpl/ n ondulação f leve; (sound) murmúrio m □ vt/i encrespar(-se), agitar(-se), ondular

rise /raɪz/ vi (pt **rose**, pp **risen**) subir, elevar-se; (stand up) erguer-se, levantar-se; (rebel) sublevar-se; (sun) nascer; (curtain, prices) subir □ n (increase) aumento m; (slope) subida f, ladeira f; (origin) origem f. **give ~ to** originar, causar, dar origem a. **~r** /-ə(r)/ n **early ~r** madrugador m

rising /ˈraɪzɪŋ/ n (revolt) insurreição f □ a (sun) nascente

risk /rɪsk/ n risco m □ vt arriscar. **at ~** em risco, em perigo. **at one's own ~** por sua conta e risco. **~ doing** (venture) arriscar-se a fazer. **~y** a arriscado

risqué /ˈriːskeɪ/ a picante

rite /raɪt/ n rito m. **last ~s** últimos sacramentos mpl

ritual /ˈrɪtʃʊəl/ a & n ritual m

rival /ˈraɪvl/ n & a rival mf; (fig) concorrente mf, competidor m □ vt (pt **rivalled**) rivalizar com. **~ry** n rivalidade f

river /ˈrɪvə(r)/ n rio m □ a fluvial

rivet /ˈrɪvɪt/ n rebite m □ vt (pt **riveted**) rebitar; (fig) prender, cravar. **~ing** a fascinante

road /rəʊd/ n estrada f; (in town) rua f; (small; fig) caminho m. **~block** n barricada f. **~map** n mapa m das estradas. **~ sign** n sinal m, placa f de sinalização. **~ tax** imposto m de circulação. **~works** npl obras fpl

roadside /ˈrəʊdsaɪd/ n beira f da estrada

roadway /ˈrəʊdweɪ/ n pista f de rodagem

roadworthy /ˈrəʊdwɜːðɪ/ a em condições de ser utilizado na rua/estrada

roam /rəʊm/ vi errar, andar sem destino □ vt percorrer

roar /rɔː(r)/ n berro m, rugido m; (of thunder) ribombo m, troar m; (of sea, wind) bramido m □ vt/i berrar, rugir; (of lion) rugir; (of thunder) ribombar, troar; (of sea, wind) bramir. **~ with laughter** rir às gargalhadas

roaring /ˈrɔːrɪŋ/ a (trade) florescente; (success) enorme; (fire) com grandes chamas

roast /rəʊst/ vt/i assar □ a & n assado m

rob /rob/ vt (pt **robbed**) roubar (**sb of sth** alg coisa de alguém); (bank) assaltar; (deprive) privar (of de). **~ber** n ladrão m. **~bery** n roubo m; (of bank) assalto m

robe /rəʊb/ n veste f comprida e solta; (dressing-gown) robe m. **~s** npl (of judge etc) toga f

robin /ˈrobɪn/ n pintarroxo m

robot /ˈrəʊbɒt/ n robot m, autómato m

robust /rəʊˈbʌst/ a robusto

rock[1] /rɒk/ n rocha f; (boulder) penhasco *m*, rochedo *m*; (*sweet*) chupa-chupa *m* comprido. **on the ~s** (*colloq: of marriage*) em crise; (*colloq: of drinks*) com gelo. **~bottom** *n* ponto *m* mais baixo □ *a* (*of prices*) baixíssimo (*colloq*)

rock² /rɒk/ *vt/i* balouçar(-se); (*shake*) abanar, sacudir; (*child*) embalar □ *n* (*mus*) rock *m*. **~ing-chair** *n* cadeira *f* de balouço. **~ing-horse** *n* cavalo *m* de balouço

rocket /ˈrɒkɪt/ *n* foguete *m*

rocky /ˈrɒkɪ/ *a* (**-ier, -iest**) (*ground*) pedregoso; (*hill*) rochoso; (*colloq: unsteady*) instável; (*colloq: shaky*) tremido (*colloq*)

rod /rɒd/ *n* vara *f*, vareta *f*; (*mech*) haste *f*; (*for curtains*) varão *m*; (*for fishing*) cana (de pesca) *f*

rode /rəʊd/ *see* **ride**

rodent /ˈrəʊdnt/ *n* roedor *m*

rodeo /rəʊˈdeɪəʊ/ *n* (*pl* **-os**) rode(i)o *m*

roe /rəʊ/ *n* ova(s) *f* (*pl*) de peixe

rogue /rəʊg/ *n* (*dishonest*) patife *m*, velhaco *m*; (*mischievous*) brincalhão *m*

role /rəʊl/ *n* papel *m*

roll /rəʊl/ *vt/i* (fazer) rolar; (*into ball or cylinder*) enrolar(-se) □ *n* rolo *m*; (*list*) rol *m*, lista *f*; (*bread*) pãozinho *m*; (*of ship*) balanço *m*; (*of drum*) rufar *m*; (*of thunder*) ribombo *m*. **be ~ing in money** (*colloq*) nadar em dinheiro (*colloq*). **~ over** (*turn over*) virar-se ao contrário. **~**

up *vi* (*colloq*) aparecer □ *vt* (*sleeves*) arregaçar; (*umbrella*) fechar. **~call** *f*. **~ing-pin** *n* rolo *m* da massa

roller /ˈrəʊlə(r)/ *n* cilindro *m*; (*wave*) vagalhão *m*; (*for hair*) rolo *m*. **~blind** *n* estore *m*. **~coaster** *n* montanha *f* russa. **~skate** *n* patim *m* de rodas

rolling /ˈrəʊlɪŋ/ *a* ondulante

Roman /ˈrəʊmən/ *a* & *n* romano *m*. **R~ Catholic** *a* & *n* católico *m*. **~ numerals** algarismos *mpl* romanos

romance /rəʊˈmæns/ *n* (*love affair*) romance *m*; (*fig*) poesia *f*

Romania /rʊˈmeɪnɪə/ *n* Roménia *f*. **~n** *a* & *n* romeno *m*

romantic /rəʊˈmæntɪk/ *a* romântico. **~ally** *adv* romanticamente. **~ism** *n* romantismo *m*. **~ize** *vi* fazer romance □ *vt* romantizar

romp /rɒmp/ *vi* brincar animadamente □ *n* brincadeira *f* animada. **~ers** *npl* macacão *m* de bebé

roof /ruːf/ *n* (*pl* **roofs**) telhado *m*; (*of car*) capota *f*; (*of mouth*) palato *m*, céu *m* da boca □ *vt* cobrir com telhado. **hit the ~** (*colloq*) ficar furioso. **~ing** *n* material *m* para telhados. **~rack** *n* porta-bagagem *m*. **~top** *n* cimo *m* do telhado

rook¹ /rʊk/ *n* (*bird*) gralha *f*

rook² /rʊk/ *n* (*chess*) torre *f*

room /ruːm/ *n* quarto *m*, divisão *f*; (*bedroom*) quarto *m* de dormir; (*large hall*) sala *f*; *(space)* espaço *m*, lugar *m*. **~s** *(lodgings)* apartamento *m* **~-mate** *n* companheiro *m* de quarto. **-y** *a* espaçoso; *(clothes)* amplo, largo

roost /ruːst/ *n* poleiro *m* □ *vi* empoleirar-se. **-er** *n* *(Amer)* galo *m*

root¹ /ruːt/ *n* raiz *f*; *(fig)* origem *f* □ *vt/i* enraizar(-se), radicar(-se). **~ out** extirpar, erradicar. **take ~** criar raízes. **~less** *a* sem raízes, desenraizado

root² /ruːt/ *vi* **~ about** revolver, remexer. **~ for** *(Amer sl)* torcer por

rope /rəʊp/ *n* corda *f* □ *vt* atar. **know the ~s** estar por dentro (do assunto). **~ in** convencer a participar com

rosary /'rəʊzərɪ/ *n* rosário *m*

rose¹ /rəʊz/ *n* rosa *f*; *(nozzle)* ralo *m* (de regador). **~-bush** *n* roseira *f*

rose² /rəʊz/ *see* rise

rosé /'rəʊzeɪ/ *n* rosé *m*

rosette /rəʊ'zet/ *n* roseta *f*

rosewood /'rəʊzwʊd/ *n* pau--rosa *m*

roster /'rɒstə(r)/ *n* lista *f* de serviço), escala *f* (de serviço)

rostrum /'rɒstrəm/ *n* tribuna *f*; *(for conductor)* estrado *m*; *(sport)* podium *m*

rosy /'rəʊzɪ/ *a* (**-ier, -iest**) rosado; *(fig)* risonho

rot /rɒt/ *vt/i* (*pt* **rotted**) apodrecer □ *n* putrefacção *f*, podridão *f*; *(sl: nonsense)* disparate *m*, asneiras *fpl*

rota /'rəʊtə/ *n* escala *f* de serviço

rotary /'rəʊtərɪ/ *a* rotativo, giratório

rotat|e /rəʊ'teɪt/ *vt/i* (fazer) girar, (fazer) revolver; *(change round)* alternar. **~ing** *a* rotativo. **~ion** /-ʃn/ *n* rotação *f*

rote /rəʊt/ *n* **by ~** de cor, maquinalmente

rotten /'rɒtn/ *a* podre; *(corrupt)* corrupto; *(colloq: bad)* mau. **~ eggs** ovos *mpl* podres. **feel ~** *(ill)* não se sentir nada bem

rotund /rəʊ'tʌnd/ *a* rotundo, redondo

rough /rʌf/ *a* (**-er, -est**) rude; *(to touch)* áspero, rugoso; *(of ground)* acidentado, irregular; *(violent)* violento; *(of sea)* agitado, encapelado; *(of weather)* tempestuoso; *(not perfect)* tosco, rudimentar; *(of estimate etc)* aproximado □ *n* *(ruffian)* rufia *m*, desordeiro *m* □ *adv* *(live)* ao relento; *(play)* à bruta □ *vt* **~ it** viver de modo primitivo, não ter onde morar *(colloq)*. **~ out** fazer um esboço preliminar de. **~-and-ready** *a* grosseiro mas eficiente. **~ paper** rascunho *m*, borrão *m*. **~ly** *adv* asperamente, rudemente; *(approximately)* aproximadamente. **~ness** *n* rudeza *f*, aspereza *f*; *(violence)* brutalidade *f*

roughage /'rʌfɪdʒ/ *n* alimentos *mpl* fibrosos

roulette /ruː'let/ *n* roleta *f*

round /raʊnd/ *a* (**-er, -est**) redondo □ *n* *(circle)* círculo *m*; *(slice)* fatia *f*; *(postman's)* entrega *f*; *(patrol)* ronda *f*;

(of drinks) rodada f; (competition) partida f; (boxing) round m; (of talks) ciclo m, série f □ prep & adv em volta (de), em torno (de) □ vt arredondar; (cape, corner) dobrar, virar. **come ~** (into consciousness) voltar a si. **go** or **come ~ to** (a friend etc) dar um pulo na casa de. **~ about** (nearby) por aí; (fig) mais ou menos. **~ of applause** salva f de palmas. **~ off** terminar. **~-shouldered** a curvado. **~ the clock** noite e dia sem parar. **~ trip** viagem f de ida e volta. **~ up** (gather) juntar; (a figure) arredondar. **~-up** n (of cattle) rodeio m; (of suspects) captura f

roundabout /'raʊndəbaʊt/ n carrossel m; (for traffic) rotunda f □ a indirecto

rous|e /raʊz/ vt acordar, despertar. **be ~ed** (angry) exaltar-se, inflamar-se, ser provocado. **~ing** a (speech) inflamado, exaltado; (music) vibrante; (cheers) frenético

rout /raʊt/ n derrota f, (retreat) debandada f □ vt derrotar; (cause to retreat) pôr em debandada

route /ruːt/ n percurso m, itinerário m; (naut, aviat) rota f

routine /ruːˈtiːn/ n rotina f; (theat) número m □ a de rotina, rotineiro. **daily ~** rotina f diária

rov|e /rəʊv/ vt/i errar (por), vaguear (em/por). **~ing** a (life) errante

row[1] /rəʊ/ n fila f, fileira f; (in knitting) carreira f. **in a ~** (consecutive) em fila

row[2] /rəʊ/ vt/i remar. **~ing** n remo m. **~ing-boat** n barco m a remos

row[3] /raʊ/ n (colloq: noise) barulho m,(BR) bagunça f, banzé m (colloq); (colloq: quarrel) discussão f, briga f. **~ (with)** vi (colloq) brigar (com), discutir (com)

rowdy /'raʊdɪ/ a (-ier, -iest) desordeiro

royal /'rɔɪəl/ a real

royalty /'rɔɪltɪ/ n família real f; (payment) direitos mpl (de autor, de patente, etc)

rub /rʌb/ vt/i (pt rubbed) esfregar; (with ointment etc) esfregar, friccionar □ n esfrega f; (with ointment etc) fricção f. **~ it in** repisar/insistir em. **~ off on** comunicar-se a, transmitir-se a. **~ out** (with rubber) apagar

rubber /'rʌbə(r)/ n borracha f. **~ band** elástico m. **~ stamp** carimbo m. **~-stamp** vt aprovar sem questionar. **~y** a semelhante à borracha

rubbish /'rʌbɪʃ/ n (refuse) lixo m; (nonsense) disparates mpl. **~ dump** n lixeira f. **~y** a sem valor

rubble /'rʌbl/ n entulho m, escombros mpl

ruby /'ruːbɪ/ n rubi m

rucksack /'rʌksæk/ n mochila f

rudder /'rʌdə(r)/ n leme m

ruddy /'rʌdɪ/ a (-ier, -iest) avermelhado; (of cheeks) corado, vermelho; (sl: damned) maldito (colloq)

rude /ruːd/ a (**-er, -est**) mal-educado, malcriado, grosseiro. ~**ly** adv grosseiramente, malcriadamente. ~**ness** n má-educação f, má-criação f, grosseria f

rudiment /ˈruːdɪmənt/ n rudimento m. ~**ary** /ˈmentrɪ/ a rudimentar

rueful /ˈruːfl/ a contrito, pesaroso

ruffian /ˈrʌfɪən/ n desordeiro m

ruffle /ˈrʌfl/ vt (feathers) eriçar; (hair) despentear; (clothes) amarrotar; (fig) perturbar □ n (frill) folho m

rug /rʌg/ n tapete m; (covering) manta f

rugged /ˈrʌgɪd/ a rude, irregular; (coast, landscape) acidentado; (character) forte; (features) marcado

ruin /ˈruːɪn/ n ruína f □ vt arruinar; (fig) estragar. ~**ous** a desastroso

rule /ruːl/ n regra f; (regulation) regulamento m; (pol) governo m □ vt governar; (master) dominar; (jur) decretar; (decide) decidir □ vi governar. **as a** ~ regra geral, por via de regra. ~ **out** excluir. ~**d paper** papel m pautado. ~**r** /-ə(r)/ n (sovereign) soberano m; (leader) governante m; (measure) régua f

ruling /ˈruːlɪŋ/ a (class) dirigente; (pol) no poder □ n decisão f

rum /rʌm/ n rum m

rumble /ˈrʌmbl/ vi ribombar, ressoar; (of stomach) roncar □ n ribombo m, estrondo m

rummage /ˈrʌmɪdʒ/ vt revistar, remexer

rumour /ˈruːmə(r)/ n boato m, rumor m □ vt **it is** ~ed that corre o boato de que, consta que

rump /rʌmp/ n (of horse etc) garupa f; (of fowl) mitra f. ~ **steak** n bife m de alcatra

run /rʌn/ vi (pt **ran**, pp **run**, pres p **running**) correr; (flow) correr; (pass) passar; (function) andar, funcionar; (melt) derreter, pingar; (bus etc) circular; (play) estar em cartaz; (colour) desbotar; (in election) candidatar-se (**for** a) □ vt (manage) dirigir, gerir; (a risk) correr; (a race) participar em; (water) deixar correr; (a car) ter, manter □ n corrida f; (excursion) passeio m, ida f; (rush) corrida f, correria f; (in cricket) ponto m. **be on the** ~ estar foragido. **have the** ~ **of** ter à sua disposição. **in the long** ~ a longo prazo. ~ **across** encontrar por acaso, dar com. ~ **away** fugir. ~ **down** descer a correr; (of vehicle) atropelar; (belittle) dizer mal de, denegrir. **be** ~ **down** estar exausto. ~ **in** (engine) ligar. ~ **into** (meet) encontrar por acaso; (hit) bater em, ir de encontro a. ~ **off** vt (copies) tirar; (water) deixar correr □ vi fugir. ~**-of-the--mill** a vulgar. ~ **out** esgotar-se; (lease) expirar. **I ran out of sugar** o meu açúcar acabou. ~ **over** (of vehicle) atropelar. ~ **up** deixar acumular. **the ~-up to** o período que precede

runaway /'rʌnəweɪ/ *n* fugitivo *m* □ *a* fugitivo; (*horse*) desembestado; (*vehicle*) desarvorado; (*success*) grande

rung[1] /rʌŋ/ *n* (*of ladder*) degrau *m*

rung[2] /rʌŋ/ *see* **ring**[2]

runner /'rʌnə(r)/ *n* (*person*) corredor *m*; (*carpet*) passadeira *f*. **~ bean** feijão *m* verde. **~-up** *n* segundo classificado *m*

running /'rʌnɪŋ/ *n* corrida *f*; (*functioning*) funcionamento *m* □ *a* consecutivo, seguido; (*water*) corrente. **be in the ~** (*competitor*) ter probabilidades de êxito. **four days ~** quatro dias seguidos *or* a fio. **~ commentary** reportagem *f*, comentário *m*

runny /'rʌnɪ/ *a* derretido

runway /'rʌnweɪ/ *n* pista *f* de descolagem

rupture /'rʌptʃə(r)/ *n* ruptura *f*; (*med*) hérnia *f* □ *vt/i* romper (-se), rebentar

rural /'rʊərəl/ *a* rural

ruse /ru:z/ *n* ardil *m*, estratagema *m*, manha *f*

rush[1] /rʌʃ/ *n* (*plant*) junco *m*

rush[2] /rʌʃ/ *vi* (*move*) precipitar-se, (*be in a hurry*) apressar-se □ *vt* fazer, mandar *etc* a toda a pressa; (*person*) pressionar; (*mil*) tomar de assalto □ *n* tropel *m*; (*haste*) pressa *f*. **in a ~** à pressa. **~ hour** hora *f* de ponta

rusk /rʌsk/ *n* bolacha *f*, biscoito *m*

russet /'rʌsɪt/ *a* castanho avermelhado □ *n* maçã *f* reineta

Russia /'rʌʃə/ *n* Rússia *f*. **~n** *a* & *n* russo *m*

rust /rʌst/ *n* (*on iron, plants*) ferrugem *f* □ *vt/i* enferrujar(-se). **~-proof** *a* inoxidável. **~y** *a* ferrugento, enferrujado; (*fig*) enferrujado

rustic /'rʌstɪk/ *a* rústico

rustle /'rʌsl/ *vt/i* restolhar, (fazer) farfalhar; (*Amer: steal*) roubar. **~ up** (*colloq: food etc*) arranjar

rut /rʌt/ *n* sulco *m*; (*fig*) rotina *f*. **in a ~** numa vida rotineira

ruthless /'ru:θlɪs/ *a* implacável

rye /raɪ/ *n* centeio *m*

S

sabbath /ˈsæbəθ/ n (*Jewish*) sábado m; (*Christian*) domingo m

sabbatical /səˈbætɪkl/ n (*univ*) período m de licença

sabot|age /ˈsæbətɑːʒ/ n sabotagem f □ vt sabotar. **~eur** /ˈtɜː (r)/ n sabotador m

sachet /ˈsæʃeɪ/ n saquinho m de cheiros, saché m

sack /sæk/ n saco m, saca f □ vt (*colloq*) despedir. **get the ~** (*colloq*) ser despedido

sacrament /ˈsækrəmənt/ n sacramento m

sacred /ˈseɪkrɪd/ a sagrado

sacrifice /ˈsækrɪfaɪs/ n sacrifício m; (*fig*) sacrifício m □ vt sacrificar

sacrileg|e /ˈsækrɪlɪdʒ/ n sacrilégio m. **~ious** /ˈlɪdʒəs/ a sacrílego

sad /sæd/ a (**sadder, saddest**) (*person*) triste; (*story, news*) triste. **~ly** adv tristemente; (*unfortunately*) infelizmente. **~ness** n tristeza f

sadden /ˈsædn/ vt entristecer

saddle /ˈsædl/ n sela f □ vt (*horse*) selar. **~ sb with** sobrecarregar alguém com

sadis|m /ˈseɪdɪzəm/ n sadismo

m. **~t** /-ɪst/ n sádico m. **~tic** /səˈdɪstɪk/ a sádico

safe /seɪf/ a (**-er, -est**) (*not dangerous*) seguro; (*out of danger*) fora de perigo; (*reliable*) confiável. **~ from** salvo de risco de □ n cofre m, caixa-forte f. **~ and sound** são e salvo. **~ conduct** salvo-conduto m. **~ keeping** custódia f, protecção f. **to be on the ~ side** por via das dúvidas. **~ly** adv (*arrive etc*) em segurança; (*keep*) seguro

safeguard /ˈseɪfgɑːd/ n salvaguarda f □ vt salvaguardar

safety /ˈseɪftɪ/ n segurança f. **~-belt** n cinto m de segurança. **~-pin** n alfinete m de dama. **~-valve** n válvula f de segurança

sag /sæg/ vi (pt **sagged**) afrouxar

saga /ˈsɑːgə/ n saga f

sage¹ /seɪdʒ/ n (*herb*) salva f

sage² /seɪdʒ/ a sensato, prudente □ n sábio m

Sagittarius /sædʒɪˈteərɪəs/ n (*astrol*) Sagitário m

said /sed/ see **say**

sail /seɪl/ n vela f; (*trip*) via-

gem *f* em barco à vela □ *vi* navegar; (*leave*) partir; (*sport*) velejar □ *vt* navegar. ~ing *n* navegação *f* à vela. ~ing-boat *n* barco *m* à vela
sailor /'seɪlə(r)/ *n* marinheiro *m*
saint /seɪnt/ *n* santo *m*. ~ly *a* santo, santificado
sake /seɪk/ *n* for the ~ of em consideração a. for my/ your/ its own ~ por mim/ por você/por isso
salad /'sæləd/ *n* salada *f*. ~-dressing *n* molho *m* para salada
salary /'sælərɪ/ *n* salário *m*
sale /seɪl/ *n* venda *f*; (*at reduced prices*) liquidação *f*. for ~ 'vende-se'. on ~ à venda. ~s assistant, (*Amer*) ~s clerk vendedor *m*. ~s department departamento *m* de vendas
sales|man /'seɪlzmən/ *n* (*pl* -men) (*in shop*) vendedor *m*; (*traveller*) caixeiro-viajante *m*. ~woman *n* (*pl* -women) (*in shop*) vendedora *f*; (*traveller*) caixeira-viajante *f*
saline /'seɪlaɪn/ *a* salino □ *n* salina *f*
saliva /sə'laɪvə/ *n* saliva *f*
sallow /'sæləʊ/ *a* (-er, — est) amarelado
salmon /'sæmən/ *n* (*pl invar*) salmão *m*
saloon /sə'luːn/ *n* (*on ship*) salão *m*; (*bar*) botequim *m*. ~ (car) sedã *m*
salt /sɔːlt/ *n* sal *m* □ *a* salgado □ *vt* (*season*) salgar; (*cure*) pôr em salmoura. ~-cellar *n* saleiro *m*. ~ water água *f*

salgada, água *f* do mar. ~y *a* salgado
salutary /'sæljʊtrɪ/ *a* salutar
salute /sə'luːt/ *n* saudação *f* □ *vt/i* saudar
salvage /'sælvɪdʒ/ *n* (*naut*) salvamento *m*; (*of waste*) reciclagem *f* □ *vt* salvar
salvation /sæl'veɪʃn/ *n* salvação *f*
same /seɪm/ *a* mesmo (as que) □ *pron* the ~ o mesmo □ *adv* the ~ o mesmo. all the ~ (*nevertheless*) mesmo assim, apesar de tudo. at the ~ time (*at once*) ao mesmo tempo
sample /'saːmpl/ *n* amostra *f* □ *vt* experimentar, provar
sanatorium /sænə'tɔːrɪəm/ *n* (*pl* -iums) sanatório *m*
sanctify /'sæŋktɪfaɪ/ *vt* santificar
sanctimonious /sæŋktɪ'məʊnɪəs/ *a* santarrão, hipócrita
sanction /'sæŋkʃn/ *n* (*approval*) aprovação *f*; (*penalty*) pena *f*, sanção *f* □ *vt* sancionar
sanctity /'sæŋktɪtɪ/ *n* santidade *f*
sanctuary /'sæŋktʃʊərɪ/ *n* (*relig*) santuário *m*; (*refuge*) refúgio *m*; (*for animals*) reserva *f*
sand /sænd/ *n* areia *f*; (*beach*) praia *f* □ *vt* (*with sandpaper*) lixar
sandal /'sændl/ *n* sandália *f*
sandbag /'sændbæg/ *n* saco *m* de areia
sandbank /'sændbæŋk/ *n* banco *m* de areia
sandcastle /'sændkaːsl/ *n* castelo *m* de areia

sandpaper /'sændpeɪpə(r)/ *n* lixa *f* □ *vt* lixar

sandpit /'sændpɪt/ *n* caixa *f* de areia

sandwich /'sænwɪdʒ/ *n* sanduíche *m*, sandes *f invar* □ *vt* ~**ed between** encaixado entre. ~ **course** *m* profissionalizante envolvendo estudo teórico e estágio em local de trabalho

sandy /'sændɪ/ *a* (-ier, iest) arenoso; (*beach*) arenoso; (*hair*) ruivo

sane /seɪn/ *a* (-er, -est) (*not mad*) são *m*; (*sensible*) sensato, ajuizado

sang /sæŋ/ *see* **sing**

sanitary /'sænɪtrɪ/ *a* sanitário; (*system*) sanitário. ~ **towel**, (*Amer*) ~ **napkin** penso *m* higiénico

sanitation /sænɪ'teɪʃn/ *n* condições *fpl* sanitárias, saneamento *m*

sanity /'sænɪtɪ/ *n* sanidade *f*

sank /sæŋk/ *see* **sink**

Santa Claus /'sæntəklɔːz/ *n* Pai Natal *m*

sap /sæp/ *n* seiva *f* □ *vt* (*pt* **sapped**) esgotar, minar

sapphire /'sæfaɪə(r)/ *n* safira *f*

sarcas|m /'saːrkæzəm/ *n* sarcasmo *m*. ~**tic** /saːr'kæstɪk/ *a* sarcástico

sardine /saː'diːn/ *n* sardinha *f*

sardonic /saː'dɒnɪk/ *a* sardónico

sash /sæʃ/ *n* (*around waist*) cinto *m*; (*over shoulder*) faixa *f*. ~~**window** *n* janela *f* de guilhotina

sat /sæt/ *see* **sit**

satanic /sə'tænɪk/ *a* satânico

satchel /'sætʃl/ *n* sacola *f*

satellite /'sætəlaɪt/ *n* satélite *m*. ~ **dish** antena *f* de satélite. ~ **television** televisão *f* via satélite

satin /'sætɪn/ *n* cetim *m*

satir|e /'sætaɪə(r)/ *n* sátira *f*. ~**ical** /sə'tɪrɪkl/ *a* satirical. ~**ist** /'sætərɪst/ *n* satirista *mf*. ~**ize** *vt* satirizar

satisfact|ion /sætɪs'fækʃn/ *n* satisfação *f*. ~**ory** /'fæktərɪ/ *a* satisfatório

satisfy /'sætɪsfaɪ/ *vt* satisfazer; (*convince*) convencer; (*fulfil*) atender. ~**ing** *a* satisfatório

saturat|e /'sætʃəreɪt/ *vt* saturar; (*fig*) cansar ~**ed** *a* (*wet*) encharcado; (*fat*) saturado. ~**ion** /'reɪʃn/ *n* saturação *f*

Saturday /'sætədɪ/ *n* sábado *m*

sauce /sɔːs/ *n* molho *m*; (*colloq: cheek*) atrevimento *m*

saucepan /'sɔːspən/ *n* caçarola *f*

saucer /'sɔːsə(r)/ *n* pires *m invar*

saucy /'sɔːsɪ/ *a* (-ier, -iest) picante

Saudi Arabia /saʊdɪə'reɪbɪə/ *n* Arábia *f* Saudita

sauna /'sɔːnə/ *n* sauna *f*

saunter /'sɔːntə(r)/ *vi* perambular

sausage /'sɒsɪdʒ/ *n* salsicha *f*, linguiça *f*; (*precooked*) salsicha *f*

savage /'sævɪdʒ/ *a* (*wild*) selvagem; (*fierce*) cruel; (*brutal*) brutal □ *n* selvagem *mf* □ *vt* atacar ferozmente. ~**ry** *n* selvageria *f*, ferocidade *f*

sav|e /seɪv/ *vt* (*rescue*) salvar; (*keep*) guardar; (*money*) economizar; (time) ganhar; (prevent) evitar, impedir (from de) □ n (sport) salvamento m □ prep salvo, excepto. ~er n poupador m. ~ing n economia f, poupança f. ~ings npl economias fpl

saviour /'seɪvɪə(r)/ n salvador m

savour /'seɪvə(r)/ n sabor m □ vt saborear. ~y a (tasty) saboroso; (not sweet) salgado

saw[1] /sɔː/ see see[1]

saw[2] /sɔː/ n serra f □ vt (pt sawed, pp sawn or sawed) serrar

sawdust /'sɔːdʌst/ n serradura f

saxophone /'sæksəfəʊn/ n saxofone m

say /seɪ/ vt/i (pt said /sed/) dizer, falar □ n have a ~ (in sth) opinar sobre alg coisa. have one's ~ exprimir a sua opinião. I ~! olhe! or escute! ~ing n ditado m, provérbio m

scab /skæb/ n casca f, crosta f; (colloq: blackleg) fura-greves mf invar

scaffold /'skæfəʊld/ n cadafalso m, andaime m. ~ing /-əldɪŋ/ n andaime m

scald /skɔːld/ vt escaldar, queimar □ n queimadura f escaldão m

scale[1] /skeɪl/ n (of fish etc) escama f

scale[2] /skeɪl/ n (ratio, size) escala f; (mus) escala f; (of salaries, charges) tabela f. on a small/large/etc ~ numa pequena/grande/etc escala □ vt (climb) escalar. ~ down reduzir

scales /skeɪlz/ npl (for weighing) balança f

scallop /'skɒləp/ n (culin) concha f de vieira; (shape) concha f de vieira

scalp /skælp/ n couro m cabeludo □ vt escalpar

scalpel /'skælpl/ n bisturi m

scamper /'skæmpə(r)/ vi sair correndo

scampi /'skæmpɪ/ npl camarões mpl fritos

scan /skæn/ vt (pt scanned) (intently) perscrutar, esquadrinhar; (quickly) passar os olhos em; (med) examinar; (radar) explorar □ n (med) exame m

scandal /'skændl/ n (disgrace) escândalo m; (gossip) fofoca f. ~ous a escandaloso

Scandinavia /skændɪ'neɪvɪə/ n Escandinávia f. ~n a & n escandinavo m

scanty /'skæntɪ/ a (-ier, -iest) escasso; (clothing) sumário

scapegoat /'skeɪpɡəʊt/ n bode m expiatório

scar /skɑː(r)/ n cicatriz f □ vt (pt scarred) marcar; (fig) deixar marcas

scarc|e /skeəs/ a (-er, -est) escasso, raro. make o.s. ~e (colloq) fugir, (BR)dar o fora (colloq). ~ity n escassez f. ~ely adv mal, apenas

scare /skeə(r)/ vt assustar, apavorar. be ~d estar com medo (of de) □ n pavor m, pânico m. bomb ~ pânico m causado por suspeita de bomba num local

scarecrow /'skeəkrəʊ/ n espantalho m

scarf /skɑ:f/ n (pl **scarves**) (oblong) cachecol m; (square) lenço m de cabeça

scarlet /'skɑ:lət/ a escarlate m

scary /'skeərɪ/ a (-ier, -iest) (colloq) assustador

scathing /'skeɪðɪŋ/ a mordaz

scatter /'skætə(r)/ vt (strew) espalhar; (disperse) dispersar □ vi espalhar-se

scavenge /'skævɪndʒ/ vi procurar comida etc no lixo. ~r /-ə(r)/ n (person) que procura comida etc no lixo; (animal) que se alimenta de carniça

scenario /sɪ'nɑ:rɪəʊ/ n (pl -os) sinopse f, resumo m detalhado

scene /si:n/ n cena f; (of event) cenário m; (sight) vista f, panorama m. **behind the ~s** nos bastidores. **make a ~** fazer um escândalo

scenery /'si:nərɪ/ n cenário m, paisagem f; (theat) cenário m

scenic /'si:nɪk/ a pitoresco, cénico

scent /sent/ n (perfume) perfume m, fragância f; (trail) rasto m, pista f □ vt (discern) sentir. ~ed a perfumado

sceptic /'skeptɪk/ n céptico m. ~al a céptico. ~ism /-sɪzəm/ n cepticismo m

schedule /'ʃedju:l/ n programa m; (timetable) horário m □ vt marcar, programar. **according to ~** conforme planeado. **behind ~** atrasado. **on ~** (train) à tabela; (work) em dia. ~**d flight** n voo m regular

scheme /ski:m/ n esquema m; (plan of work) plano m; (plot) conspiração f, maquinação f □ vi planear; (pej) intrigar, maquinar, tramar

schism /'sɪzəm/ n cisma f

schizophreni|**a** /skɪt-səʊ'fri:nɪə/ n esquizofrenia f. ~**c** /'frenɪk/ a esquizofrénico

scholar /'skɒlə(r)/ n erudito m, estudioso m, escolar m. ~**ly** a erudito. ~**ship** n erudição f, saber m; (grant) bolsa f de estudo

school /sku:l/ n escola f, faculdade f □ a (age, year, holidays) escolar □ vt ensinar; (train) treinar, adestrar. ~**ing** n instrução f; (attendance) escolaridade f

school|**boy** /'sku:lbɔɪ/ n aluno m. ~**girl** n aluna f

school|**master** /'sku:lmɑ:stə(r)/, ~**mistress**, ~**teacher** ns professor m, professora f

schooner /'sku:nə(r)/ n escuna f; (glass) copo m alto

sciatica /saɪ'ætɪkə/ n ciática f

scien|**ce** /'saɪəns/ n ciência f. ~**ce fiction** ficção f científica. ~**tific** /'tɪfɪk/ a científico

scientist /'saɪəntɪst/ n cientista mf

scintillate /'sɪntɪleɪt/ vi cintilar; (fig: person) brilhar

scissors /'sɪzəz/ npl (**pair of**) ~ tesoura f

scoff[1] /skɒf/ vi ~ **at** troçar de

scoff[2] /skɒf/ vt (sl: eat) devorar, tragar

scold /skəʊld/ vt ralhar com. ~**ing** n descompostura f

scone /skɒn/ n (culin) scone m, bolinho m para o chá

scoop /skuːp/ n (for grain, sugar etc) pá f; (ladle) concha f; (news) furo m □ vt ~ **out** (hollow out) escavar, tirar com concha or pá. ~ **up** (lift) apanhar

scoot /skuːt/ vi (colloq) fugir, pôr-se a milhas (colloq)

scooter /ˈskuːtə(r)/ n (child's) trotinete m; (motor cycle) motoreta f, lambreta f

scope /skəʊp/ n âmbito m; (fig: opportunity) oportunidade f

scorch /skɔːtʃ/ vt/i chamuscar (-se), queimar (ao) de leve. ~ing a (colloq) escaldante, abrasador

score /skɔː(r)/ n (sport) contagem f; (mus) partitura f □ vt marcar com corte(s), riscar; (a goal) marcar; (mus) orquestrar □ vi marcar pontos; (keep score) fazer a contagem; (football) marcar um golo. **a** ~ **(of)** (twenty) uma vintena (de), vinte. ~**s** muitos, dezenas. **on that** ~ a esse respeito, quanto a isso. ~**-board** n marcador m. ~**r** /-ə(r)/ n (score-keeper) marcador m; (of goals) autor m

scorn /skɔːn/ n desprezo m □ vt desprezar. ~**ful** a desdenhoso, escarninho. ~**fully** adv com desdém, desdenhosamente

Scorpio /ˈskɔːpɪəʊ/ n (astr) Escorpião m

scorpion /ˈskɔːpɪən/ n escorpião m

Scot /skɒt/ n, ~**tish** a escocês m

Scotch /skɒtʃ/ a escocês □ n uísque m

scotch /skɒtʃ/ vt pôr fim a, frustrar

scot-free /skɒtˈfriː/ a impune □ adv impunemente

Scotland /ˈskɒtlənd/ n Escócia f

Scots /skɒts/ a escocês. ~**man** n escocês m. ~**woman** n escocesa f

scoundrel /ˈskaʊndrəl/ n patife m, canalha m

scour[1] /ˈskaʊə(r)/ vt (clean) esfregar, arear. ~**er** n esfregão m de palha de aço or de nylon

scour[2] /ˈskaʊə(r)/ vt (search) percorrer, esquadrinhar

scourge /skɜːdʒ/ n açoite m; (fig) flagelo m

scout /skaʊt/ n (mil) explorador m □ vi ~ **about (for)** andar à procura de

Scout /skaʊt/ n escuteiro m. ~**ing** n escutismo m

scowl /skaʊl/ n carranca f, ar m carrancudo □ vi fazer um ar carrancudo, carregar o sobrolho

scraggy /ˈskrægɪ/ a (-ier, -iest) descarnado, ossudo

scramble /ˈskræmbl/ vi trepar; (crawl) avançar de rastos, rastejar, arrastar-se □ vt (eggs) mexer □ n luta f, confusão f

scrap[1] /skræp/ n bocadinho m. ~**s** npl restos mpl □ vt (p scrapped) deitar fora; (plan etc) abandonar, pôr de lado. ~**-book** n álbum m de recortes. ~ **heap** monte m de ferro-velho. ~**-iron** n ferro m velho, sucata f. ~ **merchant** sucateiro m. ~**-paper** n papel *m* de rascunho. ~**py** *a* fragmentário

scrap² /skræp/ *n* (*colloq: fight*) briga *f*, pancadaria *f* (*colloq*), rixa *f*

scrape /skreɪp/ *vt* raspar; (*graze*) esfolar, arranhar □ *vi* (*graze, rub*) roçar □ *n* (*act of scraping*) raspagem *f*; (*mark*) raspão *m*, esfoladura *f*; (*fig*) encrenca *f*, maus lençóis *mpl*. ~ **through** escapar à tangente; (*exam*) passar à tangente. ~ **together** conseguir juntar. ~**r** /-ə(r)/ *n* raspadeira *f*

scratch /skrætʃ/ *vt/i* arranhar (-se); (*a line*) riscar; (*to relieve itching*) coçar(-se) □ *n* arranhão *m*; (*line*) risco *m*; (*wound with claw, nail*) unhada *f*. **start from** ~ começar do princípio. **up to** ~ à altura, ao nível requerido

scrawl /skrɔːl/ *n* rabisco *m*, garrancho *m*, garatuja *f* □ *vt/i* rabiscar, fazer garranchos, garatujar

scrawny /ˈskrɔːnɪ/ *a* (**-ier**, **-iest**) descarnado, ossudo, magricela

scream /skriːm/ *vt/i* gritar □ *n* grito *m* (agudo)

screech /skriːtʃ/ *vi* guinchar, gritar; (*of brakes*) chiar, guinchar □ *n* guincho *m*, grito *m* agudo

screen /skriːn/ *n* écran *m*, tela *f*; (*folding*) biombo *m*; (*fig: protection*) manto *m* (*fig*), capa *f* (*fig*) □ *vt* resguardar, tapar; (*film*) passar; (*candidates etc*) fazer a triagem de. ~**ing** *n* (*med*) exame *m* médico

screw /skruː/ *n* parafuso *m* □ *vt* aparafusar, atarraxar. ~ **up** (*eyes, face*) franzir; (*sl: ruin*) estragar. ~ **up one's courage** encher-se de coragem

screwdriver /ˈskruːdraɪvə(r)/ *n* chave *f* de parafusos *or* de fendas

scribble /ˈskrɪbl/ *vt/i* rabiscar, garatujar □ *n* rabisco *m*, garatuja *f*

script /skrɪpt/ *n* escrita *f*; (*of film*) guião *m*. ~**-writer** *n* (*film*) autor *m* do guião

Scriptures /ˈskrɪptʃəz/ *npl* **the** ~ a Sagrada Escritura

scroll /skrəʊl/ *n* rolo *m* (de papel ou pergaminho); (*archit*) voluta *f* □ *vt/i* (*comput*) passar na tela

scrounge /skraʊndʒ/ *vt* (*colloq: cadge*) cravar (*sl*) □ *vi* (*beg*) parasitar, viver à(s) custa(s) de alguém. ~**r** /-ə(r)/ *n* parasita *mf*, crava *mf* (*sl*)

scrub¹ /skrʌb/ *n* (*land*) mato *m*

scrub² /skrʌb/ *vt/i* (*pt* **scrubbed**) esfregar, lavar com escova e sabão; (*colloq: cancel*) cancelar □ *n* esfrega *f*

scruff /skrʌf/ *n* **by the ~ of the neck** pelo cachaço

scruffy /ˈskrʌfɪ/ *a* (**-ier, -iest**) desmazelado, desleixado, mal ajambrado (*colloq*)

scrum /skrʌm/ *n* rixa *f*; (*Rugby*) placagem *f*

scruple /ˈskruːpl/ *n* escrúpulo *m*

scrupulous /ˈskruːpjʊləs/ *a* escrupuloso. ~**ly** *adv* escrupulosamente. ~**ly clean** impecavel-mente limpo

scrutin|y /ˈskruːtɪnɪ/ *n* averiguação *f*, escrutínio *m*. **~ize** *vt* examinar em detalhe, escrutinar

scuff /skʌf/ *vt* (*scrape*) esfolar, raspar □ *n* esfoladura *f*

scuffle /ˈskʌfl/ *n* tumulto *m*, briga *f*

sculpt /skʌlpt/ *vt/i* esculpir. **~or** *n* escultor *m*. **~ure** /-tʃə(r)/ *n* escultura *f* □ *vt/i* esculpir

scum /skʌm/ *n* (*on liquid*) espuma *f*; (*pej: people*) gentinha *f*, escumalha *f*, ralé *f*

surf /skɜːf/ *n* películas *fpl*; (*dandruff*) caspa *f*

scurrilous /ˈskʌrɪləs/ *a* injurioso, insultuoso

scurry /ˈskʌrɪ/ *vi* dar corridinhas; (*hurry*) apressar- se. **~ off** escapulir-se

scurvy /ˈskɜːvɪ/ *n* escorbuto *m*

scuttle[1] /ˈskʌtl/ *n* (*bucket, box*) balde *m* para carvão

scuttle[2] /ˈskʌtl/ *vt* (*ship*) afundar abrindo rombos *or* as torneiras do fundo

scuttle[3] /ˈskʌtl/ *vi* **~ away** *or* **off** fugir, escapulir-se

scythe /saɪð/ *n* gadanha *f*, foice *f* grande

sea /siː/ *n* mar *m* □ *a* do mar, marinho, marítimo. **at ~** no alto mar, ao largo. **all at ~** desnorteado. **by ~** por mar. **~ bird** ave *f* marinha. **~~green** *a* verde-mar. **~ horse** cavalo-marinho *m*, hipocampo *m*. **~ level** nível *m* do mar. **~ lion** leão-marinho *m*. **~ shell** concha *f*. **~~shore** *n* litoral *m*; (*beach*) praia *f*. **~ water** água *f* do mar

seaboard /ˈsiːbɔːd/ *n* litoral *m*, costa *f*

seafarer /ˈsiːfeərə(r)/ *n* marinheiro *m*, navegante *m*

seafood /ˈsiːfuːd/ *n* marisco(s) *m* (*pl*)

seagull /ˈsiːgʌl/ *n* gaivota *f*

seal[1] /siːl/ *n* (*animal*) foca *f*

seal[2] /siːl/ *n* selo *m*, sinete *m* □ *vt* selar; (*with wax*) lacrar. **~ing-wax** *n* lacre *m*. **~ off** (*area*) vedar

seam /siːm/ *n* (*in cloth etc*) costura *f*; (*of mineral*) veio *m*, filão *m*. **~less** *a* sem costura

seaman /ˈsiːmən/ *n* (*pl* **-men**) marinheiro *m*, marítimo *m*

seamy /ˈsiːmɪ/ *a* **~ side** lado *m* (do) avesso; (*fig*) lado *m* sórdido

seance /ˈseɪɑːns/ *n* sessão *f* espírita

seaplane /ˈsiːpleɪn/ *n* hidroavião *m*

seaport /ˈsiːpɔːt/ *n* porto *m* de mar

search /sɜːtʃ/ *vt/i* revistar, dar busca (a); (*one's heart, conscience etc*) examinar □ *n* revista *f*, busca *f*; (*quest*) procura *f*, busca *f*; (*official*) inquérito *m*. **in ~ of** à procura de. **~ for** procurar. **~~party** *n* equipa *f* de busca. **~~warrant** *n* mandato *m* de busca. **~ing** *a* (*of look*) penetrante; (*of test etc*) minucioso

searchlight /ˈsɜːtʃlaɪt/ *n* holofote *m*

seasick /ˈsiːsɪk/ *a* enjoado. **~ness** *n* enjoo *m*

seaside /ˈsiːsaɪd/ *n* costa *f*,

praia f, beira-mar f. ~ **resort** n estância f balnear, praia f
season /'si:zn/ n (of year) estação f; (proper time) época f; (cricket, football etc) temporada f □ vt temperar; (wood) secar. **in** ~ na época. ~**able** a próprio da estação. ~**al** a sazonal. ~**ed** a (of people) experimentado. ~**ing** n tempero m. ~**ticket** n (train etc) passe m; (theatre etc) assinatura f
seat /si:t/ n assento m; (place) lugar m; (of bicycle) selim m; (of chair) assento m; (of trousers) fundilho m □ vt sentar; (have seats for) ter lugares sentados para. be ~**ed, take a** ~ sentar-se. ~ **of learning** centro m de cultura. ~**belt** n cinto m de segurança
seaweed /'si:wi:d/ n alga f marinha
seaworthy /'si:wɜ:ðɪ/ a navegável, em condições de navegabilidade
secateurs /'sekətɜ:z/ npl tesoura f de poda
seclude /sɪ'klu:d/ vt isolar. ~**ded** a isolado, retirado. ~**sion** /sɪ'klu:ʒn/ n isolamento m
second[1] /'sekənd/ a segundo □ n segundo m; (in duel) testemunha f. ~ **(gear)** (auto) segunda f (velocidade). **the** ~ **of April** dois de Abril. ~**s** (goods) artigos mpl de segunda or de refugo □ adv (in race etc) em segundo lugar □ vt secundar. ~**best** a escolhido em segundo lugar.

~**class** a de segunda classe. ~**hand** a em segunda mão □ n (on clock) ponteiro m dos segundos. ~**rate** a medíocre, de segunda ordem. ~ **thoughts** dúvidas fpl. **on** ~ **thoughts** pensando melhor. ~**ly** adv segundo, em segundo lugar
second[2] /sɪ'kɒnd/ vt (transfer) destacar (**to** para)
secondary /'sekəndrɪ/ a secundário. ~ **school** escola f secundária
secrecy /'si:krəsɪ/ n segredo m
secret /'si:krɪt/ a secreto □ n segredo m. **in** ~ em segredo. ~ **agent** n agente mf secreto. ~**ly** adv em segredo, secretamente
secretar|y /'sekrətrɪ/ n secretário m, secretária f. **S-y of State** Secretário m de Estado; (Amer) ministro m dos Negócios Estrangeiros. ~**ial** /'teərɪəl/ a (work, course etc) de secretária
secrete /sɪ'kri:t/ vt segregar; (hide) esconder. ~**ion** /-ʃn/ n secreção f
secretive /'si:krətɪv/ a misterioso, reservado
sect /sekt/ n seita f. ~**arian** /'teərɪən/ a sectário
section /'sekʃn/ n secção f; (of country, community etc) sector m; (district of town) zona f
sector /'sektə(r)/ n sector m
secular /'sekjʊlə(r)/ a secular, laico; (art, music etc) profano
secure /sɪ'kjʊə(r)/ a seguro, em segurança; (firm) seguro,

sólido; (in mind) tranquilo □ vt prender bem or com segurança; (obtain) conseguir, arranjar; (ensure) assegurar; (windows, doors) fechar bem. ~ly adv solidamente; (safely) em segurança

securit|y /sɪˈkjʊərətɪ/ n segurança f; (for loan) fiança f, caução f. ~ies npl (finance) títulos mpl

sedate /sɪˈdeɪt/ a sereno, comedido □ vt (med) tratar com sedativos

sedation /sɪˈdeɪʃn/ n (med) sedação f. under ~ sob o efeito de sedativos

sedative /ˈsedətɪv/ n (med) sedativo m

sedentary /ˈsedntrɪ/ a sedentário

sediment /ˈsedɪmənt/ n sedimento m, depósito m

seduce /sɪˈdjuːs/ vt seduzir

seduct|ion /sɪˈdʌkʃn/ n sedução f. ~ive /-tɪv/ a sedutor, aliciante

see[1] /siː/ vt/i (pt saw, pp seen) ver; (escort) acompanhar. ~ about or to tratar de, encarregar-se de. ~ off vt (wave goodbye) ir despedir-se de; (chase) acompanhar. ~ through (task) levar a cabo; (not be deceived by) não se deixar enganar por. ~ (to it) that assegurar que, tratar de fazer com que. ~ing that visto que, uma vez que. ~ you later! (colloq) até logo! (colloq)

see[2] /siː/ n sé f, bispado m

seed /siːd/ n semente f; (fig: origin) germe(n) m; (tennis) cabeça f de série; (pip) caroço m. go to ~ espigar; (fig) desmazelar-se (colloq). ~ling n planta f brotada a partir da semente

seedy /ˈsiːdɪ/ a (-ier, -iest) (com um ar) gasto, coçado; (colloq: unwell) abatido, deprimido, em baixo(colloq)

seek /siːk/ vt (pt sought) procurar; (help etc) pedir

seem /siːm/ vi parecer. ~ingly adv aparentemente, ao que parece

seemly /ˈsiːmlɪ/ adv decente, conveniente, próprio

seen /siːn/ see see[1]

seep /siːp/ vi (ooze) filtrar-se; (trickle) pingar, escorrer, passar. ~age n infiltração f

see-saw /ˈsiːsɔː/ n balouço m

seethe /siːð/ vi ~ with (anger) ferver de; (people) fervilhar de

segment /ˈsegmənt/ n segmento m; (of orange) gomo m

segregat|e /ˈsegrɪgeɪt/ vt segregar, separar. ~ion /-ˈgeɪʃn/ n segregação f

seize /siːz/ vt agarrar, deitar a mão a, apanhar; (take possession by force) apoderar-se de; (by law) apreender, confiscar, apresar □ vi ~ on (opportunity) aproveitar. ~ up (engine etc) gripar, emperrar. be ~d with (fear, illness) ter um ataque de

seizure /ˈsiːʒə(r)/ n (med) ataque m, crise f; (law) apreensão f, captura f

seldom /ˈseldəm/ adv raras vezes, raramente, raro

select /sɪˈlekt/ vt escolher, seleccionar □ *a* selecto. **~ion** /-/n/ *n* selecção *f*; (*comm*) sortido *m*

selective /sɪˈlektɪv/ *a* selectivo

self /self/ *n* (*pl* **selves**) **the ~** o eu, o ego

self- /self/ *pref* **~assurance** *n* segurança *f*. **~assured** *a* seguro de si. **~catering** *a* em que os hóspedes tem facilidades de cozinhar. **~centred** *a* egocêntrico. **~confidence** *n* autoconfiança *f*, confiança *f* em si mesmo. **~confident** *a* que tem confiança em si mesmo. **~conscious** *a* inibido, constrangido. **~contained** *a* independente. **~control** *n* auto-domínio *m*. **~controlled** *a* senhor de si. **~defence** *n* legítima defesa *f*. **~denial** *n* abnegação *f*. **~employed** *a* autónomo. **~esteem** *n* amor m próprio. **~evident** *a* evidente. **~indulgent** *a* que não resiste a tentações; (*for ease*) comodista. **~interest** *n* interesse *m* pessoal. **~portrait** *n* auto-retrato *m*. **~possessed** *a* senhor de si. **~reliant** *a* independente, seguro de si. **~respect** *n* amor m próprio. **~righteous** *a* que se tem em boa conta. **~sacrifice** *n* abnegação *f*, sacrifício *m*. **~satisfied** *a* cheio de si, convencido (*colloq*). **~seeking** *a* egoísta. **~service** *n* auto-serviço, self-service. **~styled** *a* pretenso. **~sufficient** *a* auto-suficiente. **~willed** *a* voluntarioso

selfish /ˈselfɪʃ/ *a* egoísta; (*motive*) interesseiro. **~ness** *n* egoísmo *m*

selfless /ˈselflɪs/ *a* desinteressado

sell /sel/ *vt/i* (*pt* **sold**) vender(-se). **~by date** válido até ~ **off** liquidar. **be sold out** estar esgotado. **~out** *n* (*show*) sucesso *m*; (*colloq: betrayal*) traição *f*. **~er** *n* vendedor *m*

Sellotape /ˈseləʊteɪp/ *n* fita *f* adesiva, fita-cola *f*

semantic /sɪˈmæntɪk/ *a* semântico. **~s** *n* semântica *f*

semblance /ˈsembləns/ *n* aparência *f*

semen /ˈsiːmən/ *n* sémen *m*, esperma *m*

semester /sɪˈmestə(r)/ *n* (*Amer: univ*) semestre *m*

semi- /ˈsemɪ/ *pref* semi-, meio

semibreve /ˈsemɪbriːv/ *n* (*mus*) semibreve *f*

semicircle /ˈsemɪsɜːkl/ *n* semicírculo *m*. **~ular** /-sɜːkjʊlə(r)/ *a* semicircular

semicolon /semɪˈkəʊlən/ *n* ponto-e-vírgula *m*

semi-detached /semɪdɪˈtætʃt/ *a* **~ house** casa *f* geminada

semifinal /semɪˈfaɪnl/ *n* meia-final *f*

seminar /ˈseminɑː(r)/ *n* seminário *m*

semiquaver /ˈsemɪkweɪvə(r)/ *n* (*mus*) semicolcheia *f*

Semit|e /ˈsiːmaɪt/ *a* & *n* semita *mf*. **~ic** /sɪˈmɪtɪk/ *a* & *n* (*lang*) semítico *m*

semitone /ˈsemɪtəʊn/ *n* (*mus*) semitom *m*

semolina /seməˈliːnə/ *n* sémola *f*, semolina *f*

senat|e /'senɪt/ n senado m.
~or /-ətə(r)/ n senador m

send /send/ vt/i (pt sent) enviar, mandar. ~ back devolver. ~ for (person) chamar,
mandar vir; (help) pedir. ~
(away or off) for encomendar, mandar vir (por carta).
~-off n despedida f, bota-
-fora m. ~ up (colloq) parodiar. ~er n expedidor m, re-
metente m

senil|e /'si:naɪl/ a senil. ~ity
/sɪ'nɪlətɪ/ n senilidade f

senior /'si:nɪə(r)/ a mais velho, mais idoso (to que); (in
rank) superior; (in service)
mais antigo; (after surname)
sénior □ n pessoa f mais velha; (schol) finalista mf. ~
citizen pessoa f de idade or
da terceira idade. ~ity /ɪərə-
tɪ/ n (in age) idade f; (in service) antiguidade f

sensation /sen'seɪʃn/ n sensação f. ~al a sensacional.
~alism n sensacionalismo m

sense /sens/ n sentido m; (wisdom) bom senso m; (sensa-
tion) sensação f; (mental impression) sentimento m. ~s
(sanity) razão f □ vt pressen-
tir. make ~ fazer sentido.
make ~ of compreender.
~less a disparatado, sem
sentido; (med) sem sentidos,
inconsciente

sensible /'sensəbl/ a sensato,
razoável; (clothes) prático

sensitiv|e /'sensətɪv/ a sensível
(to a); (touchy) susceptível.
~ity /ɪvətɪ/ n sensibilidade f

sensory /'sensərɪ/ a sensorial

sensual /'senʃʊəl/ a sensual.
~ity /'ælətɪ/ n sensualidade f

sensuous /'senʃʊəs/ a sensual

sent /sent/ see send

sentence /'sentəns/ n frase f;
(jur: decision) sentença f;
(punishment) pena f □ vt ~
to condenar a

sentiment /'sentɪmənt/ n sentimento m; (opinion) modo m
de ver

sentimental /sentɪ'mentl/ a
sentimental. ~ity /-men'tælə-
tɪ/ n sentimentalidade f, sen-
timentalismo m. ~ value valor m estimativo

sentry /'sentrɪ/ n sentinela f

separable /'sepərəbl/ a separável

separate¹ /'seprət/ a separado,
diferente. ~s npl (clothes)
conjuntos mpl. ~ly adv sepa-
radamente, em separado

separat|e² /'sepəreɪt/ vt/i sepa-
rar (-se). ~ion /reɪʃn/ n separação f

September /sep'tembə(r)/ n
Setembro m

septic /'septɪk/ a séptico, in-
fectado

sequel /'si:kwəl/ n resultado
m, sequela f; (of novel, film)
continuação f

sequence /'si:kwəns/ n sequência f

sequin /'si:kwɪn/ n lantejoula f

serenade /serə'neɪd/ n serenata f □ vt fazer uma serenata
a

seren|e /sɪ'ri:n/ a sereno. ~ity
/'enətɪ/ n serenidade f

sergeant /'sɑ:dʒənt/ n sargento
m

serial /'sɪərɪəl/ n folhetim m □
a (number) de série. ~ize
/-laɪz/ vt publicar em folhetim

series /ˈsɪərɪːz/ n invar série f
serious /ˈsɪərɪəs/ a sério; (very bad, critical) grave, sério. **~ly** adv seriamente, gravemente, a sério. **take ~ly** levar a sério. **~ness** n seriedade f, gravidade f
sermon /ˈsɜːmən/ n sermão m
serpent /ˈsɜːpənt/ n serpente f
serrated /sɪˈreɪtɪd/ a (edge) serr(e)ado, com serrilha
serum /ˈsɪərəm/ n (pl **-a**) soro m
servant /ˈsɜːvənt/ n criado m, criada f, empregado m, empregada f
serv|e /sɜːv/ vt/i servir; (a sentence) cumprir; (jur: a writ) entregar; (mil) servir, prestar serviço; (apprenticeship) fazer □ n (tennis) serviço m. **~e as/to** servir de/para. **~e its purpose** servir para o que é (colloq), servir os seus fins. **it ~es you/him etc right** é bem feito. **~ing** n (portion) dose f, porção f
service /ˈsɜːvɪs/ n serviço m; (relig) culto m; (tennis) serviço m; (maintenance) revisão f. **~s** (mil) forças fpl armadas □ vt (car etc) fazer a revisão de. **of ~ to** útil a, de utilidade para. **~ area** área f de serviço. **~ charge** serviço m. **~ station** estação f de serviço
serviceable /ˈsɜːvɪsəbl/ a (of use, usable) útil, prático; (durable) resistente; (of person) prestável
serviceman /ˈsɜːvɪsmən/ n (pl **-men**) militar m
serviette /ˌsɜːvɪˈet/ n guardanapo m

servile /ˈsɜːvaɪl/ a servil
session /ˈseʃn/ n sessão f; (univ) ano m académico; (Amer: univ) semestre m. **in ~** (sitting) em sessão, reunidos
set /set/ vt (pt **set**, pres p **setting**) pôr, colocar; (put down) pousar; (limit etc) fixar; (watch, clock) regular; (example) dar; (exam, task) marcar; (in plaster) engessar □ vi (of sun) pôr-se; (of jelly) endurecer, solidificar(-se) □ n (of people) círculo m, roda f; (of books) colecção f; (of tools, chairs etc) jogo m; (TV, radio) aparelho m; (hair) mise f; (theat) cenário m; (tennis) partida f, set m □ a fixo; (habit) inveterado; (jelly) duro, sólido; (book) do programa adoptado; (meal) a preço fixo. **be ~ on doing** estar decidido a fazer. **~ about** or **to** começar a, pôr-se a. **~ back** (plans etc) atrasar; (sl: cost) custar. **~-back** n revés m, contratempo m, atraso m de vida (colloq). **~ fire to** deitar fogo a. **~ free** pôr em liberdade. **~ in** (rain etc) pegar. **~ off** or **out** partir, pôr-se a caminho. **~ off** (mechanism) pôr a funcionar; (bomb) explodir; (by contrast) realçar. **~ out** (state) expor; (arrange) dispor. **~ sail** partir, fazer-se à vela. **~ square** esquadro m. **~ the table** pôr a mesa. **~ theory** teoria f de conjuntos. **~-to** briga f. **~ up** (establish) fundar, esta-

belecer. **~-up** n (system) sistema m, organização f; (situation) situação f

settee /se'ti:/ n sofá m

setting /'setIŋ/ n (framework) quadro m; (of jewel) engaste m; (typ) composição f; (mus) arranjo m musical

settle /'setl/ vt (arrange) resolver; (date) marcar; (nerves) acalmar; (doubts) esclarecer; (new country) colonizar, povoar; (bill) pagar □ vi assentar; (in country) estabelecer-se; (in house, chair etc) instalar-se; (weather) estabilizar-se. **~ down** acalmar-se; (become orderly) assentar; (sit, rest) instalar-se. **~ for** aceitar. **~ up (with)** fazer contas (com); (fig) ajustar contas (com). **~r** /-ə(r)/ n colono m, colonizador m

settlement /'setlmənt/ n (agreement) acordo m; (payment) pagamento m; (colony) colónia f; (colonization) colonização f

seven /'sevn/ a & n sete m. **~th** a & n sétimo m

seventeen /sevn'ti:n/ a & n dezassete m. **~th** a & n décimo sétimo m

sevently /'sevntI/ a & n setenta m. **~ieth** a & n septuagésimo m

sever /'sevə(r)/ vt cortar. **~ance** n corte m

several /'sevrəl/ a & pron vários, diversos

severle /sI'vIə(r)/ a (-er, -est) severo; (pain) forte, violento; (illness) grave; (winter) rigoroso. **~ely** adv severamente; (seriously) gravemente. **~ity** /sI'verItI/ n severidade f; (seriousness) gravidade f

sew /səʊ/ vt/i (pt sewed, pp sewn or sewed) coser, costurar. **~ing** n costura f. **~ing-machine** n máquina f de costura

sewage /'sju:Idʒ/ n efluentes mpl dos esgotos, detritos mpl

sewer /'sju:ə(r)/ n cano m de esgoto

sewn /səʊn/ see **sew**

sex /seks/ n sexo m □ a sexual. **have ~** ter relações. **~ maniac** tarado m sexual. **~y** a sexy invar, que tem sexappeal

sexist /'seksIst/ a & n sexista mf

sexual /'sekʃʊəl/ a sexual. **~ harassment** assédio m sexual. **~ intercourse** relações fpl sexuais. **~ity** /'ælətI/ n sexualidade f

shabb|y /'ʃæbI/ a (-ier, -iest). (clothes, object) gasto, coçado; (person) maltrapilho, mal vestido; (mean) miserável. **~ily** adv miseravelmente

shack /ʃæk/ n cabana f, barraca f

shackles /'ʃæklz/ npl grilhões mpl, algemas fpl

shade /ʃeId/ n sombra f; (of colour) tom m, matiz m; (of opinion) matiz m; (for lamp) abat-jour m, quebra-luz m; (Amer: blind) estore m □ vt resguardar da luz; (darken) sombrear. **a ~ bigger**/etc ligeiramente maior/*etc*. **in the ~** à sombra

shadow /ˈʃædəʊ/ n sombra *f* □ *vt* cobrir de sombra; (*follow*) seguir, vigiar. **S~ Cabinet** governo *m* sombra *~y a* ensombrado, sombreado; (*fig*) vago, indistinto

shady /ˈʃeɪdɪ/ *a* (**-ier, -iest**) que dá sombra; (*in shade*) à sombra; (*fig: dubious*) suspeito, duvidoso

shaft /ʃɑːft/ n (*of arrow, spear*) haste *f*; (*axle*) eixo *m*, veio *m*; (*of mine, lift*) poço *m*; (*of light*) raio *m*

shaggy /ˈʃægɪ/ *a* (**-ier, -iest**) (*beard*) hirsuto; (*hair*) desgrenhado; (*animal*) peludo, felpudo

shake /ʃeɪk/ *vt* (*pt* **shook**, *pp* **shaken**) abanar, sacudir; (*bottle*) agitar; (*belief, house etc*) abalar □ *vi* estremecer, tremer □ n (*violent*) abanão *m*, safanão *m*; (*light*) sacudidela *f*. **~ hands with** apertar a mão de. **~ off** (*get rid of*) sacudir, livrar-se de. **~ one's head** (*to say no*) fazer que não com a cabeça. **~ up** agitar. **~-up** n (*upheaval*) reviravolta *f*

shaky /ˈʃeɪkɪ/ *a* (**-ier, -iest**) (*hand, voice*) trémulo; (*unsteady, unsafe*) pouco firme, inseguro; (*weak*) fraco

shall /ʃæl/; *unstressed* /ʃəl/ *v aux* **I/we ~ do** (*future*) farei/faremos. **I/you/he ~ do** (*command*) eu hei-de/tu hás-de/ele há-de fazer

shallot /ʃəˈlɒt/ n chalota *f*

shallow /ˈʃæləʊ/ *a* (**-er, -est**) pouco fundo, raso; (*fig*) superficial

sham /ʃæm/ n fingimento *m*; (*jewel etc*) imitação *f*; (*person*) impostor *m*, fingido *m* □ *a* fingido; (*false*) falso □ *vt* (*pt* **shammed**) fingir

shambles /ˈʃæmblz/ *npl* (*colloq: mess*) balbúrdia *f*, trapalhada *f*

shame /ʃeɪm/ n vergonha *f* □ *vt* (fazer) envergonhar. **it's a ~** é uma pena. **what a ~!** que pena! **~ful** a vergonhoso. **~less** *a* sem vergonha, descarado; (*immodest*) despudorado, desavergonhado

shamefaced /ˈʃeɪmfeɪst/ *a* envergonhado

shampoo /ʃæmˈpuː/ n champô *m*, shampoo *m* □ *vt* lavar com champô *or* shampoo

shan't /ʃɑːnt/ = **shall not**

shanty /ˈʃæntɪ/ n barraca *f*. **~ town** bairro(s) *m*(*pl*) de lata, (*Br*) favela *f*

shape /ʃeɪp/ n forma *f* □ *vt* moldar □ *vi* **~ (up)** andar bem, fazer progressos. **take ~** concretizar-se, avançar. **~less** *a* informe, sem forma; (*of body*) deselegante, disforme

shapely /ˈʃeɪplɪ/ *a* (**-ier, -iest**) (*leg, person*) bem feito, elegante

share /ʃeə(r)/ n parte *f*, porção *f*; (*comm*) acção *f* □ *vt/i* partilhar (with, com, **in** de)

shareholder /ˈʃeəhəʊldə(r)/ n accionista *mf*

shark /ʃɑːk/ n tubarão *m*

sharp /ʃɑːp/ *a* (**-er, -est**) (*knife, pencil etc*) afiado; (*pin,* *point etc*) pontiagudo, aguçado; (*words, reply*) áspero; (*of bend*) fechado; (*acute*) agudo; (*sudden*) brusco; (*dishonest*) pouco honesto; (*well-defined*) nítido; (*brisk*) rápido, vigoroso; (*clever*) vivo □ *adv* (*stop*) de repente □ *n* (*mus*) sustenido *m*. **six o'clock ~** seis horas em ponto. **~ly** *adv* (*harshly*) rispidamente; (*suddenly*) de repente

sharpen /ˈʃɑːpən/ *vt* aguçar; (*pencil*) afiar; (*knife etc*) afiar, amolar. **~er** *n* afiadeira *f*; (*for pencil*) apára-lápis *m*, afia-lápis *m*

shatter /ˈʃætə(r)/ *vt/i* despedaçar (-se), esmigalhar(-se); (*hopes*) destruir(-se); (*nerves*) abalar(-se). **~ed** *a* (*upset*) passado; (*exhausted*) estourado (*colloq*)

shav|e /ʃeɪv/ *vt/i* barbear(-se), fazer a barba (de) □ *n* **have a ~e** barbear-se. **have a close ~e** (*fig*) escapar por um triz. **~en** *a* barbeado. **~er** *n* máquina *f* de barbear. **~ing-brush** *n* pincel *m* para a barba. **~ing-cream** *n* creme *m* de barbear

shaving /ˈʃeɪvɪŋ/ *n* acto *m* de fazer a barba

shawl /ʃɔːl/ *n* xaile *m*

she /ʃiː/ *pron* ela □ *n* fêmea *f*

sheaf /ʃiːf/ *n* (*pl* **sheaves**) feixe *m*; (*of papers*) maço *m*, molho *m*

shear /ʃɪə(r)/ *vt* (*pp* **shorn** *or* **sheared**) (*sheep etc*) tosquiar

shears /ʃɪəz/ *npl* tesoura *f* para jardim

sheath /ʃiːθ/ *n* (*pl* **~s** /ʃiːðz/) bainha *f*; (*condom*) preservativo *m*, camisa-de-Vénus *f*

sheathe /ʃiːð/ *vt* embainhar

shed[1] /ʃed/ *n* (*hut*) casinhoto *m*; (*for cows*) estábulo *m*

shed[2] /ʃed/ (*pt* **shed**, *pres p* **shedding**) perder, deixar cair; (*spread*) espalhar; (*blood, tears*) deitar, derramar. **~ light on** lançar luz sobre

sheen /ʃiːn/ *n* brilho *m*, lustre *m*

sheep /ʃiːp/ *n* (*pl invar*) carneiro *m*, ovelha *f*. **~-dog** *n* cão *m* de pastor

sheepish /ˈʃiːpɪʃ/ *a* encabulado. **~ly** *adv* com um ar encabulado

sheepskin /ˈʃiːpskɪn/ *n* pele *f* de carneiro; (*leather*) carneira *f*

sheer /ʃɪə(r)/ *a* mero, simples; (*steep*) íngreme, a pique; (*fabric*) diáfano, transparente □ *adv* a pique, verticalmente

sheet /ʃiːt/ *n* lençol *m*; (*of glass, metal*) chapa *f*, placa *f*; (*of paper*) folha *f*

sheikh /ʃeɪk/ *n* xeque *m*, sheik *m*

shelf /ʃelf/ *n* (*pl* **shelves**) prateleira *f*

shell /ʃel/ *n* (*of egg, nut etc*) casca *f*; (*of mollusc*) concha *f*; (*of ship, tortoise*) casco *m*; (*of building*) estrutura *f*, armação *f*; (*of explosive*) cartucho *m* □ *vt* descascar; (*mil*) bombardear

shellfish /ˈʃelfɪʃ/ *n* (*pl invar*) crustáceo *m*; (*as food*) marisco *m*

shelter /ˈʃeltə(r)/ n abrigo m, refúgio m □ vt abrigar; (*protect*) proteger; (*harbour*) dar asilo a □ vi abrigar-se, refugiar-se. **~ed** a (*life etc*) protegido; (*spot*) abrigado

shelve /ʃelv/ vt pôr em prateleiras; (*fit with shelves*) pôr prateleiras em; (*fig: put aside*) pôr na prateleira, pôr de lado

shelving /ˈʃelvɪŋ/ n (*shelves*) prateleiras fpl

shepherd /ˈʃepəd/ n pastor m □ vt guiar. **~'s pie** empadão m de batata e carne picada

sheriff /ˈʃerɪf/ n xerife m

sherry /ˈʃerɪ/ n Xerez m

shield /ʃiːld/ n (*armour, heraldry*) escudo m; (*screen*) anteparo m □ vt proteger (**from** contra, de)

shift /ʃɪft/ vt/i mudar de posição, deslocar(-se); (*exchange, alter*) mudar de □ n mudança f; (*workers; work*) turno m. **make ~** arranjar-se

shiftless /ˈʃɪftlɪs/ a (*lazy*) molengão, preguiçoso

shifty /ˈʃɪftɪ/ a (**-ier, -iest**) velhaco, duvidoso

shimmer /ˈʃɪmə(r)/ vi luzir suavemente □ n luzir m

shin /ʃɪn/ n perna f. **~-bone** n tíbia f, canela f. **~-pad** n (*football*) caneleira f

shin|e /ʃaɪn/ vt/i (*pt* **shone**) (fazer) brilhar, fazer(?) reluzir; (*shoes*) engraxar □ n lustro m. **~e a torch (on)** iluminar com uma lanterna de mão. **the sun is ~ing** faz sol

shingle /ˈʃɪŋɡl/ n (*pebbles*) seixos mpl

shingles /ˈʃɪŋɡlz/ npl med zona f, herpes- zóster f

shiny /ˈʃaɪnɪ/ a (**-ier, -iest**) brilhante; (*of coat, trousers*) lustroso

ship /ʃɪp/ n barco m, navio m □ vt (*pt* **shipped**) transportar; (*send*) mandar por via marítima; (*load*) embarcar. **~ment** n (*goods*) carregamento m; (*shipping*) embarque m. **~per** n expedidor m. **~ping** n navegação f; (*ships*) navios mpl

shipbuilding /ˈʃɪpbɪldɪŋ/ n construção f naval

shipshape /ˈʃɪpʃeɪp/ adv & a em (perfeita) ordem, impecável

shipwreck /ˈʃɪprek/ n naufrágio m. **~ed** a naufragado. **be ~ed** naufragar

shipyard /ˈʃɪpjɑːd/ n estaleiro m

shirk /ʃɜːk/ vt fugir a, furtar-se a, baldar-se a (*sl*). **~er** n parasita mf

shirt /ʃɜːt/ n camisa f; (*of woman*) blusa f. **in ~-sleeves** em mangas de camisa

shiver /ˈʃɪvə(r)/ vi arrepiar-se, tiritar □ n arrepio m

shoal /ʃəʊl/ n (*of fish*) cardume m

shock /ʃɒk/ n choque m, embate m; (*electr*) choque m eléctrico; (*med*) choque m □ a de choque □ vt chocar. **~ absorber** (*mech*) amortecedor m. **~ing** a chocante; (*colloq: very bad*) horrível

shod /ʃɒd/ *see* **shoe**

shodd|y /ˈʃɒdɪ/ a (**-ier, -iest**) mal feito, ordinário, de má qualidade. **~ily** adv mal

shoe /ʃuː/ n sapato m; (footwear) calçado m; (horse) ferradura f; (brake) calço m (de travão) ☐ vt (pt **shod**, pres p **shoeing**) (horse) ferrar. ~~**polish** n graxa f para sapatos. ~~**shop** n sapataria f. **on a** ~~**string** (colloq) com/por muito pouco dinheiro, por tuta e meia (colloq)

shoehorn /ʃuːhɔːn/ n calçadeira f

shoelace /ʃuːleɪs/ n atacador m

shoemaker /ʃuːmeɪkə(r)/ n sapateiro m

shone /ʃɒn/ see **shine**

shoo /ʃuː/ vt enxotar ☐ int (Br) xô

shook /ʃʊk/ see **shake**

shoot /ʃuːt/ vt (pt **shot**) (gun) disparar; (glance, missile) lançar; (kill) matar a tiro; (wound) ferir a tiro; (execute) executar, fuzilar; (hunt) caçar; (film) filmar, rodar ☐ vi disparar, atirar (**at** contra, sobre); (bot) rebentar; (football) rematar ☐ n (bot) rebento m. ~ **down** abater (a tiro). ~ **in/out** (rush) entrar/sair a correr or disparado. ~ **up** (spurt) jorrar; (grow quickly) crescer a olhos vistos, dar um pulo; (prices) subir em disparada. ~ n (shots) tiroteio m. ~~**ing-range** n carreira f de tiro. ~~**ing star** estrela f cadente

shop /ʃɒp/ n loja f; (workshop) oficina f ☐ vi (pt **shopped**) fazer compras. ~ **around** procurar, ver o que

há. ~ **assistant** empregado m, caixeiro m; vendedor m. ~~**floor** n (workers) trabalhadores mpl. ~~**per** n comprador m. ~~**soiled**, (Amer) ~~**worn** adjs enxovalhado. ~ **steward** delegado m sindical. ~ **window** montra f. **talk** ~ falar de coisas profissionais

shopkeeper /ʃɒpkiːpə(r)/ n lojista mf, comerciante mf

shoplift|er /ʃɒplɪftə(r)/ n gatuno m de lojas. ~~**ing** n furto m em lojas

shopping /ʃɒpɪŋ/ n (goods) compras fpl. **go** ~ ir às compras. ~ **bag** sacola f de compras. ~ **centre** centro m comercial

shore /ʃɔː(r)/ n (of sea) praia f, costa f; (of lake) margem f

shorn /ʃɔːn/ see **shear** ☐ a tosquiado. ~ **of** despojado de

short /ʃɔːt/ a (-**er**, -**est**) curto; (person) baixo; (brief) breve, curto; (curt) seco, brusco. **be** ~ **of** (lack) ter falta de ☐ adv (abruptly) bruscamente, de repente. **cut** ~ abreviar; (interrupt) interromper ☐ n (electr) curto-circuito m; (film) curta-metragem f. ~**s** (trousers) calções mpl, shorts mpl. **a** ~ **time** pouco tempo. **he is called Tom for** ~ o diminutivo de é Tom. **in** ~ em suma. ~~**change** vt (cheat) enganar. ~ **circuit** (electr) curto-circuito m. ~~**circuit** vt/i (electr) fazer or dar um curto-circuito (em). ~ **cut** atalho m. ~~**handed** a com falta de pessoal.

~ list pré-selecção f. **~-lived** a de pouca duração. **~-sighted** a míope, curto de vista. **~-tempered** a irritadiço. **~-story** conto m. **~ wave** (*radio*) onda(s) f(pl) curta(s)

shortage /ˈʃɔːtɪdʒ/ n falta f, escassez f

shortbread /ˈʃɔːtbred/ n shortbread m, biscoito m de massa amanteigada

shortcoming /ˈʃɔːtkʌmɪŋ/ n falha f, imperfeição f

shorten /ˈʃɔːtn/ vt/i encurtar(-se), abreviar(-se), diminuir

shorthand /ˈʃɔːthænd/ n estenografia f. **~ typist** estenodactilógrafa f

shortly /ˈʃɔːtlɪ/ adv (*soon*) em breve, dentro em pouco

shot /ʃɒt/ see **shoot** □ n (*firing, bullet*) tiro m; (*person*) atirador m; (*pellets*) chumbo m; (*photograph*) fotografia f; (*injection*) injecção f; (*in golf, billiards*) tacada f. **go like a ~** ir disparado. **have a ~ (at sth)** experimentar (fazer alg coisa). **~-gun** n espingarda f, caçadeira f

should /ʃʊd/; *unstressed* /ʃəd/ v aux **you ~ help me** devias ajudar-me. **I ~ have stayed** devia ter ficado. **I ~ like to** gostaria de or gostava de. **if he ~ come** se ele vier

shoulder /ˈʃəʊldə(r)/ n ombro m □ vt (*responsibility*) tomar, assumir; (*burden*) carregar, arcar com. **~-blade** n (*anat*) omoplata f. **~-pad** n enchimento m de ombro, ombreira f

shout /ʃaʊt/ n grito m, brado m; (*very loud*) berro m □ vt/i gritar (**at** com); (*very loudly*) berrar (**at** com). **~ down** fazer calar com gritos. **~ing** n gritaria f, berraria f

shove /ʃʌv/ n empurrão m □ vt/i empurrar; (*colloq: put*) meter, enfiar. **~ off** (*colloq: depart*) começar a andar (*colloq*), cavar (*colloq*), (*Br*) dar o fora (*colloq*)

shovel /ˈʃʌvl/ n pá f; (*machine*) escavadora f □ vt (pt **shovelled**) remover com pá

show /ʃəʊ/ vt (pt **showed**, pp **shown**) mostrar; (*of dial, needle*) marcar; (*put on display*) expor; (*film*) dar, passar □ vi ver-se, aparecer, estar à vista □ n mostra f, demonstração f, manifestação f; (*ostentation*) alarde m, espalhafato m; (*exhibition*) mostra f, exposição f; (*theatre, cinema*) espectáculo m, show m. **for ~** para fazer vista. **on ~** exposto, em exposição. **~-down** n confrontação f. **~-jumping** n concurso m hípico. **~ in** mandar entrar. **~ off** vt exibir, ostentar □ vi exibir-se, querer fazer figura. **~-off** n exibicionista mf. **~ out** acompanhar à porta. **~-piece** n peça f digna de se expor. **~ up** ser claramente visível, ver-se bem; (*colloq: arrive*) aparecer. **~ing** n (*performance*) actuação f, performance f; (*cinema*) exibição f

shower /ˈʃaʊə(r)/ n (*of rain*) aguaceiro m, chuvada f; (*of blows etc*) saraivada f; (*in* bathroom) chuveiro m, duche m □ vt ~ **with** cumular de, encher de □ vi tomar um banho de chuveiro or um duche. **~y** a chuvoso

showerproof /ˈʃaʊəpruːf/ a impermeável

shown /ʃəʊn/ see **show**

showroom /ˈʃəʊrʊm/ n espaço m de exposição, show-room m; (for cars) stand m

showy /ˈʃəʊɪ/ a (**-ier, -iest**) vistoso; (too bright) berrante; (pej) espalhafatoso

shrank /ʃræŋk/ see **shrink**

shred /ʃred/ n tira f, retalho m, farrapo m; (fig) mínimo m, sombra f □ vt (pt **shredded**) reduzir a tiras, estraçalhar; (culin) desfiar. **~der** n trituradora f

shrewd /ʃruːd/ a (**-er, -est**) astucioso, fino, perspicaz. **~ness** n astúcia f, perspicácia f

shriek /ʃriːk/ n grito m agudo, guincho m □ vt/i gritar, guinchar

shrift /ʃrɪft/ n **give sb short ~** tratar alguém com brusquidão, despachar alguém sem mais cerimónias

shrill /ʃrɪl/ a estridente, agudo

shrimp /ʃrɪmp/ n camarão m

shrine /ʃraɪn/ n (place) santuário m; (tomb) túmulo m; (casket) relicário m

shrink /ʃrɪŋk/ vt/i (pt **shrank**, pp **shrunk**) encolher; (recoil) encolher-se. **~ from** esquivar-se a, fugir a (+ inf)/de (+ noun), retrair-se de. **~age** n encolhimento m; (comm) contracção f

shrivel /ˈʃrɪvl/ vt/i (pt **shrivelled**) encarquilhar(-se)

shroud /ʃraʊd/ n mortalha f □ vt (veil) encobrir, envolver

Shrove /ʃrəʊv/ n ~ **Tuesday** Terça-feira f gorda or de Carnaval

shrub /ʃrʌb/ n arbusto m. **~bery** n arbustos mpl

shrug /ʃrʌg/ vt (pt **shrugged**) ~ **one's shoulders** encolher os ombros □ n encolher de ombros. ~ **off** não dar importância a

shrunk /ʃrʌŋk/ see **shrink**. **~en** a encolhido; (person) mirrado, chupado

shudder /ˈʃʌdə(r)/ vi arrepiar-se, estremecer, tremer □ n arrepio m, tremor m, estremecimento m. **I ~ to think** tremo só de pensar

shuffle /ˈʃʌfl/ vt (feet) arrastar; (cards) baralhar □ vi arrastar os pés □ n marcha f arrastada

shun /ʃʌn/ vt (pt **shunned**) evitar, fugir de

shunt /ʃʌnt/ vt/i (train) mudar de linha, manobrar

shut /ʃʌt/ vt (pt **shut**, pres p **shutting**) fechar □ vi fechar-se; (shop, bank etc) encerrar, fechar. ~ **down** or **up** fechar. **~-down** n encerramento m. ~ **in** or **up** trancar. ~ **up** (colloq: stop talking) calar-se □ vt (colloq: silence) mandar calar. ~ **up!** (colloq) cale-se!, cala a boca!

shutter /ˈʃʌtə(r)/ n taipais mpl, portada f de madeira; (of laths) persiana f; (in *shop*) taipais *mpl*; (*photo*) obturador *m*

shuttle /'ʃʌtl/ *n* (*of spaceship*) vai-vém *m* espacial. ~ **service** (*plane*) ponte *f* aérea; (*bus*) navete *f*

shuttlecock /'ʃʌtlkɒk/ *n* volante *m*

shy /ʃaɪ/ *a* (-er, -est) tímido, acanhado, envergonhado □ *vi* (*horse*) espantar-se (at com); (*fig*) assustar-se (at *or* away from com). ~ness *n* timidez *f*, acanhamento *m*, vergonha *f*

Siamese /saɪə'miːz/ *a* & *n* siamês *m*. ~ cat gato *m* siamês

Sicily /'sɪsɪlɪ/ *n* Sicília *f*

sick /sɪk/ *a* doente; (*humour*) negro. be ~ (*vomit*) vomitar. be ~ of estar farto de. feel ~ estar enjoado. ~-bay *n* enfermaria *f*, acanhamento *m*. ~-leave *n* licença *f* por doença ~-room *n* quarto *m* de doente

sicken /'sɪkn/ *vt* (*distress*) desesperar; (*disgust*) repugnar □ *vi* be ~ing for flu *etc* estar a começar *or* a chocar uma gripe (*colloq*)

sickle /'sɪkl/ *n* foice *f*

sickly /'sɪklɪ/ *a* (-ier, -iest) (*person*) doentio, achacado; (*smell*) enjoativo; (*pale*) pálido

sickness /'sɪknɪs/ *n* doença *f*; (*vomiting*) náusea *f*, vómito *m*

side /saɪd/ *n* lado *m*; (*of road, river*) beira *f*; (*of hill*) encosta *f*; (*sport*) equipa *f* □ *a* lateral □ *vi* ~ with tomar o partido de. on the ~ (*extra*) nas horas vagas; (*secretly*)

pela calada. ~ by ~ lado a lado. ~-car *n* sidecar *m*. ~-effect *n* efeito *m* secundário. ~-show *n* espectáculo *m* suplementar. ~-step *vt* (*pt* -stepped) evitar. ~-track *vt* (fazer) desviar dum propósito

sideboard /'saɪdbɔːd/ *n* aparador *m*

sideburns /'saɪdbɜːnz/ *npl* suíças *fpl*, patilhas *fpl*

sidelight /'saɪdlaɪt/ *n* (*auto*) farolim *m*

sideline /'saɪdlaɪn/ *n* actividade *f* secundária; (*sport*) linha *f* lateral

sidelong /'saɪdlɒŋ/ *adv* & *a* de lado

sidewalk /'saɪdwɔːk/ *n* (*Amer*) passeio *m*

sideways /'saɪdweɪz/ *adv* & *a* de lado

siding /'saɪdɪŋ/ *n* desvio *m*, ramal *m*

sidle /'saɪdl/ *vi* ~ up (to) avançar furtivamente (para), chegar-se furtivamente (a)

siege /siːdʒ/ *n* cerco *m*

siesta /sɪ'estə/ *n* sesta *f*

sieve /sɪv/ *n* peneira *f*; (*for liquids*) passador *m*, coador *m* □ *vt* peneirar; (*liquids*) passar, coar

sift /sɪft/ *vt* peneirar; (*sprinkle*) polvilhar. ~ through examinar minuciosamente, esquadrinhar

sigh /saɪ/ *n* suspiro *m* □ *vt/i* suspirar

sight /saɪt/ *n* vista *f*; (*scene*) cena *f*; (*on gun*) mira *f* □ *vt* avistar, ver, divisar. at *or* on ~ à vista. catch ~ of avistar.

in ~ à vista, visível. **lose ~ of** perder de vista. **out of ~** longe da vista

sightsee|ing /'saɪtsiːɪŋ/ *n* visita *f*, turismo *m*. **go ~ing** visitar lugares turísticos. **~r** /'saɪtsiːə(r)/ *n* turista *mf*

sign /saɪn/ *n* sinal *m*; (*symbol*) signo *m* □ *vt* (*in writing*) assinar □ *vi* (*make a sign*) fazer sinal. **~ on** *or* **up** (*worker*) assinar contrato. **~-board** *n* tabuleta *f*. **~ language** *n* mímica *f*

signal /'sɪɡnəl/ *n* sinal *m* □ *vi* (*pt* **signalled**) fazer signal □ *vt* comunicar (por sinais); (*person*) fazer sinal para. **~-box** *n* cabine *f* de sinalização

signature /'sɪɡnətʃə(r)/ *n* assinatura *f*. **~ tune** indicativo *m* musical

signet-ring /'sɪɡnɪtrɪŋ/ *n* anel *m* de sinete

significan|t /sɪɡ'nɪfɪkənt/ *a* importante; (*meaningful*) significativo. **~ce** *n* importância *f*; (*meaning*) significado *m*. **~tly** *adv* (*much*) sensivelmente

signify /'sɪɡnɪfaɪ/ *vt* significar

signpost /'saɪnpəʊst/ *n* poste *m* de sinalização □ *vt* sinalizar

silence /'saɪləns/ *n* silêncio *m* □ *vt* silenciar, calar. **~r** /-ə(r)/ *n* (*on gun*) silenciador *m*; (*on car*) silencioso *m*

silent /'saɪlənt/ *a* silencioso; (*not speaking*) calado; (*film*) mudo. **~ly** *adv* silenciosamente

silhouette /sɪluːˈet/ *n* silhueta *f*

□ *vt* **be ~d against** estar recortado contra

silicon /'sɪlɪkən/ *n* silicone *m*. **~ chip** circuito *m* integrado

silk /sɪlk/ *n* seda *f*. **~en, ~y** *adjs* sedoso

sill /sɪl/ *n* (*of window*) parapeito *m*; (*of door*) soleira *f*, limiar *m*

sill|y /'sɪlɪ/ *a* (**-ier, -iest**) tolo, idiota. **~iness** *n* tolice *f*, idiotice *f*

silo /'saɪləʊ/ *n* (*pl* **-os**) silo *m*

silt /sɪlt/ *n* aluvião *m*, sedimento *m*

silver /'sɪlvə(r)/ *n* prata *f*; (*silverware*) prataria *f*, pratas *fpl* □ *a* de prata. **~ papel** papel *m* prateado. **~ wedding** bodas *fpl* de prata. **~y** *a* prateado; (*sound*) argentino

silversmith /'sɪlvəsmɪθ/ *n* ourives *m*

silverware /'sɪlvəweə(r)/ *n* prataria *f*, pratas *fpl*

similar /'sɪmɪlə(r)/ *a* **~ (to)** semelhante (a), parecido (com). **~ity** /-ə'lærətɪ/ *n* semelhança *f*. **~ly** *adv* de igual modo, analogamente

simile /'sɪmɪlɪ/ *n* símile *m*, comparação *f*

simmer /'sɪmə(r)/ *vt/i* cozinhar em lume brando; (*fig: smoulder*) ferver, fremir; **~ down** acalmar(-se)

simple /'sɪmpl/ *a* (**-er, -est**) simples. **~-minded** *a* simples; (*feeble-minded*) pobre de espírito, tolo. **~icity** /plɪ'sətɪ/ *n* simplicidade *f*. **~y** *adv* simplesmente; (*absolutely*) absolutamente, simplesmente

simpleton /'sɪmpltən/ n simplório m

simplif|y /'sɪmplɪfaɪ/ vt simplificar. ~ication /-ɪ'keɪ∫n/ n simplificação f

simulat|e /'sɪmjʊleɪt/ vt simular, imitar. ~ion /-leɪ∫n/ n simulação f, imitação f

simultaneous /sɪml'teɪnɪəs/ a simultâneo, concomitante. ~ly adv simultaneamente

sin /sɪn/ n pecado m □ vi (pt **sinned**) pecar

since /sɪns/ prep desde □ adv desde então □ conj desde que; (because) uma vez que, visto que. ~ **then** desde então

sincer|e /sɪn'sɪə(r)/ a sincero. ~ely adv sinceramente. ~ity /'serətɪ/ n sinceridade f

sinew /'sɪnjuː/ (anat) tendão m. ~s músculos mpl. ~y a forte, musculoso

sinful /'sɪnfl/ a (wicked) pecaminoso; (shocking) escandaloso

sing /sɪŋ/ vt/i (pt **sang**, pp **sung**) cantar. ~er n cantor m

singe /sɪndʒ/ vt (pres p **singeing**) chamuscar

single /'sɪŋgl/ a único, só; (unmarried) solteiro; (bed) de solteiro; (room) individual; (ticket) de ida, simples □ n (ticket) bilhete m de ida or simples; (record) disco m de 45 r.p.m. ~s (tennis) singulares mpl □ vt ~ **out** escolher. **in** ~ **file** em fila indiana. ~-**handed** a sem ajuda, sozinho. ~-**minded** a decidido, aferrado à sua ideia, tenaz. ~ **parent** pai m solteiro, mãe f

solteira. **singly** adv um a um, um por um

singsong /'sɪŋsɒŋ/ n have a ~ cantar em coro □ a (voice) monótono, monocórdico

singular /'sɪŋgjʊlə(r)/ n singular m □ a (uncommon; gram) singular; (noun) no singular. ~ly adv singularmente

sinister /'sɪnɪstə(r)/ a sinistro

sink /sɪŋk/ vt (pt **sank**, pp **sunk**) (ship) afundar, meter a pique; (well) abrir; (invest money) empatar; (lose money) enterrar □ vi afundar-se; (of ground) ceder; (of voice) baixar □ n lava-louça m. ~ **in** (fig) ficar gravado, entrar (colloq). ~ **or swim** ou vai ou racha

sinner /'sɪnə(r)/ n pecador m

sinuous /'sɪnjʊəs/ a sinuoso

sinus /'saɪnəs/ n (pl -es) (anat) seio (nasal) m. ~itis /saɪnə'saɪtɪs/ n sinusite f

sip /sɪp/ n gole m □ vt (pt **sipped**) bebericar, beber aos golinhos

siphon /'saɪfn/ n sifão m □ vt ~ **off** extrair por meio de sifão

sir /sɜː(r)/ n senhor m. S~ (title) Sir m. **Dear** S~ Exmo Senhor. **excuse me**, ~ desculpe, senhor. **no**, ~ não, senhor

siren /'saɪərən/ n sereia f, sirene f

sirloin /'sɜːlɔɪn/ n lombo m de vaca

sissy /'sɪsɪ/ n maricas m

sister /'sɪstə(r)/ n irmã f; (nun) irmã f, freira f; (nurse) en-

fermeira-chefe *f*. **~-in-law**
(*pl* **~s-in-law**) cunhada *f*. **~ly**
a fraterno, fraternal

sit /sɪt/ *vt/i* (*pt* **sat**, *pres p* **sitting**) sentar(-se); (*of committee etc*) reunir-se. **~ for an exam** fazer um exame, prestar uma prova. **be ~ting** estar sentado. **~ around** não fazer nada. **~ down** sentar-se. **~in** ocupação *f*. **~ting** *n* reunião *f*, sessão *f*; (*in restaurant*) serviço *m*. **~ting- -room** *n* sala *f* de estar. **~ up** endireitar-se na cadeira; (*not go to bed*) passar a noite acordado

site /saɪt/ *n* local *m*. (**building**) ~ terreno *m* para construção, lote *m* □ *vt* localizar, situar

situate /ˈsɪtʃʊeɪt/ *vt* situar. **be ~ed** estar situado. **~ion** /ˈeɪʃn/ *n* (*position, condition*) situação *f*; (*job*) emprego *m*, colocação *f*

six /sɪks/ *a* & *n* seis *m*. **~th** *a* & *n* sexto *m*

sixteen /sɪkˈstiːn/ *a* & *n* dezasseis *m*. **~th** *a* & *n* décimo sexto *m*

sixty /ˈsɪkstɪ/ *a* & *n* sessenta *m*. **~ieth** *a* & *n* sexagésimo *m*

size /saɪz/ *n* tamanho *m*; (*of person, garment etc*) tamanho *m*, medida *f*; (*of shoes*) número *m*; (*extent*) grandeza *f* □ *vt* **~ up** calcular o tamanho de; (*colloq: judge*) formar um juízo sobre, avaliar. **~able** *a* bastante grande, considerável

sizzle /ˈsɪzl/ *vi* chiar, rechinar

skate[1] /skeɪt/ *n* (*pl invar*)
(*fish*) (ar)raia *f*

skate[2] /skeɪt/ *n* patim *m* □ *vi* patinar. **~er** *n* patinador *m*. **~ing** *n* patinagem *f*. **~ing- -rink** *n* rinque *m* de patinagem

skateboard /ˈskeɪtbɔːd/ *n* skate *m*

skeleton /ˈskelɪtən/ *n* esqueleto *m*; (*framework*) armação *f*. **~on crew** or **staff** pessoal *m* reduzido. **~on key** chave *f* mestra. **~al** *a* esquelético

sketch /sketʃ/ *n* esboço *m*, croqui(s) *m*; (*theat*) sketch *m*, peça *f* curta e humorística; (*outline*) ideia *f* geral, esboço *m* □ *vt* esboçar, delinear □ *vi* fazer esboços. **~-book** *n* caderno *m* de desenho

sketchy /ˈsketʃɪ/ *a* (**-ier**, **-iest**) incompleto, esboçado

skewer /ˈskjʊə(r)/ *n* espeto *m*

ski /skiː/ *n* (*pl* **-s**) esqui *m* □ *vi* (*pt* **ski'd** or **skied**, *pres p* **skiing**) esquiar; (*go skiing*) esquiar. **~er** *n* esquiador *m*. **~ing** *n* esqui *m*

skid /skɪd/ *vi* (*pt* **skidded**) derrapar, patinar □ *n* derrapagem *f*

skilful /ˈskɪlfl/ *a* hábil, habilidoso. **~ly** *adv* habilmente, com perícia

skill /skɪl/ *n* habilidade *f*, jeito *m*; (*craft*) arte *f*. **~s** aptidões *fpl*. **~ed** *a* hábil, habilidoso; (*worker*) especializado

skim /skɪm/ *vt* (*pt* **skimmed**) tirar a espuma de; (*milk*) desnatar, tirar a nata de; (*pass or glide over*) deslizar sobre, roçar □ *vi* ~ **through** ler por alto, passar os olhos por. **~med milk** leite *m* desnatado

skimp /skɪmp/ *vt* (*use too little*) poupar em □ *vi* ser poupado

skimpy /'skɪmpɪ/ *a* (**-ier, -iest**) (*clothes*) sumário; (*meal*) escasso, racionado (*fig*)

skin /skɪn/ *n* (*of person, animal*) pele *f*; (*of fruit*) casca *f* □ *vt* (*pt* **skinned**) (*animal*) esfolar, tirar a pele de; (*fruit*) descascar. **~-diving** *n* mergulho *m*, caça *f* submarina

skinny /'skɪnɪ/ *a* (**-ier, -iest**) magricela, escanzelado

skint /skɪnt/ *a* (*sl*) sem dinheiro, nas lonas

skip[1] /skɪp/ *vi* (*pt* **skipped**) saltar, pular; (*jump about*) saltitar; (*with rope*) saltar à corda □ *vt* (*page*) saltar; (*class*) faltar a □ *n* salto *m*. **~ping rope** *n* corda *f* de saltar

skip[2] /skɪp/ *n* (*container*) contentor *m* grande para entulho

skipper /'skɪpə(r)/ *n* capitão *m*

skirmish /'skɜ:mɪʃ/ *n* escaramuça *f*

skirt /skɜ:t/ *n* saia *f* □ *vt* contornar, ladear. **~ing-board** *n* rodapé *m*

skit /skɪt/ *n* (*theat*) paródia *f*, sketch *m* satírico

skittle /'skɪtl/ *n* pino *m*. **~s** *npl* jogo *m* da laranjinha, (BR) boliche *m*

skive /skaɪv/ *vi* (*sl*) eximir-se de um dever, evitar trabalhar (*sl*)

skulk /skʌlk/ *vi* (*move*) rondar furtivamente; (*hide*) esconder-se

skull /skʌl/ *n* caveira *f*, crânio *m*

skunk /skʌŋk/ *n* (*animal*) zorrilho *m*

sky /skaɪ/ *n* céu *m*. **~-blue** *a* & *n* azul-celeste *m*

skylight /'skaɪlaɪt/ *n* claraboia *f*

skyscraper /'skaɪskreɪpə(r)/ *n* arranha-céus *m invar*

slab /slæb/ *n* (*of marble*) placa *f*; (*of paving-stone*) laje *f*; (*of metal*) chapa *f*; (*of cake*) fatia *f* grossa

slack /slæk/ *a* (**-er, -est**) (*rope*) bambo, frouxo; (*person*) descuidado, negligente; (*business*) parado, fraco; (*period, season*) morto □ *n* the ~ (*in rope*) a parte bamba □ *vt/i* (*be lazy*) estar com preguiça, fazer cera (*fig*)

slacken /'slækən/ *vt/i* (*speed, activity etc*) afrouxar, abrandar

slacks /slæks/ *npl* calças *fpl*

slag /slæg/ *n* escória *f*

slain /sleɪn/ *see* **slay**

slam /slæm/ *vt* (*pt* **slammed**) bater violentamente com; (*throw*) atirar; (*sl: criticize*) criticar, malhar □ *vi* (*door etc*) bater violentamente □ *n* (*noise*) bater *m*, pancada *f*

slander /'slɑːndə(r)/ *n* calúnia *f*, difamação *f* □ *vt* caluniar, difamar. **~ous** *a* calunioso, difamatório

slang /slæŋ/ *n* calão *m*, gíria *f*. **~y** *a* de calão

slant /slɑːnt/ *vt/i* inclinar(-se);

(*news*) apresentar de forma tendenciosa □ *n* inclinação *f*; (*bias*) tendência *f*; (*point of view*) ângulo *m*. **be ~ing** ser/estar inclinado *or* em declive

slap /slæp/ *vt* (*pt* **slapped**) (*strike*) bater, dar uma palmada em; (*on face*) esbofetear, dar uma bofetada em; (*put forcefully*) atirar com □ *n* palmada *f*, bofetada *f* □ *adv* em cheio. **~-up** *a* (*sl: excellent*) excelente

slapdash /ˈslæpdæʃ/ *a* descuidado; (*impetuous*) precipitado

slapstick /ˈslæpstɪk/ *n* farsa *f* com palhaçadas

slash /slæʃ/ *vt* (*cut*) retalhar, dar golpes em; (*sever*) cortar; (*a garment*) golpear; (*fig: reduce*) reduzir drasticamente, fazer um corte radical em □ *n* corte *m*, golpe *m*

slat /slæt/ *n* (*in blind*) lâmina *f*

slate /sleɪt/ *n* ardósia *f* □ *vt* (*colloq: criticize*) criticar severamente

slaughter /ˈslɔːtə(r)/ *vt* chacinar, massacrar; (*animals*) abater □ *n* chacina *f*, massacre *m*, mortandade *f*; (*animals*) abate *m*

slaughterhouse /ˈslɔːtəhaʊs/ *n* matadouro *m*

slave /sleɪv/ *n* escravo *m* □ *vi* mourejar, trabalhar como um escravo. **~-driver** *n* (*fig*) o que obriga os outros a trabalharem como escravos, condutor *m* de escravos. **~ry** /-ərɪ/ *n* escravatura *f*

slavish /ˈsleɪvɪʃ/ *a* servil

slay /sleɪ/ *vt* (*pt* **slew**, *pp* **slain**) matar

sleazy /ˈsliːzɪ/ *a* (**-ier, -iest**) (*colloq*) esquálido, sórdido

sledge /sledʒ/ *n* trenó *m*. **~-hammer** *n* martelo *m* de forja, marreta *f*

sleek /sliːk/ *a* (**-er, -est**) liso, macio e lustroso

sleep /sliːp/ *n* sono *m* □ *vi* (*pt* **slept**) dormir □ *vt* ter lugar para, alojar. **go to ~** ir dormir, adormecer. **put to ~** (*kill*) mandar matar. **~ around** ser promíscuo. **~er** *n* aquele que dorme; (*rail: beam*) dormente *m*; (*berth*) couchette *f*. **~ing-bag** *n* saco *m* de dormir. **~ing-car** *n* carruagem-cama *f*, vagon-lit *m*. **~less** *a* insone; (*night*) em claro, insone. **~-walker** *n* sonâmbulo *m*

sleep|y /ˈsliːpɪ/ *a* (**-ier, -iest**) sonolento. **be ~y** ter *or* estar com sono. **~ily** *adv* meio a dormir

sleet /sliːt/ *n* geada *f* miúda □ *vi* cair geada miúda

sleeve /sliːv/ *n* manga *f*; (*of record*) capa *f*. **up one's ~** de reserva, escondido. **~less** *a* sem mangas

sleigh /sleɪ/ *n* trenó *m*

sleight /slaɪt/ *n* **~ of hand** prestidigitação *f*, passe *m* de mágica

slender /ˈslendə(r)/ *a* esguio, esbelto; (*fig: scanty*) escasso. **~ness** *n* aspecto *m* esguio, esbelteza *f*, elegância *f*; (*scantiness*) escassez *f*

slept /slept/ *see* **sleep**

sleuth /sluːθ/ *n* (*colloq*) detective *m*

slew¹ /sluː/ *vi* (*turn*) virar-se

slew² /sluː/ *see* **slay**

slice /slaɪs/ *n* fatia *f* □ *vt* cortar em fatias; (*golf, tennis*) cortar

slick /slɪk/ *a* (*slippery*) escorregadio; (*cunning*) astuto, habilidoso; (*unctuous*) melífluo □ *n* (*oil*) ~ mancha *f* de óleo

slid|e /slaɪd/ *vt/i* (*pt* **slid**) escorregar, deslizar □ *n* escorregadela *f*, escorregão *m*; (*in playground*) travessa *f*; (*for hair*) travessa *f*; (*photo*) diapositivo *m*, slide *m*. ~**e-rule** *n* régua *f* de cálculo. ~**ing** *a* (*door, panel*) corrediço, de correr. ~**ing scale** escala *f* móvel

slight /slaɪt/ *a* (**-er, -est**) (*slender, frail*) delgado, franzino; (*inconsiderable*) leve, ligeiro □ *vt* desconsiderar, desfeitear □ *n* desconsideração *f*, desfeita *f*. **the ~est** *a* o/a menor. **not in the ~est** de maneira nenhuma. ~**ly** *adv* ligeiramente, um pouco

slim /slɪm/ *a* (**slimmer, slimmest**) magro, esbelto; (*chance*) pequeno, remoto □ *vi* (*pt* **slimmed**) emagrecer. ~**ness** *n* magreza *f*, esbelteza *f*

slim|e /slaɪm/ *n* lodo *m*. ~**y** *a* lodoso; (*slippery*) escorregadio; (*fig: servile*) servil, bajulador

sling /slɪŋ/ *n* (*weapon*) funda *f*; (*for arm*) tira *f* para trazer o braço ao peito □ *vt* (*pt* **slung**) atirar, lançar

slip /slɪp/ *vt/i* (*pt* **slipped**) escorregar; (*move quietly*) mover-se de mansinho □ *n* escorregadela *f*, escorregão *m*; (*mistake*) engano *m*, lapso *m*; (*petticoat*) combinação *f*; (*of paper*) tira *f* de papel. **give the ~ to** livrar-se de, escapar(-se) de. ~ **away** esgueirar-se. ~ **by** passar sem se dar conta, passar despercebido. ~**-cover** *n* (*Amer*) capa *f* para móveis. ~ **into** (*go*) entrar de mansinho, enfiar-se em; (*clothes*) enfiar. ~ **of the tongue** lapso *m*. ~**ped disc** disco *m* deslocado. ~**-road** *n* acesso *m* a auto-estrada. ~ **sb's mind** passar pela cabeça de alguém. ~ **up** (*colloq*) cometer uma gafe. ~**-up** *n* (*colloq*) gafe *f*

slipper /ˈslɪpə(r)/ *n* chinelo *m*

slippery /ˈslɪpərɪ/ *a* escorregadio; (*fig: person*) que não é de confiança, sem escrúpulos

slipshod /ˈslɪpʃɒd/ *a* (*person*) desleixado, desmazelado; (*work*) feito sem cuidado, desleixado

slit /slɪt/ *n* fenda *f*; (*cut*) corte *m*; (*tear*) rasgão *m* □ *vt* (*pt* **slit**, *pres p* **slitting**) fender; (*cut*) fazer um corte em, cortar

slither /ˈslɪðə(r)/ *vi* escorregar, resvalar

sliver /ˈslɪvə(r)/ *n* (*of cheese etc*) fatia *f*; (*splinter*) lasca *f*

slobber /ˈslɒbə(r)/ *vi* babar-se

slog /slɒg/ *vt* (*pt* **slogged**) (*hit*) bater com força □ *vi* (*walk*) caminhar com passos pesados e firmes; (*work*) trabalhar duro □ *n* (*work*) trabalheira f; (walk, effort) estafa f

slogan /'slɒʊgən/ n slogan m, lema m, palavra f de ordem

slop /slɒp/ vt/i (pt **slopped**) transbordar, entornar. **~s** npl (dirty water) água(s) f(pl) suja(s); (liquid refuse) despejos mpl

slop|e /sləʊp/ vt/i inclinar(-se), formar declive □ n (of mountain) encosta f; (of street) rampa f, ladeira f. **~ing** a inclinado, em declive

sloppy /'slɒpɪ/ a (-ier, -iest) (ground) molhado, com poças de água; (food) aguado; (clothes) desleixado; (work) descuidado, feito de qualquer maneira (colloq); (person) desmazelado; (maudlin) piegas

slosh /slɒʃ/ vt entornar; (colloq: splash) esparrinhar; (sl: hit) bater em, dar (uma) sova em □ vi chapinhar

slot /slɒt/ n ranhura f; (in timetable) horário m; (TV) espaço m; (aviat) slot m □ vt/i (pt **slotted**) enfiar(-se), meter(-se), encaixar (-se). **~-machine** (for stamps, tickets etc) distribuidor m automático; (for gambling) slot machine f; (Br) caça--níqueis m

sloth /sləʊθ/ n preguiça f, indolência f; (zool) preguiça f

slouch /slaʊtʃ/ vi (stand, move) andar com as costas curvadas; (sit) sentar-se em má postura

slovenly /'slʌvnlɪ/ a desmazelado, desleixado

slow /sləʊ/ a (-er, -est) lento, vagaroso □ adv devagar, lentamente □ vt/i ~ (**up or down**) diminuir a velocidade, afrouxar; (auto) desacelerar. **be** ~ (clock etc) atrasar-se, estar atrasado. **in** ~ **motion** em câmara lenta. **~ly** adv devagar, lentamente, vagarosamente

slow|coach /'sləʊkəʊtʃ/, (Amer) **~poke** ns lesma m/f, pastelão m (fig)

sludge /slʌdʒ/ n lama f, lodo m

slug /slʌg/ n lesma f

sluggish /'slʌgɪʃ/ a (slow) lento, moroso; (lazy) indolente, preguiçoso

sluice /sluːs/ n (gate) comporta f; (channel) canal m □ vt lavar com jorros de água

slum /slʌm/ n bairro m da lata, (Br) favela f; (building) cortiço m

slumber /'slʌmbə(r)/ n sono m □ vi dormir

slump /slʌmp/ n (in prices) baixa f, descida f; (in demand) quebra f na procura; (econ) depressão f □ vi (fall limply) cair, afundar-se; (of price) baixar bruscamente

slung /slʌŋ/ see **sling**

slur /slɜː(r)/ vt/i (pt **slurred**) (speech) pronunciar indistintamente, mastigar □ n (in speech) som f indistinto; (discredit) nódoa f, estigma m

slush /slʌʃ/ n (snow) neve f meio derretida. ~ **fund** (comm) fundo m para subornos. **~y** a (road) coberto de neve derretida, lamacento

slut /slʌt/ n (*dirty woman*) porca f, desmazelada f; (*immoral woman*) desavergonhada f

sly /slaɪ/ a (**slyer, slyest**) (*crafty*) manhoso; (*secretive*) sonso □ **on the ~** pela calada. **~ly** adv (*craftily*) astutamente; (*secretively*) sonsamente

smack[1] /smæk/ n palmada f; (*on face*) bofetada f □ vt dar uma palmada em; (*on the face*) esbofetear, dar uma bofetada em □ adv (*colloq*) em cheio, directo

smack[2] /smæk/ vi ~ **of sth** cheirar a alg coisa

small /smɔːl/ a (**-er, -est**) pequeno □ n ~ **of the back** zona f dos rins □ adv (*cut etc*) em pedaços pequenos, aos bocadinhos. ~ **change** trocado m, dinheiro m miúdo. ~ **talk** conversa f fiada, bate-papo m. **~ness** n pequenez f

smallholding /'smɔːlhəʊldɪŋ/ n pequena propriedade f

smallpox /'smɔːlpɒks/ n varíola f

smarmy /'smɑːmɪ/ a (**-ier, -iest**) (*colloq*) bajulador, graxista (*colloq*), (BR) puxa-saco (*colloq*)

smart /smɑːt/ a (**-er, -est**) elegante; (*clever*) esperto, vivo; (*brisk*) rápido □ vi (*sting*) arder, picar. **~ly** adv elegantemente, com elegância; (*cleverly*) com esperteza, vivamente; (*briskly*) rapidamente. **~ness** n elegância f

smarten /'smɑːtn/ vt/i ~ (**up**) arranjar, dar um ar mais cuidado a. ~ (**o.s.**) **up** embelezar-se, pôr-se elegante/bonito; (*tidy*) arranjar-se

smash /smæʃ/ vt/i (*to pieces*) despedaçar(-se), espatifar(-se) (*colloq*); (*a record*) quebrar; (*opponent*) esmagar; (*ruin*) (fazer) falir; (*of vehicle*) espatifar (-se) □ n (*noise*) estrondo m; (*blow*) pancada f forte, golpe m; (*collision*) colisão f; (*tennis*) smash m

smashing /'smæʃɪŋ/ a (*colloq*) formidável, estupendo (*colloq*)

smattering /'smætərɪŋ/ n leves noções fpl

smear /smɪə(r)/ vt (*stain; discredit*) manchar; (*coat*) untar, besuntar □ n mancha f, nódoa f; (*med*) esfregaço m

smell /smel/ n cheiro m, odor m; (*sense*) olfacto m □ vt/i (pt **smelt** or **smelled**) ~ (**of**) cheirar (a). **~y** a malcheiroso

smelt[1] /smelt/ *see* **smell**

smelt[2] /smelt/ vt (*ore*) fundir

smile /smaɪl/ n sorriso m □ vi sorrir. **~ing** a sorridente, risonho

smirk /smɜːk/ n sorriso m falso or afectado

smithereens /smɪðə'riːnz/ npl **to** or **in** ~ em pedaços mpl

smock /smɒk/ n guarda-pó m

smog /smɒg/ n mistura f de nevoeiro e fumaça, smog m

smoke /sməʊk/ n fumo m, fumaça f □ vt fumar; (*bacon etc*) fumar, defumar □ vi fumar, fumegar. **~-screen** n (*lit & fig*) cortina f de fumo.

~**less** a (fuel) sem fumo. ~**r** /-ə(r)/ n (person) fumador m.

smoky a (air) cheio de fumo, fumarento

smooth /smuːð/ a (-er, -est) liso; (soft) macio; (movement) regular, suave; (manners) lisonjeiro, conciliador, suave □ vt alisar. ~ **out** (fig) aplanar, remover. ~**ly** adv suavemente, facilmente

smother /ˈsmʌðə(r)/ vt (stifle) abafar, sufocar; (cover, overwhelm) cobrir (**with** de); (suppress) abafar, reprimir

smoulder /ˈsməʊldə(r)/ vi (lit & fig) arder, abrasar-se

smudge /smʌdʒ/ n mancha f, borrão m □ vt/i sujar(-se), manchar(-se), borrar(-se)

smug /smʌg/ a (**smugger**, **smuggest**) presunçoso, convencido (colloq). ~**ly** adv presunçosamente. ~**ness** n presunção f

smuggl|e /ˈsmʌgl/ vt contrabandear, fazer contrabando de. ~**er** n contrabandista mf. ~**ing** n contrabando m

smut /smʌt/ n fuligem f. ~**ty** a cheio de fuligem; (colloq: obscene) indecente, sujo (colloq)

snack /snæk/ n refeição f ligeira. ~**-bar** n snack(-bar) m, (Br) lanchonete f

snag /snæg/ n (obstacle) obstáculo m; (drawback) problema m, contra m; (in cloth) rasgão m; (in stocking) fio m puxado

snail /sneɪl/ n caracol m. **at a** ~**'s pace** a passo de caracol

snake /sneɪk/ n serpente f, cobra f

snap /snæp/ vt/i (pt **snapped**) (whip, fingers) (fazer) estalar; (break) estalar(-se), partir(-se) com um estalo, rebentar; (say) dizer irritadamente □ n estalo m; (photo) instantâneo m; (Amer: fastener) mola f □ a súbito, repentino. ~ **at** (bite) abocanhar, tentar morder; (speak angrily) retrucar asperamente. ~ **up** (buy) deitar a mão a

snappish /ˈsnæpɪʃ/ a irritadiço

snappy /ˈsnæpɪ/ a (-**ier**, -**iest**) (colloq) vivo, animado. **make it** ~ (colloq) vai rápido!, apressa-te! (colloq)

snapshot /ˈsnæpʃɒt/ n instantâneo m

snare /sneə(r)/ n laço m, cilada f, armadilha f

snarl /snɑːl/ vi rosnar □ n rosnadela f

snatch /snætʃ/ vt (grab) agarrar, apanhar; (steal) roubar. ~ **from sb** arrancar a alguém □ n (theft) roubo m; (bit) bocado m, pedaço m

sneak /sniːk/ vi (slink) esgueirar-se furtivamente; (sl: tell tales) fazer queixa □ vt (sl: steal) rapinar (colloq) □ n (sl) queixinhas mf (sl). ~**ing** a secreto. ~**y** a sonso

sneer /snɪə(r)/ n sorriso m de desdém □ vi sorrir desdenhosamente

sneeze /sniːz/ n espirro m □ vi espirrar

snide /snaɪd/ a (colloq) sarcástico, escarninho

sniff /snɪf/ vi fungar □ vt/i ~ (**at**) (smell) cheirar; (dog) farejar. ~ **at** (fig: in contempt) desprezar □ n fungadela f

snigger /'snɪgə(r)/ n riso m abafado □ vi rir dissimuladamente

snip /snɪp/ vt cortar com tesoura □ n pedaço m, retalho m; (sl: bargain) pechincha f

snipe /snaɪp/ vi dar tiros de emboscada. ~**r** /-ə(r)/ n franco-atirador m

snivel /'snɪvl/ vi (pt snivelled) choramingar, lamuriar-se

snob /snɒb/ n snob mf. ~**bery** n snobismo m. ~**bish** a snob

snooker /'snu:kə(r)/ n snooker m, (Br) sinuca f

snoop /snu:p/ vi (colloq) bisbilhotar, meter o nariz em toda a parte. ~ **on** espiar, espionar. ~**er** n bisbilhoteiro m

snooty /'snu:tɪ/ a (-ier, -iest) (colloq) convencido, arrogante (colloq)

snooze /snu:z/ n (colloq) soneca f (colloq) □ vi (colloq) dormir uma soneca, passar pelas brasas

snore /snɔ:(r)/ n ronco m □ vi ressonar, roncar

snorkel /'snɔ:kl/ n tubo m de respiração m

snort /snɔ:t/ n resfôlego m □ vi resfolegar, bufar

snout /snaʊt/ n focinho m

snow /snəʊ/ n neve f □ vi nevar. be ~**ed under** (fig: be overwhelmed) estar sobrecarregado (fig). ~~-bound a bloqueado pela neve. ~~-drift n banco m de neve. ~~-plough n limpa-neve m. ~~-y a nevado, coberto de neve

snowball /'snəʊbɔ:l/ n bola f de neve □ vi atirar bolas de neve (em); (fig) acumular-se, ir num crescendo, aumentar rapidamente

snowdrop /'snəʊdrɒp/ n (bot) campânula branca f

snowfall /'snəʊfɔ:l/ n nevão m

snowflake /'snəʊfleɪk/ n floco m de neve

snowman /'snəʊmæn/ n (pl -men) boneco m de neve

snub /snʌb/ vt (pt snubbed) desdenhar, tratar com desdém □ n desdém m

snuff[1] /snʌf/ n rapé m

snuff[2] /snʌf/ vt ~ **out** (candles, hopes etc) apagar, extinguir

snuffle /'snʌfl/ vi fungar

snug /snʌg/ a (snugger, snuggest) (cosy) aconchegado; (close-fitting) justo

snuggle /'snʌgl/ vt/i (nestle) aninhar-se, aconchegar-se; (cuddle) aconchegar

so /səʊ/ adv tão, de tal modo; (thus) assim, deste modo □ conj por isso, portanto, por conseguinte. ~ **am I** eu também. ~ **does he** ele também. **that is** ~ é assim, é isso. **I think** ~ acho que sim. **five or** ~ uns cinco. ~ **as to** de modo a. ~ **far** até agora, até aqui. ~ **long!** (colloq) até já! (colloq). ~ **many** tantos. ~ **much** tanto. ~ **that** para que, de modo que. ~~-**and**~~ fulano m. ~~-**called** a pretenso, soi-disant. ~~-**so** a & adv assim assim, mais ou menos

soak /səʊk/ vt/i molhar(-se), ensopar(-se), enchacar(-se).

leave to ~ pôr de molho. ~
in or **up** vt absorver, embeber. ~ **through** repassar.
~**ing** a ensopado, encharcado

soap /səʊp/ n sabão m. **(toilet)**
~ sabonete m □ vt ensaboar.
~ **opera** (radio) novela f ra-
diofónica; (TV) telenovela f.
~ **flakes** flocos mpl de sabão. ~ **powder** sabão m em
pó. ~**y** a ensaboado

soar /sɔː(r)/ vi voar alto; (go
high) elevar-se; (hover) pairar

sob /sɒb/ n soluço m □ vi (pt
sobbed) soluçar

sober /ˈsəʊbə(r)/ a (not drunk,
calm, of colour) sóbrio; (serious) sério, grave □ vt/i ~
up (fazer) ficar sóbrio, (fazer) curar a bebedeira (colloq)

soccer /ˈsɒkə(r)/ n (colloq) futebol m

sociable /ˈsəʊʃəbl/ a sociável

social /ˈsəʊʃl/ a social; (sociable) sociável; (gathering, life) de sociedade □ n reunião
f social. ~**ly** adv socialmen-
te; (meet) em sociedade. ~
security previdência f social; (for old age) pensão f.
~ **worker** assistente mf social

socialis|t /ˈsəʊʃəlɪst/ n socia-
lista mf. ~**m** /-zəm/ n socia-
lismo m

socialize /ˈsəʊʃəlaɪz/ vi socia-
lizar-se, reunir-se em sociedade. ~ **with** frequentar,
conviver com

society /səˈsaɪətɪ/ n sociedade
f

sociolog|y /səʊsɪˈɒlədʒɪ/ n so-
ciologia f. ~**ical** /-əˈlɒdʒɪkl/
a sociológico. ~**ist** n sociólo-
go m

sock[1] /sɒk/ n meia f curta;
(men's) meia f (curta), peúga
f; (women's) soquete f

sock[2] /sɒk/ vt (sl: hit) esmurrar, dar um murro em (col-
loq)

socket /ˈsɒkɪt/ n cavidade f;
(for lamp) suporte m;
(electr) tomada f; (of tooth)
alvéolo m

soda /ˈsəʊdə/ n soda f. **(baking)** ~ (culin) bicarbonato
m de soda. ~(-water) água f
gasosa, água f gaseificada

sodden /ˈsɒdn/ a ensopado,
empapado

sodium /ˈsəʊdɪəm/ n sódio m

sofa /ˈsəʊfə/ n sofá m

soft /sɒft/ a (-er, -est) (not
hard, feeble) mole; (not
rough, not firm) macio; (not
gentle, not loud, not bright)
suave; (tender-hearted) sensível; (fruit) sem caroço;
(wood) de coníferas; (drink)
não alcoólico. ~**-boiled**
(egg) quente. ~ **spot** (fig)
fraco m. ~**ly** adv docemente.
~**ness** n moleza f; (to touch)
maciez f; (gentleness) suavi-
dade f, brandura f

soften /ˈsɒfn/ vt/i amaciar,
amolecer; (tone down, lessen) abrandar

software /ˈsɒftweə(r)/ n software m

soggy /ˈsɒgɪ/ a (-ier, -iest) ensopado, empapado

soil[1] /sɒɪl/ n solo m, terra f

soil[2] /sɒɪl/ vt/i sujar(-se). ~**ed**
a sujo

solace /ˈsɒlɪs/ n consolo m; (relief) alívio m

solar /ˈsəʊlə(r)/ a solar

sold /səʊld/ see **sell** □ a ~ **out** esgotado

solder /ˈsəʊldə(r)/ n solda f □ vt soldar

soldier /ˈsəʊldʒə(r)/ n soldado m □ vi ~ **on** (collog) perseverar com afinco, (Br) batalhar, andar para a frente (collog)

sole[1] /səʊl/ n (of foot) planta f, sola f do pé; (of shoe) sola f

sole[2] /səʊl/ n (fish) solha f

sole[3] /səʊl/ a único. ~**ly** adv unicamente

solemn /ˈsɒləm/ a solene. ~**ity** /səˈlemnətɪ/ n solenidade f. ~**ly** adv solenemente

solicit /səˈlɪsɪt/ vt (seek) solicitar □ vi (of prostitute) seduzir, aliciar homens na rua

solicitor /səˈlɪsɪtə(r)/ n advogado m

solicitous /səˈlɪsɪtəs/ a solícito

solid /ˈsɒlɪd/ a sólido; (not hollow) maciço, cheio, compacto; (gold etc) maciço; (meal) substancial □ n sólido m ~**s** (food) alimentos mpl sólidos. ~**ity** /səˈlɪdətɪ/ n solidez f. ~**ly** adv solidamente

solidarity /sɒlɪˈdærətɪ/ n solidariedade f

solidify /səˈlɪdɪfaɪ/ vt/i solidificar (-se)

soliloquy /səˈlɪləkwɪ/ n monólogo m, solilóquio m

solitary /ˈsɒlɪtrɪ/ a solitário, só; (only one) um único. ~ **confinement** prisão f celular, solitária f

solitude /ˈsɒlɪtjuːd/ n solidão f

solo /ˈsəʊləʊ/ n (pl -**os**) solo m □ a solo. ~ **flight** voo m solo. ~**ist** n solista mf

soluble /ˈsɒljʊbl/ a solúvel

solution /səˈluːʃn/ n solução f

solve /sɒlv/ vt resolver, solucionar. ~**able** a resolúvel, solúvel

solvent /ˈsɒlvənt/ a (dis)solvente; (comm) solvente □ n (dis)solvente m

sombre /ˈsɒmbə(r)/ a sombrio

some /sʌm/ a (quantity) algum(a); (number) alguns, algumas, uns, umas; (unspecified, some or other) um(a)... qualquer, uns... quaisquer, umas... quaisquer; (a little) um pouco de, algum; (a certain) um certo; (contrasted with others) uns, umas, alguns, algumas, certos, certas □ pron uns, umas, algum(a), alguns, algumas; (a little) um pouco, algum □ adv (approximately) uns, umas. **will you have ~ coffee**/etc? você quer café/etc? ~ **day** algum dia. ~ **of my friends** alguns dos meus amigos. ~ **people say...** algumas pessoas dizem... ~ **time ago** tempo atrás

somebody /ˈsʌmbədɪ/ pron alguém □ n **be a ~** ser alguém

somehow /ˈsʌmhaʊ/ adv (in some way) de algum modo, de alguma maneira; (for some reason) por alguma razão

someone /ˈsʌmwʌn/ pron & n = **somebody**

somersault /ˈsʌməsɔːlt/ n

cambalhota f; (in the air) salto m mortal □ vi dar uma cambalhota/um salto mortal

something /ˈsʌmθɪŋ/ pron & n uma/alguma/qualquer coisa f, algo. ~ **good**/etc uma coisa boa/etc, qualquer coisa de bom/etc. ~ **like** um pouco como

sometime /ˈsʌmtaɪm/ adv a certa altura, um dia □ a (former) antigo. ~ **last summer** a certa altura no Verão passado. **I'll go** ~ hei de ir um dia

sometimes /ˈsʌmtaɪmz/ adv às vezes, de vez em quando

somewhat /ˈsʌmwɒt/ adv um pouco, um tanto (ou quanto)

somewhere /ˈsʌmweə(r)/ adv (position) em algum lugar; (direction) para algum lugar

son /sʌn/ n filho m. ~**-in-law** n (pl ~**s-in-law**) genro m

sonar /ˈsəʊnɑː(r)/ n sonar m

sonata /səˈnɑːtə/ n (mus) sonata f

song /sɒŋ/ n canção f. ~**-bird** n ave f canora

sonic /ˈsɒnɪk/ a ~ **boom** estrondo m sónico

sonnet /ˈsɒnɪt/ n soneto m

soon /suːn/ adv (-er, -est) em breve, dentro em pouco, daqui a pouco; (early) cedo. **as** ~ **as possible** o mais rápido possível. **I would** ~ **stay** preferia ficar. ~ **after** pouco depois. ~**er or later** mais cedo ou mais tarde

soot /sʊt/ n fuligem f. ~**y** a coberto de fuligem, enferruscado

soothe /suːð/ vt acalmar, sua-

vizar; (pain) aliviar. ~**ing** a (remedy) calmante, suavizante; (words) confortante

sophisticated /səˈfɪstɪkeɪtɪd/ a sofisticado, refinado, requintado; (machine etc) sofisticado

soporific /sɒpəˈrɪfɪk/ a soporífico

sopping /ˈsɒpɪŋ/ a encharcado, ensopado

soppy /ˈsɒpɪ/ a (-ier, -iest) (colloq: sentimental) piegas; (colloq: silly) tolo

soprano /səˈprɑːnəʊ/ n (pl ~**s**) & adj soprano mf

sorbet /ˈsɔːbeɪ/ n (water-ice) sorvete m feito sem leite

sorcerer /ˈsɔːsərə(r)/ n feiticeiro m

sordid /ˈsɔːdɪd/ a sórdido

sore /sɔː(r)/ a (-er, -est) dolorido; (vexed) aborrecido (at, with com) □ n ferida f. **have a** ~ **throat** ter a garganta inflamada, ter dores de garganta

sorely /ˈsɔːlɪ/ adv fortemente, seriamente

sorrow /ˈsɒrəʊ/ n dor f, mágoa f, pesar m. ~**ful** a pesaroso, triste

sorry /ˈsɒrɪ/ a (-ier, -iest) (state, sight etc) triste. **be** ~ **to**/**that** (regretful) sentir muito/que, lamentar que; **be** ~ **about/for** (repentant) ter pena de, estar arrependido de. **feel** ~ **for** ter pena de. ~**!** desculpe!, perdão!

sort /sɔːt/ n género m, espécie f, qualidade f. **of** ~**s** (colloq) uma espécie de (colloq, pej). **out of** ~**s** indisposto □ vt se-

soufflé /'su:fleɪ/ n (culin) soufflé m

sought /sɔ:t/ see **seek**

soul /səʊl/ n alma f. **the life and ~ of** (fig) a alma f de (fig)

soulful /'səʊlfl/ a emotivo, expressivo, cheio de sentimento

sound[1] /saʊnd/ n som m, barulho m, ruído m □ vt/i soar; (seem) dar a impressão de, parecer (**as if que**). ~ **a horn** tocar uma buzina, buzinar. ~ **barrier** barreira f de som. ~**like** parecer ser, soar como. ~**proof** a à prova de som □ vt fazer o isolamento sonoro de, isolar. ~**track** n (of film) banda f sonora

sound[2] /saʊnd/ a (-er, -est) (healthy) saudável, sadio; (sensible) sensato, acertado; (secure) firme, sólido. ~ **asleep** profundamente adormecido. ~**ly** adv solidamente

sound[3] /saʊnd/ vt (test) sondar; (med; views) auscultar

soup /su:p/ n sopa f

sour /'saʊə(r)/ a (-er, -est) azedo □ vt/i azedar, envinagrar

source /sɔ:s/ n fonte f; (of river) nascente f

souse /saʊs/ vt (throw water on) atirar água em cima de; (pickle) pôr em vinagre; (salt) pôr em salmoura

south /saʊθ/ n sul m □ a sul, do sul; (of country, people etc) meridional □ adv a, ao/ para o sul. **S~ Africa/America** África f/América f do Sul. **S~ African/American** a & n sul-africano m/sul-americano m. ~**east** n sudeste m. ~**erly** /'sʌðəlɪ/ a do sul, meridional. ~**ward** a ao sul. ~**ward(s)** adv para o sul. ~**west** n sudoeste m

southern /'sʌðən/ a do sul, meridional, austral

souvenir /su:və'nɪə(r)/ n recordação f, lembrança f

sovereign /'sɒvrɪn/ n & a soberano m. ~**ty** n soberania f

Soviet /'səʊvɪət/ a soviético. **the S~ Union** a União Soviética

sow[1] /səʊ/ vt (pt sowed, pp sowed or sown) semear

sow[2] /saʊ/ n (zool) porca f

soy /sɔɪ/ n ~ **sauce** molho m de soja

soya /'sɔɪə/ n soja f. ~**bean** semente f de soja

spa /spa:/ n termas fpl

space /speɪs/ n espaço m; (room) lugar m; (period) espaço m, período m □ a (research etc) espacial □ vt ~ **out** espaçar

space|craft /'speɪskra:ft/ n (pl invar), ~**ship** n nave espacial f

spacious /'speɪʃəs/ a espaçoso

spade /speɪd/ n (gardener's) pá f; (child's) pá f. ~**s** (cards) espadas fpl

spadework /'speɪdwɜ:k/ n (fig) trabalho m preliminar

spaghetti /spə'getɪ/ n esparguete m

Spain /speɪn/ n Espanha f

span[1] /spæn/ n (of arch) vão m; (of wings) envergadura f; (of time) espaço m, duração f; (measure) palmo m □ vt (pt **spanned**) (extend across) transpor; (measure) medir aos palmos; (in time) abarcar, abranger, estender-se por

span[2] /spæn/ see **spick**

Spaniard /ˈspænɪəd/ n espanhol m

Spanish /ˈspænɪʃ/ a espanhol □ n (lang) espanhol m

spaniel /ˈspænɪəl/ n spaniel m

spank /spæŋk/ vt dar palmadas or chineladas no rabo de. ~**ing** n (with hand) palmada f; (with slipper) chinelada f

spanner /ˈspænə(r)/ n (tool) chave f de porcas; (adjustable) chave f inglesa

spar /spaː(r)/ vi (pt **sparred**) jogar boxe, esp para treino; (fig: argue) discutir

spare /speə(r)/ vt (not hurt; use with restraint) poupar; (afford to give) dispensar, ceder □ a (in reserve) de reserva, de sobra; (tyre) sobressalente; (bed) extra; (room) de hóspedes □ n (part) sobressalente m. ~ **time** horas fpl vagas. **have an hour to** ~ dispor de uma hora. **have no time to** ~ não ter tempo a perder

sparing /ˈspeərɪŋ/ a poupado. **be** ~ **of** poupar em, ser poupado com. ~**ly** adv frugalmente

spark /spaːk/ n centelha f, faísca f □ vt lançar faíscas. ~

off (initiate) desencadear, provocar. ~**(ing)-plug** n vela f de ignição

sparkle /ˈspaːkl/ vi cintilar, brilhar □ n brilho m, cintilação f

sparkling /ˈspaːklɪŋ/ a (wine) espumante

sparrow /ˈspærəʊ/ n pardal m

sparse /spaːs/ a esparso; (hair) ralo. ~**ly** adv (furnished etc) escassamente

spasm /ˈspæzəm/ n (of muscle) espasmo m; (of coughing, anger etc) ataque m, acesso m

spasmodic /spæzˈmɒdɪk/ a espasmódico; (at irregular intervals) intermitente

spastic /ˈspæstɪk/ n deficiente mf motor

spat /spæt/ see **spit**[1]

spate /speɪt/ n (in river) enxurrada f, cheia f. **a** ~ **of** (letters etc) uma avalanche de

spatter /ˈspætə(r)/ vt salpicar (**with** de, com)

spawn /spɔːn/ n ovas fpl □ vi desovar □ vt gerar em quantidade

speak /spiːk/ vt/i (pt **spoke**, pp **spoken**) falar (**to/with sb about sth** com alguém de/sobre alg coisa); (say) dizer. ~ **out/up** falar abertamente; (louder) falar mais alto. ~ **one's mind** dizer o que se pensa. **so to** ~ por assim dizer. **English/Portuguese spoken** fala-se português/inglês

speaker /ˈspiːkə(r)/ n (in public) orador m; (loudspea-

ker) alto- falante *m*; (*of a language*) falante *f m*
spear /spɪə(r)/ *n* lança *f*
spearhead /ˈspɪəhed/ *n* ponta *f* de lança □ *vt* (*lead*) estar à frente de, encabeçar
special /ˈspeʃl/ *a* especial. ~**ity** /-ɪˈælətɪ/ *n* especialidade *f*. ~**ly** *adv* especialmente. ~**ty** *n* especialidade *f*
specialist /ˈspeʃəlɪst/ *n* especialista *mf*
specialize /ˈspeʃəlaɪz/ *vi* especializar-se (**in** em). ~**d** *a* especializado
species /ˈspiːʃɪz/ *n* (*pl invar*) espécie *f*
specific /spəˈsɪfɪk/ *a* específico. ~**ally** *adv* especificamente, explicitamente
specif|**y** /ˈspesɪfaɪ/ *vt* especificar. ~**ication** /-ɪˈkeɪʃn/ *n* especificação *f*. ~**ications** *npl* (*of work etc*) caderno *m* de encargos
specimen /ˈspesɪmɪn/ *n* espécime(n) *m*, amostra *f*
speck /spek/ *n* (*stain*) mancha *f* pequena; (*dot*) pontinho *m*, pinta *f*; (*particle*) grão *m*
speckled /ˈspekld/ *a* salpicado, manchado
specs /speks/ *npl* (*colloq*) óculos *mpl*
spectacle /ˈspektəkl/ *n* espectáculo *m*. (**pair of**) ~**s** (par *m* de) óculos *mpl*
spectacular /spekˈtækjʊlə(r)/ *a* espectacular
spectator /spekˈteɪtə(r)/ *n* espectador *m*
spectre /ˈspektə(r)/ *n* espectro *m*, fantasma *m*
spectrum /ˈspektrəm/ *n* (*pl*

-**tra**) espectro *m*; (*of ideas etc*) faixa *f*, gama *f*, leque *m*
speculat|**e** /ˈspekjʊleɪt/ *vi* especular, fazer especulações *or* conjecturas (**about** sobre); (*comm*) especular, fazer especulação (**in** em). ~**ion** /leɪʃn/ *n* especulação *f*, conjectura *f*; (*comm*) especulação *f*. ~**or** *n* especulador *m*
speech /spiːtʃ/ *n* (*faculty*) fala *f*; (*diction*) elocução *f*; (*dialect*) falar *m*; (*address*) discurso *m*. ~**less** *a* mudo, sem fala (**with** com, de)
speed /spiːd/ *n* velocidade *f*, rapidez *f* □ *vt/i* (*pt* **sped** /sped/) (*move*) ir depressa *or* a grande velocidade; (*send*) despedir, mandar; (*pt* **speeded**) (*drive too fast*) ultrapassar o limite de velocidade. ~ **limit** limite *m* de velocidade. ~ **up** acelerar (-se). ~**ing** *n* excesso *m* de velocidade
speedometer /spiːˈdɒmɪtə(r)/ *n* conta-quilómetros *m inv*, velocímetro *m*
speed|**y** /ˈspiːdɪ/ *a* (-**ier**, -**iest**) rápido; (*prompt*) pronto. ~**ily** *adv* rapidamente; (*promptly*) prontamente
spell[1] /spel/ *n* (*magic*) feitiço *m*
spell[2] /spel/ *vt/i* (*pt* **spelled** *or* **spelt**) escrever; (*fig: mean*) significar, ter como resultado. ~ **out** soletrar; (*fig: explain*) explicar claramente. ~**ing** *n* ortografia *f*
spell[3] /spel/ *n* (*short period*) período *m* curto, breve espaço *m* de tempo; (*turn*) turno *m*

spend /spend/ vt (pt **spent**) (money, energy) gastar (**on** em); (time, holiday) passar. ~**er** n gastador m

spendthrift /'spendθrɪft/ n perdulário m, esbanjador m

spent /spent/ see **spend** □ a (used) gasto

sperm /spɜːm/ n (pl **sperms** or **sperm**) (semen) esperma m, sémen m; (cell) espermatozóide m

spew /spjuː/ vt/i vomitar, lançar

sphere /sfɪə(r)/ n esfera f

spherical /'sferɪkl/ a esférico

spic|e /spaɪs/ n especiaria f, condimento m; (fig) picante m □ vt condimentar. ~**y** a condimentado; (fig) picante

spick /spɪk/ a ~ **and span** novo em folha, impecável

spider /'spaɪdə(r)/ n aranha f

spik|e /spaɪk/ n (of metal etc) bico m, espigão m, ponta f. ~**y** a guarnecido de bicos or pontas

spill /spɪl/ vt/i (pt **spilled** or **spilt**) derramar(-se), entornar (-se), espalhar(-se). ~ **over** transbordar, extravasar

spin /spɪn/ vt/i (pt **spun**, pres p **spinning**) (wool, cotton) fiar; (web) tecer; (turn) (fazer) girar, (fazer) rodopiar. ~ **out** (money, story) fazer durar; (time) (fazer) parar □ n volta f; (aviat) parafuso m. **go for a** ~ dar uma volta or um giro. ~~**drier** n centrifugadora f para a roupa, secadora f. ~**ning-wheel** n roda f de fiar. ~~**off** n bónus m inesperado; (by-product) derivado m

spinach /'spɪnɪdʒ/ n (plant) espinafre m; (as food) espinafres mpl

spinal /'spaɪnl/ a vertebral. ~ **cord** espinal-medula f

spindl|e /'spɪndl/ n roca f, fuso m; (mech) eixo m. ~**y** a alto e magro; (of plant) espigado

spine /spaɪn/ n espinha f, coluna f vertebral; (prickle) espinho m, pico m; (of book) lombada f

spineless /'spaɪnlɪs/ a (fig: cowardly) cobarde, sem fibra (fig)

spinster /'spɪnstə(r)/ n solteira f; (pej) solteirona f

spiral /'spaɪərəl/ a (em) espiral; (staircase) em caracol □ n espiral f □ vi (pt **spiralled**) subir em espiral

spire /'spaɪə(r)/ n agulha f, flecha f

spirit /'spɪrɪt/ n espírito m; (boldness) coragem f, brio m. ~**s** (morale) moral m; (drink) bebidas fpl alcoólicas, bebidas fpl espirituosas. **in high** ~**s** alegre □ vt ~ **away** dar sumiço a, arrebatar. ~~**level** n nível m de bolha de ar

spirited /'spɪrɪtɪd/ a fogoso; (attack, defence) vigoroso, enérgico

spiritual /'spɪrɪtʃʊəl/ a espiritual

spiritualism /'spɪrɪtʃʊəlɪzəm/ n espiritismo m

spit[1] /spɪt/ vt/i (pt **spat** or **spit**, pres p **spitting**) cuspir; (of rain) chuviscar; (of cat) bufar □ n cuspo m. **the** ~**ting image of** o retrato vivo de, a cara chapada de (*colloq*)

spit² /spɪt/ *n* (*for meat*) espeto *m*; (*of land*) língua *f* de terra

spite /spaɪt/ *n* má vontade *f*, despeito *m*, rancor *m* □ *vt* aborrecer, mortificar. **in ~ of** a despeito de, apesar de. **~ful** *a* rancoroso, maldoso. **~fully** *adv* rancorosamente, maldosamente

spittle /'spɪtl/ *n* cuspo *m*, saliva *f*

splash /splæʃ/ *vt* salpicar, respingar □ *vi* esparrinhar, esparramar-se. **~ (about)** chapinhar □ *n* (*act, mark*) salpico *m*; (*sound*) chape *m*; (*of colour*) mancha *f*. **make a ~** (*striking display*) fazer um vistão, causar furor

spleen /spliːn/ *n* (*anat*) baço *m*. **vent one's ~ on sb** descarregar a neura em alguém (*colloq*)

splendid /'splendɪd/ *a* esplêndido, magnífico; (*excellent*) estupendo (*colloq*), óptimo

splendour /'splendə(r)/ *n* esplendor *m*

splint /splɪnt/ *n* (*med*) tala *f*

splinter /'splɪntə(r)/ *n* lasca *f*, estilhaço *m*; (*under the skin*) farpa *f*, lasca *f* □ *vi* estilhaçar-se, lascar-se. **~ group** grupo *m* dissidente

split /splɪt/ *vt/i* (*pt* **split**, *pres p* **splitting**) rachar, fender(-se); (*divide, share*) dividir; (*tear*) romper(-se) □ *n* racha *f*, fenda *f*; (*share*) quinhão *m*, parte *f*; (*pol*) cisão *f*. **~ on** (*sl: inform on*) denunciar. **one's sides** rebentar de riso.

~ up (*of couple*) separar-se. **a ~ second** uma fracção de segundo. **~ting headache** dor *f* de cabeça forte

splurge /splɜːdʒ/ *n* (*colloq*) espalhafato *m*, estardalhaço *m* □ *vi* (*colloq: spend*) gastar à doida (*colloq*)

splutter /'splʌtə(r)/ *vi* falar cuspindo; (*engine*) cuspir; (*fat*) crepitar

spoil /spɔɪl/ *vt* (*pt* **spoilt** or **spoiled**) estragar; (*pamper*) mimar □ *n* **~(s)** despojo(s) *m(pl)*, espólios *mpl*. **~sport** *n* desmancha-prazeres *mf invar.* **~t** *a* (*pampered*) mimado, estragado com mimos

spoke¹ /spəʊk/ *n* raio *m*

spoke², spoken /spəʊk, 'spəʊkən/ *see* **speak**

spokes|man /'spəʊksmən/ *n* (*pl* **-men**) **~woman** *n* (*pl* **-women**) porta-voz *mf*

sponge /spʌndʒ/ *n* esponja *f* □ *vt* (*clean*) lavar com esponja; (*wipe*) limpar com esponja □ *vi* **~ on** (*colloq: cadge*) viver à custa de. **~ bag** bolsa *f* de toilette. **~ cake** pão-de-ló *m.* **~r** /-ə(r)/ *n* parasita *mf* (*colloq*) (*sl*). **spongy** *a* esponjoso

sponsor /'spɒnsə(r)/ *n* patrocinador *m*; (*for membership*) (sócio) proponente *m* □ *vt* patrocinar; (*for membership*) propor. **~ship** *n* patrocínio *m*

spontaneous /spɒn'teɪnɪəs/ *a* espontâneo

spoof /spuːf/ *n* (*colloq*) paródia *f*

spooky /'spuːkɪ/ *a* (**-ier**, **-iest**)

(*colloq*) fantasmagórico, que
dá arrepios

spool /spuːl/ n (*of sewing machine*) bobina f; (*for thread, line*) carrinho m; (*naut; fishing*) carretel m

spoon /spuːn/ n colher f.
~-**feed** vt (*pt* -**fed**) alimentar de colher; (*fig: help*) dar na bandeja para (*fig*). ~**ful** n (*pl* ~**fuls**) colherada f

sporadic /spəˈrædɪk/ a esporádico, acidental

sport /spɔːt/ n desporto m.
(**good**) ~ (*sl: person*) tipo m bestial, (*Br*) gente f fina, bom tipo m (*colloq*) □ vt (*display*) exibir, ostentar. ~**s car/coat** carro m/casaco m de desporto. ~**y** a (*colloq*) desportivo

sporting /ˈspɔːtɪŋ/ a desportivo. **a** ~ **chance** uma certa possibilidade de sucesso, uma boa chance

sports|man /ˈspɔːtsmən/ n (*pl* -**men**), ~**woman** (*pl* -**women**) desportista mf. ~**manship** n (*spirit*) espírito m desportivo, desportivismo m; (*activity*) prática f de desporto

spot /spɒt/ n (*mark, stain*) mancha f; (*in pattern*) pinta f, bola f; (*drop*) gota f; (*place*) lugar m, ponto m; (*pimple*) borbulha f, espinha f; (*TV*) spot m televisivo □ vt (*pt* **spotted**) manchar; (*colloq: detect*) descobrir, detectar (*colloq*). **a** ~ **of** (*colloq*) um pouco de. **be in a** ~ (*colloq*) estar numa encrenca (*colloq*), estar metido numa

alhada (*colloq*). **on the** ~ no local; (*there and then*) ali mesmo, logo ali. ~-**on** a (*colloq*) certo. ~ **check** inspecção f de surpresa; (*of cars*) fiscalização f de surpresa. ~**ted** a manchado; (*with dots*) de pintas, de bolas; (*animal*) malhado. ~**ty** a (*with pimples*) com borbulhas

spotless /ˈspɒtlɪs/ a impecável, imaculado

spotlight /ˈspɒtlaɪt/ n foco m; (*cine, theat*) reflector m, holofote m

spouse /spaʊz/ n cônjuge mf, esposo m

spout /spaʊt/ n (*of vessel*) bico m; (*of liquid*) esguicho m, jorro m; (*pipe*) cano m □ vi jorrar, esguichar. **up the** ~ (*sl: ruined*) liquidado (*sl*)

sprain /spreɪn/ n entorse f, mau jeito m □ vt torcer, dar um mau jeito a

sprang /spræŋ/ *see* **spring**

sprawl /sprɔːl/ vi (*sit*) estirar-se, esparramar-se; (*fall*) estatelar-se; (*town*) estender-se, espraiar-se

spray[1] /spreɪ/ n (*of flowers*) raminho m, ramalhete m

spray[2] /spreɪ/ n (*water*) borrifo m, salpico m; (*from sea*) borrifo m de espuma; (*device*) bomba f, aerossol m; (*for perfume*) vaporizador m, atomizador m □ vt aspergir, borrifar, pulverizar; (*with insecticide*) pulverizar. ~-**gun** n (*for paint*) pistola f

spread /spred/ vt/i (*pt* **spread**) (*extend, stretch*) estender-

(-se); (*news, fear, illness etc*) alastrar (-se), espalhar-se), propagar(-se); (*butter etc*) barrar; (*wings*) abrir □ *n* (*expanse*) expansão *f*, extensão *f*; (*spreading*) propagação *f*; (*paste*) pasta *f* para barrar pão; (*colloq: meal*) banquete *m*. ~**eagled** *a* de braços e pernas abertos. ~**sheet** *n* (*comput*) folha *f* de cálculo

spree /spriː/ *n* **go on a** ~ (*colloq*) cair na farra

sprig /sprɪg/ *n* raminho *m*

sprightly /ˈspraɪtlɪ/ *a* (**-ier, -iest**) vivo, animado

spring /sprɪŋ/ *vi* (*pt* **sprang**, *pp* **sprung**) (*arise*) nascer; (*jump*) saltar, pular □ *vt* (*produce suddenly*) sair-se com; (*a surprise etc*) fazer (**on sb** a alguém) □ *n* salto *m*, pulo *m*; (*device*) mola *f*; (*season*) Primavera *f*; (*of water*) fonte *f*, nascente *f*. ~ **from** vir de, originar-se de, provir de. ~-**clean** *vt* fazer limpeza geral. ~-**onion** cebolinha *f*. ~ **up** surgir

springboard /ˈsprɪŋbɔːd/ *n* trampolim *m*

springtime /ˈsprɪŋtaɪm/ *n* Primavera *f*

springy /ˈsprɪŋɪ/ *a* (**-ier, -iest**) elástico

sprinkle /ˈsprɪŋkl/ *vt* (*with liquid*) borrifar, salpicar; (*with salt, flour*) polvilhar (**with** de). ~ **sand/etc** espalhar areia/etc. ~**r** /-ə(r)/ *n* (*in garden*) regador *m*; (*for fires*) sprinkler *m*

sprinkling /ˈsprɪŋklɪŋ/ *n*

(*amount*) pequena quantidade *f*; (*number*) pequeno número *m*

sprint /sprɪnt/ *n* (*sport*) corrida *f* de pequena distância, sprint *m* □ *vi* correr em sprint *or* a toda a velocidade; (*sport*) correr

sprout /spraʊt/ *vt/i* brotar, germinar; (*put forth*) deitar □ *n* (*on plant etc*) broto *m*. **(Brussels)** ~**s** couves *f* de Bruxelas

spruce /spruːs/ *a* bem arranjado, janota □ *vt* ~ **o.s. up** arranjar-se

sprung /sprʌŋ/ *see* **spring** □ *a* (*mattress etc*) de molas

spry /spraɪ/ *a* (**spryer, spryest**) vivo, activo; (*nimble*) ágil

spud /spʌd/ *n* (*sl*) batata *f*

spun /spʌn/ *see* **spin**

spur /spɜː(r)/ *n* (*of rider*) espora *f*; (*fig: stimulus*) aguilhão *m*; (*fig*) espora *f* (*fig*) □ *vt* (*pt* **spurred**) esporear, picar com esporas; (*fig: incite*) aguilhoar, esporear. **on the** ~ **of the moment** impulsivamente

spurious /ˈspjʊərɪəs/ *a* falso, espúrio

spurn /spɜːn/ *vt* desdenhar, desprezar, rejeitar

spurt /spɜːt/ *vi* jorrar, esguichar; (*fig: accelerate*) acelerar subitamente, dar um arranco súbito □ *n* jorro *m*, esguicho *m*; (*of energy, speed*) arranco *m*, surto *m*

spy /spaɪ/ *n* espião *m* □ *vt* (*make out*) avistar, descortinar □ *vi* ~ (**on**) espiar, es-

pionar. ~ **out** descobrir. ~**ing**
n espionagem f

squabble /ˈskwɒbl/ vi discutir,
brigar ⃞ n briga f, disputa f

squad /skwɒd/ n (mil) pelotão
m; (team) equipa f. **firing** ~
pelotão m de fuzilamento.
flying ~ brigada f móvel

squadron /ˈskwɒdrən/ n (mil)
esquadrão m; (aviat) esqua-
drilha f; (naut) esquadra f

squalid /ˈskwɒlɪd/ a esquálido, sórdido. ~**or** n sordidez f

squall /skwɔːl/ n borrasca f

squander /ˈskwɒndə(r)/ vt
desperdiçar

square /skweə(r)/ n quadrado
m; (in town) largo m, praça
f; (T-square) régua em T f;
(set-square) esquadro m ⃞ a
(of shape) quadrado; (metre,
mile etc) quadrado; (honest)
às direitas, honesto;ʼ (of
meal) abundante, substan-
cial. **(all)** ~ **(quits)** quite(s)
⃞ vt (math) elevar ao qua-
drado; (settle) acertar ⃞ vi
(agree) concordar. **go back
to** ~ **one** recomeçar tudo de
princípio, voltar à estaca zero. ~ **brackets** parênteses
mpl rectos. ~ **up to** enfrentar. ~**ly** adv directamente;
(fairly) honestamente

squash /skwɒʃ/ vt (crush) esmagar; (squeeze) espremer;
(crowd) comprimir, apertar
⃞ n (game) squash m;
(Amer: marrow) abóbora f.
lemon ~ limonada f. **orange**
~ laranjada f. ~**y** a mole

squat /skwɒt/ vi (pt **squatted**)
acocorar-se, agachar-se; (be
a squatter) ser ocupante ile-

gal ⃞ a (dumpy) atarracado.
~**ter** n ocupante mf ilegal de
casa devolutam

squawk /skwɔːk/ n grasnido
m, crocito m ⃞ vi grasnar,
crocitar

squeak /skwiːk/ n guincho m,
chio m; (of door, shoes etc)
rangido m ⃞ vi guinchar,
chiar; (of door, shoes etc)
ranger. ~**y** a (shoe etc) que
range; (voice) esganiçado

squeal /skwiːl/ vi dar gritos
agudos, guinchar ⃞ n grito
m agudo, guincho m. ~ **(on)**
(sl: inform on) denunciar

squeamish /ˈskwiːmɪʃ/ a
(nauseated) que enjoa facilmente

squeeze /skwiːz/ vt (lemon,
sponge etc) espremer; (hand,
arm) apertar; (extract) arrancar, extorquir (**from** de) ⃞ vi
(force one's way) passar à
força, meter-se por ⃞ n
aperto m, apertão m; (hug)
abraço m; (comm) restrições
fpl de crédito

squelch /skweltʃ/ vi chapinhar
or fazer chape-chape na lama

squid /skwɪd/ n lula f

squiggle /ˈskwɪɡl/ n rabisco
m, floreado m

squint /skwɪnt/ vi ser estrábico or vesgo; (with half-shut
eyes) franzir os olhos ⃞ n
(med) estrabismo m

squirm /skwɜːm/ vi (re)torcer-
-se, contorcer-se

squirrel /ˈskwɪrəl/ n esquilo m

squirt /skwɜːt/ vt/i esguichar
⃞ n esguicho m

stab /stæb/ vt (pt **stabbed**)

apunhalar; (*knife*) esfaquear □ *n* punhalada *f*; (*with knife*) facada *f*; (*of pain*) pontada *f*; (*colloq: attempt*) tentativa *f*

stabilize /'steɪbəlaɪz/ *vt* estabilizar

stab|le[1] /'steɪbl/ *a* (**-er, -est**) estável. ~**ility** /stə'bɪlətɪ/ *n* estabilidade *f*

stable[2] /'steɪbl/ *n* cavalariça *f*, estrebaria *f*. ~**-boy** *n* moço *m* de estrebaria

stack /stæk/ *n* pilha *f*, montão *m*; (*of hay etc*) meda *f* □ *vt* ~ (**up**) empilhar, amontoar

stadium /'steɪdɪəm/ *n* estádio *m*

staff /sta:f/ *n* pessoal *m*; (*in school*) professores *mpl*; (*mil*) estado-maior *m*; (*stick*) bordão *m*, cajado *m*; (*mus*) (*pl* **staves**) pauta *f* □ *vt* prover de pessoal

stag /stæg/ *n* veado (macho) *m*, cervo *m*. ~**-party** *n* (*colloq*) reunião *f* masculina; (*before wedding*) despedida *f* de solteiro

stage /steɪdʒ/ *n* (*theatre*) palco *m*; (*phase*) fase *f*, ponto *m*; (*platform in hall*) estrado *m* □ *vt* encenar, pôr em cena; (*fig: organize*) organizar. **go on the ~** seguir a carreira teatral, ir para o teatro (*colloq*). ~ **door** entrada *f* dos artistas. ~**-fright** *n* nervosismo *m*

stagger /'stægə(r)/ *vi* vacilar, cambalear □ *vt* (*shock*) atordoar, chocar; (*holidays etc*) escalonar. ~**ing** *a* atordoador, chocante

stagnant /'stægnənt/ *a* estagnado, parado

stagnat|e /stæg'neɪt/ *vi* estagnar. ~**ion** /-ʃn/ *n* estagnação *f*

staid /steɪd/ *a* sério, sensato, estável

stain /steɪn/ *vt* manchar, pôr nódoa em; (*colour*) tingir, dar cor a □ *n* mancha *f*, nódoa *f*; (*colouring*) corante *m*. ~**ed glass window** vitral *m*. ~**less steel** aço *m* inoxidável

stair /steə(r)/ *n* degrau *m*. ~**s** escada(s) *f*(*pl*)

stair|case /'steəkeɪs/, ~**way** /-weɪ/ *ns* escada(s) *f*(*pl*), escadaria *f*

stake /steɪk/ *n* (*post*) estaca *f*, poste *m*; (*wager*) parada *f*, aposta *f* □ *vt* (*area*) demarcar, delimitar; (*wager*) jogar, apostar. **at ~** em jogo. **have a ~ in** ter interesse em. **~ a claim to** reivindicar

stale /steɪl/ *a* (**-er, -est**) que não é fresco, estragado, velho; (*bread*) duro; (*smell*) rançoso; (*air*) viciado; (*news*) velha

stalemate /'steɪlmeɪt/ *n* (*chess*) empate *m*; (*fig: deadlock*) impasse *m*, beco-sem--saída *m*

stalk[1] /stɔ:k/ *n* (*of plant*) caule *m*

stalk[2] /stɔ:k/ *vi* andar com ar empertigado □ *vt* (*prey*) perseguir furtivamente

stall /stɔ:l/ *n* (*in stable*) baia *f*; (*in market*) tenda *f*, barraca *f*. ~**s** (*theat*) poltronas *fpl* de orquestra; (*cinema*) plateia *f* □ *vt/i* (*auto*) ir abaixo. ~ (**for time**) ganhar tempo

stalwart /'stɔ:lwət/ *a* forte, rijo; (*supporter*) fiel

stamina /ˈstæmɪnə/ n resistência f

stammer /ˈstæmə(r)/ vt/i gaguejar ☐ n gaguez f

stamp /stæmp/ vt/i ~ **(one's foot)** bater com o pé (no chão), pisar com força ☐ vt estampar; (letter) estampilhar, selar; (with rubber stamp) carimbar. ~ **out** (fire, rebellion etc) esmagar; (disease) erradicar ☐ n estampa f; (for postage) selo m; (fig: mark) cunho m. **(rubber)** ~ carimbo m. ~~**collecting** n filatelia f

stampede /stæmˈpiːd/ n (scattering) debandada f; (of horses, cattle etc) debandada f; (fig: rush) corrida f ☐ vt/i (fazer) debandar; (horses, cattle etc) tresmalhar

stance /stæns/ n posição f, postura f

stand /stænd/ vi (pt stood) estar em pé; (keep upright position) ficar em pé; (rise) levantar-se; (be situated) encontrar-se, ficar, situar-se; (pol) candidatar-se (for por) ☐ vt pôr (de pé), colocar; (tolerate) suportar, aguentar ☐ n posição f; (support) apoio m; (mil) resistência f; (at fair) stand m, pavilhão m; (in street) quiosque m; (for spectators) bancada f; (Amer: witness-box) banco m das testemunhas. ~ **a chance** ter uma possibilidade. ~ **back** recuar. ~ **by** or **around** estar parado sem fazer nada. ~ **by** (be ready) estar a postos; (promise, per-

son) manter-se fiel a. ~ **down** desistir, retirar-se. ~ **for** representar, simbolizar; (colloq: tolerate) aturar. ~ **in for** substituir. ~ **out** (be conspicuous) sobressair. ~ **still** estar/ficar imóvel. ~ **still!** não se mexa!, quieto! ~ **to reason** ser lógico. ~ **up** levantar-se, pôr-se em or de pé. ~ **up for** defender, apoiar. ~ **up to** enfrentar. ~~**by** a (for emergency) de reserva; (ticket) de stand-by ☐ n (at airport) stand-by m. **on** ~~**by** (mil, med) de prevenção. ~~**in** n substituto m, suplente mf. ~~**offish** a (colloq: aloof) reservado, distante

standard /ˈstændəd/ n norma f, padrão m; (level) nível m; (flag) estandarte m, bandeira f. ~**s** (morals) princípios mpl ☐ a regulamentar; (average) standard, normal. ~ **lamp** candeeiro m de pé alto. ~ **of living** padrão m or nível m de vida

standardize /ˈstændədaɪz/ vt padronizar

standing /ˈstændɪŋ/ a em pé, de pé invar; (army, committee etc) permanente ☐ n posição f; (reputation) prestígio m; (duration) duração f. ~ **order** (at bank) ordem f permanente. ~~**room** n lugares mpl em/de pé

standpoint /ˈstændpɔɪnt/ n ponto m de vista

standstill /ˈstændstɪl/ n paralisação f. **at a** ~ parado, paralisado. **bring/come to a** ~

(fazer) parar, paralisar(-se), imobilizar (-se)

stank /stæŋk/ *see* **stink**

staple[1] /'steɪpl/ *n* (*for paper*) agrafo *m* □ *vt* (*paper*) agrafar. **~r** /-ə(r)/ *n* agrafador *m*

staple[2] /'steɪpl/ *a* principal, básico □ *n* (*comm*) artigo *m* básico

star /sta:(r)/ *n* estrela *f*; (*cinema*) estrela *f*, vedeta *f*; (*celebrity*) celebridade *f* □ *vt* (*pt* **starred**) (*of film*) ter como actor principal □ *vi* ~ **in** ser a vedeta *or* ter o papel principal em. **~dom** *n* celebridade *f*, estrelato *m*

starch /sta:tʃ/ *n* amido *m*, fécula *f*; (*for clothes*) goma *f* □ *vt* pôr em goma, engomar. **~y** *a* (*of food*) farináceo, feculento; (*fig: of person*) rígido, formal

stare /steə(r)/ *vi* ~ **at** olhar fixamente □ *n* olhar *m* fixo

starfish /'sta:fɪʃ/ *n* (*pl invar*) estrela-do-mar *f*

stark /sta:k/ *a* (**-er**, **-est**) (*desolate*) árido, desolado; (*severe*) austero, severo; (*utter*) completo, rematado; (*fact etc*) brutal □ *adv* completamente. ~ **naked** nu em pêlo, em pelota (*colloq*)

starling /'sta:lɪŋ/ *n* estorninho *m*

starlit /'sta:lɪt/ *a* estrelado

starry /'sta:rɪ/ *a* estrelado. **~-eyed** *a* (*colloq*) sonhador, idealista

start /sta:t/ *vt/i* começar; (*machine*) ligar, pôr em andamento; (*fashion etc*) lançar; (*leave*) partir; (*cause*) cau-

sar, provocar; (*jump*) sobressaltar-se, estremecer; (*of car*) arrancar, partir □ *n* começo *m*, início *m*; (*of race*) largada *f*, partida *f*; (*lead*) avanço *m*; (*jump*) sobressalto *m*, estremecimento *m*. **by fits and ~s** aos arrancos, intermitentemente. **for a ~** para começar. **give sb a ~** sobressaltar alguém, pregar um susto a alguém. **~ to do** começar a *or* pôr-se a fazer. **~er** *n* (*auto*) arranque *m*; (*competitor*) corredor *m*; (*culin*) entrada *f*. **~ing-point** *n* ponto *m* de partida

startl|e /'sta:tl/ *vt* (*make jump*) sobressaltar, pregar um susto a; (*shock*) alarmar, chocar. **~ing** *a* alarmante; (*surprising*) surpreendente

starv|e /sta:v/ *vi* (*suffer*) passar fome; (*die*) morrer de fome. **be ~ing** (*colloq: very hungry*) ter muita fome, morrer de fome (*colloq*) □ *vt* fazer passar fome a; (*deprive*) privar. **~ation** /'veɪʃn/ *n* fome *f*

stash /stæʃ/ *vt* (*sl*) guardar, esconder, encafuar (*colloq*)

state /steɪt/ *n* estado *m*, condição *f*; (*pomp*) pompa *f*, gala *f*; (*pol*) Estado *m* □ *a* de Estado, do Estado; (*school*) público; (*visit etc*) oficial □ *vt* afirmar (**that** que); (*views*) exprimir; (*fix*) marcar, fixar. **in a ~** muito abalado

stateless /'steɪtlɪs/ *a* apátrida

stately /'steɪtlɪ/ *a* (**-ier**, **-iest**) majestoso. **~ home** solar *m*, palácio *m*

statement /'steItmənt/ n declaração f; (of account) extracto m de conta

statesman /'steItsmən/ n (pl -men) homem m de estado, estadista m

static /'stætIk/ a estático □ n (radio, TV) estática f, interferência f

station /'steI∫n/ n (position) posto m; (rail, bus, radio) estação f; (rank) condição f, posição f social □ vt colocar. ~-wagon n carrinha f. ~ed at or in (mil) estacionado em

stationary /'steI∫nrI/ a estacionário, parado, imóvel; (vehicle) estacionado, parado

stationer /'steI∫ənə(r)/ n dono m de papelaria. ~'s shop n papelaria f. ~y n artigos mpl de papelaria; (writing-paper) papel m de carta

statistic /stə'tIstIk/ n dado m estatístico. ~s n (as a science) estatística f. ~al a estatístico

statue /'stæt∫u:/ n estátua f

stature /'stæt∫ə(r)/ n estatura f

status /'steItəs/ n (pl -uses) situação f, posição f, categoria f; (prestige) prestígio m, importância f, status m. ~ quo status quo m. ~ symbol símbolo m de status

statut|**e** /'stætju:t/ n estatuto m, lei f. ~ory /-ʊtrI/ a estatutário, regulamentar; (holiday) legal

staunch /stɔ:nt∫/ a (-er, -est) (friend) fiel, leal

stave /steIv/ n (mus) pauta f □ vt ~ off (keep off) conjurar, evitar; (delay) adiar

stay /steI/ vi estar, ficar, permanecer; (dwell temporarily) ficar, alojar-se, hospedar-se; (spend time) demorar-se □ vt (hunger) enganar □ n estada f, visita f, permanência f. ~ **behind** ficar para trás. ~ **in** ficar em casa. ~ **put** (colloq) não se mexer (colloq). ~ **up** (late) deitar-se tarde. ~**ing-power** n resistência f

stead /sted/ n in my/your/etc ~ no meu/teu/etc lugar. **stand in good** ~ ser muito útil

steadfast /'stedfɑ:st/ a firme, constante

stead|**y** /'stedI/ a (-ier, -iest) (stable) estável, firme, seguro; (regular) regular, constante; (hand, voice) firme □ vt firmar, fixar, estabilizar; (calm) acalmar. **go** ~ **with** (colloq) namorar. ~**ily** adv firmemente; (regularly) regularmente, de modo constante

steak /steIk/ n bife m

steal /sti:l/ vt/i (pt stole, pp stolen) roubar (**from sb** de alguém). ~ **away/in**/etc sair/entrar/etc furtivamente, esgueirar-se. ~ **the show** pôr os outros na sombra

stealth /stelθ/ n **by** ~ furtivamente, na calada, às escondidas. ~**y** a furtivo

steam /sti:m/ n vapor m de água; (on window) condensação f □ vt (cook) cozinhar a vapor. ~ **up** (window) embaciar. □ vi soltar vapor, fumegar; (move) avançar.

~**engine** n máquina f a vapor; (*locomotive*) locomotiva f a vapor. ~ **iron** ferro m a vapor. ~**y** a (*heat*) húmido

steamer /'sti:mə(r)/ n (*ship*) (barco a) vapor m; (*culin*) utensílio m para cozinhar a vapor

steamroller /'sti:mrəʊlə(r)/ n cilindro m a vapor, rolo m compressor

steel /sti:l/ n aço m □ a de aço □ vpr ~ **o.s.** endurecer-se, fortalecer-se. ~ **industry** siderurgia f

steep[1] /sti:p/ vt (*soak*) mergulhar, pôr de molho; (*permeate*) passar, impregnar. ~**ed in** (*fig*: *vice, misery etc*) mergulhado em; (*fig*: *knowledge, wisdom etc*) impregnado de, repassado de

steep[2] /sti:p/ a (-**er**, -**est**) íngreme, escarpado; (*colloq*) exagerado, exorbitante. **rise** ~**ly** (*slope*) subir a pique; (*price*) disparar

steeple /'sti:pl/ n campanário m, torre f

steeplechase /'sti:pltʃeɪs/ n (*race*) corrida f de obstáculos

steer /stɪə(r)/ vt/i guiar, conduzir, dirigir; (*ship*) governar; (*fig*) guiar, orientar. ~ **clear of** evitar passar perto de. ~**ing** n (*auto*) direcção f. ~**ing-wheel** n (*auto*) volante m

stem[1] /stem/ n caule m, haste f; (*of glass*) pé m; (*of pipe*) boquilha f; (*of word*) radical m □ vi (*pt* **stemmed**) ~ **from** provir de, vir de

stem[2] /stem/ vt (*pt* **stemmed**) (*check*) conter; (*stop*) estancar

stench /stentʃ/ n mau cheiro m, fedor m

stencil /'stensl/ n stencil m □ vt (*pt* **stencilled**) (*document*) policopiar

step /step/ vi (*pt* **stepped**) ir andar □ vt ~ **up** aumentar □ n passo m, passada f; (*of stair, train*) degrau m; (*action*) medida f, passo m. ~**s** (*ladder*) escada f. **in** ~ no mesmo passo, a passo certo; (*fig*) em conformidade (**with** com). ~ **down** (*resign*) demitir-se. ~ **in** (*intervene*) intervir. ~-**ladder** n escadote m ~-**ping-stone** n (*fig*: *means to an end*) ponte f, trampolim m

stepbrother /'stepbrʌðə(r)/ n meio-irmão m. ~**daughter** n enteada f. ~**father** n padrasto m. ~**mother** n madrasta f. ~**sister** n meia-irmã f. ~**son** n enteado m

stereo /'sterɪəʊ/ n (pl -**os**) estéreo m; (*record-player etc*) equipamento m or sistema m estéreo □ a estéreo invar. ~**phonic** /-ə'fɒnɪk/ a estereofónico

stereotype /'sterɪətaɪp/ n estereótipo m. ~**d** a estereotipado

steril|e /'steraɪl/ a estéril. ~**ity** /stə'rɪlətɪ/ n esterilidade f

steriliz|e /'sterəlaɪz/ vt esterilizar. ~**ation** /'zeɪʃn/ n esterilização f

sterling /'stɜ:lɪŋ/ n libra f esterlina □ a esterlino; (*silver*) de lei; (*fig*) excelente, de (primeira) qualidade

stern[1] /stɜːn/ *a* (**-er, -est**) severo

stern[2] /stɜːn/ *n* (*of ship*) popa *f*, ré *f*

stethoscope /'steθəskəʊp/ *n* estetoscópio *m*

stew /stjuː/ *vt/i* estufar, guisar; (*fruit*) cozer □ *n* ensopado *m*. ~**ed fruit** compota *f*

steward /'stjʊəd/ *n* (*of club etc*) ecónomo *m*, administrador *m*; (*on ship etc*) camareiro *m* (de bordo), criado *m* (de bordo). ~**ess** /'des/ *n* hospedeira *f*

stick[1] /stɪk/ *n* pau *m*; (*for walking*) bengala *f*; (*of celery*) talo *m*

stick[2] /stɪk/ *vt* (*pt* **stuck**) (*glue*) colar; (*thrust*) cravar, espetar; (*colloq: put*) enfiar, meter; (*sl: endure*) aguentar, aturar, suportar □ *vi* (*adhere*) colar, aderir; (*remain*) ficar preso, enfiado ou metido; (*be jammed*) emperrar, ficar engatado. ~ **in one's mind** ficar na memória. **be stuck with sb/sth** (*colloq*) não conseguir descartar-se de alguém/alg coisa (*colloq*). ~ **out** *vt* (*head*) esticar; (*tongue etc*) deitar de fora, mostrar □ *vi* (*protrude*) sobressair. ~ **to** (*promise*) ser fiel a. ~-**up** *n* (*sl*) assalto *m* à mão armada. ~ **up for** (*colloq*) tomar o partido de, defender. ~**ing-plaster** *n* adesivo *m*

sticker /'stɪkə(r)/ *n* autocolante *m*, etiqueta *f* (adesiva)

stickler /'stɪklə(r)/ *n* **be a** ~ **for** fazer grande questão de, insistir em

sticky /'stɪkɪ/ *a* (**-ier, -iest**) pegajoso; (*label, tape*) adesivo; (*weather*) abafado

stiff /stɪf/ *a* (**-er, -est**) teso, hirto, rígido; (*limb, joint; hard*) duro; (*unbending*) inflexível; (*price*) elevado, puxado (*colloq*); (*penalty*) severo; (*drink*) forte; (*manner*) reservado, formal. **be bored/scared** ~ (*colloq*) estar a morrer de aborrecimento/medo (*colloq*). ~ **neck** torcicolo *m*. ~**ness** *n* rigidez *f*

stiffen /'stɪfn/ *vt/i* (*harden*) endurecer; (*limb, joint*) emperrar

stifl|**e** /'staɪfl/ *vt/i* abafar, sufocar. ~**ing** *a* sufocante

stigma /'stɪgmə/ *n* estigma *m*. ~**tize** *vt* estigmatizar

stile /staɪl/ *n* degrau *m* para passar por cima de uma vedação

stiletto /stɪ'letəʊ/ *n* (*pl* **-os**) estilete *m*. ~ **heel** *n* salto *m* alto fino

still[1] /stɪl/ *a* imóvel, quieto; (*quiet*) sossegado □ *n* silêncio *m*, sossego *m* □ *adv* ainda; (*nevertheless*) apesar disso, apesar de tudo. **keep** ~! fique quieto!, não se mexa! ~ **life** natureza *f* morta. ~**ness** *n* calma *f*

still[2] /stɪl/ *n* (*apparatus*) alambique *m*

stillborn /'stɪlbɔːn/ *a* nado-morto

stilted /'stɪltɪd/ *a* afectado

stilts /stɪlts/ *npl* andas *fpl*

stimul|ate /ˈstɪmjʊleɪt/ vt estimular. **~ant** n estimulante m. **~ating** a estimulante. **~ation** /ˈleɪʃn/ n estimulação f

stimulus /ˈstɪmjʊləs/ n (pl **-li** /-laɪ/) (spur) estímulo m

sting /stɪŋ/ n picada f; (organ) ferrão m □ vt (pt **stung**) picar □ vi picar, arder. **~ing nettle** urtiga f

stingy /ˈstɪndʒɪ/ a (**-ier, -iest**) forreta, sovina, (Br) pão-duro m (with com)

stink /stɪŋk/ n fedor m, catinga f, mau cheiro m □ vi (pt **stank** or **stunk**, pp **stunk**) ~ (of) cheirar (a), tresandar (a) □ vt **~ out** (room etc) empestar. **~ing** a malcheiroso. **~ing rich** (sl) podre de rico (colloq)

stinker /ˈstɪŋkə(r)/ n (sl: person) tipo m horroroso (colloq); (sl: sth difficult) osso m duro de roer

stint /stɪnt/ vi ~ **on** poupar em, apertar em □ n (work) tarefa f, parte f, quinhão m

stipulat|e /ˈstɪpjʊleɪt/ vt estipular. **~ion** /ˈleɪʃn/ n condição f, estipulação f

stir /stɜːr/ vt/i (pt **stirred**) (move) mexer(-se), mover(-se); (excite) excitar; (a liquid) mexer □ n agitação f, rebuliço m. ~ **up** (trouble etc) provocar, fomentar. **~ring** a excitante

stirrup /ˈstɪrəp/ n estribo m

stitch /stɪtʃ/ n (in sewing, med) ponto m; (in knitting) malha f, ponto m; (pain) pontada f □ vt coser. **in ~es** (colloq) às gargalhadas (colloq)

stoat /stəʊt/ n arminho m

stock /stɒk/ n (comm) stock m, provisão f; (finance) valores mpl, fundos mpl; (family) família f, estirpe f; (culin) caldo m; (flower) goivo m □ a (goods) corrente, comum; (hackneyed) estereotipado □ vt (shop etc) abastecer, fornecer; (sell) vender □ vi ~ **up with** abastecer-se de. **in** ~ em stock, em armazém . **out of** ~ esgotado. **take** ~ (fig) fazer um balanço. **~-car** n stock-car m. **~-cube** n cubo m de caldo. ~ **market** Bolsa f (de Valores). **~-still** a, adv imóvel. **~-taking** n (comm) inventário m

stockbroker /ˈstɒkbrəʊkə(r)/ n corretor m da Bolsa

stocking /ˈstɒkɪŋ/ n meia f

stockist /ˈstɒkɪst/ n armazenista m

stockpile /ˈstɒkpaɪl/ n reservas fpl □ vt acumular reservas de, armazenar

stocky /ˈstɒkɪ/ a (**-ier, -iest**) atarracado

stodg|e /stɒdʒ/ n (colloq) comida f pesada (colloq). **~y** a (of food, book) pesado, maçudo

stoic /ˈstəʊɪk/ n estóico m. **~al** a estóico. **~ism** /-sɪzəm/ n estoicismo m

stoke /stəʊk/ vt (boiler, fire) alimentar, carregar

stole¹ /stəʊl/ n (garment) estola m

stole², stolen /stəʊl, ˈstəʊlən/ see **steal**

stomach /ˈstʌmək/ n estômago m; (abdomen) barriga f, ven-

tre *m* □ *vt* (*put up with*) aturar. ~ache *n* dor *f* de estômago; (*abdomen*) dores *fpl*
de barriga

ston|e /stəʊn/ *n* pedra *f*; (*peb-
ble*) seixo *m*; (*in fruit*) caroço *m*; (*weight*) 6,348 kg;
(*med*) cálculo *m*, pedra *f* □
vt apedrejar; (*fruit*) tirar o
caroço de. **within a ~e's
throw (of)** muito perto (de).
~e-cold gelado. ~e-deaf totalmente surdo. ~ed *a* (*colloq: drunk*) entornado *m*
(*colloq*); (*colloq: drugged*)
drogado. ~y *a* pedregoso.
~y-broke *a* (*sl*) teso, liso
(*sl*)

stonemason /'stəʊnmeɪsn/ *n*
pedreiro *m*

stood /stʊd/ *see* stand

stooge /stuːdʒ/ *n* (*colloq: actor*) comparsa *mf*; (*colloq:
puppet*) fantoche *m*, comparsa *mf*, parceiro *m*

stool /stuːl/ *n* banco *m*, tambo-
rete *m*

stoop /stuːp/ *vi* (*bend*) curvar-
-se, baixar-se; (*condescend*)
condescender, dignar-se. ~
to sth rebaixar-se para (fazer) alg coisa □ *n* **walk with
a** ~ andar curvado

stop /stɒp/ *vt/i* (*pt* **stopped**)
parar; (*prevent*) impedir
(**from** de); (*hole, leak etc*)
tapar, vedar; (*pain, noise
etc*) parar; (*colloq: stay*) ficar □ *n* (*of bus*) paragem *f*;
(*full stop*) ponto *m* final. **put
a** ~ **to** pôr fim a. ~ **it!** acaba
lá com isso! ~-over *n* (*break
in journey*) paragem *f*; (*port
of call*) escala *f*. ~press *n*

notícia *f* de última hora.
~-watch *n* cronómetro *m*

stopgap /'stɒpgæp/ *n* substituto *m* provisório, tapa-
-buracos *mpl* (*colloq*) □ *a*
temporário

stoppage /'stɒpɪdʒ/ *n* paragem
f; (*of work*) paralisação *f* de
trabalho; (*of pay*) suspensão
f

stopper /'stɒpə(r)/ *n* rolha *f*,
tampa *f*

storage /'stɔːrɪdʒ/ *n* (*of goods,
food etc*) armazenagem *f*, ar-
mazenamento *m*. **in cold** ~
em frigorífico

store /stɔː(r)/ *n* reserva *f*, provisão *f*; (*warehouse*) armazém *m*, entreposto *m*; (*shop*)
grande armazém *m*; (*Amer*)
loja *f*; (*in computer*) memória *f* □ *vt* (*for future*) pôr de
reserva, juntar, fazer provisão de; (*in warehouse*) armazenar. **be in** ~ estar guardado. **have in** ~ **for** reservar
para. **set** ~ **by** dar valor a.
~-room *n* depósito *m*, arre-
cadação *f*, armazém *m*

storey /'stɔːrɪ/ *n* (*pl* -eys) andar *m*

stork /stɔːk/ *n* cegonha *f*

storm /stɔːm/ *n* tempestade *f*
□ *vt* tomar de assalto □ *vi*
enfurecer-se. **a** ~ **in a teacup** uma tempestade num
copo de água. ~y *a* tempestuoso

story /'stɔːrɪ/ *n* história *f*; (*in
press*) artigo *m*, matéria *f*;
(*Amer: storey*) andar *m*;
(*colloq: lie*) peta *f*. ~-teller *n*
contador *m* de histórias

stout /staʊt/ *a* (-er, -est) (*fat*)

gordo, corpulento; *(strong, thick)* resistente, sólido, grosso; *(brave)* resoluto □ *n* cerveja *f* preta forte

stove /stəʊv/ *n (for cooking)* fogão *m* (de cozinha)

stow /stəʊ/ *vt* ~ **(away)** *(put away)* guardar, arrumar; *(hide)* esconder □ *vi* ~ **away** viajar clandestinamente

stowaway /ˈstəʊəweɪ/ *n* passageiro *m* clandestino

straddle /ˈstrædl/ *vt (sit)* escarranchar-se em, montar; *(stand)* pôr-se de pernas abertas sobre

straggle /ˈstrægl/ *vi (lag behind)* desgarrar-se, ficar para trás; *(spread)* estender-se desordenadamente. ~**r** /-ə(r)/ *n* retardatário *m*

straight /streɪt/ *a* **(-er, -est)** direito; *(tidy)* em ordem; *(frank)* franco, directo; *(of hair)* liso; *(of drink)* puro □ *adv (in straight line)* recto; *(directly)* direito, directo, directamente □ *n* linha *f* recta ~ **ahead** *or* **on** (sempre) em frente. ~ **away** logo, imediatamente. **go** ~ viver honestamente. **keep a** ~ **face** não se desmanchar, manter um ar sério

straighten /ˈstreɪtn/ *vt* endireitar; *(tidy)* arrumar, pôr em ordem

straightforward /streɪtˈfɔːwəd/ *a* franco, sincero; *(easy)* simples

strain[1] /streɪn/ *n (breed)* raça *f*; *(streak)* tendência *f*, veia *f*

strain[2] /streɪn/ *vt (rope)* esticar, puxar; *(tire)* cansar; *(fil-ter)* filtrar, passar; *(vegetables, tea etc)* coar; *(med)* distender, torcer; *(fig)* forçar, pôr à prova □ *vi* esforçar-se □ *n* tensão *f*; *(fig: effort)* esforço *m*; *(med)* distensão *f*. ~**s** *(music)* melodias *fpl*. ~ **one's ears** apurar o ouvido. ~**ed** *a* forçado; *(relations)* tenso. ~**er** *n* coador *m*, passador *m*

strait /streɪt/ *n* estreito *m*. ~**s** estreito *m*; *(fig)* apuros *mpl*, dificuldades *fpl*. ~-**jacket** *n* camisa-de-forças *f*. ~-**laced** *a* severo, puritano

strand /strænd/ *n (thread)* fio *m*; *(lock of hair)* mecha *f*, madeixa *f*

stranded /ˈstrændɪd/ *a (person)* em dificuldades, deixado para trás, abandonado

strange /streɪndʒ/ *a* **(-er, -est)** estranho. ~**ly** *adv* estranhamente. ~**ness** *n* estranheza *f*

stranger /ˈstreɪndʒə(r)/ *n* estranho *m*, desconhecido *m*

strangle /ˈstræŋgl/ *vt* estrangular, sufocar

stranglehold /ˈstræŋglhəʊld/ *n* **have a** ~ **on** ter domínio sobre, ter à mercê

strangulation /stræŋgjʊˈleɪʃn/ *n* estrangulamento *m*

strap /stræp/ *n (of leather etc)* correia *f*; *(of dress)* alça *f*; *(of watch)* pulseira *f* com correia *f* □ *vt (pt strapped)* prender com correia

strapping /ˈstræpɪŋ/ *a* robusto, grande

strata /ˈstreɪtə/ *see* **stratum**

stratagem /ˈstrætədʒəm/ *n* estratagema *m*

strategic /strə'ti:dʒɪk/ a estratégico; (of weapons) de longo alcance

strategy /'strætədʒɪ/ n estratégia f

stratum /'stra:təm/ n (pl **strata**) estrato m, camada f

straw /strɔ:/ n palha f; (for drinking) palhinha f. **the last ~** a última gota f

strawberry /'strɔ:brɪ/ n (fruit) morango m; (plant) morangueiro m

stray /streɪ/ vi (deviate from path etc) extraviar-se, descaminhar-se, afastar-se (**from** de); (lose one's way) perder-se; (wander) vagar, errar □ a perdido, extraviado; (isolated) isolado, raro, esporádico □ n animal m perdido or vadio

streak /stri:k/ n risca f, lista f; (strain) veia f; (period) período m. **~ of lightning** relâmpago m □ vt listrar, riscar □ vi ir como um raio. **~er** n (colloq) pessoa f que corre nua em lugares públicos. **~y** a listrado, riscado. **~y bacon** toucinho m entremeado com gordura

stream /stri:m/ n riacho m, córrego m, regato m; (current) corrente f; (fig: flow) jorro m, torrente f; (schol) nível m, grupo m □ vi correr; (of banner, hair) flutuar; (sweat) escorrer, pingar

streamer /'stri:mə(r)/ n (of paper) serpentina f; (flag) flâmula f, bandeirola f

streamline /'stri:mlaɪn/ vt dar forma aerodinâmica a; (fig)

racionalizar. **~d** a (shape) aerodinâmico

street /stri:t/ n rua f. **the man in the ~** (fig) o homem da rua. **~ lamp** poste m de iluminação

streetcar /'stri:tka:(r)/ n (Amer) carro m eléctrico

strength /strenθ/ n força f; (of wall) solidez f; (of fabric etc) resistência f. **on the ~ of** à base de, em virtude de

strengthen /'strenθn/ vt fortificar, fortalecer, reforçar

strenuous /'strenjʊəs/ a enérgico; (arduous) árduo, estrênuo; (tiring) fatigante, esgotante. **~ly** adv esforçadamente, energicamente

stress /stres/ n acento m; (pressure) pressão f, tensão f; (med) stress m □ vt acentuar, sublinhar; (sound) acentuar. **~ful** a que provoca stress, stressante

stretch /stretʃ/ vt (pull taut) esticar; (arm, leg, neck) estender, esticar; (clothes) alargar; (truth) forçar, torcer □ vi estender-se; (after sleep etc) espreguiçar-se; (of clothes) alargar-se □ n extensão f, trecho m; (period) período m; (of road) troço m □ a (of fabric) com elasticidade. **at a ~** sem parar. **~ one's legs** esticar as pernas

stretcher /'stretʃə(r)/ n maca f, padiola f. **~-bearer** n maqueiro m

strew /stru:/ vt (pt **strewed**, pp **strewed** or **strewn**) (scatter) espalhar; (cover) juncar, cobrir

stricken /'strɪkən/ a ~ **with** atacado or acometido de

strict /strɪkt/ a (-er, -est) estrito, rigoroso. ~ly adv estritamente. ~ly **speaking** a rigor. ~ness n severidade f, rigor m

stride /straɪd/ vi (pt **strode**, pp **stridden**) caminhar a passos largos □ n passada f. **make great ~s** (fig) fazer grandes progressos. **take sth in one's** ~ fazer alg coisa sem problemas

strident /'straɪdnt/ a estridente

strife /straɪf/ n conflito m , dissensão f, luta f

strike /straɪk/ vt (pt **struck**) bater (em); (blow) dar; (match) riscar, acender; (gold etc) descobrir; (of clock) soar, dar, bater (horas); (of lightning) atingir □ vi fazer greve; (attack) atacar □ n (of workers) greve f; (mil) ataque m; (find) descoberta f. **on** ~ em greve. ~ **a bargain** fechar negócio. ~ **off** or **out** riscar. ~ **up** (mus) começar a tocar; (friendship) travar

striker /'straɪkə(r)/ n grevista mf

striking /'straɪkɪŋ/ a notável, impressionante; (attractive) atraente

string /strɪŋ/ n corda f, fio m; (of violin, racket etc) corda f; (of pearls) fio m; (of onions, garlic) réstia f; (of lies etc) série f, chorrilho m; (row) fila f □ vt (pt **strung**) (thread) enfiar. **pull ~s** puxar os cordelinhos. ~ **out** espaçar-se. ~**ed** a (instrument) de cordas. ~y a filamentoso, fibroso; (meat) com nervos

stringent /'strɪndʒənt/ a rigoroso, estrito

strip[1] /strɪp/ vt/i (pt **stripped**) (undress) despir(-se); (machine) desmontar; (deprive) despojar, privar. ~**per** n artista mf de strip-tease; (solvent) decapante m

strip[2] /strɪp/ n tira f; (of land) faixa f. **comic** ~ banda f desenhada. ~ **light** tubo m de luz fluorescente

stripe /straɪp/ n risca f, lista f, barra f. ~**d** a às riscas

strive /straɪv/ vi (pt **strove**, pp **striven**) esforçar-se (**to** por)

strode /strəʊd/ see **stride**

stroke[1] /strəʊk/ n golpe m; (of pen) traço m; (in swimming) braçada f; (in rowing) remada f; (med) ataque m, congestão f. ~ **of genius** rasgo m de genialidade. ~ **of luck** golpe m de sorte

stroke[2] /strəʊk/ vt (with hand) acariciar, fazer festas em

stroll /strəʊl/ vi passear, dar uma volta □ n volta f, giro m. ~ **in**/etc entrar/etc tranquilamente

strong /strɒŋ/ a (-er, -est) forte; (shoes, fabric etc) resistente. **be a hundred**/etc ~ ser em número de cem/etc. ~**box** n cofre-forte m. ~ **language** linguagem f grosseira, palavrões mpl. ~**minded** a resoluto, firme. ~**room** n casa-forte f. ~**ly** adv (greatly) fortemente, grandemente; (with energy) com força; (*deeply*) profundamente

stronghold /ˈstrɒŋhəʊld/ n fortaleza f, (fig) baluarte m, bastião m

strove /strəʊv/ see **strive**

struck /strʌk/ see **strike** □ a ~ **on** (*sl*) apaixonado por

structur|e /ˈstrʌktʃə(r)/ n estrutura f; (*of building etc*) edifício m, construção f. ~**al** a estrutural, de estrutura, de construção

struggle /ˈstrʌgl/ vi (*to get free*) debater-se; (*contend*) lutar; (*strive*) esforçar-se (**to, for** por) □ n luta f; (*effort*) esforço m. **have a ~** ter dificuldade em. ~ **to one's feet** levantar-se a custo

strum /strʌm/ vt (*pt* **strummed**) (*banjo etc*) dedilhar

strung /strʌŋ/ see **string**

strut /strʌt/ n (*support*) suporte m, escora f □ vi (*pt* **strutted**) (*walk*) pavonear-se

stub /stʌb/ n (*of pencil, cigarette*) ponta f; (*of tree*) cepo m, toco m; (*counterfoil*) talão m, canhoto m □ vt (*pt* **stubbed**) ~ **one's toe** dar uma topada. ~ **out** esmagar

stubble /ˈstʌbl/ n (*on chin*) barba f por fazer; (*of crop*) restolho m

stubborn /ˈstʌbən/ a teimoso, obstinado. ~**ly** adv obstinadamente, teimosamente. ~**ness** n teimosia f, obstinação f

stubby /ˈstʌbɪ/ a (**-ier, -iest**) (*finger*) curto e grosso; (*person*) atarracado

stuck /stʌk/ see **stick²** □ a emperrado. ~**-up** a (*colloq*: *snobbish*) convencido

stud¹ /stʌd/ n tacha f; (*for collar*) botão m de colarinho □ vt (*pt* **studded**) enfeitar com tachas. ~**ded with** salpicado de

stud² /stʌd/ n (*horses*) criação f de cavalos . ~**(-farm)** coudelaria f. ~ **(-horse)** garanhão m

student /ˈstjuːdnt/ n (*univ*) estudante mf, aluno m; (*schol*) aluno m □ a (*life, residence*) universitário

studied /ˈstʌdɪd/ a estudado

studio /ˈstjuːdɪəʊ/ n (*pl* **-os**) estúdio m. ~ **flat** estúdio m

studious /ˈstjuːdɪəs/ a (*person*) estudioso; (*deliberate*) estudado. ~**ly** adv (*carefully*) cuidadosamente

study /ˈstʌdɪ/ n estudo m; (*office*) escritório m □ vt/i estudar

stuff /stʌf/ n substância f, matéria f; (*sl*: *things*) coisa(s) f (*pl*) □ vt encher; (*animal*) empalhar; (*cram*) apinhar, encher ao máximo; (*culin*) rechear; (*block up*) entupir; (*put*) enfiar, meter. ~**ing** n enchimento m; (*culin*) recheio m

stuffy /ˈstʌfɪ/ a (**-ier, -iest**) abafado, mal arejado; (*dull*) enfadonho

stumbl|e /ˈstʌmbl/ vi tropeçar. ~**e across** or **on** dar com, encontrar por acaso, topar com. ~**ing-block** n obstáculo m

stump /stʌmp/ n (*of tree*) cepo m, toco m; (*of limb*) coto m; (*of pencil, cigar*) ponta f

stumped /stʌmpt/ a (*colloq*:

baffled) atrapalhado, perplexo

stun /stʌn/ *vt* (*pt* **stunned**) aturdir, estontear

stung /stʌŋ/ *see* **sting**

stunk /stʌŋk/ *see* **stink**

stunning /ˈstʌnɪŋ/ *a* atordoador; (*colloq: delightful*) fantástico, sensacional

stunt¹ /stʌnt/ *vt* (*growth*) atrofiar. **~ed** *a* atrofiado

stunt² /stʌnt/ *n* (*feat*) façanha *f*, proeza *f*; (*trick*) truque *m*; (*aviat*) acrobacia *f* aérea. **~ man** *n* duplo *m*

stupefy /ˈstjuːpɪfaɪ/ *vt* estupidificar

stupendous /stjuːˈpendəs/ *a* estupendo, assombroso, prodigioso

stupid /ˈstjuːpɪd/ *a* estúpido, obtuso. **~ity** /ˈpɪdətɪ/ *n* estupidez *f*. **~ly** *adv* estupidamente

stupor /ˈstjuːpə(r)/ *n* estupor *m*, torpor *m*

sturdy /ˈstɜːdɪ/ *a* (**-ier, -iest**) robusto, vigoroso, forte

stutter /ˈstʌtə(r)/ *vi* gaguejar □ *n* gaguez *f*

sty /staɪ/ *n* (*pigsty*) pocilga *f*, chiqueiro *m*

stye /staɪ/ *n* (*on eye*) terçol *m*, terçolho *m*

styl|e /staɪl/ *n* estilo *m*; (*fashion*) moda *f*; (*kind*) género *m*, tipo *m*; (*pattern*) feitio *m*, modelo *m* □ *vt* (*design*) desenhar, criar. **in ~e** (*live*) em grande estilo; (*do things*) com classe. **~e sb's hair** fazer um penteado em alguém. **~ist** *n* (*of hair*) cabeleireiro *m*

stylish /ˈstaɪlɪʃ/ *a* elegante, à moda

stylized /ˈstaɪlaɪzd/ *a* estilizado

stylus /ˈstaɪləs/ *n* (*pl* **-uses**) (*of record-player*) agulha *f*, safira *f*

suave /swaːv/ *a* polido, de fala mansa, melífluo

sub- /sʌb/ *pref* sub-

subconscious /sʌbˈkɒnʃəs/ *a & n* subconsciente *m*

subcontract /sʌbkənˈtrækt/ *vt* dar de subempreitada

subdivide /sʌbdɪˈvaɪd/ *vt* subdividir

subdue /səbˈdjuː/ *vt* (*enemy, feeling*) dominar, subjugar; (*sound, voice*) abrandar. **~d** *a* (*weak*) submisso; (*quiet*) recolhido; (*light*) velado

subject¹ /ˈsʌbdʒɪkt/ *a* (*state etc*) dominado □ *n* sujeito *m*; (*schol, univ*) disciplina *f*, matéria *f*; (*citizen*) súbdito *m*. **~-matter** *n* conteúdo *m*, tema *m*, assunto *m*. **~ to** sujeito a

subject² /səbˈdʒekt/ *vt* submeter. **~ion** /-kʃn/ *n* submissão *f*

subjective /sʌbˈdʒektɪv/ *a* subjectivo

subjunctive /səbˈdʒʌŋktɪv/ *a & n* conjuntivo *m*

sublime /səˈblaɪm/ *a* sublime

submarine /sʌbməˈriːn/ *n* submarino *m*

submerge /səbˈmɜːdʒ/ *vt* submergir □ *vi* submergir, mergulhar

submissive /səbˈmɪsɪv/ *a* submisso

submi|t /səbˈmɪt/ *vt/i* (*pt* **sub-**

mitted) submeter(-se) (**to** a); (*jur:* argue) alegar. **~ssion** /ˈmɪʃn/ n submissão f

subnormal /sʌbˈnɔːml/ a subnormal; (*temperature*) abaixo do normal

subordinate[1] /səˈbɔːdɪnət/ a subordinado, subalterno; (*gram*) subordinado □ n subordinado m, subalterno m

subordinate[2] /səˈbɔːdɪneɪt/ vt subordinar (**to** a)

subpoena /səbˈpiːnə/ n (*pl* **-as**) (*jur*) citação f, intimação f

subscribe /səbˈskraɪb/ vt/i subscrever, contribuir (**to** para). ~ **to** (*theory, opinion*) subscrever, aceitar; (*newspaper*) assinar. **~r** /-ə(r)/ n subscritor m, assinante m

subscription /səbˈskrɪpʃn/ n subscrição f; (*to newspaper*) assinatura f

subsequent /ˈsʌbsɪkwənt/ a subsequente, posterior. **~ly** adv subsequentemente, a seguir, posteriormente

subservient /səbˈsɜːvɪənt/ a servil, subserviente

subside /səbˈsaɪd/ vi (*flood, noise etc*) baixar; (*land*) ceder, abater; (*wind, storm, excitement*) abrandar. **~nce** /-əns/ n (*of land*) afundamento m

subsidiary /səbˈsɪdɪərɪ/ a subsidiário □ n (*comm*) filial f, sucursal f

subsid|y /ˈsʌbsədɪ/ n subsídio m, subvenção f. **~ize** /-IdaIz/ vt subsidiar, subvencionar

subsist /səbˈsɪst/ vi subsistir. ~ **on** viver de. **~ence** n subsistência f. **~ence allowance** ajudas fpl de custo

substance /ˈsʌbstəns/ n substância f

substandard /sʌbˈstændəd/ a de qualidade inferior

substantial /səbˈstænʃl/ a substancial. **~ly** adv substancialmente

substantiate /səbˈstænʃɪeɪt/ vt comprovar, fundamentar

substitut|e /ˈsʌbstɪtjuːt/ n (*person*) substituto m, suplente mf (**for** de); (*thing*) substituto m (**for** de) □ vt substituir (**for** por). **~ion** /ˈtjuːʃn/ n substituição f

subterfuge /ˈsʌbtəfjuːdʒ/ n subterfúgio m

subtitle /ˈsʌbtaɪtl/ n subtítulo m

subtle /ˈsʌtl/ a (**-er, -est**) subtil. **~ty** n subtileza f

subtotal /ˈsʌbtəʊtl/ n soma f parcial

subtract /səbˈtrækt/ vt subtrair, diminuir. **~ion** /-kʃn/ n subtracção f, diminuição f

suburb /ˈsʌbɜːb/ n subúrbio m, arredores mpl. **~an** /səˈbɜːbən/ a dos subúrbios, suburbano. **~ia** /səˈbɜːbɪə/ n os arredores

subver|t /səbˈvɜːt/ vt subverter. **~sion** /-ʃn/ n subverção f. **~sive** /-sɪv/ a subversivo

subway /ˈsʌbweɪ/ n passagem f subterrânea; (*Amer: underground*) metropolitano m

succeed /səkˈsiːd/ vi ser bem sucedido, ter êxito. ~ **in doing sth** conseguir fazer alg coisa □ vt (*follow*) suceder a. **~ing** a seguinte, sucessivo

success /səkˈses/ n sucesso m, êxito m

succession /sək'seʃn/ n sucessão f; (series) série f. **in ~** seguidos, consecutivos

successive /sək'sesɪv/ a sucessivo, consecutivo

successor /sək'sesə(r)/ n sucessor m

succinct /sək'sɪŋkt/ a sucinto

succulent /'sʌkjʊlənt/ a suculento

succumb /sə'kʌm/ vi sucumbir

such /sʌtʃ/ a & pron tal, semelhante, assim; (so much) tanto □ adv tanto. **~ a book/** etc um tal livro/etc or um livro/etc assim. **~ books/**etc tais livros/etc or livros/etc assim. **~ courage/**etc tanta coragem/etc. **~ a big house** uma casa tão grande. **as ~** como tal. **~ as** como, tal como. **there's no ~ thing** uma coisa dessas não existe. **~-and-such** a & pron tal e tal

suck /sʌk/ vt chupar; (breast) mamar. **~ in** or **up** (absorb) absorver, aspirar; (engulf) tragar. **~ up to** dar manteiga a (colloq). **~ one's thumb** chuchar no dedo. **~er** n (sl: greenhorn) trouxa mf (colloq); (bot) rebento m

suckle /'sʌkl/ vt amamentar, dar de mamar a

suction /'sʌkʃn/ n sucção f

sudden /'sʌdn/ a súbito, repentino. **all of a ~** de repente, de súbito. **~ly** adv subitamente, repentinamente. **~ness** n repente m, brusquidão f

suds /sʌdz/ npl espuma f de sabão; (soapy water) água f de sabão

sue /su:/ vt (pres p suing) processar

suede /sweɪd/ n camurça f

suet /'su:ɪt/ n sebo m

suffer /'sʌfə(r)/ vt/i sofrer; (tolerate) tolerar, suportar. **~er** n sofredor m, o que sofre; (patient) doente mf, vítima f. **~ing** n sofrimento m

suffice /sə'faɪs/ vi bastar, chegar, ser suficiente

sufficien|t /sə'fɪʃnt/ a suficiente, bastante. **~cy** n suficiência f, quantidade f suficiente. **~tly** adv suficientemente

suffix /'sʌfɪx/ n sufixo m

suffocat|e /'sʌfəkeɪt/ vt/i sufocar. **~ion** /-'keɪʃn/ n sufocação f, asfixia f. **~ing** a sufocante, asfixiante

sugar /'ʃʊgə(r)/ n açúcar m □ vt adoçar, pôr açúcar em. **~-bowl** n açucareiro m. **~-lump** n torrão m de açúcar, quadradinho m de açúcar. **~ brown** ~ açúcar m amarelo. **~y** a açucarado; (fig: too sweet) delicodoce

suggest /sə'dʒest/ vt sugerir. **~ion** /-tʃn/ n sugestão f. **~ive** a sugestivo; (improper) brejeiro, picante. **be ~ive of** sugerir, fazer lembrar

suicid|e /'su:ɪsaɪd/ n suicídio m. **commit ~e** suicidar-se. **~al** /-'saɪdl/ a suicida

suit /su:t/ n fato m; (Br) terno m; (woman's) saia-casaco m; (cards) naipe m □ vt convir a; (of garment, style) ficar bem em; (adapt) adaptar. **follow ~** (fig) seguir o exemplo. **~ ability** n (of action) conveniência f, oportunidade f; (of candidate) aptidão f. ~**able** a conveniente, apropriado (**for** para). ~**ably** adv convenientemente. ~**ed** a **be** ~**ed to** ser feito para, servir para. **be well** ~**ed** (matched) combinar-se bem; (of people) ser o ideal

suitcase /ˈsuːtkeɪs/ n mala f (de viagem)

suite /swiːt/ n (of rooms; mus) suite f; (of furniture) mobília f

suitor /ˈsuːtə(r)/ n pretendente m

sulk /sʌlk/ vi amuar, ficar emburrado. ~**y** a amuado, emburrado (colloq)

sullen /ˈsʌlən/ a carrancudo

sulphur /ˈsʌlfə(r)/ n enxofre m. ~**ic** /ˈfjʊərɪk/ a ~**ic acid** ácido m sulfúrico

sultan /ˈsʌltən/ n sultão m

sultana /sʌlˈtɑːnə/ n (fruit) passa f branca, sultana f

sultry /ˈsʌltrɪ/ a (-ier, -iest) abafado, opressivo; (fig) sensual

sum /sʌm/ n soma f; (amount of money) soma f, quantia f, importância f; (in arithmetic) conta f □ vt (pt **summed**) somar. ~ **up** recapitular, resumir; (assess) avaliar, medir

summar|y /ˈsʌmərɪ/ n sumário m, resumo m □ a sumário. ~**ize** vt resumir

summer /ˈsʌmə(r)/ n Verão m, Estio m □ a de Verão. ~**-time** n Verão m, época f de Verão. ~**y** a estival, próprio de Verão

summit /ˈsʌmɪt/ n cume m, cimo m. ~ **conference** (pol) (reunião f de) cimeira f

summon /ˈsʌmən/ vt mandar chamar; (to meeting) convocar. ~ **up** (strength, courage etc) chamar a si, fazer apelo a

summons /ˈsʌmənz/ n (jur) citação f, intimação f □ vt citar, intimar

sump /sʌmp/ n (auto) cárter m

sumptuous /ˈsʌmptʃʊəs/ a sumptuoso, luxuoso

sun /sʌn/ n sol m □ vt (pt **sunned**) ~ **o.s.** aquecer-se ao sol. ~**glasses** npl óculos mpl de sol. ~~**roof** n tecto m solar. ~~**tan** n bronzeado m. ~~**tanned** a bronzeado. ~~**tan oil** n óleo m de bronzear

sunbathe /ˈsʌnbeɪð/ vi tomar um banho de sol

sunburn /ˈsʌnbɜːn/ n queimadura f de sol. ~**t** a queimado pelo sol

Sunday /ˈsʌndɪ/ n domingo m. ~ **school** catequese f

sundial /ˈsʌndaɪəl/ n relógio m de sol

sundown /ˈsʌndaʊn/ n = **sunset**

sundr|y /ˈsʌndrɪ/ a vários, diversos. ~**ies** npl artigos mpl diversos. **all and** ~**y** todo o mundo

sunflower /ˈsʌnflaʊə(r)/ n girassol m

sung /sʌŋ/ see **sing**

sunk /sʌŋk/ see **sink**

sunken /ˈsʌŋkən/ a (ship etc) afundado; (eyes) fundo

sunlight /ˈsʌnlaɪt/ n luz f do sol, sol m

sunny /ˈsʌnɪ/ a (-ier, -iest) (room, day etc) ensolarado

sunrise /ˈsʌnraɪz/ n nascer m do sol

sunset /ˈsʌnset/ n pôr m do sol

sunshade /ˈsʌnʃeɪd/ n (awning) toldo m; (parasol) guarda-sol m

sunshine /ˈsʌnʃaɪn/ n sol m, luz f do sol

sunstroke /ˈsʌnstrəʊk/ n (med) insolação f

super /ˈsuːpə(r)/ a (colloq: excellent) formidável

superb /suːˈpɜːb/ a soberbo, esplêndido

supercilious /suːpəˈsɪlɪəs/ a (haughty) altivo; (disdainful) desdenhoso

superficial /suːpəˈfɪʃl/ a superficial. ~ity /-ɪˈælətɪ/ n superficialidade f. ~ly adv superficialmente

superfluous /suːˈpɜːflʊəs/ a supérfluo

superhuman /suːpəˈhjuːmən/ a sobre-humano

superimpose /suːpərɪmˈpəʊz/ vt sobrepor (on a)

superintendent /suːpərɪnˈtendənt/ n superintendente m; (of police) comissário m, chefe m de polícia

superior /suːˈpɪərɪə(r)/ a & n superior m. ~ity /-ˈɒrətɪ/ n superioridade f

superlative /suːˈpɜːlətɪv/ a supremo, superlativo □ n (gram) superlativo m

supermarket /ˈsuːpəmaːkɪt/ n supermercado m

supernatural /suːpəˈnætʃrəl/ a sobrenatural

superpower /ˈsuːpəpaʊə(r)/ n superpotência f

supersede /suːpəˈsiːd/ vt suplantar, substituir

supersonic /suːpəˈsɒnɪk/ a supersónico

superstiti|on /suːpəˈstɪʃn/ n superstição f. ~ous a /-ˈstɪʃəs/ supersticioso

superstore /ˈsuːpəstɔː(r)/ n hipermercado m

supertanker /ˈsuːpətæŋkə(r)/ n superpetroleiro m

supervis|e /ˈsuːpəvaɪz/ vt supervisionar, fiscalizar. ~ion /-ˈvɪʒn/ n supervisão f. ~or n supervisor m; (shop) chefe mf de secção; (firm) chefe mf de serviço; (sport) orientador m, monitor m

supper /ˈsʌpə(r)/ n jantar m; (late at night) ceia f

supple /ˈsʌpl/ a flexível, maleável

supplement[1] /ˈsʌplɪmənt/ n suplemento m. ~ary /ˈmentrɪ/ a suplementar

supplement[2] /ˈsʌplɪment/ vt suplementar

supplier /səˈplaɪə(r)/ n fornecedor m

suppl|y /səˈplaɪ/ vt suprir, prover; (comm) fornecer, abastecer □ n provisão f; (of goods, gas etc) fornecimento m, abastecimento m □ a (teacher) substituto. ~ies (food) víveres mpl; (mil) mantimentos mpl. ~y and demand oferta e procura

support /səˈpɔːt/ vt (hold up, endure) suportar; (provide for) sustentar, suster; (back) apoiar, patrocinar; (sport) torcer por □ n apoio m; (techn) suporte m. ~er n partidário m; (sport) adepto m

suppos|e 388 **surrogate**

suppos|e /səˈpəʊz/ *vt/i* supor. **~e that** supondo que, na hipótese de que. **~ed** *a* suposto. **he's ~ed to do** ele deve fazer; (*believed to*) consta que ele faz. **~edly** /-ɪdlɪ/ *adv* segundo dizem; (*probably*) supostamente, em princípio. **~ing** *conj* se. **~ition** /sʌpəˈzɪʃn/ *n* suposição *f*

suppress /səˈpres/ *vt* (*put an end to*) suprimir; (*restrain*) conter, reprimir; (*stifle*) abafar, sufocar; (*psych*) recalcar. **~ion** /-ʃn/ *n* supressão *f*; (*restraint*) repressão *f*; (*psych*) recalcamento *m*

suprem|e /suːˈpriːm/ *a* supremo. **~acy** /-eməsɪ/ *n* supremacia *f*

surcharge /ˈsɜːtʃɑːdʒ/ *n* sobretaxa *f*; (*on stamp*) sobrecarga *f*

sure /ʃʊə(r)/ *a* (**-er, -est**) seguro, certo □ *adv* (*colloq: certainly*) deveras, não há dúvida de que, de certeza. **be ~ about** *or of* ter a certeza de. **be ~ to** (*not fail*) não deixar de. **he is ~ to find out** ele vai descobrir com certeza. **make ~** assegurar. **~ly** *adv* com certeza, certamente

surety /ˈʃʊərətɪ/ *n* (*person*) fiador *m*; (*thing*) garantia *f*

surf /sɜːf/ *n* (*waves*) ressaca *f*, rebentação *f*. **~er** *n* surfista *mf*. **~ing** *n* surf *m*

surface /ˈsɜːfɪs/ *n* superfície *f* □ *a* superficial □ *vt/i* revestir; (*rise, become known*) emergir. **~ mail** via *f* marítima

surfboard /ˈsɜːfbɔːd/ *n* prancha *f* de surf

surfeit /ˈsɜːfɪt/ *n* excesso *m* (*of*)

surge /sɜːdʒ/ *vi* (*waves*) ondular, encapelar-se; (*move forward*) avançar □ *n* (*wave*) onda *f*, vaga *f*; (*motion*) arremetida *f*

surgeon /ˈsɜːdʒən/ *n* cirurgião *m*

surg|ery /ˈsɜːdʒərɪ/ *n* cirurgia *f*; (*office*) consultório *m*; (*session*) consulta *f*; (*consulting hours*) horas *fpl* de consulta. **~ical** *a* cirúrgico

surly /ˈsɜːlɪ/ *a* (**-ier, -iest**) carrancudo, trombudo

surmise /səˈmaɪz/ *vt* imaginar, supor, calcular □ *n* conjectura *f*; hipótese *f*

surmount /səˈmaʊnt/ *vt* sobrepujar, vencer, superar

surname /ˈsɜːneɪm/ *n* apelido *m*, (*Br*) sobrenome *m*

surpass /səˈpɑːs/ *vt* superar, ultrapassar, exceder

surplus /ˈsɜːpləs/ *n* excedente *m*, excesso *m*; (*finance*) saldo *m* positivo □ *a* excedente, em excesso

surpris|e /səˈpraɪz/ *n* surpresa *f* □ *vt* surpreender. **~ed** *a* surpreendido, admirado (**at** com). **~ing** *a* surpreendente. **~ingly** *adv* surpreendentemente

surrender /səˈrendə(r)/ *vi* render-se □ *vt* (*hand over; mil*) entregar □ *n* (*mil*) rendição *f*; (*of rights*) renúncia *f*

surreptitious /sʌrəpˈtɪʃəs/ *a* sub-reptício, furtivo

surrogate /ˈsʌrəgeɪt/ *n* delegado *m*. ~ **mother** mãe *f* de aluguer

surround /sə'raʊnd/ *vt* rodear, cercar; (*mil etc*) cercar. **~ing** *a* circundante, vizinho. **~ings** *npl* arredores *mpl*; (*setting*) meio *m*, ambiente *m*

surveillance /sɜː'veɪləns/ *n* vigilância *f*

survey[1] /sə'veɪ/ *vt* (*landscape etc*) observar; (*review*) passar em revista; (*inquire about*) pesquisar; (*land*) fazer o levantamento de; (*building*) vistoriar, inspeccionar. **~or** *n* (*of buildings*) fiscal *m*; (*of land*) agrimensor *m*

survey[2] /'sɜːveɪ/ *n* (*inspection*) vistoria *f*, inspecção *f*; (*general view*) panorâmica *f*; (*inquiry*) pesquisa *f*

survival /sə'vaɪvl/ *n* sobrevivência *f*; (*relic*) relíquia *f*, vestígio *m*

surviv|e /sə'vaɪv/ *vt/i* sobreviver (a). **~or** *n* sobrevivente *mf*

susceptib|le /sə'septəbl/ *a* (*prone*) susceptível (**to** a); (*sensitive, impressionable*) susceptível, sensível. **~ility** /'bɪlətɪ/ *n* susceptibilidade *f*

suspect[1] /sə'spekt/ *vt* suspeitar; (*doubt, distrust*) desconfiar de, suspeitar de

suspect[2] /'sʌspekt/ *a* & *n* suspeito *m*

suspen|d /sə'spend/ *vt* (*hang, stop*) suspender; (*from duty etc*) suspender. **~ded sentence** suspensão *f* de pena. **~sion** *n* suspensão *f*. **~sion bridge** ponte *f* suspensa *or* pênsil

suspender /sə'spendə(r)/ *n* (presilha de) liga *f*. **~ belt** *n* cinta *f* de ligas. **~s** (*Amer: braces*) suspensórios *mpl*

suspense /sə'spens/ *n* ansiedade *f*, incerteza *f*; (*in book etc*) suspense *m*, tensão *f*

suspicion /sə'spɪʃn/ *n* suspeita *f*; (*distrust*) desconfiança *f*; (*trace*) vestígio *m*, traço *m*

suspicious /sə'spɪʃəs/ *a* desconfiado; (*causing suspicion*) suspeito. **be ~ of** desconfiar de. **~ly** *adv* de modo suspeito

sustain /sə'steɪn/ *vt* (*support*) suster, sustentar; (*suffer*) sofrer; (*keep up*) sustentar; (*jur: uphold*) sancionar; (*interest, effort*) manter. **~ed effort** esforço *m* contínuo

sustenance /'sʌstɪnəns/ *n* (*food*) alimento *m*, sustento *m*

swagger /'swægə(r)/ *vi* pavonear-se, andar com arrogância

swallow[1] /'swɒləʊ/ *vt/i* engolir. **~ up** (*absorb, engulf*) devorar, tragar

swallow[2] /'swɒləʊ/ *n* (*bird*) andorinha *f*

swam /swæm/ *see* **swim**

swamp /swɒmp/ *n* pântano *m*, brejo *m* □ *vt* (*flood, overwhelm*) inundar, submergir. **~y** *a* pantanoso

swan /swɒn/ *n* cisne *m*

swank /swæŋk/ *vi* (*colloq: show off*) gabar-se, mostrar-se (*colloq*)

swap /swɒp/ *vt/i* (*pt* swapped) (*colloq*) trocar (**for** por) □ *n* (*colloq*) troca *f*

swarm /swɔːm/ n (of insects, people) enxame m □ vi formigar. ~ **into** or **round** invadir

swarthy /ˈswɔːðɪ/ a (-ier, -iest) moreno, trigueiro

swat /swɒt/ vt (pt **swatted**) (fly etc) esmagar, esborrachar

sway /sweɪ/ vt/i oscilar, balançar (-se); (influence) mover, influenciar □ n oscilação f, balanço m; (rule) domínio m, poder m

swear /sweə(r)/ vt/i (pt **swore**, pp **sworn**) jurar; (curse) praguejar, rogar pragas (**at** contra). ~ **by** jurar por; (colloq: recommend) ter grande fé em. ~**-word** n palavrão m

sweat /swet/ n suor m □ vi suar. ~**y** a suado

sweater /ˈswetə(r)/ n camisola f

sweatshirt /ˈswetʃɜːt/ n sweatshirt f

swede /swiːd/ n couve-nabo f

Swed|e /swiːd/ n sueco m. ~**en** n Suécia f. ~**ish** a & n sueco m

sweep /swiːp/ vt/i (pt **swept**) varrer; (go majestically) avançar majestosamente; (carry away) arrastar; (chimney) limpar □ n (with broom) varredela f; (curve) curva f; (movement) gesto m largo. (**chimney-**)~ limpa--chaminés m. ~**ing** a (gesture) largo; (action) de grande alcance. ~**ing statement** generalização f fácil

sweet /swiːt/ a (-er, -est) doce; (colloq: charming) doce,

(BR) gracinha; (colloq: pleasant) agradável □ n doce m. ~ **corn** milho m. ~ **pea** ervilha-de-cheiro f. ~ **shop** confeitaria f. **have a** ~ **tooth** gostar de doces. ~**ness** n doçura f

sweeten /ˈswiːtn/ vt adoçar; (fig: mitigate) suavizar. ~**er** n (for tea, coffee) adoçante m (artificial); (colloq: bribe) agrado m

sweetheart /ˈswiːthɑːt/ n namorado m, namorada f; (term of endearment) querido m, querida f, amor m

swell /swel/ vt/i (pt **swelled**, pp **swollen** or **swelled**) (expand) inchar; (increase) aumentar □ n (of sea) ondulação f □ a (colloq: excellent) excelente; (colloq : smart) chique. ~**ing** n (med) inchação f, inchaço m

swelter /ˈsweltə(r)/ vi fazer um calor abrasador; (person) abafar (com calor)

swept /swept/ see **sweep**

swerve /swɜːv/ vi desviar-se, dar uma guinada

swift /swift/ a (-er, -est) rápido, veloz. ~**ly** adv rapidamente. ~**ness** n rapidez f

swig /swɪg/ vt (pt **swigged**) (colloq: drink) emborcar, beber em longos tragos □ n (colloq) trago m, gole m

swill /swɪl/ vt passar por água □ n (pig-food) lavagem f, lavadura f

swim /swɪm/ vi (pt **swam**, pp **swum**, pres p **swimming**) nadar; (room, head) rodar □ vt atravessar a nado; (distan-

ce) nadar □ n banho m.
~mer n nadador m. ~ming n
natação f. ~ming-bath,
~ming-pool ns piscina f.
~ming-cap n touca f de banho. ~ming-costume, ~suit
ns fato m de banho. ~ming-
-trunks npl calções m pl de
banho

swindle /ˈswɪndl/ vt vigarizar
□ n vigarice f. ~r /-ə(r)/ n
vigarista mf

swine /swaɪn/ npl (pigs) por-
cos mpl □ n (pl invar) (colloq: person) animal m, canalha m (colloq)

swing /swɪŋ/ vt/i (pt swung)
balançar(-se); (turn round)
girar □ n (seat) balanço m;
(of opinion) reviravolta f;
(mus) swing m; (rhythm) ritmo m. in full ~ no máximo,
em plena actividade. ~
round (of person) virar-se.
~~bridge/door ns ponte f/
porta f giratória

swipe /swaɪp/ vt (colloq: hit)
bater em, dar uma pancada
em (colloq); (colloq: steal)
fanar, roubar (colloq) □ n
(colloq: hit) pancada f (colloq)

swirl /swɜːl/ vi redemoinhar, redemoinhar □ n turbilhão m, redemoinho m

swish /swɪʃ/ vt/i sibilar, zunir,
(fazer) cortar o ar; (with
brushing sound) roçar □ a
(colloq) chique

Swiss /swɪs/ a & n suíço m

switch /swɪtʃ/ n interruptor m;
(change) mudança f □ vt
(transfer) transferir; (exchange) trocar □ vi desviar-
-se. ~ off desligar

switchboard /ˈswɪtʃbɔːd/ n
(telephone) PBX m

Switzerland /ˈswɪtsələnd/ n
Suíça f

swivel /ˈswɪvl/ vt/i (pt swivel-
led) (fazer) girar. ~ chair
cadeira f giratória

swollen /ˈswəʊlən/ see swell
□ a inchado

swoop /swuːp/ vi (bird) lançar-se, cair (down on so-
bre); (police) fazer uma rusga

sword /sɔːd/ n espada f

swore /swɔː(r)/ see swear

sworn /swɔːn/ see swear □ a
(enemy) jurado, declarado;
(ally) fiel

swot /swɒt/ vt/i (pt swotted)
(colloq: study) estudar muito, marrar (sl) □ n (colloq)
estudante m muito aplicado,
marrão m (sl)

swum /swʌm/ see swim

swung /swʌŋ/ see swing

sycamore /ˈsɪkəmɔː(r)/ n (maple) sicómoro m; (Amer:
plane) plátano m

syllable /ˈsɪləbl/ n sílaba f

syllabus /ˈsɪləbəs/ n (pl -uses)
programa m

symbol /ˈsɪmbl/ n símbolo m.
~ic(al) /bɒltk(l)/ a simbólico. ~ism n simbolismo m

symbolize /ˈsɪmbəlaɪz/ vt simbolizar

symmetry /ˈsɪmətrɪ/ n sime-
tria f. ~ical /sɪˈmetrɪkl/ a si-
métrico

sympathize /ˈsɪmpəθaɪz/ vi ~
with ter pena de, condoer-se
de; (fig) compartilhar os sentimentos de. ~r n simpatizante mf

sympath|y /'sɪmpəθɪ/ *n* (*pity*) pena *f*, compaixão *f*; (*solidarity*) solidariedade *f*; (*condolences*) pêsames *mpl*, condolências *fpl*. **be in ~y with** estar de acordo com. **~etic** /'θetɪk/ *a* comprensivo, simpático; (*likeable*) simpático; (*showing pity*) compassivo. **~etically** /'θetɪklɪ/ *adv* compassivamente; (*fig*) compreensivamente

symphon|y /'sɪmfənɪ/ *n* sinfonia *f* □ *a* sinfónico. **~ic** /'fɒnɪk/ *a* sinfónico

symptom /'sɪmptəm/ *n* sintoma *m*. **~atic** /'mætɪk/ *a* sintomático (**of** de)

synagogue /'sɪnəgɒg/ *n* sinagoga *f*

synchronize /'sɪŋkrənaɪz/ *vt* sincronizar

syndicate /'sɪndɪkət/ *n* sindicato *m*

syndrome /'sɪndrəʊm/ *n* (*med*) síndroma *m*

synonym /'sɪnənɪm/ *n* sinónimo *m*. **~ous** /sɪ'nɒnɪməs/ *a* sinónimo (**with** de)

synopsis /sɪ'nɒpsɪs/ *n* (*pl* **-opses** /-siːz/) sinopse *f*, resumo *m*

syntax /'sɪntæks/ *n* sintaxe *f*

synthesis /'sɪnθəsɪs/ *n* (*pl* **-theses** /-siːz/) síntese *f*

synthetic /sɪn'θetɪk/ *a* sintético

syphilis /'sɪfɪlɪs/ *n* sífilis *f*

Syria /'sɪrɪə/ *n* Síria *f*. **~n** *a* & *n* sírio *m*

syringe /sɪ'rɪndʒ/ *n* seringa *f* □ *vt* seringar

syrup /'sɪrəp/ *n* (*liquid*) xarope *m*; (*treacle*) calda *f* de açúcar. **~y** *a* (*fig*) melado, enjoativo

system /'sɪstəm/ *n* sistema *m*; (*body*) organismo *m*; (*order*) método *m*. **~atic** /sɪstə'mætɪk/ *a* sistemático

T

tab /tæb/ n (flap) carcela f; (for fastening, hanging) ase-lha f; (label) etiqueta f; (loop) argola f; (Amer colloq: bill) conta f. **keep ~s on** (colloq) vigiar

table /'teɪbl/ n mesa f; (list) tabela f, lista f □ vt (submit) apresentar; (postpone) adiar. **at ~** à mesa. **lay or set the ~** pôr a mesa. **~ of contents** índice m (das matérias). **turn the ~s** inverter as posi-ções. **~-cloth** n toalha de mesa f. **~-mat** n descanso m. **~ tennis** pingue-pongue m

tablespoon /'teɪblspuːn/ n co-lher f grande de sopa. **~ful** n (pl **~fuls**) colher f de sopa cheia

tablet /'tæblɪt/ n (of stone) lá-pide f, placa f; (drug) com-primido m

tabloid /'tæblɔɪd/ n tablóide m. **~ journalism** (pej) jorna-lismo m sensacionalista

taboo /tə'buː/ n & a tabu m

tacit /'tæsɪt/ a tácito

taciturn /'tæsɪtɜːn/ a taciturno

tack /tæk/ n (nail) tacha f; (stitch) ponto m de alinhavo; (naut) amura f; (fig: course of action) rumo m □ vt (nail) pregar com tachas; (stitch) alinhavar □ vi (naut) bordejar. **~ on** (add) acres-centar, juntar

tackle /'tækl/ n equipamento m, apetrechos mpl; (sport) placagem f □ vt (problem etc) atacar; (sport) placar; (a thief etc) agarrar-se a

tacky /'tækɪ/ a (-ier, -iest) pe-ganhento, pegajoso

tact /tækt/ n tacto m. **~ful** a cheio de tacto, diplomático. **~fully** adv com tacto. **~less** a sem tacto. **~lessly** adv sem tacto

tactic /'tæktɪk/ n (expedient) táctica f. **~s** n(pl) (procedu-re) táctica f. **~al** a táctico

tadpole /'tædpəʊl/ n girino m

tag /tæg/ n (label) etiqueta f; (on shoelace) agulheta f; (phrase) chavão m, clichê m □ vt (pt **tagged**) etiquetar; (add) juntar □ vi **~ along** (colloq) andar atrás, seguir

Tagus /'teɪgʌs/ n Tejo m

tail /teɪl/ n cauda f, rabo m; (of shirt) fralda f. **~s!** (tos-sing coin) coroa! □ vt (fol-low) seguir, vigiar □ vi **~**

away *or* **off** diminuir, baixar. **~back** *n* (*traffic*) bicha *f*, fila *f*; **~end** *n* parte *f* traseira, cauda *f*. **~light** *n* (*auto*) farolim *m* da retaguarda
tailor /'teɪlə(r)/ *n* alfaiate *m* □ *vt* (*garment*) fazer; (*fig: adapt*) adaptar. **~made** *a* feito de medida. **~made for** (*fig*) feito para, talhado para
tainted /'teɪntɪd/ *a* (*infected*) contaminado; (*decayed*) estragado; (*fig*) manchado
take /teɪk/ *vt/i* (*pt* **took**, *pp* **taken**) (*get hold of*) agarrar em, pegar em; (*capture*) tomar; (*a seat, a drink; train, bus etc*) tomar; (*carry*) levar (*to* a, para); (*contain, escort*) levar; (*tolerate*) suportar, aguentar; (*choice, exam*) fazer; (*photo*) tirar; (*require*) exigir. **be ~n by** *or* **with** ficar encantado com. **be ~n ill** adoecer. **it ~s time to** leva tempo para *or* leva tempo a. **~ after** parecer-se a. **~away** *n* (*meal*) comida *f* para levar, take-away *m*; (*shop*) loja *f* que só vende comida para ser consumida noutro lugar. **~ away** levar. **~ away from sb/sth** tirar de alguém/de alguma coisa. **~ back** aceitar de volta; (*return*) devolver; (*accompany*) acompanhar; (*statement*) retirar, retratar. **~ down** (*object*) tirar para baixo; (*notes*) tirar, tomar. **~ in** (*garment*) meter para dentro; (*include*) incluir; (*cheat*) enganar, levar (*colloq*); (*grasp*) compreender; (*receive*) rece-

ber. **~ it that** supor que. **~ off** *vt* (*remove*) tirar; (*mimic*) imitar, macaquear □ *vi* (*aviat*) descolar, levantar voo. **~off** *n* imitação *f*; (*aviat*) descolagem *f*. **~ on** (*task*) encarregar-se de; (*staff*) admitir, contratar. **~ out** tirar; (*on an outing*) levar para sair. **~ over** *vt* tomar conta de, assumir a direcção de □ *vi* tomar o poder. **~ over from** (*relieve*) render, substituir; (*succeed*) suceder a. **~over** *n* (*pol*) tomada *f* de poder; (*comm*) take-over *m*. **~ part** participar *or* tomar parte (**in** em). **~ place** ocorrer, suceder. **~ sides** tomar partido. **~ sides with** tomar o partido de. **~ to** gostar de, simpatizar com; (*activity*) tomar gosto por, entregar-se a. **~ up** (*object*) apanhar, pegar em; (*hobby*) dedicar-se a; (*occupy*) ocupar, tomar
takings /'teɪkɪŋz/ *npl* receita *f*
talcum /'tælkəm/ *n* talco *m*. **~ powder** pó *m* de talco
tale /teɪl/ *n* conto *m*, história *f*
talent /'tælənt/ *n* talento *m*. **~ed** *a* talentoso, bem dotado
talk /tɔːk/ *vt/i* falar; (*chat*) conversar □ *n* conversa *f*; (*mode of speech*) fala *f*; (*lecture*) palestra *f*. **small ~** conversa *f* banal. **~ into doing** convencer a fazer. **~ nonsense** dizer disparates. **~ over** discutir. **~ shop** falar de assuntos profissionais. **~ to o.s.** falar sozinho, falar com os seus botões. **there's**

~ **of** fala-se de. ~**er** *n* conversador *m*. ~**ing-to** *n* (*colloq*) descompostura *f*

talkative /'tɔːkətɪv/ *a* falador, conversador, tagarela

tall /tɔːl/ *a* (**-er, -est**) alto. ~ **story** (*colloq*) história *f* da arco-da-velha

tallboy /'tɔːlbɔɪ/ *n* cómoda *f* alta

tally /'tælɪ/ *vi* corresponder (**with** a), conferir (**with** com)

tambourine /tæmbə'riːn/ *n* tamborim *m*, pandeiro *m*

tame /teɪm/ *a* (**-er, -est**) manso; (*domesticated*) domesticado; (*dull*) insípido □ *vt* amansar, domesticar

tamper /'tæmpə(r)/ *vi* ~ **with** mexer indevidamente em; (*text*) alterar

tampon /'tæmpən/ *n* (*med*) tampão *m*; (*sanitary towel*) penso *m* higiénico

tan /tæn/ *vt/i* (*pt* **tanned**) queimar, bronzear; (*hide*) curtir □ *n* bronzeado *m* □ *a* castanho amarelado

tandem /'tændəm/ *n* (*bicycle*) tandem *m*. **in** ~ em tandem, um atrás do outro

tang /tæŋ/ *n* (*taste*) sabor *m* or gosto *m* característico; (*smell*) cheiro *m* característico

tangent /'tændʒənt/ *n* tangente *f*

tangerine /tændʒə'riːn/ *n* tangerina *f*

tangible /'tændʒəbl/ *a* tangível

tangle /'tæŋgl/ *vt* emaranhar, enredar □ *n* emaranhado *m*. **become** ~**d** emaranhar-se, enredar-se

tank /tæŋk/ *n* tanque *m*, reservatório *m*; (*for petrol*) depósito *m*; (*for fish*) aquário *m*; (*mil*) tanque *m*

tankard /'tæŋkəd/ *n* caneca *f* grande

tanker /'tæŋkə(r)/ *n* camião-cisterna *m*; (*ship*) petroleiro *m*

tantaliz|e /'tæntəlaɪz/ *vt* atormentar, tantalizar. ~**ing** *a* tentador

tantamount /'tæntəmaʊnt/ *a* **be** ~ **to** equivaler a

tantrum /'tæntrəm/ *n* chilique *m*, ataque *m* de mau génio, birra *f*

tap[1] /tæp/ *n* (*for water etc*) torneira *f* □ *vt* (*pt* **tapped**) (*resources*) explorar; (*telephone*) pôr sob escuta **on** ~ (*colloq: available*) disponível

tap[2] /tæp/ *vt/i* (*pt* **tapped**) bater levemente em. ~**-dance** *n* sapateado *m*

tape /teɪp/ *n* (*for dressmaking*) fita *f*; (*sticky*) fita *f* adesiva. (**magnetic**) ~ fita *f* (magnética) □ *vt* (*tie*) atar, prender; (*stick*) colar; (*record*) gravar. ~**-measure** *n* fita *f* métrica. ~ **recorder** gravador *m*

taper /'teɪpə(r)/ *n* vela *f* comprida e fina □ *vt/i* ~ (**off**) estreitar (-se), afilar(-se). ~**ed**, ~**ing** *adjs* (*fingers etc*) afilado; (*trousers*) afunilado

tapestry /'tæpɪstrɪ/ *n* tapeçaria *f*

tapioca /tæpɪ'əʊkə/ *n* tapioca *f*

tar /taː(r)/ *n* alcatrão *m* □ *vt* (*pt* **tarred**) alcatroar

target /'ta:gɪt/ n alvo m ☐ vt ter como alvo

tariff /'tærɪf/ n tarifa f; (on import) direitos mpl aduaneiros

Tarmac /'ta:mæk/ n macadame (alcatroado) m; (runway) pista f

tarnish /'ta:nɪʃ/ vt/i (fazer) perder o brilho; (stain) manchar

tarpaulin /ta:'pɔ:lɪn/ n lona f impermeável (alcatroada or encerada)

tart¹ /ta:t/ a (-er, -est) ácido; (fig: cutting) mordaz, azedo

tart² /ta:t/ n (culin) tarte f de fruta; (sl: prostitute) prostituta f, mulher f da vida (sl) ☐ vt ~ up (colloq) embonecar(-se)

tartan /'ta:tn/ n tecido m escocês ☐ a escocês

tartar /'ta:tə(r)/ n (on teeth) tártaro m, pedra f. ~ sauce molho m tártaro

task /ta:sk/ n tarefa f, trabalho m. **take to** ~ repreender, censurar. ~ **force** (mil) força especial f

tassel /'tæsl/ n borla f

taste /teɪst/ n gosto m; (fig: sample) amostra f ☐ vt (eat, enjoy) saborear; (try) provar; (perceive taste of) sentir o gosto de ☐ vi ~ **of** or like saber a. **have a ~ of** (experience) provar. ~**ful** a de bom gosto. ~**fully** adv com bom gosto. ~**less** a insípido, insosso, sem sabor; (fig: not in good taste) sem gosto; (fig: in bad taste) de mau gosto

tasty /'teɪstɪ/ a (-ier, -iest) saboroso, gostoso

tat /tæt/ see **tit**

tatter|s /'tætəz/ npl farrapos mpl. ~**ed** /-əd/ a esfarrapado

tattoo /tə'tu:/ vt tatuar ☐ n tatuagem f

tatty /'tætɪ/ a (-ier, -iest) (colloq) enxovalhado, em mau estado

taught /tɔ:t/ see **teach**

taunt /tɔ:nt/ vt escarnecer de, zombar de ☐ n escárnio m. ~**ing** a escarninho

Taurus /'tɔ:rəs/ n (astr) Touro m, Taurus m

taut /tɔ:t/ a esticado, retesado; (fig: of nerves) tenso

tawdry /'tɔ:drɪ/ a (-ier, -iest) espalhafatoso e baratucho

tawny /'tɔ:nɪ/ a fulvo

tax /tæks/ n taxa f, imposto m; (on income) imposto m sobre o rendimento ☐ vt taxar, lançar impostos sobre, tributar; (fig: put to test) pôr à prova. ~**-collector** n cobrador m de impostos. ~**-free** a isento de imposto. ~ **relief** isenção f de imposto. ~ **return** declaração f do imposto sobre o rendimento. ~ **year** ano m fiscal. ~**able** a tributável, passível de imposto. ~**ation** /'seɪʃn/ n impostos mpl, tributação f. ~**ing** a penoso, difícil

taxi /'tæksɪ/ n (pl -is) táxi m ☐ vi (pt taxied, pres p taxiing) (aviat) rolar na pista ~**-cab** n táxi m. ~**-driver** n motorista mf de táxi. ~ **rank**, (Amer) ~ **stand** praça f de táxis

taxpayer /'tækspeɪə(r)/ n contribuinte mf

tea /tiː/ n chá m. **high** ~ refeição f leve à noite. **~bag** n saquinho m de chá. **~break** n intervalo m para o chá. **~cosy** n abafador m. **~leaf** n folha f de chá. **~set** n serviço m de chá. **~shop** n salão m or casa f de chá. **~time** n hora f do chá. **~ towel** n pano m da louça

teach /tiːtʃ/ vt (pt taught) ensinar, leccionar (**sb sth** alg coisa a alguém) □ vi ensinar, ser professor. **~er** n professor m. **~ing** n ensino m; (doctrines) ensinamento(s) m (pl) □ a pedagógico, de ensino; (staff) docente

teacup /ˈtiːkʌp/ n chávena f, (Br) xícara f de chá

teak /tiːk/ n teca f

team /tiːm/ n equipa f; (of oxen) junta f; (of horses) parelha f □ vi ~ **up** juntar-se, associar-se (**with** a). **~work** n trabalho m de equipa

teapot /ˈtiːpɒt/ n bule m

tear[^1] /teə(r)/ vt/i (pt tore, pp torn) rasgar(-se); (snatch) arrancar, puxar; (rush) lançar-se, ir numa correria; (fig) dividir □ n rasgão m. ~ **o.s. away** arrancar-se (**from** de)

tear[^2] /tɪə(r)/ n lágrima f. **~gas** n gases mpl lacrimogéneos

tearful /ˈtɪəfl/ a lacrimoso, choroso. **~ly** adv choroso, com (as) lágrimas nos olhos

tease /tiːz/ vt implicar; (make fun of) gozar com

teaspoon /ˈtiːspuːn/ n colher f de chá. **~ful** n (pl -fuls) colher f de chá cheia

teat /tiːt/ n (of bottle) bico m; (of animal) teta f

technical /ˈteknɪkl/ a técnico. **~ity** /ˈkælətɪ/ n questão f de ordem técnica. **~ly** adv tecnicamente

technician /tekˈnɪʃn/ n técnico m

technique /tekˈniːk/ n técnica f

technolog|y /tekˈnɒlədʒɪ/ n tecnologia f. **~ical** /-əˈlɒdʒɪkl/ a tecnológico

teddy /ˈtedɪ/ a ~ (**bear**) ursinho m de pelúcia, (or) de peluche

tedious /ˈtiːdɪəs/ a maçador, enfadonho

tedium /ˈtiːdɪəm/ n tédio m

tee /tiː/ n (golf) tee m

teem[^1] /tiːm/ vi ~ (**with**) (swarm) pulular (de), fervilhar (de), abundar (em)

teem[^2] /tiːm/ vi ~ (**with rain**) chover torrencialmente

teenage /ˈtiːneɪdʒ/ a juvenil, de/para adolescente. **~r** /-ə(r)/ n jovem mf, adolescente mf

teens /tiːnz/ npl **in one's** ~ na adolescência, entre os 13 e os 19 anos

teeter /ˈtiːtə(r)/ vi cambalear, vacilar

teeth /tiːθ/ see **tooth**

teeth|e /tiːð/ vi começar a ter dentes. **~ing troubles** (fig) problemas mpl iniciais

teetotaller /tiːˈtəʊtlə(r)/ n abstémio m

telecommunications /telɪkəmjuːnɪˈkeɪʃnz/ npl telecomunicações fpl

telegram /ˈtelɪɡræm/ n telegrama m

telegraph /ˈtelɪɡrɑːf/ n telégrafo m □ a telegráfico. **~ic** /ˈɡræfɪk/ a telegráfico

telepath|y /tɪˈlepəθɪ/ n telepatia f. **~ic** /telɪˈpæθɪk/ a telepático

telephone /ˈtelɪfəʊn/ n telefone m □ vt (person) telefonar a; (message) telefonar □ vi telefonar. **~ book** lista f telefónica **~ box**, **~ booth** cabine f telefónica. **~ call** chamada f. **~ directory** lista f telefónica **~ number** número m de telefone

telephonist /tɪˈlefənɪst/ n (in exchange) telefonista mf

telephoto /telɪˈfəʊtəʊ/ n **~ lens** teleobjectiva f

telescop|e /ˈtelɪskəʊp/ n telescópio m □ vt/i encaixar(-se). **~ic** /ˈskɒpɪk/ a telescópico

teletext /ˈtelɪtekst/ n teletexto m

televise /ˈtelɪvaɪz/ vt televisionar

television /ˈtelɪvɪʒn/ n televisão f. **~ set** aparelho m de televisão, televisor m

telex /ˈteleks/ n telex m □ vt transmitir por telex

tell /tel/ vt/i (pt told) dizer (sb sth alg coisa a alguém); (story) contar; (distinguish) distinguir, diferençar □ vi (know) ver-se, saber. **I told you so** bem lhe disse. **~ of** falar de. **~ off** (colloq: scold) ralhar, dar uma descompostura a ~ **on** (have effect on) afectar; (colloq: inform on) fazer queixa de (colloq). **~~tale** n mexeriqueiro m, (BR) fofoqueiro m □ a (revealing) revelador. **~tales** mexericar, (Br) fofocar

telly /ˈtelɪ/ n (colloq) TV f (colloq)

temp /temp/ n (colloq) empregado m temporário

temper /ˈtempə(r)/ n humor m, disposição f; (anger) mau humor m □ vt temperar. **keep/lose one's ~** manter a calma/perder a calma or a cabeça, zangar-se

temperament /ˈtemprəmənt/ n temperamento m. **~al** /ˈmentl/ a caprichoso

temperance /ˈtemprəns/ n (in drinking) moderação f, sobriedade f

temperate /ˈtempərət/ a moderado, comedido; (climate) temperado

temperature /ˈtemprətʃə(r)/ n temperatura f. **have a ~** estar com or ter febre

tempest /ˈtempɪst/ n tempestade f, temporal m

tempestuous /temˈpestʃʊəs/ a tempestuoso

template /ˈtempl(e)ɪt/ n molde m

temple¹ /ˈtempl/ n templo m

temple² /ˈtempl/ n (anat) têmpora f, fonte f

tempo /ˈtempəʊ/ n (pl -os) (mus) tempo m; (pace) ritmo m

temporar|y /ˈtemprərɪ/ a temporário, provisório. **~ily** adv temporariamente, provisoriamente

tempt /tempt/ vt tentar. **~ sb to do** dar a alguém vontade de fazer, tentar alguém a fazer. **~ation** /teɪʃn/ n tentação f. **~ing** a tentador

ten /ten/ a & n dez m

tenac|ious /tɪˈneɪʃəs/ a tenaz. **~ity** /-æsətɪ/ n tenacidade f

tenant /ˈtenənt/ n inquilino m, locatário m

tend¹ /tend/ vt tomar conta de, cuidar de

tend² /tend/ vi ~ **to** (be apt to) tender a, ter tendência para

tendency /ˈtendənsɪ/ n tendência f

tender¹ /ˈtendə(r)/ a (soft, delicate) terno; (sore, painful) sensível, dorido; (loving) terno, meigo. **~-hearted** a compassivo. **~ly** adv (lovingly) ternamente, meigamente; (delicately) delicadamente. **~ness** n (love) ternura f, meiguice f

tender² /ˈtendə(r)/ vt (money) oferecer; (apologies, resignation) apresentar □ vi ~ (for) apresentar orçamento (para) □ n (comm) orçamento m. **legal** ~ (money) moeda f corrente

tendon /ˈtendən/ n tendão m

tenement /ˈtenəmənt/ n prédio m de apartamentos de renda moderada; (Amer: slum) prédio m pobre

tenet /ˈtenɪt/ n princípio m, dogma m

tennis /ˈtenɪs/ n ténis m. ~ **court** court m de ténis

tenor /ˈtenə(r)/ n (meaning) teor m; (mus) tenor m

tense¹ /tens/ n (gram) tempo m

tense² /tens/ a (-er, -est) tenso □ vt (muscles) retesar

tension /ˈtenʃn/ n tensão f

tent /tent/ n tenda f, barraca f. **~-peg** n estaca f

tentacle /ˈtentəkl/ n tentáculo m

tentative /ˈtentətɪv/ a provisório; (hesitant) hesitante. **~ly** adv a título experimental; (hesitantly) hesitantemente

tenterhooks /ˈtentəhʊks/ npl **on** ~ em suspense, sobre brasas

tenth /tenθ/ a & n décimo m

tenuous /ˈtenjʊəs/ a ténue

tepid /ˈtepɪd/ a tépido, morno

term /tɜːm/ n (word) termo m; (limit) prazo m, termo m; (schol etc) período m, trimestre m; (Amer) semestre m; (of imprisonment) (duração de) pena f. **~s** (conditions) condições fpl □ vt designar, denominar, chamar. **on good/bad ~s** de boas/más relações. **not on speaking ~s** de relações cortadas. **come to ~s with** chegar a um acordo com; (become resigned to) resignar-se a. **~ of office** (pol) mandato m

terminal /ˈtɜːmɪnl/ a terminal, final; (illness) fatal, mortal □ n (oil, computer) terminal m; (rail) estação f terminal; (electr) borne m. **(air)~** terminal m (de avião)

terminat|e /ˈtɜːmɪneɪt/ vt terminar, pôr termo a □ vi terminar. **~ion** /ˈneɪʃn/ n terminação f, termo m

terminology /tɜːmɪˈnɒlədʒɪ/ n terminologia f

terminus /ˈtɜːmɪnəs/ n (pl -ni /-naɪ/) (rail, coach) términus m, (estação) terminal m

terrace /ˈterəs/ n terraço m; (in cultivation) socalco m;

(*houses*) casas *fpl* em fileira contínua, lance *m* de casas. **the ~s** (*sport*) bancada *f* geral, peão *m*. **~d house** casa *f* ladeada por outras casas

terrain /teˈreɪn/ *n* terreno *m*

terribl|e /ˈterəbl/ *a* terrível. **~y** *adv* terrivelmente; (*colloq: very*) extremamente, espantosamente

terrific /təˈrɪfɪk/ *a* terrífico, tremendo; (*colloq: excellent; great*) tremendo; **~ally** *adv* (*colloq: very*) tremendamente (*colloq*); (*colloq: very well*) lindamente, maravilhosamente

terrif|y /ˈterɪfaɪ/ *vt* aterrar, aterrorizar. **be ~ied of** ter pavor de

territorial /terɪˈtɔːrɪəl/ *a* territorial

territory /ˈterɪtərɪ/ *n* território *m*

terror /ˈterə(r)/ *n* terror *m*, pavor *m*

terroris|t /ˈterərɪst/ *n* terrorista *mf*. **~m** /-zəm/ *n* terrorismo *m*

terrorize /ˈterəraɪz/ *vt* aterrorizar, aterrar

terse /tɜːs/ *a* conciso, lapidar; (*curt*) lacónico

test /test/ *n* teste *m*, exame *m*, prova *f*; (*schol*) prova *f*, teste *m*; (*of goods*) controle *m*; (*of machine etc*) ensaio *m*; (*of strength*) prova *f* □ *vt* examinar; (*check*) controlar; (*try*) ensaiar; (*pupil*) interrogar. **put to the ~** pôr à prova. **~ match** jogo *m* internacional. **~-tube** *n* proveta *f*. **~-tube baby** bebé-proveta *m*

testament /ˈtestəmənt/ *n* testamento *m*. **Old/New T~** Antigo/Novo Testamento *m*

testicle /ˈtestɪkl/ *n* testículo *m*

testify /ˈtestɪfaɪ/ *vt/i* testemunhar, depor

testimonial /testɪˈməʊnɪəl/ *n* carta *f* de recomendação

testimony /ˈtestɪmənɪ/ *n* testemunho *m*

tetanus /ˈtetənəs/ *n* tétano *m*

tether /ˈteðə(r)/ *vt* prender com corda □ *n* **be at the end of one's ~** não poder mais, estar nas últimas

text /tekst/ *n* texto *m*

textbook /ˈtekstbʊk/ *n* compêndio *m*, manual *m*, livro *m* de texto

textile /ˈtekstaɪl/ *n* & *a* têxtil *m*

texture /ˈtekstʃə(r)/ *n* (*of fabric*) textura *f*; (*of paper*) grão *m*

Thai /taɪ/ *a* & *n* tailandês *m*. **~ land** *n* Tailândia *f*

Thames /temz/ *n* Tamisa *m*

than /ðæn/; *unstressed* /ðən/ *conj* que, do que; (*with numbers*) de. **more/less ~ ten** mais/menos de dez

thank /θæŋk/ *vt* agradecer. **~ you!** obrigado! **~s!** (*colloq*) obrigadinho! (*colloq*). **~s** *npl* agradecimentos *mpl*. **~s to** graças a. **T~sgiving (Day)** (*Amer*) Dia *m* de Acção de Graças

thankful /ˈθæŋkfl/ *a* grato, agradecido, reconhecido (**for** por). **~ly** *adv* com gratidão; (*happily*) felizmente

thankless /ˈθæŋklɪs/ *a* ingrato, mal agradecido

that /ðæt/; *unstressed* /ðət/ *a* & *pron* (*pl* **those**) esse/essa, esses/essas; (*more distant*) aquele/aquela, aqueles/aquelas; (*neuter*) isso *invar*; (*more distant*) aquilo *invar* □ *adv* tão, tanto, de tal modo □ *rel pron* que □ *conj* que. ~ **boy** esse/aquele rapaz. **what is** ~? o que é isso? **who is** ~? quem é? **is** ~ **you**? és tu? **give me** ~ (**one**) dá-me esse. ~ **is** (**to say**) isto é, quer dizer. **after** ~ depois disso. **the day** ~ o dia em que. ~ **much** tanto assim, tanto como isto

thatch /θætʃ/ *n* colmo *m*. ~**ed** *a* de colmo. ~**ed cottage** casa *f* com telhado de colmo

thaw /θɔː/ *vt/i* derreter(-se), degelar; (*food*) descongelar □ *n* degelo *m*, derretimento *m*

the /*before vowel* ðɪ, *before consonant* ðə, *stressed* ðiː/ o, a (*pl* os, as). **of** ~, **from** ~ do, da (*pl* dos, das). **at** ~, **to** ~ ao, à (*pl* aos, às), para o/a/ os/as. **in** ~ no, na (*pl* nos, nas). **by** ~ **hour** à hora □ *adv* **all** ~ **better** tanto melhor. ~ **more**... ~ **more**... quanto mais... mais...

theatre /ˈθɪətə(r)/ *n* teatro *m*

theatrical /θɪˈætrɪkl/ *a* teatral

theft /θeft/ *n* roubo *m*

their /ðeə(r)/ *a* deles, delas, seu

theirs /ðeəz/ *poss pron* o(s) seu(s), a(s) sua(s), o(s) deles, a(s) delas. **it is** ~ é (o) seu ou é o seu

them /ðem/; *unstressed* /ðəm/

pron os, as; (*after prep*) eles, elas. (**to**) ~ **lhes**

theme /θiːm/ *n* tema *m*

themselves /ðəmˈselvz/ *pron* eles mesmos/próprios, elas mesmas/próprias; (*reflexive*) se; (*after prep*) si (mesmos, próprios). **by** ~ sozinhos. **with** ~ consigo

then /ðen/ *adv* (*at that time*) então, nessa altura; (*next*) depois, em seguida; (*in that case*) então, nesse caso; (*therefore*) então, portanto, por conseguinte □ *a* (de) então. **from** ~ **on** desde então

theology /θɪˈɒlədʒɪ/ *n* teologia *f*. ~**ian** /θɪəˈlɒdʒən/ *n* teólogo *m*

theorem /ˈθɪərəm/ *n* teorema *m*

theory /ˈθɪərɪ/ *n* teoria *f*. ~**etical** /ˈretɪkl/ *a* teórico

therapeutic /θerəˈpjuːtɪk/ *a* terapêutico

therapy /ˈθerəpɪ/ *n* terapia *f*. ~**ist** *n* terapeuta *mf*

there /ðeə(r)/ *adv* aí, ali, lá; (*over there*) lá, acolá □ *int* (*triumphant*) pronto, aí está; (*consoling*) então, vamos lá. **he goes** ~ ele vai aí *or* lá. **he goes** aí vai ele. ~ **is**, ~ **are** há. ~ **you are** (*giving*) toma. ~ **and then** logo ali. ~**abouts** *adv* por aí ou. ~**after** *adv* daí em diante, depois disso. ~**by** *adv* desse modo

therefore /ˈðeəfɔː/ *adv* por isso, portanto, por conseguinte

thermal /ˈθɜːml/ *a* térmico

thermometer /θəˈmɒmɪtə(r)/ *n* termómetro *m*

Thermos /ˈθɜːməs/ n garrafa f térmica, termos m

thermostat /ˈθɜːməstæt/ n termostato m

thesaurus /θɪˈsɔːrəs/ n (pl -ri /-raɪ/) dicionário m de sinónimos

these /ðiːz/ see this

thesis /ˈθiːsɪs/ n (pl theses /-siːz/) tese f

they /ðeɪ/ pron eles, elas. ~ say (that)... diz-se or dizem que...

thick /θɪk/ a (-er, -est) espesso, grosso; (colloq: stupid) estúpido □ adv = **thickly** □ n in the ~ of no meio de. **~skinned** a insensível. **~ly** adv espessamente; (spread) em camada espessa. **~ness** n espessura f, grossura f

thicken /ˈθɪkən/ vt/i engrossar, espessar(-se). the plot ~s o enredo complica-se

thickset /θɪkˈset/ a (person) atarracado

thief /θiːf/ n (pl thieves /θiːvz/) ladrão m, gatuno m

thigh /θaɪ/ n coxa f

thimble /ˈθɪmbl/ n dedal m

thin /θɪn/ a (thinner, thinnest) (slender) estreito, fino, delgado; (lean, not plump) magro; (sparse) ralo, escasso; (flimsy) leve, fino; (soup) aguado; (hair) ralo □ adv = **thinly** □ vt/i (pt thinned) (of liquid) diluir(-se); (of fog etc) dissipar(-se); (of hair) rarear. ~ out (in quantity) diminuir, reduzir; (seedlings etc) desbastar. **~ly** adv (sparsely) esparsamente. **~ness** n (of board, wire etc)

finura f; (of person) magreza f

thing /θɪŋ/ n coisa f. ~s (belongings) pertences mpl. the best ~ is to o melhor é. for one ~ em primeiro lugar. just the ~ exactamente o que era preciso. poor ~ coitado

think /θɪŋk/ vt/i (pt thought) pensar (about, of em); (carefully) reflectir (about, of em). I ~ so eu acho que sim. ~ better of it (change one's mind) pensar melhor. ~ nothing of achar natural. ~ of (hold opinion of) pensar de, achar de. ~ over pensar bem em. **~-tank** n comissão f de peritos. ~ up inventar. **~er** n pensador m

third /θɜːd/ a terceiro □ n terceiro m; (fraction) terço m. **~-party insurance** seguro m contra terceiros. **~-rate** a inferior, medíocre. T~ World Terceiro Mundo m. **~ly** adv em terceiro lugar

thirst /θɜːst/ n sede f. ~y a sequioso, sedento. be ~y estar com or ter sede. **~ily** adv sofregamente

thirteen /θɜːˈtiːn/ a & n treze m. **~th** a & n décimo terceiro m

thirty /ˈθɜːtɪ/ a & n trinta m. **~ieth** a & n trigésimo m

this /ðɪs/ a & pron (pl these) este, esta □ pron isto invar. ~ one este, esta. these ones estes, estas. ~ boy este rapaz. ~ is isto é. after ~ depois disto. like ~ assim. ~ is the man este é o homem. ~

far até aqui. ~ **morning** esta manhã. ~ **Wednesday** esta quarta-feira

thistle /'θɪsl/ n cardo m

thorn /θɔ:n/ n espinho m, pico m. ~y a espinhoso; (fig) bicudo, espinhoso

thorough /'θʌrə/ a consciencioso; (deep) completo, profundo; (cleaning, washing) a fundo. ~ly adv (clean, study etc) completo, a fundo; (very) perfeitamente, muito bem

thoroughbred /'θʌrəbred/ n (horse etc) puro-sangue m invar

thoroughfare /'θʌrəfeə(r)/ n artéria f. **no** ~ passagem f proibida

those /ðəʊz/ see **that**

though /ðəʊ/ conj se bem que, embora, conquanto □ adv (colloq) contudo, no entanto

thought /θɔ:t/ see **think** □ n pensamento m; **on second** ~s pensando bem

thoughtful /'θɔ:tfl/ a pensativo; (considerate) atencioso, solícito. ~ly adv pensativamente; (considerately) com consideração, atenciosamente

thoughtless /'θɔ:tlɪs/ a irreflectido; (inconsiderate) pouco atencioso. ~ly adv sem pensar; (inconsiderately) sem consideração

thousand /'θaʊznd/ a & n mil m. ~s of milhares de. ~th a & n milésimo m

thrash /θræʃ/ vt surrar, espancar; (defeat) dar uma surra

or sova em. ~ **about** debater-se. ~ **out** debater a fundo, discutir bem

thread /θred/ n fio m; (for sewing) linha f de coser; (of screw) rosca f □ vt enfiar. ~ **one's way** abrir caminho, furar

threadbare /'θredbeə(r)/ a puído, surrado

threat /θret/ n ameaça f

threaten /'θretn/ vt/i ameaçar. ~ingly adv com ar ameaçador, ameaçadoramente

three /θri:/ a & n três m

thresh /θreʃ/ vt (corn etc) malhar, debulhar

threshold /'θreʃəʊld/ n limiar m, soleira f; (fig) limiar m

threw /θru:/ see **throw**

thrift /θrɪft/ n economia f, poupança f. ~y a económico, poupado

thrill /θrɪl/ n arrepio m de emoção, frémito m □ vt excitar(-se), emocionar(-se), (fazer) vibrar. **be** ~**ed** estar/ficar encantado. ~ing a excitante, emocionante

thriller /'θrɪlə(r)/ n livro m or filme m de suspense

thriv|e /θraɪv/ vi (pt **thrived** or **throve**, pp **thrived** or **thriven**) prosperar, florescer; (grow strong) crescer, dar-se bem (**on** com). ~ing a próspero

throat /θrəʊt/ n garganta f. **have a sore** ~ ter dores de garganta

throb /θrɒb/ vi (pt **throbbed**) (wound, head) latejar, palpitar, bater; (heart) palpitar, bater; (engine; fig) vibrar, trepidar □ n (of pain) latejo m, espasmo m; (of heart) palpitação f, batida f; (of engine) vibração f, trepidação f. **~bing** a (pain) latejante

throes /θrəʊz/ npl **in the ~ of** (fig) às voltas com, no meio de

thrombosis /θrɒm'bəʊsɪs/ n trombose f

throne /θrəʊn/ n trono m

throng /θrɒŋ/ n multidão f □ vt/i apinhar(-se); (arrive) afluir

throttle /'θrɒtl/ n (auto) válvula-borboleta f, estrangulador m, acelerador m de mão □ vt estrangular

through /θruː/ prep através de, por; (during) durante; (by means or way of, out of) por; (by reason of) por, por causa de □ adv através; (entirely) completamente, até ao fim □ a (train, traffic etc) directo. **be ~** ter acabado (with com); (telephone) estar impedido. **come** or **go ~** (cross, pierce) atravessar. **get ~** (exam) passar. **be wet ~** estar ensopado or encharcado

throughout /θruː'aʊt/ prep durante, por todo. **~ the country** por todo o país, pelo país fora. **~ the day** durante todo a dia, pelo dia fora □ adv completamente; (place) por toda a parte; (time) durante todo o tempo

throw /θrəʊ/ vt (pt **threw**, pp **thrown**) atirar, deitar, lançar; (colloq: baffle) desconcertar □ n lançamento m; (of dice) lanço m. **~ a party** (colloq) dar uma festa. **~ away** deitar fora. **~ off** (get rid of) livrar-se de. **~ out** (person) expulsar; (reject) rejeitar. **~ over** (desert) abandonar, deixar. **~ up** (one's arms) levantar; (resign from) abandonar; (colloq: vomit) vomitar

thrush /θrʌʃ/ n (bird) tordo m

thrust /θrʌst/ vt (pt **thrust**) arremeter, empurrar, impelir □ n empurrão m, arremetida f. **~ into** (put) enfiar em, mergulhar em. **~ upon** (force on) impor a

thud /θʌd/ n som m surdo, baque m

thug /θʌɡ/ n bandido m, facínora m, malfeitor m

thumb /θʌm/ n polegar m □ vt (book) manusear. **~ a lift** pedir boleia, (Br) carona. **under sb's ~** completamente dominado por alguém. **~-index** n índice m de dedo

thumbtack /'θʌmtæk/ n (Amer) percevejo m

thump /θʌmp/ vt/i bater (em), dar pancadas (em); (with fists) dar murros (em); (piano) martelar (em); (of heart) bater com força □ n pancada f; (thud) baque m. **~ing** a (colloq) enorme

thunder /'θʌndə(r)/ n trovão m, trovoada f; (loud noise) estrondo m □ vi (weather, person) trovejar. **~ past** passar como um raio. **~y** a (weather) tempestuoso

thunderbolt /'θʌndəbəʊlt/ n raio m e ribombo m de trovão; (*fig*) raio *m* fulminante (*fig*)

thunderstorm /'θʌndəstɔ:m/ *n* trovoada *f*, temporal *m*

Thursday /'θɜ:zdɪ/ *n* quinta--feira *f*

thus /ðʌs/ *adv* assim, desta maneira. ~ **far** até aqui

thwart /θwɔ:t/ *vt* frustrar, contrariar

thyme /taɪm/ *n* tomilho *m*

tiara /tɪ'ɑ:rə/ *n* tiara *f*, diadema *m*

tic /tɪk/ *n* tique *m*

tick[1] /tɪk/ *n* (*sound*) tique--taque *m*; (*mark*) sinal *m*; (*colloq: moment*) instantinho *m* □ *vi* fazer tique-taque □ *vt* ~ **(off)** marcar com sinal. ~ **off** (*colloq: scold*) pregar uma descompostura em (*colloq*). ~ **over** (*engine, factory*) funcionar em marcha lenta, ao ''ralenti''

tick[2] /tɪk/ *n* (*insect*) carraça *f*

ticket /'tɪkɪt/ *n* bilhete *m*; (*label*) etiqueta *f*; (*for traffic offence*) aviso *m* de multa. ~-**collector** *n* (*railway*) guarda *m*. ~-**office** *n* bilheteira *f*

tickle /'tɪkl/ *vt* fazer cócegas; (*fig: amuse*) divertir □ *n* cócegas *fpl*, comichão *m*

ticklish /'tɪklɪʃ/ *a* coceguento, sensível a cócegas; (*fig*) delicado, melindroso

tidal /'taɪdl/ *a* de marés, que tem marés. ~ **wave** onda *f* gigantesca; (*fig*) onda *f* de sentimento popular

tiddly-winks /'tɪdlɪwɪŋks/ *n* (*game*) jogo *m* da pulga

tide /taɪd/ *n* maré *f*; (*of events*) marcha *f*, curso *m*. **high** ~

maré *f* cheia, preia-mar *f*. **low** ~ maré *f* baixa, baixa--mar *f* □ *vt* ~ **over** (*help temporarily*) aguentar

tid|**y** /'taɪdɪ/ *a* (**-ier, -iest**) (*room*) arrumado; (*appearance, work*) asseado, cuidado; (*methodical*) bem ordenado; (*colloq: amount*) belo (*colloq*) □ *vt* arrumar, arranjar. ~**ily** *adv* com cuidado. ~**iness** *n* arrumação *f*, ordem *f*

tie /taɪ/ *vt* (*pres p* **tying**) atar, amarrar, prender; (*link*) ligar, vincular; (*a knot*) dar, fazer □ *vi* (*sport*) empatar □ *n* fio *m*, cordel *m*; (*necktie*) gravata *f*; (*link*) laço *m*, vínculo *m*; (*sport*) empate *m*. ~ **in with** estar ligado com, relacionar-se com. ~ **up** amarrar, atar; (*animal*) prender; (*money*) imobilizar; (*occupy*) ocupar

tier /tɪə(r)/ *n* cada fila *f*, camada *f*, prateleira *f* etc colocada em cima de outra; (*in stadium*) bancada *f*; (*of cake*) andar *m*; (*of society*) camada *f*

tiff /tɪf/ *n* arrufo *m*

tiger /'taɪgə(r)/ *n* tigre *m*

tight /taɪt/ *a* (**-er, -est**) (*clothes*) apertado, justo; (*rope*) esticado, tenso; (*control*) rigoroso; (*knot, schedule, lid*) apertado; (*colloq: drunk*) embriagado,toldado (*colloq*) □ *adv* = **tightly**. **be in a ~ corner** (*fig*) estar em apuros *or* num aperto, estar enrascado (*colloq*). ~-**fisted** *a* sovina, agarrado (*colloq*). ~**ly**

adv bem; (*squeeze*) com força

tighten /'taɪtn/ *vt/i* (*rope*) esticar; (*bolt, control*) apertar. ~ **up on** apertar o cinto

tightrope /'taɪtrəʊp/ *n* corda *f* (de acrobacias). ~ **walker** funâmbulo *m*

tights /taɪts/ *npl* collants *mpl*

tile /taɪl/ *n* (*on wall, floor*) ladrilho *m*, azulejo *m*; (*on roof*) telha *f* □ *vt* ladrilhar, pôr azulejos em; (*roof*) cobrir com telhas

till[1] /tɪl/ *vt* (*land*) cultivar

till[2] /tɪl/ *prep & conj* = **until**

till[3] /tɪl/ *n* caixa (registadora) *f*

tilt /tɪlt/ *vt/i* inclinar(-se), pender □ *n* (*slope*) inclinação *f*. **(at) full** ~ a toda a velocidade

timber /'tɪmbə(r)/ *n* madeira *f* (de construção); (*trees*) árvores *fpl*

time /taɪm/ *n* tempo *m*; (*moment*) momento *m*; (*epoch*) época *f*, tempo *m*; (*by clock*) horas *fpl*; (*occasion*) vez *f*; (*rhythm*) compasso *m*. ~**s** (*multiplying*) vezes □ *vt* escolher a hora para; (*measure*) marcar o tempo de; (*sport*) cronometrar; (*regulate*) acertar. **at** ~**s** às vezes. **for the** ~ **being** por agora, por enquanto. **from** ~ **to** ~ de vez em quando. **have a good** ~ divertir-se. **have no** ~ **for** não ter paciência para. **in no** ~ num instante. **in** ~ a tempo; (*eventually*) com o tempo. **in two days'** ~ daqui a dois dias. **on** ~ a horas. **take your** ~ não se apresse.

what's the ~? que horas são? ~ **bomb** bomba *f* de relógio. ~**limit** *n* prazo *m*. ~ **off** tempo *m* livre. ~**sharing** *n* time-sharing *m*. ~ **zone** fuso *m* horário

timeless /'taɪmlɪs/ *a* intemporal; (*unending*) eterno

timely /'taɪmlɪ/ *a* oportuno

timer /'taɪmə(r)/ *n* (*techn*) relógio *m*; (*with sand*) ampulheta *f*

timetable /'taɪmteɪbl/ *n* horário *m*

timid /'tɪmɪd/ *a* tímido; (*fearful*) assustadiço, medroso. ~**ly** *adv* timidamente

timing /'taɪmɪŋ/ *n* (*measuring*) cronometragem *f*; (*of artist*) ritmo *m*; (*moment*) cálculo *m* do tempo, timing *m*. **good/bad** ~ (*moment*) momento *m* bem/mal escolhido

tin /tɪn/ *n* estanho *m*; (*container*) lata *f* □ *vt* (*pt* **tinned**) estanhar; (*food*) enlatar. ~ **foil** papel *m* de alumínio. ~**opener** *n* abre-latas *m*. ~ **plate** lata *f*, folha(-de-Flandes) *f*. ~**ned foods** conservas *fpl*. ~**ny** *a* (*sound*) metálico

tinge /tɪndʒ/ *vt* ~ (**with**) tingir (de); (*fig*) dar um toque (de) □ *n* tom *m*, matiz *m*; (*fig*) toque *m*

tingle /'tɪŋgl/ *vi* (*sting*) arder; (*prickle*) picar □ *n* ardor *m*; (*prickle*) picadela *f*

tinker /'tɪŋkə(r)/ *n* latoeiro *m* ambulante □ *vi* ~ (**with**) mexer (em), tentar consertar

tinkle /'tɪŋkl/ *n* tinido *m*, tilintar *m* □ *vt/i* tilintar

tinsel /ˈtɪnsl/ n fio m prateado/dourado, enfeites mpl metálicos de Natal; (fig) falso brilho m, ouropel m

tint /tɪnt/ n tom m, matiz m; (for hair) tintura f, tinta f □ vt tingir, colorir

tiny /ˈtaɪnɪ/ a (-ier, -iest) minúsculo, pequenino

tip[1] /tɪp/ n ponta f. **(have sth) on the ~ of one's tongue** ter alg coisa na ponta da língua or debaixo da língua

tip[2] /tɪp/ vt/i (pt tipped) (tilt) inclinar(-se); (overturn) virar(-se); (pour) despejar; (empty) despejar(-se) □ n (money) gorjeta f; (advice) sugestão f, (Br) dica f (colloq); (for rubbish) lixeira f. **~ off** avisar, prevenir. **~-off** n (warning) aviso m; (information) informação f

tipsy /ˈtɪpsɪ/ a ligeiramente embriagado, alegre, tocado

tiptoe /ˈtɪptəʊ/ n **on ~** na ponta dos pés

tir|**e**[1] /ˈtaɪə(r)/ vt/i cansar(-se) (of de). **~less** a incansável, infatigável. **~ing** a fatigante, cansativo

tire[2] /ˈtaɪə(r)/ n (Amer) pneu m

tired /ˈtaɪəd/ a cansado, fatigado. **~ of** (sick of) farto de. **~ out** morto de cansaço

tiresome /ˈtaɪəsəm/ a maçador, aborrecido, chato (sl)

tissue /ˈtɪʃuː/ n tecido m; (handkerchief) lenço m de papel. **~-paper** n papel m de seda

tit[1] /tɪt/ n (bird) chapim m, canário-da-terra m

tit[2] /tɪt/ n **give ~ for tat** pagar na mesma moeda

titbit /ˈtɪtbɪt/ n petisco m

titillate /ˈtɪtɪleɪt/ vt excitar, titilar, dar gozo a

title /ˈtaɪtl/ n título m. **~-deed** n título m de propriedade. **~-page** n frontispício m. **~-role** n papel m principal

titter /ˈtɪtə(r)/ vi dar risinhos de soçapa

to /tuː/; unstressed /tə/ prep a, para; (as far as) até; (towards) para; (of attitude) para (com) □ adv push or pull ~ (close) fechar. **~ Portugal** (for a short time) a Portugal; (to stay) para Portugal. **~ the baker's** para o padeiro, (or) ao padeiro. **~ do/sit/**etc (infinitive) fazer/sentar-se/etc; (expressing purpose) para fazer/para se sentar/etc. **it's ten ~ six** são dez para as seis, faltam dez para as seis. **go ~ and fro** andar de um lado para outro. **husband/**etc**-~-be** n futuro marido m/etc. **~-do** n (fuss) agitação f, alvoroço m

toad /təʊd/ n sapo m

toadstool /ˈtəʊdstuːl/ n cogumelo m venenoso

toady /ˈtəʊdɪ/ n lambe-botas mf, sabujo m □ vi dar manteiga a

toast /təʊst/ n fatia f de pão torrado, torrada f; (drink) brinde m, saúde f □ vt (bread) torrar; (drink to) brindar, beber à saúde de. **~er** n torradeira f

tobacco /təˈbækəʊ/ n tabaco m

tobacconist /təˈbækənɪst/ n

vendedor *m* de tabaco, homem *m* da tabacaria (*colloq*). **~'s shop** tabacaria *f*

toboggan /tə'bɒgən/ *n* tobogã *m*

today /tə'deɪ/ *n* & *adv* hoje *m*

toddler /'tɒdlə(r)/ *n* criança *f* que está a aprender a andar

toe /təʊ/ *n* dedo *m* do pé; (*of shoe, stocking*) biqueira *f* □ *vt* ~ **the line** andar na linha. **on one's ~s** alerta, vigilante. **~-hold** *n* apoio (precário) *m*. **~-nail** *n* unha *f* do dedo do pé

toffee /'tɒfɪ/ *n* caramelo *m*. **~-apple** *n* maçã *f* caramelizada

together /tə'geðə(r)/ *adv* junto, juntamente, juntos; (*at the same time*) ao mesmo tempo. ~ **with** juntamente com. **~ness** *n* camaradagem *f*, companheirismo *m*

toil /tɔɪl/ *vi* labutar □ *n* labuta *f*, labor *m*

toilet /'tɔɪlɪt/ *n* casa *f* de banho, lavabos *mpl*; **~-paper** *n* papel *m* higiénico. **~-roll** *n* rolo *m* de papel higiénico. ~ **water** água-de-colónia *f*

toiletries /'tɔɪlɪtrɪz/ *npl* artigos *mpl* de toilette

token /'təʊkən/ *n* sinal *m*, prova *f*; (*voucher*) cheque *m*; (*coin*) ficha *f* □ *a* simbólico

told /təʊld/ *see* **tell** □ *a* **all ~** (*all in all*) ao todo

tolerabl|e /'tɒlərəbl/ *a* tolerável; (*not bad*) sofrível, razoável. **~y** *adv* (*work, play*) razoavelmente

toleran|t /'tɒlərənt/ *a* tolerante (*of* para com). **~ce** *n* tolerân-

cia *f*. **~tly** *adv* com tolerância

tolerate /'tɒləreɪt/ *vt* tolerar

toll[1] /təʊl/ *n* portagem *f*. **death** ~ número *m* de mortos. **take its** ~ (*of age*) fazer sentir o seu peso

toll[2] /təʊl/ *vt/i* (*of bell*) dobrar

tomato /tə'mɑːtəʊ/ *n* (*pl* **-oes**) tomate *m*

tomb /tuːm/ *n* túmulo *m*, sepultura *f*

tomboy /'tɒmbɔɪ/ *n* maria-rapaz *f*

tombstone /'tuːmstəʊn/ *n* lápide *f*, pedra *f* tumular

tome /təʊm/ *n* tomo *m*, volume *m*

tomfoolery /tɒm'fuːlərɪ/ *n* disparates *mpl*, imbecilidades *fpl*

tomorrow /tə'mɒrəʊ/ *n* & *adv* amanhã *m*. ~ **morning/night** amanhã de manhã/à noite

ton /tʌn/ *n* tonelada *f* (= *1016 kg*). **(metric)** ~ tonelada *f* (= *1000 kg*). **~s of** (*colloq*) montes de (*colloq*), carradas de (*colloq*)

tone /təʊn/ *n* tom *m*; (*of radio, telephone etc*) sinal *m*; (*colour*) tom *m*, tonalidade *f*; (*med*) tonicidade *f* □ *vt* ~ **down** atenuar □ *vi* ~ **in** combinar-se, harmonizar-se (*with* com). ~ **up** (*muscles*) tonificar. **~-deaf** *a* sem ouvido musical

tongs /tɒŋz/ *n* tenaz *f*; (*for sugar*) pinça *f*; (*for hair*) ferro *f*

tongue /tʌŋ/ *n* língua *f*. **~-in-cheek** *a* & *adv* sem ser a sério, com ironia. **~-tied** *a*

calado. ~-**twister** n travalin-
gua m
tonic /ˈtɒnɪk/ n (med) tónico
m; (mus) tónica f □ a tónico
tonight /təˈnaɪt/ adv & n hoje
à noite, logo à noite, esta
noite f
tonne /tʌn/ n (metric) tonelada f
tonsil /ˈtɒnsl/ n amígdala f
tonsillitis /tɒnsɪˈlaɪtɪs/ n amigdalite f
too /tuː/ adv demasiado, demais; (also) também, igualmente; (colloq: very) muito.
~ **many** a demais, demasia-
dos. ~ **much** a & adv demais, demasiado
took /tʊk/ see **take**
tool /tuːl/ n (carpenter's,
plumber's etc) ferramenta f;
(gardener's) utensílio m;
(fig: person) joguete m.
~-**bag** n saco m de ferramenta
toot /tuːt/ n toque m de buzina
□ vt/i ~ (**the horn**) buzinar,
tocar a buzina
tooth /tuːθ/ n (pl **teeth**) dente
m. ~-**less** a desdentado
toothache /ˈtuːθeɪk/ n dor f de
dentes
toothbrush /ˈtuːθbrʌʃ/ n escova f de dentes
toothpaste /ˈtuːθpeɪst/ n pasta
f de dentes, dentífrico m
toothpick /ˈtuːθpɪk/ n palito m
top[1] /tɒp/ n (highest point; upper part) alto m, cimo m, to-
po m; (of hill; fig) cume m;
(upper surface) cimo m, topo m; (surface of table) tam-
po m; (lid) tampa f; (of bottle) rolha f; (of list) cabeça f

□ a (shelf etc) de cima, superior; (in rank) primeiro;
(best) melhor; (distinguished) eminente; (maximum)
máximo □ vt (pt **topped**)
(exceed) ultrapassar, ir acima de. **from** ~ **to bottom** de
alto a baixo. **on** ~ **of** em cima de; (fig) além de. **on** ~
of that ainda por cima. ~
gear (auto) a velocidade
mais alta. ~ **hat** chapéu m
alto. ~-**heavy** a mais pesado
na parte de cima. ~ **secret**
ultra-secreto. ~ **up** encher.
~**ped** with coberto de
top[2] /tɒp/ n (toy) pião m.
sleep like a ~ dormir como
uma pedra
topic /ˈtɒpɪk/ n tópico m, assunto m
topical /ˈtɒpɪkl/ a da actuali-
dade, corrente
topless /ˈtɒplɪs/ a com o peito
nu, topless
topple /ˈtɒpl/ vt/i (fazer) desabar, (fazer) tombar, (fazer)
cair
torch /tɔːtʃ/ n (electric) lanterna f eléctrica; (flaming)
archote m, facho m
tore /tɔː(r)/ see **tear**[1]
torment[1] /ˈtɔːmənt/ n tormen-
to m
torment[2] /tɔːˈment/ vt atormentar, torturar; (annoy)
aborrecer, chatear
torn /tɔːn/ see **tear**[1]
tornado /tɔːˈneɪdəʊ/ n (pl
-oes) tornado m
torpedo /tɔːˈpiːdəʊ/ n (pl -oes)
torpedo m □ vt torpedear
torrent /ˈtɒrənt/ n torrente f.
~**ial** /təˈrenʃl/ a torrencial

torrid /'tɒrɪd/ a (climate etc) tórrido; (fig) intenso, ardente

torso /'tɔːsəʊ/ n (pl -os) torso m

tortoise /'tɔːtəs/ n tartaruga f

tortoiseshell /'tɔːtəsʃel/ n (for ornaments etc) tartaruga f

tortuous /'tɔːtʃʊəs/ a (of path etc) que dá muitas voltas, sinuoso; (fig) tortuoso, retorcido

torture /'tɔːtʃə(r)/ n tortura f, suplício m □ vt torturar. ~r /-ə(r)/ n carrasco m, algoz m, torturador m

Tory /'tɔːrɪ/ n & a (colloq) conservador m

toss /tɒs/ vt atirar, deitar; (shake) agitar, sacudir □ vi agitar-se, debater-se. **~ a coin,** **~ up** deitar uma moeda ao ar

tot[1] /tɒt/ n criancinha f; (colloq: glass) copinho m

tot[2] /tɒt/ vt/i (pt totted) **~ up** (colloq) somar

total /'təʊtl/ a & n total m □ vt (pt totalled) (find total of) totalizar; (amount to) elevar-se a, montar a. **~ity** /tæ'lætɪ/ n totalidade f. **~ly** adv totalmente

totalitarian /təʊtælɪ'teərɪən/ a totalitário

totter /'tɒtə(r)/ vi cambalear, andar aos tombos; (of tower etc) oscilar

touch /tʌtʃ/ vt/i tocar; (of ends, gardens etc) tocar-se; (tamper with) mexer em; (affect) comover □ n (sense) tacto m; (contact) toque m; (of colour) toque m, retoque m. **a ~ of** (small amount) um

pouco de. **get in ~ with** entrar em contacto com. **lose ~** perder contacto. **~ down** (aviat) aterrar. **~ off** (cause) dar início a, desencadear. **~ on** (mention) tocar em. **~ up** retocar. **~-and-go** a (risky) arriscado; (uncertain) duvidoso, incerto. **~-line** n linha f lateral

touching /'tʌtʃɪŋ/ a comovente, comovedor

touchy /'tʌtʃɪ/ a melindroso, susceptível, que se ofende facilmente

tough /tʌf/ a (-er, -est) (hard, difficult; relentless) duro; (strong) forte, resistente □ n **~ (guy)** valentão m, durão m (colloq). **~ luck!** (colloq) pouca sorte! **~ness** n dureza f; (strength) força f, resistência f

toughen /'tʌfn/ vt/i (person) endurecer; (strengthen) reforçar

tour /tʊə(r)/ n viagem f; (visit) visita f; (by team etc) tournée f □ vt visitar. **on ~** em tournée

tourism /'tʊərɪzəm/ n turismo m

tourist /'tʊərɪst/ n turista mf □ a turístico. **~ office** agência f de turismo

tournament /'tʊənəmənt/ n torneio m

tousle /'taʊzl/ vt despentear, esguedelhar

tout /taʊt/ vi angariar clientes **(for** para) □ vt (try to sell) tentar revender □ n (hotel etc) angariador m; (ticket) revendedor m

tow /təʊ/ vt rebocar □ n reboque m. **on** ~ a reboque. ~ **away** (vehicle) rebocar. **~-path** n caminho m de sirga. **~-rope** n cabo m de reboque

toward(s) /təˈwɔːd(z)/ prep para, em direção, direcção a, na direcção de; (of attitude) para com; (time) por volta de

towel /ˈtaʊəl/ n toalha f; (tea towel) pano m da loiça □ vt (pt towelled) esfregar com a toalha. **~-rail** n toalheiro m. **~ling** n atoalhado m, pano m turco

tower /ˈtaʊə(r)/ n torre f □ vi ~ **above** dominar. ~ **block** prédio m alto. **~ing** a muito alto; (fig: of rage etc) violento

town /taʊn/ n cidade f. **go to** ~ (colloq) perder a cabeça (colloq). ~ **council** município m. ~ **hall** câmara f municipal. ~ **planning** urbanização f

toxic /ˈtɒksɪk/ a tóxico

toy /tɔɪ/ n brinquedo m □ vi ~ **with** (object) brincar com; (idea) considerar, acariciar

trace /treɪs/ n traço m, rasto m, sinal m; (small quantity) traço m, vestígio m □ vt seguir or encontrar a pista de; (draw) traçar; (with tracing-paper) decalcar

tracing /ˈtreɪsɪŋ/ n decalque m, desenho m. **~-paper** n papel m vegetal

track /træk/ n (of person etc) rasto m, pista f; (race-track, of tape) pista f; (record) fai-

xa f; (path) trilho m, carreiro m; (rail) via f □ vt seguir a pista or a trajectória de. **keep** ~ **of** manter-se em contacto com; (keep oneself informed) seguir. ~ **down** (find) encontrar, descobrir; (hunt) seguir a pista de. ~ **suit** fato m de treino

tract /trækt/ n (land) extensão f; (anat) aparelho m

tractor /ˈtræktə(r)/ n tractor m

trade /treɪd/ n comércio m; (job) ofício m, profissão f; (swap) troca f □ vt/i comerciar (em), negociar (em) □ vt (swap) trocar. ~ **in** (used article) trocar. **~-in** n troca f. ~ **mark** marca f de fábrica. ~ **on** (exploit) tirar partido de, abusar de. ~ **union** sindicato m. ~r /-ə(r)/ n negociante mf, comerciante mf

tradesman /ˈtreɪdzmən/ n (pl -men) comerciante m

trading /ˈtreɪdɪŋ/ n comércio m. ~ **estate** zona f industrial

tradition /trəˈdɪʃn/ n tradição f. **~al** a tradicional

traffic /ˈtræfɪk/ n (trade) tráfego m, tráfico m; (on road) trânsito m, tráfego m; (aviat) tráfego m □ vi (pt trafficked) traficar (in em). ~ **circle** (Amer) rotunda f. ~ **island** refúgio m para peões. ~ **jam** engarrafamento m. **~-lights** npl sinal m luminoso, semáforo m. ~ **warden** guarda mf de trânsito. **~ker** n traficante mf

tragedy /ˈtrædʒədɪ/ n tragédia f

tragic /ˈtrædʒɪk/ a trágico f

trail /treɪl/ *vt/i* arrastar(-se), rastejar; (*of plant, on ground*) rastejar; (*of plant, over wall*) trepar; (*track*) seguir □ *n* (*of powder, smoke etc*) esteira *f*, rasto *m*; (*track*) pista *f*; (*beaten path*) trilho *m*

trailer /ˈtreɪlə(r)/ *n* reboque *m*; (*Amer: caravan*) reboque *m*, caravana *f*, trailer *m*; (*film*) trailer *m*, apresentação *f* de filme

train /treɪn/ *n* (*rail*) comboio *m*; (*procession*) fila *f*; (*of dress*) cauda *f*; (*retinue*) comitiva *f* □ *vt* (*instruct, develop*) educar, formar, treinar; (*plant*) guiar; (*sportsman, animal*) treinar; (*aim*) assestar, apontar □ *vi* estudar, treinar-se. **~ed** *a* (*skilled*) qualificado; (*doctor etc*) diplomado. **~er** *n* (*sport*) treinador *m*; (*shoe*) ténis *m*. **~ing** *n* treino *m*

trainee /treɪˈniː/ *n* estagiário *m*

trait /treɪ(t)/ *n* traço *m*, característica *f*

traitor /ˈtreɪtə(r)/ *n* traidor *m*

tram /træm/ *n* (carro) eléctrico *m*

tramp /træmp/ *vi* marchar (com passo pesado) □ *vt* percorrer, palmilhar □ *n* som *m* de passos pesados; (*vagrant*) vagabundo *m*, andarilho *m*; (*hike*) longa caminhada *f*

trample /ˈtræmpl/ *vt/i* **~ (on)** pisar com força; (*fig*) menosprezar

trampoline /ˈtræmpəliːn/ *n* (lona *f* usada como) trampolim *m*

trance /trɑːns/ *n* (*hypnotic*) transe *m*; (*ecstasy*) êxtase *m*, arrebatamento *m*; (*med*) estupor *m*

tranquil /ˈtræŋkwɪl/ *a* tranquilo, sossegado. **~lity** /ˈkwɪləti/ *n* tranquilidade *f*, sossego *m*

tranquillizer /ˈtræŋkwɪlaɪzə(r)/ *n* (*drug*) tranquilizante *m*, calmante *m*

transact /trænˈzækt/ *vt* (*business*) fazer, efectuar. **~ion** /-kʃn/ *n* transacção *f*

transcend /trænˈsend/ *vt* transcender. **~ent** *a* transcendente

transcribe /trænˈskraɪb/ *vt* transcrever. **~pt, ~ption** /-ɪpʃn/ *ns* transcrição *f*

transfer¹ /trænsˈfɜː(r)/ *vt* (*pt* **transferred**) transferir; (*power, property*) transmitir □ *vi* mudar, ser transferido; (*change planes etc*) fazer transbordo **~ the charges** (*telephone*) ligar a cobrar

transfer² /ˈtrænsfɜː(r)/ *n* transferência *f*; (*of power, property*) transmissão *f*; (*image*) decalcomania *f*

transfigure /trænsˈfɪɡə(r)/ *vt* transfigurar

transform /trænsˈfɔːm/ *vt* transformar. **~ation** /-əˈmeɪʃn/ *n* transformação *f*. **~er** *n* (*electr*) transformador *m*

transfusion /trænsˈfjuːʒn/ *n* (*of blood*) transfusão *f*

transient /ˈtrænzɪənt/ *a* transitório, efémero, passageiro

transistor /trænˈzɪstə(r)/ *n* (*device, radio*) transistor *m*

transit /ˈtrænsɪt/ *n* trânsito *m*. **in ~** em trânsito

transition /træn'zɪʃn/ n transição f. ~al a transitório

transitive /'trænsɪtɪv/ a transitivo

transitory /'trænsɪtərɪ/ a transitório

translat|e /trænz'leɪt/ vt traduzir. ~ion /-ʃn/ n tradução f. ~or n tradutor m

translucent /trænz'luːsnt/ a translúcido

transmi|t /trænz'mɪt/ vt (pt **transmitted**) transmitir. ~ssion n transmissão f. ~tter n transmissor m

transparen|t /træns'pærənt/ a transparente. ~cy n transparência f; (photo) diapositivo m

transpire /træn'spaɪə(r)/ vi (secret etc) transpirar; (happen) suceder, acontecer

transplant¹ /træns'plɑːnt/ vt transplantar

transplant² /'trænsplɑːnt/ n (med) transplantação f, transplante m

transport¹ /træn'spɔːt/ vt (carry, delight) transportar. ~ation /'teɪʃn/ n transporte m

transport² /'trænspɔːt/ n (of goods, delight etc) transporte m

transpose /træn'spəʊz/ vt transpor

transverse /'trænzvɜːs/ a transversal

transvestite /trænz'vestaɪt/ n travesti mf

trap /træp/ n armadilha f, ratoeira f, cilada f □ vt (pt **trapped**) apanhar na armadilha; (cut off) prender, blo-

quear. ~per n caçador m de armadilha (esp de peles)

trapdoor /træp'dɔː(r)/ n alçapão m

trapeze /trə'piːz/ n trapézio m

trash /træʃ/ n (worthless stuff) porcaria f; (refuse) lixo m; (nonsense) disparates mpl. ~ can n (Amer) caixote m do lixo. ~y a que não vale nada, porcaria

trauma /'trɔːmə/ n trauma m, traumatismo m. ~tic /'mætɪk/ a traumático

travel /'trævl/ vi (pt **travelled**) viajar; (of vehicle, bullet, sound) ir □ vt percorrer □ n viagem f. ~ agent agente mf de viagens. ~ler n viajante mf. ~ler's cheque cheque m de viagem. ~ling n viagem f, viagens fpl, viajar m

travesty /'trævəstɪ/ n paródia f, caricatura f

trawler /'trɔːlə(r)/ n traineira f, arrastão m

tray /treɪ/ n tabuleiro m, bandeja f

treacherous /'tretʃərəs/ a traiçoeiro

treachery /'tretʃərɪ/ n traição f, perfídia f, deslealdade f

treacle /'triːkl/ n melaço m

tread /tred/ vt/i (pt **trod**, pp **trodden**) (step) pisar; (walk) andar, caminhar; (walk along) seguir □ n passo m, maneira f de andar; (of tyre) trilho m. ~ sth into (carpet) espezinhar alg coisa em cima de

treason /'triːzn/ n traição f

treasure /'treʒə(r)/ n tesouro m □ vt ter o maior apreço por; (store) guardar bem guardado. ~r n tesoureiro m

treasury /'treʒərɪ/ n (building) tesouraria f; (department) Ministério m das Finanças; (fig) tesouro m

treat /tri:t/ vt/i tratar □ n (pleasure) prazer m, regalo m; (present) mimo m, gentileza f. ~ **sb to sth** convidar alguém para alg coisa

treatise /'tri:tɪz/ n tratado m

treatment /'tri:tmənt/ n tratamento m

treaty /'tri:tɪ/ n (pact) tratado m

treble /'trebl/ a triplo □ vt/i triplicar □ n (mus: voice) soprano m. ~y adv triplamente

tree /tri:/ n árvore f

trek /trek/ n viagem f penosa; (walk) caminhada f □ vi (pt trekked) viajar penosamente; (walk) caminhar

trellis /'trelɪs/ n grade f para trepadeiras, treliça f

tremble /'trembl/ vi tremer

tremendous /trɪ'mendəs/ a (fearful, huge) tremendo; (colloq: excellent) fantástico, formidável

tremor /'tremə(r)/ n tremor m, estremecimento m. **(earth)** ~ abalo (sísmico), tremor m de terra

trench /trentʃ/ n fossa f, vala f; (mil) trincheira f

trend /trend/ n tendência f; (fashion) moda f. ~y a (colloq) na última moda, na berra (colloq)

trepidation /trepɪ'deɪʃn/ n (fear) receio m, apreensão f

trespass /'trespəs/ vi entrar ilegalmente (**on** em). **no** ~**ing** entrada f proibida. ~**er** n intruso m

trestle /'tresl/ n cavalete m, armação f de mesa. ~**-table** n mesa f de cavaletes

trial /'traɪəl/ n (jur) julgamento m, processo m; (test) ensaio m, experiência f, prova f; (ordeal) provação f. **on** ~ em julgamento. ~ **and error** tentativas fpl

triangle /'traɪæŋgl/ n triângulo m. ~**ular** /-'æŋgjʊlə(r)/ a triangular

trib|**e** /traɪb/ n tribo f. ~**al** a tribal

tribulation /trɪbjʊ'leɪʃn/ n tribulação f

tribunal /traɪ'bju:nl/ n tribunal m

tributary /'trɪbjʊtərɪ/ n afluente m, tributário m

tribute /'trɪbju:t/ n tributo m. **pay** ~ **to** prestar homenagem a, render tributo a

trick /trɪk/ n truque m; (prank) partida f; (habit) jeito m □ vt enganar. **do the** ~ (colloq: work) dar resultado

trickery /'trɪkərɪ/ n trapaça f

trickle /'trɪkl/ vi pingar, gotejar, escorrer □ n fio m de água etc; (fig: small number) punhado m

tricky /'trɪkɪ/ a (crafty) manhoso; (problem) delicado, complicado

tricycle /'traɪsɪkl/ n triciclo m

trifle /'traɪfl/ n ninharia f, bagatela f; (sweet) sobremesa f feita com pão-de-ló ensopado em vinho etc, coberto de

leite-creme e natas □ *vi* ~
with brincar com. **a** ~ um
pouquinho, um poucochinho
trifling /'traɪflɪŋ/ *a* insignificante

trigger /'trɪɡə(r)/ *n* (*of gun*)
gatilho *m* □ *vt* ~ **(off)** (*initiate*) desencadear, despole-
tar

trill /trɪl/ *n* trinado *m*, gorjeio
m

trilogy /'trɪlədʒɪ/ *n* trilogia *f*

trim /trɪm/ *a* (**trimmer, trim-
mest**) bem arranjado, bem
cuidado; (*figure*) elegante,
esbelto □ *vt* (*pt* **trimmed**)
(*cut*) aparar; (*sails*) orientar,
marear; (*ornament*) enfeitar,
guarnecer (**with** com) □ *n*
(*cut*) aparadela *f*, corte *m* leve; (*decoration*) enfeite *m*;
(*on car*) acabamento(s)
m(*pl*), estofado *m*. **in** ~ em
ordem; (*fit*) em boa forma.
~**ming(s)** *n*(*pl*) (*dress*) enfeite *m*; (*culin*) guarnição *f*,
acompanhamento *m*

Trinity /'trɪnətɪ/ *n* **the (Holy)**
~ a Santíssima Trindade

trinket /'trɪŋkɪt/ *n* bugiganga
f; (*jewel*) bijuteria *f*, berloque *m*

trio /'triːəʊ/ *n* (*pl* **-os**) trio *m*

trip /trɪp/ *vi* (*pt* **tripped**)
(*stumble*) tropeçar, dar um
passo em falso; (*go or dance
lightly*) andar/dançar com
passos leves □ *vt* ~ **(up)** fazer tropeçar, passar uma ras-
teira a □ *n* (*journey*) viagem
f; (*outing*) passeio *m*, excursão *f*; (*stumble*) tropeção *m*,
passo *m* em falso

tripe /traɪp/ *n* (*food*) dobrada

f, tripas *fpl*; (*colloq: nonsense*) disparates *mpl*

triple /'trɪpl/ *a* triplo, tríplice
□ *vt/i* triplicar. ~**ts** /-plɪts/
npl trigémeos *mpl*

triplicate /'trɪplɪkət/ *n* **in** ~ em
triplicado

tripod /'traɪpɒd/ *n* tripé *m*

trite /traɪt/ *a* banal, corriqueiro

triumph /'traɪəmf/ *n* triunfo *m*
□ *vi* triunfar (**over** sobre);
(*exult*) exultar, rejubilar-se.
~**al** /'ʌmfl/ *a* triunfal. ~**ant**
/'ʌmfənt/ *a* triunfante. ~**an-
tly** /'ʌmfəntlɪ/ *adv* em triunfo, triunfantemente

trivial /'trɪvɪəl/ *a* insignificante

trod, trodden /trɒd, 'trɒdn/
see **tread**

trolley /'trɒlɪ/ *n* carrinho *m*.
(tea-)~ carrinho *m* de chá

trombone /trɒm'bəʊn/ *n* (*mus*)
trombone *m*

troop /truːp/ *n* bando *m*, grupo
m. ~**s** (*mil*) tropas *fpl* □ *vi* ~
in/out entrar/sair em bando
or grupo. ~**ing the colour** a
saudação da bandeira. ~**er** *n*
soldado *m* de cavalaria

trophy /'trəʊfɪ/ *n* troféu *m*

tropic /'trɒpɪk/ *n* trópico *m*. ~**s**
trópicos *mpl*. ~**al** *a* tropical

trot /trɒt/ *n* trote *m* □ *vi* (*pt*
trotted) trotar; (*of person*)
correr em passos curtos, ir
num *or* a trote (*colloq*). **on
the** ~ (*colloq*) a seguir, a fio.
~ **out** (*colloq: produce*) exibir; (*colloq: state*) desfiar

trouble /'trʌbl/ *n* (*difficulty*)
dificuldade(s) *f*(*pl*), proble-
ma(s) *m*(*pl*); (*distress*) des-

gosto(s) *m(pl)*, aborrecimento(s) *m(pl)*; (*pains, effort*) cuidado *m*, trabalho *m*, maçada *f*; (*inconvenience*) transtorno *m*, incómodo *m*; (*med*) doença *f*. ~**(s)** (*unrest*) agitação *f*, conflito(s) *m(pl)* □ *vt/i* (*bother*) incomodar(-se), maçar(-se); (*worry*) preocupar(-se); (*agitate*) perturbar. **be in** ~ estar em apuros, estar em dificuldades. **get into** ~ estar em apuros. **it is not worth the** ~ não vale a pena. ~**maker** *n* desordeiro *m*, provocador *m*. ~**shooter** *n* mediador *m*, negociador *m*. ~**d** *a* agitado, perturbado; (*of sleep*) agitado; (*of water*) turvo

troublesome /ˈtrʌblsəm/ *a* problemático, maçador

trough /trɒf/ *n* (*drinking*) bebedouro *m*; (*feeding*) comedouro *m*. ~ **(of low pressure)** depressão *f*, linha *f* de baixa pressão

trounce /traʊns/ *vt* (*defeat*) esmagar; (*thrash*) espancar

troupe /truːp/ *n* (*theat*) companhia *f*, troupe *f*

trousers /ˈtraʊzəz/ *npl* calças *fpl*. **short** ~ calções *mpl*

trousseau /ˈtruːsəʊ/ *n* (*pl* -s /-əʊz/) (*of bride*) enxoval *m* de noiva

trout /traʊt/ *n* (*pl invar*) truta *f*

trowel /ˈtraʊəl/ *n* (*garden*) colher *f* de jardineiro; (*for mortar*) trolha *f*

truan|t /ˈtruːənt/ *n* absentista *mf*; (*school*) gazeteiro *m*. **play** ~**t** fazer gazeta. ~**cy** *n* absentismo *m*

truce /truːs/ *n* trégua(s) *f(pl)*, armistício *m*

truck /trʌk/ *n* (*lorry*) camião *m*; (*barrow*) carro *m* de bagageiro; (*wagon*) vagão *m* aberto. ~**-driver** *n* camionista *mf*, motorista *mf* de camião

truculent /ˈtrʌkjʊlənt/ *a* agressivo, brigão

trudge /trʌdʒ/ *vi* caminhar com dificuldade *or* a custo, arrastar-se

true /truː/ *a* (-**er**, -**est**) verdadeiro; (*accurate*) exacto; (*faithful*) fiel. **come** ~ (*happen*) realizar-se, concretizar-se. **it is** ~ é verdade

truffle /ˈtrʌfl/ *n* trufa *f*

truism /ˈtruːɪzəm/ *n* truísmo *m*, verdade *f* evidente, verdade *f* do Senhor de La Palisse (*colloq*)

truly /ˈtruːlɪ/ *adv* verdadeiramente; (*faithfully*) fielmente; (*truthfully*) sinceramente

trump /trʌmp/ *n* trunfo *m* □ *vt* jogar trunfo, trunfar. ~ **up** forjar, inventar. ~ **card** carta *f* de trunfo; (*colloq: valuable resource*) trunfo *m*

trumpet /ˈtrʌmpɪt/ *n* trombeta *f*

truncheon /ˈtrʌntʃən/ *n* cassetete *m*

trundle /ˈtrʌndl/ *vt/i* (fazer) rolar ruidosamente/pesadamente

trunk /trʌŋk/ *n* (*of tree, body*) tronco *m*; (*of elephant*) tromba *f*; (*box*) mala *f* grande; (*Amer, auto*) mala *f*. ~**s** (*for swimming*) calções *m pl* de banho. ~ **call** *n* chamada *f* interurbana. ~ **road** n estrada f nacional

truss /trʌs/ n (med) funda f □ vt atar, amarrar

trust /trʌst/ n confiança f; (association) trust m, consórcio m; (foundation) fundação f; (responsibility) responsabilidade f; (jur) fideicomisso m □ vt (rely on) ter confiança em, confiar em; (hope) esperar □ vi ~ **in** or **to** confiar em. **in** ~ em fideicomisso. **on** ~ (without proof) à confiança; (on credit) a crédito. ~ **sb with** confiar um trabalho a alguém. ~**ed** a (friend etc) de confiança, seguro. ~**ful**, ~**ing** adjs confiante. ~**y** a fiel

trustee /trʌsˈtiː/ n administrador m; (jur) fideicomissário m

trustworthy /ˈtrʌstwɜːðɪ/ a (digno) de confiança

truth /truːθ/ n (pl **-s** /truːðz/) verdade f. ~**ful** a (account etc) verídico; (person) verdadeiro, que fala verdade. ~**fully** adv sinceramente

try /traɪ/ vt/i (pt **tried**) tentar, experimentar; (be a strain on) cansar, pôr à prova; (jur) julgar □ n (attempt) tentativa f, experiência f; (Rugby) ensaio m. ~ **for** (post, scholarship) candidatar-se a; (record) tentar alcançar. ~ **on** (clothes) provar. ~ **out** experimentar. ~ **to do** tentar fazer. ~**ing** a difícil

tsar /zɑː(r)/ n czar m

T-shirt /ˈtiːʃɜːt/ n T-shirt f

tub /tʌb/ n selha f; (colloq: bath) tina f, banheira f

tuba /ˈtjuːbə/ n (mus) tuba f

tubby /ˈtʌbɪ/ a (**-ier, -iest**) baixote e gorducho

tub|e /tjuːb/ n tubo m; (colloq: railway) metro m. **inner ~e** câmara f de ar. ~**ing** n tubos mpl, tubagem f

tuber /ˈtjuːbə(r)/ n tubérculo m

tuberculosis /tjuːbɜːkjʊˈləʊsɪs/ n tuberculose f

tubular /ˈtjuːbjʊlə(r)/ a tubular

tuck /tʌk/ n (fold) prega f cosida; (for shortening or ornament) refego m □ vt/i fazer pregas; (put) guardar, meter, enfiar; (hide) esconder. ~ **in** or **into** (colloq: eat) atacar. ~ **in** (shirt) meter as fraldas para dentro; (blanket) entalar; (person) cobrir bem, aconchegar. ~**shop** n (schol) pastelaria f (junto à escola)

Tuesday /ˈtjuːzdɪ/ n terça-feira f

tuft /tʌft/ n tufo m

tug /tʌɡ/ vt/i (pt **tugged**) puxar com força; (vessel) rebocar □ n (boat) rebocador m; (pull) puxão m. ~ **of war** jogo m da guerra

tuition /tjuːˈɪʃn/ n ensino m

tulip /ˈtjuːlɪp/ n tulipa f

tumble /ˈtʌmbl/ vi tombar, baquear, dar um trambolhão □ n tombo m, trambolhão m. ~**drier** n máquina f de secar (roupa)

tumbledown /ˈtʌmbldaʊn/ a em ruínas

tumbler /ˈtʌmblə(r)/ n copo m

tummy /ˈtʌmɪ/ n (colloq: sto-

mach) estômago *m*; (*colloq*:
abdomen) barriga *f*. **~-ache**
n (*colloq*) dor *f* de barriga/de
estômago

tumour /'tjuːmə(r)/ *n* tumor *m*

tumult /'tjuːmʌlt/ *n* tumulto
m. **~uous** /'mʌltʃʊəs/ *a* tu-
multuado, barulhento, agitado

tuna /'tjuːnə/ *n* (*pl invar*) atum
m

tune /tjuːn/ *n* melodia *f* □ *vt*
(*engine*) regular; (*piano etc*)
afinar □ *vi* ~ **in** (**to**) (*radio,
TV*) ligar (para), sintonizar.
~ **up** afinar. **be in** ~/**out of** ~
(*instrument*) estar afinado/
desafinado; (*singer*) cantar
afinado/desafinado. **~ful** *a*
melodioso, harmonioso. **~r** *n*
afinador *m*; (*radio*) sintoni-
zador *m*

tunic /'tjuːnɪk/ *n* túnica *f*

Tunisia /tjuː'nɪzɪə/ *n* Tunísia *f*.
~n *a* & *n* tunisino *m*

tunnel /'tʌnl/ *n* túnel *m* □ *vi*
(*pt* **tunnelled**) abrir um túnel
(**into** em)

turban /'tɜːbən/ *n* turbante *m*

turbine /'tɜːbaɪn/ *n* turbina *f*

turbo- /'tɜːbəʊ/ *pref* turbo-

turbot /'tɜːbət/ *n* rodovalho *m*

turbulen|t /'tɜːbjʊlənt/ *a* tur-
bulento. **~ce** *n* turbulência *f*

tureen /təˈriːn/ *n* terrina *f*

turf /tɜːf/ *n* (*pl* **turfs** *or* **tur-
ves**) relva *f*, relvado *m* □ *vt*
~ **out** (*colloq*) deitar fora.
the ~ (*racing*) turfe *m*, hipismo *m*. ~ **accountant** corretor *m* de apostas

turgid /'tɜːdʒɪd/ *a* (*speech,
style*) pomposo, empolado

Turk /tɜːk/ *n* turco *m*. **~ey** *n*

Turquia *f*. **~ish** *a* turco *m* □
n (*lang*) turco *m*

turkey /'tɜːkɪ/ *n* peru *m*

turmoil /'tɜːmɔɪl/ *n* agitação *f*,
confusão *f*, desordem *f*. **in** ~
em ebulição

turn /tɜːn/ *vt/i* virar(-se), voltar (-se), girar; (*change*)
transformar (-se) (**into** em);
(*become*) ficar, tornar-se;
(*corner*) virar, dobrar; (*page*) virar, voltar □ *n* volta *f*;
(*in road*) curva *f*; (*of mind,
events*) mudança *f*; (*occasion, opportunity*) vez *f*;
(*colloq*) ataque *m*, crise *f*;
(*colloq: shock*) susto *m*. **do
a good** ~ prestar (um) serviço. **in** ~ por sua vez, sucessi-
vamente. **speak out of** ~
dizer o que não se deve, cometer uma indiscrição. **take**
~**s** revezar-se. ~ **of the century** viragem *f* do século. ~
against virar-se *or* voltar-se
contra. ~ **away** *vi* virar-se *or*
voltar-se para o outro lado □
vt (*avert*) desviar; (*reject*)
recusar; (*send back*) mandar
embora. ~ **back** *vi* (*return*)
devolver; (*vehicle*) dar meia
volta, voltar para trás □ *vt*
(*fold*) dobrar para trás. ~
down recusar; (*fold*) dobrar
para baixo; (*reduce*) baixar.
~ **in** (*hand in*) entregar; (*colloq: go to bed*) deitar-se. ~
off (*light etc*) apagar; (*tap*)
fechar; (*road*) virar (para rua
transversal). ~ **on** (*light etc*)
acender, ligar; (*tap*) abrir. ~
out *vt* (*light*) apagar; (*empty*)
esvaziar, despejar; (*pocket*)
virar do avesso; (*produce*)

produzir □ *vi* (*transpire*) vir a saber-se, descobrir-se; (*colloq: come*) aparecer. ~**round** virar-se, voltar-se. ~ **up** *vi* aparecer, chegar; (*be found*) aparecer □ *vt* (*find*) desenterrar; (*increase*) aumentar; (*collar*) levantar. ~**out** *n* assistência *f*. ~**up** *n* (*of trousers*) dobra *f*

turning /ˈtɜːnɪŋ/ *n* rua *f* transversal; (*corner*) esquina *f*. ~**point** *n* momento *m* decisivo

turnip /ˈtɜːnɪp/ *n* nabo *m*

turnover /ˈtɜːnəʊvə(r)/ *n* (*pie, tart*) pastel *m*, empada *f*; (*money*) facturação *f*; (*of staff*) rotatividade *f*

turnpike /ˈtɜːnpaɪk/ *n* (*Amer*) auto-estrada *f* com portagem

turnstile /ˈtɜːnstaɪl/ *n* (*gate*) torniquete *m*

turntable /ˈtɜːnteɪbl/ *n* (*for record*) giradiscos *m*; (*record-player*) giradiscos *m*

turpentine /ˈtɜːpəntaɪn/ *n* terebentina *f*, aguarrás *f*

turquoise /ˈtɜːkwɔɪz/ *a* turquesa *invar*

turret /ˈtʌrɪt/ *n* torreão *m*, torrinha *f*

turtle /ˈtɜːtl/ *n* tartaruga-do-mar *f*. ~**neck** *a* de gola alta

tusk /tʌsk/ *n* (*tooth*) presa *f*; (*elephant's*) dente *m*

tussle /ˈtʌsl/ *n* luta *f*, briga *f*

tutor /ˈtjuːtə(r)/ *n* professor *m* particular; (*univ*) professor *m* universitário

tutorial /tjuːˈtɔːrɪəl/ *n* (*univ*) seminário *m*

TV /tiːˈviː/ *n* TV *f*

twaddle /ˈtwɒdl/ *n* disparates *mpl*

twang /twæŋ/ *n* (*mus*) som *m* duma corda esticada; (*in voice*) nasalação *f* □ *vt/i* (*mus*) (fazer) vibrar, dedilhar

tweet /twiːt/ *n* pio *m*, pipilo *m* □ *vi* pipilar

tweezers /ˈtwiːzəz/ *npl* pinça *f*

twelve /twelv/ *a* & *n* doze *m*. ~ (**o'clock**) doze horas. ~**fth** *a* & *n* décimo segundo *m*. T~**fth Night** véspera *f* de Reis

twenty /ˈtwentɪ/ *a* & *n* vinte *m*. ~**ieth** *a* & *n* vigésimo *m*

twice /twaɪs/ *adv* duas vezes

twiddle /ˈtwɪdl/ *vt/i* ~ (**with**) (fiddle with) torcer, brincar (com). ~ **one's thumbs** girar os polegares

twig[1] /twɪg/ *n* galho *m*, graveto *m*

twilight /ˈtwaɪlaɪt/ *n* crepúsculo *m* □ *a* crepuscular

twin /twɪn/ *a* & *n* gémeo *m* □ *vt* (*pt* twinned) (*pair*) emparelhar, emparceirar. ~ **beds** par *m* de camas de solteiro. ~**ning** *n* emparelhamento *m*

twine /twaɪn/ *n* guita *f*, cordel *m* □ *vt/i* (*weave together*) entrançar; (*wind*) enroscar(-se)

twinge /twɪndʒ/ *n* dor *f* aguda e súbita, pontada *f*; (*fig*) ferroada *f*

twinkle /ˈtwɪŋkl/ *vi* cintilar, brilhar □ *n* cintilação *f*, brilho *m*

twirl /twɜːl/ *vt/i* (fazer) girar; (*moustache*) torcer

twist /twɪst/ *vt* torcer; (*weave together*) entrançar; (*roll*) enrolar; (*distort*) torcer, deturpar □ *vi* (*rope etc*) torcer-

-se, enrolar-se; (*road*) dar voltas *or* curvas, serpentear □ *n* (*act of twisting*) torcedura *f*, torcidela *f*; (*of rope*) nó *m*; (*of events*) reviravolta *f*. ~ **sb's arm** (*fig*) forçar alguém

twit /twɪt/ *n* (*colloq*) idiota *mf*

twitch /twɪtʃ/ *vt/i* contrair(-se) □ *n* (*tic*) tique *m*; (*jerk*) estremecção *m*

two /tuː/ *a* & *n* dois *m*. **in** *or* **of** ~ **minds** indeciso. **put** ~ **and** ~ **together** tirar conclusões. ~**-faced** *a* de duas caras, hipócrita. ~**-piece** *n* (*garment*) duas-peças *m invar*. ~**-seater** *n* (*car*) carro *m* de dois lugares. ~**-way** *a* (*of road*) de dois sentidos

twosome /'tuːsəm/ *n* par *m*

tycoon /taɪ'kuːn/ *n* magnata *m*

tying /'taɪɪŋ/ *see* **tie**

type /taɪp/ *n* (*example, print*) tipo *m*; (*kind*) tipo *m*, género *m*; (*colloq: person*) tipo *m* (*colloq*) □ *vt/i* (*write*) bater à máquina, dactilografar

typescript /'taɪpskrɪpt/ *n* texto *m* dactilografado

typewrit|er /'taɪpraɪtə(r)/ *n* máquina *f* de escrever. ~**ten** batido à máquina, dactilografado

typhoid /'taɪfɔɪd/ *n* ~ (**fever**) febre *f* tifóide

typhoon /taɪ'fuːn/ *n* tufão *m*

typical /'tɪpɪkl/ *a* típico. ~**ly** *adv* tipicamente

typify /'tɪpɪfaɪ/ *vt* ser o (protó)tipo de, tipificar

typing /'taɪpɪŋ/ *n* dactilografia *f*

typist /'taɪpɪst/ *n* dactilógrafa *f*

tyrann|y /'tɪrənɪ/ *n* tirania *f*. ~**ical** /tɪ'rænɪkl/ *a* tirânico

tyrant /'taɪərənt/ *n* tirano *m*

tyre /'taɪə(r)/ *n* pneu *m*

U

ubiquitous /juːˈbɪkwɪtəs/ *a* ubíquo, omnipresente

udder /ˈʌdər/ *n* úbere *m*

UFO /ˈjuːfəʊ/ *n* OVNI *m*

ugl|y /ˈʌɡlɪ/ *a* (**-ier, -iest**) feio. **~iness** *n* fealdade *f*

UK *abbr see* **United Kingdom**

ulcer /ˈʌlsə(r)/ *n* úlcera *f*

ulterior /ʌlˈtɪərɪə(r)/ *a* ulterior. **~ motive** razão *f* inconfessada, segundas intenções *fpl*

ultimate /ˈʌltɪmət/ *a* último, derradeiro; (*definitive*) definitivo; (*maximum*) supremo; (*basic*) fundamental. **~ly** *adv* finalmente

ultimatum /ʌltɪˈmeɪtəm/ *n* (*pl* **-ums**) ultimato *m*

ultra- /ˈʌltrə/ *pref* ultra-, super-

ultraviolet /ʌltrəˈvaɪələt/ *a* ultravioleta

umbilical /ʌmˈbɪlɪkl/ *a* **~ cord** cordão *m* umbilical

umbrage /ˈʌmbrɪdʒ/ *n* **take ~ (at sth)** ofender-se *or* melindrar-se (com alg coisa)

umbrella /ʌmˈbrelə/ *n* guarda-chuva *m*

umpire /ˈʌmpaɪə(r)/ *n* (*sport*) árbitro *m* □ *vt* arbitrar

umpteen /ˈʌmptiːn/ *a* (*sl*) sem conta, montes de (*colloq*). **for the ~th time** (*sl*) pela centésima *or* enésima vez

UN *abbr* (*United Nations*) ONU *f*

un- /ʌn/ *pref* não, pouco

unable /ʌnˈeɪbl/ *a* **be ~ to do** ser incapaz de/não poder fazer

unabridged /ʌnəˈbrɪdʒd/ *a* (*text*) integral

unacceptable /ʌnəkˈseptəbl/ *a* inaceitável, inadmissível

unaccompanied /ʌnəˈkʌmpənɪd/ *a* só, desacompanhado

unaccountable /ʌnəˈkaʊntəbl/ *a* (*strange*) inexplicável; (*not responsible*) que não tem que dar contas

unaccustomed /ʌnəˈkʌstəmd/ *a* desacostumado. **~ to** não acostumado *or* não habituado a

unadulterated /ʌnəˈdʌltəreɪtɪd/ *a* (*pure, sheer*) puro

unaided /ʌnˈeɪdɪd/ *a* sem ajuda, sozinho, por si só

unanim|ous /juːˈnænɪməs/ *a* unânime. **~ity** /-əˈnɪmətɪ/ *n* unanimidade *f*. **~ously** *adv* unanimemente, por unanimidade

unarmed /ʌn'aːmd/ *a* desarmado, indefeso

unashamed /ʌnə'ʃeɪmd/ *a* desavergonhado, sem vergonha. **~ly** /-ɪdlɪ/ *adv* sem vergonha

unassuming /ʌnə'sjuːmɪŋ/ *a* modesto, despretencioso

unattached /ʌnə'tætʃt/ *a* (*person*) livre

unattainable /ʌnə'teɪnəbl/ *a* inacessível

unattended /ʌnə'tendɪd/ *a* (*person*) desacompanhado; (*car, luggage*) abandonado

unattractive /ʌnə'træktɪv/ *a* sem atractivos; (*offer*) de pouco interesse

unauthorized /ʌn'ɔːθəraɪzd/ *a* não-autorizado, sem autorização

unavoidabl|e /ʌnə'vɔɪdəbl/ *a* inevitável. **~y** *adv* inevitavelmente

unaware /ʌnə'weə(r)/ *a* **be ~ of** desconhecer, ignorar, não ter consciência de. **~s** /-eəz/ *adv* (*unexpectedly*) inesperadamente. **catch sb ~s** apanhar alguém desprevenido

unbalanced /ʌn'bælənst/ *a* (*mind, person*) desequilibrado

unbearable /ʌn'beərəbl/ *a* insuportável

unbeat|able /ʌn'biːtəbl/ *a* imbatível. **~en** *a* não vencido, invicto; (*unsurpassed*) insuperado

unbeknown(st) /ʌnbɪ'nəʊn(st)/ *a* **~ to** (*colloq*) sem o conhecimento de

unbelievable /ʌnbɪ'liːvəbl/ *a* inacreditável, incrível

unbend /ʌn'bend/ *vi* (*pt* **unbent**) (*relax*) descontrair. **~ing** *a* inflexível

unbiased /ʌn'baɪəst/ *a* imparcial

unblock /ʌn'blɒk/ *vt* desbloquear, desobstruir; (*pipe*) desentupir

unborn /'ʌnbɔːn/ *a* por nascer; (*future*) vindouro, futuro

unbounded /ʌn'baʊndɪd/ *a* ilimitado

unbreakable /ʌn'breɪkəbl/ *a* inquebrável

unbridled /ʌn'braɪdld/ *a* desenfreado

unbroken /ʌn'brəʊkən/ *a* (*intact*) intacto, inteiro; (*continuous*) ininterrupto

unburden /ʌn'bɜːdn/ *vpr* **~ o.s.** (*open one's heart*) desabafar (**to** com)

unbutton /ʌn'bʌtn/ *vt* desabotoar

uncalled-for /ʌn'kɔːldfɔː(r)/ *a* injustificável, gratuito

uncanny /ʌn'kænɪ/ *a* (**-ier**, **-iest**) estranho, misterioso

unceasing /ʌn'siːsɪŋ/ *a* incessante

unceremonious /ʌnserɪ'məʊnɪəs/ *a* sem cerimónia, brusco

uncertain /ʌn'sɜːtn/ *a* incerto. **be ~ whether** não saber ao certo se, estar indeciso quanto a. **~ty** *n* incerteza *f*

unchang|ed /ʌn'tʃeɪndʒd/ *a* inalterado, sem modificação. **~ing** *a* inalterável, imutável

uncivilized /ʌn'sɪvɪlaɪzd/ *a* não civilizado, bárbaro

uncle /'ʌŋkl/ *n* tio *m*

uncomfortable /ʌn'kʌmfətəbl/

a (thing) desconfortável, incómodo; (unpleasant) desagradável. **feel** or **be ~** (uneasy) sentir-se or estar pouco à vontade

uncommon /ʌnˈkɒmən/ a pouco vulgar, invulgar, fora do comum. **~ly** adv invulgarmente, excepcionalmente

uncompromising /ʌnˈkɒmprəmaɪzɪŋ/ a intransigente

unconcerned /ʌnkənˈsɜːnd/ a (indifferent) indiferente (**by** a)

unconditional /ʌnkənˈdɪʃənl/ a incondicional

unconscious /ʌnˈkɒnʃəs/ a consciente (**of** de). **~ly** adv inconscientemente. **~ness** n inconsciência f

unconventional /ʌnkənˈvenʃənl/ a não convencional, fora do comum

uncooperative /ʌnkəʊˈɒpərətɪv/ a (person) pouco cooperativo, do contra (colloq)

uncork /ʌnˈkɔːk/ vt tirar a rolha, tirar a rolha a

uncouth /ʌnˈkuːθ/ a rude, grosseiro

uncover /ʌnˈkʌvə(r)/ vt descobrir, revelar

unctuous /ˈʌŋktʃʊəs/ a untuoso, gorduroso; (fig) melífluo

undecided /ʌndɪˈsaɪdɪd/ a (irresolute) indeciso; (not settled) por decidir, pendente

undeniable /ʌndɪˈnaɪəbl/ a inegável, incontestável

under /ˈʌndə(r)/ prep debaixo de, sob; (less than) com menos de; (according to) conforme, segundo □ adv por baixo, debaixo. **~ age** menor

de idade. **~ way** em preparação

under- /ˈʌndə(r)/ pref **subundercarriage** /ˈʌndəkærɪdʒ/ n (aviat) trem m de aterragem

underclothes /ˈʌndəkləʊðz/ npl see **underwear**

undercoat /ˈʌndəkəʊt/ n (of paint) primeira demão f

undercover /ʌndəˈkʌvə(r)/ a (agent, operation) secreto

undercurrent /ˈʌndəkʌrənt/ n corrente f subterrânea; (fig) filão m (fig), tendência f oculta

undercut /ˈʌndəkʌt/ vt (pt **undercut**, pres p **undercutting**) (comm) vender a preços mais baixos que

underdeveloped /ʌndədɪˈveləpt/ a atrofiado; (country) subdesenvolvido

underdog /ˈʌndədɒg/ n desprotegido m, o mais fraco (colloq)

underdone /ˈʌndədʌn/ a (of meat) mal passado

underestimate /ʌndəˈrestImeIt/ vt subestimar, não dar o devido valor a

underfed /ʌndəˈfed/ a subalimentado, subnutrido

underfoot /ʌndəˈfʊt/ adv debaixo dos pés; (on the ground) no chão

undergo /ʌndəˈgəʊ/ vt (pt **-went**, pp **-gone**) (be subjected to) sofrer; (treatment) ser submetido a

undergraduate /ʌndəˈgrædʒʊət/ n estudante mf universitário

underground[1] /ʌndəˈgraʊnd/

adv debaixo da terra; *(fig: secretly)* clandestinamente

underground² /ˈʌndəgraʊnd/ *a* subterrâneo; *(fig: secret)* clandestino □ *n (rail)* metro (politano) *m*

undergrowth /ˈʌndəgrəʊθ/ *n* mato *m*

underhand /ˈʌndəhænd/ *a (deceitful)* sonso, dissimulado

under|lie /ʌndəˈlaɪ/ *vt (pt* -lay, *pp* -lain, *pres p* -lying) estar por baixo de. ~lying *a* subjacente

underline /ʌndəˈlaɪn/ *vt* sublinhar

undermine /ʌndəˈmaɪn/ *vt* minar, solapar

underneath /ʌndəˈniːθ/ *prep* sob, debaixo de, por baixo de □ *adv* abaixo, em baixo, por baixo

underpaid /ʌndəˈpeɪd/ *a* mal pago

underpants /ˈʌndəpænts/ *npl (man's)* cuecas *fpl*

underpass /ˈʌndəpɑːs/ *n (for cars, people)* passagem *f* inferior

underprivileged /ʌndəˈprɪvɪlɪdʒd/ *a* desfavorecido

underrate /ʌndəˈreɪt/ *vt* subestimar, depreciar

underside /ˈʌndəsaɪd/ *n* lado *m* inferior, base *f*

underskirt /ˈʌndəskɜːt/ *n* anágua *f*

understand /ʌndəˈstænd/ *vt/i (pt* -stood) compreender, entender. ~able *a* compreensível. ~ing *a* compreensivo □ *n* compreensão *f*; *(agreement)* acordo *m*, entendimento *m*

understatement /ˈʌndəsteɪtmənt/ *n* versão *f* atenuada da verdade

understudy /ˈʌndəstʌdɪ/ *n* substituto *m*

undertak|e /ʌndəˈteɪk/ *vt (pt* -took, *pp* -taken) empreender; *(responsibility)* assumir. ~e to encarregar-se de. ~ing *n (task)* empreendimento *m*; *(promise)* compromisso *m*

undertaker /ˈʌndəteɪkə(r)/ *n* agente *m* funerário, cangalheiro *m (colloq)*

undertone /ˈʌndətəʊn/ *n* in an ~ a meia voz

undervalue /ʌndəˈvæljuː/ *vt* avaliar por baixo, subestimar

underwater /ʌndəˈwɔːtə(r)/ *a* submarino □ *adv* debaixo de água

underwear /ˈʌndəweə(r)/ *n* roupa *f* interior *or* de baixo

underweight /ˈʌndəweɪt/ *a* be ~ ter peso a menos

underwent /ʌndəˈwent/ *see* undergo

underworld /ˈʌndəwɜːld/ *n (of crime)* submundo *m*, bas-fonds *mpl*

underwriter /ˈʌndəraɪtə(r)/ *n* segurador *m*; *(marine)* underwriter *m*

undeserved /ʌndɪˈzɜːvd/ *a* imerecido, injusto

undesirable /ʌndɪˈzaɪərəbl/ *a* indesejável, inconveniente

undies /ˈʌndɪz/ *npl (colloq)* roupa *f* de baixo *or* interior

undignified /ʌnˈdɪɡnɪfaɪd/ *a* pouco digno, sem dignidade

undisputed /ʌndɪˈspjuːtɪd/ *a* incontestado

undo /ʌnˈduː/ *vt (pt* -did, *pp*

-done /dʌn/ desfazer; (knot) desfazer, desatar; (coat, button) abrir. **leave ~ne** não fazer, deixar por fazer. **~ing** n desgraça f, ruína f

undoubted /ʌn'daʊtɪd/ a indubitável. **~ly** adv indubitavelmente

undress /ʌn'dres/ vt/i despir(-se). **get ~ed** despir-se

undu|e /ʌn'dju:/ a excessivo, indevido. **~ly** adv excessivamente, indevidamente

undulate /'ʌndjʊleɪt/ vi ondular

undying /ʌn'daɪɪŋ/ a eterno, perene

unearth /ʌn'ɜ:θ/ vt desenterrar; (fig) descobrir

unearthly /ʌn'ɜ:θlɪ/ a sobrenatural, misterioso. **~ hour** (colloq) hora f inconveniente

uneasy /ʌn'i:zɪ/ a (ill at ease) pouco à vontade; (worried) preocupado

uneconomic /ʌni:kə'nɒmɪk/ a antieconómico. **~al** a antieconómico

uneducated /ʌn'edʒʊkeɪtɪd/ a (person) inculto, sem instrução

unemploy|ed /ʌnɪm'plɔɪd/ a desempregado. **~ment** n desemprego m. **~ment benefit** subsídio m de desemprego

unending /ʌn'endɪŋ/ a interminável, sem fim

unequal /ʌn'i:kwəl/ a desigual. **~led** a sem igual, inigualável

unequivocal /ʌnɪ'kwɪvəkl/ a inequívoco, claro

uneven /ʌn'i:vn/ a desigual, irregular

unexpected /ʌnɪk'spektɪd/ a inesperado. **~ly** a inesperadamente

unfair /ʌn'feə(r)/ a injusto (to com). **~ness** n injustiça f

unfaithful /ʌn'feɪθfl/ a infiel

unfamiliar /ʌnfə'mɪlɪə(r)/ a estranho, desconhecido. **be ~ with** desconhecer, não conhecer, não estar familiarizado com

unfashionable /ʌn'fæʃənəbl/ a fora de moda

unfasten /ʌn'fɑ:sn/ vt (knot) desatar, soltar; (button) abrir

unfavourable /ʌn'feɪvərəbl/ a desfavorável

unfeeling /ʌn'fi:lɪŋ/ a insensível

unfinished /ʌn'fɪnɪʃt/ a incompleto, inacabado

unfit /ʌn'fɪt/ a em baixo or fora de forma; (unsuitable) impróprio (for para)

unfold /ʌn'fəʊld/ vt desdobrar; (expose) expor, revelar □ vi desenrolar-se

unforeseen /ʌnfɔ:'si:n/ a imprevisto, inesperado

unforgettable /ʌnfə'getəbl/ a inesquecível

unforgivable /ʌnfə'gɪvəbl/ a imperdoável, indesculpável

unfortunate /ʌn'fɔ:tʃənət/ a (unlucky) infeliz; (regrettable) lamentável. **it was very ~ that** foi uma pena que **~ly** adv infelizmente

unfounded /ʌn'faʊndɪd/ a (rumour etc) infundado, sem fundamento

unfriendly /ʌn'frendlɪ/ a pouco amável, antipático, frio

unfurnished /ʌn'fɜ:nɪʃt/ a sem mobília

ungainly /ʌnˈgeɪnlɪ/ a desajeitado, desgracioso

ungodly /ʌnˈgɒdlɪ/ a ímpio. ~ **hour** (*colloq*) hora f absurda, a altas horas (*colloq*)

ungrateful /ʌnˈgreɪtfl/ a ingrato

unhapply /ʌnˈhæpɪ/ a (**-ier, -iest**) infeliz, triste; (*not pleased*) descontente, pouco contente (**with** com). ~**ily** adv infelizmente. ~**iness** n infelicidade f, tristeza f

unharmed /ʌnˈhɑːmd/ a incólume, são e salvo, ileso

unhealthy /ʌnˈhelθɪ/ a (**-ier, -iest**) (*climate etc*) doentio, insalubre; (*person*) adoentado, com pouca saúde

unheard-of /ʌnˈhɜːdɒv/ a inaudito, sem precedentes

unhinge /ʌnˈhɪndʒ/ vt (*person, mind*) desequilibrar

unholy /ʌnˈhəʊlɪ/ a (**-ier, -iest**) (*person, act etc*) ímpio; (*colloq: great*) incrível, espantoso

unhook /ʌnˈhʊk/ vt desenganchar; (*dress*) desapertar

unhoped /ʌnˈhəʊpt/ a ~ **for** inesperado

unhurt /ʌnˈhɜːt/ a ileso, incólume

unicorn /ˈjuːnɪkɔːn/ n unicórnio m

uniform /ˈjuːnɪfɔːm/ n uniforme m □ a uniforme, sempre igual. ~**ity** /ˈfɔːmətɪ/ n uniformidade f. ~**ly** adv uniformemente

unifly /ˈjuːnɪfaɪ/ vt unificar. ~**ication** /-ɪˈkeɪʃn/ n unificação f

unilateral /juːnɪˈlætrəl/ a unilateral

unimaginable /ʌnɪˈmædʒɪnəbl/ a inimaginável

unimportant /ʌnɪmˈpɔːtnt/ a sem importância, insignificante

uninhabited /ʌnɪnˈhæbɪtɪd/ a desabitado

unintentional /ʌnɪnˈtenʃənl/ a involuntário, não proposital do

uninterestled /ʌnˈɪntrəstɪd/ a desinteressado (**in** em), indiferente (**in** a). ~**ing** a desinteressante, sem interesse

union /ˈjuːnɪən/ n união f; (*trade union*) sindicato m. ~**ist** n sindicalista mf; (*pol*) unionista mf. U~ **Jack** bandeira f britânica

unique /juːˈniːk/ a único, sem igual

unisex /ˈjuːnɪseks/ a unissexo

unison /ˈjuːnɪsn/ n in ~ em uníssono

unit /ˈjuːnɪt/ n unidade f; (*of furniture*) peça f, unidade f, módulo m

unite /juːˈnaɪt/ vt/i unir(-se). U~**d Kingdom** n Reino m Unido. U~**d Nations (Organization)** n Organização f das Nações Unidas. U~ **States (of America)** Estados mpl Unidos (da América)

unity /ˈjuːnətɪ/ n unidade f; (*fig: harmony*) união f

universal /juːnɪˈvɜːsl/ a universal

universe /ˈjuːnɪvɜːs/ n universo m

university /juːnɪˈvɜːsətɪ/ n universidade f □ a universitário; (*student, teacher*) universitário, da universidade

unjust /ʌnˈdʒʌst/ a injusto

unkempt /ʌnˈkempt/ a desmazelado, desleixado; (of hair) despenteado, desgrenhado

unkind /ʌnˈkaɪnd/ a desagradável, duro. ~**ly** adv mal

unknowingly /ʌnˈnəʊɪŋlɪ/ adv sem saber, inconscientemente

unknown /ʌnˈnəʊn/ a desconhecido □ n the ~ o desconhecido

unleaded /ʌnˈledɪd/ a sem chumbo

unless /ʌnˈles/ conj a não ser que, a menos que, salvo se, se não

unlike /ʌnˈlaɪk/ a diferente □ prep ao contrário de

unlikely /ʌnˈlaɪklɪ/ a improvável

unlimited /ʌnˈlɪmɪtɪd/ a ilimitado

unload /ʌnˈləʊd/ vt descarregar

unlock /ʌnˈlɒk/ vt abrir (com chave)

unluck|y /ʌnˈlʌkɪ/ a (-ier, -iest) infeliz, sem sorte; (number) que dá azar. be ~y ter pouca sorte. ~**ily** adv infelizmente

unmarried /ʌnˈmærɪd/ a solteiro, celibatário

unmask /ʌnˈmɑːsk/ vt desmascarar

unmistakable /ʌnmɪsˈteɪkəbl/ a (voice etc) inconfundível; (clear) claro, inequívoco

unmitigated /ʌnˈmɪtɪgeɪtɪd/ a (absolute) completo, absoluto

unmoved /ʌnˈmuːvd/ a impassível; (indifferent) indiferente (by a), insensível (by a)

unnatural /ʌnˈnætrəl/ a que não é natural; (wicked) desnaturado

unnecessary /ʌnˈnesəserɪ/ a desnecessário, escusado; (superfluous) supérfluo, dispensável

unnerve /ʌnˈnɜːv/ vt desencorajar, desmoralizar, intimidar

unnoticed /ʌnˈnəʊtɪst/ a go ~ passar despercebido

unobtrusive /ʌnəbˈtruːsɪv/ a discreto

unofficial /ʌnəˈfɪʃl/ a oficioso, que não é oficial; (strike) ilegal, inautorizado

unorthodox /ʌnˈɔːθədɒks/ a pouco ortodoxo, não ortodoxo

unpack /ʌnˈpæk/ vt (suitcase etc) desfazer; (contents) desembalar, desempacotar □ vi desfazer a mala

unpaid /ʌnˈpeɪd/ a não remunerado; (bill) a pagar

unpalatable /ʌnˈpælətəbl/ a (food, fact etc) desagradável, intragável

unparalleled /ʌnˈpærəleld/ a sem paralelo, incomparável

unpleasant /ʌnˈpleznt/ a desagradável (to com); (person) antipático

unplug /ʌnˈplʌg/ vt (pt -plugged) (electr) desligar a tomada, tirar a ficha da tomada

unpopular /ʌnˈpɒpjʊlə(r)/ a impopular

unprecedented /ʌnˈpresɪdentɪd/ a sem precedentes, inaudito, nunca visto

unpredictable /ʌnprəˈdɪktəbl/ a imprevisível

unprepared /ʌnprɪ'peəd/ a
sem preparação, improvisado; (person) desprevenido

unpretentious /ʌnprɪ'tenʃəs/ a
despretencioso, sem pretensões

unprincipled /ʌn'prɪnsəpld/ a
sem princípios, sem escrúpulos

unprofessional /ʌnprə'feʃənl/
a (work) de amador; (con-
duct) sem consciência profissional

unprofitable /ʌn'prɒfɪtəbl/ a
não lucrativo

unqualified /ʌn'kwɒlɪfaɪd/ a
sem habilitações; (success
etc) total, absoluto. be ~ to
não estar habilitado para

unquestionable /ʌn'kwestʃə-
nəbl/ a incontestável, indis-
cutível

unravel /ʌn'rævl/ vt (pt unra-
velled) desenredar, desemaranhar; (knitting) desmanchar

unreal /ʌn'rɪəl/ a irreal

unreasonable /ʌn'ri:znəbl/ a
pouco razoável, disparatado;
(excessive) excessivo

unrecognizable /ʌn'rekəgnaɪ-
zəbl/ a irreconhecível

unrelated /ʌnrɪ'leɪtɪd/ a
(facts) desconexo, sem relação (to com); (people) não
aparentado (to com)

unreliable /ʌnrɪ'laɪəbl/ a que
não é de confiança

unremitting /ʌnrɪ'mɪtɪŋ/ a incessante, infatigável

unreservedly /ʌnrɪ'zɜ:vɪdlɪ/
adv sem reservas

unrest /ʌn'rest/ n agitação f,
distúrbios mpl

unrivalled /ʌn'raɪvld/ a sem
igual, incomparável

unroll /ʌn'rəʊl/ vt desenrolar

unruffled /ʌn'rʌfld/ a calmo,
tranquilo, imperturbável

unruly /ʌn'ru:lɪ/ a indisciplinado, turbulento

unsafe /ʌn'seɪf/ a (dangerous)
que não é seguro, perigoso;
(person) em perigo

unsaid /ʌn'sed/ a leave ~ não
mencionar, não dizer, deixar
algo por dizer

unsatisfactory /ʌnsætɪs'fæktə-
rɪ/ a insatisfatório, pouco satisfatório

unsavoury /ʌn'seɪvərɪ/ a desagradável, repugnante

unscathed /ʌn'skeɪðd/ a ileso,
incólume

unscrew /ʌn'skru:/ vt desen-
roscar, desaparafusar

unscrupulous /ʌn'skru:pjʊləs/
a sem escrúpulos, pouco escrupuloso, sem consciência

unseemly /ʌn'si:mlɪ/ a inconveniente, indecoroso, impróprio

unsettle /ʌn'setl/ vt perturbar,
agitar. ~d a perturbado;
(weather) instável, variável;
(bill) não saldado

unshakeable /ʌn'ʃeɪkəbl/ a
(person, belief etc) inabalável

unshaven /ʌn'ʃeɪvn/ a com a
barba por fazer, por barbear

unsightly /ʌn'saɪtlɪ/ a feio

unskilled /ʌn'skɪld/ a inexperiente; (work, worker) não
especializado; (labour) mão-
-de-obra f indiferenciada

unsociable /ʌn'səʊʃəbl/ a insociável, misantropo

unsophisticated /ʌnsə'fɪstɪ-keɪtɪd/ *a* insofisticado, simples

unsound /ʌn'saʊnd/ *a* pouco sólido. **of ~ mind** (*jur*) não estar em plena posse das suas faculdades mentais (*jur*)

unspeakable /ʌn'spi:kəbl/ *a* indescritível; (*bad*) inqualificável

unspecified /ʌn'spesɪfaɪd/ *a* não especificado, indeterminado

unstable /ʌn'steɪbl/ *a* instável

unsteady /ʌn'stedɪ/ *a* (*step*) vacilante, incerto; (*hand*) pouco firme

unstuck /ʌn'stʌk/ *a* (*not stuck*) descolado. **come ~** (*colloq: fail*) falhar

unsuccessful /ʌnsək'sesfl/ *a* (*candidate*) mal sucedido; (*attempt*) malogrado, fracassado. **be ~** não ter êxito. **~ly** *adv* em vão

unsuit|able /ʌn's(j)u:təbl/ *a* impróprio, pouco apropriado, inadequado (**for** para). **~ed** *a* inadequado (**to** para)

unsure /ʌn'ʃʊə(r)/ *a* incerto

unsuspecting /ʌnsə'spektɪŋ/ *a* sem desconfiar de nada, insuspeitado

untangle /ʌn'tæŋgl/ *vt* desemaranhar, desenredar

unthinkable /ʌn'θɪŋkəbl/ *a* impensável, inconcebível

untid|y /ʌn'taɪdɪ/ *a* (**-ier**, **-iest**) (*room, desk etc*) desarrumado; (*appearance*) desleixado, desmazelado; (*hair*) despenteado. **~ily** *adv* sem cuidado. **~iness** *n* desordem

f; (*of appearance*) desmazelo *m*

untie /ʌn'taɪ/ *vt* (*knot, parcel*) desatar, desfazer; (*person*) desamarrar

until /ən'tɪl/ *prep* até; **not ~** não antes de □ *conj* até que

untimely /ʌn'taɪmlɪ/ *a* inoportuno, intempestivo; (*death*) prematuro

untold /ʌn'təʊld/ *a* incalculável

untoward /ʌntə'wɔːd/ *a* inconveniente, desagradável

untrue /ʌn'truː/ *a* falso

unused[1] /ʌn'juːzd/ *a* (*new*) novo, por usar; (*not in use*) não utilizado

unused[2] /ʌn'juːst/ *a* **~ to** habituado a, não acostumado a

unusual /ʌn'juːʒʊəl/ *a* insólito, fora do comum. **~ly** *adv* excepcionalmente

unveil /ʌn'veɪl/ *vt* descobrir; (*statue, portrait etc*) descerrar

unwanted /ʌn'wɒntɪd/ *a* (*useless*) que já não serve; (*child*) indesejado

unwarranted /ʌn'wɒrəntɪd/ *a* injustificado

unwelcome /ʌn'welkəm/ *a* desagradável; (*guest*) indesejável

unwell /ʌn'wel/ *a* indisposto

unwieldy /ʌn'wiːldɪ/ *a* difícil de manejar, pouco jeitoso

unwilling /ʌn'wɪlɪŋ/ *a* relutante (**to** em), pouco disposto (**to** a)

unwind /ʌn'waɪnd/ *vt/i* (*pt* **unwound** /ʌn'waʊnd/) desenrolar (-se); (*colloq: relax*) descontrair (-se)

unwise /ʌn'waɪz/ a imprudente, insensato

unwittingly /ʌn'wɪtɪŋlɪ/ adv sem querer

unworthy /ʌn'wɜ:ðɪ/ a indigno

unwrap /ʌn'ræp/ vt (pt **unwrapped**) desembrulhar, abrir, desfazer

unwritten /ʌn'rɪtn/ a (agreement) verbal, tácito

up /ʌp/ adv (to higher place) cima, para cima, para o alto; (in higher place) em cima, no alto; (out of bed) acordado, de pé; (up and dressed) pronto; (finished) acabado; (sun) alto □ prep no cimo de, em cima de, no alto de. **~ the street/river/**etc pela rua/pelo rio/etc acima □ vt (pt **upped**) (increase) aumentar. **be ~ against** defrontar, enfrentar. **be ~ in** (colloq) saber. **be ~ to** (do) estar a fazer; (plot) estar a tramar; (task) estar à altura de. **it is ~ to you** depende de você. **come or go ~** subir. **have ~s and downs** (fig) ter (os seus) altos e baixos. **walk ~ and down** andar dum lado para o outro or para a frente e para trás. **~-and-coming** a prometedor. **~-market** a requintado, fino

upbringing /'ʌpbrɪŋɪŋ/ n educação f

update /ʌp'deɪt/ vt actualizar

upheaval /ʌp'hi:vl/ n pandemónio m, revolução f (fig); (social, political) convulsão f

uphill /'ʌphɪl/ a ladeira acima, ascendente; (fig: difficult) árduo □ adv /ʌp'hɪl/ **go ~** subir

uphold /ʌp'həʊld/ vt (pt **upheld**) sustentar, manter, apoiar

upholster /ʌp'həʊlstə(r)/ vt estofar. **~y** n estofo(s) m(pl)

upkeep /'ʌpki:p/ n manutenção f

upon /ə'pɒn/ prep sobre

upper /'ʌpə(r)/ a superior □ n (of shoe) gáspea f. **have the ~ hand** estar por cima, estar em posição de superioridade. **~ class** aristocracia f. **~most** a (highest) o mais alto, superior

upright /'ʌpraɪt/ a vertical; (honourable) honesto, honrado, recto

uprising /'ʌpraɪzɪŋ/ n insurreição f, sublevação f, levantamento m

uproar /'ʌprɔ:(r)/ n tumulto m, alvoroço m

uproot /ʌp'ru:t/ vt desenraizar; (fig) erradicar, desarraigar

upset[1] /ʌp'set/ vt (pt **upset**, pres p **upsetting**) (overturn) entornar, virar; (plan) contrariar, transtornar; (stomach) desarranjar; (person) contrariar, transtornar, incomodar □ a aborrecido

upset[2] /'ʌpset/ n transtorno m; (of stomach) indisposição f; (distress) choque m

upshot /'ʌpʃɒt/ n resultado m

upside-down /ʌpsaɪd'daʊn/ adv (lit & fig) ao contrário, de pernas para o ar

upstairs /ʌp'steəz/ adv (at/to) em/para cima, no/para o andar de cima □ a /'ʌpsteəz/ (flat etc) de cima, do andar de cima

upstart /'ʌpstɑːt/ n arrivista mf
upstream /ʌp'striːm/ adv rio acima, contra a corrente
upsurge /'ʌpsɜːdʒ/ n recrudescência f, recrudescimento m; (of anger) acesso m, ataque m
uptake /'ʌpteɪk/ n **be quick on the ~** apanhar rapidamente as coisas; (fig) ter de compreensão rápida, ser vivo
up-to-date /'ʌptədeɪt/ a moderno, actualizado
upturn /'ʌptɜːn/ n melhoria f
upward /'ʌpwəd/ a ascendente, voltado para cima. **~s** adv para cima
uranium /jʊˈreɪnɪəm/ n urânio m
urban /'ɜːbən/ a urbano
urbane /ɜː'beɪn/ a delicado, cortês, urbano
urge /ɜːdʒ/ vt aconselhar vivamente (**to** a) □ n (strong desire) grande vontade f. **~ on** (impel) incitar
urgen|t /'ɜːdʒənt/ a urgente. **be ~t** urgir. **~cy** n urgência f
urinal /jʊəˈraɪnl/ n urinol m
urin|e /'jʊərɪn/ n urina f. **~ate** vi urinar
urn /ɜːn/ n urna f; (for tea, coffee) espécie f de samovar
us /ʌs/; unstressed /əs/ pron nos; (after preps) nós. **with ~** connosco; **he knows ~** ele conhece-nos
US abbr **United States**
USA abbr **United States of America**
usable /'juːzəbl/ a utilizável
usage /'juːzɪdʒ/ n uso m
use[1] /juːz/ vt usar, utilizar, servir-se de; (exploit) servir-se de; (consume) gastar, usar, consumir. **~ up** esgotar, consumir. **~r** /-ə(r)/ n utente mf. **~r-friendly** a fácil de usar

use[2] /juːs/ n uso m, emprego m. **in ~** em uso. **it is no ~ shouting** /etc não serve de nada or não adianta gritar/ etc. **make ~ of** servir-se de. **of ~** útil
used[1] /juːzd/ a (second-hand) usado
used[2] /juːst/ pt **he ~ to** ele costumava, ele tinha por costume □ a **~ to** acostumado a, habituado a
use|ful /'juːsfl/ a útil. **~less** a inútil; (person) incompetente
usher /'ʌʃə(r)/ n arrumador m □ vt **~ in** mandar entrar. **~ette** n arrumadora f
usual /'juːʒʊəl/ a usual, habitual, normal. **as ~** como de costume, como habitualmente. **at the ~ time** à(s) hora(s) do costume. **~ly** adv habitualmente, normalmente
USSR abbr **URSS**
usurp /juːˈzɜːp/ vt usurpar
utensil /juːˈtensl/ n utensílio m
uterus /'juːtərəs/ n útero m
utilitarian /juːtɪlɪˈteərɪən/ a utilitário
utility /juːˈtɪlətɪ/ n utilidade f. **(public) ~** serviço m público. **~ room** área f de serviço (para as máquinas de lavar a roupa e a louça)
utilize /'juːtɪlaɪz/ vt utilizar
utmost /'ʌtməʊst/ a (furthest, most intense) extremo. **the ~ care** /etc (greatest) o maior cuidado/etc □ n **do one's ~** fazer todo o possível
utter[1] /'ʌtə(r)/ a completo, absoluto. **~ly** adv completamente
utter[2] /'ʌtə(r)/ vt proferir; (sigh, shout) dar. **~ance** n expressão f
U-turn /'juːtɜːn/ n meia-volta f

V

vacan|t /'veɪkənt/ a (post, room, look) vago; (mind) vazio; (seat, space, time) desocupado, livre. **~cy** n (post) vaga f; (room in hotel) vago m

vacate /və'keɪt/ vt vagar, deixar vago

vacation /və'keɪʃn/ n férias fpl

vaccinat|e /'væksɪneɪt/ vt vacinar. **~ion** /'neɪʃn/ n vacinação f

vaccine /'væksiːn/ n vacina f

vacuum /'vækjʊəm/ n (pl -cuums or -cua) vácuo m, vazio m. ~ **flask** garrafa f térmica, termo(s) m. ~ **cleaner** aspirador m de pó

vagina /və'dʒaɪnə/ n vagina f

vagrant /'veɪɡrənt/ n vadio m, vagabundo m

vague /veɪɡ/ a (-er, -est) vago; (outline) impreciso. **be ~ about** ser vago acerca de, não precisar. **~ly** adv vagamente

vain /veɪn/ a (-er, -est) (conceited) vaidoso; (useless) vão, inútil; (fruitless) infrutífero. **in ~** em vão. **~ly** adv em vão

valentine /'væləntaɪn/ n (card) cartão m do dia de São Valentim

valet /'vælɪt, 'vælet/ n (manservant) criado m de quarto; (of hotel) camareiro m □ vt (car) lavar e limpar o interior

valiant /'væliənt/ a corajoso, valente

valid /'vælɪd/ a válido. **~ity** /və'lɪdətɪ/ n validade f

validate /'vælɪdeɪt/ vt validar, confirmar, ratificar

valley /'vælɪ/ n vale m

valuable /'væljʊəbl/ a (object) valioso, de valor; (help, time etc) precioso. **~s** npl objectos mpl de valor

valuation /væljʊ'eɪʃn/ n avaliação f

value /'vælju:/ n valor m □ vt avaliar; (cherish) dar valor a. ~ **added tax** imposto m de valor acrescentado. **~r** /-ə(r)/ n avaliador m

valve /vælv/ n (anat, techn, of car tyre) válvula f; (of bicycle tyre) pipo m; (of radio) válvula f

vampire /'væmpaɪə(r)/ n vampiro m

van /væn/ n (large) camião m; (small) carrinha f; (milkman's, baker's etc) carrinha f; (rail) furgão m

vandal /'vændl/ n vândalo m. ~ism /-əlɪzəm/ n vandalismo m

vandalize /'vændəlaɪz/ vt destruir, estragar

vanguard /'vænga:d/ n vanguarda f

vanilla /və'nɪlə/ n baunilha f

vanish /'vænɪʃ/ vi desaparecer, sumir-se, desvanecer-se

vanity /'vænətɪ/ n vaidade f. ~ case nécessaire m

vantage-point /'va:ntɪdʒpɔɪnt/ n (bom) ponto m de observação

vapour /'veɪpə(r)/ n vapor m; (mist) bruma f

vari|able /'veərɪəbl/ a variável. ~ation /'eɪʃn/ n variação f. ~ed /-ɪd/ a variado

variance /'veərɪəns/ n at ~ em desacordo (with com)

variant /'veərɪənt/ a diverso, diferente □ n variante f

varicose /'værɪkəʊs/ a ~ veins varizes fpl

variety /və'raɪətɪ/ n variedade f; (entertainment) variedades fpl

various /'veərɪəs/ a vários, diversos, variados

varnish /'va:nɪʃ/ n verniz m □ vt envernizar; (nails) pintar

vary /'veərɪ/ vt/i variar. ~ing a variado

vase /va:z/ n vaso m, jarra f

vast /va:st/ a vasto, imenso. ~ly adv imensamente, infinitamente. ~ness n vastidão f, imensidão f, imensidade f

vat /væt/ n tonel m, dorna f, cuba f

VAT /vi:eɪ'ti:, væt/ abbr IVA m

vault¹ /vɔ:lt/ n (roof) abóbada f; (in bank) casa-forte f; (tomb) cripta f; (cellar) adega f

vault² /vɔ:lt/ vt/i saltar □ n salto m

vaunt /vɔ:nt/ vt/i gabar(-se), ufanar(-se) (de), vangloriar(-se)

VD abbr see **venereal disease**

VDU abbr see **visual display unit**

veal /vi:l/ n (meat) vitela f

veer /vɪə(r)/ vi virar, mudar de direcção

vegan /'vi:gən/ a & n vegetariano m estrito

vegetable /'vedʒɪtəbl/ n hortaliça f, legume m □ a vegetal

vegetarian /vedʒɪ'teərɪən/ a & n vegetariano m

vegetate /'vedʒɪteɪt/ vi vegetar

vegetation /vedʒɪ'teɪʃn/ n vegetação f

vehement /'vi:əmənt/ a veemente. ~ly adv veementemente

vehicle /'vi:ɪkl/ n veículo m

veil /veɪl/ n véu m □ vt velar, cobrir com véu; (fig) esconder, disfarçar

vein /veɪn/ n (in body; mood) veia f; (in rock) veio m, filão m; (of leaf) nervura f

velocity /vɪ'lɒsətɪ/ n velocidade f

velvet /'velvɪt/ n veludo m. ~y a aveludado

vendetta /ven'detə/ n vendeta f

vending-machine /'vendɪŋmə-ʃiːn/ n máquina f de distribuição

vendor /'vendə(r)/ n vendedor m. **street ~** vendedor m ambulante

veneer /və'nɪə(r)/ n folheado m; (fig) fachada f, máscara f

venerable /'venərəbl/ a venerável

venereal /və'nɪərɪəl/ a venéreo. **~ disease** doença f venérea

venetian /və'niːʃn/ a **~ blinds** persiana f

Venezuela /venɪz'weɪlə/ n Venezuela f. **~n** a & n venezuelano m

vengeance /'vendʒəns/ n vingança. **with a ~** furiosamente, em excesso, com mais força do que se pretende

venison /'venɪzn/ n carne f de veado

venom /'venəm/ n veneno m. **~ous** /'venəməs/ a venenoso

vent[1] /vent/ n (in coat, jacket) racha f

vent[2] /vent/ n (hole) orifício m, abertura f; (for air) respiradouro m □ vt (anger) descarregar (**on** para cima de). **give ~ to** (fig) desabafar, dar vazão a

ventilat|e /'ventɪleɪt/ vt ventilar. **~ion** /-'leɪʃn/ n ventilação f. **~or** n ventilador m

ventriloquist /ven'trɪləkwɪst/ n ventríloquo m

venture /'ventʃə(r)/ n empreendimento m arriscado, aventura f □ vt/i arriscar(-se)

venue /'venjuː/ n ponto m de encontro

veranda /və'rændə/ n varanda f

verb /vɜːb/ n verbo m

verbal /'vɜːbl/ a verbal; (literal) literal

verbatim /vɜː'beɪtɪm/ adv literalmente, palavra por palavra

verbose /vɜː'bəʊs/ a palavroso, prolixo

verdict /'vɜːdɪkt/ n veredicto m; (opinion) opinião f

verge /vɜːdʒ/ n beira f, borda f □ vi **~ on** estar à beira de. **on the ~ of doing** prestes a fazer

verify /'verɪfaɪ/ vt verificar

veritable /'verɪtəbl/ a autêntico, verdadeiro

vermicelli /vɜːmɪ'selɪ/ n aletria f

vermin /'vɜːmɪn/ n animais mpl nocivos; (lice, fleas etc) parasitas mpl

vermouth /'vɜːməθ/ n vermute m

vernacular /və'nækjʊlə(r)/ n vernáculo m; (dialect) dialecto m

versatil|e /'vɜːsətaɪl/ a versátil; (tool) que serve para vários fins. **~ity** /'tɪlətɪ/ n versatilidade f

verse /vɜːs/ n (poetry) verso m, poesia f; (stanza) estrofe f; (of Bible) versículo m

versed /vɜːst/ a **~ in** versado em, conhecedor de

version /'vɜːʃn/ n versão f

versus /'vɜːsəs/ prep contra

vertebra /'vɜːtɪbrə/ n (pl -brae /-briː/) vértebra f

vertical /'vɜːtɪkl/ a vertical. **~ly** adv verticalmente

vertigo /ˈvɜ:tɪgəʊ/ n vertigem f

verve /vɜ:v/ n verve f, vivacidade f

very /ˈverɪ/ adv muito □ a (actual) mesmo, (exact) preciso, exacto. **the ~ day**/etc o próprio or o mesmo dia/etc. **at the ~ end** mesmo or precisamente no fim. **the ~ first/best**/etc (emph) o primeiro/melhor/etc de todos. **~ much** muito. **~ well** muito bem

vessel /ˈvesl/ n vaso m

vest[1] /vest/ n camisola f interior; (Amer: waistcoat) colete m

vest[2] /vest/ vt conferir (in a). **~ed interests** interesses mpl adquiridos

vestige /ˈvestɪdʒ/ n vestígio m

vestry /ˈvestrɪ/ n sacristia f

vet /vet/ n (colloq) veterinário m △ vt (pt vetted) (candidate etc) examinar atentamente, estudar

veteran /ˈvetərən/ n veterano m. (**war**) ~ veterano m de guerra

veterinary /ˈvetərɪnərɪ/ a veterinário. **~ surgeon** veterinário m

veto /ˈvi:təʊ/ n (pl -oes) veto m; (right) direito m de veto □ vt vetar, opor o veto a

vex /veks/ vt aborrecer, irritar, contrariar. **~ed question** questão f muito debatida, assunto m controverso

via /ˈvaɪə/ prep por, via

viab|le /ˈvaɪəbl/ a viável. **~ility** /-ˈbɪlətɪ/ n viabilidade f

viaduct /ˈvaɪədʌkt/ n viaduto m

vibrant /ˈvaɪbrənt/ a vibrante

vibrat|e /vaɪˈbreɪt/ vt/i (fazer) vibrar. **~ion** /-ʃn/ n vibração f

vicar /ˈvɪkə(r)/ n (Anglican) pastor m; (Catholic) vigário m, pároco m. **~age** n presbitério m

vicarious /vɪˈkeərɪəs/ a vivido indirectamente

vice[1] /vaɪs/ n (depravity) vício m

vice[2] /vaɪs/ n (techn) torno m

vice- /vaɪs/ pref vice-. **~-chairman** vice-presidente m. **~-chancellor** n vice-chanceler m; (univ) reitor m. **~-consul** n vice-cônsul m. **~-president** n vice-presidente mf

vice versa /ˈvaɪsɪˈvɜ:sə/ adv vice-versa

vicinity /vɪˈsɪnətɪ/ n vizinhança f, cercania(s) fpl, arredores mpl. **in the ~ of** nos arredores de

vicious /ˈvɪʃəs/ a (spiteful) mau, maldoso; (violent) brutal, feroz. **~ circle** círculo m vicioso. **~ly** adv maldosamente; (violently) brutalmente, ferozmente

victim /ˈvɪktɪm/ n vítima f

victimiz|e /ˈvɪktɪmaɪz/ vt perseguir. **~ation** /-zeɪʃn/ n perseguição f

victor /ˈvɪktə(r)/ n vencedor m

victor|y /ˈvɪktərɪ/ n vitória f. **~ious** /-ˈtɔ:rɪəs/ a vitorioso

video /ˈvɪdɪəʊ/ a vídeo □ n (pl -os) (colloq) vídeo □ vt (record) gravar em vídeo. **~ cassette** video-cassete f. **~ recorder** videogravador m

vie /vaɪ/ vi (pres p **vying**) rivalizar, competir (**with** com)

view /vjuː/ n vista f □ vt ver; (examine) examinar; (consider) considerar, ver; (a house) visitar, ver. **in my ~** a meu ver, na minha opinião. **in ~ of** em vista de. **on ~** em exposição, à mostra; (open to the public) aberto ao público. **with a ~ to** com a intenção de, com o fim de. **~er** n (TV) telespectador m; (for slides) visor m

viewfinder /ˈvjuːfaɪndə(r)/ n visor m

viewpoint /ˈvjuːpɔɪnt/ n ponto m de vista

vigil /ˈvɪdʒɪl/ n vigília f; (over corpse) velório m; (relig) vigília f

vigilan|t /ˈvɪdʒɪlənt/ a vigilante. **~ce** n vigilância f. **~te** /vɪdʒɪˈlæntɪ/ n vigilante m

vig|our /ˈvɪgə(r)/ n vigor m. **~orous** /ˈvɪgərəs/ a vigoroso

vile /vaɪl/ a (base) infame, vil; (colloq: bad) horroroso, péssimo

vilify /ˈvɪlɪfaɪ/ vt difamar

villa /ˈvɪlə/ n vivenda f, vila f; (country residence) casa f de campo

village /ˈvɪlɪdʒ/ n aldeia f, povoado m. **~r** n aldeão m, aldeã f

villain /ˈvɪlən/ n patife m. **~y** n infâmia f, vilania f

vindicat|e /ˈvɪndɪkeɪt/ vt vindicar, justificar. **~ion** /ˈkeɪʃn/ n justificação f

vindictive /vɪnˈdɪktɪv/ a vingativo

vine /vaɪn/ n (plant) vinha f

vinegar /ˈvɪnɪgə(r)/ n vinagre m

vineyard /ˈvɪnjəd/ n vinha f, vinhedo m

vintage /ˈvɪntɪdʒ/ n (year) ano m de colheita de qualidade excepcional □ a (wine) de colheita excepcional e de um determinado ano; (car) de museu (colloq), fabricado entre 1917 e 1930

vinyl /ˈvaɪnɪl/ n vinil m

viola /vɪˈəʊlə/ n (mus) viola f, violeta f

violat|e /ˈvaɪəleɪt/ vt violar. **~ion** /ˈleɪʃn/ n violação f

violen|t /ˈvaɪələnt/ a violento. **~ce** n violência f. **~tly** adv violentamente, com violência

violet /ˈvaɪələt/ n (bot) violeta f; (colour) violeta m □ a violeta

violin /vaɪəˈlɪn/ n violino m. **~ist** n violinista mf

VIP /viːaɪˈpiː/ abbr (very important person) VIP m, personalidade f importante

viper /ˈvaɪpə(r)/ n víbora f

virgin /ˈvɜːdʒɪn/ a & n virgem mf; **~ity** /vəˈdʒɪnətɪ/ n virgindade f

Virgo /ˈvɜːgəʊ/ n (astr) Virgem f, Virgo m

viril|e /ˈvɪraɪl/ a viril, varonil. **~ity** /vɪˈrɪlətɪ/ n virilidade f

virtual /ˈvɜːtʃʊəl/ a virtual. **a ~ failure/etc** praticamente um fracasso/etc. **~ly** adv praticamente

virtue /ˈvɜːtʃuː/ n (goodness, chastity) virtude f; (merit) mérito m. **by** or **in ~ of** por or em virtude de

virtuos|o /vɜːtʃʊˈəʊsəʊ/ n (pl -si /-siː/) virtuoso m, virtuose mf. ~ity /-ˈɒsətɪ/ n virtuosidade f, virtuosismo m

virtuous /ˈvɜːtʃʊəs/ a virtuoso

virulen|t /ˈvɪrʊlənt/ a virulento. ~ce /-ləns/ n virulência f

virus /ˈvaɪərəs/ n (pl -es) vírus m; (colloq: disease) virose f

visa /ˈviːzə/ n visto m

viscount /ˈvaɪkaʊnt/ n visconde m. ~ess /-ɪs/ n viscondessa f

viscous /ˈvɪskəs/ a viscoso

vise /vaɪs/ n (Amer: vice) torno m

visib|le /ˈvɪzəbl/ a visível. ~ility /ˌvɪzəˈbɪlətɪ/ n visibilidade f. ~ly adv visivelmente

vision /ˈvɪʒn/ n (dream, insight) visão f; (seeing, sight) vista f, visão f

visionary /ˈvɪʒənərɪ/ a visionário; (plan, scheme etc) fantasista, quimérico □ n visionário m

visit /ˈvɪzɪt/ vt (pt visited) (person) visitar, fazer uma visita a; (place) visitar □ vi estar de visita □ n (tour, call) visita f; (stay) estada f, visita f. ~or n visitante mf; (guest) visita f

visor /ˈvaɪzə(r)/ n viseira f; (in vehicle) visor m

vista /ˈvɪstə/ n vista f, panorama m

visual /ˈvɪʒʊəl/ a visual. ~ display unit terminal m de vídeo. ~ly adv visualmente

visualize /ˈvɪʒʊəlaɪz/ vt visualizar; (foresee) imaginar, prever

vital /ˈvaɪtl/ a vital. ~ statis-

tics estatísticas fpl demográficas; (colloq: woman) medidas fpl

vitality /vaɪˈtælətɪ/ n vitalidade f

vitamin /ˈvɪtəmɪn/ n vitamina f

vivac|ious /vɪˈveɪʃəs/ a cheio de vida, vivo, animado. ~ity /ˈvæsətɪ/ n vivacidade f, animação f

vivid /ˈvɪvɪd/ a vívido; (imagination) vivo. ~ly adv vividamente

vivisection /ˌvɪvɪˈsekʃn/ n vivissecção f

vixen /ˈvɪksn/ n raposa f fêmea

vocabulary /vəˈkæbjʊlərɪ/ n vocabulário m

vocal /ˈvəʊkl/ a vocal; (fig: person) eloquente ~ cords cordas fpl vocais. ~ist n vocalista mf

vocation /vəˈkeɪʃn/ n vocação f; (trade) profissão f. ~al a vocacional, profissional

vociferous /vəˈsɪfərəs/ a vociferante

vodka /ˈvɒdkə/ n vodka m

vogue /vəʊg/ n voga f, moda f, popularidade f. in ~ em voga, na moda

voice /vɔɪs/ n voz f □ vt (express) exprimir

void /vɔɪd/ a vazio; (jur) nulo, sem validade □ n vácuo m, vazio m. make ~ anular, invalidar. ~ of sem, destituído de

volatile /ˈvɒlətaɪl/ a (substance) volátil; (fig: changeable) instável

volcan|o /vɒlˈkeɪnəʊ/ n (pl

-oes) vulcão *m*. ~ic /-ænɪk/ *a* vulcânico

volition /vəˈlɪʃn/ *n* **of one's own** ~ de sua própria vontade

volley /ˈvɒlɪ/ *n* (*of blows etc*) saraivada *f*; (*of gunfire*) salva *f*; (*tennis*) volley *m*. ~**ball** *n* voleibol *m*, vólei *m*

volt /vəʊlt/ *n* volt *m*. ~**age** *n* voltagem *f*

voluble /ˈvɒljʊbl/ *a* falante, loquaz

volume /ˈvɒljuːm/ *n* (*book, sound*) volume *m*; (*capacity*) capacidade *f*

voluntar|y /ˈvɒləntərɪ/ *a* voluntário; (*unpaid*) não-remunerado. ~**ily** /-trəlɪ/ *adv* voluntariamente

volunteer /vɒlənˈtɪə(r)/ *n* voluntário *m* □ *vi* oferecer-se (**to do** para fazer); (*mil*) alistar-se como voluntário □ *vt* oferecer espontaneamente

voluptuous /vəˈlʌptʃʊəs/ *a* voluptuoso, sensual

vomit /ˈvɒmɪt/ *vt/i* (*pt* **vomited**) vomitar □ *n* vómito *m*

voodoo /ˈvuːduː/ *n* vodu *m*

voraci|ous /vəˈreɪʃəs/ *a* voraz. ~**ously** *adv* vorazmente. ~**ty** /vəˈræsətɪ/ *n* voracidade *f*

vot|e /vəʊt/ *n* voto *m*; (*right*) direito *m* de voto □ *vt/i* votar. ~**er** *n* eleitor *m*. ~**ing** *n* votação *f*; (*poll*) escrutínio *m*

vouch /vaʊtʃ/ *vi* ~ **for** responder por, garantir

voucher /ˈvaʊtʃə(r)/ *n* (*for meal, transport*) vale *m*; (*receipt*) comprovativo *m*

vow /vaʊ/ *n* voto *m* □ *vt* (*loyalty etc*) jurar (**to** a). ~ **to do** jurar fazer

vowel /ˈvaʊəl/ *n* vogal *f*

voyage /ˈvɔɪɪdʒ/ *n* viagem (por mar) *f*. ~**r** /-ə(r)/ *n* viajante *m*

vulgar /ˈvʌlgə(r)/ *a* ordinário, grosseiro; (*in common use*) vulgar. ~**ity** /ˈgærətɪ/ *n* (*behaviour*) grosseria *f*, vulgaridade *f*

vulnerab|le /ˈvʌlnərəbl/ *a* vulnerável. ~**ility** /ˈbɪlətɪ/ *n* vulnerabilidade *f*

vulture /ˈvʌltʃə(r)/ *n* abutre *m*, urubu *m*

vying /ˈvaɪɪŋ/ *see* **vie**

W

wad /wɒd/ *n* bucha *f*, tampão *m*; *(bundle)* maço *m*, rolo *m*

wadding /'wɒdɪŋ/ *n* enchimento *m*

waddle /'wɒdl/ *vi* bambolear-se, rebolar-se, gingar

wade /weɪd/ *vi* ~ **through** *(fig)* avançar a custo por; *(mud, water)* patinhar em ·

wafer /'weɪfə(r)/ *n* *(biscuit)* bolacha *f* de baunilha; *(relig)* hóstia *f*

waffle¹ /'wɒfl/ *n* *(colloq: talk)* lengalenga *f*, paleio *m*, conversa *f*; *(colloq: writing)* lenga-lenga *f* □ *vi* *(colloq)* escrever muito sem dizer nada de importante

waffle² /'wɒfl/ *n* *(culin)* waffle *m*

waft /wɒft/ *vi* flutuar □ *vt* espalhar, levar suavemente

wag /wæg/ *vt/i* *(pt* wagged) abanar, agitar, sacudir

wage¹ /weɪdʒ/ *vt* *(campaign, war)* fazer

wage² /weɪdʒ/ *n* ~(s) *(weekly, daily)* salário *m*, ordenado *m*. ~**claim** *n* pedido *m* de aumento de salário. ~**-earner** *n* trabalhador *m* assalariado. ~**-freeze** *n* congelamento *m* de salários

wager /'weɪdʒə(r)/ *n* *(bet)* aposta *f* □ *vt* apostar **(that** que)

waggle /'wægl/ *vt/i* abanar, agitar, sacudir

wagon /'wægən/ *n* *(horse-drawn)* carroça *f*; *(rail)* vagão *m* de mercadorias

waif /weɪf/ *n* criança *f* abandonada

wail /weɪl/ *vi* lamentar-se, gemer lamentosamente □ *n* lamentação *f*, gemido *m* lamentoso

waist /weɪst/ *n* cintura *f*. ~**-line** *n* cintura *f*

waistcoat /'weɪskəʊt/ *n* colete *m*

wait /weɪt/ *vt/i* esperar □ *n* espera *f*. ~ **for** esperar. ~ **on** servir. **lie in ~ (for)** estar escondido à espera (de), armar uma emboscada (para). **keep sb ~ing** fazer alguém esperar. ~**ing-list** *n* lista *f* de espera. ~**ing-room** *n* sala *f* de espera

wait|er /'weɪtə(r)/ *n* criado *or* empregado *m* (de mesa). ~**ress** *n* criada *or* empregada *f* (de mesa)

waive /weɪv/ *vt* renunciar a, desistir de

wake[1] /weɪk/ vt/i (pt woke, pp woken) ~ (up) acordar, despertar □ n (before burial) velório m

wake[2] /weɪk/ n (ship) esteira (de espuma) f. **in the ~ of** (following) atrás de, a seguir a

waken /'weɪkən/ vt/i acordar, despertar

Wales /weɪlz/ n País m de Gales

walk /wɔːk/ vi andar, caminhar; (not ride) ir a pé; (stroll) passear □ vt (streets) andar por, percorrer; (distance) andar, fazer a pé, percorrer; (dog) (levar para) passear □ n (stroll) passeio m, volta f; (excursion) caminhada f; (gait) passo m, maneira f de andar; (pace) passo m; (path) caminho m. **it's a 5-minute ~** são 5 minutos a pé. **~ of life** meio m, condição f social. **~ out** (go away) sair; (go on strike) fazer greve. **~ out on** abandonar. **~~over** n vitória f fácil

walker /'wɔːkə(r)/ n caminhante mf

walkie-talkie /wɔːkɪ'tɔːkɪ/ n walkie-talkie m

walking /'wɔːkɪŋ/ n andar (a pé) m, marcha (a pé) f □ a (colloq: dictionary) vivo. **~-stick** n bengala f

Walkman /'wɔːkmæn/ n walkman m

wall /wɔːl/ n parede f; (around land) muro m; (of castle, town; fig) muralha f; (of stomach etc) parede(s) f (pl) □ vt (city) fortificar; (property) murar. **go to the ~** sucumbir, falir; (firm) ir à falência. **up the ~** (colloq) fora de si

wallet /'wɒlɪt/ n carteira f

wallflower /'wɔːlflaʊə(r)/ n (bot) goivo m. **be a ~** (fig) levar banho de cadeira

wallop /'wɒləp/ vt (pt walloped) (sl) espancar (colloq) □ n (sl) pancada f forte

wallow /'wɒləʊ/ vi (in mud) chafurdar, atolar-se; (fig) regozijar-se

wallpaper /'wɔːlpeɪpə(r)/ n papel m de parede □ vt forrar com papel de parede

walnut /'wɔːlnʌt/ n (nut) noz f; (tree) nogueira f

walrus /'wɔːlrəs/ n morsa f

waltz /wɔːls/ n valsa f □ vi valsar

wan /wɒn/ a pálido

wand /wɒnd/ n (magic) varinha f mágica or de condão

wander /'wɒndə(r)/ vi andar ao acaso, vagar, errar; (river) serpentear; (mind, speech) divagar; (stray) extraviar-se. **~er** n vagabundo m, andarilho m. **~ing** a errante

wane /weɪn/ vi diminuir, minguar; (decline) declinar □ n **on the ~** em declínio; (moon) no quarto minguante

wangle /'wæŋgl/ vt (colloq) conseguir algo através de ameaças

want /wɒnt/ vt querer (**to do** fazer); (need) precisar (de); (ask for) exigir, requerer □ vi **~ for** ter falta de □ n (need) necessidade f, precisão f; (desire) desejo m;

(*lack*) falta *f*, carência *f*. **for ~ of** por falta de. **I ~ you to go** eu quero que você vá. **~ed** *a* (*criminal*) procurado pela polícia; (*in ad*) precisa-(m)-se

wanting /'wɒntɪŋ/ *a* o falho, falto (**in** de). **be found ~** não estar à altura

wanton /'wɒntən/ *a* (*playful*) travesso, brincalhão; (*cruelty, destruction etc*) gratuito; (*woman*) despudorado

war /wɔː(r)/ *n* guerra *f*. **at ~** em guerra. **on the ~-path** em pé de guerra

warble /'wɔːbl/ *vt/i* gorjear

ward /wɔːd/ *n* (*in hospital*) enfermaria *f*; (*jur: minor*) pupilo *m*; (*pol*) círculo *m* eleitoral □ *vt* ~ **off** (*a blow*) aparar; (*anger*) desviar; (*danger*) prevenir, evitar

warden /'wɔːdn/ *n* (*of institution*) director *m*; (*of park*) guarda *m*

warder /'wɔːdə(r)/ *n* guarda (de prisão) *m*, carcereiro *m*

wardrobe /'wɔːdrəʊb/ *n* (*place*) armário *m*, guarda-fato *m*, roupeiro *m*; (*clothes*) guarda-roupa *m*

warehouse /'weəhaʊs/ *n* (*pl* **-s** /-haʊzɪz/) armazém *m*, depósito *m* de mercadorias

wares /weəz/ *npl* (*goods*) mercadorias *fpl*, artigos *mpl*

warfare /'wɔːfeə(r)/ *n* guerra *f*

warhead /'wɔːhed/ *n* ogiva *f* (de combate) *f*

warlike /'wɔːlaɪk/ *a* marcial, guerreiro; (*bellicose*) belicoso

warm /wɔːm/ *a* (**-er**, **-est**)

quente; (*hearty*) caloroso, cordial. **be** *or* **feel ~** estar com *or* ter *or* sentir calor □ *vt/i* ~ (**up**) aquecer(-se). **~-hearted** *a* afectuoso, com calor humano. **~ly** *adv* (*heartily*) calorosamente.

wrap up **~ly** agasalhar-se bem. **~th** *n* calor *m*

warn /wɔːn/ *vt* avisar, prevenir. ~ **sb off sth** (*advise against*) pôr alguém de prevenção *or* de pé atrás com alg coisa; (*forbid*) proibir alg coisa a alguém. **~ing** *n* aviso *m*. **~ing light** lâmpada *f* de aviso. **without ~ing** sem aviso, sem prevenir

warp /wɔːp/ *vt/i* (*wood etc*) empenar; (*fig: pervert*) torcer, deformar, desvirtuar. **~ed** *a* (*fig*) retorcido, pervertido

warrant /'wɒrənt/ *n* autorização *f*; (*for arrest*) mandado (de captura) *m*; (*comm*) título *m* de crédito □ *vt* justificar; (*guarantee*) garantir

warranty /'wɒrəntɪ/ *n* garantia *f*

warring /'wɔːrɪŋ/ *a* em guerra; (*rival*) contrário, antagónico

warrior /'wɒrɪə(r)/ *n* guerreiro *m*

warship /'wɔːʃɪp/ *n* navio *m* de guerra

wart /wɔːt/ *n* verruga *f*

wartime /'wɔːtaɪm/ *n* **in ~** em tempo de guerra

wary /'weərɪ/ *a* (**-ier**, **-iest**) cauteloso, prudente

was /wɒz/; *unstressed* /wəz/ *see* **be**

wash /wɒʃ/ *vt/i* lavar(-se); (*flow over*) molhar, inundar □ *n* lavagem *f*; (*dirty clothes*) roupa *f* para lavar; (*of ship*) esteira *f*; (*of paint*) fina camada *f* de tinta. **have a ~** lavar-se. **~-basin** *n* lavatório *m*. **~-cloth** *n* (*Amer: face-cloth*) toalha *f* de rosto. **~ one's hands of** lavar as mãos de. **~ out** (*cup etc*) lavar; (*stain*) tirar lavando. **~-out** *n* (*sl*) fiasco *m*. **~-room** *n* (*Amer*) casa *f* de banho. **~ up** lavar a louça; (*Amer: wash oneself*) lavar-se. **~able** *a* lavável. **~ing** *n* (*dirty*) roupa *f* suja; (*clean*) roupa *f* lavada. **~ing-machine** *n* máquina *f* de lavar roupa. **~ing-powder** *n* detergente *m* em pó. **~ing-up** *n* lavagem *f* da louça

washed-out /wɒʃt'aʊt/ *a* (*faded*) desbotado; (*exhausted*) exausto

washer /'wɒʃə(r)/ *n* (*machine*) máquina *f* de lavar roupa *or* louça *f*; (*ring*) anilha *f*

wasp /wɒsp/ *n* vespa *f*

wastage /'weɪstɪdʒ/ *n* desperdício *m*, perda *f*. **natural ~** desgaste *m* natural

waste /weɪst/ *vt* desperdiçar, esbanjar; (*time*) perder □ *vi* **~ away** consumir-se □ *a* (*useless*) inútil; (*material*) de refugo □ *n* desperdício *m*, perda *f*; (*of time*) perda *f*; (*rubbish*) lixo *m*. **lay ~** assolar, devastar. **~ (land)** (*desolate*) região *f* desolada, ermo *m*; (*unused*) (terreno) baldio *m*. **~-disposal unit** triturador *m* de lixo. **~ paper** papéis *mpl* velhos. **~-paper basket** cesto *m* de papéis

wasteful /'weɪstfl/ *a* dispendioso; (*person*) esbanjador, gastador, perdulário

watch /wɒtʃ/ *vt/i* ver bem, olhar com atenção, observar; (*game, TV*) ver; (*guard, spy on*) vigiar; (*be careful about*) tomar cuidado com □ *n* vigia *f*, vigilância *f*; (*naut*) quarto *m*; (*for telling time*) relógio *m*. **~-dog** *n* cão *m* de guarda. **~ out** (*look out*) estar à espreita (**for** de); (*take care*) acautelar-se. **~-strap** *n* correia *f*, pulseira *f* do relógio. **~-tower** *n* torre *f* de observação. **~ful** *a* atento, vigilante

watchmaker /'wɒtʃmeɪkə(r)/ *n* relojoeiro *m*

watchman /'wɒtʃmən/ *n* (*pl* **-men**) (*of building*) guarda *m*. (**night-**)**~** guarda-nocturno *m*

watchword /'wɒtʃwɜːd/ *n* lema *m*, divisa *f*

water /'wɔːtə(r)/ *n* água *f* □ *vt* regar □ *vi* (*of eyes*) lacrimejar, chorar. **~ down** juntar água a, diluir; (*milk, wine*) aguar, baptizar (*colloq*); (*fig: tone down*) suavizar. **~-closet** *n* WC *m*, lavabos *mpl*. **~-colour** *n* aquarela *f*. **~-ice** *n* sorvete *m*. **~-lily** *n* nenúfar *m*. **~-main** *n* cano *m* principal da rede. **~-melon** *n* melancia *f*. **~-pistol** *n* pistola *f* de água. **~ polo** pólo *m* aquático. **~-skiing** *n* esqui *m* aquático. **~-wheel** *n* roda *f* hidráulica

watercress /'wɔːtəkres/ n
agrião m

waterfall /'wɔːtəfɔːl/ n queda f
de água, cascata f

watering-can /'wɔːtərɪŋkæn/ n
regador m

waterlogged /'wɔːtəlɒgd/ a saturado de água; (land) empapado, alagado; (vessel) inundado, alagado

watermark /'wɔːtəmaːk/ n (in paper) marca-d'água f, filigrana f

waterproof /'wɔːtəpruːf/ a impermeável; (watch) à prova d'água

watershed /'wɔːtəʃed/ n (fig) momento m decisivo; (in affairs) ponto m crítico

watertight /'wɔːtətaɪt/ a à prova d'água, hermético; (fig: argument etc) inequívoco, irrefutável

waterway /'wɔːtəweɪ/ n via f navegável

waterworks /'wɔːtəwɜːks/ n (place) estação f hidráulica

watery /'wɔːtərɪ/ a (colour) pálido; (eyes) lacrimoso; (soup) aguado; (tea) fraco

watt /wɒt/ n watt m

wav|e /weɪv/ n onda f; (in hair; radio) onda f; (sign) aceno m □ vt acenar com; (sword) brandir; (hair) ondular □ vi acenar (com a mão); (hair etc) ondular; (flag) tremular. ~**eband** n faixa f de onda. ~**e goodbye** dizer adeus. ~**elength** n comprimento m de onda. ~**y** a ondulado

waver /'weɪvə(r)/ vi vacilar; (hesitate) hesitar

wax¹ /wæks/ n cera f □ vt encerar; (car) polir. ~**en**, ~**y** adj de cera

wax² /wæks/ vi (of moon) aumentar, crescer

waxwork /'wæksw3ːk/ n (dummy) figura f de cera. ~**s** npl (exhibition) museu m de figuras de cera

way /weɪ/ n (road, path) caminho m, estrada f, rua f (to para); (distance) percurso m; (direction) direcção f; (manner) modo m, maneira f; (means) meios mpl; (respect) respeito m. ~**s** (habits) costumes mpl □ adv (colloq) consideravelmente, de longe. **be in the ~** atrapalhar. **be on one's** or **the ~** estar a caminho. **by the ~** a propósito. **by ~ of** por, via, através. **get one's own ~** conseguir o que se quer. **give ~** (yield) ceder; (collapse) desabar; (auto) dar a preferência. **in a ~** de certo modo. **make one's ~** ir. **that ~** dessa maneira. **this ~** desta maneira. ~ **in** entrada f. ~ **out** saída f. ~-**out** a (colloq) excêntrico

waylay /weɪ'leɪ/ vt (pt -**laid**) (assail) armar uma cilada a; (stop) interceptar

wayward /'weɪwəd/ a (wilful) teimoso; (perverse) caprichoso, difícil

WC /dʌb(ə)lju:'si:/ n WC m, casa f de banho

we /wiː/ pron nós

weak /wiːk/ a (-er, -est) fraco; (delicate) frágil. ~**en** vt/i enfraquecer; (give way) fraquejar. ~**ly** adv fracamente.

~ness n fraqueza f; (fault) ponto m fraco. **a ~ness for** (liking) um fraco por

weakling /ˈwiːklɪŋ/ n fraco m

wealth /welθ/ n riqueza f; (riches, resources) riquezas fpl; (quantity) abundância f

wealthy /ˈwelθɪ/ a (-ier, -iest) rico

wean /wiːn/ vt (baby) desmamar; (from habit etc) desabituar

weapon /ˈwepən/ n arma f

wear /weə(r)/ vt (pt **wore**, pp **worn**) (have on) usar, trazer; (put on) pôr; (expression) ter; (damage) gastar. ~ **black/red**/etc vestir-se de preto/vermelho/etc □ vi (last) durar; (become old, damaged etc) gastar-se □ n (use) uso m; (deterioration) gasto m, uso m; (endurance) resistência f; (clothing) roupa f. ~ **and tear** desgaste m. ~ **down** (person) extenuar. ~ **off** passar. ~ **on** (time) passar lentamente. ~ **out** gastar; (tire) cansar, esgotar

weary /ˈwɪərɪ/ a (-ier, -iest) fatigado, cansado; (tiring) fatigante, cansativo □ vi ~**y of** cansar-se de. ~**ily** adv com lassidão, cansadamente. ~**iness** n fadiga f, cansaço m

weasel /ˈwiːzl/ n doninha f

weather /ˈweðə(r)/ n tempo m □ a meteorológico □ vt (survive) aguentar, resistir a. **under the** ~ (colloq: ill) indisposto, achacado. ~**beaten** a curtido pelo tempo. ~ **forecast** n boletim m meteorológico. ~**vane** n cata-vento m

weathercock /ˈweðəkɒk/ n (lit & fig) cata-vento m

weave[1] /wiːv/ vt (pt **wove**, pp **woven**) (cloth etc) tecer; (plot) urdir, criar □ n (style) tipo m de tecido. ~**er** /-ə(r)/ n tecelão m, tecelã f. ~**ing** n tecelagem f

weave[2] /wiːv/ vi (move) serpear; (through traffic, obstacles) ziguezaguear

web /web/ n (of spider) teia f; (fabric) tecido m; (on foot) membrana f interdigital. ~**bed** a (foot) palmado. ~**bing** n (in chair) tira f de tecido forte. ~**footed** a palmípede

wed /wed/ vt/i (pt **wedded**) casar (-se)

wedding /ˈwedɪŋ/ n casamento m. ~**cake** n bolo m de noiva. ~**ring** n aliança (de casamento) f

wedge /wedʒ/ n calço m, cunha f; (cake) fatia f; (of lemon) quarto m; (under wheel etc) calço m, cunha f □ vt calçar; (push) meter or enfiar à força; (pack in) entalar

Wednesday /ˈwenzdɪ/ n quarta-feira f

weed /wiːd/ n erva f daninha □ vt/i arrancar as ervas, capinar. ~**killer** n herbicida m. ~ **out** suprimir, arrancar. ~**y** a (fig: person) escanzelado

week /wiːk/ n semana f. **a** ~ **today/tomorrow** de hoje/de amanhã a oito dias. ~**ly** a semanal □ a & n (periodical) (jornal) semanário m □ adv semanalmente, todas as semanas

weekday /'wi:kdeɪ/ n dia m de semana

weekend /'wi:kend/ n fim-de-semana m

weep /wi:p/ vt/i (pt **wept**) chorar (**for sb** por alguém). ~**ing willow** (salgueiro-)chorão m

weigh /weɪ/ vt/i pesar. ~ **anchor** levantar âncora or ferro, zarpar. ~ **down** (weight) sobrecarregar; (bend) envergar; (fig) acabrunhar. ~ **up** (colloq: examine) pesar

weight /weɪt/ n peso m. lose ~ emagrecer. **put on** ~ engordar. ~**less** a imponderável. ~**lifter** n halterofilista m. ~**lifting** n halterofilia f. ~**y** a pesado; (subject etc) de peso; (influential) influente

weighting /'weɪtɪŋ/ n suplemento m salarial

weir /wɪə(r)/ n represa f, açude m

weird /wɪəd/ a (**-er**, **-est**) misterioso; (strange) estranho, bizarro

welcom|e /'welkəm/ a agradável; (timely) oportuno □ int (seja) benvindo! □ n acolhimento m □ vt acolher, receber; (as greeting) dar as boas vindas a. **be ~e** ser bem-vindo. **you're ~e!** (after thank you) não tem de quê!, de nada! ~**e to do** livre de fazer. ~**ing** a acolhedor

weld /weld/ vt soldar □ n solda f. ~**er** n soldador m. ~**ing** n soldagem f, soldadura f

welfare /'welfeə(r)/ n bem-estar m; (aid) assistência f, previdência f social. **W~ State** Estado-Providência m

well¹ /wel/ n (for water, oil) poço m; (of stairs) vão m; (of lift) caixa m

well² /wel/ adv (**better**, **best**) bem □ a bem (invar) □ int bem! **as ~** também. **we may as ~ go** é melhor irmos andando. **as ~ as** tão bem como; (in addition) assim como. **be ~** (healthy) ir or passar bem. **do ~** (succeed) sair-se bem, ser bem sucedido. **very ~** muito bem. ~ **done!** bravo!, muito bem! ~~**behaved** a bem comportado, educado. ~~**being** n bem-estar m. ~~**bred** a (bem) educado. ~~**done** a (of meat) bem passado. ~~**dressed** a bem vestido. ~~**heeled** a (colloq: wealthy) rico. ~~**informed** a versado, bem informado. ~~**known** a (bem-)conhecido. ~~**meaning** a bem intencionado. ~~**off** a rico, próspero. ~~**read** a instruído. ~~**spoken** a bem-falante. ~~**timed** a oportuno. ~~**to-do** a rico. ~~**wisher** n admirador m, simpatizante mf

wellington /'welɪŋtən/ n (boot) bota f alta de borracha, galocha(s) f (pl)

Welsh /welʃ/ a galês □ n (lang) galês m. ~**man** n galês m. ~**woman** n galesa f

wend /wend/ vt ~ **one's way** dirigir-se, seguir o seu caminho

went /went/ see go

wept /wept/ see weep

were /wɜ:(r)/; unstressed /wə(r)/ see be

west /west/ *n* oeste *m*. **the W~**
(*pol*) o Oeste, o Ocidente □
a ocidental, do oeste □ *adv*
ao oeste, para o oeste. **W~**
Indian *a* & *n* antilhano *m*.
the W~ Indies as Antilhas.
~erly *a* ocidental, oeste.
~ward *a* para o oeste.
~ward(s) *adv* para o oeste
western /'westən/ *a* ocidental,
do oeste; (*pol*) ocidental □ *n*
(*film*) filme *m* de cowboys
westernize /'westənaɪz/ *vt* oci-
dentalizar
wet /wet/ *a* (**wetter, wettest**)
molhado; (*of weather*) chu-
voso, de chuva; (*colloq: per-*
son) fraco. **get ~** molhar-se
□ *vt* (*pt* **wetted**) molhar. **~**
blanket (*colloq*) desmancha-
-prazeres *mf invar* (*colloq*).
~ paint pintado de fresco. **~**
suit roupa *f* de mergulho
whack /wæk/ *vt* (*colloq*) bater
em □ *n* (*colloq*) traulitada *f*.
~ed *a* (*colloq*) morto de cansaço, rebentado (*colloq*).
~ing *a* (*sl*) enorme, de todo
o tamanho
whale /weɪl/ *n* baleia *f*
wharf /wɔːf/ *n* (*pl* **wharfs**)
cais *m*
what /wɒt/ *a* (*interr, excl*)
que. **~ time is it?** que horas
são? **~ an idea!** que idéia! □
pron (*interr*) (o) quê, como,
o que, qual, quais; (*object*)
o que; (*after prep*) que; (*that*
which) o que, aquilo que. **~?**
(o) quê?, como? **~ is it?** o
que é? **~ is your address?**
qual é o seu endereço? **~ is**
your name? como se chama? **~ can you see?** o que é

que você pode ver? **this is ~**
I write with é com isto que
escrevo. **that's ~ I need** é
disso que eu preciso. **do ~**
you want faça o que *or*
aquilo que quiser. **~ about**
me/him/*etc*? e eu/ele/*etc*? **~**
about doing sth? e se fizés-
semos alg coisa? **~ for?** para
quê?
whatever /wɒt'evə(r)/ *a* **~**
book/*etc* qualquer livro/*etc*
que seja □ *pron* (*no matter*
what) qualquer que seja;
(*anything that*) o que quer
que, tudo o que. **nothing ~**
absolutamente nada. **~ hap-**
pens aconteça o que acontecer. **do ~ you like** faça o
que quiser
whatsoever /wɒtsəʊ'evə(r)/ *a*
& *pron* = **whatever**
wheat /wiːt/ *n* trigo *m*
wheedle /'wiːdl/ *vt* convencer,
persuadir, levar a
wheel /wiːl/ *n* roda *f* □ *vt* empurrar □ *vi* rodar, rolar. **at**
the ~ (*of vehicle*) ao volante; (*helm*) ao leme
wheelbarrow /'wiːlbærəʊ/ *n*
carrinho *m* de mão
wheelchair /'wiːltʃeə(r)/ *n* cadeira *f* de rodas
wheeze /wiːz/ *vi* respirar ruidosamente □ *n* respiração *f*
difícil, com pieira
when /wen/ *adv, conj* & *pron*
quando. **the day/moment ~**
o dia/momento em que
whenever /wen'evə(r)/ *conj* &
adv (*at whatever time*) quando quer que, quando; (*every*
time that) (de) cada vez que,
sempre que

where /weə(r)/ *adv, conj & pron* onde, aonde; *(in which place)* em que, onde; *(whereas)* enquanto que, ao passo que. ~ **is he going?** aonde é que ele vai? **~ abouts** *adv* onde □ *n* o paradeiro *m*. **~by** *adv* pelo que. **~upon** *adv* após o que, depois do que

whereas /weər'æz/ *conj* enquanto que, ao passo que

wherever /weər'evə(r)/ *conj & adv* onde quer que. ~ **can it be?** onde pode estar?

whet /wet/ *vt* (*pt* **whetted**) *(appetite, desire)* aguçar, despertar

whether /'weðə(r)/ *conj* se. **not know** ~ não saber se. ~ **I go or not** caso eu vá ou não

which /wɪtʃ/ *interr a & pron* qual, que ~ **bag is yours?** qual das malas é a sua? ~ **is your coat?** qual é o seu casaco? **do you know** ~ **he's taken?** sabe qual/quais é que ele levou? □ *rel pron* que, o qual; *(referring to whole sentence)* que, o que; *(after prep)* que, o qual, cujo. **at** ~ em que/o que. **of** ~ do qual/de que. **to** ~ para o qual/o que

whichever /wɪtʃ'evə(r)/ *a* ~ **book**/*etc* qualquer livro/*etc* que seja, seja que livro/*etc* for. **take** ~ **book you wish** leve o livro que quiser □ *pron* qualquer, quaisquer

whiff /wɪf/ *n (of fresh air)* sopro *m*, lufada *f*; *(smell)* baforada *f*

while /waɪl/ *n* (espaço de) tempo *m*, momento *m*. **once in a** ~ de vez em quando □ *conj (when)* enquanto; *(although)* embora; *(whereas)* enquanto que □ *vt* ~ **away** *(time)* passar

whim /wɪm/ *n* capricho *m*

whimper /'wɪmpə(r)/ *vi* gemer; *(baby)* choramingar □ *n* gemido *m*; *(baby)* choro *m*

whimsical /'wɪmzɪkl/ *a (person)* caprichoso; *(odd)* bizarro

whine /waɪn/ *vi* lamuriar-se, queixar-se; *(dog)* ganir □ *n* lamúria *f*, queixume *m*; *(dog)* ganido *m*

whip /wɪp/ *n* chicote *m* □ *vt* (*pt* **whipped**) chicotear; *(culin)* bater □ *vi (move)* ir a toda a pressa. ~**-round** *n (colloq)* coleta *f*, vaquinha *f*. ~ **up** excitar; *(cause)* provocar; *(colloq: meal)* preparar rapidamente. ~**ped cream** chantilly *m*

whirl /wɜ:l/ *vt/i* (fazer) rodopiar, girar □ *n* rodopio *m*

whirlpool /'wɜ:lpu:l/ *n* redemoinho *m*

whirlwind /'wɜ:lwɪnd/ *n* redemoinho *m* de vento, turbilhão *m*

whirr /wɜ:(r)/ *vi* zunir, zumbir

whisk /wɪsk/ *vt/i (snatch)* levar/tirar bruscamente; *(culin)* bater; *(flies)* sacudir □ *n (culin)* batedeira *f*. ~ **away** *(brush away)* sacudir

whisker /'wɪskə(r)/ *n* fio *m* de barba. ~**s** *npl (of animal)* bigode *m*; *(beard)* barba *f*; *(sideboards)* suíças *fpl*

whisky /'wɪskɪ/ *n* uísque *m*

whisper /'wɪspə(r)/ vt/i sussurrar, murmurar; (of stream, leaves) sussurrar □ n sussurro m, murmúrio m. **in a ~** baixinho, em voz baixa

whist /wɪst/ n whist m

whistle /'wɪsl/ n assobio m; (instrument) apito m □ vt/i assobiar; (with instrument) apitar

Whit /wɪt/ a ~ **Sunday** domingo m de Pentecostes

white /waɪt/ a (-er, -est) branco, alvo; (pale) pálido □ n (colour; of eyes; person) branco m; (of egg) clara (de ovo) f. **go ~** (turn pale) empalidecer; (of hair) branquear, embranquecer. **~ coffee** café m com leite. **~-collar worker** empregado m de escritório; **~ elephant** (fig) trambolho m, elefante m branco. **~ lie** mentirinha f. **~ness** n brancura f, alvura f

whiten /'waɪtn/ vt/i branquear

whitewash /'waɪtwɒʃ/ n cal f; (fig) encobrimento m □ vt caiar; (fig) encobrir

Whitsun /'wɪtsn/ n Pentecostes m

whittle /wɪtl/ vt ~ **down** aparar, cortar aparas; (fig) reduzir gradualmente

whiz /wɪz/ vi (pt **whizzed**) (through air) zunir, sibilar; (rush) passar a toda a velocidade. **~-kid** n (colloq) prodígio m

who /hu:/ interr pron quem □ rel pron que, o(a) qual, os (as) quais

whoever /hu:'evə(r)/ pron (no matter who) quem quer que,

seja quem for; (the one who) aquele que

whole /həʊl/ a inteiro, todo; (not broken) intacto. **the ~ house/etc** toda a casa/etc □ n totalidade f; (unit) todo m. **as a ~** no conjunto, como um todo. **on the ~** de um modo geral. **~-hearted** a de todo o coração; (person) dedicado. **~-heartedly** adv sem reservas, sinceramente

wholefood /'həʊlfu:d/ n comida f integral

wholemeal /'həʊlmi:l/ a ~ **bread** pão m integral

wholesale /'həʊlseɪl/ n venda f por grosso or por atacado □ a (firm) por grosso, por atacado; (fig) sistemático, em massa □ adv (in large quantities) por atacado; (fig) em massa, em grande escala. **~r** /-ə(r)/ n grossista mf

wholesome /'həʊlsəm/ a sadio, saudável

wholewheat /'həʊlwi:t/ a = **wholemeal**

wholly /'həʊlɪ/ adv inteiramente, completamente

whom /hu:m/ interr pron quem □ rel pron (that) que; (after prep) quem, que, o qual

whooping cough /'hu:pɪŋkɒf/ n coqueluche f

whore /hɔ:(r)/ n prostituta f

whose /hu:z/ rel pron & a cujo, de quem □ interr pron de quem. **~ hat is this?**, **~ is this hat?** de quem é este chapéu? **~ son are you?** de quem é que o senhor é filho?

why /waɪ/ *adv* porque, por que motivo, por que razão, porquê. **she doesn't know ~ he's here** ela não sabe porque *or* por que motivo ele está aqui. **she doesn't know ~** ela não sabe porquê. **do you know ~?** sabes porquê? □ *int* (*protest*) ora, ora essa; (*discovery*) oh. **~ yes/etc** sim

wick /wɪk/ *n* torcida *f*, mecha *f*, pavio *m*

wicked /'wɪkɪd/ *a* mau, malvado; (*mischievous, spiteful*) maldoso. **~ly** *adv* maldosamente. **~ness** *n* maldade *f*, malvadeza *f*

wicker /'wɪkə(r)/ *n* verga *f*, vime *m*. **~work** *n* trabalho *m* de verga *or* de vime

wicket /'wɪkɪt/ *n* (*cricket*) arco *m*

wide /waɪd/ *a* (**-er, -est**) largo; (*extensive*) vasto, grande, extenso. **two metres ~** com dois metros de largura □ *adv* longe; (*fully*) completamente. **open ~** (*door, window*) abrir(-se) de par em par, escancarar(-se); (*mouth*) abrir bem. **~ awake** desperto, acordado. **far and ~** por toda a parte. **~ly** *adv* largamente; (*travel, spread*) muito; (*generally*) geralmente; (*extremely*) extremamente

widen /'waɪdn/ *vt/i* alargar(-se)

widespread /'waɪdspred/ *a* muito espalhado, difundido

widow /'wɪdəʊ/ *n* viúva *f*. **~ed** *a* (*man*) viúvo; (*woman*) viúva. **be ~ed** enviuvar, ficar

viúvo *or* viúva. **~er** *n* viúvo *m*. **~hood** *n* viuvez *f*

width /wɪdθ/ *n* largura *f*

wield /wiːld/ *vt* (*axe etc*) manejar; (*fig: power*) exercer

wife /waɪf/ *n* (*pl* **wives**) mulher *f*, esposa *f*

wig /wɪg/ *n* cabeleira (postiça) *f*; (*judge's ones*) peruca *f*

wiggle /'wɪgl/ *vt/i* remexer(-se), retorcer(-se), mexer(-se) dum lado para outro

wild /waɪld/ *a* (**-er, -est**) selvagem; (*of plant*) silvestre; (*mad*) louco; (*enraged*) furioso, violento □ *adv* a esmo; (*without control*) à solta. **~s** *npl* regiões *fpl* selvagens. **~-goose chase** falsa pista *f*, tentativa *f* inútil. **~ly** *adv* violentamente; (*madly*) loucamente

wildcat /'waɪldkæt/ *a* **~ strike** greve *f* selvagem

wilderness /'wɪldənɪs/ *n* deserto *m*

wildlife /'waɪldlaɪf/ *n* vida *f* selvagem

wile /waɪl/ *n* artimanha *f*; (*cunning*) astúcia *f*, manha *f*

wilful /'wɪlfl/ *a* (*person*) voluntarioso; (*act*) intencional, propositado

will[1] /wɪl/ *v aux* **you ~ sing/he ~ do/etc** tu cantarás/ele fará/etc. (*1st person: future expressing will or intention*) **I ~ sing/we ~ do/etc** eu cantarei/nós faremos/etc. **~ you have a cup of coffee?** quer tomar um cafézinho? **~ you shut the door?** quer fazer o favor de fechar a porta?

will[2] /wɪl/ *n* vontade *f*; (*docu-*

ment) testamento *m*. **at ~** à vontade, quando *or* como se quiser ☐ *vt* (*wish*) querer; (*bequeath*) deixar em testamento. **~-power** *n* força *f* de vontade

willing /ˈwɪlɪŋ/ *a* pronto, de boa vontade. **~ to** disposto a. **~ly** *adv* (*with pleasure*) de boa vontade, de bom grado; (*not forced*) voluntariamente. **~ness** *n* boa vontade *f*, disposição *f* (**to do** em fazer)

willow /ˈwɪləʊ/ *n* salgueiro *m*

willy-nilly /wɪlɪˈnɪlɪ/ *adv* de bom ou de mau grado, quer queira ou não

wilt /wɪlt/ *vi* murchar, definhar

wily /ˈwaɪlɪ/ *a* (**-ier, -iest**) manhoso, matreiro

win /wɪn/ *vt/i* (*pt* **won**, *pres p* **winning**) ganhar ☐ *n* vitória *f*. **~ over** *vt* convencer, conquistar

wince /wɪns/ *vi* estremecer, contrair-se. **without ~ing** sem pestanejar

winch /wɪntʃ/ *n* guincho *m* ☐ *vt* içar com guincho

wind[1] /wɪnd/ *n* vento *m*; (*breath*) fôlego *m*; (*flatulence*) gases *mpl*. **get ~ of** (*fig*) ouvir rumor de. **put the ~ up** (*sl*) assustar. **in the ~** no ar. **~ instrument** (*mus*) instrumento *m* de sopro. **~-swept** *a* varrido pelo vento

wind[2] /waɪnd/ *vt/i* (*pt* **wound**) enrolar(-se); (*wrap*) envolver, pôr em volta; (*of path, river*) serpentear. **~ (up)** (*clock etc*) dar corda a. **~ up** (*end*) terminar, acabar; (*fig: speech etc*) concluir; (*firm*) liquidar. **he'll ~ up in jail** (*colloq*) ele vai acabar por ir parar à cadeia. **~ing** *a* (*path*) sinuoso; (*staircase*) em caracol

windfall /ˈwɪndfɔːl/ *n* fruta *f* caída; (*fig: money*) sorte *f* grande

windmill /ˈwɪndmɪl/ *n* moinho *m* de vento

window /ˈwɪndəʊ/ *n* janela *f*; (*of shop*) montra *f*, vitrina *f*; (*counter*) guichet *m*. **~-box** *n* floreira *f*. **~-cleaner** *n* lavador *m* de janelas. **~-dressing** *n* decoração *f* de vitrines; (*fig*) apresentação *f* cuidadosa. **~-ledge** *n* peitoril *m*. **~-pane** *n* vidro *m*, vidraça *f*. **go ~-shopping** ir ver montras. **~-sill** *n* peitoril *m*

windpipe /ˈwɪndpaɪp/ *n* traqueia *f*

windscreen /ˈwɪndskriːn/ *n* pára-brisas *m invar*. **~-wiper** /-waɪpə(r)/ *n* limpa-pára-brisas *m*

windshield /ˈwɪndʃiːld/ *n* (*Amer*) = **windscreen**

windsurf|er /ˈwɪndsɜːfə(r)/ *n* surfista *mf*. **~ing** *n* surfe *m*

windy /ˈwɪndɪ/ *a* (**-ier, -iest**) ventoso. **it is very ~** está muito vento

wine /waɪn/ *n* vinho *m*. **~ bar** bar *m* para degustação de vinhos. **~-cellar** *n* adega *f*, cave *f*. **~-grower** *n* vinicultor *m*. **~-growing** *n* vinicultura *f*. **~-list** *n* lista *f* de vinhos. **~-tasting** *n* prova *f* *or* degustação *f* de vinhos. **~-waiter** garçon *m*

wineglass /'waɪnɡlɑːs/ n copo m de vinho; (with stem) cálice m

wing /wɪŋ/ n asa f; (mil) flanco m; (archit) ala f; (auto) guarda-lamas m invar. ~s (theat) bastidores mpl. **under sb's** ~ debaixo das asas de alguém. ~ed a alado

wink /wɪŋk/ vi piscar o olho; (light, star) cintilar, piscar □ n piscadela f. **not sleep a** ~ não pregar olho

winner /'wɪnə(r)/ n vencedor m

winning /'wɪnɪŋ/ see win □ a vencedor, vitorioso; (number) premiado; (smile) encantador, atraente. ~-post n meta f, poste de chegada f. ~s npl ganhos mpl

wint|er /'wɪntə(r)/ n Inverno □ vi hibernar. ~ry a de Inverno, invernoso; (smile) glacial

wipe /waɪp/ vt limpar; (dry) enxugar, limpar □ n limpadela f. ~ **off** limpar. ~ **out** (destroy) aniquilar, limpar (colloq); (cancel) cancelar. ~ **up** enxugar

wir|e /'waɪə(r)/ n arame m; (colloq: telegram) telegrama m. (**electric**) ~**e** fio eléctrico □ vt (a house) montar a instalação eléctrica em; (colloq: telegraph) telegrafar. ~**ting** rede f de arame. ~**ing** n (electr) instalação f eléctrica

wireless /'waɪəlɪs/ n rádio f; (set) rádio m

wiry /'waɪərɪ/ a (-ier, -iest) magro e forte

wisdom /'wɪzdəm/ n sagacidade f, sabedoria f; (common sense) bom senso m, sensatez f. ~ **tooth** dente m (do) siso

wise /waɪz/ a (-er, -est) (person) sábio, avisado, sensato; (look) entendedor. ~ **guy** (colloq) sabichão m (colloq), sabe-tudo m (colloq). **none the** ~**r** sem entender nada. ~**ly** adv sensatamente

wisecrack /'waɪzkræk/ n (colloq) (boa) piada f

wish /wɪʃ/ n (desire, aspiration) desejo m, vontade f; (request) pedido m; (greeting) desejo m, voto m. **I have no** ~ **to go** não tenho nenhum desejo or nenhuma vontade de ir □ vt (desire, bid) desejar; (want) apetecer, ter vontade de, desejar (**to do** fazer) □ vi ~ **for** desejar. ~ **sb well** desejar felicidades a alguém. **I don't** ~ **to go** não me apetece ir, não tenho vontade de ir, não desejo ir. **I** ~ **he'd leave** eu gostaria que ele partisse. **with best** ~**es** (formal: in letter) com os melhores cumprimentos, com saudações cordiais; (on greeting card) com desejos or votos por

wishful /'wɪʃfl/ a ~ **thinking** sonhar acordado

wishy-washy /'wɪʃɪwɒʃɪ/ a desenxabido, chalado

wisp /wɪsp/ n (of hair) pequena madeixa f; (of smoke) fio m

wistful /'wɪstfl/ a melancólico, saudoso

wit /wɪt/ n inteligência f; (hu-

mour) presença *f* de espírito,
humor *m*; (*person*) senso *m*
de humor. **be at one's ~'s** *or*
~s' end não saber o que fazer. **keep one's ~s about
one** estar alerta. **live by
one's ~s** ganhar a vida de
maneira suspeita. **scared out
of one's ~s** apavorado

witch /wɪtʃ/ *n* feiticeira *f*, bruxa *f*. **~craft** *n* feitiçaria *f*,
bruxaria *f*, magia *f*

with /wɪð/ *prep* com; (*having*)
de; (*because of*) de; (*at the
house of*) em casa de. **the
man ~ the beard** o homem
de barbas. **fill**/*etc* **~** encher/
etc de. **laughing/shaking**/*etc*
~ a rir/a tremer/*etc* de. **I'm
not ~ you** (*colloq*) não o estou a compreender

withdraw /wɪð'drɔː/ *vt/i* (*pt*
withdrew, *pp* **withdrawn**)
retirar (-se); (*money*) tirar.
~al *n* levantamento *f*; (*med*)
estado *m* de privação. **~n** *a*
(*person*) retraído, fechado

wither /'wɪðə(r)/ *vt/i* murchar,
secar. **~ed** *a* (*person*) mirrado. **~ing** *a* (*fig: scornful*)
desdenhoso

withhold /wɪð'həʊld/ *vt* (*pt*
withheld) negar, recusar;
(*retain*) reter; (*conceal, not
tell*) esconder (**from** de)

within /wɪ'ðɪn/ *prep* & *adv*
dentro (de), por dentro (de);
(*in distances*) a menos de. **~
a month** (*before*) dentro de
um mês. **~ sight** à vista

without /wɪ'ðaʊt/ *prep* sem. **~
fail** sem falta. **go ~ saying**
não ser preciso dizer

withstand /wɪð'stænd/ *vt* (*pt*

withstood) resistir a, opor-
-se a

witness /'wɪtnɪs/ *n* testemunha
f; (*evidence*) testemunho *m*
☐ *vt* testemunhar, presen-
ciar; (*document*) assinar como testemunha. **bear ~ to**
testemunhar, dar testemunho
de. **~-box** *n* banco *m* das testemunhas

witticism /'wɪtɪsɪzəm/ *n* dito
m espirituoso

witty /'wɪtɪ/ *a* (**-ier, -iest**) espirituoso

wives /waɪvz/ *see* **wife**

wizard /'wɪzəd/ *n* feiticeiro *m*;
(*fig: genius*) génio *m*

wizened /'wɪznd/ *a* encarqui-
lhado

wobble /'wɒbl/ *vi* (*of jelly,
voice, hand*) tremer; (*stagger*) cambalear, vacilar; (*of
table, chair*) balançar. **~y** *a*
(*trembling*) trémulo; (*stag-
gering*) cambaleante, vacilante; (*table, chair*) pouco
firme

woe /wəʊ/ *n* dor *f*, infortúnio
m

woke, woken /wəʊk, 'wəʊ-
kən/ *see* **wake**[1]

wolf /wʊlf/ *n* (*pl* **wolves**
/wʊlvz/) lobo *m* ☐ *vt* (*food*)
devorar. **cry ~** dar alarme
falso. **~-whistle** *n* assobio *m*
de admiração

woman /'wʊmən/ *n* (*pl* **women**) mulher *f*. **~hood** *n* as
mulheres, o sexo feminino;
(*maturity*) maturidade *f*. **~ly**
a feminino

womb /wuːm/ *n* seio *m*, ventre
m; (*med*) útero *m*; (*fig*) seio
m

women /ˈwɪmɪn/ *see* **woman**. **~'s movement** movimento *m* feminista

won /wʌn/ *see* **win**

wonder /ˈwʌndə(r)/ *n* admiração *f*; (*thing*) maravilha *f* □ *vt* perguntar-se a si mesmo (**if** se) □ *vi* admirar-se (**at** de, com), ficar admirado, espantar-se (**at** com); (*reflect*) pensar (**about** em). **it is no ~** não admira (**that** que), não é de admirar que

wonderful /ˈwʌndəfl/ *a* maravilhoso. **~ly** *adv* maravilhosamente. **it works ~ly** funciona às mil maravilhas

won't /wəʊnt/ = **will not**

wood /wʊd/ *n* madeira *f*, pau *m*; (*for burning*) lenha *f*. **~(s)** *n* (*pl*) (*area*) bosque *m*, mata *f*, floresta *f*. **~ed** *a* arborizado. **~en** *a* de *or* em madeira, de pau; (*fig: stiff*) rígido; (*fig: inexpressive*) inexpressivo, de pau

woodcut /ˈwʊdkʌt/ *n* gravura *f* em madeira

woodland /ˈwʊdlənd/ *n* região *f* arborizada, bosque *m*, mata *f*

woodlouse /ˈwʊdlaʊs/ *n* (*pl* **-lice** /laɪs/) bicho *m* de conta

woodpecker /ˈwʊdpekə(r)/ *n* (*bird*) pica-pau *m*

woodwind /ˈwʊdwɪnd/ *n* (*mus*) instrumentos *mpl* de sopro de madeira

woodwork /ˈwʊdwɜːk/ *n* (*of building*) madeiramento *m*; (*carpentry*) carpintaria *f*

woodworm /ˈwʊdwɜːm/ *n* caruncho *m*

woody /ˈwʊdɪ/ *a* (*wooded*) arborizado; (*like wood*) lenhoso

wool /wʊl/ *n* lã *f*. **~len** *a* de lã. **~lens** *npl* roupas *fpl* de lã. **~ly** *a* de lã; (*vague*) confuso □ *n* (*colloq: garment*) roupa *f* de lã

word /wɜːd/ *n* palavra *f*; (*news*) notícia(s) *f*(*pl*); (*promise*) palavra *f* □ *vt* exprimir, formular. **by ~ of mouth** de viva voz. **have a ~ with** dizer duas palavras a. **in other ~s** por outras palavras. **~-perfect** *a* que sabe de cor seu papel, a lição etc. **~ processor** processador *m* de textos. **~ing** *n* termos *mpl*, redacção *f*. **~y** *a* prolixo

wore /wɔː(r)/ *see* **wear**

work /wɜːk/ *n* trabalho *m*; (*product, book etc*) obra *f*; (*building etc*) obras *fpl*. **at ~** no trabalho. **out of ~** desempregado. **~s** *npl* (*techn*) mecanismo *m*; (*factory*) fábrica *f* □ *vt/i* (*of person*) trabalhar; (*techn*) (*fazer*) funcionar, (*fazer*) andar; (*of drug etc*) agir, fazer efeito; (*farm, mine*) explorar; (*land*) lavrar. **~ sb** (*make work*) fazer alguém trabalhar. **~ in** introduzir, inserir. **~ loose** soltar-se. **~ off** (*get rid of*) descarregar. **~ out** *vt* (*solve*) resolver; (*calculate*) calcular; (*devise*) planejar □ *vi* (*succeed*) resultar; (*sport*) treinar-se. **~-station** *n* estação *f* de trabalho. **~-to-rule** *n* greve *f* de zelo. **~ up** *vt* criar □ *vi* (*to climax*) ir num crescendo. **~ed up** (*person*) enervado, transtornado, agitado

workable /'wɜːkəbl/ a viável, praticável

workaholic /wɜːkə'hɒlɪk/ n be a ~ (colloq) trabalhar como um possesso (colloq)

worker /'wɜːkə(r)/ n trabalhador m, trabalhadora f; (factory) operário m

working /'wɜːkɪŋ/ a (day, clothes, hypothesis, lunch etc) de trabalho. the ~ class (es) a classe operária, a(s) class(es) trabalhadora(s), o proletariado. ~class a operário, trabalhador. ~ mother mãe f que trabalha. ~ party comissão f consultiva, de estudo etc. ~s npl mecanismo m. in ~ order em condições de funcionamento

workman /'wɜːkmən/ n (pl -men) trabalhador m; (factory) operário m. ~ship n trabalho m, execução f, mão-de-obra f; (skill) arte f, habilidade f

workshop /'wɜːkʃɒp/ n oficina f

world /wɜːld/ n mundo m □ a mundial. a ~ of muito(s), grande quantidade de, um mundo de. ~wide a mundial, universal

worldly /'wɜːldlɪ/ a terreno; (devoted to the affairs of life) mundano. ~ goods bens mpl materiais. ~wise a com experiência do mundo

worm /wɜːm/ n verme m; (earthworm) minhoca f □ vt ~ one's way into insinuar-se, introduzir-se, enfiar-se.

~eaten a (wood) carunchoso; (fruit) bichado, bichoso

worn /wɔːn/ see wear □ a usado. ~out a (thing) completamente gasto; (person) esgotado

worr|y /'wʌrɪ/ vt/i preocupar(-se) □ n preocupação f. don't ~y fique descansado, não se preocupe. ~ied a preocupado. ~ying a preocupante, inquietante

worse /wɜːs/ a & adv pior □ n pior m. get ~ piorar. from bad to ~ de mal a pior. ~ luck pouca sorte, azar m

worsen /'wɜːsn/ vt/i piorar

worship /'wɜːʃɪp/ n (reverence) reverência f, veneração f; (religious) culto m □ vt (pt worshipped) adorar, venerar □ vi fazer as suas devoções, praticar o culto. ~per n (in church) fiel m. Your/His W~ Vossa/Sua Excelência f

worst /wɜːst/ a & n (the) ~ (o/a) pior mf □ adv pior. if the ~ comes to the ~ se o pior acontecer, na pior das hipóteses. do one's ~ fazer todo o mal que se quiser. get the ~ of it ficar a perder. the ~ (thing) that o pior que

worth /wɜːθ/ a be ~ valer; (deserving) merecer □ n valor m, mérito m. ten pounds ~ of dez libras de. it's ~ it, it's ~ while vale a pena. it's not ~ my while não me vale a pena. it's ~ waiting/etc vale a pena esperar/etc. for all one's ~ (colloq) dando tudo por tudo. ~less a sem valor

worthwhile /'wɜ:θwaɪl/ a que vale a pena; (cause) louvável, meritório

worthy /'wɜ:ðɪ/ a (-ier, -iest) (deserving) digno, merecedor (of de); (laudable) meritório, louvável □ n (person) pessoa f ilustre

would /wʊd/; unstressed /wəd/ v aux he ~ do/you ~ sing/etc (conditional tense) ele faria/você faria/etc. he ~ have done ele teria feito. she ~ come every day (used to) ela vinha ou costumava vir aqui todos os dias. ~ you please come here? chegue aqui por favor. ~ you like some tea? você quer um chazinho? he ~n't go (refused to) ele não queria ir. ~-be author/doctor/etc aspirante a autor/médico/etc

wound[1] /wu:nd/ n ferida f □ vt ferir. **the ~ed** os feridos mpl

wound[2] /waʊnd/ see **wind**[2]

wove, woven /wəʊv, 'wəʊvn/ see **weave**

wrangle /'ræŋgl/ vi disputar, discutir, brigar □ n disputa f, discussão f, briga f

wrap /ræp/ vt (pt wrapped) ~ (up) embrulhar (in em); (in cotton wool, mystery etc) envolver (in em) □ vi ~ up (dress warmly) abrigar-se bem, agasalhar-se bem □ n xaile m. ~ped up in (engrossed) absorto em, mergulhado em. ~per n (of sweet) papel m; (of book) capa f de papel. ~ing n embalagem f

wrath /rɒθ/ n ira f. ~ful a irado

wreak /ri:k/ vt ~ havoc (of storm etc) fazer estragos

wreath /ri:θ/ n (pl -s /-ðz/) (of flowers, leaves) coroa f, grinalda f

wreck /rek/ n (sinking) naufrágio m; (ship) navio m naufragado; restos mpl de navio; (remains) destroços mpl; (vehicle) veículo m destroçado □ vt destruir; (ship) fazer naufragar, afundar; (fig: hope) acabar. **be a nervous ~** estar com os nervos arrasados. ~age n (pieces) destroços mpl

wren /ren/ n (bird) carriça f

wrench /rentʃ/ vt (pull) puxar; (twist) torcer; (snatch) arrancar (from a) □ n (pull) puxão m; (of ankle, wrist) entorse f; (tool) chave f inglesa; (fig) dor f de separação

wrest /rest/ vt arrancar (from a)

wrestl|e /'resl/ vi lutar, debater-se (with com or contra). ~er n lutador m. ~ing n luta f

wretch /retʃ/ n desgraçado m, miserável mf; (rascal) miserável mf

wretched /'retʃɪd/ a (pitiful, poor) miserável; (bad) horrível, desgraçado

wriggle /'rɪgl/ vt/i remexer(-se), contorcer-se

wring /rɪŋ/ vt (pt wrung) (twist; clothes) torcer. ~ out of (obtain from) arrancar a. ~ing wet encharcado; (of person) encharcado até os ossos

wrinkle /ˈrɪŋkl/ n (on skin) ruga f; (crease) prega f ☐ vt/i enrugar (-se)

wrist /rɪst/ n pulso m. **~-watch** n relógio m de pulso

writ /rɪt/ n (jur) mandado m judicial

write /raɪt/ vt/i (pt **wrote**, pp **written**) escrever. **~ back** responder. **~ down** escrever, tomar nota de. **~ off** (debt) dar por liquidado; (vehicle) destinar à sucata. **~-off** n perda f total. **~ out** (in full) escrever por extenso. **~ up** (from notes) redigir. **~-up** n relato m; (review) crítica f

writer /ˈraɪtə(r)/ n escritor m, autor m

writhe /raɪð/ vi contorcer(-se)

writing /ˈraɪtɪŋ/ n escrita f. **~(s)** (works) escritos mpl, obras fpl. **in ~** por escrito. **~-paper** n papel m de carta

written /ˈrɪtn/ see **write**

wrong /rɒŋ/ a (incorrect, mistaken) mal, errado; (unfair) injusto; (wicked) mau; (amiss) que não está bem; (mus: note) falso; (clock) que não está certo ☐ adv mal ☐ n mal m; (injustice) injustiça f ☐ vt (be unfair to) ser injusto com; (do a wrong to) fazer mal a. **what's ~?** qual é o problema? **what's ~ with it?** (amiss) o que é que se passa com isso?; (morally) que mal há nisso?, que mal tem? **he's in the ~** (his fault) ele não tem razão. **go ~** (err) desencaminhar-se; (fail) correr mal; (vehicle) ter uma avaria. **~ly** adv mal; (blame etc) sem razão, injustamente

wrongful /ˈrɒŋfl/ a injusto, ilegal

wrote /rəʊt/ see **write**

wrought /rɔːt/ a **~ iron** ferro m forjado. **~-up** a excitado

wrung /rʌŋ/ see **wring**

wry /raɪ/ a (**wryer**, **wryest**) torto; (smile) forçado. **~ face** careta f

X

Xerox /ˈzɪərɒks/ n fotocópia f
☐ vt fotocopiar
Xmas /ˈkrɪsməs/ n Christmas
X-ray /ˈeksreɪ/ n raio X m;
(*photograph*) radiografia f ☐

vt radiografar. **have an** ~ tirar uma radiografia
xylophone /ˈzaɪləfəʊn/ n xilofone m

Y

yacht /jɒt/ n iate m. **~ing** n andar vi de iate; (*racing*) regata f de iate

yank /jæŋk/ vt (*colloq*) puxar bruscamente □ n (*colloq*) puxão m

Yank /jæŋk/ n (*colloq*) ianque mf

yap /jæp/ vi (*pt* **yapped**) latir

yard¹ /jɑːd/ n (*measure*) jarda f (= 0,9144 m). **~age** n medida f em jardas

yard² /jɑːd/ n (*of house*) pátio m; (*Amer: garden*) jardim m; (*for storage*) depósito m

yardstick /ˈjɑːdstɪk/ n jarda f; (*fig*) bitola f, craveira f

yarn /jɑːn/ n (*thread*) fio m; (*colloq: tale*) longa história f

yawn /jɔːn/ vi bocejar; (*be wide open*) abrir-se, escancarar-se □ n bocejo m. **~ing** a escancarado

year /jɪə(r)/ n ano m. **school/tax ~** ano m escolar/fiscal. **be ten/** *etc* **~s old** ter dez/*etc* anos de idade. **~-book** n anuário m. **~ly** a anual □ adv anualmente

yearn /jɜːn/ vi **~ for, to** desejar, ansiar por, suspirar por. **~ing** n desejo m, anseio m (**for** de)

yeast /jiːst/ n levedura f

yell /jel/ vt/i gritar, berrar □ n grito m, berro m

yellow /ˈjeləʊ/ a amarelo; (*colloq: cowardly*) cobarde, poltrão □ n amarelo m

yelp /jelp/ n (*of dog etc*) ganido m □ vi ganir

yen /jen/ n (*colloq: yearning*) grande vontade f (**for** de)

yes /jes/ n & adv sim m. **~-man** n (*colloq*) lambe-botas m invar, (BR) puxa-saco m

yesterday /ˈjestədɪ/ n & adv ontem m. **~ morning/afternoon/evening** ontem de manhã/à tarde/à noite. **the day before ~** anteontem. **~ week** há oito dias, há uma semana

yet /jet/ adv ainda; (*already*) já □ conj contudo, no entanto. **as ~** até agora, por enquanto. **his best book ~** o seu melhor livro até à data

yew /juː/ n teixo m

Yiddish /ˈjɪdɪʃ/ n ídiche m

yield /jiːld/ vt (*produce*) produzir, dar; (*profit*) render; (*surrender*) entregar □ vi (*give way*) ceder □ n produção f; (*comm*) rendimento m

yoga /ˈjəʊgə/ n ioga f

yoghurt /ˈjɒgət/ n iogurte m

yoke /jəʊk/ n jugo m, canga f; (of garment) pala f □ vt jungir; (unite) unir, ligar

yokel /ˈjəʊkl/ n saloio m, labrego m

yolk /jəʊk/ n gema (de ovo) f

yonder /ˈjɒndə(r)/ adv acolá, além

you /juː/ pron (familiar) tu, você (pl vocês); (polite) vós, o(s) senhor(es), a(s) senhora (s); (object: familiar) te, lhe (pl vocês); (polite) o(s), a(s), lhes, vós, o(s) senhor(es), a(s) senhora(s); (after prep) ti, si, você (pl vocês); (polite) vós, o senhor, a senhora (pl os senhores, as senhoras); (indefinite) se; (after prep) si, você. with ~ (familiar) contigo, consigo, com você (pl com vocês); (polite) com o senhor/a senhora (pl convosco, com os senhores/as senhoras). **I know** ~ (familiar) eu conheço-te, eu conheço-o/a (pl eu conheço-as/os); (polite) eu conheço-vos, eu conheço o senhor/a senhora (pl eu conheço os senhores/as senhoras). ~ **can see the sea** você pode ver o mar

young /jʌŋ/ a (-er, -est) jovem, novo, moço □ n (people) jovens mpl, a juventude f, a mocidade f; (of animals) crias fpl, filhotes mpl

youngster /ˈjʌŋstə(r)/ n jovem mf, novo m, moço m, rapaz m

your /jɔː(r)/ a (familiar) teu, tua, seu, sua (pl teus, tuas,

seus, suas); (polite) vosso, vossa, do senhor, da senhora (pl vossos, vossas, dos senhores, das senhoras)

yours /jɔːz/ poss pron (familiar) o teu, a tua, o seu, a sua (pl os teus, as tuas, os seus, as suas); (polite) o vosso, a vossa, o/a do senhor, o/a da senhora (pl os vossos, as vossas; os/as do(s) senhor(es), os/as da(s) senhora(s)). **a book of** ~ um livro seu. ~ **sincerely/faithfully** atenciosamente, com os cumprimentos de

yourself /jɔːˈself/ (pl **-selves** /ˈselvz/) pron (familiar) tu mesmo/a, você mesmo/a (pl vocês mesmos/as); (polite) vós mesmo, o senhor mesmo, a senhora mesma (pl vós mesmos/as, os senhores mesmos, as senhoras mesmas); (reflexive: familiar) te, a ti mesmo/a, se, a si mesmo/a (pl a vocês mesmos/as); (polite) ao senhor mesmo, à senhora mesma (pl aos senhores mesmos, às senhoras mesmas); (after prep: familiar) ti mesmo/a, si mesmo/a, você mesmo/a (pl vocês mesmos/as); (after prep: polite) vós mesmo/a, o senhor mesmo, a senhora mesma (pl vós mesmos/as, os senhores mesmos, as senhoras mesmas). **with** ~ (familiar) contigo mesmo/a, consigo mesmo/a, com você (pl com vocês); (polite) convosco, com o senhor, com a senhora (pl com os senhores, com as senhoras). **by** ~ sozinho

youth /juːθ/ n (pl **-s** /-ðz/) mocidade *f*, juventude *f*; (*young man*) jovem *m*, moço *m*. ~ **club** centro *m* de jovens. ~ **hostel** albergue *m* da juventude. ~**ful** *a* juvenil, jovem

yo-yo /ˈjəʊjəʊ/ *n* (*pl* **-os**) iô-iô *m*

Yugoslav /ˈjuːgəslaːv/ *a* & *n* jugoslavo *m*. ~**ia** /ˈslaːvɪə/ *n* Jugoslávia *f*

Z

zany /'zeɪnɪ/ *a* (**-ier, -iest**) tolo

zeal /ziːl/ *n* zelo *m*

zealous /'zeləs/ *a* zeloso. **~ly** *adv* zelosamente

zebra /'zebrə, 'ziːbrə/ *n* zebra *f*. **~ crossing** passagem *f* para peões, passadeira *f*

zenith /'zenɪθ/ *n* zénite *m*, auge *m*

zero /'zɪərəʊ/ *n* (*pl* **-os**) zero *m*. **~ hour** a hora H. **below ~** abaixo de zero

zest /zest/ *n* (*gusto*) entusiasmo *m*; (*fig: spice*) sabor *m* especial; (*lemon or orange peel*) casca *f* de limão, raspa *f* de laranja

zigzag /'zɪgzæg/ *n* ziguezague *m* □ *a* & *adv* em ziguezague □ *vi* (*pt* **zigzagged**) ziguezaguear

zinc /zɪŋk/ *n* zinco *m*

zip /zɪp/ *n* (*vigour*) energia *f*, alma *f*. **~(-fastener)** fecho *m* ecler □ *vt* (*pt* **zipped**) fechar o fecho ecler de □ *vi* ir a toda a velocidade. **Z~ code** (*Amer*) código *m* postal

zipper /'zɪpə(r)/ *n* = **zip(-fastener)**

zodiac /'zəʊdɪæk/ *n* zodíaco *m*

zombie /'zɒmbɪ/ *n* zumbi *m*; (*colloq*) autómato *m*

zone /zəʊn/ *n* zona *f*

zoo /zuː/ *n* jardim *m* zoológico

zoolog|y /zəʊ'ɒlədʒɪ/ *n* zoologia *f*. **~ical** /-ə'lɒdʒɪkl/ *a* zoológico. **~ist** *n* zoólogo *m*

zoom /zuːm/ *vi* (*rush*) sair a toda a velocidade **~ lens** zoom *m*. **~ off** *or* **past** passar zunindo

zucchini /zuː'kiːnɪ/ *n* (*pl invar*) (*Amer*) courgette *f*

Esta 2.ª reimpressão do
MINIDICIONÁRIO VERBO-OXFORD
DE PORTUGUÊS-INGLÊS
INGLÊS-PORTUGUÊS
foi impresso por
Tilgráfica, S. A.
em Janeiro de 2006
1.ª edição: 1997
reimpressão: 2001, 2006

N.º de edição: 2404
Dep. legal n.º 237 067/06